Ευαγγελία Γεωργαντζή
Λίνα Βάσκα-Παϊδούση   Ελεάνα Ραυτοπούλου

Evangelia Georgantzi
Lina Vaska-Paidoussi   Eleana Raftopoulou

Επιστημονική επιμέλεια
Ειρήνη Τσαμαδού - Jacoberger
&
Μαρία Ζέρβα

Linguistic consultant
Irini Tsamadou - Jacoberger
&
Maria Zerva

Μετάφραση στην αγγλική γλώσσα
Λίνα Βάσκα-Παϊδούση

Tra[illegible]tion in English
Lir[illegible]

Ελληνικά για σας A2

Δίγλωσση σειρά εκμάθησης της ελληνικής ως ξένης γλώσσας για εφήβους και ενηλίκους

Greek for you A2

Bilingual series for learning Modern Greek as a foreign language for adolescents & adults

ΒΙΒΛΙΟ Α2
Προ-μεσαίοι
Δίγλωσση έκδοση
Ελληνικά - Αγγλικά

TEXTBOOK A2
Pre-Intermediate
Bilingual edition
Greek - English

Τη σειρά ***Ελληνικά για σας Α2*** επιμελήθηκαν:
Γραφικοί σχεδιασμοί & σελιδοποίηση: Νικόλας Δρόσος
Σκίτσα: Θανάσης Δήμου
Εξώφυλλο: Μαρίνα Χατζηπαναγιώτου
ISBN: 978-960-7307-79-8

Κάθε γνήσιο αντίτυπο φέρει την υπογραφή των συγγραφέων:

Ευαγγελία Γεωργαντζή — Λίνα Βάσκα-Παϊδούση — Ελεάνα Ραυτοπούλου

Ένα πρόγραμμα της ΕΕ
Πρόγραμμα: Δια Βίου Παιδεία (LLP) - KA2 Γλώσσες
Τίτλος του έργου: BIMELEG - ΕΛΛΗΝΙΚΑ, ΓΙΑΤΙ ΟΧΙ;
Δίγλωσση σειρά εκμάθησης της ελληνικής ως ξένης γλώσσας
Αριθμός αναφοράς: 511657-LLP-1-2010-1-GR-KA2-KA2MP

An EU programme
Programme: Lifelong Learning (LLP) - KA 2 Languages
Title: BIMELEG - GREEK, WHY NOT?
Bilingual series of teaching Greek as a foreign language
Reference number: 511657-LLP-1-2010-1-GR-KA2-KA2MP

Διάθεση - Παραγγελίες
NEOHEL - Αγίου Κωνσταντίνου 40, Μαρούσι 15124
Τηλ.: (+30) 210 6198903 (εσωτ. 8229), 210 6231271, (+30) 693 6440198
Φαξ: (+30) 210 6178140
E-mail: info@neohel.com
Ιστοσελίδα: www.neohel.com

Distribution - Orders
NEOHEL - Agiou Konstantinou 40, Maroussi 15124, Athens, Greece
Tel: (+30) 210 6198903 (ext. 8229), 210 6231271, (+30) 693 6440198
Fax: (+30) 210 6178140
E-mail: info@neohel.com
Website: www.neohel.com

Η δίγλωσση σειρά ***Ελληνικά για σας*** περιλαμβάνει:

✓ ***Ελληνικά για σας A0:***
- Βιβλίο του μαθητή A0 + Ασκήσεις
- E-learning ασκήσεις: www.neohel.com
- Ηχητικό υλικό A0* / **

✓ ***Ελληνικά για σας A1:***
- Βιβλίο του μαθητή A1
- Τετράδιο ασκήσεων A1
- Βιβλίο του δασκάλου A1 στο διαδίκτυο*
- Λύσεις ασκήσεων A1 στο διαδίκτυο*
- Λίστα με τραγούδια A1 στο διαδίκτυο* / ** / ***
- Ηχητικό υλικό A1* / **

✓ ***Ελληνικά για σας A2:***
- Βιβλίο του μαθητή A2 + Ασκήσεις
- Βιβλίο του δασκάλου A2 στο διαδίκτυο*
- Λύσεις ασκήσεων A2 στο διαδίκτυο*
- Λίστα με τραγούδια A2 στο διαδίκτυο* / ** / ***
- Ηχητικό υλικό A2* / **

✓ ***Ελληνικά για σας B1:***
- Βιβλίο του μαθητή B1 + Ασκήσεις
- Βιβλίο του δασκάλου B1 στο διαδίκτυο*
- Λύσεις ασκήσεων B1 στο διαδίκτυο*
- Λίστα με τραγούδια B1 στο διαδίκτυο* / ** / ***
- Ηχητικό υλικό B1* / **

Η δίγλωσση σειρά ***Ελληνικά για σας*** κυκλοφορεί στις παρακάτω γλώσσες:

ελληνικά - αγγλικά	A0, A1, A2, B1
ελληνικά - γαλλικά	A0, A1, A2, B1
ελληνικά - ρωσικά	A0, A1, A2, B1
ελληνικά - τουρκικά	A0, A1
ελληνικά - γερμανικά	A0, A1
ελληνικά - ισπανικά	A0, A1
ελληνικά - ιταλικά	A0, A1

The bilingual series ***Greek for you*** includes:

✓ ***Greek for you A0:***
- Textbook A0 + Exercises
- E-learning exercises: www.neohel.com
- Audio material A0* / **

✓ ***Greek for you A1:***
- Textbook A1
- Workbook A1
- Teacher's book A1 online*
- Key book A1 online*
- Playlist with songs A1 online* / ** / ***
- Audio material A1* / **

✓ ***Greek for you A2:***
- Textbook A2 + Exercises
- Teacher's book A2 online*
- Key book A2 online*
- Playlist songs A2 online* / ** / ***
- Audio material A2* / **

✓ ***Greek for you B1:***
- Textbook B1 + Exercises
- Teacher's book B1 online*
- Key book B1 online*
- Playlist songs B1 online* / ** / ***
- Audio material B1* / **

The bilingual series ***Greek for you*** is available in the following languages:

Greek - English	A0, A1, A2, B1
Greek - French	A0, A1, A2, B1
Greek - Russian	A0, A1, A2, B1
Greek - Turkish	A0, A1
Greek - German	A0, A1
Greek - Spanish	A0, A1
Greek - Italian	A0, A1

*www.neohel.com **https://soundcloud.com/neohel & https://www.neohel.com/downloads/
***www.youtube.com/channel/UCvDN_u5ZbHP_nl40AnSDBaQ

Τα σύμβολα - κλειδιά του βιβλίου The symbols - keys of the book

Ακούω
I listen

Διαβάζω
I read

Μιλώ / Συζητώ
I speak / I discuss

Γράφω
I write

Σημειώνω
I tick

Παίζω
I play

Πληροφορούμαι από το διαδίκτυο
I find information on the Internet

Βρίσκω ένα τραγούδι στο Youtube
I find a song on Youtube

Τραγουδώ
I sing

Παρατηρώ
I observe

Κατανόηση γραπτού λόγου
Reading

Κατανόηση προφορικού λόγου
Listening

Παραγωγή γραπτού λόγου
Writing

Παραγωγή προφορικού λόγου
Speaking

Πρόλογος

Η σειρά ***Ελληνικά για σας*** απευθύνεται σε όσους μαθαίνουν την ελληνική ως ξένη γλώσσα, ηλικίας 12 ετών και άνω, και μένουν στην Ελλάδα ή στο εξωτερικό.

Είναι ένα **υλικό δίγλωσσο**, ένας βοηθός για τον καθηγητή, αλλά κι ένας δάσκαλος στο σπίτι για τον αρχάριο μαθητή, εφόσον κάθε νέο φαινόμενο ή λέξη καθώς και τα παραγγέλματα που παρουσιάζονται, γίνονται αμέσως κατανοητά.

Πρέπει να γίνει σαφές ότι η διγλωσσία του εγχειριδίου **δεν απαιτεί δίγλωσση διδασκαλία** εκ μέρους του διδάσκοντος αλλά είναι απλώς και μόνο ένα ουσιαστικό βοήθημα, ιδιαιτέρως σε ένα πολυπολιτισμικό περιβάλλον.

Η δυνατότητα **αυτονομίας στη μάθηση** χάρη στη διγλωσσία του υλικού, το ηχητικό υλικό και τις ασκήσεις e-learning είναι μια καινοτομία αυτής της σειράς.

Σχετικά με τη δημιουργία των επιπέδων **A1** & **A2**, βασικός μας στόχος είναι η διδακτική ύλη να είναι προσαρμοσμένη στις απαιτήσεις του ***ΚΕΓ (Κέντρου Ελληνικής Γλώσσας του Υπουργείου Παιδείας)*** για τις εξετάσεις του Πιστοποιητικού Ελληνομάθειας **A1** & **A2**, όπως αυτή έχει καθοριστεί από το ΚΕΠΑΓ (Κοινό Ευρωπαϊκό Πλαίσιο Αναφοράς για τις Γλώσσες - CEFR*).

Το εγχείρημα ήταν δύσκολο διότι τα όρια στον καθορισμό των επιπέδων **A1** & **A2** ήταν σε πολλά σημεία ασαφή. Έτσι κι εμείς δεν περιοριστήκαμε στο αναλυτικό πρόγραμμα σπουδών **A1** & **A2** όπως έχει καθοριστεί από έναν και μόνο φορέα, αλλά επεκταθήκαμε και αντλήσαμε πληροφορίες, ιδέες και εμπειρίες από πανεπιστημιακούς φορείς, διδάσκοντες, πορίσματα συνεδρίων, δημοσιεύματα και βιβλιογραφία της διδακτικής των ζωντανών γλωσσών. Εκτός από τους εκπαιδευτικούς στόχους, όπως έχουν καθοριστεί για κάθε επίπεδο από το ΚΕΓ, λάβαμε υπόψη μας το ***Αναλυτικό πρόγραμμα για τη διδασκαλία της νέας ελληνικής ως ξένης γλώσσας σε ενηλίκους*** του Διατμηματικού προγράμματος της Φιλοσοφικής σχολής του Πανεπιστημίου Αθηνών, το οποίο ήταν πολύτιμο στην εκπόνηση του έργου μας.

Καθοριστικά για το τελικό αποτέλεσμα αυτής της προσπάθειας ήταν η πολυετής πείρα όλων των εταίρων στη διδασκαλία της ελληνικής γλώσσας ως ξένης, η εμπειρία της NEOHEL στη συγγραφή προγενέστερων εγχειριδίων εκμάθησης ελληνικών και ιδιαιτέρως τα συμπεράσματα της εφαρμογής του υλικού ***Ελληνικά για σας*** από όλους τους συμμετέχοντες στο πρόγραμμα.

Το υλικό αυτό υλοποιήθηκε μέσα στα πλαίσια του προγράμματος
LLP (Life Long Programme) KA2 Languages της ΕΕ.

**** CEFR (Common European Framework of Reference for Languages)***

Συντονιστής
NEOHEL Εταιρεία Νεοελληνικών - Ευρωπαϊκών Μελετών και Εκδόσεων, Ελλάδα.
Υπεύθυνη συντονισμού:
Ευαγγελία Γεωργαντζή
Ομάδα εργασίας:
Ευαγγελία Γεωργαντζή, Ελεάνα Ραυτοπούλου, Λίνα Βάσκα-Παϊδούση, Ειρήνη Μπαλίκινα, Καμίλλα Γιουσούποβα, Ταμάρα Γιουσούποβα.

Επιστημονική επιμέλεια
Ειρήνη Τσαμαδού - Jacoberger & Μαρία Ζέρβα
Πανεπιστήμιο του Στρασβούργου
Τμήμα Νεοελληνικών Σπουδών, Γαλλία

Preface

Greek for you is aimed at everyone who is learning Greek as a foreign language, aged 12 years and above and lives in Greece or abroad.

It is a **bilingual educational material**, which does not only help the teacher, but can also be used as a self-taught tool for a beginner student, because every new morphological feature, vocabulary, as well as the instructions are immediately explained and understood.

It has to be made clear that the bilingual presentation of this textbook **does not require bilingual teaching** on behalf of the teacher, but is an essential aid, especially in a multicultural environment.

The possibility for **independent learning** through the bilingual textbook, the audio material and the e-learning exercises is an innovation of this series.

When composing levels **A1** & **A2**, our main aim was to offer teaching material that conformed to the requirements of ***ΚΕΓ (Centre of the Greek Language)*** for the Greek Language Certification levels **A1** & **A2**, as defined by CEFR (Common European Framework of Reference for Languages).

The undertaking was difficult because the boundaries when defining levels were often inexact. As a result, we didn't limit ourselves to a detailed method, as it was defined by one agency, but we expanded and obtained information, ideas and experiences from the university community, teachers, conference conclusions, publications and bibliography of teaching methods for modern languages. Apart from the educational aims, as they have been defined by the Center of Greek Language for every level, we took into consideration the ***Detailed Syllabus for the teaching of modern Greek as a foreign language to adults*** of the School of Philosophy of the University of Athens, which was a valuable tool in our endeavor.

What determined to a large extent the outcome of this work was the long experience of all parties in the teaching of modern Greek as a foreign language; the experience of NEOHEL in the composition of previous teaching methods for Greek and in particular the lessons derived from the implementation of the material ***Greek for you*** by everyone participating in the programme.

This teaching material was created within the framework of
LLP (Life Long Learning Programme) KA2 Languages EU.

**** CEFR (Common European Framework of Reference for Languages)***

Project coordinator
NEOHEL Society of Modern Greek - European Studies and Publications, Greece.
Team coordinator:
Evangelia Georgantzi
Working Team:
Evangelia Georgantzi, Eleana Raftopoulou, Lina Vaska-Paidoussi, Iryna Balykina, Camilla Yiousoupova, Tamara Yiousoupova.

Linguistic Editing
Eirini Tsamadou - Jacoberger & Maria Zerva
University of Strasbourg
Department of Modern Greek Studies, France

Συνεργάτες - Σύμβουλοι
Η συμβολή του καθηγητή κύριου Χρήστου Παπάζογλου στην επιστημονική επιμέλεια του υλικού ήταν πολύτιμη και του οφείλουμε ένα μεγάλο ευχαριστώ.

Ευχαριστούμε επίσης τον κύριο Κώστα Μπουραζέλη, καθηγητή Ιστορίας στο Πανεπιστήμιο Αθηνών, για τη βοήθειά του στη σύνταξη του «Χρονολογικού πίνακα των βασικών περιόδων της ελληνικής ιστορίας».

Εταίροι

Πανεπιστήμιο του Στρασβούργου
Τμήμα Νεοελληνικών Σπουδών, Γαλλία
Υπεύθυνη συντονισμού: Ειρήνη Τσαμαδού - Jacoberger
Όμάδα εργασίας: Ειρήνη Τσαμαδού - Jacoberger, Μαρία Ζέρβα

Κρατικό Πανεπιστήμιο Μαριούπολης
Τμήμα Νεοελληνικών Σπουδών, Ουκρανία
Υπεύθυνη συντονισμού: Victoria Chelpan
Ομάδα εργασίας: Victoria Chelpan, Iryna Balykina.

Κολέγιο Saint Lawrence. Το Βρετανικό Σχολείο στην Ελλάδα.
Υπεύθυνη συντονισμού: Βασιλική Κυριακοπούλου
Ομάδα εργασίας: Βασιλική Κυριακοπούλου, Ντόρα Γκιαούρη, Ιωάννα Σαπουντζάκη, Ελισάβετ Τσιριγώτη.

Πανεπιστήμιο της Άγκυρας
Τμήμα Νεοελληνικών Σπουδών, Τουρκία
Υπεύθυνη συντονισμού: Damla Demirozu,
Ομάδα εργασίας: Damla Demirozu, Ηρακλής Μήλλας.

Εκπαιδευτικός Οργανισμός Vellazerimi - Κολέγιο Όμηρος
στην Κορυτσά, Αλβανία
Υπεύθυνος συντονισμού: Παναγιώτης Μπάρκας
Ομάδα εργασίας: Παναγιώτης Μπάρκας, Valentina Boboli.

Η εφαρμογή του υλικού πριν από την έκδοσή του πραγματοποιήθηκε σε τάξεις σπουδαστών στα μαθήματα ελληνικών της NEOHEL, σε τμήματα του Κολεγίου St. Lawrence, σε τμήματα του Πανεπιστημίου του Στρασβούργου, του Πανεπιστημίου της Μαριούπολης, του Πανεπιστημίου της Άγκυρας, του Εκπαιδευτικού Οργανισμού Vellazerimi - Όμηρος στην Αλβανία και σε τμήματα του Σχολείου ελληνικής γλώσσας του Πανεπιστημίου Αθηνών.

Οι παρατηρήσεις των συναδέλφων είναι ευπρόσδεκτες...

Ευελπιστούμε ότι με τη σωστή εφαρμογή του, το υλικό A0, A1 & A2 θα καταστεί και για τους διδάσκοντες αλλά και για τους διδασκόμενους ένα εργαλείο χρήσιμο, εύχρηστο και κυρίως αποτελεσματικό.

Οι συγγραφείς

Collaborators - Counselors
The contribution of Professor Christos Papazoglou in the editing of this educational material has been valuable and we owe him a great thank you.

We would also like to thank Dr. Kosta Bourazeli, professor of History at the University of Athens, for his help in composing the "Chronological table of the basic periods of Greek history".

Participants

University of Strasbourg
Department of Modern Greek Studies, France
Team coordinator: Eirini Tsamadou - Jacoberger
Working Team: Eirini Tsamadou - Jacoberger & Maria Zerva

State University of Mariupol
Department of Modern Greek Studies, Ukraine
Team coordinator: Victoria Chelpan
Working Team: Victoria Chelpan, Iryna Balykina.

Saint Lawrence College. The British School in Greece.
Team coordinator: Vassiliki Kyriakopoulou
Working Team: Vassiliki Kyriakopoulou, Theodora Giaouri, Ioanna Sapountzaki, Elizabeth Tsirigoti.

Ankara University
Department of Modern Greek Studies, Turkey
Team coordinator: Damla Demirozu
Working Team: Damla Demirozu, Iraklis Millas.

Educational Institute Vellazerimi - Homer College
in Korytsa, Albania
Team coordinator: Panayiotis Barkas
Working Team: Panayiotis Barkas, Valentina Boboli.

This material was applied in the Greek classes of NEOHEL, the St. Lawrence College, the University of Strasbourg, the Mariupol University, the Ankara University, the Educational Insitute Vellazerimi - Omiros in Albania and in the Greek Language School of Athens University.

Any comments made by colleagues are welcome...

We hope that with the appropriate- application A0, A1 & A2 levels will prove to be a useful, handy and most of all an effective tool for both teachers and students.

The authors

Εισαγωγή

Η σειρά *Ελληνικά για σας (A0 - A1 - A2 - B1)* απευθύνεται σε:

✓ **Φοιτητές** σε πανεπιστήμια εξωτερικού ή σε προγράμματα Erasmus+ σε ελληνικά πανεπιστήμια.
✓ **Μαθητές από 12 ετών και άνω.**
✓ **Σπουδαστές ενήλικες** σε σχολές διά βίου μάθησης στην Ελλάδα και στο εξωτερικό.
✓ **Μετανάστες**, οι οποίοι ζουν στην Ελλάδα.
✓ **Παλιννοστούντες Έλληνες** και **Έλληνες δεύτερης, τρίτης** κ.λπ. γενιάς στο εξωτερικό.
✓ Ιδιαιτέρως στους έχοντες ως πρώτη γλώσσα μία από τις γλώσσες αναφοράς του υλικού.

Στόχοι

Βασικοί στόχοι για τη δημιουργία της σειράς βιβλίων για εφήβους και ενηλίκους ***Ελληνικά για σας (A0 - A1 - A2 - B1)*** είναι:

✓ Να πλουτίσει η ελληνική ως ξένη γλώσσα με ένα υλικό εφάμιλλο με τα εγχειρίδια, τα οποία κυκλοφορούν για την εκμάθηση των περισσότερο διαδεδομένων ευρωπαϊκών γλωσσών και ως προς την επιστημονική του εγκυρότητα και ως προς την ελκυστικότητα και την ευχρηστία του.
✓ Να συμβάλει στη διάδοση της ελληνικής γλώσσας με ένα υλικό καινοτόμο, ελκυστικό, φιλικό στο χρήστη, το οποίο να μπορεί να χρησιμοποιηθεί και στην τάξη με τη βοήθεια του διδάσκοντος αλλά και αυτόνομα από το σπουδαστή.
✓ Να καλύψει την ύλη που αντιστοιχεί στις εξετάσεις για το πιστοποιητικό Ελληνομάθειας, οι οποίες διενεργούνται από το ΚΕΓ, διαθέτοντας ένα υλικό προσαρμοσμένο στο ΚΕΠΑΓ, στο οποίο βασίζονται οι εξετάσεις.
✓ Να δημιουργήσει στέρεες βάσεις για τη μελλοντική ολοκλήρωση της μεθόδου με τα επίπεδα Β2, Γ1, Γ2.

Καινοτομίες και ιδιαιτερότητα της σειράς *Ελληνικά για σας*

✓ **Η διγλωσσία**. Διευκολύνει την εκμάθηση της γλώσσας και εξοικονομεί χρόνο προς όφελος και των διδασκομένων αλλά και των διδασκόντων. Στο βιβλίο ***Ελληνικά για σας A0*** οι ασκήσεις, τα κείμενα, οι λέξεις κάτω από τις φωτογραφίες, τα σκίτσα και οι πινακίδες ακολουθούνται από τη μετάφρασή τους με σκοπό την άμεση κατανόησή τους, έτσι ώστε να μη χρονοτριβεί ο σπουδαστής ψάχνοντας στο λεξιλόγιο, τη στιγμή που ο εμπλουτισμός του και η επικοινωνία δεν ανήκουν στους βασικούς στόχους του βιβλίου και χρησιμεύουν μόνο ως όχημα για την κατάκτηση της γραφής, της ανάγνωσης, του τονισμού και της προφοράς.

Στα βιβλία ***Ελληνικά για σας A1 & A2*** η διγλωσσία λειτουργεί με διαφορετικό τρόπο από ό,τι στο A0 και αφορά κυρίως στην απόδοση στη γλώσσα αναφοράς του λεξιλογίου, των παραγγελμάτων και των κανόνων, ώστε να διευκολύνει το σπουδαστή να λειτουργεί κατευθείαν στην ελληνική γλώσσα χρησιμοποιώντας τις δομές και τις εκφράσεις της.

✓ **Η διαδραστικότητα**. Εκτός από το έντυπο υλικό οι διαδραστικές ασκήσεις (σε εξέλιξη) στο διαδίκτυο (e-learning) επιτρέπουν στο σπουδαστή να εξασκηθεί μόνος του σε φαινόμενα στα οποία έχει κάποιες ελλείψεις.

✓ **Αυτονομία στην εκμάθηση**. Η αυτονομία επιτυγχάνεται διότι το υλικό διαθέτει εργαλεία, τα οποία διευκολύνουν το σπουδαστή να εργαστεί μόνος του.

Τα εργαλεία αυτά είναι:
1. **Τα λεξιλόγια** (ανά Βήμα, θεματικά και γενικό αλφαβητικό) όλων των νέων λέξεων, όπως αυτές παρουσιάζονται στα κείμενα, στη γλώσσα αναφοράς.
2. **Η απόδοση στη γλώσσα αναφοράς** των κειμένων, των παραγγελμάτων των ασκήσεων και των κανόνων.
3. **Το ηχητικό υλικό**, το οποίο υποβοηθά και διευκολύνει την ακουστική κατανόηση.
4. **Οι λύσεις των ασκήσεων** για άμεση αξιολόγηση είτε από τον διδάσκοντα είτε από το μαθητή.
5. **Οι ασκήσεις στο διαδίκτυο** (e-learning).

✓ **Η ακριβής και λεπτομερής προσαρμογή στο ΚΕΠΑΓ** (Κοινό Ευρωπαϊκό Πλαίσιο Αναφοράς για τις Γλώσσες), ώστε να ανταποκρίνεται το υλικό στις προδιαγραφές των ευρωπαϊκών γλωσσών.

✓ **Η δημιουργία** για πρώτη φορά **ενός εισαγωγικού βιβλίου επιπέδου A0**, για την εκμάθηση της ελληνικής ως ξένης γλώσσας, το οποίο επικεντρώνεται σε θέματα προφοράς, τονισμού, γραφής και ανάγνωσης.

Introduction

Greek for you (A0 - A1 - A2 - B1) is addressed to:

✓ **Students** at universities abroad / students under the Erasmus+ programme in Greek universities.
✓ **Pupils 12 years old and above**.
✓ **Adult students** in lifelong learning programmes in Greece and abroad.
✓ **Immigrant**s in the host country (Greece).
✓ **Greeks returning to Greece after a long period abroad** and **Greeks of 2nd, 3rd etc. generations** abroad.
✓ In particular to anybody who has, as a mother tongue, one of the reference languages.

Objectives

The main reasons why we decided to create the series ***Greek for you (A0 - A1 - A2 - B1)*** for adolescents and adults are:

✓ To enrich the learning process of Greek as a foreign language by using material equivalent to material used by teaching methods of the more spoken languages in the EU, both in terms of its linguistic accuracy, as well as its presentation (appealing format, easy to use).
✓ To contribute to the dissemination of the Greek language with a material that is innovative, user-friendly and can be taught in the classroom or used as a self-taught tool.
✓ To cover the material which corresponds to the examinations for the Greek Language Certification issued by the Greek Language Center of the Ministry of Education, offering material adjusted to the CEFR on which the exams are based.
✓ To create a solid foundation for the completion of the series at the levels B2, C1, C2.

Originality of the series of books *Greek for you*

✓ **The bilingualism of the material.** This supports language acquisition and saves time for both the teacher and the student. In the book ***Greek for you A0*** the exercises, texts, captions, sketches, signs and information boxes are accompanied by translations so that the students do not spend unnecessarily time searching through irrelevant information. Since vocabulary skills and communication are out of the scope of the level A0, translation is used only as a vehicle to acquire writing, reading, accentuation and pronunciation skills.

In the series ***Greek for you A1 & A2*** bilingualism functions in a different way than in A0 level, as it focuses mainly on the translation of the vocabulary, the exercise instructions, and the rules. Bilingualism aims at making it easier for the student to acquire the Greek language using all the necessary structures and expressions that he/she is able to understand through the language of reference.

✓ **Interactivity.** Apart from the printed books, the e-learning interactive exercises (in progress) allow the students to practice on their own, in those areas of the language where they have difficulties.

✓ **Independent learning**. The material provides all the necessary tools in order to help the students who opt for self-study.

These tools are the following:
1. **Three sets of vocabulary** (per Step, per topic, and the alphabetically listed vocabulary in the Appendix) translated in the language of reference.
2. The texts, exercise instructions and rules that are given in **the language of reference.**
3. **The audio material** that helps the listening comprehension.
4. **The answers to the exercises** that both the teacher and the student can use as an assessment tool.
5. **The on-line exercises** (e-learning).

✓ **The accurate and detailed adaptation of the CEFR** requirements in order to comply with the specifications for the European languages.

✓ **The creation**, for the first time, **of an introductory material, A0 level**, for the acquisition of Greek as a foreign language, focusing entirely on phonetics, accentuation, writing and reading.

Ελληνικά για σας Α2 - Greek for you A2

Διδακτικές προσεγγίσεις
Για τη δημιουργία αυτού του εκπαιδευτικού υλικού συνδυάσαμε τις ακόλουθες διδακτικές προσεγγίσεις, με κυρίαρχη βεβαίως την επικοινωνιακή.

✓ Επικοινωνιακή προσέγγιση
✓ Διεργαστική διδασκαλία
✓ Εστίαση στον τύπο
✓ Φυσική προσέγγιση
✓ Διεκπεραιωτικές δραστηριότητες

Το διδακτικό υλικό του επιπέδου Α2 περιλαμβάνει:
Α. Βιβλίο του μαθητή Α2 + Ασκήσεις + ηχητικό υλικό
Β. Βιβλίο του δασκάλου Α2 στο διαδίκτυο
Γ. Λύσεις των 553 ασκήσεων του Α2 στο διαδίκτυο
Δ. Λίστα με τα τραγούδια του Α2 στο YouTube
Ε. Αλφαβητικό λεξιλόγιο επιπέδου Α (Α1 + Α2) στο διαδίκτυο
Ζ. Συμπληρωματικές ασκήσεις στο διαδίκτυο (σε εξέλιξη)

Approaches to learning
When designing this course material we combined the following approaches to learning; naturally, the communicative is the prevailing one.

✓ Communicative approach
✓ Processing instruction - Input
✓ Focus on form
✓ Natural approach
✓ Task based approach

The learning material of level A2 includes:
A. Textbook A2 + Exercises + audio material
B. Teacher's book A2 online
C. Key book of the 553 A2 exercises online
D. Playlist of the A2 songs on YouTube
E. Alphabetical vocabulary level A (A1 + A2) online
F. Supplementary exercises online (in progress)

ΒΙΒΛΙΟ ΤΟΥ ΜΑΘΗΤΗ + ΑΣΚΗΣΕΙΣ + ΗΧΗΤΙΚΟ ΥΛΙΚΟ

Το βιβλίο αποτελείται από:
i. τις Αρχικές σελίδες, **ii.** τις 3 Ενότητες και **iii** το Παράρτημα.

i. Αρχικές σελίδες
Οι αρχικές σελίδες περιλαμβάνουν:
- τα Σύμβολα - Κλειδιά του βιβλίου
- τον Πρόλογο
- την Εισαγωγή
- τα Περιεχόμενα

ii. Ενότητες
Ενότητα 1: Βήματα 1-5 & Πολιτισμός 1
Ενότητα 2: Βήματα 6-10 & Πολιτισμός 2
Ενότητα 3: Βήματα 11-13 & Πολιτισμός 3

iii. Παράρτημα
1. Χάρτης του μετρό της Αθήνας
2. 53 κείμενα ακουστικής κατανόησης
3. Πίνακες γραμματικής
4. Αλφαβητικό λεξιλόγιο Α2
5. Περιεχόμενα του ηχητικού υλικού

Κάθε Βήμα περιλαμβάνει:

1. Προ-γνώση (Precognition): Τι θα μάθω;
Στην αρχή κάθε Βήματος υπάρχουν με μετάφραση στη γλώσσα αναφοράς τα παρακάτω:

α. Επικοινωνία
Αναφέρονται οι επικοινωνιακοί στόχοι του Βήματος.

β. Θεματικές ενότητες
Αναφέρονται οι Θεματικές Ενότητες καθώς και οι Υποενότητές τους από τις οποίες έχουν αντληθεί τα θέματα του Βήματος.

γ. Λεξιλόγιο
Αναφέρονται τα θέματα γύρω από τα οποία περιστρέφεται το μεγαλύτερο μέρος του λεξιλογίου του Βήματος.

δ. Γραμματική
Επισημαίνονται επιγραμματικά τα μορφολογικά φαινόμενα τα οποία αναπτύσσονται μέσα στο Βήμα.

2. Βασικό υλικό

2.α. Βασικά κείμενα
Το πρώτο τμήμα κάθε Βήματος μέχρι την **Ανάπτυξη** περιέχει τα **βασικά κείμενα** συνοδευόμενα από ασκήσεις κατανόησης. Τα περισσότερα κείμενα είναι γραπτής κατανόησης αλλά υπάρχουν και κάποια προφορικής κατανόησης, των οποίων η μεταγραφή βρίσκεται στο Παράρτημα 1, στο τέλος του βιβλίου. Τα βασικά κείμενα εμπεριέχουν το προγραμματισμένο για κάθε Βήμα εκπαιδευτικό υλικό.

Τα κείμενα ποικίλουν: είναι διάλογοι & κείμενα αφηγηματικά. Εξυπακούεται, όπως είναι γνωστό και από το επίπεδο Α1, ότι οι μεν διάλογοι πρέπει να δραματοποιούνται από τους μαθητές στην τάξη, όσον αφορά δε τα υπόλοιπα κείμενα, να γίνονται επάνω σ' αυτά ερωτήσεις και απαντήσεις από τους μαθητές ανά ζεύγη ή κυκλικά.

Πιο αναλυτικά: μέσα στα κείμενα, σ' ένα επικοινωνιακό πάντα πλαίσιο, παρουσιάζονται τα νέα γραμματικά φαινόμενα σε πράσινο σκούρο χρώμα, οι νέες λέξεις και εκφράσεις σε έντονο μαύρο χρώμα και βεβαίως οι νέες επικοινωνιακές πράξεις λόγου.

Επεξεργασία των επικοινωνιακών και γραμματικών φαινομένων γίνεται στο επόμενο τμήμα του Βήματος **Ανάπτυξη**.

TEXTBOOK + EXERCISES + AUDIO MATERIAL

The textbook comprises:
i. the introductory pages, ii. the 3 Units, and iii. the Appendix.

i. Introductory pages
The introductory pages comprise:
- the Symbols - Keys of the book
- the Preface
- the Introduction
- the Index

ii. Units
Unit 1: Steps 1-5 & Culture 1
Unit 2: Steps 6-10 & Culture 2
Unit 3: Steps 11-13 & Culture 3

iii. Appendix
1. Athens Metro plan
2. 53 texts of listening comprehension
3. Tables of grammar
4. Alphabetical vocabulary A2
5. Audio material contents

Each Step contains:

1. Precognition: What am I going to learn?
In the beginning of every Step the following are translated in the reference language:

a. Communication
These are the communicative targets of the Step.

b. Thematic units
These are the Thematic Units as well as the Subunits on which all the topics of the Step are based.

c. Vocabulary
These are the main topics on which the vocabulary of the Step is based.

d. Grammar
These are the titles of the structural phenomena that are developed within the Step.

2. Basic material

2.a. Basic texts
The first part of each Step before the **Elaboration** comprises the **basic texts** with the relevant exercises. Most of the texts are reading comprehension texts, but there are some listening comprehension texts, whose transcription can be found at the back of the textbook, in Appendix 1. The basic texts encompass all the programmed teaching material for level A2.

The texts are in the form of description and dialogues. As students know from A1 level, it is without saying that the dialogues should be dramatised in the classroom, and as far as the descriptive texts are concerned, students should make questions and answers, in pairs or in turns.

More analytically, and in a purely communicative level, we are presenting in the texts all the new grammatical phenomena in dark green colour, the new vocabulary in bold black, and of course the communicative speech acts.

We develop the communicative and grammatical phenomena in the following part of the Step, the **Elaboration.**

2.β. Ανάπτυξη

Στην **Ανάπτυξη** που ακολουθεί, γίνεται επεξεργασία των φαινομένων που παρουσιάζονται στα βασικά κείμενα. Τα φαινόμενα χωρίζονται σε επικοινωνιακά, γραμματικά και λεξιλογικά, παρουσιάζονται πάντα μέσα σε ένα επικοινωνιακό πλαίσιο και συνοδεύονται από ποικίλες ασκήσεις (επικοινωνιακές, καθοδηγούμενες ή ελεύθερης έκφρασης, ενίοτε και με τη μορφή παιχνιδιού). Η ανάπτυξη των φαινομένων συνοδεύεται από χιουμοριστικά σκίτσα ή φωτογραφίες.

Στην **Ανάπτυξη** παρεμβάλλονται και κείμενα ακουστικής ή γραπτής κατανόησης όταν ένα φαινόμενο για να εμπεδωθεί, χρειάζεται, να χρησιμοποιηθεί σ' ένα ευρύτερο επικοινωνιακό πλαίσιο έτσι ώστε να γίνει σαφέστερη η χρήση του.

Σχετικά τώρα με το είδος των ασκήσεων που ακολουθούν κάθε φαινόμενο, χρησιμοποιήσαμε ασκήσεις που απαιτούν εκ μέρους του μαθητή πρώτον, παρατήρηση, δεύτερον, κριτική σκέψη και τρίτον, γρήγορη απόφαση για την επίλυσή τους. Για παράδειγμα, ένα είδος άσκησης αφορά την επιλογή του σωστού ή τη διαγραφή του λανθασμένου μεταξύ τριών προτεινόμενων τύπων.

Τέλος, πιστεύουμε ότι η βιωματική προσέγγισή κάθε νέου φαινομένου και η ελεύθερη έκφραση σχετικά με αυτό είναι ένας πολύ αποτελεσματικός τρόπος στη διδασκαλία μιας ξένης γλώσσας. Μέσω των ασκήσεων με τίτλο «Και τώρα εσείς», που βρίσκονται διάσπαρτες σ' όλο το βιβλίο, ο μαθητής μιλάει για θέματα που τον αφορούν, για καταστάσεις που έχει βιώσει και τον ενδιαφέρουν, περιγράφει τις προσωπικές του εμπειρίες κι έτσι χρησιμοποιεί τη γλώσσα ελεύθερα, ξεφεύγοντας από τα στενά και περιορισμένα όρια του οποιουδήποτε εγχειριδίου.

2.b. Elaboration

In the **Elaboration** that follows, we develop the phenomena that are presented in the basic texts. The phenomena are divided in three categories: communication, grammar, and vocabulary, and they are all presented in a communicative frame, followed by a variety of exercises (communicative, leading or free expression, sometimes in the form of a game). The development of the phenomena is complemented by humorous illustration or photographs.

In the **Elaboration** we also insert listening or reading comprehension texts, when a phenomenon needs more development in order to be fully understood. A phenomenon is better used when presented in a larger communicative frame.

In regard to the type of written exercises that follow each phenomenon, we use exercises that require on the part of the student firstly, observation, secondly, critical thinking, and thirdly, quick reaction in order to solve them. For example, one type of exercise is to choose between three forms, the correct or wrong answer.

Finally, we believe that the approach of each phenomenon based on personal experience, as well as the possibility of free expression is a very efficient way of teaching a foreign language. Via the exercises entitled «And now you» that are scattered throughout the book, the students get the chance to talk about topics that they relate to, about situations that they have experienced and that interest them, and about their own personal experiences, thus using the language in an uninhibited way, free from the tight and restrained limits of any textbook.

3. Λεξιλόγια*

- **Λεξιλόγιο βασικού υλικού:** Περιλαμβάνει τις πρωτοεμφανιζόμενες λέξεις των βασικών κειμένων και των κειμένων της Ανάπτυξης. Βρίσκεται στο τέλος της Ανάπτυξης και οι λέξεις είναι ταξινομημένες σύμφωνα με τα μέρη του λόγου και μεταφρασμένες στη γλώσσα αναφοράς.
- **Θεματικά λεξιλόγια:** Στα περισσότερα Βήματα υπάρχουν συμπληρωματικά θεματικά λεξιλόγια, μεταφρασμένα στη γλώσσα αναφοράς από τα οποία πολλά είναι εικονογραφημένα.
- **Άλλα λεξιλόγια.**

  Πέραν του βασικού λεξιλογίου, λεξιλόγια υπάρχουν δίπλα σε κάθε κείμενο που παρουσιάζεται στα υπόλοιπα τμήματα του Βήματος που βρίσκονται μετά τη Γραμματική (Συμπληρωματικά κείμενα, κείμενα Γραπτού λόγου & Αξιολόγησης).

Στο επίπεδο Α2 έχει δοθεί ιδιαίτερη έμφαση στο λεξιλόγιο. Να σημειωθεί ότι η μετάφραση που προτείνεται αντιστοιχεί στην έννοια των λέξεων μέσα στο συγκεκριμένο συγκείμενο.

Για την κατανόηση των λέξεων, την εμπέδωση και τη σωστή χρήση τους χρησιμοποιήσαμε νέους τρόπους παρουσίασης όπως είναι η **Σύνθεση λέξεων** (λέξεις που προέρχονται από δύο διαφορετικές λέξεις), **Σημαίνει πολλά** (πολύσημες λέξεις), **Οικογένειες λέξεων** (παραγωγή λέξεων από μία λέξη), **Το λέμε κι αλλιώς** (πολλοί τρόποι να εκφράσουμε την ίδια έννοια), **Ζεύγη λέξεων** (π.χ. δελτίο ταυτότητας, άδεια παραμονής κ.ά.).

Το **αλφαβητικό λεξιλόγιο Α2** του Βιβλίου του μαθητή βρίσκεται στο Παράρτημα και περιλαμβάνει 2225 νέες λέξεις και εκφράσεις.

***** Τα λεξιλόγια του βιβλίου Ελληνικά για σας Α2 δεν περιλαμβάνουν τις λέξεις του βιβλίου Ελληνικά για σας Α1.***

3. Vocabularies*

- **Basic material glossary**: Comprises all the new words of the basic texts and the Elaboration. It is found at the end of the Elaboration and the words are classified according to the part of speech that they belong and translated in the language of reference.
- **Thematic vocabularies**: In most of the Steps there are thematic vocabularies, translated in the language of reference, and most of the times illustrated.
- **Other vocabularies.**

  Apart the basic Glossary of each Step, the rest of the texts after the Grammar have their vocabulary next to them (Additional texts, Writing skills and Assessment texts).

In level A2 the vocabulary is particularly emphasised. It is noteworthy that the translation that is proposed corresponds with the meaning of the words as found in the specific context.

For the comprehension of the vocabulary and its best acquisition, we used new presentations such as **Word Synthesis** (words that are composed by two different words), **It means a lot** (words that have more than one meaning), **Families of words** (words that are produced by the same word), **We say it in another way** (many ways to express the same meaning), and **Pairs of words** (e.g. δελτίο ταυτότητας, άδεια παραμονής et al.).

The **alphabetical vocabulary A2** of the Textbook is found in the Appendix and comprises 2225 new words and expressions.

***** The vocabularies of textbook Greek for you A2 do not comprise the words of textbook Greek for you A1.***

4. Γραμματική

Στο τέλος κάθε Βήματος υπάρχει ένας αναλυτικός πίνακας με τα μορφολογικά φαινόμενα του Βήματος, τα οποία έχουν προαναγγελθεί στην Προ-γνώση στην πρώτη σελίδα. Η γραμματική ξεχωρίζει χρωματικά από το υπόλοιπο δισέλιδο. Οι κανόνες και οι υποσημειώσεις υπάρχουν και στη γλώσσα αναφοράς.

Η οργάνωση της Γραμματικής, αρχικά σε κάθε Βήμα και στο Παράρτημα 2 σε Πίνακες, είναι ένα σημαντικό τμήμα του εκπαιδευτικού υλικού Α2. Αξίζει να σημειωθεί ότι στους Πίνακες γραμματικής στο Παράρτημα 2 περιλαμβάνονται στο σύνολό τους τα βασικά γραμματικά φαινόμενα που διδάχτηκαν στο Α1 και στο Α2 έτσι ώστε οι μαθητές να έχουν μια συνολική εικόνα τους. Βοηθητικό στοιχείο είναι ο κωδικός που υπάρχει σε κάθε φαινόμενο, αναφορά στο κεφάλαιο στο οποίο εμφανίζεται και διδάσκεται για πρώτη φορά.

Μια άλλη πολύ σημαντική δουλειά είναι η συλλογή και παρουσίαση των ονομάτων και ρημάτων των επιπέδων Α1 και Α2 που αντιστοιχούν στα παραδείγματα κλίσης τους. Σχετικά με τα ονόματα αποφύγαμε να παρουσιάσουμε αυτά που παρουσιάζουν προβλήματα στην κλίση τους (π.χ. είτε κλίνονται μόνο στον ενικό είτε δεν έχουν γενική πληθυντικού κλπ.). Αφήσαμε για το επίπεδο Β1 την παρουσίασή τους.

Γενικά αυτή η καταγραφή και παρουσίαση είναι βοηθητική για τους μαθητές αλλά και τον διδάσκοντα που μπορεί να δημιουργήσει επιπλέον προφορικές ή γραπτές ασκήσεις και ιδιαιτέρως ασκήσεις που αφορούν τη μετακίνηση του τόνου στα ονόματα. Είναι επίσης μια εργασία πολύ χρήσιμη για επανάληψη.

4. Grammar

At the end of each Step there is an analytical table with the structural phenomena of the Step that have been announced in the Precognition section on the first page. The grammar is different in terms of colour from the rest of the pages. The rules and footnotes are also in the language of reference.

The organisation of the Grammar in tables, firstly in each Step as well as in Annex 2, is an important part of the educational material of A2. It is worth mentioning that in the Tables of grammar in Annex 2 we also include the grammatical phenomena encountered in A1, in a way that the students have a complete idea of each phenomenon. Also very helpful is the code that follows each phenomenon, and refers to the chapter where the phenomenon firstly appears.

Another important work is the collection and presentation of the nouns and verbs of levels A1 and A2 that correspond to the samples of declinsion / conjugation. In regard to the nouns, we tried to avoid those that are irregular in terms with their declination, such as the fact that they are declined only in the singular, or that they don't form the genitive plural, and so forth; those are going to be presented in B1 level.

Generally, the above presentation of nouns is helpful for the students, but also for the teachers who can create extra writing and oral exercises, especially in regard to the topic of how the accent moves when declining a noun. This presentation is also helpful for revision.

5. Συμπληρωματικά κείμενα με ασκήσεις

Τα **Συμπληρωματικά κείμενα με ασκήσεις** έχουν επιλεγεί από τη λογοτεχνία, από τον τύπο ή έχουν δημιουργηθεί από τους συγγραφείς για να συμπληρώσουν τους εκπαιδευτικούς στόχους του κάθε Βήματος. Τα κείμενα υπάρχουν όλα στο διαδίκτυο* και τα περισσότερα έχουν κενά για να συμπληρωθούν με τις νέες και άγνωστες ακόμα λέξεις που βρίσκονται σε πλαίσιο. Οι στόχοι αυτής της άσκησης είναι πολλαπλοί: εξάσκηση του αυτιού στην προφορά, γραφή, αυτοέλεγχος ορθογραφίας της λέξης, κατανόηση της από τα συμφραζόμενα). Εκτός από αυτή την άσκηση, η οποία εφαρμόζεται και σε άλλα κείμενα του βιβλίου, ποικίλες άλλες ασκήσεις συμπληρώνουν την επεξεργασία των κειμένων.

Τα Συμπληρωματικά κείμενα έχουν και έναν άλλο βασικό στόχο: την επανάληψη θεμάτων και λεξιλογίου του επιπέδου Α1 και εμπλουτισμό τους με λέξεις και εκφράσεις που κρίθηκαν απαραίτητες για το επίπεδο Α2.

Τα θέματά τους είναι ως επί το πλείστον πολιτιστικά, από την καθημερινή ζωή, περιγραφές σημαντικών προσώπων κ.ά. Με τη ποικιλομορφία τους κεντρίζουν το ενδιαφέρον των σπουδαστών και εμπλουτίζουν τις γνώσεις τους πέραν των εκπαιδευτικών τους στόχων.

6. Γραπτός λόγος

Έχει αποδειχθεί από μελέτες αλλά και από τα αποτελέσματα των εξετάσεων Ελληνομάθειας ότι υπάρχει δυσκολία στους μαθητές αυτού του επιπέδου να εκφραστούν σωστά και με άνεση στο γραπτό λόγο, αναπτύσσοντας ένα κείμενο ικανοποιητικά για το επίπεδό τους.

Έτσι κρίναμε αναγκαία την προσθήκη του τμήματος **Γραπτός λόγος** στο επίπεδο Α2 με στόχο να διδάξουμε στους μαθητές τις στρατηγικές εκείνες που θα τους βοηθήσουν να βελτιώσουν το γραπτό τους λόγο γύρω από ένα συγκεκριμένο θέμα. Στο τμήμα αυτό προτείνονται μοντέλα γραφής, πλάνα ανάπτυξης ενός θέματος, σχετικό λεξιλόγιο και ασκήσεις και ο σπουδαστής καλείται να δημιουργήσει το δικό του κείμενο, αρχικά καθοδηγούμενος, και στη συνέχεια ελεύθερα.

Ελπίζουμε ότι αυτή η προσθήκη θα βοηθήσει πολύ τους μαθητές στο να βελτιώσουν το γραπτό τους λόγο αλλά και τους διδάσκοντες στο να τον διδάξουν σωστά.

7. Το θέμα μας

Το θέμα μας λειτουργεί ως επανάληψη των επικοινωνιακών στόχων και των δύο επιπέδων Α1 & Α2 σχετικά με το θέμα στο οποίο αναφέρεται. Εδώ παρουσιάζονται επικοινωνιακές πράξεις λόγου, λέξεις, εκφράσεις και ιδιωτισμοί σε συνδυασμό με τα ήδη γνωστά γραμματικά φαινόμενα.

Εκτός από το βασικό στόχο που εξυπηρετεί (την εύκολη, γρήγορη και επί της ουσίας επανάληψη), **Το θέμα μας** λειτουργεί και ως μέθοδος μεταγνώσης: τι έμαθα, πώς μπορώ να ταξινομήσω τις γνώσεις μου, τι θυμάμαι, πώς συνδυάζεται το λεξιλόγιο που έμαθα με τις επικοινωνιακές πράξεις λόγου και τα νέα γραμματικά φαινόμενα.

Με βάση **Το θέμα μας** οι μαθητές μπορούν να αναπτύξουν τον προφορικό τους λόγο αλλά και το γραπτό, διότι τους προσφέρονται κυριολεκτικά «σερβιρισμένες στο πιάτο» όλες οι επικοινωνιακές πράξεις λόγου, οι εκφράσεις κι ένα ευρύ λεξιλόγιο γύρω από ένα θέμα.

8. Αξιολόγηση

Τεστ ελέγχου των γνώσεων που αποκτήθηκαν σε κάθε Βήμα, βασισμένο στις 4 δεξιότητες:

✓ Κατανόηση προφορικού λόγου ✓ Παραγωγή προφορικού λόγου
✓ Κατανόηση γραπτού λόγου ✓ Παραγωγή γραπτού λόγου

Βαθμολογούνται στο 20 (5 βαθμοί ανά δεξιότητα).

Οι ασκήσεις αυτές βασίζονται στον τρόπο που διεξάγονται οι εξετάσεις του ΚΕΓ για την απόκτηση του Πιστοποιητικού Ελληνομάθειας και έχουν σκοπό τη εξοικείωση των μαθητών με αυτές.

Ένας άλλος σημαντικός στόχος τους είναι η συνεχής αξιολόγηση των μαθητών στο σύνολο του γλωσσικού εισαγόμενου κάθε Βήματος. Παράλληλα όμως, γίνεται αξιολόγηση, ανάλογα με τα αποτελέσματα, και του υλικού αλλά και του ίδιου του καθηγητή και του τρόπου διδασκαλίας του.

9. Το τραγούδι μας

Το τελευταίο τμήμα κάθε Βήματος είναι αφιερωμένο στο τραγούδι. Είναι ένας ευχάριστος τρόπος, μέσω του ρυθμού και της μουσικής, να επιτυγχάνονται πολλοί εκπαιδευτικοί στόχοι όπως η ακουστική εξάσκηση στην προφορά γραμμάτων και λέξεων (ασκήσεις με κενά για συμπλήρωση). Το ζητούμενο είναι να εξοικειώνονται οι μαθητές με τον αυθεντικό λόγο, μέσω της μουσικής. Ένας άλλος στόχος είναι η εξοικείωση με τη χρήση του λεξικού. Ζητείται από τους σπουδαστές να βρουν στο λεξικό τις άγνωστες λέξεις του τραγουδιού, οι οποίες έχουν καταγραφεί αλλά δεν έχουν μεταφραστεί.

Στα περισσότερα τραγούδια υπάρχουν πληροφορίες για την ιστορία του τραγουδιού, τους συντελεστές του και πολλές φορές για τα γεγονότα που στιγμάτισαν την εποχή που δημιουργήθηκε το τραγούδι.

Τα τραγούδια είτε έχουν σχέση με το θέμα του Βήματος ή με κάποιο γραμματικό φαινόμενό του είτε απλώς έχουν επιλεγεί με κριτήριο την ποιότητά τους ως προς τη μουσική και τους στίχους.

Τα είδη των τραγουδιών ποικίλουν. Έτσι ακούγονται παραδοσιακά, ρεμπέτικα, έντεχνα, λαϊκά και άλλα.

YouTube - Channel: NEOHEL Publications
Playlist: Greek for you A2 https://goo.gl/HOV71e

* https://soundcloud.com/neohel

5. Supplementary texts with exercises

The **Supplementary texts with exercises** are texts from the Greek literature, the press, or have been created by the authors in order to complete the pedagogical goals of each Step. The texts are all online* and most of them have gaps to be filled out with the new vocabulary in the boxes. The goals of this type of exercise are multiple: practice of listening the correct pronunciation, writing, self-correction of spelling, and understanding of the text based on the context. Except this particular exercise that is used in other occasions as well, a great variety of exercises complete the elaboration of the texts.

The Supplementary texts serve another important purpose: the review of the themes and vocabulary of level A1 and their expansion with words and expressions that were thought necessary to be added for level A2.

Their topics are mainly cultural, older and modern, from everyday life, description of personalities, and so forth. With their variety in form they become interesting materiel for the students and, apart from the educational goals, they can enrich their general knowledge.

6. Writing skills

Research as well as the results of the Ellinomatheia exams have shown that the students encounter a certain difficulty in expressing themselves correctly and easily in writing, developing adequately a text at the language level that they study.

Therefore, we decided to add a section on **Writing skills** in level A2 with a view to teach the students those strategies that will help them improve their writing skills in regard to various topics. In this section, samples of writing, plans to develop a topic, relevant vocabulary and exercises are proposed, and the student is called to create his own text on the topic, initially guided by the material, and then independently.

We hope that this effort will help the students improve their writing skills, but also the teachers in teaching writing more effectively.

7. Our topic

Our topic functions as review of the communicative goals of both levels A1 and A2 in reference only to the specific topic. Here we present acts of communication, words, expressions, idioms, in combination with already known grammatical phenomena.

Our topic, except its basic aim to easily and quickly review the specific subject, can also serve as method of metacognition: what did I learn; how can I classify my knowledge; what do I remember; how can the vocabulary that I learnt be combined with the acts of communication and the new grammatical phenomena.

Based on **Our topic**, the students can develop their speaking skills, and at the same time their writing skills, because all the acts of communication, expressions, and a complete vocabulary in regard to a topic are offered to them in a very convenient and friendly way.

8. Assessment

This is a test on the knowledge acquired in each Step, based on the four language skills:

✓ Listening ✓ Speaking ✓ Reading ✓ Writing

The students are graded out of 20 (5 grades per skill).

These exercises are based on the way the actual exams are administered by the Centre of Greek Language for the acquisition of the Ellinomatheia diploma, and aim at familiarising the students with them.

Another important aim is the continuous assessment of the students in the total language input of each Step. At the same time though, and based on the specific results, we can also assess the actual material and the teaching style of the teachers.

9. Our song

The last part of each step is devoted to songs. It is an entertaining way, via rhythm and music, to achieve teaching goals, such as listening practice of pronunciation of letters and words (exercises with gaps for filling out). The aim is to familiarise the students with the authentic speech, via music. Another goal is to familiarise students with the use of vocabulary. They are asked to find in the dictionary unknown words of the song that have been singled out, but not translated.

In most of the songs there is information in regard to the story of the song, its creators, and sometimes the events that determined the era when the song was written.

The songs are related to the topic of the Step, to some grammatical phenomena or are simply selected based on their musical quality and lyrics.

The types of songs vary between traditional, rebetiko, artistic, popular and so forth.

YouTube - Channel: NEOHEL Publications
Playlist: Greek for you A2 https://goo.gl/HOV71e

* https://soundcloud.com/neohel

10. Εικόνα - Συζήτηση ***(σε ορισμένα Βήματα)***

Με αφορμή μια ή περισσότερες εικόνες οι μαθητές καλούνται να αυτοσχεδιάσουν και να εκφραστούν έχοντας ένα συγκεκριμένο επικοινωνιακό στόχο.

Ο Πολιτισμός στο Α2

Τα πολιτιστικά στοιχεία είναι διάσπαρτα και πλούσια σε αριθμό μέσα σ' όλο τα βιβλίο. Τα τρία αφιερώματα στο τέλος κάθε ενότητας (Πολιτισμός 1, 2, 3) είναι ένα «δώρο» από μέρους μας στους σπουδαστές. Δεν υπάρχουν ασκήσεις αλλά μόνο λεξιλόγια με τις νέες λέξεις δίπλα στα κείμενα. Αυτό που ζητάμε από τους μαθητές είναι να ακούσουν το ηχητικό υλικό, να τα διαβάσουν, να τα χαρούν και να μπουν λίγο πιο βαθιά στην Ελληνική πραγματικότητα και την ψυχοσύνθεση των Ελλήνων.

Η ιστοσελίδα μας: www.neohel.com

Στο διαδίκτυο θα βρείτε: **Ηχητικό υλικό (https://www.neohel.com/downloads/)**, το **Βιβλίο του δασκάλου Α2** (Teacher's book) με αναλυτικές οδηγίες για τη χρήση του βιβλίου ***Ελληνικά για σας Α2***, τις **Λύσεις των ασκήσεων Α2** (Key book A2) αλλά και το αρχείο με τις **Θεματικές Ενότητες** (Thematic Units) από τις οποίες αντλήσαμε τα θέματά μας για το υλικό Α1 & Α2. Σε κάθε Θεματική Ενότητα αναφέρονται λεπτομερώς τα θέματα που έχουμε χρησιμοποιήσει μέχρι τώρα στα δύο επίπεδα (με διαφορετικό χρώμα οι πληροφορίες για κάθε επίπεδο) και με σημειωμένα τα Βήματα στα οποία εμφανίζονται.

Θα βρείτε επίσης: **Αλφαβητικό λεξιλόγιο επιπέδου Α** (Α1 + Α2) και **Συμπληρωματικές ασκήσεις Α2** (σε εξέλιξη).

Ακολουθήστε μας στο Facebook: www.facebook.com/**neohel**/

Γενικά

Συνολικά, το υλικό αυτού του βιβλίου έχει δομηθεί με τη μέθοδο του σταδιακού κτισίματος της γνώσης (scaffolding). Έτσι ό,τι παρουσιάζεται, ακολουθείται αμέσως από κείμενα, ασκήσεις κ.λπ. που ολοκληρώνουν τη διδασκαλία του συγκεκριμένου θέματος, με σκοπό την ολοκληρωμένη γνώση, προτού προχωρήσει η διδασκαλία στο επόμενο σκαλοπάτι κ.ο.κ

Ο τελικός σκοπός είναι να διδάσκεται καθένα από τα 13 Βήματα με τη χρήση όλων των δεξιοτήτων έτσι ώστε να επιτυγχάνεται παράλληλη ανάπτυξη της επικοινωνίας, του λεξιλογίου και της γραμματικής.

Το επίπεδο Α2 περιλαμβάνει 308 κείμενα, γραπτά και προφορικά, πλαισιωμένα από 553 ασκήσεις (κατανόησης και παραγωγής γραπτού και προφορικού λόγους, λεξιλογίου και γραμματικής) που διευκολύνουν το δάσκαλο στο έργο του και τους σπουδαστές στην κατάκτηση της νέας γλώσσας.

Επίσης η ποικιλία των θεμάτων, η υποδειγματική οργάνωση του υλικού, η εικονογράφηση και η ποιότητα της έκδοσης καθιστούν το βιβλίο ***Ελληνικά για σας Α2*** ένα πολύτιμο εργαλείο για όσους θέλουν να βελτιώσουν τον προφορικό και το γραπτό τους λόγο, να κατανοούν καλύτερα τους φυσικούς ομιλητές της ελληνικής γλώσσας αλλά και να αποκτήσουν το ***Πιστοποιητικό Ελληνομάθειας*** Α2, αν το επιθυμούν και το χρειάζονται.

10. Picture - Discussion ***(in certain Steps only)***

In regard to one or more pictures the students will have the chance to improvise, and express their language skills, aiming at a specific act of communication.

Culture in A2

The cultural elements are numerous and scattered throughout the book. The three features on culture at the end of each Unit (Civilisation 1, 2, 3) are a "present" to the students. There are no exercises, only vocabularies with the new words next to the texts. What we ask from the students is to listen to the audio material, to read the texts, and to enjoy them by penetrating a bit deeper into the Greek reality and the temperament of the Greek people.

Our site: www.neohel.com

On the internet you may find: **Audio material online (https://www.neohel.com/downloads/)**, **teacher's book A2** with detailed instructions on the use of the textbook ***Greek for you A2***, the **Key book A2**, but also the file with all the **Thematic Units** on which we based our topics when developing the material of A1 & A2. In each Thematic Unit you can see all the detailed subjects that we have used so far in both levels (with different colour for each level) and we also marked the Steps where they apear.

You may find also: **Alphabetical vocabulary level A** (A1 + A2) & **Supplementary exercises A2** (in progress).

Follow us on Facebook: www.facebook.com/**neohel**/

Generally

In total, the material of this book has been structured based on the method of scaffolding. Therefore, all the material presented in the book is immediately followed by texts, exercises etc. that supplement the teaching of the specific topic, with a view to complete the cognition, before the teaching proceeds further, to the next step, and so forth.

The final goal is to teach each one of the 13 Steps with the usage of all language skills in order to succeed a parallel development of the communicative, the vocabulary, and the grammar skills.

A2 level includes 308, reading and listening texts, accompanied by 553 exercises (listening, reading, writing and speaking) that facilitate the teachers in their work and the students in the acquisition of the language.

In addition, the variety of the topics used, the exemplary organisation of the material, the illustrations, and the quality of the publication, make ***Greek for you A2*** a valuable tool for anyone who wants to improve their speaking and writing skills, to understand better the native speakers of Modern Greek, but also to acquire the ***Greek Language Certification*** (Ellinomatheia) A2 level if they want to or need to.

Ιόλη Βλαχάκη

ΣΤΟΙΧΕΙΑ ΓΙΑ ΤΟ ΒΙΒΛΙΟ *Ελληνικά για σας Α2* STATISTICS FOR THE BOOK *Greek for You A2*

Α. ΤΑΞΙΝΟΜΗΣΗ ΚΕΙΜΕΝΩΝ CLASSIFICATION OF TEXTS

Κατανομή κειμένων: ΕΝΟΤΗΤΕΣ 1 - 2 - 3 & ΠΟΛΙΤΙΣΜΟΣ 1 - 2 - 3

Classification of the texts: UNITS 1 - 2 - 3 & CULTURE 1 - 2 - 3

		α. ανά είδος κειμένων a. in types of texts				β. σε γραπτά & ακουστικά b. in reading and listening		γ. στα τμήματα κάθε Βήματος c. in the parts of each Step					
Αριθμός κειμένων Number of texts		Διάλογοι Dialogues	Περιγραφές Descriptions	Γράμματα Διαφημίσεις Αγγελίες Letters Adverti-sements Classified ads	Τραγούδια Songs	Γραπτά κείμενα Reading texts	Ακουστικά κείμενα Listening texts	Βασικό υλικό Basic material	Ανάπτυξη Elaboration	Συμπληρωματικά κείμενα Supplementary texts	Γραπτός λόγος Writing	Αξιολόγηση Assessment	Τραγούδια Πολιτισμός Ποιήματα Songs Culture Poems
Ε1	81	22	43	11	5	54	27	21	10	21	8	10	7 + 4
Ε2	121	42	59	14	6	97	24	21	35	39	8	10	6 + 2
Ε3	89	45	23	15	6	68	18	13	22	31	8	6	9
Π 1-2-3	17		17			17							17
308*		109	140	40	17	234	69	55	67	83	21	26	15 + 7

** 308 (294 κείμενα + 14 τραγούδια)*

Β. ΤΑΞΙΝΟΜΗΣΗ ΑΣΚΗΣΕΩΝ CLASSIFICATION OF EXERCISES

Κατανομή ασκήσεων ανά ΕΝΟΤΗΤΑ & ανά ΕΙΔΟΣ Classification of exercises per UNIT & per TYPE

ΕΝΟΤΗΤΕΣ	Κατανόηση Προφορικού Listening	Κατανόηση Γραπτού Reading	Παραγωγή Προφορικού Speaking	Παραγωγή Γραπτού Writing	Λεξιλόγιο Vocabulary	Γραμματική Grammar	Προφορά Pronunciation	Αριθμός ασκήσεων Number of exercises
ΕΝΟΤΗΤΑ 1	21	33	55	25	28	13	16	191
ΕΝΟΤΗΤΑ 2	16	41	56	30	37	22	16	218
ΕΝΟΤΗΤΑ 3	13	25	27	20	33	19	7	144
	50	99	138	75	98	54	46	553

Γ. ΛΕΞΙΛΟΓΙΟ Α2 GLOSSARY A2

ΕΝΟΤΗΤΑ 1	ΑΡΙΘΜΟΣ ΛΕΞΕΩΝ	ΕΝΟΤΗΤΑ 2	ΑΡΙΘΜΟΣ ΛΕΞΕΩΝ	ΕΝΟΤΗΤΑ 3	ΑΡΙΘΜΟΣ ΛΕΞΕΩΝ
Βήμα 1	138	Βήμα 6	142	Βήμα 11	207
Βήμα 2	72	Βήμα 7	143	Βήμα 12	213
Βήμα 3	92	Βήμα 8	118	Βήμα 13	195
Βήμα 4	109	Βήμα 9	125		-
Βήμα 5	89	Βήμα 10	219		-
Πολιτισμός 1	12	Πολιτισμός 2	74	Πολιτισμός 3	77
	512		821		692

ΣΥΝΟΛΙΚΑ ΤΟ ΒΙΒΛΙΟ **ΕΛΛΗΝΙΚΑ ΓΙΑ ΣΑΣ Α2** ΠΕΡΙΛΑΜΒΑΝΕΙ: THE BOOK **GREEK FOR YOU A2** INCLUDES:

2225	ΛΕΞΕΙΣ & ΕΚΦΡΑΣΕΙΣ	**2225**	WORDS & EXPRESSIONS
308	ΚΕΙΜΕΝΑ ΜΑΖΙ ΜΕ ΤΑ 14 ΤΡΑΓΟΥΔΙΑ	**308**	TEXTS & 14 SONGS
553	ΑΣΚΗΣΕΙΣ ΜΑΖΙ ΜΕ ΤΑ 13 ΤΕΣΤ ΑΞΙΟΛΟΓΗΣΗΣ	**553**	EXERCISES & 13 ASSESSMENT TESTS

Περιεχόμενα

Summary

UNIT 1 My house and I (Steps 1 - 5 & Civilisation 1) pages: 19 - 108

Steps 1 - 5	Communication	Thematic Units	Vocabulary Written skills	Grammar	Revision (Our subject) Pronunciation (song)
Step 1 ***Who is who?*** pages: 21 - 36	I ask and give information regarding a person	**Characterisations** - Identity	- Personal information - Religions Official & friendly letter Describe a person (1)	1. Verbs ending in ***-ω / -ομαι*** 2. Compound verbs with prepositions (internal augment) 3. The verb ***ασχολούμαι*** 4. Indirect speech (1) 5. The dual declension noun ***ο χρόνος*** 6. Table of new verbs	Personal information Song ***Φραγκοσυριανή***
Step 2 ***What happened?*** pages: 37 - 54	**I describe** - an event - an accident I describe in a chronological order	**Everyday life** - outside of the house **Leisure time** - outside of the house **Placement**	- Motion verbs (movement) - Expressions of place Letter: Describe an accident	1. Verbs in ***-άμαι*** 2. Adverbs followed by personnal pronouns 3. Indirect speech (2) 4. Table of new verbs	Describe an event Song ***Το πεπρωμένο***
Step 3 ***How do they look?*** ***pages:*** 55 - 72	**I describe a person** - face - body, clothes - personality - I express my personal opinion about somebody	**Characterisations** - Identity (age, profession) - Physical appearance - Character	- Traits of face & body - Ages - Shapes - Professions - Clothes Letter: Describe a person (2)	1. Main and subordinate clauses 2. Coordination between main clauses 3. The verb ***κλαίω*** 4. The definite pronoun ***ο ίδιος - η ίδια - το ίδιο*** 5. Table of new verbs	Describe a person Song ***Ο κυρ- Αντώνης***
Step 4 ***How is your house?*** pages: 73 - 90	**I describe a house** - type of house - interior lay out - interior decoration - furniture & objects **I say from what material are things made**	**Placement** **House** - Type & description - Surrounding area - Furniture & material	- Furniture - Material - Bathroom fixtures - Dimensions Article for a magazine: Describe a house	1. The definite pronoun ***μόνος-η-ο*** 2. The three moods: the indicative, the subjunctive, the imperative 3. The subjunctive A & B (incomplete & completed action) 4. The position of ***πριν*** and ***μετά*** in a sentence 5. Subordinate time clauses with subjunctive that start: a. with ***πριν*** and b. with ***όταν, μόλις*** 6. Table of new verbs	Residence Song ***Καμαρούλα μια σταλιά***
Step 5 ***Are you looking for a house?*** pages: 91 - 105	- I rent or buy a house - I say why I prefer living in the city or in the country side, in the centre or in a suburb (pros and cons)	**Placement** - Real estate - Advantages and disadvantages of living in the city / in a suburb / in the countryside	- Classified ads (real estate) - Advantages and disadvantages of a house, of living in the city etc. Letter to a real estate agency	1. The monolectic comparative adjectives ***καλύτερος-η-ο, χειρότερος-η-ο, περισσότερος-η-ο, λιγότερος-η-ο*** 2. Formation of adverbs in ***-α*** deriving from adjectives 3. The verb ***ενδιαφέρομαι*** and the expression ***με ενδιαφέρει***	- The house - Living in the city or in the country-side? Song ***Η αγάπη πού μένει;***

Civilisation 1 Knowing Greece pages: 106 - 108

1. Greek geography
2. Archaeological sites and monuments. What is their location?
3. Chronological table of the basic periods of Greek history

ΕΝΟΤΗΤΑ 2 Προσωπική ζωή & ελεύθερος χρόνος (Βήματα 6 - 10 & Πολιτισμός 2) σελ.: 109 - 232

Βήματα 6 - 10	Επικοινωνία	Θεματικές ενότητες	Λεξιλόγιο Γραπτός Λόγος	Γραμματική	Επανάληψη Προφορά
Βήμα 6 ***Εγώ και οι άλλοι*** σελ.: 111 - 134	- Αυτοσυστήνομαι - Συστήνω κάποιον άλλο - Δημιουργώ απλές κοινωνικές σχέσεις - Συμμετέχω σε κοινωνικές εκδηλώσεις - Δίνω ευχές - Συμφωνώ, διαφωνώ, εκφράζω αμφιβολία	**Κοινωνικές σχέσεις** - Χαιρετισμοί - Συστάσεις **Χαρακτηρισμοί** - Οικογενειακές σχέσεις - Προσωπική ζωή **Ελεύθερος χρόνος** - Εκτός σπιτιού	- Χαιρετισμοί - Συστάσεις - Σχέσεις - Συμφωνώ, διαφωνώ, εκφράζω αμφιβολία Από το διάλογο στον πλάγιο λόγο	1. Τα υποκοριστικά σε ***-άκης***, ***-ούλης***, σε ***-ούλα***, ***-ίτσα*** & σε ***-άκι*** 2. Το δεικτικό μόριο ***να*** με προσωπικές αντωνυμίες ***να τος / να τη / να το*** 3. Το επίθετο ***αρκετός-ή-ό*** και οι αόριστες αντωνυμίες ***κάποιος-α-ο*** & ***μερικοί-ές-ά*** 4. Η θέση της κτητικής αντωνυμίας 5. Ο αόριστος, ο τέλειος μέλλοντας & η τέλεια υποτακτική των ρημάτων σε ***-ομαι*** & ***-άμαι*** 6. Πίνακας νέων ρημάτων 7. Πλάγιος λόγος (3): Μεταφέρω μια συζήτηση σε πλάγιο λόγο	Περιγράφω μια σχέση Τραγούδι ***Σήμερα γάμος γίνεται***
Βήμα 7 ***Ώρα για ταξίδι!*** σελ.: 135 - 156	- Ζητάω πληροφορίες - για τα πλοία - για ενοικίαση αυτοκινήτου - Συζητώ σε πρατήριο καυσίμων - Λέω τι βλάβη έχει ή τι ζημιά έπαθε το αυτοκίνητό μου - Περιγράφω ένα ταξίδι / μια εκδρομή - Εκφράζω τα παράπονά μου	**Ελεύθερος χρόνος** (εκτός σπιτιού) **Ταξίδια** - Κράτηση εισιτηρίων, διαμονή, μεταφορικά μέσα - Ενοικίαση αυτοκινήτου - Στο πρατήριο βενζίνης **Φύση** - Περιγραφή φυσικού περιβάλλοντος - Ελληνική χλωρίδα - Γεωγραφικά στοιχεία	-Ταξίδια - Αυτοκίνητο (περιγραφή, ζημιές, βλάβες) - Φυσικό περιβάλλον (δέντρα του δάσους, οπωροφόρα, βότανα) Άρθρο / καρτ ποστάλ: Περιγράφω ένα ταξίδι	1. Η υποτακτική στη θέση της προστακτικής 2. Η θέση της προσωπικής αντωνυμίας στην προστακτική 3. Η θέση της προσωπικής αντωνυμίας στην υποτακτική όταν χρησιμοποιείται στη θέση της προστακτικής 4. Πάθη φωνηέντων 5. Η αποκοπή στην προστακτική 6. Υποθετικός λόγος (***αν*** + τέλεια υποτακτική) 7. Πίνακας νέων ρημάτων	Πάω ταξίδι / διακοπές Τραγούδι ***Κρίνα του γιαλού***
Βήμα 8 ***Τι καιρό θα κάνει;*** σελ.: 157 - 172	**Ο καιρός** - Κατανοώ ένα δελτίο καιρού - Ζητάω πληροφορίες για τον καιρό - Περιγράφω τον καιρό	**Ελεύθερος χρόνος** (εκτός σπιτιού) - Ο καιρός	- Ο καιρός - Τα σημεία του ορίζοντα - Ημέρα, Εβδομάδα, Μήνας, Χρόνος	1. Τα ουδέτερα ονόματα ***το πρωί*** & ***το πρωινό*** 2. Τα ουδέτερα ονόματα ***το βράδυ*** & ***το ρολόι*** 3. Πίνακας νέων ρημάτων	Ο καιρός Τραγούδι ***Έρχεται βροχή!***
Βήμα 9 ***Τι να κάνουμε σήμερα;*** σελ.: 173 - 200	**Λέω τι κάνω στον ελεύθερο χρόνο μου (Α)** - Επιλέγω κάποιο θέαμα / βιβλίο & αιτιολογώ την επιλογή μου - Δίνω οδηγίες κατεύθυνσης - Κατανοώ και συντάσσω προσκλήσεις **Λέω τι κάνω κάθε μέρα**	**Ελεύθερος χρόνος** -Έξοδοι: Θεάματα - Αναγνώσματα: Βιβλία & τύπος - Κοινωνικές σχέσεις & εκδηλώσεις **Η καθημερινή ζωή**	- Είδη θεαμάτων & βιβλίων - Προσκλήσεις - Συμφωνώ, διαφωνώ, αμφιβάλλω - Κατευθύνσεις - Καθημεριν. ασχολίες Γράμμα: Ζητώ συγγνώμη / δικαιολογούμαι	1. Ονόματα αρσενικά σε ***-έας/-είς*** 2. Χρήσεις υποτακτικής 3. Η υποτακτική με το μόριο ***ας*** 4. Δευτερεύουσες τελικές προτάσεις με ***(για) να*** 5. Ρήματα με το πρόθημα ***ξανά-*** 6. Πλάγιος λόγος (4): Ερωτήσεις ολικής αγνοίας 7. Πίνακας νέων ρημάτων	Ελεύθερος χρόνος (Α): - Θεάματα, μουσεία κ.ά. Τραγούδι ***Κόκκινα γυαλιά***
Βήμα 10 ***Άλλοτε & τώρα*** σελ.: 201 - 228	**Λέω τι κάνω στον ελεύθερο χρόνο μου (Β)** - Περιγράφω ασχολίες & πράξεις με διάρκεια στο παρελθόν - Μιλώ για τα χόμπι μου - Κατανοώ το πρόγραμμα της τηλεόρασης - Συζητώ για έναν αγώνα ποδοσφαίρου	**Ελεύθερος χρόνος** **- Οι ασχολίες και τα χόμπι άλλοτε και τώρα** - σπορ, μουσική, μαγειρική, χειροτεχνία... - έξοδοι **Η καθημερινή ζωή** **- Οι καθημερινές ασχολίες άλλοτε και τώρα**	- Ασχολίες & χόμπι εντός / εκτός σπιτιού - Η τηλεόραση & οι εκπομπές της - Το ποδόσφαιρο Περιγράφω κάτι στο παρελθόν	1. Ο παρατατικός 2. Χρήση του παρατατικού 3. Καταλήξεις ενεστώτα, παρατατικού & αορίστου 4. Ουδέτερα ονόματα σε ***-σιμο (-ξιμο, -ψιμο)*** που παράγονται από ρήματα 5. Δευτερεύουσες χρονικές προτάσεις που εισάγονται με ***ενώ*** 6. Το γενικό ή αόριστο υποκείμενο 7. Πίνακας νέων ρημάτων	Ελεύθερος χρόνος (Β): - ασχολίες & χόμπι Τραγούδι ***Οδός Αριστοτέλους***

Πολιτισμός 2 Τα έθιμα της άνοιξης & οι εορτές της χρονιάς σελ.: 229 - 232

1. Το Πάσχα (Η Λαμπρή)
2. Μερικά πασχαλιάτικα ήθη κι έθιμα
3. Φτιάξτε κι εσείς τα παραδοσιακά πασχαλινά κουλουράκια της γιαγιάς
4. Οι εορτές της χρονιάς
5. Η Πρωτομαγιά και οι φωτιές του Άι-Γιάννη

Τραγούδι
Απόψε την κιθάρα μου

UNIT 2 Personal relations and leisure time (Steps 6 - 10 & Civilisation 2) pages: 109 - 232

Steps 6 - 10	Communication	Thematic Units	Vocabulary Written skills	Grammar	Revision Pronunciation
Step 6 ***The others and I*** pages : 111 - 134	- I present myself - I introduce someone else - I create simple social relations - I participate in social events - I wish people something - I agree, I disagree, I express doubt	**Social relations** - Greetings / Introductions **Characterisations** - Family relations - Personal life **Free / Leisure time** - outside the house	- Greetings / Introductions - Relationships - I agree, I disagree, I express doubt From a dialogue to the indirect speech	1. The diminutive nouns ending in ***-άκης***, ***-ούλης***, in ***-ούλα***, ***-ίτσα*** & in ***-άκι*** 2. The indicative particle ***να*** with personal pronouns ***να τος / να τη / να το*** 3. The adjective ***αρκετός-ή-ό*** and the indefinite pronouns ***κάποιος-α-ο*** & ***μερικοί-ές-ά*** 4. The position of possessive pronoun 5. The past, the simple future & the simple imperfect subjunctive of the verbs ending in ***-ομαι*** & ***-άμαι*** 6. Table of new verbs 7. Indirect speech (3): I transfer a dialogue in indirect speech	I describe a relationship Song ***Σήμερα γάμος γίνεται***
Step 7 ***Time to travel!*** pages: 135 - 156	I ask information - about the boats - about renting a car - I discuss at the gas station - I say what is wrong with my car - I describe a trip / an excursion - I complain about something	**Free / Leisure time** (outside the house) **Trips** - Travel reservation, accommodation, transportation - Car rental - At the gas station **Nature** - Description of natural environment - Greek flora - Geographical data	- Travel - Car (description, damages, malfunction) - Nature (trees of the forest, fruit trees, herbs) Article / Post card: Describe a trip	1. Subjunctive instead of imperative 2. The position of the personal pronoun in the imperative 3. The position of the personal pronoun in the subjunctive when it is used instead of the imperative 4. Vowel reduction 5. Apocope in the imperative 6. Conditional (***αν*** + simple subjunctive) 7. Table of new verbs	I travel / Holidays Song ***Κρίνα του γιαλού***
Step 8 ***What's the weather going to be?*** pages: 157 - 172	**The weather** - I understand a weather report - I ask information about the weather - I describe the weather	**Free / Leisure time** (outside the house) - The weather	- The weather (natural phenomena, weather forecast, temperature) - The Cardinal points - Day, Week, Month, Year	1. The neuter names ***το πρωί*** & ***το πρωινό*** 2. The neuter names ***το βράδυ*** & ***το ρολόι*** 3. Table of new verbs	The weather Song ***Έρχεται βροχή!***
Step 9 ***What are we going to do today?*** pages: 173 - 200	**I say what I do during my free time (A)** - I choose a certain show / book & I explain my choice - I give directions - I understand and draft invitations **I say what I do every day**	**Free / Leisure time** - Outings: Shows - Readings: Books & press - Social relations & events **Everyday life**	- Kinds of shows & genres of books - Invitations - I agree, I disagree, I doubt - Directions - Daily routine Excuse letter	1. Masculine nouns in ***-έας /-εύς*** 2. Use of subjunctive 3. Subjunctive with the particle ***ας*** 4. Subordinate clauses with ***(για) να*** 5. Verbs with the prefix ***ξανά-*** 6. Indirect speech (4): Questions of complete ignorance 7. Table of new verbs	Free / Leisure time (A): - shows, museums et al. Song ***Κόκκινα γυαλιά***
Step 10 ***Then and now*** pages: 201 - 228	**I say what I do during my free time (B)** - I describe activities & actions with duration in the past - I talk about my hobbies - I understand the television programme - I talk about a football game	**Free / Leisure time** **- Activities and hobbies then and now** - sports, music, cooking, crafting etc. - outings **Everyday life** **- Everyday activities then and now**	- Activities & hobbies outside the house - Activities & hobbies inside the house - Television & programmes - Football Describe an event in the past	1. Imperfect tense 2. Use of imperfect 3. Endings of present, imperfect & past tense 4. Neuter nouns in ***-σιμο (-ξιμο, -ψιμο)*** that derive from verbs 5. Subordinate time clauses that start with ***ενώ*** 6. The general or indefinite subject 7. Table of new verbs	Free / Leisure time (B): - activities and hobbies Song ***Οδός Αριστοτέλους***

Civilisation 2 Spring customs and holidays of the year pages: 229 - 232

1. Easter
2. Some Easter customs
3. How to make Grandma's traditional Easter cookies
4. Holidays of the year
5. First May and St John's fires

Song ***Απόψε την κιθάρα μου***

Το σπίτι μου κι εγώ

Ενότητα 1
Βήματα 1 - 5

"Αθήνα" Σπύρος Βασιλείου (1903-1985)

ΕΠΙΚΟΙΝΩΝΙΑΚΟΙ ΣΤΟΧΟΙ

✓ **Περιγραφή ατόμου**
- Ταυτότητα
- Εξωτερική εμφάνιση

✓ **Περιγραφή κατοικίας**
- Αναζήτηση κατοικίας
- Στην πόλη ή στην εξοχή;

✓ **Περιγραφή γεγονότος**
- Ατυχήματα
- Αστυνομικό δελτίο

COMMUNICATION TARGETS

✓ **Description of a person**
- Identity
- Exterior description

✓ **Description of a house**
- Looking for a house
- Living in the city or in the countryside?

✓ **Description of an event**
- Accidents
- Police reports

Περιεχόμενα της πρώτης ενότητας

Το σπίτι μου κι εγώ

Γιάννης Τσαρούχης (1952)

Henri Cartier-Bresson (1953)

Το σπίτι με τις Καρυάτιδες

Αυτό το διώροφο νεοκλασικό, όχι ιδιαίτερης λαμπρότητας λαϊκό σπίτι, βρίσκεται στην οδό Αγίων Ασωμάτων 45, στην περιοχή του Θησείου, στην Αθήνα. Ο θρύλος της πόλης λέει ότι ο ιδιοκτήτης του τοποθέτησε τις δύο Καρυάτιδες στο μπαλκόνι του, όταν έχασε τις δύο κόρες του.

Το σπίτι με τις Καρυάτιδες ενέπνευσε το ζωγράφο Γιάννη Τσαρούχη αλλά και τον περίφημο Γάλλο φωτογράφο Ανρί Καρτιέ Μπρεσόν, οι οποίοι το απεικόνισαν, ο καθένας με την ιδιαίτερη τέχνη του.

The house with the Caryatides

This two-story neoclassical house, not particularly fancy - an ordinary house - is located on 45 Agion Asomaton Street in the area of Thiseion in Athens. The legend of the city has it that its owner placed on its balcony two Caryatides, when he lost his two daughters.

The house with the Caryatides inspired the painter Yiannis Tsarouchis, but also the famous French photographer, Henri Cartier-Bresson, who depicted it, each with his own special artistic talent.

Βήμα 1

Ποιος είναι;

Επικοινωνία

✓ **Ζητώ και δίνω πληροφορίες σχετικά με κάποιο άτομο:**
ονοματεπώνυμο, ιθαγένεια, θρήσκευμα, ηλικία, φύλο, τόπος & ημερομηνία γέννησης, τόπος κατοικίας, διεύθυνση, τηλέφωνο, επάγγελμα, οικογενειακή κατάσταση

Θεματικές ενότητες

Χαρακτηρισμοί
✓ **Ταυτότητα**

Λεξιλόγιο

- **Στοιχεία ταυτότητας**
- **Θρησκεύματα**

Γραμματική

1. **Ρήματα σε *-ω / -ομαι***
2. **Ρήματα σε σύνθεση με προθέσεις (εσωτερική αύξηση)**
   υπογράφω - υπέγραψα
3. **Το ρήμα *ασχολούμαι***
4. **Πλάγιος λόγος (1)**
5. **Το διπλόκλιτο όνομα *ο χρόνος***
6. **Πίνακας νέων ρημάτων**

Who is who?

Communication

✓ **I ask and give information regarding a person:**
name & surname, nationality, religion, age, sex, place and date of birth, place of residence, address, telephone number, profession, marital status

Thematic units

Characterisations
✓ **Identity**

Vocabulary

- **Personal information**
- **Religions**

Grammar

1. **Verbs ending in *-ω / -ομαι***
2. **Compound verbs with prepositions (internal augment)**
   υπογράφω - υπέγραψα
3. **The verb *ασχολούμαι***
4. **Indirect speech (1)**
5. **The dual declension noun *ο χρόνος***
6. **Table of new verbs**

Η Πλάκα: παλιά γειτονιά της Αθήνας κάτω από την Ακρόπολη

Βήμα 1
Ποιος είναι;

Η Δανάη είδε ένα ατύχημα που έγινε κοντά στο σπίτι της. Η αστυνομία την καλεί για να δώσει κατάθεση.

1.1. Στο αστυνομικό τμήμα
Δανάη: Α, Αστυνομικός: Β

A: Καλημέρα σας!
B: Τι θέλετε, παρακαλώ;
A: Με καλέσατε για να δώσω μια **κατάθεση** για το ατύχημα που έγινε χτες το απόγευμα στην αρχή της λεωφόρου Συγγρού.
B: Μάλιστα. Καθίστε, παρακαλώ. Λοιπόν, θέλω πρώτα τα **στοιχεία σας**. Πώς **ονομάζεστε;**
A: Λέγομαι Δανάη Λούρη.
B: Με συγχωρείτε, δεν άκουσα καλά. Λέτε πάλι το **επίθετό** σας;
A: Λούρη. Δανάη Λούρη.
B: Τι **ιθαγένεια** έχετε;
A: Ελληνική.
B: Με τι **ασχολείστε**, κυρία Λούρη;
A: Είμαι φιλόλογος. **Εργάζομαι** στο Πρώτο Γυμνάσιο Πλάκας.
B: Ηλικία;
A: Τριάντα επτά ετών.
B: Οικογενειακή κατάσταση; **Έγγαμη**, **άγαμη**, διαζευγμένη...;
A: Διαζευγμένη.
B: **Τόπος κατοικίας**;
A: Αθήνα.
B: Και η διεύθυνσή σας;
A: Μένω στην οδό Λυσίου 10, στην Πλάκα.
B: Ξέρετε τον **ταχυδρομικό κωδικό** της περιοχής;
A: Ένα λεπτό... Ναι, είναι 10 556.
B: Μου δίνετε κι ένα σταθερό τηλέφωνο;
A: Είναι 210 80 80 800.
B: Και η **ηλεκτρονική** σας **διεύθυνση;**
A: Το μέιλ μου είναι d.louri@user.gr.
B: Εντάξει. **Υπογράψτε** εδώ και περάστε στο γραφείο απέναντι για την κατάθεση.
A: Τελειώσαμε;
B: Μισό λεπτό... Χρειάζομαι επίσης την αστυνομική σας ταυτότητα ή το διαβατήριό σας.
A: Έχω μόνο την άδεια οδήγησης μαζί μου.
B: Κανένα πρόβλημα.

Ξέρετε πώς το λένε;
d.louri@user.gr @ = **παπάκι**

1.1.α. Ταιριάξτε τις φράσεις. Match the phrases.

1.	Η αστυνομία κάλεσε τη Δανάη για	__	α.	στο Πρώτο Γυμνάσιο της Πλάκας.
2.	Ο αστυνομικός ζητάει πρώτα	__	β.	είναι Λυσίου 10, στην Πλάκα.
3.	Η Δανάη εργάζεται	__	γ.	να δώσει κατάθεση για το ατύχημα.
4.	Η διεύθυνση κατοικίας της Δανάης	__	δ.	υπογράψει κάτω από τα στοιχεία της.
5.	Η Δανάη	__	ε.	37 χρόνων.
6.	Η ηλικία της είναι	__	ζ.	είναι διαζευγμένη.
7.	Ο αστυνομικός ζητάει από τη Δανάη το σταθερό της	__	η.	ή το διαβατήριο της Δανάης.
8.	Ο αστυνομικός τής λέει να	__	θ.	μόνο την άδεια οδήγησης.
9.	Ο αστυνομικός χρειάζεται επίσης την αστυνομική ταυτότητα	__	ι.	τηλέφωνο και την ηλεκτρονική της διεύθυνση.
10.	Η Δανάη έχει μαζί της	__	κ.	τα στοιχεία της Δανάης.

1.1.β. Παίξτε το διάλογο ανά ζεύγη. Ξαναπαίξτε τον με τα δικά σας στοιχεία.
Play the dialogue in pairs. Replay it using your own information.

1.2. *Ποιος είναι ο Σώτος;*

Με λένε Σωτήρη Πλέσσα και οι φίλοι μου **με φωνάζουν** Σώτο. Γεννήθηκα στον Πειραιά, στις είκοσι τρεις Απριλίου 1979. Είμαι παντρεμένος με την Αμαλία Χατζή. Μένω στο κέντρο του Πειραιά, στην οδό Τσαμαδού 5. Είμαι **θεολόγος**, καθηγητής στο Πανεπιστήμιο Αθηνών, και ασχολούμαι με τα **θρησκεύματα** στην Ελλάδα.

Στην Ελλάδα, οι πιο πολλοί κάτοικοι είναι **χριστιανοί ορθόδοξοι**. Υπάρχουν όμως και χριστιανοί **καθολικοί**, **μουσουλμάνοι** και **ισραηλίτες**. Εγώ είμαι χριστιανός ορθόδοξος και η γυναίκα μου, που είναι από τη Σύρο, είναι χριστιανή καθολική.

ΔΕΛΤΙΟ ΤΑΥΤΟΤΗΤΑΣ	IDENTITY CARD
ο αριθμός ταυτότητας	ID number
η έγχρωμη φωτογραφία	colour photo
η ημερομηνία γέννησης	date of birth
η ημερομηνία έκδοσης	issuance date
η ημερομηνία λήξης	expiration date
η ιθαγένεια	nationality
η ομάδα αίματος	blood type
η υπογραφή	signature
το δακτυλικό αποτύπωμα	fingerprint
το φύλο	sex
Α (Άρρεν - άνδρας)	M (Male - man)
Θ (Θήλυ - γυναίκα)	F (Female - woman)

Ποιο είναι το θρήσκευμά σας;

Είμαι βουδιστής.

Είμαι μουσουλμάνος.

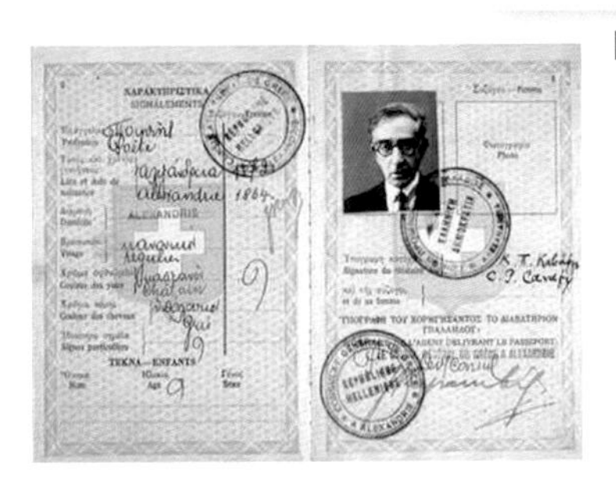

Πώς σε φωνάζουν; *(το χαϊδευτικό)*

Επώνυμο (ή επίθετο):
Πλέσσας
Όνομα (ή μικρό όνομα):
Σωτήρης
Χαϊδευτικό:
Σώτος

1.2.α. **Κάντε διαλόγους ανά ζεύγη** Make dialogues in pairs.
Πείτε πώς σας λένε, πώς σας φωνάζουν και ποιο είναι το θρήσκευμά σας.

1.3.  Ακούστε το κείμενο: *Στην αστυνομία για ταυτότητα*
Listen to the text:

1.3.α.  **Σημειώστε: Σωστό ή Λάθος;** Tick: True or False?

		Σωστό	Λάθος
1.	Ονομάζεται Ηλίας Πέτρου.		
2.	Ο αστυνόμος ζητάει το **ονοματεπώνυμο** του πατέρα του και της μητέρας του.		
3.	Ο Ηλίας δεν έχει δουλειά.		
4.	Ο Ηλίας είναι **ανύπαντρος**.		
5.	Ο Ηλίας είναι κοντός, καστανός, με μπλε μάτια.		
6.	Έχει ελληνική ιθαγένεια.		
7.	Ο Ηλίας γεννήθηκε στην Αθήνα.		
8.	Ο Ηλίας γεννήθηκε το 1994.		
9.	Ο Ηλίας δε μένει στην Ελλάδα.		
10.	Στο τέλος ο Ηλίας πρέπει να πάει σε ένα άλλο γραφείο.		
11.	Ο Ηλίας έχει μαζί του τέσσερις **πρόσφατες** φωτογραφίες.		

1.4. Ακούστε το κείμενο: *Ένας ελληνοαμερικανός σκηνοθέτης*
Listen to the text:

1.4.α.  **Σημειώστε: Σωστό ή Λάθος;**
Tick: True or False?

		Σωστό	Λάθος
1.	Ο Τιμ **παίζει** στην **ταινία** *Άλφα - Θήτα*.		
2.	Η ταινία ήταν από τις πιο κακές ταινίες του φεστιβάλ.		
3.	Η ταινία *Άλφα - Θήτα* είναι η πρώτη ταινία του Τιμ.		
4.	Ο Τιμ δε μιλάει καλά ελληνικά.		
5.	Ο Τιμ γεννήθηκε στην Αμερική.		
6.	Οι γονείς του έχουν αμερικανική καταγωγή.		
7.	Η καταγωγή του Τιμ είναι από την Ελλάδα.		
8.	Τον φωνάζουν Τιμ από το όνομα Τιμόθεος.		
9.	Ο Τιμ είναι **Ελληνοαμερικανός** και τώρα μένει στη Θεσσαλονίκη.		
10.	Ο Τιμ στην ταινία του περιγράφει τη ζωή των ανδρών της ηλικίας του.		

  Με τι ασχολείσαι / ασχολείστε;

Σπουδές

- Με τι **ασχολείσαι**, Πέτρο;

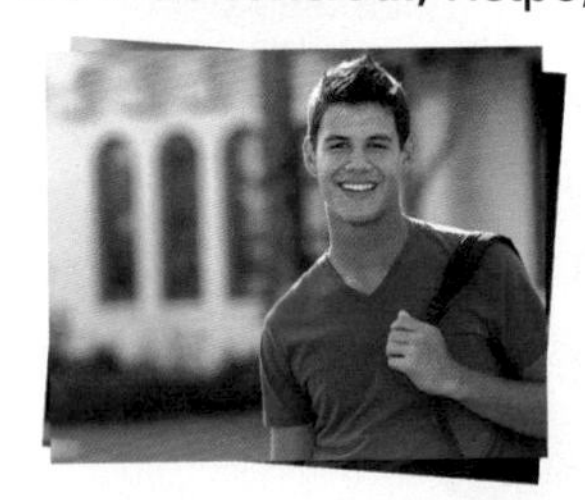

- Είμαι φοιτητής. Κάνω **σπουδές από απόσταση**. Σπουδάζω **νομικά** στο πανεπιστήμιο Χάρβαρντ.

Επαγγέλματα

- Με τι **ασχολείστε**, κύριε Λέκκα;
- Είμαι **πολιτικός μηχανικός** κι εργάζομαι στο *Αττικό Μετρό*.

- Με τι **ασχολείσαι**, Μαίρη;
- Με τα **οικιακά** και τα παιδιά μου.

Ελεύθερος χρόνος

- Με τι **ασχολείστε** στον **ελεύθερο χρόνο** σας;

- **Ασχολούμαι** με την **ψηφιακή** φωτογραφία & την **κεραμική**.

1.5.α. Ακούστε το κείμενο: *Συνέντευξη στο Παναθηναϊκό Στάδιο*
Listen to the text:

  Σημειώστε το σωστό. (1 ή 2 σωστά) Tick the correct answer. (1 or 2 correct)

1.	Με τι ασχολείται ο Μάνος;	α. Είναι δικηγόρος	β. Είναι δημοσιογράφος	γ. Είναι γυμναστής
2.	Τα αγαπημένα **αθλήματα** του Μάνου είναι	α. το κολύμπι	β. το τρέξιμο	γ. το ποδόσφαιρο
3.	Στον ελεύθερο χρόνο της η Ελένη ασχολείται με	α. τη ζωγραφική	β. τη μουσική	γ. τον κήπο της
4.	Ο Θανάσης είναι φοιτητής αλλά ασχολείται και με	α. το ίντερνετ	β. το ποδόσφαιρο	γ. το θέατρο
5.	Ο Θανάσης ασχολείται επίσης με	α. τη μουσική	β. το μπάσκετ	γ. τη γυμναστική

*Το **Παναθηναϊκό Στάδιο**: ένα από τα πιο παλιά στάδια της Ελλάδας (329 π.Χ.).*

Παροιμίες - Γνωμικά
Proverbs - Sayings

Κάλλιο αργά παρά ποτέ.
Better later than never.

*Ο **Μαραθώνιος της Αθήνας**: ο **αυθεντικός** μαραθώνιος που γίνεται κάθε χρόνο (συνήθως το Νοέμβριο).*

 **Και τώρα εσείς!**

1.5.γ.

Εσείς με τι ασχολείστε; (Τι δουλειά κάνετε;) Με τι ασχολούνται τα μέλη της οικογένειάς σας; Με τι ασχολείστε στον ελεύθερο χρόνο σας; (Τι σπορ κάνετε; Τι χόμπι έχετε; κ.λπ.)

   Ακούστε το κείμενο: *Η Ίντιρα από την Ινδία*
Listen to the text:

ΤΑ ΘΡΗΣΚΕΥΜΑΤΑ	RELIGIONS (adj.)
ο βουδιστής - η βουδίστρια	Buddhist
ο ινδουιστής - η ινδουίστρια	Hindu
ο ισραηλίτης - η ισραηλίτισσα	Israelite
ο μουσουλμάνος - η μουσουλμάνα	Muslim
ο χριστιανός - η χριστιανή	Christian
ο ορθόδοξος - η ορθόδοξη	Orthodox
ο καθολικός - η καθολική	Catholic
ο διαμαρτυρόμενος - η διαμαρτυρόμενη	Protestant
ο προτεστάντης - η προτεστάντισσα	Protestant

1.6.α. Σημειώστε το σωστό. Tick the correct answer.

1.	Ονοματεπώνυμο	α. Ίντιρα Καλάν	β. Μαλού Λάτα
2.	Ηλικία	α. 23 χρονών	β. 24 ετών
3.	Οικογενειακή κατάσταση	α. έγγαμη	β. άγαμη
4.	Τόπος κατοικίας	α. Νέο Δελχί	β. Λονδίνο
5.	Τόπος γέννησης	α. Νέο Δελχί	β. Λονδίνο
6.	Ιθαγένεια	α. ινδική	β. αγγλική
7.	Σπουδές	α. φιλολογία και μουσική	β. ιατρική
8.	Επάγγελμα	α. δασκάλα χορού	β. δασκάλα μουσικής
9.	Ασχολίες	α. μουσική τεχνολογία και **σύνθεση**	β. χορός
10.	Ξένες γλώσσες	α. αγγλικά και γαλλικά	β. ισπανικά και αγγλικά
11.	**Μητρική γλώσσα**	α. αγγλικά	β. χίντι
12.	Θρήσκευμα μητέρας	α. βουδίστρια	β. προτεστάντισσα
13.	Θρήσκευμα Ίντιρας	α. βουδίστρια	β. ισραηλίτισσα
14.	Θρήσκευμα πατέρα	α. βουδιστής	β. προτεστάντης

*Ένας μικρός **Βούδας**: το αγαπημένο της άγαλμα*

1.7. Σύνθεση λέξεων

προς + καλώ

καλώ	η κλήση
προσκαλώ	η **πρόσ**κληση

περί + γράφω
υπό + γράφω

γράφω	η γραφή
περιγράφω	η **περι**γραφή
υπογράφω	η **υπο**γραφή

1.7.α. Σημειώστε το σωστό (1 ή 2 σωστά). Tick the correct answer (1 or 2 correct).

1.	Χτες πήρα μια ***κλήση / πρόσκληση*** από τον τροχονόμο γιατί πέρασα με κόκκινο φανάρι.
2.	**Ανάγνωση** και ***γραφή / περιγραφή / υπογραφή*** μάθαμε στο βιβλίο Α0.
3.	Δεν πήρα ακόμη την ***κλήση / πρόσκληση*** που μου έστειλες για το πάρτι σου με το ηλεκτρονικό ταχυδρομείο.
4.	Βρήκα μια **αναπάντητη *κλήση / πρόσκληση*** στο κινητό μου.
5.	Πρέπει να βάλεις την ***γραφή / περιγραφή / υπογραφή*** σου στη νέα ταυτότητά σου.
6.	Πόσα άτομα ***κάλεσες / προσκάλεσες / ρώτησες*** στα βαφτίσια του γιου σου;
7.	Πρέπει να ***περιγράψετε / υπογράψετε*** κάτω από τη φωτογραφία σας.
8.	***Περιγράψτε / Υπογράψτε*** το σπίτι σας. Στείλτε στο μεσίτη ένα μέιλ με τη ***γραφή / περιγραφή / υπογραφή*** του διαμερίσματός σας.

1.8.  Οικογένειες λέξεων: η οικία

η **οικ**ία (το σπίτι)
η κατ**οικ**ία
κατ**οικ**ώ
η μονοκατ**οικ**ία
η πολυκατ**οικ**ία
το **οικ**όπεδο
ο **οικ**ισμός
ο/η κάτ**οικ**ος
ο/η συγκάτ**οικ**ος
το εν**οίκ**ιο (νοίκι)
νοικιάζω
η **οικ**ογένεια
η **νοικ**οκυρά
τα **οικ**ιακά
κατ**οικ**ίδιος-α-ο

η **οικ**ονομία
οικονομικός-ή-ό
ο/η **οικ**ονομολόγος

1.8.α. Σημειώστε το σωστό. Tick the correct answer.

1.	Η ταυτότητα της Λυδίας δίπλα στη λέξη «Επάγγελμα» γράφει ***οικία / κατοικία / οικιακά***.
2.	Ποιος είναι ο τόπος ***οικίας / κατοικίας / οικονομίας*** σας; Η Αθήνα ή το Παρίσι;
3.	Μένει στον τρίτο όροφο μιας ***κατοικίας / μονοκατοικίας / πολυκατοικίας*** στο Χαλάνδρι.
4.	Το χωριό Κισσός του Πηλίου έχει περίπου 330 ***κατοίκους / οικόπεδα / συγκατοίκους***.
5.	Θέλω να νοικιάσω αυτό το διαμέρισμα αλλά δεν ξέρω ακόμα το ***ενοίκιο / την οικονομία / τα οικιακά***.
6.	Σε αυτό το ξενοδοχείο απαγορεύονται ***τα κατοικίδια / οι κάτοικοι / τα ενοίκια***.
7.	Ο γιος μου σπούδασε ***οικονομικός / οικονομολόγος / κάτοικος.***
8.	Νοίκιασε ***μια μονοκατοικία / έναν οικισμό / ένα οικόπεδο*** στο κέντρο.
9.	Η ***οικία μου / κάτοικός μου / συγκάτοικός μου*** είναι από την Κύπρο.
10.	Η μητέρα μου είναι πολύ καλή ***οικογένεια / νοικοκυρά / κάτοικος***.

 **Και τώρα εσείς!**

1.8.β. *Πού **κατοικείτε**; Ζείτε σε **μονοκατοικία** ή **πολυκατοικία**; Το **οικόπεδο** της **κατοικίας** σας είναι μεγάλο; Έχετε κήπο; Πώς είναι οι **συγκάτοικοί** σας; Τους βλέπετε συχνά; Κάνετε παρέα; Επιτρέπονται τα **κατοικίδια** στην **πολυκατοικία** σας; Εσείς έχετε **κατοικίδια** στο σπίτι σας; Τι **κατοικίδια** έχετε; Πώς τα φωνάζετε; Ασχολείστε με τα **οικιακά**; Τι δουλειές κάνετε στο σπίτι σας; Ποιες σας αρέσουν; Είστε καλή **νοικοκυρά**; Κάνετε **οικονομία** στο σπίτι σας;*

1.9.  Σημαίνει πολλά

η κατάθεση	✓ καταθέτω / βάζω χρήματα στην τράπεζα ✓ λέω αυτά που ξέρω στην αστυνομία	**Κάνω μια κατάθεση** πεντακοσίων ευρώ στην τράπεζα. **Δίνω μια κατάθεση** στην αστυνομία.
καλώ	✓ προσκαλώ ✓ τηλεφωνώ ✓ φωνάζω	**Με κάλεσε** στο γάμο της. Εσείς **με καλέσατε** στο κινητό μου; **Κάλεσα** την πυροσβεστική.
φωνάζω	✓ μιλάω δυνατά ✓ καλώ ✓ με λένε	Δε χρειάζεται **να φωνάζεις**! Σε ακούω! Ο θερμοσίφωνας χάλασε. **Φώναξες** τον υδραυλικό; Με λένε Δημήτρη αλλά **με φωνάζουν** Μίμη.

1.9.α. Διαγράψτε το λάθος (1 ή 2 λάθη). Cross out the mistake (1 or 2 mistakes).

1.	***Έκανα / Έδωσα*** στην τράπεζα μια κατάθεση χιλίων ευρώ.
2.	Πήγα χτες στο αστυνομικό τμήμα για ***να δώσω / να κάνω*** μια κατάθεση για ένα ατύχημα.
3.	- Ποιο είναι το ***μικρό σας όνομα / επώνυμό σας / επίθετό σας***, κύριε Φωτιάδη; - Μιλτιάδης αλλά ***με καλούν / με προσκαλούν / με φωνάζουν*** Μίλτο.
4.	***Με κάλεσαν / προσκάλεσαν / φώναξαν*** από την αστυνομία για να κάνω μια κατάθεση.
5.	Με ***κάλεσε / προσκάλεσε / τηλεφώνησε*** η Μαρία στο πάρτι της.
6.	Ευχαριστούμε πολύ που ***καλέσατε / τηλεφωνήσατε*** την εταιρεία *Άλφα-Δέλτα.*
7.	***Μιλήστε / Φωνάξτε*** ένα γιατρό! Η κυρία δεν αισθάνεται καλά.
8.	Παιδιά, ησυχία! Απαγορεύεται ***να φωνάζετε / να λέτε*** στο νοσοκομείο.
9.	***Καλέσαμε / Προσκαλέσαμε / Φωνάξαμε*** τον υδραυλικό γιατί χάλασε ο θερμοσίφωνας.
10.	***Κάλεσα / Προσκάλεσα / Φώναξα*** το γιατρό και ήρθε μέσα σε δέκα λεπτά.

  Πλάγιος λόγος (1)

Ευθύς λόγος*	Πλάγιος λόγος*
Ο αστυνομικός ρωτάει. Η Δανάν απαντάει.	***Τι ρωτάει ο αστυνομικός τη Δανάν; Τι απαντάει η Δανάν;***
Αστυνομικός: **Πώς** ονομάζ**εστε**, παρακαλώ; *Δανάν:* Ονομάζ**ομαι** Δανάν Λούρπ.	Ο αστυνομικός ρωτάει τη Δανάν **πώς**** ονομάζ**εται**. Η Δανάν απαντάει **ότι / πως** ονομάζ**εται** Δανάν Λούρπ.
Αστυνομικός: **Πού** εργάζ**εστε,** κυρία Λούρπ; *Δανάν:* Εργάζ**ομαι** στο Πρώτο Γυμνάσιο Πλάκας.	Ο αστυνομικός ρωτάει τη Δανάν **πού**** εργάζ**εται**. Η Δανάν απαντάει **ότι / πως** εργάζ**εται** στο Πρώτο Γυμνάσιο Πλάκας.

** Ευθύς λόγος: * Direct speech:*
** Πλάγιος λόγος: * Indirect speech:*

 *** Προσοχή! Στον πλάγιο λόγο, αυτές οι λέξεις τονίζονται.*
Attention! These words take an accent when in indirect speech.

1.10.α.   Σημειώστε το σωστό και στη συνέχεια ακούστε το κείμενο και ελέγξτε τις απαντήσεις σας.
Tick the correct and then listen to the text and check your answers.

Η Ήρα και οι φίλοι της

1.	*Άρης:* **Πού** μένεις; *Ήρα:* Μένω στην Αθήνα.	Ο Άρης ρωτάει την Ήρα **πού *μένω / μένεις / μένει.*** Η Ήρα απαντάει ότι ***μένω / μένεις / μένει*** στην Αθήνα.
2.	*Άρης:* **Τι** ιθαγένεια έχεις; *Ήρα:* Έχω ελληνική ιθαγένεια.	Ο Άρης ρωτάει την Ήρα **τι** ιθαγένεια ***έχω / έχεις / έχει.*** Η Ήρα απαντάει πως ***έχω / έχεις / έχει*** ελληνική ιθαγένεια.
3.	*Άρης:* **Ποιο** είναι το τηλέφωνό σου; *Ήρα:* Το τηλέφωνό μου είναι 234 760943.	Ο Άρης ρωτάει την Ήρα **ποιο *είμαι / είσαι / είναι*** το τηλέφωνό ***του / της / του.*** Η Ήρα απαντάει ότι το τηλέφωνό ***του / της / του*** είναι 234 760943.
4.	*Ήρα:* Εσείς, παιδιά, **πού** μένετε; *Άρης:* Μένουμε στη Θεσσαλονίκη.	Η Ήρα ρωτάει τους φίλους της **πού *μένουμε / μένετε / μένουν.*** Ο Άρης απαντάει ότι ***μένουμε / μένετε / μένουν*** στη Θεσσαλονίκη.
5.	*Ήρα:* Και **πού** εργάζεστε; *Άρης:* Εγώ εργάζομαι στο ξενοδοχείο *Λευκός Πύργος.* *Παύλος:* Κι εγώ επίσης.	Η Ήρα ρωτάει τους φίλους της **πού *εργαζόμαστε / εργάζεστε / εργάζονται.*** Ο Άρης και ο Παύλος απαντάνε ότι ***εργαζόμαστε / εργάζεστε / εργάζονται*** και οι δύο στο ξενοδοχείο *Λευκός Πύργος.*
6.	*Ήρα:* Και **πώς** περνάτε στη Θεσσαλονίκη; *Παύλος:* Περνάμε πολύ ωραία. Είναι υπέροχη πόλη.	Η Ήρα ρωτάει τους φίλους της **πώς *περνάμε / περνάτε / περνάνε*** στη Θεσσαλονίκη. Ο Παύλος λέει ότι ***περνάμε / περνάτε / περνάνε*** πολύ ωραία. Λέει επίσης ότι η Θεσσαλονίκη είναι υπέροχη πόλη.

1.11. Το λέμε κι αλλιώς

εργάζομαι (σε) δουλεύω (σε) ασχολούμαι (με)	- Πού **εργάζεστε**; - **Δουλεύω σ'** ένα κομμωτήριο. - Με τι **ασχολείστε**; - **Ασχολούμαι με** την πληροφορική.
έγγαμος-η* παντρεμένος-η με τον/την...	Οικογενειακή κατάσταση: **έγγαμος.** Είναι **παντρεμένος / ~~έγγαμος~~** με την Ελένη.
άγαμος-η* ανύπαντρος-η ελεύθερος-η	Οικογενειακή κατάσταση: **άγαμη**. Η Αγλαΐα είναι **ανύπαντρη / ελεύθερη / ~~άγαμη~~.** **Δεν** είναι **παντρεμένη**.

* *Μόνο σε επίσημα έγγραφα.* * *Only in official documents*

1.11.α. Σημειώστε το σωστό (1 ή 2 σωστά).
Tick the correct answer (1 or 2 correct).

1.	Ο ανιψιός μου είναι ***παντρεμένος / έγγαμος / ανύπαντρος*** με μια Κύπρια.
2.	Η κόρη μου είναι ***άγαμη / ανύπαντρη / έγγαμη***.
3.	Η Δήμητρα ***ασχολείται / δουλεύει / εργάζεται*** με τα οικιακά.
4.	Κύριε Μιχαλόπουλε, πού ***εργάζεστε / ασχολείστε / δουλεύετε***;
5.	Και οι δύο γιοι μου ***δουλεύουν / εργάζονται / ασχολούνται*** στην επιχείρησή μας.

1.12. Ζευγάρια λέξεων

α. Επίθετο + όνομα a. Adjective + noun	**β. Όνομα + όνομα (πάντα στη γενική)** b. Noun + noun (always in genitive case)
η αστυνομική ταυτότητα	**ο τόπος κατοικίας**
η μητρική γλώσσα	**η ημερομηνία έκδοσης**

Ξέρετε τον **ταχυδρομικό κωδικό** σας;
Μου δίνετε τον αριθμό του **δελτίου ταυτότητάς** σας;
Δε γνωρίζω τον **τόπο κατοικίας** του.
Ποια είναι η **ομάδα αίματος** του γιου σας;
Οι δύο οδηγοί δεν είχαν μαζί τους τις **άδειες οδήγησης**.

1.12.α. Ταιριάξτε τις λέξεις και γράψτε τα ζευγάρια λέξεων. Match the words and write the word pairs.

1.	τα δελτία	α.	τμήμα	_τα δελτία ταυτότητας_
2.	η οικογενειακή	β.	αποτυπώματα	_______________
3.	το αστυνομικό	γ.	αίματος	_______________
4.	η ημερομηνία	δ.	κατοικίας	_______________
5.	τα δακτυλικά	ε.	ταυτότητας	_______________
6.	η ομάδα	ζ.	κλήσεις	_______________
7.	η ηλεκτρονική	η.	οδήγησης	_______________
8.	η διεύθυνση	θ.	κατάσταση	_______________
9.	η άδεια	ι.	διεύθυνση	_______________
10.	οι αναπάντητες	κ.	γέννησης	_______________

Λεξιλόγιο / Glossary

Λεξιλόγιο	Glossary
ΟΝΟΜΑΤΑ	NOUNS
Βούδας, ο	Buddha
ελεύθερος χρόνος, ο	free / leisure time
Ελληνοαμερικανός, ο	Greek-American (masc.)
κωδικός, ο	code
ταχυδρομικός κωδικός, ο	code postal
μαραθώνιος, ο	marathon
νοικοκύρης, ο	landlord
πολιτικός μηχανικός, ο/η	civil engineer (masc.)
τόπος κατοικίας, ο	place of residence
θεολόγος, ο/η	theologian
συγκάτοικος, ο/η	roommate
ανάγνωση, η	reading
γραφή, η	writing
έκδοση, η	issuance
ημερομηνία έκδοσης, η	issuance date
Ελληνοαμερικανίδα, η	Greek-American (fem.)
ηλεκτρονική διεύθυνση, η	electronic mail (e-mail)
ιθαγένεια, η	nationality
κατάθεση, η	testimony, deposition
δίνω κατάθεση	I give testimony
κεραμική, η	ceramics
κλήση, η	call (n.)
αναπάντητη κλήση, η	missed call
μητρική γλώσσα, η	mother tongue
νοικοκυρά, η	housewife
οδήγηση, η	driving (n.)
οικία, η	house, residence
οικονομία, η	economy
περιγραφή, η	description
προπόνηση, η	training
συνέντευξη, η	interview
σύνθεση (μουσική), η	composition (music)
χρονολογία, η	year (date)
άθλημα, το	sport
αίμα, το	blood
ομάδα αίματος, η	blood type
άρρεν (φύλο), το	male (sex)
δακτυλικό αποτύπωμα, το	fingerprint
επίθετο, το	last name, surname
θήλυ (φύλο), το	female (sex)
θρήσκευμα, το	religion
ονοματεπώνυμο, το	name and surname
παπάκι, το (@)	at (@ in an e-mail)
στάδιο, το	stadium
φύλο, το	sex
χαϊδευτικό, το	nickname
σπουδές από απόσταση, οι	distance studies
νομικά, τα	law, legal profession / knowledge
οικιακά, τα	housework
οικονομικά, τα	economics
στοιχεία (ταυτότητας), τα	personal information
ΕΠΙΘΕΤΑ - ΜΕΤΟΧΕΣ	ADJECTIVES – PARTICIPLES
άγαμος-η-ο	single, unmarried
ανύπαντρος-η-ο	single, unmarried
αστυνομικός-ή-ό	police (adj.)
αστυνομική ταυτότητα, η	identity card
αστυνομικό τμήμα, το	police department / station
αυθεντικός-ή-ό	authentic, original
έγγαμος-η-ο	married
έγχρωμος-η-ο	colour (adj.)
πρόσφατος-η-ο	recent
ψηφιακός-ή-ό	digital
ΡΗΜΑΤΑ	VERBS
αρέσω	I am liked
ασχολούμαι	I do (profession, hobby etc.)
γυρίζω (ταινία)	I make, I shot (a film)
εργάζομαι	I work
καταθέτω	I give a deposition / testimony
κατοικώ	I reside
ονομάζομαι	my name is...
περιγράφω	I describe
σερφάρω	I surf
υπογράφω	I sign
φωνάζω	I call someone
με φωνάζουν	people call me
ΜΟΡΙΑ	
βρε	hey

γραμματική

1. Τα ρήματα σε *-ω / -ομαι* (Α΄ συζυγία)
Verbs ending in *-ω / -ομαι* (conjugation A)

Τα ρήματα έχουν ενεργητική και μεσοπαθητική φωνή / σημασία.
In terms of their form, verbs have active and middle - passive voice / meaning.

Α΄ συζυγία < **βρίσκω** (ενεργητική φωνή) / βρίσκ**ομαι** (μεσοπαθητική φωνή)

	Ενεστώτας
Ενεργητική φωνή	Μέση - Παθητική φωνή
βρίσκω	βρίσκομαι
βρίσκεις	βρίσκεσαι
βρίσκει	βρίσκεται
βρίσκουμε	βρισκόμαστε
βρίσκετε	βρίσκεστε & βρισκόσαστε
βρίσκουν(ε)	βρίσκονται

Όπως *βρίσκω* - *βρίσκομαι*:
ονομάζω - *ονομάζομαι*
λέ(γ)ω - *λέγομαι*
ντύνω - *ντύνομαι*
πλένω - *πλένομαι*
λούζω - *λούζομαι*
χτενίζω - *χτενίζομαι*

Τα πιο πολλά ρήματα έχουν και τις δύο φωνές, όπως το ***βρίσκω*** - ***βρίσκομαι***. Υπάρχουν όμως και ρήματα που σχηματίζονται μόνο στην ενεργητική φωνή (π.χ.: ***κάνω, τρέχω, βγαίνω, βγάζω***) ή μόνο στη μεσοπαθητική φωνή (π.χ.: ***χρειάζομαι, έρχομαι, αισθάνομαι, εργάζομαι***).

Most verbs have both voices, such as *βρίσκω* - *βρίσκομαι*. However, there are verbs that have only active voice. (e.g.: *κάνω, τρέχω, βγαίνω, βγάζω*) or only middle / passive voice (e.g.: *χρειάζομαι, έρχομαι, αισθάνομαι, εργάζομαι*).

2. Σύνθετα ρήματα με προθέσεις στον αόριστο. Σύνθετα των ρημάτων *γράφω* & *καλώ*
Compound verbs with prepositions in the past (internal augment). Compound verbs *γράφω* & *καλώ*

γράφω	έγραψα*
υπογράφω	**υπό** + έγραψα ---> **υπέ**γραψα
περιγράφω	**περί** + έγραψα ---> **περιέ**γραψα
καλώ	(ε)κάλεσα
προσκαλώ	**προς** + (ε)κάλεσα-> **προσκά**λεσα

Αόριστος		
έγραψα	**υπέ**γραψα	**περιέ**γραψα
έγραψες	**υπέ**γραψες	**περιέ**γραψες
έγραψε	**υπέ**γραψε	**περιέ**γραψε
γράψαμε	**υπογρά**ψαμε	**περιγρά**ψαμε
γράψατε	**υπογρά**ψατε	**περιγρά**ψατε
έγραψαν & γράψανε	**υπέ**γραψαν & **υπογρά**ψανε	**περιέ**γραψαν & **περιγρά**ψανε

⚠ Προσοχή!
Στην προστακτική:
υπόγραψε
και όχι ~~υπέγραψε~~

* *Για την αύξηση βλέπε: Ελληνικά για σας, Βιβλίο του μαθητή Α1 - Βήμα 17, σελ.161.*
*In regard to internal augment, see **Greek for you**, Textbook A1 - Step 17, p. 161.*

Μερικές προθέσεις (π.χ.: ***υπό, περί, προς***) μπαίνουν ως πρώτο συνθετικό σε ρήματα. Π.χ.: ***υπογράφω, περιγράφω, προσκαλώ***. Στον αόριστο οι προθέσεις που τελειώνουν σε φωνήεν χάνουν το τελικό φωνήεν τους μπροστά από την εσωτερική αύξηση *έ-*. Η πρόθεση ***περί*** το διατηρεί.
Π.χ.: ***υπογράφω*** - *υπέγραψα*, ***περιγράφω*** - *περιέγραψα*.
Η αύξηση παραμένει όταν είναι τονισμένη. Π.χ.: ***υπογράφω*** - *υπέγραψα*

Some prepositions (e.g. ***υπό, περί, προς***) are used as the first compound of verbs, e.g. ***υπογράφω, περιγράφω, προσκαλώ***. In the past tense the prepositions ending in a vowel lose their final vowel before the internal augment *έ-*. Only the preposition ***περί*** keeps its final vowel.
*e.g. : **υπογράφω** - υπέγραψα, **περιγράφω** - περιέγραψα.*
The augment remains intact when it is stressed. E.g.: ***υπογράφω*** - *υπέγραψα*.

3. Το ρήμα *ασχολούμαι*
The verb *ασχολούμαι*

Ενεστώτας
ασχολ**ούμαι**
ασχολ**είσαι**
ασχολ**είται**
ασχολ**ούμαστε**
ασχολ**είστε**
ασχολ**ούνται**

4. Πλάγιος λόγος (1) Indirect speech (1)

Ευθύς λόγος Direct speech		Πλάγιος λόγος Indirect Speech
Τι θέλ**εις**;		**τι** θέλ**ω**.
Πώς ονομάζ**εσαι**;		**πώς** ονομάζ**ομαι**.
Πού μέν**εις**;		**πού** μέν**ω**.
Πότε θα φύγ**εις**;	Με ρωτάει	**πότε** θα φύγ**ω**.
Γιατί υπέγραψ**ες**;		**γιατί** υπέγραψ**α**.
Πόσο κάνει;		**πόσο** κάνει.
Ποιος εργάζεται;		**ποιος** εργάζεται.
Πόσοι ήρθαν;		**πόσοι** ήρθαν.

5. Το διπλόκλιτο όνομα *ο χρόνος*
The dual declension noun *ο χρόνος*

Το όνομα ***ο χρόνος*** σχηματίζει τον πληθυντικό αριθμό και στο αρσενικό γένος και στο ουδέτερο. The noun ***ο χρόνος*** forms the plural number both in the masculine and neuter genders.

Ενικός αριθμός	Πληθυντικός αριθμός	
ο χρόνος	οι χρόνοι	τα χρόνια

Π.χ.: Ο **χρόνος** περνάει γρήγορα. «Ο **χρόνος** είναι ο πιο καλός γιατρός.» (*Βλέπε Βιβλίο Α1, σελ. 203*) Οι **χρόνοι** των ρημάτων είναι δύσκολοι. Μένω σ' αυτό το σπίτι πολλά **χρόνια**. Σου εύχομαι **Χρόνια** πολλά.
Όπως ***ο χρόνος***: ***ο λόγος - οι λόγοι / τα λόγια***
ο βράχος - οι βράχοι / τα βράχια

6. Πίνακας νέων ρημάτων Table of new verbs

	Θέμα ενεστώτα Present tense stem		**Θέμα αορίστου** Past tense stem			
Προθέσεις Prepositions	Ενεστώτας Present	Ατελής υποτακτική (Α) Subjunctive A	Αόριστος Past	Τέλειος μέλλοντας (Β) Simple future	Τέλ. υποτακτική (Β) Simple Subjunctive (B)	Τέλεια προστακτική (Β) Simple Imperative (B)
περί	**περι**γράφω	να **περι**γράφω	**περιέ**γραψα	θα **περι**γράψω	να **περι**γράψω	**περί**γραψε - **περι**γράψτε
υπό	**υπο**γράφω	να **υπο**γράφω	**υπέ**γραψα	θα **υπο**γράψω	να **υπο**γράψω	**υπό**γραψε - **υπο**γράψτε
προς	**προσ**καλώ	να **προσ**καλώ	**προσκά**λεσα	θα **προσ**καλέσω	να **προσ**καλέσω	**προσκά**λεσε - **προσ**καλέστε
	κατοικώ	να κατοικώ	κατοίκησα	θα κατοικήσω	να κατοικήσω	κατοίκησε - κατοικήστε

Λεξιλόγιο 1.13.

ο αθλητής	athlete
ο άνεμος	wind
ο ολυμπιονίκης	Olympic medal winner
η ιστιοσανίδα	windsurfing board
η φλόγα	flame
το Αιγαίο	Aegean Sea
το κύμα	wave
το μετάλλιο	medal
το παράδειγμα	example
το πρωτάθλημα	championship
δυνατός-ή-ό	strong
ολυμπιακός-ή-ό	Olympic
παγκόσμιος-α-ο	world (adj.)
εξηγώ	I explain
μόνιμα	permanently

1.13. 10 Ο γιος του ανέμου

1.13.α. **Ακούστε το κείμενο και συμπληρώστε τα κενά με λέξεις από το πλαίσιο.**
Listen to the text and fill in the gaps with words from the box.

Αιγαίο / Πρωτάθλημα / Ξεκίνησε / Στάδιο / άθλημα / ιστιοσανίδα / σχολή / εξηγεί / κέρδισε / ανέμου / φλόγα / μετάλλιο / κύμα / ολυμπιονίκης / ασημένιο / αθλητής / Ολυμπιακούς / μόνιμα / δυνατούς / παραδείγματα

Ο Νίκος Κακλαμανάκης είναι έλληνας [1] ______________ της ιστιοπλοΐας και δύο φορές [2] ______________. Ο Νίκος γεννήθηκε στις 19 Αυγούστου το 1968 στη Βάρκιζα, ένα προάστιο της Αθήνας κοντά στη θάλασσα. Άρχισε από πολύ μικρός να ασχολείται με το [3] ______________ της ιστιοπλοΐας και δεκαοκτώ χρόνων, το 1986, πήρε την τρίτη θέση στο **Παγκόσμιο** [4] ______________ *Μιστράλ* νέων.

Το 1996, στους [5] ______________ Αγώνες στην Ατλάντα, στις Ηνωμένες Πολιτείες, πήρε το χρυσό [6] ______________ κι έγινε χρυσός Ολυμπιονίκης. Από τότε τον φωνάζουν ο *Γιος του* [7] ______________. Το 1997 διέσχισε το [8] ______________ επάνω σε μια [9] ______________. [10] ______________ από το Σούνιο κι έφτασε στην Κρήτη σε δύο μέρες. Στους Ολυμπιακούς Αγώνες του 2004 ήταν εκείνος που άναψε τη [11] ______________ στο Ολυμπιακό [12] ______________ της Αθήνας. Σ' αυτούς τους αγώνες [13] ______________ ακόμα ένα ολυμπιακό μετάλλιο, [14] ______________ αυτή τη φορά.

Ο Νίκος είναι παντρεμένος και ζει με τη γυναίκα του και την κόρη του [15] ______________ στην Κρήτη. «Αυτό που θέλω να κάνω είναι μια [16] ______________ επάνω στο [17] ______________...» μας λέει. «Να διδάξω και σε άλλους ανθρώπους όλα αυτά που ξέρω για τη θάλασσα.»

Ο Νίκος ασχολείται πολύ με τους νέους, πηγαίνει στα σχολεία και συζητάει με τα παιδιά για το «ταξίδι» της ζωής. Τους [18] ______________ με [19] ______________ ότι πρέπει να έχουν όνειρα, να προσπαθούν, αλλά και να ξέρουν να κερδίζουν και να χάνουν. Αυτό κάνει τους ανθρώπους πιο καλούς και πιο [20] ______________.

1.13.β. **Σημειώστε: Σωστό ή Λάθος;** Tick: True or False?

		Σωστό	Λάθος
1.	Γεννήθηκε κοντά στην Αθήνα.		
2.	Είναι ένας πολύ γνωστός αθλητής με ελληνική ιθαγένεια.		
3.	Άρχισε να ασχολείται με την ιστιοπλοΐα από δεκαοκτώ ετών.		
4.	Έγινε ολυμπιονίκης στο Παγκόσμιο Πρωτάθλημα *Μιστράλ* νέων.		
5.	Από μικρό τον φωνάζουν *Γιο του ανέμου*.		
6.	Διέσχισε τη Μεσόγειο Θάλασσα με την ιστιοσανίδα του.		
7.	Πήρε δύο ολυμπιακά μετάλλια: ένα χρυσό κι ένα ασημένιο.		
8.	Ο Νίκος ζει με την οικογένειά του ανάμεσα στη Βάρκιζα και στην Κρήτη.		
9.	Θέλει να διδάξει τα μυστικά της θάλασσας και σε άλλους.		
10.	Λέει στους νέους να έχουν όνειρα, να προσπαθούν και να μη σταματούν την προσπάθεια, όταν χάνουν.		

1.13.γ.  **Είστε δημοσιογράφος και παίρνετε μια συνέντευξη από το Νίκο Κακλαμανάκη με βάση το κείμενο. Ο Κακλαμανάκης σάς απαντάει. Κάντε το διάλογο ανά ζεύγη. Αλλάξτε ρόλους.**
You are a journalist and you interview Nikos Kaklamanakis based on the text. Kaklamanakis answers to your questions. Make the dialogue in pairs. Switch roles.

Συμπληρωματικά κείμενα

1.14. 11 Μαρία Κάλλας, ένας μύθος της όπερας

1.14.α. Ακούστε το κείμενο και συμπληρώστε τα κενά με λέξεις από το πλαίσιο. Listen to the text and fill in the gaps with words from the box.

*Ντίβα / καριέρα / έρωτας / **πλούσιο** / επιτυχίες / εμφάνιση / θεατές / **εφοπλιστή** / **βιομήχανο** / **υψίφωνο** / **αποθεώνουν** / **προσωπική** / **δεν πέφτει καρφίτσα***

Η Μαρία Κάλλας (Καλογεροπούλου) γεννήθηκε στις 2 Δεκεμβρίου του 1923 στη Νέα Υόρκη. Ήταν κόρη του φαρμακοποιού Γιώργου Καλογερόπουλου και της Ευαγγελίας Δημητριάδη. Είχε αμερικανική υπηκοότητα αλλά η καταγωγή της ήταν ελληνική. Από το 1947 αρχίζει την [1] ______________ της στα πιο μεγάλα θέατρα της Ευρώπης και της Αμερικής. Το 1949 παντρεύεται τον ιταλό [2] ______________ Τζιανμπατίστα Μενεγκίνι και με τη βοήθειά του η καριέρα της πάει πολύ ψηλά. Εργάζεται πολύ και οι [3] ______________ ακολουθούν η μία την άλλη. Η Σκάλα του Μιλάνου και η Μετροπόλιταν **Όπερα** της Νέας Υόρκης ανοίγουν τις πόρτες τους στην [4] ______________ Μαρία Κάλας, την [5] ______________ όπως την ονόμασαν. Το καλοκαίρι του 1957 τραγουδάει τη Νόρμα του Μπελίνι στο αρχαίο θέατρο της Επιδαύρου με διευθυντή ορχήστρας τον Τούλιο Σεραφίν. Το θέατρο είναι γεμάτο, [6] ______________________. Οι δεκαπέντε χιλιάδες [7] ______________ την [8] ______________.

Το 1959 γνωρίζει τον Αριστοτέλη Ωνάση, έναν πολύ [9] ______________ έλληνα [10] ______________, που ήταν και ο μεγάλος [11] ______________ της ζωής της. Τελικά ο Ωνάσης παντρεύεται την Τζάκι, τη χήρα του Τζον Φιτζέραλντ Κένεντι. Από τότε η ζωή της Μαρίας Κάλλας αλλάζει. Έχει μεγάλα προβλήματα στην [12] ______________ της ζωή αλλά και στην **καριέρα** της. Η τελευταία της [13] ______________ έγινε στην πόλη Σαπόρο της Ιαπωνίας στις έντεκα Δεκεμβρίου του 1974. Από τότε η Μαρία Κάλλας δε βγήκε από το διαμέρισμά της στο Παρίσι. Η μεγάλη ντίβα πέθανε το Σεπτέμβριο του 1977, σε ηλικία πενήντα τεσσάρων ετών.

1.14.β. Συμπληρώστε τον πίνακα με βάση το 1.14.α. Complete the table based on 1.14.α.

Όνομα	
Επώνυμο	
Όνομα συζύγου	
Εθνικότητα συζύγου	
Εργασία συζύγου	
Ημερομηνία γέννησης	
Τόπος γέννησης	
Οικογενειακή κατάσταση	
Ιθαγένεια	
Εργασία	
Αρχή καριέρας (χρονολογία)	
Θέατρα όπου τραγούδησε	
Τέλος καριέρας (χρονολογία)	
Ο έρωτας της ζωής της (όνομα)	
Εργασία	
Χρονολογία **θανάτου**	
Ηλικία θανάτου της	

Λεξιλόγιο 1.14.

ο βιομήχανος	industrialist
ο εφοπλιστής	ship-owner
ο θάνατος	death
ο μύθος	myth
η καριέρα	career
η καρφίτσα	pin
δεν πέφτει καρφίτσα	you cannot drop a pin (there is no space)
η ντίβα	diva
η όπερα	opera
η υψίφωνος	soprano
πλούσιος-α-ο	rich
προσωπικός-ή-ό	personal
αποθεώνω	I glorify

1.14.γ. Βλέποντας τον πίνακα συμπληρωμένο, διηγηθείτε τη ζωή της Κάλλας στο διπλανό σας με όσες περισσότερες λεπτομέρειες μπορείτε.
Look at the above completed table and talk about Maria Callas' life with the person sitting next to you, using as much detail as possible.

1.14.δ. Κάντε διαλόγους ανά ζεύγη. Στη συνέχεια αλλάξτε ρόλους.
Make dialogues in pairs. Then switch roles.

Ρόλος Α: *Είστε δημοσιογράφος και κάνετε ερωτήσεις για τη ζωή της Κάλλας στο διευθυντή του μουσείου «Μαρία Κάλλας».*

Ρόλος Β: *Είστε ο διευθυντής του μουσείου «Μαρία Κάλλας» κι ένας δημοσιογράφος σάς κάνει ερωτήσεις για τη ζωή της Κάλλας. Απαντήστε του.*

1.15. Δεν ήμουν ποτέ παιδί-θαύμα

*Μια συνέντευξη του **βιολιστή** Λεωνίδα Καβάκου στη δημοσιογράφο Λένα Παππά.*

12

Λεξιλόγιο 1.15.

ο βιολιστής	violinist (masc.)
ο καλλιτέχνης	artist (masc.)
η βιολίστρια	violinist (fem.)
η εποχή	time, period
η συναυλία	concert
το βραβείο	award
το θαύμα	miracle
το παιδί-θαύμα	miracle-child
διάσημος-η-ο	famous
κανονικός-ή-ό	normal
σημαντικός-ή-ό	important

1.15.α. Ακούστε το κείμενο και συμπληρώστε τα κενά με λέξεις από το πλαίσιο.

Listen to the text and fill in the gaps with words from the box.

*Μα / Σωστά / σιωπή / συνεχώς / καριέρα / σαν **κανονικός** / ευτυχισμένος / σημαντικά / Καλλιτέχνης / Ωδείο / ταλέντο / συναυλία / υποτροφία / **διάσημος** / **βραβείο***

Δ: Κύριε Καβάκο, συγχαρητήρια για το τελευταίο σας [1] _______________ «[2] _______________ του έτους 2014». Είστε ένας από τους πιο γνωστούς βιολιστές της εποχής μας, κάνατε [3] _______________ πράγματα έως τώρα και δεν είστε ούτε σαράντα πέντε ετών.
Κ.: Ευχαριστώ αλλά είμαι ήδη σαράντα επτά. Γεννήθηκα στην Αθήνα το 1967.
Δ: Σοβαρά; Μου φαίνεστε πιο μικρός. Κι έχετε και δύο μικρά παιδιά;
Κ.: Μικρά; Οι κόρες μου τελείωσαν το σχολείο και τώρα σπουδάζουν.
Δ: Μάλιστα… Να σας ζήσουν! Αρχίσατε μουσική σε μικρή ηλικία. Πόσων χρόνων ήσασταν;
Κ.: Άρχισα μαθήματα βιολιού σε ηλικία πέντε ετών με δάσκαλο τον πατέρα μου. Είναι κι αυτός βιολιστής, όπως και ο παππούς μου. Αργότερα συνέχισα τις σπουδές μου στο Ελληνικό [4] _______________.
Δ: Κάνατε κι ένα μεταπτυχιακό στην Αμερική.
Κ.: [5] _______________. Στο Πανεπιστήμιο της Ιντιάνα, με [6] _______________.
Δ: Και μετά άρχισαν όλα. Κερδίσατε πολλά βραβεία, παίξατε στα πιο **σημαντικά** φεστιβάλ με τις πιο μεγάλες ορχήστρες του κόσμου. Είσαστε [7] _______________. Ένα **παιδί-θαύμα** που έκανε και μια μεγάλη [8] _______________.
Κ.: Εγώ δεν ήμουν ποτέ παιδί-θαύμα. Ξεκίνησα δεκαεπτά χρόνων. Τότε - το 1984 δηλαδή - έδωσα την πρώτη μου [9] _______________ στο Φεστιβάλ Αθηνών. Τα παιδιά-θαύματα ξεκινούν από επτά ή οκτώ χρόνων.
Δ: Ναι, αλλά ήσασταν ένα πολύ νέο [10] _______________.
Κ.: Ταλέντο ήμουν και πέντε χρονών. Με το ταλέντο κερδίζεις χρόνο. Χρειάζεται βεβαίως και σκληρή δουλειά. Κάθε μέρα. Και κάθε μέρα ξεκινάς από το μηδέν. Και κάθε μέρα πρέπει να είσαι έτοιμος να αλλάξεις. Ακούω πιο παλιά CD μου και λέω: «[11] _______ πώς το έπαιξα έτσι; Τι έκανα εκεί;»
Δ: «Χάσατε» πολλά πράγματα από τη ζωή σας για να φτάσετε εδώ;
Κ.: Δεν το βλέπω έτσι. Δεν μπορώ να απαντήσω σε αυτήν την ερώτηση. Τι να πω δηλαδή; Ότι δεν έπαιξα αρκετά, όταν ήμουν παιδί; Ότι δεν βγαίνω συχνά τώρα; Εγώ είμαι [12] _______________ όταν μελετάω. Μπορώ να παίζω οκτώ ώρες μέσα σε μια ημέρα. Κι όταν δεν παίζω, σκέφτομαι τη μουσική.
Δ: Τι κερδίσατε αυτά τα χρόνια;
Κ.: Αλλάζω [13] _______________… αυτό κέρδισα.
Δ: Και τι χάσατε;
Κ.: Είμαι πιο κουρασμένος τώρα. Πρέπει να προσέχω πολύ τα χέρια μου. Αλλά πρέπει να ζω και [14] _______________ άνθρωπος.
Δ: Και μια τελευταία ερώτηση. Τι είναι η [15] _______________ για σας;
Κ.: Η σιωπή είναι κι αυτή μουσική.

1.15.β. Ταιριάξτε τις στήλες. Match the columns.

1.	Ο Καβάκος είναι σαράντα επτά χρόνων	__	α.	όταν μελετάει βιολί.
2.	Έχει δύο κόρες	__	β.	να προσέχει πολύ τα χέρια του.
3.	Άρχισε μαθήματα μουσικής,	__	γ.	αλλά και να ζει σαν κανονικός άνθρωπος.
4.	Δε νομίζει	__	δ.	προχωράς πιο γρήγορα στις σπουδές σου.
5.	Όταν έχεις ταλέντο,	__	ε.	ότι ήταν παιδί-θαύμα.
6.	Όλοι οι μουσικοί πρέπει	__	ζ.	κι ένας από τους πιο σημαντικούς βιολιστές του κόσμου.
7.	Είναι ευτυχισμένος,	__	η.	που τώρα σπουδάζουν.
8.	Όταν δεν παίζει βιολί,	__	θ.	όταν ήταν πέντε ετών.
9.	Τώρα είναι πιο μεγάλος και πρέπει	__	ι.	να μελετάνε κάθε μέρα.
10.	Θέλει να είναι ένας καλός μουσικός	__	κ.	σκέφτεται τη μουσική.

1.15.γ. Γράψτε την περίληψη του κειμένου. (80-100 λέξεις)

Write the summary of the text. (80-100 words)

το θέμα μας

1.16. Στοιχεία ταυτότητας

Πώς σας λένε;	Με λένε Κωνσταντίνο Κανάκη.
Πώς λέγεστε;	Λέγομαι Κωνσταντίνος Κανάκης.
*Πώς **ονομάζεστε;***	**Ονομάζομαι** Κωνσταντίνος Κανάκης.
Ποιο είναι το όνομά σας; Ποιο είναι το μικρό σας όνομα;	Το όνομά μου είναι Κωνσταντίνος.
*Πώς σας **φωνάζουν;***	**Με φωνάζουν** Κώστα.
*Ποιο είναι το **χαϊδευτικό** σας;*	Το **χαϊδευτικό** μου είναι Κωστάκης.
*Και το επώνυμό / το **επίθετό** σας;*	Το επώνυμό / *το* **επίθετό** μου είναι Κανάκης.
*Ποιο είναι το **ονοματεπώνυμό** σας;*	Κωνσταντίνος Κανάκης.
*Ποια είναι η υπηκοότητά / η **ιθαγένειά** σας;*	Η υπηκοότητά / η ιθαγένειά μου είναι ελληνική.
η εθνικότητά σας;	Η εθνικότητά μου είναι ελληνική.
η καταγωγή σας;	Η καταγωγή μου είναι από την Κρήτη.
Πόσων χρόνων είστε;	Είκοσι οκτώ. Είμαι είκοσι οκτώ χρόνων / ετών.
Ποια είναι η ηλικία σας;	
Η ηλικία σας, παρακαλώ;	
Ο τόπος γέννησής σας, παρακαλώ;	Χανιά, Κρήτη.
Πού γεννηθήκατε;	Γεννήθηκα στην Κρήτη.
*Ποια είναι η **χρονολογία** γέννησής σας;*	1986.
Ποια είναι η ημερομηνία γέννησής σας;	14 Μαρτίου.
Πότε γεννηθήκατε;	Γεννήθηκα στις 14 Μαρτίου του 1986. Γεννήθηκα το 1986, στις 14 Μαρτίου.
Τι ύψος έχετε;	Ένα εβδομήντα δύο (1,72 μ.).
Ποιος είναι ο τόπος κατοικίας σας;	Αθήνα.
Πού μένετε;	Μένω στην Αθήνα.
Ποια είναι η διεύθυνσή σας;	Η διεύθυνσή μου είναι λεωφόρος Κηφισίας 38.
Τι διεύθυνση έχετε;	Λεωφόρος Κηφισίας 38.
Τι αριθμό τηλεφώνου έχετε; Ποιο είναι το σταθερό σας;	Το τηλέφωνό μου είναι 210 09 45 728.
*Τηλέφωνο **οικίας;** Τηλέφωνο εργασίας;*	Οικία: 210 09 45 728, Εργασία: 210 09 45 332
Ποιο είναι το κινητό σας;	Το κινητό μου είναι 0932 438134.
Ποιο είναι το φαξ σας;	Το φαξ μου είναι: 210 09 23 333
*Ποιο είναι το μέιλ σας; (η **ηλεκτρονική** σας διεύθυνση);*	Το μέιλ μου είναι kanakis@otenet.gr.
Ποιος είναι ο αριθμός ταυτότητάς σας;	Ο αριθμός ταυτότητάς μου είναι ΑΚ 12345.
Ποιος είναι ο αριθμός διαβατηρίου σας;	Ο αριθμός διαβατηρίου μου είναι Κ 365 027.
Ποιο είναι το επάγγελμά σας;	Είμαι μαθηματικός. Είμαι καθηγητής.
*Τι δουλειά κάνετε; Με τι **ασχολείστε;***	Είμαι καθηγητής σ' ένα σχολείο.
*Πού **εργάζεστε;** Πού δουλεύετε;*	**Εργάζομαι** στο Τρίτο Γυμνάσιο Πειραιά.
*Ποια είναι η **μητρική** σας γλώσσα;*	Η **μητρική** μου γλώσσα είναι τα ελληνικά.
Ποιες ξένες γλώσσες μιλάτε;	Μιλάω αγγλικά και γερμανικά.
*Ποια είναι η **οικογενειακή** σας κατάσταση;*	Άγαμος.
*Είστε ελεύθερος-η / ανύπαντρος-η / **άγαμος-η;***	Είμαι ανύπαντρος.
Είστε αρραβωνιασμένος-η;	Όχι, δεν είμαι αρραβωνιασμένος.
*Είστε παντρεμένος-η / **έγγαμος-η;***	Όχι, δεν είμαι παντρεμένος.
Είστε χωρισμένος-η / διαζευγμένος-η / χήρος-α;	Όχι.
*Ποιο είναι το **θρήσκευμά** σας;*	Το **θρήσκευμά** μου είναι **χριστιανός ορθόδοξος.** Είμαι **χριστιανός ορθόδοξος.**

γραπτός λόγος

1.17. Γράφω ένα γράμμα*

	Επίσημο γράμμα Official letter	**Λιγότερο επίσημο** Unofficial letter	**Φιλικό γράμμα** Friendly letter
[1] **Ημερομηνία** Date	26 Απριλίου 2016	26 Απριλίου 2016 26.4.2016	26.4.2016
[2] **Προσφώνηση** Salutation	• Κύριε διευθυντά** • Κύριε καθηγητά** • Αγαπητέ κύριε διευθυντά • **Αξιότιμε** κύριε διευθυντά	• Αγαπητέ Κώστα • Αγαπητέ μου Κώστα • Αγαπητή Ελένη • Αγαπητή μου Ελένη • Αγαπητοί συνάδελφοι	• Αγαπημένε μου Γιώργο • Πολυαγαπημένη μου Λίνα • Πολυαγαπημένοι μου φίλοι • Γιώργο, γεια σου! • Λίνα και Γιώργο, γεια σας! • Γιώργο μου!
[3] **Το κυρίως γράμμα** The main letter			
[4] **Επιφώνηση** Closing	• Με εκτίμηση • **Με τιμή**	• Με φιλικούς χαιρετισμούς • Φιλικά • Με πολλούς χαιρετισμούς	• Σε / Σας φιλώ • Με φιλιά • (Πολλά) Φιλιά • Φιλάκια • Με (πολλή) αγάπη
[5] **Υπογραφή** Signature **Υ.Γ. Υστερόγραφο** PS Post-scriptum	Ονοματεπώνυμο	Ονοματεπώνυμο	• Ο γιος σου / Η μητέρα σου κ.λπ. • Μικρό όνομα

* *Βλέπε* **Ελληνικά για σας Α1** *Βιβλίο του μαθητή, σελ. 80.*
** *Ορισμένα αρσενικά ονόματα (κυρίως σε -τής) εξακολουθούν να σχηματίζουν την κλητική σε **-ά** κατά τα λόγια πρότυπα. Π.χ.: Κύριε διευθυντά / καθηγητά*

* *See **Greek for you, Textbook A1**, p. 80.*
** *Some masculine nouns (mainly in -τής) form the vocative case in **-ά** following the scholarly Greek, e.g.: Κύριε διευθυντά / καθηγητά*

Λεξιλόγιο 1.17.

η τιμή	respect, honour
με τιμή	respectfully, sincerely
αξιότιμος-η-ο	honourable, dear (formal letter)

	[3] **Το κυρίως γράμμα** Main letter Θέμα: *Προτείνω κάποιον για μια δουλειά*
[3.α] **Η αρχή** The beginning	Λέω γιατί γράφω αυτό το γράμμα.
[3.β] **Το βασικό θέμα** The main topic	Περιγράφω το άτομο που προτείνω (όνομα, ηλικία, ιθαγένεια, σπουδές, οικογενειακή κατάσταση, ελεύθερος χρόνος κ.λπ.).
[3.γ] **Το τέλος** The end	Λέω γιατί τον/την προτείνω. Λέω αυτό που σκέφτομαι για το άτομο που προτείνω.

1.17.α. **Συμπληρώστε τα κενά με λέξεις από το πλαίσιο. Μετά ακούστε τα κείμενα και ελέγξτε αυτά που γράψατε.**
 Fill in the gaps with words from the box. Then listen to the text and check what you've written.

πολλά χόμπι / κυπριακή ιθαγένεια / γνωρίζει / εργάζεται / ασχολείται / Με εκτίμηση / Τη λένε / τη φωνάζουν / μιλάει / λατρεύει / Σας φιλώ / μητρική του γλώσσα / Ονομάζεται / Σας προτείνω να τον γνωρίσετε / δουλεύει / εργάζεται σκληρά / Γαλλίδα / χρόνων / Απριλίου / Θα ήθελα να σας προτείνω / διευθυντά

Επίσημο γράμμα

14 **ΖΗΤΕΙΤΑΙ ΥΠΑΛΛΗΛΟΣ**

Ο Άλκης Μάντακας εργάζεται στην εταιρεία ΝΕΟΤΕΚ και μαθαίνει ότι ο διευθυντής του ζητάει ένα νέο με σπουδές πληροφορικής.

[2] Κύριε ______________,   [1] 26 ____________ 2016

[3.α] Έμαθα ότι ζητάτε έναν υπάλληλο με σπουδές πληροφορικής για την εταιρεία. ______________________________ ένα νέο με πολύ καλές σπουδές και μεγάλη **πείρα**.
[3.β] ________________ Θεοφάνης Θεοφάνους και είναι τριάντα ετών. Γεννήθηκε στη Λευκωσία και έχει ______________________________. Η __________________________ είναι τα ελληνικά αλλά ________________ πολύ καλά αγγλικά και τουρκικά. Μένει και ________________ στην Ελλάδα εδώ και τρία χρόνια. Σπούδασε πληροφορική στη χώρα του και έκανε ένα μεταπτυχιακό στο πανεπιστήμιο Αθηνών. Είναι παντρεμένος με μία Ελληνίδα και έχουν ένα γιο. Στον ελεύθερο χρόνο του ________________ με το σκάκι.
[3.γ] ______________________________________ γιατί είναι ένας έξυπνος άνθρωπος που αγαπάει αυτό που κάνει, ______________________ και πιστεύω ότι θα είναι πολύ καλός για την εταιρεία μας.

[4] ____________________,

[5] Άλκης Μάντακας

Λεξιλόγιο 1.17.α.
η πείρα experience

Φιλικό γράμμα

15 **ΖΗΤΕΙΤΑΙ ΔΑΣΚΑΛΑ ΓΑΛΛΙΚΩΝ**

Μια οικογένεια με δύο παιδιά ζητάει μια δασκάλα γαλλικών για το καλοκαίρι. Ο Αντρέας Φιλιππίδης, ένας φίλος της οικογένειας, που μένει στη Γαλλία, τους στέλνει ένα μέιλ με πληροφορίες για τη Βαλερί Μαρσό, κόρη φίλων του.

[2] Λίνα και Γιώργο, γεια σας!
[3.α] Έχω καλά νέα. Σας βρήκα ένα καταπληκτικό κορίτσι για τα παιδιά σας. Είναι η κόρη αγαπημένων φίλων μου.
[3.β] ____________________ Βαλερί Μαρσό και ____________________ Βαλ. Είναι ____________________ και έχει βεβαίως μητρική γλώσσα τα γαλλικά. Η Βαλ ____________________ τρεις ακόμη ξένες γλώσσες: ελληνικά, αγγλικά και ισπανικά. Είναι είκοσι ____________________ και γεννήθηκε στο Παρίσι. Τώρα ζει στο Στρασβούργο και σπουδάζει στο πανεπιστήμιο. Θέλει να γίνει δασκάλα.
Είναι αρραβωνιασμένη μ' έναν Έλληνα, το Δημήτρη, που είναι οικονομολόγος και ____________________ σε μια τράπεζα στο Στρασβούργο. Η Βαλ έχει ____________________. Της αρέσει πολύ η μουσική, παίζει πολύ ωραία πιάνο, τραγουδάει και χορεύει καταπληκτικά. Η Βαλ ____________________ τα παιδιά και ασχολείται πολύ μαζί τους.
[3.γ] Νομίζω ότι θα περάσετε μαζί ένα ωραίο καλοκαίρι και τα παιδιά θα μάθουν γρήγορα να μιλούν γαλλικά.

[4] ____________________ και τους δύο κι ελπίζω να σας δω σύντομα,
[5] Αντρέας

1.17.β. **Γράψτε δύο γράμματα.** Write two letters.

Εργάζεστε σ' ένα σχολείο και μαθαίνετε ότι ζητάνε έναν καθηγητή ελληνικών. Γράφετε ένα επίσημο γράμμα στο διευθυντή του σχολείου σας και προτείνετε ένα γνωστό σας άτομο.

Νέο μήνυμα
Προς   Κοιν. Κρυφή κοιν.
Θέμα

Η φίλη σας Αλεξία έχει ένα κατάστημα με γυναικεία είδη και ζητάει μια υπάλληλο. Της στέλνετε ένα φιλικό μέιλ και της προτείνετε μια γνωστή σας.

αξιολόγηση - οι τέσσερις δεξιότητες (___ / 20)

ΚΑΤΑΝΟΗΣΗ ΠΡΟΦΟΡΙΚΟΥ ΛΟΓΟΥ (___ / 5)

1.18. 16 **Ακούστε το κείμενο «*Τα στοιχεία σας, κυρία Παπαδοπούλου!*» και σημειώστε: Σωστό ή Λάθος;**

		Σωστό	Λάθος
1.	Η κυρία Παπαδοπούλου πήγε στην αστυνομία για μια κατάθεση.		
2.	Είδε ένα **τρομερό** ατύχημα το πρωί, στην πλατεία Κυψέλης.		
3.	Έδωσε την κατάθεσή της στον πρώτο αστυνομικό που συνάντησε στο τμήμα.		
4.	Το ονοματεπώνυμό της είναι Δέσποινα Παπαδοπούλου.		
5.	Η κυρία Παπαδοπούλου γεννήθηκε μάλλον το 1960.		
6.	Το επάγγελμά της είναι νοικοκυρά.		
7.	Ο πατέρας της είναι **στρατηγός**.		
8.	Έχει αιγυπτιακή υπηκοότητα.		
9.	Γεννήθηκε στην **Αλεξάνδρεια** της Αιγύπτου.		
10.	Έδωσε κατάθεση στον αστυνομικό που της πήρε τα στοιχεία.		

Λεξιλόγιο 1.18.

ο στρατηγός	general (n.)
η Αλεξάνδρεια	Alexandria (city in Egypt)
τρομερός-ή-ό	horrible

ΚΑΤΑΝΟΗΣΗ ΓΡΑΠΤΟΥ ΛΟΓΟΥ (___ / 5)

1.19. Διαβάστε τα στοιχεία της ταυτότητας του Κωνσταντίνου Κανάκη (1.16. *Το Θέμα μας*) και σημειώστε: Σωστό ή Λάθος;

		Σωστό	Λάθος
1.	Το επώνυμό του είναι Κωνσταντίνος Κανάκης και είναι τριάντα οκτώ ετών.		
2.	Έχει άλλη ιθαγένεια και άλλη εθνικότητα.		
3.	Γεννήθηκε στα Χανιά της Κρήτης.		
4.	Η χρονολογία της γέννησής του είναι 14 Μαρτίου 1976.		
5.	Δεν είναι πολύ ψηλός.		
6.	Κατοικεί στα Χανιά.		
7.	Δεν έχει τηλέφωνο σταθερό.		
8.	Είναι μαθηματικός και μιλάει αγγλικά και γερμανικά.		
9.	Οικογενειακή κατάσταση: έγγαμος.		
10.	Είναι χριστιανός καθολικός.		

ΠΑΡΑΓΩΓΗ ΠΡΟΦΟΡΙΚΟΥ ΛΟΓΟΥ (___ / 5)

1.20. Κάνετε διαλόγους ανά ζεύγη. Αλλάξτε ρόλους.

Ρόλος Α: *Πάτε στην αστυνομία για καινούργιο διαβατήριο ή ταυτότητα. Λέτε στον αστυνομικό γιατί πήγατε στο αστυνομικό τμήμα. Δίνετε στον αστυνομικό τα στοιχεία σας (όνομα, επώνυμο, εργασία, ηλικία, καταγωγή, ιθαγένεια κ.λπ.).*

Ρόλος Β: *Είστε αστυνομικός και ζητάτε τα στοιχεία (όνομα, επώνυμο, εργασία, ηλικία, καταγωγή, ιθαγένεια κ.λπ.) ενός κυρίου / μιας κυρίας που θέλει καινούργιο διαβατήριο ή ταυτότητα. Μετά ζητάτε να βάλει την υπογραφή του/της κάτω από αυτά που γράψατε.*

ΠΑΡΑΓΩΓΗ ΓΡΑΠΤΟΥ ΛΟΓΟΥ (___ / 5)

1.21. Επιλέξτε ένα από τα δύο θέματα και γράψτε ένα κείμενο (90 - 120 λέξεις).

α. Περιγράψτε ένα γνωστό σας πρόσωπο (στοιχεία της ταυτότητάς του και άλλες πληροφορίες).

β. Ένα καλό εστιατόριο στη Σαντορίνη ζητάει ένα σερβιτόρο για το καλοκαίρι. Στέλνετε ένα ηλεκτρονικό μήνυμα (μέιλ) στον ιδιοκτήτη του εστιατορίου με τις πληροφορίες που ζητούν (όνομα, διεύθυνση, ηλικία, ιθαγένεια, ξένες γλώσσες, οικογενειακή κατάσταση κ.λπ.). Γράφετε επίσης με τι ασχολείστε τώρα (εργασία) και με τι ασχολείστε στον ελεύθερο χρόνο σας.

το τραγούδι μας ♫

1.22. Φραγκοσυριανή (1935)

17

Στίχοι, μουσική & ερμηνεία: Μάρκος Βαμβακάρης Lyrics, music & performance: Markos Vamvakaris

1.22.α. YouTube **Ακούστε το τραγούδι και συμπληρώστε τα κενά με λέξεις από το πλαίσιο.**

Listen to the song and fill in the gaps with words from the box.

goo.gl/VeeOCD

*ρομάντζα / φούντωση / συγκοπή / χορτάσεις / ανταμώσω / **ακρογιαλιά** / **Ντελαγκράτσια** / **Φραγκοσυριανή** / **φλόγα** / ΄ρθω / Πισκοπιό / **γλυκιά** / **φιλιά** / καρδιά / μάγια / χάδια*

Μία ____________, μια ____________
έχω μέσα στην ____________,
λες και ____________ μου ΄χεις κάνει
Φραγκοσυριανή ____________. *δις*

Θά ____________ να σε ____________
πάλι στην ____________,
θα ήθελα να με ____________
όλο ____________ και ____________. *δις*

Θα σε πάρω να γυρίσω
Φοίνικα, Παρακοπή,
Γαλησσά και ____________
και ας μού ΄ρθει ____________. *δις*

Στο Πατέλι, στο Νιχώρι,
φίνα στην Αληθινή
και στο ____________ ____________,
γλυκιά μου ____________. *δις*

Ο Βαμβακάρης και η Φραγκοσυριανή

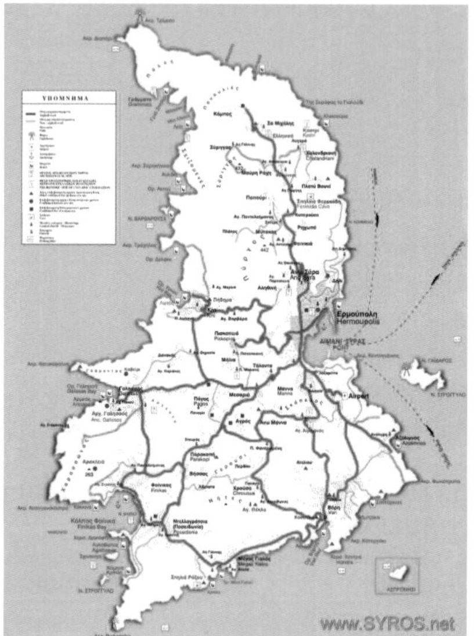

Ο Μάρκος Βαμβακάρης (1905 - 1972) γεννήθηκε στη Σύρο αλλά έγινε γνωστός ως συνθέτης και τραγουδιστής στην Αθήνα και στον Πειραιά. Το 1935 πήγε στη Σύρο για να παίξει για λίγους μήνες σ΄ ένα κέντρο διασκέδασης. Ο Βαμβακάρης, όταν έπαιζε, κοίταζε πάντα κάτω και όχι τον κόσμο. Ένα βράδυ όμως σήκωσε τα μάτια του για λίγο και είδε μια ωραία κοπέλα με πολύ όμορφα μαύρα μάτια.

Όταν έφυγαν όλοι, έγραψε τους πρώτους στίχους του τραγουδιού: *«Μία φούντωση, μια φλόγα έχω μέσα στην καρδιά. Λες και μάγια μου ΄χεις κάνει Φραγκοσυριανή γλυκιά…»*

Ούτε ήξερε το όνομα της κοπέλας ούτε κι εκείνη έμαθε ποτέ πως για αυτή μιλάει η «Φραγκοσυριανή». Ο Βαμβακάρης τελείωσε αργότερα το τραγούδι στον Πειραιά.

Η «Φραγκοσυριανή» έγινε ένα από τα πιο αγαπημένα τραγούδια στην Ελλάδα. Φραγκοσυριανή λέγεται η κάτοικος της Σύρου που είναι καθολική. Στα νησιά των Κυκλάδων (κυρίως στη Σύρο και στην Τήνο) υπάρχουν πολλοί καθολικοί.

Τι προσέχουμε; Pay attention to:

ΠΡΟΦΟΡΑ (Π.χ.: Φραγκοσυριανή)
PRONUNCIATION

α. Συνδυασμοί συμφώνων
Pairs of consonants
γλ, ρτ, κρ, φλ, φρ, ρδ, ρθ, σκ, τσ, ντ, γκ, ντζ, γκρ

β. Σύμφωνο + /i/ άτονο + φωνήεν
Consonant + /i/ unstressed + vowel
δια, για, ρια, κια, λια & τσια

1.22.β. Ψάχνω στο λεξικό και γράφω τη μετάφραση στη γλώσσα μου
I look up in the dictionary and translate in my language

ο στίχος = ____________
η ρομάντζα = ____________
η συγκοπή = ____________
η φλόγα = ____________
η φούντωση = ____________
το χάδι = ____________
τα μάγια = ____________
ανταμώνω = συναντάω (-ώ)
χορταίνω = ____________
φίνα = τέλεια
λες και = νομίζει κανείς ότι / πως

Βήμα 2

Τι έγινε;

Επικοινωνία

✓ **Περιγράφω ένα γεγονός / ένα ατύχημα:**
πού και πότε έγινε, γιατί έγινε, πώς έγινε

✓ **Περιγράφω με τη χρονική σειρά:**
πρώτα, μετά, ύστερα, έπειτα, στη συνέχεια, στο τέλος

Θεματικές ενότητες

Καθημερινή ζωή

✓ **Καθημερινή ζωή εκτός σπιτιού**
- Μετακινήσεις
- Περιγραφές ατυχημάτων / γεγονότων

Ελεύθερος χρόνος

✓ **Ελεύθερος χρόνος εκτός σπιτιού**
- Περιγραφή αλλεπάλληλων γεγονότων κατά τη διάρκεια επίσκεψης μιας πόλης

Τοποθετήσεις στο χώρο
- Τοποθετήσεις ατόμων/οχημάτων σε δρόμους, πλατείες κ.λπ.
- Τοποθετήσεις σε σχέση με άλλα πρόσωπα, πράγματα κ.λπ.

Λεξιλόγιο

- **Ρήματα κίνησης (μετακίνησης)**
- **Τοπικοί προσδιορισμοί**
  δίπλα μου, από πάνω, στη διασταύρωση…

Γραμματική

1. **Ρήματα σε *-άμαι***
   κοιμάμαι, θυμάμαι, λυπάμαι, φοβάμαι
2. **Επιρρήματα που ακολουθούνται από προσωπικές αντωνυμίες**
   δίπλα μου, πλάι μου, δεξιά μου, μαζί μου...
3. **Πλάγιος λόγος (2)**
4. **Πίνακας νέων ρημάτων**

What happened?

Communication

✓ **I describe an event / an accident:**
where, when, why, and how it happened

✓ **I describe in a chronological order:**
πρώτα, μετά, ύστερα, έπειτα, στη συνέχεια, στο τέλος

Thematic units

Everyday life

✓ **Everyday life outside of the house**
- Transportation
- Description of events / accidents

Free / Leisure time

✓ **Free time outside the house**
- Description of consecutive events during a visit in a city

Placement
- Placement people/vehicles in streets, squares etc.
- Placement in connection with other people, things, etc.

Vocabulary

- **Motion verbs (movement)**
- **Expressions of place**
  δίπλα μου, από πάνω, στη διασταύρωση…

Grammar

1. **Verbs in *-άμαι***
   κοιμάμαι, θυμάμαι, λυπάμαι, φοβάμαι
2. **Adverbs followed by personal pronouns**
   δίπλα μου, πλάι μου, δεξιά μου, μαζί μου...
3. **Indirect speech (2)**
4. **Table of new verbs**

Βήμα 2 Τι έγινε;

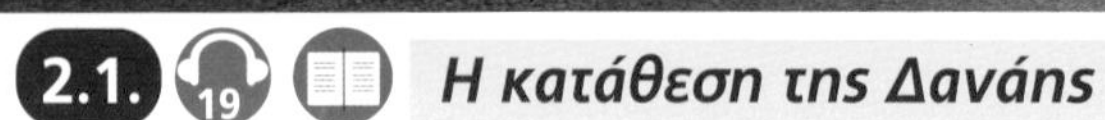

2.1. Η κατάθεση της Δανάης

Χτες, 21 Σεπτεμβρίου, κατά τις πέντε το απόγευμα, ήμουν στην αρχή της λεωφόρου Συγγρού. Ο δρόμος ήταν σχεδόν άδειος. Ξαφνικά ένα αυτοκίνητο πλησίασε με μεγάλη ταχύτητα. Πέρασε τα φανάρια με κόκκινο και χτύπησε μια **ηλικιωμένη** κυρία που ήταν στην **άκρη** του δρόμου και ήθελε να περάσει απέναντι. Την έριξε κάτω, σταμάτησε για δευτερόλεπτα **μπροστά μου** κι έφυγε αμέσως. Το αυτοκίνητο ήταν ένα μπλε Φίατ. **Λυπάμαι** αλλά δεν πρόλαβα **να σημειώσω** τον αριθμό της **πινακίδας**. **Θυμάμαι** όμως το πρόσωπο του οδηγού. Τηλεφώνησα στο 100 από το κινητό μου και η αστυνομία έφτασε αμέσως. Πήρα και το ΕΚΑΒ αλλά το ασθενοφόρο άργησε. Ήρθε μετά από μισή ώρα. Ευτυχώς ένας **περαστικός** που ήταν γιατρός, έδωσε στην κυρία τις **πρώτες βοήθειες.**

2.1.α. Σημειώστε: Σωστό ή Λάθος;

Tick: True or False?

		Σωστό	Λάθος
1.	Ο δρόμος είχε πολλά αυτοκίνητα.		
2.	Ο οδηγός σταμάτησε στα φανάρια.		
3.	Η κυρία ήθελε να διασχίσει το δρόμο.		
4.	Ο οδηγός χτύπησε την κυρία και δεν κατέβηκε από το αυτοκίνητό του.		
5.	Η Δανάη σημείωσε τον αριθμό του αυτοκινήτου.		
6.	Η Δανάη πρόλαβε να δει το πρόσωπο του οδηγού.		
7.	Ένας γιατρός τηλεφώνησε στο 100.		
8.	Η Δανάη έκανε δύο τηλεφωνήματα για βοήθεια.		
9.	Πρώτο έφτασε το ΕΚΑΒ.		
10.	Ένας γιατρός έδωσε τις πρώτες βοήθειες στην ηλικιωμένη κυρία.		

2.1.β. Κάντε ερωτήσεις στο διπλανό σας με βάση το κείμενο. Αλλάξτε ρόλους.

Ask the person sitting next to you questions based on the text. Switch roles.

2.2. Σκόνταψα, έπεσα κι έσπασα το πόδι μου

Προχτές το πρωί πήγα για ψώνια στην αγορά του Νέου Ψυχικού. Αγόρασα παπούτσια κι ένα καταπληκτικό πουλόβερ, κοίταξα τις βιτρίνες, ήπια κι έναν καφέ. Βγήκα από την καφετέρια γύρω στις δώδεκα κι άρχισα να περπατάω προς το αυτοκίνητό μου. Σχεδόν έξω από το πάρκινγκ **σκόνταψα** κι έπεσα κάτω. Στη μέση του πεζοδρομίου ήταν μια μεγάλη πέτρα! Φώναξα: «Βοήθεια!» Ένας νεαρός έτρεξε για να με βοηθήσει. Προσπάθησα να περπατήσω, αλλά πόνεσα πάρα πολύ. Κάθισα σε μια σκάλα και πήρα τηλέφωνο το φίλο μου, το Χρήστο, που μένει στο Νέο Ψυχικό. Του είπα: «Είμαι στη **διασταύρωση** των οδών Δημοκρατίας και Σεφέρη. Έπεσα κάτω και νομίζω ότι έσπασα το πόδι μου. Σε παρακαλώ, έλα να με βοηθήσεις! Ξεκίνησε αμέσως!» Ήρθε σε πέντε λεπτά και με βοήθησε να μπω στο αυτοκίνητό του. Πήγαμε γρήγορα στα **εξωτερικά ιατρεία** του ΚΑΤ* και έβγαλα μια ακτινογραφία. «Γιατρέ, τι έγινε; Έσπασα το πόδι μου;» Τα νέα δεν ήταν καλά...

** Νοσοκομείο στην Αθήνα*

2.2.α. Σημειώστε: Σωστό ή Λάθος;

Tick: True or False?

		Σωστό	Λάθος
1.	Προχτές ήμουν στο Νέο Ψυχικό για ψώνια.		
2.	Αγόρασα μια τσάντα και παπούτσια. Μετά ήπια καφέ.		
3.	Στη μέση του δρόμου σκόνταψα σε μια πέτρα.		
4.	Μια κυρία έτρεξε και με βοήθησε.		
5.	Προσπάθησα να πατήσω το πόδι μου, αλλά πόνεσα.		
6.	Κάθισα κάτω και τηλεφώνησα στο Χρήστο που μένει εκεί κοντά.		
7.	Ήμουν στη διασταύρωση της οδού Δημοκρατίας με την οδό Σεφέρη.		
8.	Ο Χρήστος άργησε λίγο να έρθει.		
9.	Μπήκα στο αυτοκίνητό του και πήγαμε στο ΚΑΤ.		
10.	Στο ΚΑΤ έβγαλα μια ακτινογραφία.		
11.	Ο γιατρός μού είπε ότι το πόδι μου ήταν μια χαρά.		

2.2.β. Κάντε ερωτήσεις στο διπλανό σας με βάση το κείμενο. Αλλάξτε ρόλους.

Ask the person sitting next to you questions based on the text. Switch roles.

2.3. Ακούστε το κείμενο: *Αθλητικά νέα*

2.3.α. Σημειώστε: Σωστό ή Λάθος;

Tick: True or False?

		Σωστό	Λάθος
1.	Χτες το απόγευμα στον αγώνα ποδοσφαίρου έγινε ένα ατύχημα.		
2.	Ο Λούα Λούα έπεσε κάτω.		
3.	Ο γιατρός έτρεξε στον **τραυματία** για τις πρώτες βοήθειες.		
4.	Άργησαν να καλέσουν το ασθενοφόρο.		
5.	Το ασθενοφόρο τον **μετέφερε** σ' έναν ορθοπαιδικό.		
6.	Δυστυχώς ο Λεοντίου έσπασε το πόδι του.		
7.	Την άλλη εβδομάδα θα είναι καλά και θα παίξει πάλι ποδόσφαιρο.		

2.4. *Ένας Έλληνας στο Παρίσι*

Είμαι στο Παρίσι. Δεν το πιστεύω ακόμα!

Μόλις έφτασα από το αεροδρόμιο, ανέβηκα στο δωμάτιο του ξενοδοχείου *Λουτέσια* και άφησα τις βαλίτσες μου. Ήταν περίπου δέκα η ώρα. Μισή ώρα αργότερα ξεκίνησα για το *Καφέ Ντε Φλορ* για μια ζεστή **σοκολάτα**. Έμεινα εκεί περίπου τρία τέταρτα, **έπειτα** μπήκα σ' ένα λεωφορείο στη λεωφόρο Σεν Ζερμέν και έφτασα σε είκοσι πέντε λεπτά στον Πύργο του Άιφελ. Ανέβηκα με το ασανσέρ και είδα από ψηλά την αγαπημένη μου πόλη. Η ώρα ήταν μία και η Σιμόν με περίμενε στη μία και τέταρτο μπροστά στο Λούβρο για να δούμε μια έκθεση για το **Μέγα Αλέξανδρο**. Κατέβηκα γρήγορα με τα πόδια γιατί το ασανσέρ είχε πολύ κόσμο. Διέσχισα το δρόμο και προχώρησα προς το σταθμό των ταξί. Δεν ήταν κανένα εκεί. Ευτυχώς, ένα ταξί πέρασε από **μπροστά μου**, σταμάτησε και μπήκα μέσα. Ακολουθήσαμε ένα **σύντομο** δρόμο και φτάσαμε στο μουσείο σε είκοσι λεπτά. Έτρεξα προς τη Σιμόν που περίμενε με τα εισιτήρια στο χέρι. Κατά τις τέσσερις πήγαμε με το μετρό για φαγητό σ' ένα πολύ συμπαθητικό εστιατόριο και συζητήσαμε για το Μέγα Αλέξανδρο και την υπέροχη έκθεση που είδαμε. Δύο ώρες μετά, **επιστρέψαμε** μαζί στο σπίτι της Σιμόν για έναν καφέ.

2.4.α.  Σημειώστε σύμφωνα με το παράδειγμα.

Fill in as in the example.

	Πότε;		*Πού;*		*Τι έκανα;*
1.	Πριν τις 10	___	Πύργος του Άιφελ	___	Ήπια έναν καφέ
2.	Κατά τις 10	___	Λεωφορείο	___	Ακολούθησα ένα σύντομο δρόμο
3.	10.30	___	Λούβρο	___	Ήπια μια ζεστή σοκολάτα
4.	11.15	___	Εστιατόριο	___	Ανέβηκα με το ασανσέρ
5.	11.40	___	Καφέ Ντε Φλορ	___	Ήθελα να πάρω ταξί
6.	13.00	___	Ξενοδοχείο	___	Μπήκα στο λεωφορείο
7.	13.15	*1*	Αεροδρόμιο	___	Άφησα τις βαλίτσες και βγήκα έξω
8.	13.35	___	Σπίτι της Σιμόν	*1*	Έφτασα στο Παρίσι
9.	16.00	___	Σταθμός ταξί	___	Έφαγα και συζήτησα για την έκθεση
10.	18.00	___	Στο ταξί	___	Έφτασα στο μουσείο

2.4.β. Κάντε ερωτήσεις στο διπλανό σας με βάση το κείμενο. Αλλάξτε ρόλους.

Ask the person sitting next to you questions based on the text. Switch roles.

ανάπτυξη

2.5. Μπροστά μου ή πίσω μου;

Η τάξη μου (Πέμπτη Δημοτικού 1969)

α. Η φωτογραφία της τάξης μου
Εδώ είμαι εγώ.
Πλάι μου είναι η Αντωνίου (δεξιά μου).
Δίπλα της είναι η δασκάλα μας, η κυρία Αθηνά.
Αριστερά μου είναι η Μαρινοπούλου.
Πίσω μου ο Νικολάου και ο αδερφός του.
Μπροστά μου κάθεται η φίλη μου, η Ιώ Δημητρίου.

Σε ποιον όροφο μένετε, κυρία Μαρούλη μου;

Στο δεύτερ

β. Στην πολυκατοικία
- Ποιος μένει **από πάνω σας;**
- **Από πάνω μας** μένει ο κύριος Μαυρίδης.
- Και **από κάτω σας;**
- **Από κάτω μας** μένει η οικογένεια Αλευρά.

2.5.α.  *Στο αεροπλάνο οικογενειακώς*

Το περασμένο Σαββατοκύριακο πήγαμε οικογενειακώς στο γάμο του αδελφού της μητέρας μου, του θείου Μενέλαου, που μένει στην Αλεξανδρούπολη.
Στο αεροπλάνο καθίσαμε όλοι κοντά. Η αδελφή μου κάθισε **αριστερά μου** και ο ξάδελφός μου **δεξιά μου.** Εγώ δηλαδή ήμουν **ανάμεσά τους. Μπροστά μου** κάθισε η μητέρα μου, **δίπλα της** ο πατέρας μου και **δεξιά της** η θεία μου. **Απέναντί της,** στο 14Δ, κάθισε η γιαγιά μου και **πλάι της** ο παππούς μου. **Πίσω του** κάθισε η ξαδέλφη μου και στα **αριστερά της,** πίσω από τη γιαγιά μου, ο θείος μου.

2.5.β.  Πού κάθονται; Συμπληρώστε τα κενά σύμφωνα με το παράδειγμα.

Where are they sitting? Fill in the gaps following the example.

.... 14Α	.... 14Β	.... 14Γ	ΔΙΑΔΡΟΜΟΣ	γιαγιά 14Δ	.... 14Ε
.... 15Α	εγώ 15Β	.... 15Γ		.... 15Δ	.... 15Ε

2.5.γ. Κάντε το σχεδιάγραμμα της τάξης σας. Εξηγήστε στο διπλανό σας πού κάθονται οι συμμαθητές σας.

Draw a diagram of your class. Describe to the person sitting next to you where everybody sits.

Το **σχεδιάγραμμα** της τάξης μου

2.6. Πού έγινε το ατύχημα;

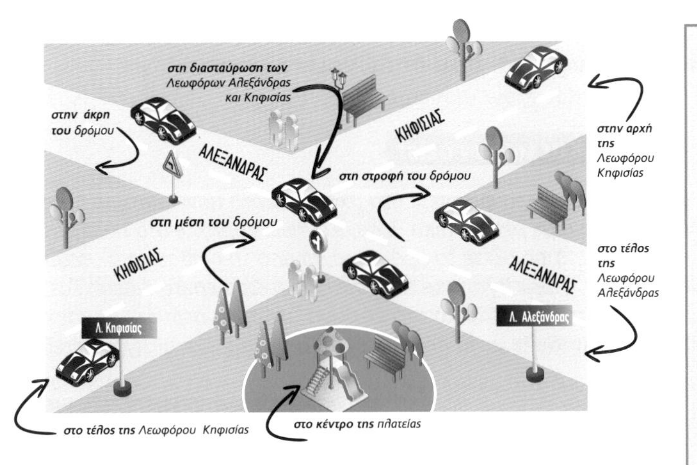

(1) **στη διασταύρωση των** λεωφόρων Αλεξάνδρας & Κηφισίας
(2) **στη γωνία των** οδών Αλεξάνδρας & Κηφισίας
(3) **στην άκρη του** δρόμου
(4) **στη μέση του** δρόμου
(5) **στο τέλος του** δρόμου
(6) **στη στροφή του** δρόμου
(7) **στο κέντρο της** πλατείας
(8) **στην αρχή της** λεωφόρου Κηφισίας
(9) **στο τέλος της** λεωφόρου Αλεξάνδρας

2.6.α. **Σχεδιάστε ανθρωπάκια στο παραπάνω σχέδιο και ρωτήστε το διπλανό σας πού βρίσκονται. Αλλάξτε ρόλους.** Draw people in the above diagram and ask the person sitting next to you where exactly they are placed. Switch roles.

2.7. Ακούστε το κείμενο: *Η Αγγελική είδε μια σύγκρουση*

2.7.α.   **Σημειώστε: Σωστό ή Λάθος;** Tick: True or False?

		Σωστό	Λάθος
1.	Η **σύγκρουση** έγινε στη διασταύρωση των λεωφόρων Αλεξάνδρας και Κηφισίας.		
2.	Η Αγγελική σταμάτησε στο κόκκινο φανάρι.		
3.	Το μπλε αυτοκίνητο σταμάτησε κι αυτό στο κόκκινο φανάρι.		
4.	Το κόκκινο αυτοκίνητο πέρασε με κόκκινο φανάρι.		
5.	Το κόκκινο αυτοκίνητο χτύπησε το μπλε αυτοκίνητο από αριστερά.		
6.	Ευτυχώς και οι δύο οδηγοί δεν έπαθαν τίποτα.		
7.	Η Αγγελική τηλεφώνησε και στην αστυνομία και στο Ε.Κ.Α.Β. για ασθενοφόρο.		
8.	Οι αστυνομικοί ζήτησαν **τα χαρτιά** των αυτοκινήτων και τα διπλώματα των οδηγών.		
9.	Ο οδηγός του μπλε αυτοκινήτου είχε μαζί του μόνο το δίπλωμά του.		
10.	Η Αγγελική και η φίλη της δεν έφυγαν αμέσως.		

2.7.β. 

Κάνετε διαλόγους ανά ζεύγη. Αλλάξτε ρόλους.
Make dialogues in pairs. Then switch roles.

Ρόλος Α: *Είστε δημοσιογράφος. Ένας περαστικός είδε ένα σοβαρό ατύχημα στο δρόμο και του ζητάτε να το περιγράψει.*

Ρόλος Β: *Είδατε ένα σοβαρό ατύχημα στο δρόμο και ένας δημοσιογράφος σάς ζητά να το περιγράψετε.*

2.8. Ρήματα κίνησης (μετακίνηση)

ανεβαίνω	κατεβαίνω
ξεκινάω (-ώ)	φτάνω
μπαίνω	βγαίνω
πάω	έρχομαι
προχωράω (-ώ) & προχωρώ (-είς-εί)	σταματάω (-ώ)

φεύγω	γυρίζω (πίσω), επιστρέφω
περπατάω (-ώ)	τρέχω
ακολουθώ διασχίζω περνάω (-ώ) πλησιάζω	

ανεβαίνω *κατεβαίνω*

περπατάω (-ώ)

τρέχω

2.8.α. **Διαγράψτε το λάθος.** Cross out the mistake.

1.	Προχτές το απόγευμα ***πήγα / ήρθα*** στην ξαδέρφη μου για καφέ. Αργότερα ***πήγε / ήρθε*** και η φίλη μας η Ματίλντα.
2.	Το ταξί ***ξεκίνησε / σταμάτησε*** μπροστά μου. ***Μπήκα / Βγήκα*** μέσα και ***ξεκινήσαμε / σταματήσαμε*** αμέσως.
3.	***Προχωρήστε / Περπατήστε*** κυρία μου, θέλω ***να ανεβώ / να κατεβώ*** στην επόμενη στάση!
4.	Για να χάσετε βάρος, πρέπει ***να προχωράτε / να περπατάτε*** μία ώρα την ημέρα και ***να ανεβαίνετε / να κατεβαίνετε*** στον όροφό σας με τα πόδια κι όχι με το ασανσέρ.
5.	***Μην πλησιάσεις / Μην προχωρήσεις*** το σκύλο μου γιατί είναι άγριος.
6.	***Θα φύγω / Θα φτάσω*** από το σπίτι μου στις επτάμισι για ***να φύγω / να φτάσω*** στη δουλειά μου κατά τις οκτώ. ***Θα φύγω / Θα επιστρέψω*** σπίτι μου αργά το απόγευμα.
7.	Για ***να πάτε / να φύγετε*** στα Επείγοντα του νοσοκομείου πρέπει ***να ακολουθήσετε / να διασχίσετε*** το πάρκο και στη συνέχεια ***να ακολουθήσετε / να διασχίσετε*** τις πινακίδες.
8.	***Γυρίσαμε / Πλησιάσαμε*** από την Αίγινα με το πλοίο στον Πειραιά και ***τρέξαμε / περάσαμε*** για να προλάβουμε το τελευταίο τρένο για την Κηφισιά.
9.	Θα κατεβείτε στο σταθμό Σύνταγμα και ***θα βγείτε / θα μπείτε*** από την έξοδο Β στην οδό Πανεπιστημίου. ***Θα περάσετε / Θα διασχίσετε*** το Πανεπιστήμιο στα δεξιά σας και ακριβώς απέναντι θα δείτε το κατάστημά μας.
10.	Φτάσαμε στο σπίτι. ***Ελάτε / Πηγαίνετε*** κι εσείς! Σας περιμένουμε για φαγητό.

2.8.β. ✓ **Υπογραμμίστε τα 18 ρήματα του κειμένου 2.4. που δηλώνουν κίνηση.**
Underline the 18 motion verbs of text 2.4. that show movement.

 **Και τώρα εσείς!**

2.8.γ.  *Τι ώρα* ***ξεκινάτε*** *το πρωί από το σπίτι σας και τι ώρα* ***φθάνετε*** *στο σχολείο / στο πανεπιστήμιο / στη δουλειά σας; Κάθε μέρα πώς* ***πάτε*** *στη δουλειά σας; Με τα πόδια ή με μεταφορικά μέσα; Και πώς* ***γυρίζετε*** *στο σπίτι σας; Ξέρετε από ποιους δρόμους* ***περνάτε; Ακολουθείτε*** *πάντα αυτούς τους δρόμους;* ***Διασχίζετε*** *το δρόμο πάντα από τη διάβαση των πεζών ή από αλλού;* ***Βγαίνετε*** *συχνά έξω; Τι προτιμάτε; Θέατρο ή σινεμά; Περίπου τι ώρα* ***βγαίνετε*** *το βράδυ και τι ώρα* ***επιστρέφετε****; Σας αρέσει* ***να τρέχετε*** *ή* ***να περπατάτε; Τρέχετε*** *ή* ***περπατάτε*** *κάθε μέρα και πόση ώρα;* ***Σταματάτε*** *πάντα στο κόκκινο φανάρι ή* ***περνάτε*** *με κόκκινο, όταν βιάζεστε; Αν πρέπει* ***να πάτε*** *στον πέμπτο όροφο μιας πολυκατοικίας,* ***θα ανεβείτε*** *με τα πόδια ή με το ασανσέρ; Και πώς* ***θα κατεβείτε****;*

2.9. Σύνθεση λέξεων

Ακολουθούμε πάντα τη μαμά.

ακολουθώ & **παρα**κολουθώ
Η Ελένη βγήκε στον κήπο κι εγώ την **ακολούθησα**. Φοβάται ότι η γυναίκα του **έχει σχέση μ'** ένα συνάδελφό της και ζήτησε από έναν **ντετέκτιβ να** την **παρακολουθήσει**. Κάθε Δευτέρα **παρακολουθώ** ένα μάθημα πληροφορικής. Χτες **παρακολούθησα** έναν αγώνα μπάσκετ στην τηλεόραση.

Ο ντετέκτιβ παρακολουθεί...

2.9.α. **Συμπληρώστε τα κενά με τα ρήματα** ***ακολουθώ, παρακολουθώ*** **στο σωστό χρόνο.**
Fill in the gaps with the verbs: *ακολουθώ, παρακολουθώ* in the proper tense.

0.	Ποια μαθήματα θα παρακολουθήσεις του χρόνου στο πανεπιστήμιο, Νίκο;
1.	Χτες στο Ηρώδειο η αδελφή μου ________________ μια καταπληκτική παράσταση.
2.	Ξεκινήστε κι εμείς ___ σας ________________ με το αυτοκίνητό μας.
3.	Πώς ξέρεις ότι χτες πήγα σινεμά με το Μένη; Με ________________;
4.	Αγαπητοί φίλοι, τώρα _____ ____________ το δελτίο καιρού.
5.	Όταν βγάζω βόλτα το σκύλο μου, εκείνος τρέχει μπροστά κι εγώ τον ________________.

Παρακολουθούμε τον αγώνα.

2.10. Σημαίνει πολλά: η πινακίδα

2.11. Οικογένειες λέξεων: η οδός

n **οδ**ός
n είσ**οδ**ος ≠ n έξ**οδ**ος
ο/n **οδ**ηγός
τα δι**όδ**ια (χρήματα)
τα δι**όδ**ια (μέρος)
οδικός-ή-ό
n **οδ**ική βοήθεια
οδηγώ

2.11.α. ✓ **Ταιριάξτε τις στήλες.** Match the columns.

1.	Από εκεί μπαίνουμε.	___	α.	η έξοδος
2.	Από εκεί βγαίνουμε.	___	β.	τα διόδια
3.	Οδηγεί αυτοκίνητα, μοτοσυκλέτες, φορτηγά.	___	γ.	η οδική βοήθεια
4.	Εκεί πληρώνουμε τα διόδια στην Εθνική Οδό.	___	δ.	η είσοδος
5.	Την καλούμε όταν χαλάει το αυτοκίνητό μας.	___	ε.	ο/η οδηγός
6.	Λέγεται και «δρόμος».	___	ζ.	οδηγώ
7.	Απαγορεύεται να το κάνω χωρίς δίπλωμα.	___	η.	η οδός

2.12. Πλάγιος λόγος (2)

	Ευθύς λόγος	Πλάγιος λόγος
	Ο/Η δημοσιογράφος ρωτάει. *Ο ποδοσφαιριστής απαντάει.*	*Τι ρωτάει ο/η δημοσιογράφος;* *Τι απαντάει ο ποδοσφαιριστής;*
1.	- **Από πού** ήρθ**ες**; - Ήρθ**α** **από** το Πακιστάν.	α. Τι **σε** ρωτάει ο δημοσιογράφος; Ο δημοσιογράφος **με** ρωτάει **από πού** ήρθ**α**. β. Τι **του** απαντάς; **Του** απαντάω **ότι** ήρθα **από** το Πακιστάν.
2.	- **Από πότε** παίζ**εις** μπάσκετ; - Παίζ**ω** μπάσκετ **από** επτά χρόνων.	α. Τι **σε** ρωτάει η δημοσιογράφος; Η δημοσιογράφος **με** ρωτάει **από πότε** παίζ**ω** μπάσκετ. β. Τι **της** απαντάς; **Της** απαντάω **πως** παίζω μπάσκετ **από** επτά χρόνων.
3.	- **Κάθε πότε** κάν**εις** μάθημα τένις; - Κάν**ω** μάθημα τένις **κάθε** Σάββατο.	α. Τι **τον** ρωτάει ο δημοσιογράφος; Ο δημοσιογράφος **τον** ρωτάει **κάθε πότε** κάν**ει** μάθημα τένις. β. Τι **του** απαντάει; **Του** απαντάει **ότι** κάν**ει** μάθημα τένις **κάθε** Σάββατο.

2.12.α. *Συνέντευξη με ποδοσφαιριστές*

2.12.β. Συμπληρώστε τα κενά σύμφωνα με το παράδειγμα. Στη συνέχεια ακούστε το κείμενο και ελέγξτε τις απαντήσεις σας.

Fill in the gaps following the example. Then listen to the text and check your answers.

0.	- **Έως πότε** ήσουν με την ΑΕΚ;* - Ήμουν με την ΑΕΚ **έως** το 2007.	Ο δημοσιογράφος **με** ρωτάει *έως πότε* ***ήμουν*** / ~~***ήσουν***~~ / ~~***ήταν***~~ με την ΑΕΚ. *Του* απαντάω ότι ***ήμουν*** / ~~***ήσουν***~~ / ~~***ήταν***~~ με την ΑΕΚ έως το 2007.
1.	- **Μέχρι πότε** έμεινες στον Παναθηναϊκό;* - Έμεινα στον Παναθηναϊκό **μέχρι** το 2012.	Η δημοσιογράφος **με** ρωτάει ___________ ***έμεινα / έμεινες / έμεινε*** στον Παναθηναϊκό. _____ απαντάω ότι ***έμεινα / έμεινες / έμεινε*** στον Παναθηναϊκό _______ το 2012.
2.	- **Με τι** ασχολείσαι την Κυριακή; - Ασχολούμαι **με** το ποδόσφαιρο.	Ο δημοσιογράφος **τον** ρωτάει ___________ ***ασχολούμαι / ασχολείσαι / ασχολείται*** την Κυριακή. _____ απαντάει ότι ***ασχολούμαι / ασχολείσαι / ασχολείται*** _______ το ποδόσφαιρο.
3.	- **Με ποια** ομάδα παίζετε; - Παίζουμε **με** τον ΠΑΟΚ.*	Η δημοσιογράφος **μάς** ρωτάει ___________ ομάδα ***παίζουμε / παίζετε / παίζουν***. _____ απαντάμε ότι ***παίζουμε / παίζετε / παίζουν*** _______ τον ΠΑΟΚ.
4.	- **Σε ποιον** αγώνα κερδίσατε; - Κερδίσαμε **στον** αγώνα Ολυμπιακός* - ΠΑΟΚ.	Ο δημοσιογράφος **σάς** ρωτάει ___________ αγώνα ***κερδίσαμε / κερδίσατε / κέρδισαν***. _____ απαντάτε ότι ***κερδίσαμε / κερδίσατε / κέρδισαν*** _____ αγώνα Ολυμπιακός* - ΠΑΟΚ.
5.	- **Σε πόσον** καιρό θα παίξετε πάλι; - Θα παίξουμε **σε** δέκα μέρες.	Ο δημοσιογράφος ***τούς / τις / τα*** ρωτάει ___________ καιρό ***θα παίξουμε / θα παίξετε / θα παίξουν*** πάλι. _____ απαντάνε ότι ***θα παίξουμε / θα παίξετε / θα παίξουν*** _____ δέκα μέρες.

*** Ελληνικές αθλητικές ομάδες**

 2.12.γ. Ακούστε το κείμενο: *Συνέντευξη με τον Λούα Λούα*

2.12.δ. **Ταιριάξτε τις στήλες.** Match the columns.

1.	Η δημοσιογράφος ρωτάει τον ποδοσφαιριστή Λούα Λούα από πού	__	α.	με τι ασχολείται τον τελευταίο καιρό
2.	Τον ρωτάει επίσης μέχρι πότε	__	β.	ασχολείται με την Ρίζεσπορ, **κοιμάται** νωρίς κάθε βράδυ και παει πολύ πρωί για προπόνηση
3.	Μετά τον ρωτάει από πότε	__	γ.	έμεινε στη Νιούκαστλ.
4.	Τον ρωτάει επίσης σε	__	δ.	είναι.
5.	Η δημοσιογράφος τον ρωτάει επίσης	__	ε.	καιρό φεύγουν για την Ολλανδία.
6.	Ο Λούα Λούα λέει ότι	__	ζ.	ποια ομάδα είναι τώρα.
7.	Στη συνέχεια τον ρωτάει κάθε	__	η.	έως πότε ήταν με τον Ολυμπιακό.
8.	Μετά η δημοσιογράφος τον ρωτάει με ποια	__	θ.	ομάδα παίζουν την άλλη εβδομάδα.
9.	Τον ρωτάει επίσης σε πόσον	__	ι.	πότε κάνει προπόνηση.

2.12.ε. Ακούστε το κείμενο: *Συνέντευξη με τον Λούα Λούα σε πλάγιο λόγο*

2.12.ζ. **Ακούστε ξανά το κείμενο και ελέγξτε τις απαντήσεις της άσκησης 2.12.δ.**
Listen to the text once more and check your answers in exercise 2.12.δ.

2.13. Το λέμε κι αλλιώς

φεύγω & ξεκινάω (-ώ)	επιστρέφω & γυρίζω
- Πότε **θα φύγεις** για το λιμάνι; - **Θα ξεκινήσω** από το σπίτι κατά τις πέντε για να είμαι στο λιμάνι στην ώρα μου.	- Και πότε **θα επιστρέψεις** από τη Λαμία στην Αθήνα; - **Θα γυρίσω** στην Αθήνα την Πέμπτη.

2.13.α. **Διαγράψτε το λάθος.** Cross out the mistake.

1.	Τι ώρα ***θα φύγεις / θα γυρίσεις / θα ξεκινήσεις*** από το σπίτι σου για το γραφείο σου;
2.	Αν δε(ν) ***φύγεις / επιστρέψεις / ξεκινήσεις*** αμέσως τώρα, θα χάσεις την πτήση σου.
3.	Όταν ***έφυγες / επέστρεψες / γύρισες*** από την Κύπρο, δε σε περίμενε κανείς στο αεροδρόμιο της Αθήνας.
4.	***Ξεκινήσαμε / Επιστρέψαμε / Γυρίσαμε*** πιο νωρίς φέτος. Δυστυχώς οι διακοπές μας ήταν μόνο μια εβδομάδα.

Λεξιλόγιο / Vocabulary

Λεξιλόγιο	Vocabulary
ΟΝΟΜΑΤΑ	NOUNS
ηλικιωμένος, ο	old person (masc.)
Μέγας Αλέξανδρος, ο	Alexander the Great
περαστικός, ο	passerby (masc.)
ποδοσφαιριστής, ο	football player (masc.)
ντετέκτιβ, ο/η	detective (masc., fem.)
τραυματίας, ο	injured, wounded (n.)
άκρη, η	edge
διασταύρωση, η	crossing
ηλικιωμένη, η	old person (fem.)
κίνηση, η	motion
μετακίνηση, η	movement
περαστική, η	passerby (fem.)
πινακίδα, η	post sign
ποδοσφαιρίστρια, η	football player (fem.)
σοκολάτα, η	chocolate
σύγκρουση, η	crash
σχέση, η	relationship
έχω σχέση με κάποιον	I am in a relationship with someone
σχεδιάγραμμα, το	diagram, plan
τέλος, το	end (n.)
στο τέλος του δρόμου	at the end of the road
πρώτες βοήθειες, οι	first aid
εξωτερικά ιατρεία, τα	emergency room
χαρτιά, τα	documents
ΕΠΙΘΕΤΑ - ΜΕΤΟΧΕΣ	ADJECTIVES - PARTICIPLES
ηλικιωμένος-η-ο	elderly, old
σύντομος-η-ο	short, quick
σύντομος δρόμος, ο	shortcut
ΡΗΜΑΤΑ	VERBS
γίνομαι	I become
τι έγινε;	what happened?
επιστρέφω	I return
θυμάμαι	I remember
κοιμάμαι	I sleep
λυπάμαι	I am sorry
μεταφέρω	I transfer
ξεκινάω (-ώ)	I leave
πατάω (-ώ)	I step on something
πέφτω	I fall
πέφτω επάνω σε...	I fall onto something
παρακολουθώ	I follow somebody / a clas / a game
ρίχνω (κάποιον κάτω)	I throw (somebody down)
σημειώνω	I note / put down
σκοντάφτω	I stumble
φοβάμαι	I am afraid
ΕΠΙΡΡΗΜΑΤΑ	ADVERBS
πλάι (μου/σου...)	next to (me/you...)
έπειτα	afterwards, then

γραμματική

1. Τα ρήματα σε *-άμαι*
Verbs in *-άμαι*

Ενεστώτας
κοιμάμαι
κοιμάσαι
κοιμάται
κοιμόμαστε
κοιμάστε & κοιμόσαστε
κοιμούνται

Όπως **κοιμάμαι**: *λυπάμαι, θυμάμαι, φοβάμαι*

2. Επιρρήματα που ακολουθούνται από προσωπικές αντωνυμίες
Adverbs followed by personal pronouns

μαζί μου / σου / του/της/του / μας / σας / τους

Κάθισε **κοντά μου**!
Έλα **μαζί μου**!
Ποιος κάθεται **πλάι σου** στο τραπέζι;
Ένα αυτοκίνητο σταμάτησε **μπροστά του/της/του**.
Απέναντί μας υπάρχει ένα φαρμακείο.
Ποιος μένει **από κάτω / από πάνω σας /ανάμεσά σας**;
Ποιοι μένουν **δίπλα τους**;

3. Πλάγιος λόγος (2) Indirect speech (2)

Ευθύς λόγος		Πλάγιος λόγος
Από πού εί**σαι**;	Με ρωτάει	**από πού** εί**μαι**.
Από πότε εί**σαι** εδώ;		**από πότε** εί**μαι** εδώ.
Κάθε πότε πα**ς** σινεμά;		**κάθε πότε** πά**ω** σινεμά.
Έως πότε θα μείνει**ς** εδώ;		**έως πότε** θα μείν**ω** εδώ.
Μέχρι πότε θα δουλέψει**ς**;		**μέχρι πότε** θα δουλέψ**ω**.
Με τι ασχολ**είσαι**;		**με τι** ασχολ**ούμαι**.
Με ποιον μιλ**άς**;		**με ποιον** μιλ**άω**.
Σε ποιον μιλ**άς**;		**σε ποιον** μιλ**ώ**.
Σε πόσους μήνες θα γυρίσει**ς**;		**σε πόσους** μήνες θα γυρίσ**ω**.

4. Πίνακας νέων ρημάτων   Table of new verbs

	Θέμα ενεστώτα		Θέμα αορίστου			
Προθ.	Ενεστώτας	Ατελής υποτακτική (Α)	Αόριστος	Τέλειος μέλλοντας (Β)	Τέλ. υποτακτική (Β)	Τέλεια προστακτική (Β)
διά	**δια**σχίζω	να **δια**σχίζω	**διέ**σχισα	θα **δια**σχίσω	να **δια**σχίσω	**διά**σχισε - **δια**σχίστε
επί	**επι**στρέφω	να **επι**στρέφω	**επέ**στρεψα	θα **επι**στρέψω	να **επι**στρέψω	**επί**στρεψε - **επι**στρέψτε
	θέλω	να θέλω	θέλησα*	θα θελήσω	να θελήσω	θέλησε - θελήστε
μετά	**μετα**φέρω	να **μετα**φέρω	**μετέ**φερα	θα **μετα**φέρω	να **μετα**φέρω	**μετά**φερε - **μετα**φέρτε
	ξεκινάω (-ώ)	να ξεκινάω (-ώ)	ξεκίνησα	θα ξεκινήσω	να ξεκινήσω	ξεκίνησε - ξεκινήστε
παρά	**παρα**κολουθώ	να **παρα**κολουθώ	**παρα**κολούθησα	θα **παρα**κολουθήσω	να **παρα**κολουθήσω	**παρα**κολούθησε - **παρα**κολουθήστε
	σημειώνω	να σημειώνω	σημείωσα	θα σημειώσω	να σημειώσω	σημείωσε - σημειώστε
	σκοντάφτω	να σκοντάφτω	σκόνταψα	θα σκοντάψω	να σκοντάψω	σκόνταψε - σκοντάψτε
	θυμάμαι	να θυμάμαι				
	κοιμάμαι	να κοιμάμαι				
	λυπάμαι	να λυπάμαι				
	φοβάμαι	να φοβάμαι				

* *Ο αόριστος **θέλησα** χρησιμοποιείται σπάνια. Για αόριστο χρησιμοποιούμε πιο συχνά τον τύπο **ήθελα** του παρατατικού.*
*The past tense **θέλησα** is rarely used. Instead, we use more often the imperfect tense **ήθελα**.*

2.14. 30 Πήρατε τη βαλίτσα μου!

2.14.α. Ακούστε το κείμενο και συμπληρώστε τα κενά.
Listen to the text and fill in the gaps.

Την περασμένη Κυριακή [1] ____________ από το Λονδίνο. Η πτήση είχε καθυστέρηση και το αεροδρόμιο ήταν γεμάτο κόσμο. Περίμενα στις *Αποσκευές* όταν μια κυρία πήρε τη βαλίτσα μου και [2] ____________! «Κυρία, [3] ____________! Αυτή είναι η βαλίτσα μου!» φώναξα. Δε με άκουσε και [4] ____________ προς την έξοδο. [5] ____________ πίσω της. [6] ____________ σχεδόν όλο το αεροδρόμιο, εκείνη μπροστά κι εγώ πίσω. [7] ____________ έξω και βέβαια εγώ την [8] ____________. «[9] ____________ πίσω! Η βαλίτσα μου!» φώναξα ξανά. Πάλι δε με άκουσε. [10] ____________ στο λεωφορείο για την Αθήνα. [11] ____________ κι εγώ και την [12] ____________. «Κυρία! Πήρατε τη βαλίτσα μου!» είπα. Κοίταξε τη βαλίτσα κι άρχισε να φωνάζει: «Ωχ, δίκιο έχετε! Αυτή δεν είναι η βαλίτσα μου. Δηλαδή… η βαλίτσα μου είναι ακόμα στο αεροδρόμιο;» [13] ____________ από το λεωφορείο κι άρχισε [14] ____________. Η βαλίτσα μου ήταν ακόμα στο χέρι της. Την [15] ____________. «Κυρία» φώναξα. «Πήρατε πάλι τη βαλίτσα μου!»

2.14.β. Δουλέψτε ανά ζεύγη για να ταιριάξετε τις στήλες.
Work in pairs and match the columns.

1.	Πότε επέστρεψες από το Λονδίνο;	____	α.	«Γυρίστε πίσω! Η βαλίτσα μου!» φώναξα ξανά.
2.	Πού περίμενες τη βαλίτσα σου;	____	β.	Διασχίσαμε σχεδόν όλο το αεροδρόμιο.
3.	Τι έκανε η κυρία;	____	γ.	Ανέβηκε στο λεωφορείο για την Αθήνα.
4.	Τι της φώναξες;	____	δ.	Όχι, η βαλίτσα μου ήταν ακόμα στο χέρι της.
5.	Σε άκουσε η κυρία;	____	ε.	«Κυρία, σταματήστε! Αυτή είναι η βαλίτσα μου!» της φώναξα.
6.	Τι έκανε;	____	ζ.	Προχώρησε προς την έξοδο.
7.	Προς τα πού έτρεξες κι εσύ;	____	η.	Περίμενα τη βαλίτσα μου στις *Αποσκευές*.
8.	Τι διασχίσατε;	____	θ.	Έτρεξα κι εγώ προς την έξοδο.
9.	Τι φώναξες ξανά;	____	ι.	Επέστρεψα την περασμένη Κυριακή.
10.	Πού ανέβηκε η κυρία;	____	κ.	Πήρε τη βαλίτσα μου και έφυγε.
11.	Τι της είπες μέσα στο λεωφορείο;	____	λ.	«Δίκιο έχετε! Αυτή δεν είναι η βαλίτσα μου.» μου απάντησε.
12.	Τι σου απάντησε η κυρία;	____	μ.	«Κυρία! Πήρατε τη βαλίτσα μου!» της είπα.
13.	Σου έδωσε τη βαλίτσα σου;	____	ν.	«Κυρία», φώναξα. «Πήρατε πάλι τη βαλίτσα μου!»
14.	Τι φώναξες στο τέλος;	____	ξ.	Όχι, δε με άκουσε.

2.15 31 Ατύχημα στον Παρνασσό

Λεξιλόγιο 2.15.

η πίστα	ski slope
το σκι	ski
το χιονοδρομικό κέντρο	ski resort

2.15.α. Ακούστε το κείμενο και συμπληρώστε τα κενά με λέξεις από το πλαίσιο. Listen to the text and fill in the gaps with words from the box.

Έτρεξα / πήγα / έφτασε / μετέφερε / ήρθε / γλίστρησε / να κατεβαίνουμε / να φύγουμε / ξεκινήσαμε / έφυγε / έπεσε

Το προηγούμενο Σαββατοκύριακο [1] ____________ με τη φίλη μου, την Αμαλία, για **σκι** στον Παρνασσό. Το πρωί της Κυριακής, όταν [2] ____________ από το ξενοδοχείο, ο καιρός ήταν υπέροχος αλλά κατά το μεσημέρι άρχισε βροχή. Εκεί που ήμασταν, ψηλά στο βουνό, είχε και ομίχλη. «Μήπως πρέπει [3] ____________; Δε βλέπω ούτε τη μύτη μου», είπα στην Αμαλία. «Δίκιο έχεις, Αλέξη. Ούτε εγώ βλέπω καλά», είπε εκείνη. Αρχίσαμε [4] ____________ με τα σκι μας. Σε μια στροφή η Αμαλία [5] ____________, [6] ____________ από την **πίστα** κι [7] ____________ επάνω σ' ένα δέντρο με μεγάλη ταχύτητα. [8] ____________ κοντά της και άρχισα να φωνάζω. Δε μου απάντησε. Είδα αίμα στο μέτωπό της και κάλεσα αμέσως βοήθεια με το κινητό μου. Σε πέντε λεπτά [9] ____________ ένας υπάλληλος από το **χιονοδρομικό κέντρο**. Μου είπε να μην κάνω τίποτα και να περιμένω τη βοήθεια. Εγώ, όπως καταλαβαίνετε, ήμουν χάλια. Μισή ώρα αργότερα [10] ____________ το ελικόπτερο και [11] ____________ την Αμαλία στο νοσοκομείο. Της έκαναν πάρα πολλές εξετάσεις. Ευτυχώς δεν ήταν κάτι σοβαρό. Όταν άνοιξε επιτέλους τα μάτια της, ήταν η πιο ευτυχισμένη στιγμή της ζωής μου.

2.15.β. Σημειώστε το σωστό. Tick the correct phrase.

1.	Το πρωί στο ξενοδοχείο	α.	ο καιρός ήταν καλός	β.	είχε βροχή και ομίχλη
2.	Αργότερα, ψηλά στον Παρνασσό	α.	ο καιρός ήταν καλός	β.	είχε βροχή και ομίχλη
3.	Ο Αλέξης πρότεινε να κατεβούνε γιατί	α.	η ομίχλη ήταν πυκνή	β.	είχε πρόβλημα με τη μύτη του
4.	Η Αμαλία	α.	συμφώνησε	β.	δε συμφώνησε
5.	Ένα δέντρο ήταν	α.	στη μέση της πίστας	β.	έξω από την πίστα
6.	Στο ατύχημα χτύπησε	α.	ο Αλέξης	β.	η Αμαλία
7.	Ο Αλέξης	α.	άρχισε να φωνάζει «Βοήθεια!»	β.	κάλεσε βοήθεια
8.	Ο υπάλληλος του είπε	α.	να περιμένει	β.	να βοηθήσει την Αμαλία
9.	Το ελικόπτερο μετέφερε την Αμαλία	α.	σ΄ ένα νοσοκομείο	β.	στο χιονοδρομικό κέντρο
10.	Ο Αλέξης ήταν χαρούμενος γιατί	α.	η Αμαλία έκανε εξετάσεις	β.	η Αμαλία ήταν καλά

2.15.γ. Κάντε ερωτήσεις στο διπλανό σας με βάση το κείμενο. Αλλάξτε ρόλους.
Ask the person sitting next to you questions based on the text. Switch roles.

Απο Τον Τυπο

2.16. 32 Κλοπή σε μονοκατοικία στην Εκάλη

2.16.α. Ακούστε το κείμενο και συμπληρώστε τα κενά με λέξεις από το πλαίσιο.
Listen to the text and fill in the gaps with words from the box.

*κοσμήματα / φανάρια / **συναγερμός** / λένε / έπαθαν / ακολούθησαν / κλέφτες / έπεσαν / **πήδηξαν** / Έσπασαν / **τέχνης** / επιχειρηματία / γύρω / ταχύτητα*

Χτες το πρωί [1] ____________ στις οκτώ, τρεις [2] ____________ μπήκαν στη μονοκατοικία γνωστού [3] ____________ στην Εκάλη. [4] ____________ την πόρτα, μπήκαν στο σπίτι και έκλεψαν [5] ____________, μετρητά, τους υπολογιστές των δύο παιδιών, **έργα** [6] ____________ και το σκύλο της οικογένειας, ένα άσπρο **λαμπραντόρ** που το [7] ____________ Αλεξέι. Ο [8] ____________ λειτούργησε, οι κλέφτες πρόλαβαν και [9] ____________ από το παράθυρο αλλά οι αστυνομικοί, που έφτασαν αμέσως, [10] ____________ το αυτοκίνητό τους. Οι κλέφτες έφυγαν με μεγάλη [11] ____________, πέρασαν δύο [12] ____________ με κόκκινο και στο τέλος [13] ____________ επάνω σε μια ελιά. Ευτυχώς ούτε το δέντρο ούτε ο Αλεξέι [14] ____________ τίποτα.

Λεξιλόγιο 2.16.

ο συναγερμός	alarm
η κλοπή	theft
το λαμπραντόρ	labrador
το έργο τέχνης	piece of art
πηδάω (-ώ)	I jump

2.16.β. Κάντε ερωτήσεις στο διπλανό σας με βάση το κείμενο. Αλλάξτε ρόλους.
Ask the person sitting next to you questions based on the text. Switch roles.

2.17. 33 Στις φλόγες φορτηγό στη λεωφόρο Βουλιαγμένης

Λεξιλόγιο 2.17.

η φλόγα	flame
στις φλόγες	in flames
πιάνω φωτιά	a fire breaks out
σβήνω	I put out, extinguish

Φορτηγό **έπιασε φωτιά** στη μέση της λεωφόρου Βουλιαγμένης, στην περιοχή της Δάφνης. Η πυροσβεστική έφτασε αμέσως κι **έσβησε** τη φωτιά. Ευτυχώς ο οδηγός δεν έπαθε τίποτα γιατί πρόλαβε και βγήκε αμέσως έξω. «Όλα έγιναν πολύ γρήγορα» είπε μια περαστική. «Δεν είδα πώς έγινε το ατύχημα. Είδα μόνο το φορτηγό **στις φλόγες**. Ο οδηγός ήταν πιο μακριά, στο πεζοδρόμιο.»

2.17.α. Ταιριάξτε τις στήλες. Match the columns.

1.	Έπιασε φωτιά φορτηγό	α.	ότι το ατύχημα έγινε πολύ γρήγορα.
2.	Η πυροσβεστική ήρθε	β.	γιατί βγήκε έξω από το φορτηγό αμέσως.
3.	Ο οδηγός ήταν μια χαρά	γ.	που ήταν στη λεωφόρο Βουλιαγμένης.
4.	Μια κυρία είπε	δ.	όταν η κυρία πέρασε από εκεί.
5.	Η κυρία δεν είδε	ε.	για να σβήσει τη φωτιά.
6.	Το φορτηγό ήταν ήδη στις φλόγες	ζ.	πώς έγινε το ατύχημα.

2.18. Σοβαρό δυστύχημα στην Εθνική Οδό Πατρών - Πύργου

Σοβαρό **δυστύχημα** με ένα **νεκρό** και δύο τραυματίες έγινε χτες Τρίτη 20 Μαρτίου, λίγο μετά τις τρεις το απόγευμα, στην Εθνική Οδό Πατρών - Πύργου, μετά τη διασταύρωση για το χωριό Αλισσός. Ένας οδηγός ταξί κάλεσε το Ε.Κ.Α.Β.*, την πυροσβεστική και την αστυνομία που έφτασαν αμέσως. Οι πυροσβέστες έβγαλαν νεκρό τον οδηγό του ενός αυτοκινήτου και δύο τραυματίες από το άλλο αυτοκίνητο. Το ασθενοφόρο πήγε γρήγορα τους τραυματίες στο νοσοκομείο. Η κίνηση όμως στην Εθνική Οδό σταμάτησε για δύο ώρες γιατί η οδική βοήθεια άργησε να πάρει τα δύο αυτοκίνητα.

Ε.Κ.Α.Β. = Εθνικό Κέντρο Άμεσης Βοήθειας*

Λεξιλόγιο 2.18.

ο νεκρός	dead, deceased (n.)
το δυστύχημα	accident

2.18.α.   Σημειώστε το σωστό. Tick the correct phrase.

1.	Έγινε ένα σοβαρό ατύχημα		
	α. στο χωριό Αλισσός	β. πριν τη διασταύρωση για το χωριό Αλισσός	γ. στην Εθνική Οδό Πατρών - Πύργου
2.	Το δυστύχημα έγινε		
	α. προχθές το απόγευμα	β. το μεσημέρι της Τρίτης 20 Μαρτίου	γ. χθες γύρω στις τρεις το απόγευμα
3.	Ένας οδηγός ταξί κάλεσε		
	α. το ΕΚΑΒ και την πυροσβεστική	β. το ασθενοφόρο, την πυροσβεστική και την αστυνομία	γ. το ΕΚΑΒ και την αστυνομία
4.	Η πυροσβεστική βρήκε		
	α. δύο νεκρούς και έναν τραυματία	β. δύο τραυματίες και ένα νεκρό	γ. ένα νεκρό και έναν τραυματία

2.19.  Διαβάστε τους παρακάτω τίτλους εφημερίδων και φανταστείτε τι έγινε. Διηγηθείτε το στην τάξη.

Read the following newspaper titles and guess what happened. Describe it in class.

1. Πυρκαγιά σε μονοκατοικία στη Νάουσα
2. Μαθητής βρήκε πορτοφόλι με 10.000 ευρώ!
3. Ληστεία σε κοσμηματοπωλείο στο κέντρο της Αλεξανδρούπολης
4. Ψαράς με κίνδυνο της ζωής του έσωσε δύο παιδιά από ναυάγιο έξω από τη Νάξο

Λεξιλόγιο 2.19.

η ληστεία	robbery
το κοσμηματοπωλείο	jewelry store
το ναυάγιο	shipwreck
σώζω	I save

2.20. Νεκρός ο Θόδωρος Αγγελόπουλος

Την Τρίτη 24 Ιανουαρίου 2012 το απόγευμα, ο Θ. Αγγελόπουλος είναι στην περιοχή της Δραπετσώνας στον Πειραιά για την καινούργια του ταινία «Η Άλλη Θάλασσα». Γύρω στις επτά, την ώρα της μεγάλης κίνησης, ο σκηνοθέτης προσπαθεί να διασχίσει την οδό Δραπετσώνας. Μια μηχανή πλησιάζει με ταχύτητα, ο οδηγός δεν προλαβαίνει να σταματήσει, χτυπάει τον Αγγελόπουλο και τον ρίχνει κάτω. Ο Θόδωρος Αγγελόπουλος χτυπάει σοβαρά στο κεφάλι. Το ασθενοφόρο φτάνει μετά από λίγη ώρα και τον μεταφέρει στο νοσοκομείο όπου και πεθαίνει σε ηλικία 77 ετών.

Ο Θόδωρος Αγγελόπουλος θα είναι για πάντα ένας από τους πιο **σπουδαίους** σκηνοθέτες της **έβδομης τέχνης**.

Λεξιλόγιο 2.20.

η έβδομη τέχνη	the seventh art
σπουδαίος-α-ο	important

2.20.α. Κάντε ερωτήσεις και δώστε απαντήσεις ο καθένας με τη σειρά του.

Ask the following questions and answer in turns.

1.	Πού ήταν ο Θόδωρος Αγγελόπουλος την Τρίτη 24 Ιανουαρίου 2012;
2.	Γιατί ήταν εκεί;
3.	Τι έγινε γύρω στις επτά, την ώρα της μεγάλης κίνησης;
4.	Τι έκανε μια μηχανή;
5.	Τι έκανε ο οδηγός της μηχανής;
6.	Τι έπαθε ο Θόδωρος Αγγελόπουλος;
7.	Άργησε το ασθενοφόρο;
8.	Πού μετέφερε τον Αγγελόπουλο;
9.	Σε τι ηλικία πέθανε;
10.	Τι θα είναι για πάντα ο Αγγελόπουλος;

2.20.β. Γράψτε ένα κείμενο χρησιμοποιώντας τις απαντήσεις της άσκησης 2.20.α.

Write a text using the answers of exercise 2.20.α.

2.21. Ποιος ήταν ο Θόδωρος Αγγελόπουλος;

Ο Θόδωρος Αγγελόπουλος γεννιέται στην Αθήνα στις 27 Απριλίου 1935. Σπουδάζει νομικά στο Πανεπιστήμιο Αθηνών, αλλά δεν παίρνει το πτυχίο του. Το 1961 φεύγει για το Παρίσι. Στην αρχή παρακολουθεί μαθήματα γαλλικής φιλολογίας στη Σορβόννη και στη συνέχεια μαθήματα κινηματογράφου στη Σχολή Κινηματογράφου IDHEC.

Επιστρέφει στην Ελλάδα το 1964 και μέχρι το 1967 γράφει για τον κινηματογράφο σε ελληνική εφημερίδα. Το 1968 παρουσιάζει την πρώτη του **ταινία μικρού μήκους** «Εκπομπή» στο Φεστιβάλ Κινηματογράφου Θεσσαλονίκης.

Το 1970, η πρώτη του **ταινία μεγάλου μήκους «Αναπαράσταση»** κερδίζει το πρώτο βραβείο στο Φεστιβάλ Κινηματογράφου Θεσσαλονίκης καθώς και άλλα βραβεία που τον κάνουν διάσημο σ' όλο τον κόσμο. Οι πιο γνωστές ταινίες του είναι οι «Μέρες του '36» (1972), «Ο **Θίασος**» (1975), που κέρδισε δεκατρία βραβεία, «Οι **Κυνηγοί**» (1977), «Ο Μεγαλέξανδρος*» (1980), «Μια **Αιωνιότητα** και μια Μέρα» (1998 - βραβείο στις Κάννες) και πολλές άλλες.

Το 1979 γνωρίζει τη Φοίβη Οικονομοπούλου και από τότε μένουν μαζί. Το 1980 γεννιέται η πρώτη τους κόρη, η Άννα, το 1982 η Κατερίνα και το 1985 η τρίτη κόρη, η Ελένη.

* *ο Μέγας Αλέξανδρος*

Από την ταινία «Ο Θίασος»

Λεξιλόγιο 2.21.

ο θίασος	theatre company
ο κυνηγός	hunter
η αιωνιότητα	eternity
η αναπαράσταση	reenactment
η ταινία μικρού μήκους	short film
η ταινία μεγάλου μήκους	featured film

2.21.α. Απαντήστε στις ερωτήσεις πρώτα προφορικά και μετά γραπτά.

Answer to the questions first orally, then in writing.

1.	Πού και πότε γεννήθηκε ο Θόδωρος Αγγελόπουλος;	______________________
2.	Τι σπούδασε στην Αθήνα και σε ποιο πανεπιστήμιο;	______________________
3.	Πήρε πτυχίο;	______________________
4.	Πότε πήγε στο Παρίσι;	______________________
5.	Τι μαθήματα παρακολούθησε στο Παρίσι;	______________________
6.	Πού δούλεψε από το 1964 μέχρι το 1967;	______________________
7.	Πότε παρουσίασε την πρώτη του ταινία μικρού μήκους;	______________________
8.	Ποιες είναι οι πιο γνωστές ταινίες του;	______________________
9.	Για ποια ταινία πήρε βραβείο στο Φεστιβάλ Καννών;	______________________
10.	Ποια ήταν η γυναίκα του και πόσα παιδιά είχε;	______________________

2.22. Περιγράφω κάτι που έγινε

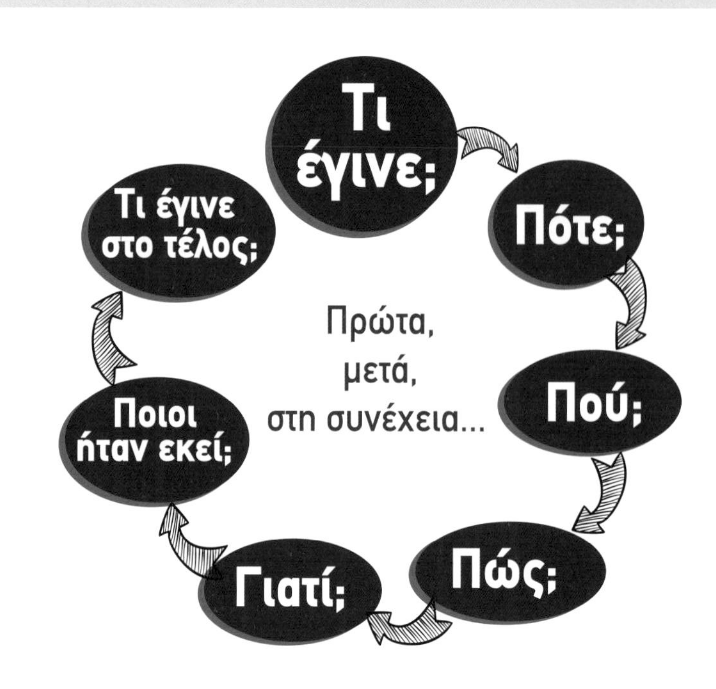

Α. Περιγράφω ένα ατύχημα στο δρόμο με αυτοκίνητο, μοτοσυκλέτα...

1.

Πότε έγινε;			Πού έγινε;			
- Ήταν Τρίτη 15 Ιουλίου... - Το ατύχημα έγινε την Τρίτη 15 Ιουλίου... - Την Τρίτη 15 Ιουλίου...	- το πρωί - το μεσημέρι - νωρίς το απόγευμα - αργά το βράδυ	- στις πέντε η ώρα - στη μιάμιση - κατά τις έξι - γύρω στις τέσσερις	στη λεωφόρο στην οδό στην πλατεία	στην αρχή στη μέση στο τέλος στην άκρη στο κέντρο στη γωνία	του δρόμου της οδού Χ της λεωφόρου Χ	μπροστά μου πίσω μου πλάι μου δίπλα μου δεξιά μου αριστερά μου
				στη γωνία στη διασταύρωση	των οδών Χ & Ψ των λεωφόρων Χ & Ψ	

2.

Τι έγινε; Πώς έγινε; Γιατί έγινε;		
ένα αυτοκίνητο μια μοτοσυκλέτα ένα ποδήλατο ένα φορτηγό ένα ταξί ένα λεωφορείο	πέρασε πλησίασε χτύπησε έριξε κάτω έπεσε επάνω	με ταχύτητα με κόκκινο ξαφνικά γρήγορα αργά έναν πεζό έναν ηλικιωμένο μία ηλικιωμένη σε μια μοτοσυκλέτα
	Μετά... σταμάτησε έφυγε	αμέσως

3.

Τι έκανες μετά το ατύχημα;	
Πήγα	στο νοσοκομείο στα επείγοντα
Τηλεφώνησα	στην αστυνομία στο ΕΚΑΒ
Κάλεσα Φώναξα	την αστυνομία ένα ασθενοφόρο

4.

Ποιος;	Τι έκανε;	Πώς;
Η αστυνομία Το ασθενοφόρο	έφτασε ήρθε	γρήγορα αμέσως σε πέντε λεπτά σε μισή ώρα...
	άργησε	πολύ μια ώρα...
Το ασθενοφόρο	μετέφερε τον τραυματία / την τραυματία	

Β. Περιγράφω ένα ατύχημα στο δρόμο / σπίτι

Πότε;	Πού;	Τι έπαθες;
το πρωί το μεσημέρι νωρίς το απόγευμα αργά το βράδυ	στο δρόμο μέσα στο σπίτι έξω στον κήπο στη σκάλα	γλίστρησα, σκόνταψα πάτησα κάτι έπεσα *(κάτω / στο δρόμο)* χτύπησα / έσπασα [το χέρι μου / το πόδι μου

2.23. Γράφω ένα γράμμα

Το κυρίως γράμμα Θέμα: *Περιγράφω ένα ατύχημα*		
Η αρχή	Λέω γιατί γράφω αυτό το γράμμα	
Το βασικό θέμα	Περιγράφω το ατύχημα (πώς, πού, πότε και γιατί έγινε) Τι έγινε μετά (ποια προβλήματα είχα εγώ) Λέω ότι και άλλοι μπορεί να έχουν αυτό το πρόβλημα	
Το τέλος	*Επίσημο γράμμα (**παράπονο**)* Λέω τι σκέφτομαι για αυτό που έγινε Προτείνω / Ζητάω να γίνει κάτι	*Φιλικό / Συγγενικό γράμμα* Λέω τι σκέφτομαι για αυτό που έγινε Λέω τι έκανα / τι θα κάνω

Λεξιλόγιο 2.23.

το παράπονο complaint

2.23.α.  **Συμπληρώστε τα κενά με λέξεις από το πλαίσιο.**
Μετά ακούστε τα δύο κείμενα και ελέγξτε αυτά που γράψατε.
Fill in the gaps with words from the box. Then listen to the two texts and check your answers.

Με εκτίμηση / Σε φιλώ / Δήμαρχε / γεια σου / Αξιότιμε / Θα ήθελα να σας μιλήσω για / Άκουσε τι έπαθα / όπως καταλαβαίνεις / όπως καταλαβαίνετε / Το επάγγελμά μου / να δουλέψω / Θα ήθελα να σας παρακαλέσω / θυμωμένη / ότι δεν είναι σωστό / χάλια / κακή κατάσταση / Προχτές το πρωί / στις είκοσι τρεις Οκτωβρίου / Στη γωνία / Μπροστά στο εμπορικό κέντρο / Ελπίζω / Πήγα κατευθείαν

1. Επίσημο γράμμα

37 **Παράπονα στο Δήμαρχο**
Η Αναστασία Ιωαννίδου σκόνταψε σε ένα χαλασμένο πεζοδρόμιο στο κέντρο της Κηφισιάς και έσπασε το πόδι της. Γράφει ένα γράμμα στο Δήμαρχο Κηφισιάς.

______________ κύριε ______________,

____ τα χαλασμένα πεζοδρόμια της Κηφισιάς και για το ατύχημα που είχα ______________________.

______________ Λεβίδου και Κολοκοτρώνη σκόνταψα στο χαλασμένο πεζοδρόμιο, έπεσα κάτω και έσπασα το πόδι μου. ________________________είναι οδηγός ταξί και, ________________________, δε θα δουλέψω για δύο μήνες τουλάχιστον. Το πρόβλημά μου είναι πολύ σοβαρό.

Σας στέλνω μια φωτογραφία του πεζοδρομίου. Είναι σε πολύ ________________________ και είναι επικίνδυνο για όλους τους κατοίκους της Κηφισιάς. Πρέπει να σας πω ότι δεν είναι μόνο αυτό το πεζοδρόμιο χαλασμένο. Και σε άλλα σημεία της πόλης μας υπάρχει αυτό το πρόβλημα.

Νομίζω ___________________ να είναι σε κακή κατάσταση τα πεζοδρόμια. ________________________ να συζητήσετε αυτό το θέμα στο δήμο και να φτιάξετε τα πεζοδρόμια του όμορφου προαστίου μας. Αν δεν κάνετε κάτι γρήγορα, θα έχουμε σίγουρα και άλλα ατυχήματα.

______________,
Αναστασία Ιωαννίδου

2. Φιλικό / Συγγενικό γράμμα

Τα άσχημα νέα
Η Αναστασία στέλνει ένα μέιλ στην αδερφή της στη Θεσσαλονίκη.

Τζένη μου, _______________!

Έχω άσχημα νέα. _______________________!
_______________________ βγήκα για ψώνια, όπως κάθε Σάββατο. Ο καιρός ήταν ωραίος και δεν πήρα αυτοκίνητο. Πήγα με τα πόδια στο κέντρο της Κηφισιάς. _______________________ δεν είδα ότι το πεζοδρόμιο ήταν _______________, σκόνταψα και έπεσα κάτω. Άκουσα ένα φοβερό «κρακ!» κι αισθάνθηκα ένα μεγάλο πόνο στο δεξί μου πόδι. Ο περιπτεράς έτρεξε κοντά μου και με βοήθησε να μπω σ' ένα ταξί. _______________ στο νοσοκομείο και τηλεφώνησα στον Αργύρη που ευτυχώς ήρθε γρήγορα. Εκεί μου έκαναν αμέσως μια ακτινογραφία. Ο γιατρός μού είπε ότι έσπασα το πόδι μου σε πολύ άσχημο σημείο. Για δύο μήνες δεν επιτρέπεται ούτε να περπατήσω ούτε να οδηγήσω.
Τζένη μου, _______________, δεν ξέρω τι να κάνω. Εγώ τώρα δεν μπορώ _______________. Κι ο Αργύρης, όπως ξέρεις, μόλις άνοιξε το καινούργιο του μαγαζί. Πώς θα πληρώσουμε τους λογαριασμούς μας; Κι όλα αυτά γιατί ο δήμαρχος δε φτιάχνει τα πεζοδρόμια. Είμαι πολύ _______________. Έστειλα κι ένα γράμμα στο δήμο. _______________ αυτή τη φορά να με ακούσουν για να μη χτυπήσει και κανένας άλλος.

_______________,
η αδελφή σου, Αναστασία

Υ.Γ. Πότε θα έρθεις στην Αθήνα;

2.23.β. **Γράψτε δύο γράμματα με τα παρακάτω θέματα (90 - 120 λέξεις).**
Write two letters with the following topics (90-120 words).

- ✓ Στέλνετε ένα επίσημο γράμμα στο δήμαρχο. Στη γωνία του δρόμου σας δεν υπάρχει πινακίδα «ΣΤΟΠ» και γίνονται συχνά συγκρούσεις. Περιγράφετε με λίγα λόγια την τελευταία σύγκρουση που είδατε. Προτείνετε να βάλει ο δήμος μία πινακίδα σε αυτό το σημείο.
- ✓ Γράφετε ένα μέιλ στον ξάδερφό σας και του περιγράφετε το ατύχημα που έγινε στη γωνία του δρόμου σας.

2.24. Εικόνα - Συζήτηση

Τι έγινε;

1.

2.

3.

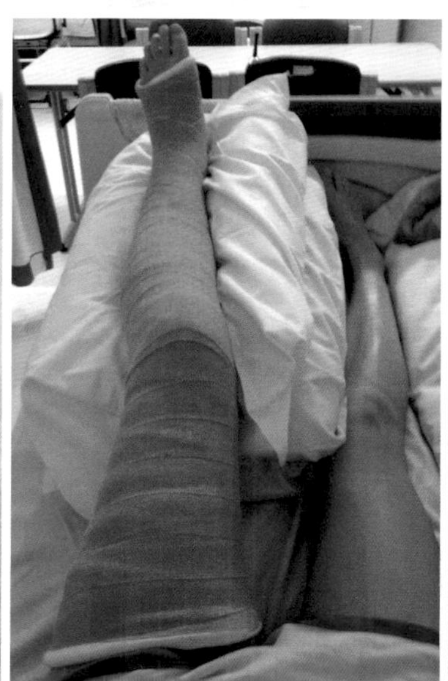

αξιολόγηση - οι τέσσερις δεξιότητες (___ / 20)

ΚΑΤΑΝΟΗΣΗ ΠΡΟΦΟΡΙΚΟΥ ΛΟΓΟΥ (___ / 5)

2.25. 39 **Ακούστε το κείμενο *«Αχ, αυτή η Φωφώ!»* και ταιριάξτε τις στήλες.**

Λεξιλόγιο 2.25.
η λάμπα — light bulb

1.	Ο Πέτρος ήταν έτοιμος	____	α.	για να φέρει τη σκάλα.
2.	Η Φωφώ ζήτησε από τον άντρα της	____	β.	πώς έγινε το ατύχημα.
3.	Ο Πέτρος δε άλλαξε χτες τη **λάμπα**	____	γ.	να κρατήσει τη σκάλα.
4.	Ο Πέτρος δεν είπε τίποτα	____	δ.	γιατί η Φωφώ άφησε τη σκάλα.
5.	Ο Πέτρος πήγε στην αποθήκη	____	ε.	ν' αλλάξει τη λάμπα του φωτιστικού.
6.	Η Φωφώ έπρεπε	____	ζ.	για να ζητήσει βοήθεια.
7.	Ο Πέτρος έπεσε	____	η.	για να πει ότι θα αργήσει.
8.	Η Φωφώ δεν κατάλαβε	____	θ.	να φύγει για τη δουλειά του.
9.	Ο Πέτρος τηλεφώνησε στον αδελφό του	____	ι.	γιατί η Φωφώ είχε δίκιο.
10.	Ο Πέτρος τηλεφώνησε στο γραφείο του	____	κ.	γιατί ήταν κουρασμένος.

ΚΑΤΑΝΟΗΣΗ ΓΡΑΠΤΟΥ ΛΟΓΟΥ (___ / 5)

2.26. 40 **Διαβάστε το κείμενο και σημειώστε το σωστό.**

Λεξιλόγιο 2.26.
λυπημένος-η-ο — sad

Έγινε στην Αίγινα

Τον περασμένο μήνα ήμουν με τον αδερφό μου, το Βασίλη, και τον ανιψιό μου, τον Ιάσονα, στην παραλία της Αίγινας για βόλτα. Πήγαμε για παγωτό στο αγαπημένο μας μαγαζί, το *Φιστίκι*. Φάγαμε όλοι παγωτό σοκολάτα, φιστίκι και πεπόνι. Όταν τελειώσαμε και ήμασταν στην άκρη του δρόμου, μία μοτοσυκλέτα ήρθε από πίσω μας και ξαφνικά έπεσε επάνω σ' ένα τραπέζι στο πεζοδρόμιο, το έριξε κάτω και ύστερα έπεσε επάνω στην πόρτα μιας καφετέριας. Και οι τρεις φωνάξαμε: «Βοήθεια!» Ο περιπτεράς από το περίπτερο της γωνίας έτρεξε για να δει τι έγινε και κάλεσε το ασθενοφόρο. Ευτυχώς όμως κανείς δε χτύπησε κι έτσι το ασθενοφόρο έφυγε αμέσως. Ήρθε όμως η αστυνομία, έπιασαν τον οδηγό της μοτοσυκλέτας και τον πήγαν στο αστυνομικό τμήμα. Ο αδερφός μου κι εγώ πήγαμε την άλλη μέρα για κατάθεση. Ήταν εκεί και ο κύριος που είχε την καφετέρια. Μας είδε και άρχισε να κλαίει.

1.	Τον περασμένο μήνα ήμουν στην Αίγινα με όλη την οικογένειά μου.	α.	Ναι	β.	Όχι	γ.	Ίσως
2.	Καθίσαμε σ' ένα τραπέζι για να φάμε τα παγωτά μας.	α.	Ναι	β.	Όχι	γ.	Ίσως
3.	Την ώρα που ήμασταν στο δρόμο, μία μοτοσυκλέτα μας χτύπησε από πίσω.	α.	Ναι	β.	Όχι	γ.	Ίσως
4.	Έριξε κάτω ένα τραπέζι που ήταν στο πεζοδρόμιο.	α.	Ναι	β.	Όχι	γ.	Ίσως
5.	Η μοτοσυκλέτα έπεσε επάνω στην πόρτα της καφετέριας.	α.	Ναι	β.	Όχι	γ.	Ίσως
6.	Το ασθενοφόρο ήρθε κι έφυγε αμέσως.	α.	Ναι	β.	Όχι	γ.	Ίσως
7.	Ήρθε κι ένας αστυνομικός.	α.	Ναι	β.	Όχι	γ.	Ίσως
8.	Η αστυνομία μάς πήγε όλους στο αστυνομικό τμήμα.	α.	Ναι	β.	Όχι	γ.	Ίσως
9.	Την άλλη μέρα ο αδερφός μου κι εγώ δώσαμε κατάθεση.	α.	Ναι	β.	Όχι	γ.	Ίσως
10.	Ο κύριος που είχε την καφετέρια ήταν πολύ **λυπημένος**.	α.	Ναι	β.	Όχι	γ.	Ίσως

ΠΑΡΑΓΩΓΗ ΠΡΟΦΟΡΙΚΟΥ ΛΟΓΟΥ (___ / 5)

2.27. Κάνετε διαλόγους ανά ζεύγη. Αλλάξτε ρόλους.

Ρόλος Α: *Είσαστε στην αστυνομία για κατάθεση επειδή είδατε ένα ατύχημα στο δρόμο. Περιγράφετε πότε, πού και πώς έγινε το ατύχημα.*
Ρόλος Β: *Είστε αστυνομικός. Ένας κύριος / μία κυρία ήρθε για κατάθεση επειδή είδε ένα ατύχημα. Κάνετε ερωτήσεις (πότε, πού και πώς έγινε το ατύχημα).*

ΠΑΡΑΓΩΓΗ ΓΡΑΠΤΟΥ ΛΟΓΟΥ (___ / 5)

2.28. Γράψτε ένα μέιλ σε ένα φίλο / μια φίλη σας για ένα ατύχημα που είχατε στην πολυκατοικία που μένετε (90 - 120 λέξεις).

το τραγούδι μας ♫

2.29. (41) Το πεπρωμένο (1993)

Στίχοι & μουσική: Βασίλης Δημητρίου, ερμηνεία: Γιώργος Νταλάρας

2.29.α. YouTube **Ακούστε το τραγούδι και συμπληρώστε τα κενά με λέξεις από το πλαίσιο.**
goo.gl/w2obxt

παλεύει / θεωρία / βαδίζεις / πεπρωμένο / όσα / γραμμένο / αποφύγει / δική σου / σημασία / καθένας / ψυχή / ανταμοιβή / περιθώριο

Στο ________________ σου να δίνεις ___________
και να προσέχεις πώς ________________ στη ζωή.
Όταν κοιμάσαι, άλλος γράφει ιστορία
και άλλος παίζει τη ________________ την ψυχή.

Όλοι έχουμε ___________ που το λένε πεπρωμένο
και κανένας δεν μπορεί να τ' ________________.
Δεν υπάρχει ________________ ούτε τρένα ούτε πλοία
κι ο __________ το ________ όπως ξέρει και μπορεί.
Από παιδί στον ύπνο μου έβλεπα φωτιές…

Για την αγάπη ____________ κι αν δίνεις είναι λίγα
και να το ξέρεις πως δεν έχει _____________.
Δώσ' τα και φύγε και μη χάνεις ευκαιρία,
στο ________________ μη βάζεις την ___________.

R

ΤΟ ΠΕΠΡΩΜΕΝΟ ΦΥΓΕΙΝ ΑΔΥΝΑΤΟΝ

Αρχαία παροιμία

Είναι αδύνατον **να αποφύγει** κανείς το πεπρωμένο.

It is impossible to avoid destiny.

Τι προσέχουμε;

ΝΕΟ ΛΕΞΙΛΟΓΙΟ

Συνώνυμα *Synonyms*
το πεπρωμένο, το γραμμένο,
το γραφτό, το ριζικό, η μοίρα, το κισμέτ.

Johann Gottfried Schadow
(1764 - 1850) Γερμανός γλύπτης

Οι Μοίρες και το πεπρωμένο

Στην ελληνική μυθολογία οι Μοίρες είναι τρεις γυναίκες: η Κλωθώ, η Λάχεσις και η Άτροπος. Η **κλωστή** που κρατούν **συμβολίζει** τη ζωή του ανθρώπου.

Στη λαϊκή **παράδοση** οι Μοίρες είναι τρεις αδελφές, γριές και **αθάνατες** με κακό και δύσκολο χαρακτήρα, που κρατούν ένα μεγάλο βιβλίο, όπου γράφουν το πεπρωμένο του κάθε ανθρώπου. Οι Μοίρες μπαίνουν στο δωμάτιο του μωρού λίγες ημέρες μετά τη γέννησή του, συνήθως τη νύχτα, για να γράψουν στο βιβλίο τους ποια θα είναι η ζωή του.

Στα χωριά, τις πρώτες μέρες της ζωής του μωρού αφήνουν κάθε νύχτα στο τραπέζι φαγητά και ποτά για τις Μοίρες. Ελπίζουν ότι έτσι οι Μοίρες θα γράψουν «ένα καλό πεπρωμένο» για το μωρό.

2.29.β. Ψάχνω στο λεξικό και γράφω τη μετάφραση στη γλώσσα μου

η ανταμοιβή = ...
η θεωρία = ...
η κλωστή = ...
η παράδοση = ...
η σημασία = ...
η ψυχή = ...
το γραμμένο = ...
το πεπρωμένο = ...
το περιθώριο = ...
αθάνατος-η-ο = ...
δικός-ή/ιά-ό (μου/σου…) = ...
καθένας-καθεμία-καθένα = ...
αποφεύγω = ...
βαδίζω = ...
παλεύω = ...
το παλεύω = προσπαθώ / κάνω προσπάθεια για κάτι
συμβολίζω = ...

Πώς είναι;

Επικοινωνία

✓ **Περιγράφω ένα άτομο**
- Περιγράφω το πρόσωπο και το σώμα του
- Λέω σε ποιον μοιάζει
- Περιγράφω τι φοράει
- Περιγράφω το χαρακτήρα του
- Εκφράζω την προσωπική μου άποψη γι' αυτό το άτομο

Θεματικές ενότητες

Χαρακτηρισμοί

✓ **Ταυτότητα**
- Ηλικία
- Επάγγελμα

✓ **Εξωτερική εμφάνιση**
- Χαρακτηριστικά προσώπου & σώματος
- Ομοιότητα μεταξύ συγγενικών προσώπων
- Ρούχα, παπούτσια, αξεσουάρ

✓ **Χαρακτήρας**
- Ελαττώματα & προτερήματα

Λεξιλόγιο

- **Χαρακτηριστικά προσώπου & σώματος**
- **Ηλικίες**
- **Σχήματα**
- Επαγγέλματα
- Ρούχα

How do they look?

Communication

✓ **I describe a person**
- I describe somebody's face and body
- I say to whom somebody looks like
- I describe what somebody wears
- I describe somebody's personality
- I express my personal opinion about somebody

Thematic units

Qualifier

✓ **Identity**
- Age
- Profession

✓ **Physical appearance**
- Traits of face & body
- Resemblance between family members
- Clothes, shoes, accessories

✓ **Character**
- **Faults & qualities**

Vocabulary

- **Traits of face and body**
- **Ages**
- **Shapes**
- Professions
- Clothes

Γραμματική

1. **Κύριες και δευτερεύουσες προτάσεις**
2. **Παρατακτική σύνδεση των κύριων προτάσεων**
3. **Το ρήμα *κλαίω***
4. **Η οριστική αντωνυμία *ο ίδιος - η ίδια - το ίδιο***
5. **Πίνακας νέων ρημάτων**

Grammar

1. **Main and subordinate clauses**
2. **Coordination between main clauses**
3. **The verb *κλαίω***
4. **The definite pronoun *ο ίδιος - η ίδια - το ίδιο***
5. **Table of new verbs**

Βήμα 3

Πώς είναι;

3.1.  *Η περιγραφή του οδηγού από τη Δανάν*

Αστυνομικός: Μπορείτε να μου περιγράψετε, παρακαλώ, τον οδηγό του αυτοκινήτου;
Δανάν: Ήταν ένας άνδρας **μεσήλικος**. Ήταν μελαχρινός, με λίγα μαλλιά, σχεδόν **φαλακρός**. Είχε κι ένα μεγάλο πυκνό μουστάκι. Το πρόσωπό του ήταν **στρογγυλό** με κόκκινα **μάγουλα και** στο αυτί του είχε ένα **σκουλαρίκι**. Το σακάκι του ήταν γκρι, σχεδόν μαύρο.
Αστυνομικός: Αν δείτε αυτόν τον άνθρωπο, θα τον **αναγνωρίσετε**;
Δανάν: Ναι, θα τον αναγνωρίσω.
Αστυνομικός: Είστε σίγουρη;
Δανάν: Ναι, είμαι σίγουρη.

3.1.α. **Σημειώστε το σωστό.** Tick the correct answer.

1.	Ο οδηγός ήταν	α.	45 - 55 χρονών	β.	70 - 80 χρονών
2.	Ο οδηγός είχε	α.	λίγα μαύρα μαλλιά	β.	λίγα ξανθά μαλλιά
3.	Ο οδηγός είχε	α.	μουστάκι και γένια	β.	μόνο μουστάκι
4.	Το πρόσωπό του	α.	ήταν μακρύ	β.	ήταν στρογγυλό
5.	Ο οδηγός	α.	φοράει κόσμημα	β.	δε φοράει κόσμημα
6.	Το σακάκι του ήταν	α.	ανοιχτό χρώμα	β.	σκούρο χρώμα
7.	Η Δανάν	α.	θα τον αναγνωρίσει	β.	δε θα τον αναγνωρίσει

3.2. *Ποιος από τους πέντε γείτονές μου χτύπησε το αυτοκίνητό μου;*

Με λένε Βίκη Γεωργίου **και** μένω στον πρώτο όροφο μιας πολυκατοικίας στο Χολαργό. Τη Δευτέρα το βράδυ, γύρω στις δωδεκάμισι, γύρισα στο σπίτι μου **κι** έβαλα το αυτοκίνητό μου στο γκαράζ της πολυκατοικίας. Την Τρίτη το πρωί, κατά τις επτά και μισή, το βρήκα **χτυπημένο**.

Ποιος από τους πέντε γείτονές μου χτύπησε το αυτοκίνητό μου; Θα κάνω **έρευνα** και θα βρω την απάντηση εγώ **η ίδια**. Θα δείτε!

3.2.α. 45 Η Άντα

Η Άντα Βαζάκα μένει στο δεύτερο όροφο. Είναι μια πολύ όμορφη κοπέλα είκοσι εννέα χρόνων με πολύ ωραίο σώμα. Είναι ψηλή, λεπτή, με μακριά πόδια και κόκκινα σγουρά μαλλιά. Έχει μεγάλα **γαλανά** μάτια, πολύ **εκφραστικά** και υπέροχο **δέρμα**. Ντύνεται πολύ **μοντέρνα** και της αρέσει να φοράει **κολάν** ή στενά παντελόνια. Είναι δημοσιογράφος σε μια εφημερίδα. Συνήθως επιστρέφει από τη δουλειά της γύρω στις έντεκα το βράδυ **ή** μένει στο σπίτι της μητέρας της στο κέντρο. Το πρωί κοιμάται **και** πάει στο γραφείο της μετά τη μία το μεσημέρι. Είναι **νευρική**, έχει συνέχεια **άγχος και** κλαίει εύκολα. Όταν οδηγεί, είναι πάντα κουρασμένη.

3.2.β. 46 Ο Γρηγόρης

Ο Γρηγόρης Πετράκης μένει σ' ένα δυάρι στο ισόγειο. Είναι γύρω στα τριάντα πέντε και ανύπαντρος. Είναι κοντός και **γυμνασμένος**, με πολύ δυνατά **μπράτσα**. Έχει στρογγυλό πρόσωπο, **ξυρισμένο** κεφάλι, μικρά μαύρα μάτια, χοντρά φρύδια, λεπτό μουστάκι και λίγα γένια. Φοράει πάντα **τζιν**, μπλούζες και αθλητικά παπούτσια. Είναι οδηγός· έχει ένα φορτηγό **και** ταξιδεύει σ' όλη την Ελλάδα. Στο σπίτι του μένει μόνο τα Σαββατοκύριακα. Προσέχει πάντα όταν οδηγεί **και** δεν τρέχει ποτέ. **Μου φαίνεται** καλός και **ήρεμος** άνθρωπος **αλλά** δεν τον ξέρω καλά.

3.2.γ. 47 Η Σύλβια

Η Σύλβια Καρατζόγλου μένει στο ρετιρέ της πολυκατοικίας μας. Είναι μία γυναίκα εξήντα τριών χρόνων **αλλά φαίνεται** πολύ πιο νέα. Είναι ψηλή και μάλλον **παχιά**. Έχει κοντά ξανθά μαλλιά, πράσινα μάτια και νύχια **βαμμένα** πάντα κόκκινα. **Μοιάζει** καταπληκτικά με τη θεία μου, τη Μερόπη. Έχουν **το ίδιο σχήμα** προσώπου και **την ίδια** μύτη. Επίσης και οι δύο μιλάνε συνέχεια στο κινητό... ακόμα ΚΑΙ όταν οδηγούν. Η Σύλβια φοράει πάντα ταγιέρ, γόβες και πολλά χρυσά **δαχτυλίδια** και **βραχιόλια**. **Τρελαίνεται** για κοσμήματα κι άλλα **αξεσουάρ**. Έχει ένα μικρό κατάστημα με ρούχα **και** μετά τη δουλειά της βγαίνει με τις φίλες της **και** συνήθως γυρίζει αργά το βράδυ.

3.2.δ. 48 Ο Κλεομένης

Ο Κλεομένης Ντούζος μένει πάνω από την Άντα Βαζάκα. Είναι ένας άνδρας περίπου σαράντα χρόνων. Έχει μέτριο ανάστημα. Έχει μαύρα σγουρά μαλλιά, μικρό μέτωπο, **μούσι**, μικρό μουστάκι και **τετράγωνο πιγούνι**. Φοράει πολύ ακριβά ρούχα **κι** έχει ένα κόκκινο **σπορ** αυτοκίνητο, πάντα **καθαρό**. Ο Κλεομένης είναι ένας πολύ έξυπνος επιχειρηματίας **κι** έχει βενζινάδικα σε πολλές πόλεις της Ελλάδας. Εδώ και δύο μέρες είναι στη Λαμία. Οδηγεί πολύ γρήγορα, **όμως** είναι καταπληκτικός οδηγός. **Φαίνεται** δύσκολος και **αντιπαθητικός αλλά οι γνωστοί του** λένε ότι είναι ένας απλός και καλός άνθρωπος.

3.2.ε. 49 Ο Λυκούργος

Ο Λυκούργος Παλαιολόγος μένει **στον ίδιο** όροφο μ' εμένα, δηλαδή στον πρώτο όροφο. Είναι ηλικιωμένος, γύρω στα ογδόντα, με λευκά **αραιά** μαλλιά, μακριά μουστάκια και μεγάλη μύτη. Είναι αδύνατος και πολύ ψηλός. Φοράει συνήθως κοστούμι και γραβάτα. Είναι πάντα πολύ κομψός. Τώρα είναι συνταξιούχος **αλλά** πριν ήταν δικαστής. **Φαίνεται** σοβαρός κι ευγενικός άνθρωπος. Είναι και πολύ μορφωμένος. Δε βλέπει πια πολύ καλά... **και όμως** ακόμα οδηγεί! Το πρωί βγαίνει πάντα μετά τις δέκα **και** το βράδυ δεν οδηγεί. Όταν βγαίνει, παίρνει ταξί.

3.2.ζ. Σημειώστε το σωστό. Tick the correct answer.

1.	Ποιος από τους πέντε γείτονες είναι ο πιο νέος; **α.** ο Κλεομένης **β.** η Άντα **γ.** ο Γρηγόρης	6.	Ποιος φοράει πολλά κοσμήματα; **α.** ο Γρηγόρης **β.** η Άντα **γ.** η Σύλβια
2.	Ποιος δεν είναι ούτε κοντός ούτε ψηλός; **α.** ο Κλεομένης **β.** η Σύλβια **γ.** ο Γρηγόρης	7.	Ποιος δε φοράει ποτέ κοστούμι; **α.** ο Κλεομένης **β.** ο Λυκούργος **γ.** ο Γρηγόρης
3.	Ξέρουμε το χρώμα των ματιών **α.** του Κλεομένη **β.** του Λυκούργου **γ.** του Γρηγόρη	8.	Ποιος είναι ο πιο ψηλός; **α.** ο Κλεομένης **β.** ο Λυκούργος **γ.** ο Γρηγόρης
4.	Ποιος μένει στον τρίτο όροφο; **α.** ο Κλεομένης **β.** η Άντα **γ.** ο Γρηγόρης	9.	Ποιος δεν εργάζεται πια; **α.** ο Λυκούργος **β.** η Σύλβια **γ.** η Άντα
5.	Ποιος δεν έχει γένια; **α.** ο Κλεομένης **β.** ο Λυκούργος **γ.** ο Γρηγόρης	10.	Σε ποιον μοιάζει η Σύλβια; **α.** στην Άντα **β.** στη Βίκη **γ.** στη θεία της Βίκης

3.2.η.  Χωριστείτε σε ομάδες. Απαντήστε στις ερωτήσεις και βρείτε ποιος χτύπησε το αυτοκίνητο της Βίκης Γεωργίου. Εξηγήστε γιατί δεν το χτύπησαν οι άλλοι τέσσερις.

In small groups, answer the questions and find out who damaged Viki Georgiou's car. Explain why the other four suspects did not do it.

ΒΙΚΗ: (1) Τι ώρα άφησε το αυτοκίνητό της η Βίκη το βράδυ και τι ώρα το βρήκε χτυπημένο το πρωί;
ΑΝΤΑ: (2) Πώς είναι η Άντα όταν οδηγεί; (3) Τι ώρα επιστρέφει συνήθως στο διαμέρισμά της; (4) Γυρίζει κάθε μέρα στο σπίτι της; (5) Τι ώρα φεύγει το πρωί από το σπίτι της; (6) Από ποια ώρα έως ποια ώρα δεν οδήγησε;
ΓΡΗΓΟΡΗΣ: (7) Πώς οδηγεί ο Γρηγόρης; Τρέχει; (8) Πότε είναι στο σπίτι του; Γιατί; (9) Ήταν στην πολυκατοικία όταν έγινε το ατύχημα;
ΚΛΕΟΜΕΝΗΣ: (10) Ο Κλεομένης είναι καλός οδηγός; Πώς οδηγεί; (11) Ήταν στην Αθήνα όταν έγινε το ατύχημα; Πού ήταν;
ΛΥΚΟΥΡΓΟΣ: (12) Νομίζετε ότι ο Λυκούργος οδηγεί καλά; (13) Οδηγεί το βράδυ; (14) Τι ώρα βγαίνει το πρωί; (15) Από ποια ώρα ως ποια ώρα δεν οδήγησε καθόλου ο Λυκούργος;
ΣΥΛΒΙΑ: (16) Η Σύλβια προσέχει όταν οδηγεί; (17) Τι ώρα επέστρεψε στην πολυκατοικία τη Δευτέρα;
(18) **Τελικά ποιος χτύπησε το αυτοκίνητο της Βίκης Γεωργίου; Πείτε γιατί.**

 3.3. Ακούστε το κείμενο: *Η Χλόη*

  Σημειώστε: Σωστό ή Λάθος; Tick: True or False?

		Σωστό	Λάθος
1.	Η Χλόη είναι τεσσάρων χρόνων.		
2.	Δεν περπατάει ακόμα.		
3.	Είναι άσχημο και **χαζό** παιδί.		
4.	Τα μαλλιά της είναι καστανά.		
5.	Μοιάζει στη γιαγιά της.		
6.	Η Χλόη δεν είναι **ήσυχη**. Κλαίει συνεχώς.		

  3.4. Ακούστε το κείμενο: *Ο Άγης*

  Σημειώστε: Σωστό ή Λάθος; Tick: True or False?

		Σωστό	Λάθος
1.	Ο Άγης είναι μεσήλικος.		
2.	Είναι κοντός και παχύς.		
3.	Τα μαλλιά του δεν είναι ούτε σγουρά ούτε κοντά.		
4.	**Έβαψε** τα μαλλιά του μαύρα.		
5.	Έχει μόνο ένα **τατουάζ**.		
6.	Φοράει σκουλαρίκια και στα δύο αυτιά.		
7.	Του αρέσουν τα βραχιόλια.		
8.	Τα παπούτσια του είναι πάντα **βρόμικα**.		
9.	Φοράει πάντα γυαλιά ηλίου.		
10.	Μοιάζει με ένα γνωστό μουσικό.		

ΗΛΙΚΙΕΣ	AGES
το μωρό	baby
το νήπιο	toddler
το παιδί	child
ο έφηβος - η έφηβη	adolescent
νέος-α-ο	young
ο νέος	young man
- η νέα	- young woman
νεαρός-ή-ό	young
ο νεαρός	young man
- η νεαρή	- young woman
μεσήλικος-η-ο	middle aged (adj.)
ο μεσήλικος	middle aged man
- η μεσήλικη	- middle aged woman
ηλικιωμένος-η-ο	old, senior
ο ηλικιωμένος	old man, senior (n.)
- η ηλικιωμένη	old woman, senior (n.)
ο γέρος - η γριά	old man - old woman

ανάπτυξη

3.5. Σε ποιον / Με ποιον / Ποιανού μοιάζει το παιδί;

*Τα παιδιά του Αριστείδη, ο Μάρκος και η Έλσα, **μοιάζουν στον** μπαμπά τους.*

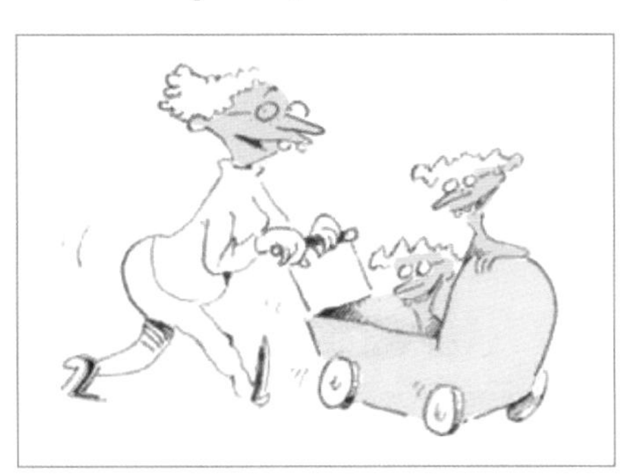

*Οι δίδυμες κόρες της Πηνελόπης **μοιάζουν της** μαμάς τους..*

*Ο Απόλλωνας **μοιάζει με την** αδερφή του, την Αφροδίτη;*

Σε ποιον **μοιάζεις**;
Με ποιον **μοιάζεις**;
Ποιανού **μοιάζεις**;

Μοιάζω στο(ν)/στη(ν)/στο...
με το(ν)/τη(ν)/το... -> Του/της/του **μοιάζω**
του/της/του...

Σε ποιον / Με ποιον / Ποιανού	**μοιάζουν** τα παιδιά;	Σε ποιον / Με ποιον / Ποιανού	**μοιάζουν** οι δίδυμες κόρες της Πηνελόπης;
Ο Μάρκος **μοιάζει στον** μπαμπά του. Η Έλσα **μοιάζει με τον** μπαμπά της. Ο Μάρκος και η Έλσα **μοιάζουν του** μπαμπά τους.	**Του μοιάζει** **Του μοιάζει** **Του μοιάζουν** πάρα πολύ.	**Μοιάζουν**	**στη** μαμά τους. **με τη** μαμά τους. **Της μοιάζουν** πολύ. **της** μαμάς τους.

3.5.α. Διαγράψτε το λάθος. Cross out the mistake.

1.	***Σε ποιον / Με ποιον / Ποιον / Ποιανού*** μοιάζει ο Περικλής;
2.	Μοιάζει ***στον / τον / με το*** σκύλο του.
3.	Ο Περικλής ***του / τον*** μοιάζει.
4.	Ο Περικλής μοιάζει ***του σκύλου του / το σκύλο του.***

Και τώρα εσείς!

3.5.β. *Στην οικογένειά σας ποιος **μοιάζει με** ποιον; Εσείς **σε** ποιον **μοιάζετε**;*

3.6. ο ίδιος - η ίδια - το ίδιο

Ο Μάρκος και η Έλσα έχουν **την ίδια μύτη, τα ίδια μάτια και τα ίδια αυτιά με τον** πατέρα τους.

Οι δίδυμες κόρες της Πηνελόπης έχουν **την ίδια μύτη** και **τα ίδια δόντια με τη** μητέρα τους. Είναι **ίδιες η** μητέρα τους. Έχουν όμως **τον ίδιο χαρακτήρα με τον** πατέρα τους.

3.6.α. Σημειώστε το σωστό. Tick the correct answer.

1.	- Καλημέρα σας! Θα ήθελα να μιλήσω με την ιδιοκτήτρια του σπιτιού. - ***Η ίδια / Ίδια***. Τι θέλετε;
2.	Αύριο θα κάνει πολύ κρύο όπως και σήμερα. Ο καιρός θα είναι ***ο ίδιος / τον ίδιο***.
3.	Δε του έστειλα εγώ τα χαρτιά· προχτές πέρασε ***ο ίδιος / ίδιος*** από το γραφείο και τα πήρε.
4.	Στα πάρτι σου καλείς πάντα ***τους ίδιους / οι ίδιοι*** ανθρώπους.
5.	Η Έρση παράγγειλε πάλι φαγητό από το εστιατόριο της γειτονιάς. ***Η ίδια / Ίδια*** δε μαγειρεύει ποτέ.
6.	Σήμερα μαγείρεψα εγώ ***ίδιος / ο ίδιος***! Σας αρέσει ο μουσακάς μου;
7.	Ο Περικλής έχει ***την ίδια / η ίδια*** μύτη με το σκύλο του.
8.	Ο αδερφός μου κι εγώ έχουμε ***στον ίδιο / τον ίδιο*** χαρακτήρα.

Και τώρα εσείς!

3.6.β.

*Μένετε **στο ίδιο σπίτι** με τους γονείς σας ή σε άλλο; Μένετε **στο ίδιο** δωμάτιο με τα αδέρφια σας ή σε διαφορετικό; Τι έχετε **ίδιο** με τους γονείς σας (χρώμα ματιών, μύτη, στόμα, χαρακτήρα); Με το φίλο / τη φίλη σας, σας αρέσουν **τα ίδια** πράγματα; Πόσα χρόνια έχετε **το ίδιο** αυτοκίνητο; Πόσα χρόνια νοικιάζετε **το ίδιο** σπίτι; Έχετε **τους ίδιους** φίλους με τα αδέρφια σας;*

3.7. Φαίνομαι

54

1. Το ρήμα ***φαίνομαι***
α. Τι **φαίνεται**...;
Τι **φαίνεται** από το(ν)/τη(ν)/το...;
Τι **φαίνεται** στο(ν)/στη(ν)/στο...;

β. Πώς (σου) **φαίνομαι**;

γ. Οι εκφράσεις:
Φαίνομαι νέος ≠ ηλικιωμένος,
μικρός ≠ μεγάλος
Δε **φαίνομαι πάνω από**... χρόνων

2. Οι απρόσωπες εκφράσεις
α. **φαίνεται ότι/πως**...
(Μάλλον...)

β. **μου φαίνεται ότι/πως**...
(Νομίζω ότι/πως...)

1.α.

Τι ωραία θέα! **Από τη** βεράντα σας **φαίνεται** και η Ακρόπολη!

Όταν δεν έχει ομίχλη, **φαίνεται** και η θάλασσα!

Και τις νύχτες, όταν δεν έχει συννεφιά, **φαίνονται στον** ουρανό τ' αστέρια!

Ιάκωβου Ρίζου (1849-1926): "Στην ταράτσα"

1.β.

Πώς **σου φαίνομαι**;

Φαίνεσαι κούκλα!

Φαίνεται ότι θα βρέξει!

Εμένα, δε **μου φαίνεται πως** θα βρέξει!

2.α.

2.β.

Μια χαρά είναι ο Μενέλαος. Και φέτος έγινε εξήντα ετών!

1.γ.

Σοβαρά; **Φαίνεται** πολύ πιο νέος. Δε **φαίνεται πάνω** από πενήντα.

Παροιμίες - Γνωμικά

«Η καλή μέρα από το πρωί **φαίνεται**».

(Παροιμίες - Γνωμικά, **Ελληνικά για σας Α1**, *σελ. 203)*

«Η γυναίκα του Καίσαρα πρέπει όχι μόνο να είναι τίμια, αλλά και **να φαίνεται** τίμια.»
Ιούλιος Καίσαρ

Caesar's wife must not only be honest but she must also show it.
Caesar's wife must be above suspicion.
Julius Caesar

3.7.α. Ακούστε και συμπληρώστε τα κενά. Listen and fill in the gaps.

Φαίνεται - Μου φαίνεται - Φαίνονται

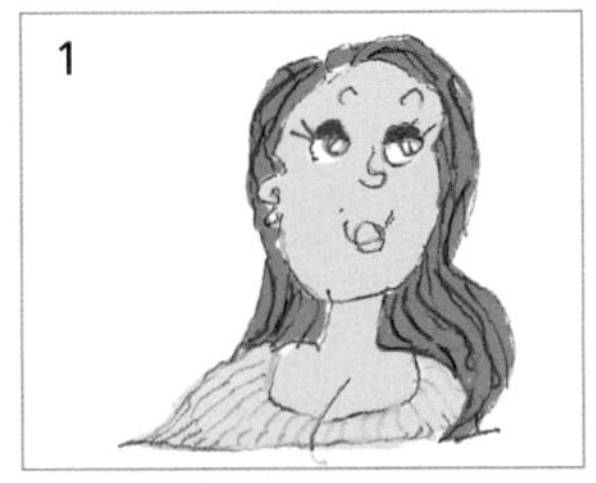

- Πώς ___ _________ η Μιράντα;
- Μια χαρά! Τι έκανε; Έβαψε τα μαλλιά της;
- Ναι, πώς ___ ___________;
- Της πάνε πολύ. __________ πολύ πιο νέα!

- Πώς ___ __________ οι κόρες μου, Αλέκα;
- Σου μοιάζουν πολύ, Έφη μου! Τι χρώμα είναι όμως τα μάτια τους; Φοράνε και οι δύο γυαλιά και ___ __________ τα μάτια τους.

- Πόσων χρόνων είναι η Έφη;
- Είναι τριάντα έξι αλλά __________ _____ _____ σαράντα. ___ __________ δουλεύει πολύ σκληρά!

Από το μπαλκόνι του ξενοδοχείου μου __________ η θάλασσα! Τα δύο νησιά απέναντι δε __________ γιατί είναι μακριά.

Και τώρα εσείς!

3.7.β.

*Τι **φαίνεται** από τα παράθυρα του σπιτιού σας; Τι **φαίνεται** από το παράθυρο της τάξης σας; Πώς **σας φαίνεται** η καινούρια καθηγήτρια / ο καινούριος διευθυντής; Πώς **σας φαίνονται** οι καινούριοι συμμαθητές / συνάδελφοί σας; Πώς **σας φαίνεται** η καινούρια σας δουλειά / το καινούριο σας σχολείο; Τι καιρό **σάς φαίνεται ότι** θα κάνει αύριο;*

3.8. Ακούστε το κείμενο: *Έμαθα ότι βρήκες δουλειά*

3.8.α. Σημειώστε το σωστό. Tick the correct answer.

1.	Ο Βλάσης άρχισε να δουλεύει	α.	πριν από μία εβδομάδα	β.	τη μέρα που του τηλεφώνησε η Άννα
2.	Η δουλειά	α.	του φαίνεται καλή	β.	δεν του αρέσει καθόλου
3.	Οι συνάδελφοί του	α.	δεν του φαίνονται συμπαθητικοί	β.	φαίνονται καλοί
4.	Ο διευθυντής	α.	φαίνεται εύκολος άνθρωπος	β.	δε φαίνεται πολύ εύκολος άνθρωπος
5.	Όταν μιλάει	α.	όλοι τον καταλαβαίνουν	β.	ο Βλάσης δεν καταλαβαίνει τι θέλει
6.	Ο διευθυντής	α.	πάει πρώτος στο γραφείο	β.	φεύγει πολύ νωρίς από το γραφείο
7.	Ο διευθυντής	α.	φαίνεται πως δεν αγαπάει τη δουλειά του	β.	φαίνεται πως λατρεύει τη δουλειά του
8.	Ο διευθυντής	α.	δεν είναι ούτε μεγάλος ούτε μικρός	β.	είναι ηλικιωμένος
9.	Ο διευθυντής	α.	δεν είναι ούτε ψηλός ούτε κοντός	β.	είναι κοντός
10.	Ο διευθυντής	α.	έχει λεπτό πρόσωπο και λίγα μαλλιά	β.	έχει χοντρό πρόσωπο και πολλά μαλλιά

3.9. Τι σχήμα έχουν;

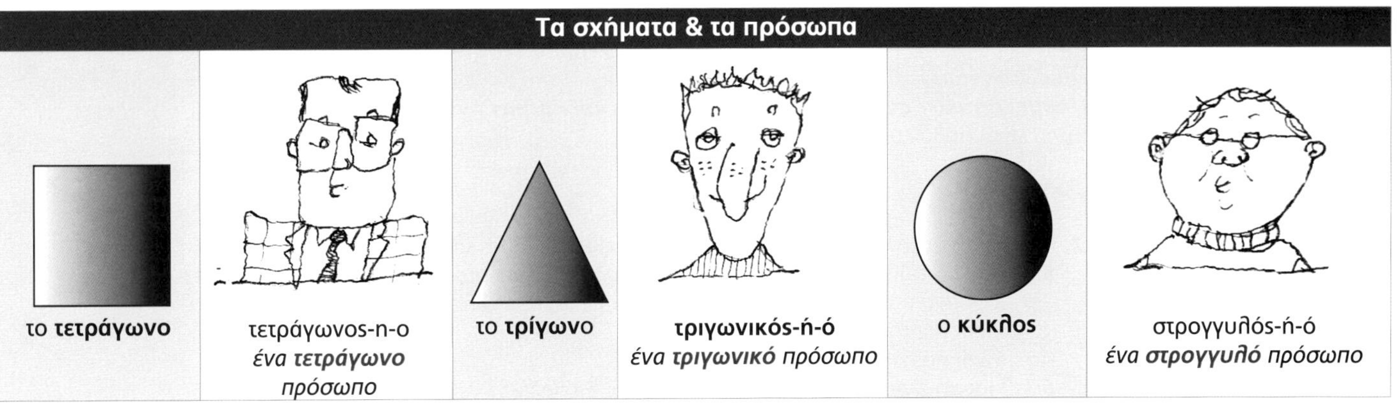

3.9.α. Συμπληρώστε τα κενά. Fill in the gaps.

1. Ένα __________ τραπέζι καφενείου.	5. Μια __________ πινακίδα.
2. Μια __________ πινακίδα.	6. Ένας __________ **δίσκος**.
3. Ένα __________ κομμάτι τυρί.	7. Ένα __________ σκουλαρίκι.
4. Μια __________ πινακίδα.	8. Ένα __________ τραπεζομάντιλο.

1. 

2. 

3. 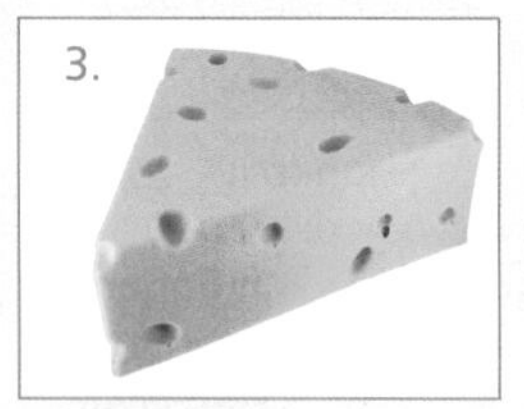

4. 

5. 

6. 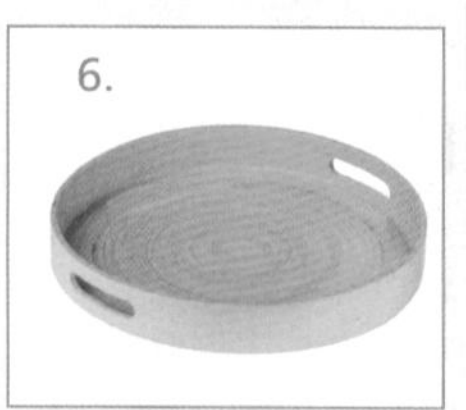

7. 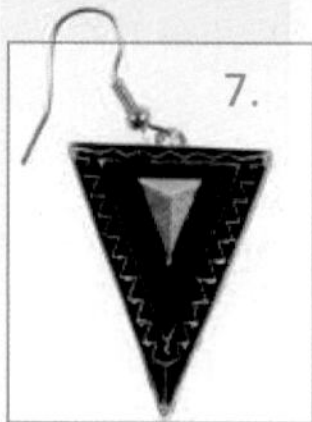

8. 

3.10. Το πρόσωπο

η **βλεφαρίδα**	το μάτι
η μύτη	το μέτωπο
η ελιά	το πηγούνι
η **ρυτίδα**	το στόμα
το αυτί	το φρύδι
το δόντι	τα χείλια
το μάγουλο	τα χείλη

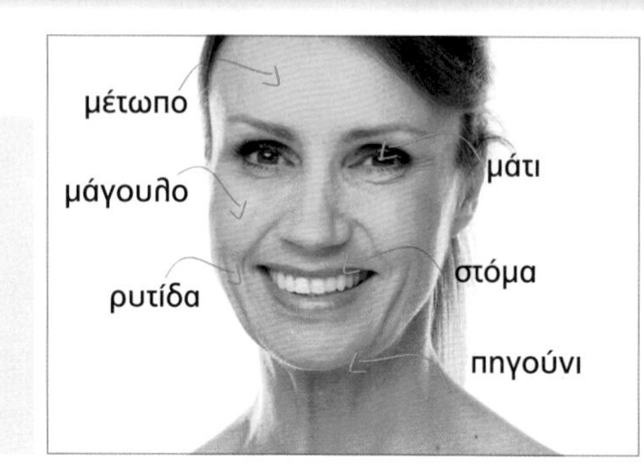

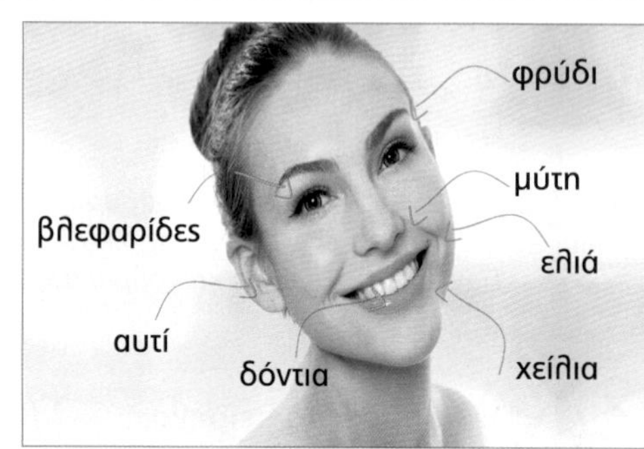

3.10.α. Ταιριάξτε τις φράσεις με τις εικόνες. Match the phrases with the pictures.

α. 

β. 

γ.

δ.

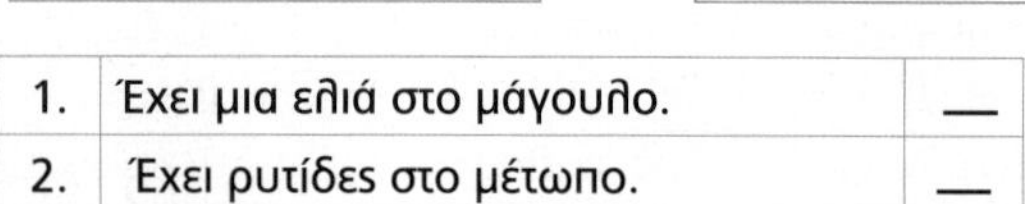

1.	Έχει μια ελιά στο μάγουλο.	__
2.	Έχει ρυτίδες στο μέτωπο.	__

3.	Έχει τετράγωνο πιγούνι.	__
4.	Έχει μακριές βλεφαρίδες και πολύ ωραία δόντια.	__

3.10.β. Διαγράψτε το λάθος. Μετά ακούστε το κείμενο κι ελέγξτε τις απαντήσεις σας.

57

Cross out the mistake. Then listen to the text and check your answers.

Ο φίλος της αδερφής μου

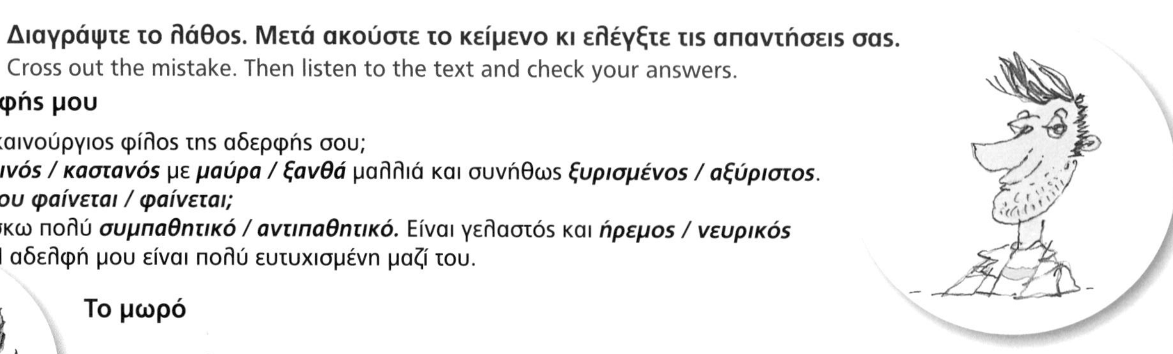

1. *A:* Πώς είναι ο καινούργιος φίλος της αδερφής σου;
 B: Είναι ***μελαχρινός / καστανός*** με ***μαύρα / ξανθά*** μαλλιά και συνήθως ***ξυρισμένος / αξύριστος***.
 A: Εσένα πώς ***σου φαίνεται / φαίνεται;***
 B: Εγώ τον βρίσκω πολύ ***συμπαθητικό / αντιπαθητικό.*** Είναι γελαστός και ***ήρεμος / νευρικός*** άνθρωπος. Η αδελφή μου είναι πολύ ευτυχισμένη μαζί του.

Το μωρό

2. *A:* Έμαθα ότι η Έλλη έκανε κοριτσάκι. Πώς είναι; Είδες το μωρό;
 B: Ναι, το είδα. Μοιάζει ***στον / τον*** μπαμπά του. Έχει ***στρογγυλό / μακρύ*** πρόσωπο, ***καστανά / κόκκινα*** μαλλιά, ***μεγάλα / μικρά*** μάτια με μακριές βλεφαρίδες και ροζ μάγουλα. Είναι πολύ ***όμορφο / άσχημο*** μωρό.
 A: Είναι ήσυχο ή ζωηρό; Τι λέει η Έλλη;
 B: Ήσυχο είναι. ***Κλαίει μόνο όταν πεινάει. / Κλαίει συνέχεια.***

3.10.γ. **Περιγράψτε, πρώτα προφορικά και μετά γραπτά, τα παρακάτω πρόσωπα με όσο περισσότερες λεπτομέρειες μπορείτε.**
Describe first orally and then in writing the following people in detail.

Ελίζαμπεθ Τέιλορ *Ηθοποιός - Αμερική*	**Ελευθέριος Βενιζέλος** *Πολιτικός - Ελλάδα*	**Μαργκερίτ Γιουρσενάρ** *Συγγραφέας - Γαλλία*	**Τσάρλι Τσάπλιν** *Ηθοποιός - Αγγλία*

3.10.δ. **Παρατηρήστε τις παρακάτω εικόνες και περιγράψτε τα άτομα.**
Observe the following pictures and describe the people.

Η εξωτερική εμφάνιση: *Είναι νέος, μεσήλικος ή ηλικιωμένος; Είναι ψηλός ή κοντός; Είναι παχύς ή αδύνατος; Πώς είναι τα μαλλιά του; Τι φοράει; Τι κρατάει; Γενικά πώς σας φαίνεται; Σε ποιον μοιάζει;*

0. ✓ Είναι άνδρας. Φαίνεται νέος.
✓ Έχει μάλλον μέτριο ανάστημα.
✓ Δεν είναι ούτε παχύς, ούτε αδύνατος.
✓ Έχει κοντά μαλλιά.
✓ Φοράει ένα παντελόνι και μία μπλούζα. Ντύνεται **απλά**.
✓ Φαίνεται αθλητικός. Ίσως είναι γυμναστής.
✓ Φαίνεται μοντέρνος.
✓ Μοιάζει στο(ν)...

Τι άλλο μπορείτε να πείτε;

1 0 2 3 4

Και τώρα εσείς!

3.10.ε. *Περιγράψτε τουλάχιστον πέντε συγγενείς και φίλους σας.*

3.10.ζ. **Επιλέξτε δέκα γνωστά άτομα και γράψτε τα ονόματά τους στον πίνακα. Χωριστείτε σε δύο ομάδες και παίξτε το παρακάτω παιχνίδι.**
Choose ten famous people and write their names on the board. In two groups play the following game.

Η ομάδα Α διαλέγει ένα άτομο. [Προσοχή! Δεν πρέπει να μάθει η ομάδα Β ποιο άτομο διάλεξε.] Η ομάδα Β κάνει δέκα ερωτήσεις που θα πρέπει να έχουν ως απάντηση ΝΑΙ ή ΟΧΙ. *Π.χ.: Είναι καστανός; Είναι ψηλή;* Αν η ομάδα Β δε βρει το πρόσωπο στις δέκα ερωτήσεις, χάνει και η ομάδα Α διαλέγει πάλι ένα άλλο άτομο. Αν βρει το άτομο η ομάδα Β, συνεχίζει εκείνη το παιχνίδι. Κερδίζει η ομάδα που θα βρει τα πιο πολλά από τα δέκα άτομα.

3.11. *Ξέρετε τη Σοφία Λόρεν;*

3.11.α. **Συμπληρώστε τα κενά με λέξεις από το πλαίσιο. Ακούστε ξανά το κείμενο 3.11. και ελέγξτε τις απαντήσεις σας.**
Fill in the gaps with words from the box. Listen to the text 3.11. once more and check your answers.

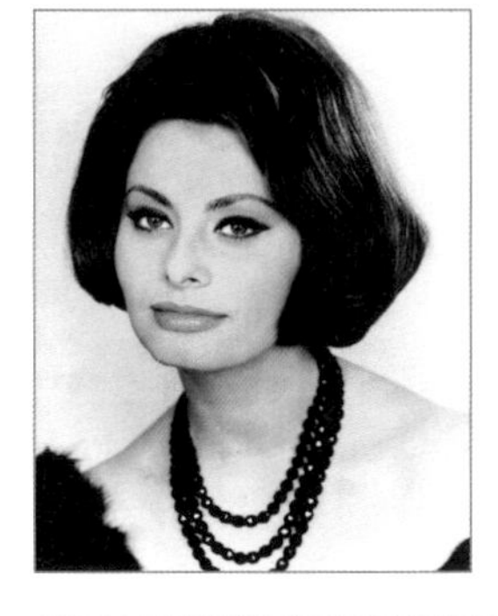

ωραίες / υπέροχο / τετράγωνο / ιταλό / πήρε / αγαπητή / τριγωνικό / παντρεμένη / μεγάλα / μακριά / πυκνές

Η Σοφία Λόρεν, μια από τις πιο [0] *γνωστές* και [1] ___________ ηθοποιούς γεννήθηκε στην Ιταλία και δούλεψε στην Ευρώπη και στην Αμερική. Το 1962 [2] __________ το πρώτο της Όσκαρ για το ρόλο της στην ταινία *Οι δύο γυναίκες.* Ήταν [3] _______________ για πολλά χρόνια με το γνωστό [4] _______________ σκηνοθέτη, Κάρλο Πόντι και έχει δύο γιους.

Ακόμα και σήμερα η Λόρεν είναι μια πολύ όμορφη γυναίκα με [5] _____________ σώμα αλλά και ωραίο χαρακτήρα. Είναι ψηλή, καστανή, με [6] ___________ πράσινα μάτια, [7] ___________ βλεφαρίδες και ωραία [8] ___________ φρύδια. Η μύτη της δεν είναι ούτε μεγάλη ούτε μικρή και ταιριάζει με το [9] _________ πρόσωπό της. Έχει ωραία χείλη, ωραία λευκά δόντια κι ένα [10]___________ πιγούνι που δείχνει μια έξυπνη και δυναμική γυναίκα. Η Λόρεν είναι πολύ [11] ___________ στην Ελλάδα από το 1957, όταν έπαιξε στην ταινία *Το παιδί και το δελφίνι* στο γραφικό νησί της Ύδρας.

3.12. Σύνθεση λέξεων

γνωρίζω **αναγνωρίζω**	**Γνωρίζετε** την κυρία Νικολάου; Μπορείς **να αναγνωρίσεις** τον οδηγό που χτύπησε την κυρία;

3.12.α. Συμπληρώστε τα κενά με τα ρήματα *γνωρίζω, αναγνωρίζω.*

Fill in the gaps with the verbs: *γνωρίζω, αναγνωρίζω*.

1.	Κυρία μου, μπορείτε να ______________ τον κλέφτη ανάμεσα σ' αυτά τα πρόσωπα;
2.	Πήγα σ' ένα πάρτι και ______________ ένα πολύ όμορφο κορίτσι.
3.	Ελεάνα, ______________ τη φίλη μου, τη Λίνα; Όχι, δεν τη ______________.
4.	Είδα το Μάκη, το συμμαθητή μου, μετά από τριάντα χρόνια και δεν τον ______________.

3.13. Οικογένειες λέξεων: η γνώση

η **γνώση**	Ζητείται γραμματέας με καλή **γνώση** γαλλικών.
γνωρίζω	**Γνωρίζει** τη Μαρία από το σχολείο. Θέλω **να** σου **γνωρίσω** την Κάτια.
ανα**γνω**ρίζω	Ο σκύλος μου **αναγνωρίζει** πάντα τη φωνή μου.
γνωστός-ή-ό	Πήρε το Όσκαρ κι έγινε **γνωστή** σε όλο τον κόσμο.
(ο) **γνωστός** (μου) (η) **γνωστή** (μου)	Στο θέατρο χτες συναντήσαμε μια **γνωστή** μας. Έχω πολλούς **γνωστούς** και λίγους φίλους.
ά**γνω**στος-η-ο	Τα στοιχεία του νεκρού είναι **άγνωστα**.
ο **άγνωστος** / η **άγνωστη**	Ένας **άγνωστος** μου μίλησε στο δρόμο.

3.13.α. Ταιριάξτε τις στήλες. Match the columns.

1.	Ο Οδυσσέας Ελύτης είναι ένας ποιητής	___	α.	σε αγνώστους.
2.	Δεν ανοίγω ποτέ την πόρτα	___	β.	δύο γνωστούς μου.
3.	Έβαψες τα μαλλιά σου και	___	γ.	γνώση υπολογιστή.
4.	Τον κύριο Τερζή δεν τον ξέρω. Θα ήθελα όμως	___	δ.	γνωστός σ' όλο τον κόσμο.
5.	Στο πλοίο για την Αίγινα συνάντησα	___	ε.	τις απαραίτητες γνώσεις.
6.	Τεχνική εταιρεία ζητάει γραμματέα με πολύ καλή	___	ζ.	δε σε αναγνώρισα χτες στο πάρτι.
7.	Για τη δουλειά που θέλεις, χρειάζεσαι όλες	___	η.	να τον γνωρίσω.
8.	Μάγειρας ζητείται από	___	θ.	γνωστό ξενοδοχείο στην Πάρο.

Λεξιλόγιο / Glossary

Λεξιλόγιο	Glossary
ΟΝΟΜΑΤΑ	NOUNS
άγνωστος, ο	stranger (masc.)
γνωστός (μου), ο	acquaintance of mine (masc.)
δίσκος, ο	tray
κούκλος, ο	handsome man
κύκλος, ο	circle
μεσήλικος (μεσήλικας), ο	middle aged man
άγνωστη, η	stranger (fem.)
γνωστή (μου), η	acquaintance of mine (fem.)
βλεφαρίδα, η	eyelash
εμφάνιση, η	appearance
έρευνα, η	research
κούκλα, η	doll, beautiful woman
μεσήλικη, η	middle aged woman
ρυτίδα, η	wrinkle
άγχος, το	stress, anxiety
αξεσουάρ, το	accessory
βραχιόλι, το	bracelet
δαχτυλίδι, το	ring
δέρμα, το	skin
κολάν, το	leotard
μάγουλο, το	cheek
μούσι, το	beard
μπράτσο, το	upper arm
πιγούνι, το	chin
σκουλαρίκι, το	earing
σχήμα, το	shape
τατουάζ, το	tattoo
τετράγωνο, το	square
τζιν, το	jeans
τρίγωνο, το	triangle
ΑΝΤΩΝΥΜΙΕΣ	PRONOUNS
ο ίδιος-η ίδια-το ίδιο	same
ΕΠΙΘΕΤΑ - ΜΕΤΟΧΕΣ	ADJ. - PARTICIPLES
άγνωστος-η-ο	unknown
αντιπαθητικός-ή-ό	disagreeable, unpleasant
αξύριστος-η-ο	not shaved
αραιός-ή-ό	thin (hair)
βαμμένος-η-ο	coloured (hair)
βρόμικος-η-ο	dirty
γαλανός-ή-ό	light blue
γυμνασμένος-η-ο	fit, exercised
δυναμικός-ή-ό	dynamic, vigorous
εκφραστικός-ή-ό	expressive
εξωτερικός-ή-ό	external, physical
εξωτερική εμφάνιση, η	physical appearance
ζωηρός-ή-ό	lively
ήρεμος-η-ο	calm
ήσυχος-η-ο	quiet
καθαρός-ή-ό	clean
μεσήλικος-η-ο	middle aged
νευρικός-ή-ό	stressful, nervous
ξυρισμένος-η-ο	shaved
παχύς-ιά-ύ	fat
σπορ	sport
στρογγυλός-ή-ό	round (adj.)
τετράγωνος-η-ο	square (adj.)
τίμιος-α-ο	honest
τριγωνικός-ή-ό	triangular
φαλακρός-ή-ό	bald
χαζός-ή-ό	stupid
χτυπημένος-η-ο	damaged
ΡΗΜΑΤΑ	VERBS
αναγνωρίζω	I recognise
βάφω	I colour (hair)
μοιάζω	I resemble, look alike
ταιριάζω	I match, I go with
τρελαίνομαι	I adore
τρέχω	I run, I speed
φαίνομαι	I look like, I appear
φαίνεται	it looks like, it seems
πώς σου φαίνεται;	how do you like it?
ΕΠΙΡΡΗΜΑΤΑ	ADVERBS
απλά	simply
μοντέρνα	in a modern way
ΕΚΦΡΑΣΕΙΣ	EXRESSIONS
εγώ ο ίδιος/η ίδια	I personally
είμαι ίδιος ο.../ίδια η...	I look like..., I resemble to...

γραμματική

1. Κύριες και δευτερεύουσες προτάσεις
Main and subordinate clauses

α. Κύρια ή **ανεξάρτητη** είναι η πρόταση που εκφράζει μόνη της ένα ολοκληρωμένο νόημα.
Main (or independent) clause is the one that expresses a complete meaning.

Π.χ.: Ο καιρός είναι ωραίος. Θα πάω στο γιατρό. Τρέχω. Δεν είμαι καλά σήμερα.

β. Δευτερεύουσα ή **εξαρτημένη** είναι η πρόταση που συμπληρώνει το νόημα άλλης πρότασης.
Subordinate (or dependent) clause is the one that completes the meaning of another clause.

Π.χ.: Ο γιατρός μου πιστεύει **ότι/πως θα γίνω γρήγορα καλά**. Θέλω **να γνωρίσω την ξαδέλφη σου**.
Με ρώτησε **πού μένω**. Σου αρέσει το αυτοκίνητο **που αγόρασα**; Θα πάω στο γιατρό **γιατί δεν αισθάνομαι καλά**.
Όταν/Μόλις πήρα το πτυχίο μου, γύρισα στην Ελλάδα. Θα πάρω το μετρό **για να πάω στη δουλειά μου**.
Αν ψάχνεις για δουλειά, κοίταξε τις μικρές αγγελίες.

2. Παρατακτική σύνδεση των κύριων προτάσεων
Coordination between main clauses

	Χωρίς συνδέσμους	Τρώει, πίνει, κοιμάται.
Με συνδέσμους	και	Με λένε Βίκη Γεωργίου **και** μένω στον πρώτο όροφο.
	ούτε	Δεν τρώει **ούτε** πίνει τίποτα.
	ούτε... ούτε...	Η Μαρίζα **ούτε** μαγειρεύει **ούτε** καθαρίζει.
	αλλά	Ο Λυκούργος τώρα είναι συνταξιούχος **αλλά** πριν ήταν δικαστής.
	όμως	Οδηγεί πολύ γρήγορα, **όμως** είναι καταπληκτικός οδηγός.
	και όμως	Δε βλέπει πια πολύ καλά... **και όμως** οδηγεί.
	ή	Η Άντα το βράδυ επιστρέφει πάντα στο σπίτι της **ή** μένει και αλλού;
	ή... ή...	Όλη την ημέρα **ή** παίζει στον υπολογιστή **ή** βλέπει τηλεόραση!

3. Το ρήμα *κλαίω*
The verb ***κλαίω***

Ενεστώτας

κλαίω
κλαις
κλαίει
κλαίμε
κλαίτε
κλαίνε

Ας θυμηθούμε και τον ενεστώτα των ρημάτων ***λέω, πάω, τρώω, ακούω.***
[Βλέπε **Ελληνικά για σας Α1**, *σελ.244, Γρ. 5.2.5.]*

4. Η οριστική αντωνυμία *ο ίδιος - η ίδια - το ίδιο*
The definite pronoun ***ο ίδιος - η ίδια - το ίδιο***

Η οριστική αντωνυμία ***ίδιος*** χρησιμοποιείται είτε ως επίθετο είτε ως αντωνυμία ανάλογα με το περιεχόμενο του κειμένου, σύμφωνα με τη γραμματική Τριανταφυλλίδη.
The definite pronoun ***ίδιος*** is used either as an adjective or as a pronoun depending on the context, according to Triantafyllidis' grammar.

	Ενικός αριθμός	
ο ίδιος	η ίδια	το ίδιο
του ίδιου	της ίδιας	του ίδιου
τον ίδιο	την ίδια	το ίδιο
	Πληθυντικός αριθμός	
οι ίδιοι	οι ίδιες	τα ίδια
των ίδιων	των ίδιων	των ίδιων
τους ίδιους	τις ίδιες	τα ίδια

✓ Πρέπει να πας (**εσύ**) **η ίδια** στο ταχυδρομείο για να πάρεις το συστημένο γράμμα που σου έστειλαν.
✓ **Εγώ η ίδια** μαγείρεψα σήμερα! Σας αρέσει ο μουσακάς μου;
✓ Μπορώ να μιλήσω με την κυρία Φίλιου, παρακαλώ; - **Η ίδια.**

-> Όταν η αντωνυμία έχει επιθετική χρήση, το άρθρο μπορεί να παραλείπεται.
When the pronoun is used as an adjective, the article may be omitted.

✓ Η Ιόλη και η Φοίβη έχουν (**τις**) **ίδιες** τσάντες.
✓ Οι δύο αδελφές έχουν (**την**) **ίδια** μύτη με τη μητέρα τους.
✓ Ο καιρός αύριο θα είναι (**ο**) **ίδιος**. Θα κάνει πολύ κρύο όπως και σήμερα.

5. Πίνακας νέων ρημάτων Table of new verbs

	Θέμα ενεστώτα		**Θέμα αορίστου**			
Προθέσεις	Ενεστώτας	Ατελής υποτακτική (Α)	Αόριστος	Τέλειος μέλλοντας (Β)	Τέλ. υποτακτική (Β)	Τέλεια προστακτική (Β)
ανά	**ανα**γνωρίζω	να **ανα**γνωρίζω	**ανα**γνώρισα	θα **ανα**γνωρίσω	να **ανα**γνωρίσω	**ανα**γνώρισε - **ανα**γνωρίστε
	βάφω	να βάφω	έβαψα	θα βάψω	να βάψω	βάψε - βάψτε
	κλαίω	να κλαίω	έκλαψα	θα κλάψω	να κλάψω	κλάψε - κλάψτε
	μοιάζω	να μοιάζω	έμοιασα	θα μοιάσω	να μοιάσω	μοιάσε - μοιάστε
	ταιριάζω	να ταιριάζω	ταίριαξα	θα ταιριάξω	να ταιριάξω	ταίριαξε - ταιριάξτε
	τρελαίνομαι	να τρελαίνομαι				
	φαίνομαι	να φαίνομαι				

3.14. (59) Ποιον προτιμάς;

3.14.α. Ακούστε το κείμενο και συμπληρώστε τα κενά με λέξεις από το πλαίσιο.
Listen to the text and fill in the gaps with words from the box.

Τέλος πάντων / Δε μου λες / Μακάρι / φτιάχνει / χίλια δυο / θα καταλάβεις / διαφορετικός / αρέσω / κούκλος / αθλήματα / μέτριο / θεολογία / θρησκείες / τον φωνάζουν / εκφραστικά / γυμνασμένος / νιώθεις / Κρίμα / μάλιστα / αισθάνεται

Η Βάνα λέει τα νέα της στη συνάδελφό της, τη Φανή.

Βάνα: Φανή, καλημέρα! Έχω νέα να σου πω.
Φανή: Δηλαδή;
Βάνα: Χτες ήμουνα στο πάρτι της Αλίκης και γνώρισα τον Κρις. [1] ________________ που δεν ήρθες!
Φανή: Ποιος είναι ο Κρις;
Βάνα: Είναι ξάδερφος της Αλίκης. Σπουδάζει [2] ________________ και ασχολείται με τις [3] ________________ της Ανατολής.
Φανή: Και λοιπόν;
Βάνα: Μου είπε να πάμε αύριο για καφέ. Μάλλον του [4] ________________.
Φανή: Καλά... Εσένα όμως, σου αρέσει;
Βάνα: Μου αρέσει και πολύ [5] ________________.
Φανή: Και πώς είναι; Ψηλός; Κοντός; Όμορφος; Άσχημος;
Βάνα: Μη νομίζεις ότι είναι κανένας [6] ________________. Είναι μελαχρινός με πολύ [7] ________________ μαύρα μάτια, λίγο μεγάλη μύτη... [8] ________________ ανάστημα και πολύ [9] ________________. Αυτό όμως που μου αρέσει πιο πολύ είναι να μιλάω μαζί του. Νομίζω ότι τον ξέρω χρόνια.
Φανή: Καταλαβαίνω, καταλαβαίνω... και από πού είναι ο Κρις; Το όνομά του δεν είναι ελληνικό.
Βάνα: Τον λένε Χριστόφορο αλλά [10] ________________ Κρις. Γεννήθηκε στην Αυστραλία, στη Μελβούρνη και οι γονείς του είναι Έλληνες. Αυτός έχει αυστραλέζικη υπηκοότητα, αλλά [11] ________________ Έλληνας. Λατρεύει την Ελλάδα και θέλει να ζήσει εδώ.
Φανή: [12] ________________, Βάνα μου... και ο Πάνος; Ο «κούκλος», ο «ψηλός», ο «ξανθός με τα μπλε μάτια»; Πάει; Τον ξεχάσαμε;
Βάνα: Όχι, βρε Φανή, δεν τον ξέχασα, αλλά ο Κρις είναι πολύ [13] ________________. Όταν τον γνωρίσεις, [14] ________________. Είναι ζεστός άνθρωπος, είναι άνετος, [15] ________________ πολύ ωραία μαζί του. Μετά, σου μιλάει για [16] ________________ πράγματα: για κινηματογράφο, για θέατρο, για βιβλία... Κάνει και σπορ, παίζει τένις, κολυμπάει... είναι καταπληκτικός, σου λέω. Παίζει ΚΑΙ κιθάρα.
Φανή: Και ο Παναγιώτης, δηλαδή, δεν κάνει τίποτα;
Βάνα: Ο Πάνος μιλάει για τις πολυκατοικίες που [17] ________________, για αυτοκίνητα, μπαρ, ταβέρνες... πού θα πάμε, τι θα φάμε, τι θα πιούμε... μετά από λίγο δεν έχεις να πεις τίποτα μαζί του. Και από [18] ________________, μόνο ποδόσφαιρο και τίποτε άλλο. Ή βλέπει αγώνες από τον καναπέ του ή παίζει μπάλα στο γήπεδο της γειτονιάς με τους φίλους του.
Φανή: [19] ________________, Βάνα μου. [20] ________________ να είναι όπως τα λες!

3.14.β. Διαβάστε το κείμενο, κρατήστε σημειώσεις και μετά απαντήστε προφορικά με πλήρεις προτάσεις.
Read the text, take notes, and then answer orally using full sentences.

		Κρις	Πάνος
1.	Από πού είναι;		
2.	Ποιο είναι το όνομά του;		
3.	Πώς τον φωνάζουν;		
4.	Υπηκοότητα;		
5.	Δουλειά, σπουδές;		
6.	Με τι ασχολείται στη δουλειά του / στις σπουδές του;		
7.	Ελεύθερος χρόνος;		
8.	Αθλήματα, μουσική;		
9.	Πώς είναι (πρόσωπο & σώμα);		
10.	Εσείς ποιον προτιμάτε και γιατί;		

Λεξιλόγιο 3.14.

η θεολογία theology
η θρησκεία religion
παίζω μπάλα I play ball
δε μου λες; tell me
δηλαδή; you mean
και πολύ μάλιστα a lot indeed
κρίμα που... it's a shame that
χίλια δυο... a thousand, numerous

3.14.γ. Κάντε διαλόγους ανά ζεύγη.
Make dialogues in pairs.

Ρόλος Α: *Μιλάτε σ' ένα φίλο / σε μια φίλη για κάποιον/κάποια που γνωρίσατε και σας αρέσει. Περιγράφετε την εξωτερική του/της εμφάνιση, λέτε ποιος είναι, τι κάνει (σπουδές, εργασία), με τι ασχολείται στον ελεύθερο χρόνο του/της και γιατί σας αρέσει. Λέτε επίσης γιατί κάποιος/κάποια, που σας άρεσε πριν, τώρα δε σας αρέσει.*

Ρόλος Β: *Ένας φίλος / Μία φίλη σάς λέει για κάποιον/κάποια που γνώρισε. Του/Της κάνετε ερωτήσεις για την εξωτερική του/της εμφάνιση, τη δουλειά του/της, τα χόμπι του/της και άλλα. Τον/Τη ρωτάτε επίσης γιατί τον/την προτιμάει από κάποιον/κάποια που του/της άρεσε πριν.*

3.14.δ. Κάντε γραπτώς τα πορτρέτα του Κρις και του Πάνου.
Write a description of Chris and Panos.

3.15. 60 Έτσι είναι τα παιδιά σήμερα!

3.15.α. Ακούστε το κείμενο και συμπληρώστε τα κενά με λέξεις από το πλαίσιο.

Listen to the text and fill in the gaps with words from the box.

Έτσι / Συνέχεια / σου πάνε / φόρεμα / γλυκιά / απλά / κοσμήματα / ζωηρό / σταυρό / παχιά / ζυγίζει / ίδια / φαίνεται / δαχτυλίδι / για παράδειγμα / γενέθλιά της / γούστο / μαλλιά / φόρμα / κοπέλα / διαφορετική

κα Μ.: κα Μαυρίδη, κα Λ.: κα Λαναρά

κα Μ.: Είδες πώς μεγάλωσε η Εύη, η κόρη της Χριστίνας; Την είδα προχτές στο πάρτι των παιδιών μου. Ήρθε με την κόρη σου.

κα Λ.: Ναι, μια χαρά [1] ________________ έγινε. Κάνει πολύ παρέα με τη Σοφία και τη βλέπω συχνά.

κα Μ.: Είναι πολύ όμορφη. Ωραία [2] ________________, ωραίο πρόσωπο και τέλειο σώμα!

κα Λ.: Είναι και πολύ καλό παιδί. Απλή, [3] ________________ και πάντα γελαστή.

κα Μ.: Ντύνεται και πολύ ωραία, [4] ________________ και με [5] ________________.

κα Λ.: Είναι κομψή σαν τη μαμά της. Μοιάζουν πολύ. Της μικρής όμως δε της αρέσουν ούτε τα αξεσουάρ ούτε τα [6] ________________. Όταν βγαίνουν με τη Σοφία, φοράει μόνο το ρολόι της κι ένα μικρό [7] ________________ στο λαιμό.

κα Μ.: Ναι, δίκιο έχεις. Πέρσι, θυμάμαι, η μητέρα της τής έκανε δώρο ένα υπέροχο ασημένιο [8] ________________ κι εκείνη δεν το φόρεσε ποτέ.

κα Λ.: [9] ________________ είναι τα παιδιά σήμερα. Αν κάτι δεν τους αρέσει, δεν το βάζουν. Η Σοφία, [10] ______ ________________, φοράει μόνο σκούρα χρώματα, μαύρα, γκρι, καφέ...

κα Μ.: Και δεν είναι [11] ________________ η κόρη σου· σκούρα φοράνε συνήθως οι παχουλές για να φαίνονται πιο λεπτές.

κα Λ.: Πολύ σωστά! Η Σοφία [12] ________________ μόνο πενήντα δύο κιλά κι έχει ύψος ένα κι εξήντα εννέα. Με τα σκούρα χρώματα [13] ________________ ακόμα πιο αδύνατη. «Είσαι μελαχρινή», της λέω, «φοράς κι αυτά τα σκούρα, δε [14] _____ ________________! Βάλε και κανένα πιο [15] ________________ χρώμα επιτέλους!» αλλά αυτή τίποτα. Τα λόγια μου από το ένα αυτί της μπαίνουν και από το άλλο βγαίνουν*. Προχτές, που είχε τα [16] ________________, η νονά της τής χάρισε μία πολύ ωραία κίτρινη [17] ________________ γυμναστικής. Την επόμενη μέρα πήγε και την άλλαξε. Πήρε πάλι μια μαύρη.

κα Μ.: Νομίζεις ότι η κόρη μου είναι [18] ________________; Τα [19] ________________ κάνει κι αυτή. Τη Βάση δε θα τη δεις ποτέ με φόρεμα. [20] ________________ κυκλοφορεί με τζιν και φόρμες. «Φόρεσε και κανένα [21] ________________» της λέω, όταν ετοιμάζεται να βγει έξω, αλλά αυτή τίποτα, δεν ακούει, κάνει πάντα αυτό που θέλει.

* *«Από το ένα αυτί μπαίνει και από το άλλο βγαίνει»: για άνθρωπο που δε δίνει καμιά προσοχή σε αυτά που του λένε.*

3.15.β. Σημειώστε το σωστό (1 ή 2 σωστά). Tick the correct answer (1 or 2 correct).

1.	Μοιάζει με τη μητέρα της	α.	η Βάση	β.	η Εύη	γ.	η Σοφία
2.	Είναι κομψή	α.	η Βάση	β.	η Εύη	γ.	η Σοφία
3.	Φοράει μόνο σκούρα χρώματα	α.	η Βάση	β.	η Εύη	γ.	η Σοφία
4.	Δε φοράει φορέματα	α.	η Βάση	β.	η Εύη	γ.	η Σοφία
5.	Πρέπει να φοράει πιο ανοιχτά χρώματα	α.	η Βάση	β.	η Εύη	γ.	η Σοφία
6.	Τα κοσμήματα δεν αρέσουν	α.	στη Βάση	β.	στην Εύη	γ.	στη Σοφία
7.	Άλλαξε το δώρο των γενεθλίων της	α.	η Βάση	β.	η Εύη	γ.	η Σοφία
8.	Δε φοράει ποτέ το δώρο της μητέρας της	α.	η Βάση	β.	η Εύη	γ.	η Σοφία
9.	Είναι αδύνατη	α.	η Βάση	β.	η Εύη	γ.	η Σοφία
10.	Δεν ακούνε τη μητέρα τους	α.	η Βάση	β.	η Εύη	γ.	η Σοφία

Λεξιλόγιο 3.15.

η πρόταση	sentence
η φόρμα	tracksuit
το γούστο	taste (n.)
έτσι	this is how
για παράδειγμα	for example

3.15.γ. Απαντήστε στις ερωτήσεις προφορικά & μετά γραπτά.

Answer the questions first orally and then in writing.

1.	Για ποιες μιλούν η κυρία Μαυρίδη και η κυρία Λαναρά;
2.	Ποια είναι η μητέρα κάθε κοριτσιού;
3.	Τι είναι αυτό που δεν αρέσει σε κάθε κορίτσι;
4.	Τι είναι αυτό που αρέσει σε κάθε κορίτσι;
5.	Περιγράψτε την Εύη και τη Σοφία.
6.	Η Σοφία ακούει τη μητέρα της; Ποια **πρόταση** το δείχνει;
7.	Τι έκανε η Σοφία με την κίτρινη φόρμα που της χάρισε η νονά της; Γιατί;
8.	Τι θέλει να πει η κυρία Μαυρίδη με την πρόταση: «Τα ίδια κάνει κι αυτή.»

3.15.δ. Κάντε γραπτώς τα πορτρέτα της Σοφίας, της Εύης και της Βάσης.

Write a description of Sofia, Evi and Vassi.

3.16. Οι τενόροι

Ο Γιάννης και ο Τάκης γεννήθηκαν στη Γερμανία και τώρα μένουν κι εργάζονται στην Ελλάδα. Ο Τάκης είναι παντρεμένος κι έχει μία κόρη και ο Γιάννης είναι ανύπαντρος. Ασχολούνται με το τραγούδι από παιδιά. Σπούδασαν πιάνο και τραγούδι στο Λονδίνο. Εδώ και χρόνια εμφανίζονται πάντα μαζί, με το όνομα *Ντούο Φίνα*.

Είναι δίδυμοι και μοιάζουν πάρα πολύ. Έχουν μέτριο ανάστημα και είναι και οι δύο καστανοί. Βεβαίως ο Γιάννης έχει πιο μακρύ πρόσωπο και ο άλλος λίγο πιο στρογγυλό. Όταν τους βλέπεις όμως στο θέατρο με μουστάκι και γένια και με τα ίδια ρούχα, σίγουρα δεν καταλαβαίνεις ποιος είναι ο Τάκης και ποιος είναι ο Γιάννης. Είναι σχεδόν ίδιοι.

Σε πολλές συναυλίες όμως αλλάζουν εμφάνιση: ο Τάκης φοράει σκούρο κουστούμι και γραβάτα και ο Γιάννης λευκό κουστούμι χωρίς γραβάτα. Ο Γιάννης εμφανίζεται ξυρισμένος και ο Τάκης αξύριστος. Πρέπει να τους κοιτάξει κανείς με προσοχή για να καταλάβει ποιος είναι ο ένας και ποιος είναι ο άλλος.

Οι *Ντούο Φίνα* είναι πάντα χαρούμενοι και γελαστοί και έχουν πολύ χιούμορ. Πιστεύουν ότι το γέλιο είναι απαραίτητο στη ζωή. «Γέλιο και με την κλασική μουσική, γιατί όχι;» λένε. Πριν λίγο καιρό παρουσίασαν σε δεκαπέντε μεγάλες πόλεις της Κίνας ένα πρόγραμμα με κλασική μουσική αλλά και πολύ χιούμορ. Αυτές τις μέρες παίζουν στη μουσική κωμωδία «Δύο τενόροι στα μπουζούκια*» με μεγάλη επιτυχία! Στο έργο αυτό δύο αδελφοί τενόροι, που μένουν άνεργοι, αποφασίζουν να αφήσουν τη μεγάλη τους αγάπη, το κλασικό τραγούδι, και να δουλέψουν στα μπουζούκια.

Λεξιλόγιο 3.16.

ο τενόρος	tenor
η κωμωδία	comedy
το χιούμορ	humour
εμφανίζομαι	I appear
παρουσιάζω	I present

* *Λαϊκά κέντρα διασκέδασης με ορχήστρα όπου βασικό όργανο είναι το μπουζούκι.*

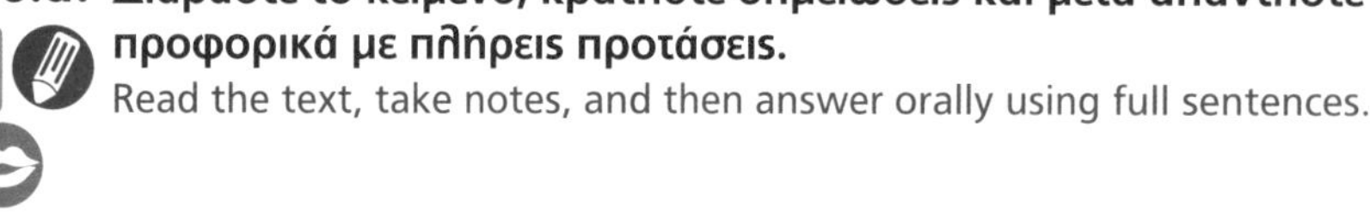

3.16.α. Διαβάστε το κείμενο, κρατήστε σημειώσεις και μετά απαντήστε προφορικά με πλήρεις προτάσεις.
Read the text, take notes, and then answer orally using full sentences.

1.	Πού γεννήθηκαν;	
2.	Τι σπούδασαν και πού;	
3.	Πού εργάζονται τώρα;	
4.	Ποια είναι η οικογενειακή τους κατάσταση;	
5.	Με ποιο όνομα εμφανίζονται;	
6.	Είναι μόνο αδέλφια;	
7.	Είναι ψηλοί ή κοντοί;	
8.	Τι χρώμα είναι τα μαλλιά τους;	
9.	Τι σχήμα έχει το πρόσωπό τους;	
10.	Πώς είναι πάντα και οι δύο;	
11.	Φοράνε τα ίδια ρούχα; Τι φοράει ο Γιάννης και τι φοράει ο Τάκης;	
12.	Πού πήγαν και τι παρουσίασαν;	
13.	Πού παίζουν τώρα;	

το θέμα μας

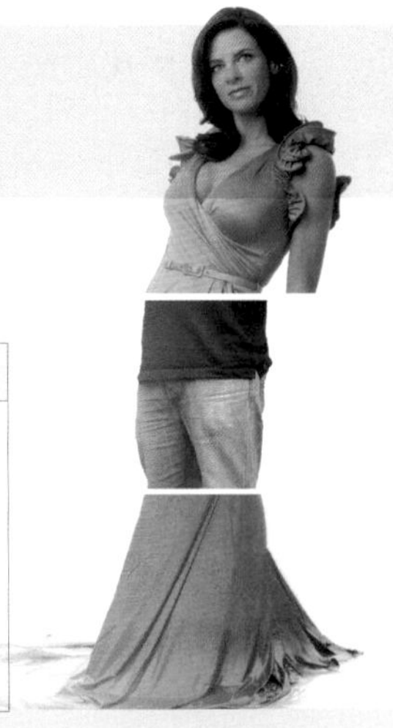

3.17. Περιγράφω ένα άτομο

Γενικά

Είναι μωρό, παιδί έφηβος / έφηβη νέος / νέα, νεαρός / νεαρή μεσήλικος / μεσήλικη ηλικιωμένος / ηλικιωμένη γέρος / γριά	**Είναι** ψηλός-ή-ό ≠ κοντός-ή-ό παχύς-ιά-ύ, χοντρός-ή-ό, παχουλός-ή-ό } λεπτός-ή-ό, αδύνατος-η-ο **Δεν είναι** ούτε ψηλός ούτε κοντός. **Έχει** μέτριο ανάστημα. **Είναι** καθαρός ≠ βρόμικος	**Είναι** ωραίος-α-ο, όμορφος-η-ο ≠ άσχημος-η-ο χαριτωμένος-η-ο ≠ άχαρος-η-ο κομψός-ή-ό, μοντέρνος-α-ο **Είναι** μελαχρινός-ή-ό ξανθός-ιά/ή-ό καστανός-ή-ό

Μοιάζει στον πατέρα / **στη** μητέρα του/της, **με τον** πατέρα / **τη** μητέρα του/της, **του** μπαμπά / **της** μαμάς του/της.
Είναι ίδιος-α-ο ο/η... **Είναι ίδια** η μαμά της. **Έχει τον ίδιο** χαρακτήρα **με το(ν)/τη(ν)/το**...
Φαίνεται πιο νέος-α / μεγάλος-η **από** 50 χρόνων. **Δε φαίνεται πάνω από** πενήντα χρόνων.

Ειδικά

Το κεφάλι

το πρόσωπο ωραίο ≠ άσχημο, στρογγυλό, τετράγωνο, τριγωνικό, μακρύ Είναι ξυρισμένος ≠ αξύριστος		**τα μάτια** μεγάλα ≠ μικρά, εκφραστικά, μπλε, γαλανά, γαλάζια, πράσινα, καστανά, μαύρα, γκρίζα...		**τα φρύδια** χοντρά ≠ λεπτά, μαύρα... **οι βλεφαρίδες** μακριές ≠ κοντές πυκνές ≠ αραιές
τα μαλλιά πυκνά ≠ αραιά μακριά ≠ κοντά ίσια ≠ σγουρά άσπρα, γκρίζα, μαύρα, καστανά, ξανθά, κόκκινα... βαμμένα Είναι φαλακρός. Έχει ξυρισμένο κεφάλι.		**το στόμα** μεγάλο ≠ μικρό **τα χείλη / τα χείλια** λεπτά ≠ χοντρά, κόκκινα, ροζ... **τα δόντια** ωραία ≠ άσχημα, λευκά...		**οι ρυτίδες** πολλές ≠ λίγες **η ελιά** μεγάλη ≠ μικρή μαύρη... ***Πώς είναι;***
τα γένια **τα μουστάκια** πυκνά ≠ αραιά μακριά ≠ κοντά λευκά, γκρίζα, ξανθά, μαύρα...	**το μούσι** **το μουστάκι** πυκνό ≠ αραιό μακρύ ≠ κοντό μεγάλο ≠ μικρό λευκό, γκρίζο, ξανθό, μαύρο...	**τα αυτιά** μεγάλα ≠ μικρά **τα μάγουλα** μεγάλα στρογγυλά κόκκινα, ροζ...	**η μύτη** μεγάλη ≠ μικρή χοντρή ≠ λεπτή **το πιγούνι** μεγάλο ≠ μικρό τετράγωνο, τριγωνικό	

Το σώμα	
Έχει	ωραίο ≠ άσχημο ή γυμνασμένο σώμα
ο λαιμός	ψηλός ≠ κοντός, χοντρός ≠ λεπτός
η μέση	χοντρή ≠ λεπτή
τα πόδια	ωραία ≠ άσχημα, μακριά ≠ κοντά
τα χέρια	ωραία ≠ άσχημα, μακριά ≠ κοντά
τα δάχτυλα	ωραία ≠ άσχημα, μακριά ≠ κοντά χοντρά ≠ λεπτά
τα νύχια	μακριά ≠ κοντά Έχει βαμμένα νύχια.

Χαρακτήρας	
Πώς σου φαίνεται ο..., η..., το...;	*Τι άνθρωπος είναι ο..., η..., το...;*
καλός-ή-ό ≠ κακός-ιά/ή-ό	σοβαρός-ή-ό ≠ αστείος-α-ο
έξυπνος-η-ο ≠ χαζός-ή-ό	ήρεμος-η-ο ≠ νευρικός-ή-ό
χαρούμενος-η-ο ≠ στενοχωρημένος-η-ο	ήσυχος-η-ο ≠ ζωηρός-ή-ό
γελαστός-ή-ό ≠ λυπημένος-η-ο	Ο Μίμης **φαίνεται** δυναμικός.
συμπαθητικός-ή-ό ≠ αντιπαθητικός-ή-ό	Η Λία **μού φαίνεται** πολύ κακιά.
ευγενικός-ή-ό, γλυκός-ιά-ό, εξαιρετικός-ή-ό, υπέροχος-η-ο, άνετος-η-ο, περίεργος-η-ο, δυναμικός-ή-ό, ζεστός-ή-ό ≠ κρύος-α-ο, θυμωμένος-η-ο	

 **Και τώρα εσείς!**

3.17.α. *Κάντε έναν περίπατο στην πόλη. Πάρτε μια φωτογραφία σ' ένα δρόμο με πολύ κόσμο και φέρτε τη στην τάξη. Περιγράψτε πώς είναι οι περαστικοί και τι φοράνε.*

3.17.β. **Δουλέψτε ανά ζεύγη. Περιγράψτε τέσσερις γνωστούς ηθοποιούς ή τραγουδιστές. Χρησιμοποιήστε λέξεις και εκφράσεις από *Το θέμα μας* (3.17).**
Work in pairs. Describe four famous actors/actresses or singers. Use words and expressions from *Το θέμα μας* (3.17.)

γραπτός λόγος

3.18. Γράφω ένα γράμμα

Το κυρίως γράμμα Θέμα: *Περιγράφω ένα άτομο*	
Η αρχή	Λέω γιατί γράφω αυτό το γράμμα.
Το βασικό θέμα	Περιγράφω την εξωτερική εμφάνιση του ατόμου.
Το τέλος	Λέω αυτό που πιστεύω / αυτό που σκέφτομαι.

Ευκαιρία!

Το γνωστό περιοδικό μόδας **«Μόδα για εφήβους»** ζητάει **νέους και νέες 18 - 20 χρόνων** για να παρουσιάσουν τη **μόδα του καλοκαιριού**. Αν σας αρέσει η μόδα, μη χάσετε αυτή τη μεγάλη ευκαιρία! Στείλτε αμέσως ένα μέιλ με την περιγραφή της εξωτερικής σας εμφάνισης & τρεις έγχρωμες φωτογραφίες.

Περιοδικό Μόδα για εφήβους
Κα Μάνεση **τηλ.**: 214 5678983,
μέιλ: moda@yahoo.gr

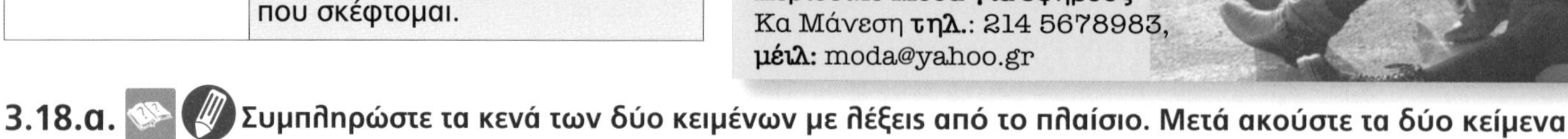

3.18.α. **Συμπληρώστε τα κενά των δύο κειμένων με λέξεις από το πλαίσιο. Μετά ακούστε τα δύο κείμενα και ελέγξτε αυτά που γράψατε.** Fill in the gaps with words from the box. Then listen to the two texts and check your answers.

λατρεύω / γιατί βιάζομαι / κάπως μεγάλη / στον ώμο / Αγαπητή / Λέγομαι / Σου γράφω / Θα ήθελα / να τον βρεις εύκολα / να παρουσιάσω εγώ / Νομίζω ότι μπορώ / Ελπίζω / Ελπίζω να έχω / Σε φιλώ / Με τιμή / μελαχρινός / αρκετά ψηλή / ούτε / ούτε / για να τον αναγνωρίσεις / Μου αρέσουν

62

1. Επίσημο γράμμα: Η Μαρίνα απαντά σε μια αγγελία.
Η Μαρίνα, μια νέα κοπέλα δεκαεννιά ετών, είδε μια αγγελία σ' ένα περιοδικό. Γράφει ένα γράμμα στο περιοδικό.

_______________ κυρία Μάνεση,
_______________ Μαρίνα Ιγγλέση και _______________ τη μόδα. Είμαι δεκαεννιά χρόνων και σπουδάζω σχέδιο μόδας. Είμαι _______________, ένα μέτρο και εβδομήντα οκτώ πόντους, και το βάρος μου είναι εξήντα κιλά. Είμαι μάλλον αδύνατη. Έχω μακρύ πρόσωπο, πράσινα μάτια και _______________ μύτη. Τα μαλλιά μου είναι καστανά, μακριά και σγουρά. _______________ τα απλά ρούχα και φορώ συνήθως τζιν, φόρμες και αθλητικά παπούτσια. Τα ρούχα μου τα διαλέγω με μεγάλη προσοχή. Μου αρέσει πολύ η μόδα και διαβάζω πάντα το περιοδικό σας καθώς και άλλα, ελληνικά και ξένα.
_______________ πάρα πολύ _______________ τα ρούχα για το περιοδικό σας.
_______________ να το κάνω. Ασχολούμαι ήδη με τη μόδα (είμαι στο δεύτερο έτος σχεδίου μόδας) και, αν με διαλέξετε, θα δουλέψω με πολλή όρεξη για το περιοδικό σας!
_______________ γρήγορα την απάντησή σας.

_______________,
Μαρίνα Ιγγλέση

Υ.Γ. Σας στέλνω και τις φωτογραφίες που ζητάτε.

63

2. Φιλικό γράμμα: Έρχεται ο Κάρλος!
Ο Κάρλος, ένας φίλος του Μίλτου, έρχεται την Τρίτη από την Ισπανία για διακοπές. Ο Μίλτος δεν μπορεί να τον πάρει από το αεροδρόμιο. Θα πάει να τον πάρει η μητέρα του που δεν τον γνωρίζει. Ο Μίλτος τής στέλνει ένα μέιλ με την περιγραφή του.

Μαμά,
_______________ γρήγορα, _______________. Ο Κάρλος είναι _______________ με πολύ κοντά ίσια μαλλιά. Είναι μάλλον κοντός, _______________ παχύς _______________ αδύνατος. Φοράει πάντα μαύρα γυαλιά ηλίου και μου είπε ότι θα φορέσει αύριο στο ταξίδι ένα μαύρο παντελόνι, μια γκρι μπλούζα και ένα κόκκινο μπουφάν. Θα φορέσει κι έναν πράσινο σκούφο, _______________. Θα έχει _______________ και τη μαύρη τσάντα με τον υπολογιστή του.
_______________ όλα να πάνε καλά και _______________.
Μαμά, σ' αφήνω τώρα γιατί έχω μάθημα. Μπαίνει ο καθηγητής.

_______________,
Μίλτος

Υ.Γ. Η βαλίτσα του είναι ΚΙΤΡΙΝΗ.

3.18.β. **Γράψτε δύο γράμματα.** Write two letters.

Ένας γνωστός ζωγράφος ψάχνει μοντέλα για τη νέα του δουλειά με θέμα «Άνθρωπος και ηλικία». Του προτείνετε ένα άτομο που γνωρίζετε.

Περιγράψτε σε μια φίλη σας έναν καινούργιο σας / μια καινούργια σας συνάδελφο.

 ## ΚΑΤΑΝΟΗΣΗ ΠΡΟΦΟΡΙΚΟΥ ΛΟΓΟΥ (___ / 5)

3.19. **Ακούστε τα κείμενα 1 έως 10 που περιγράφουν τους φίλους του Μάρκου. Ταιριάξτε τα κείμενα (1 - 10) με τις εικόνες α έως κ.**

Οι φίλοι του Μάρκου

1	
2	
3	
4	
5	
6	
7	
8	
9	
10	

α. Μιρέϊγ β. Μάρκος γ. Φλόρα δ. Γιάννης ε. Ερίκος ζ. Ιωάννα η. Λέων θ. Παύλος ι. Καρολίνα κ. Λίλη

 ## ΚΑΤΑΝΟΗΣΗ ΓΡΑΠΤΟΥ ΛΟΓΟΥ (___ / 5)

Λεξιλόγιο 3.20.

η εμπιστοσύνη	trust (n.)
παίζει ρόλο	it plays a role

3.20. **Διαβάστε το κείμενο και σημειώστε: Σωστό ή Λάθος;**

Γαλανά ή καστανά μάτια; Σε ποιους έχουμε εμπιστοσύνη;

Το Πανεπιστήμιο του Καρόλου στην Πράγα έκανε μια έρευνα με θέμα: «Γαλανά ή καστανά μάτια; Σε ποιους έχετε **εμπιστοσύνη**;»

Στην αρχή οι φοιτητές μελέτησαν το χρώμα των ματιών και το σχήμα του προσώπου σαράντα ανδρών και σαράντα γυναικών. Είδαν ότι οι άνδρες και οι γυναίκες με γαλανά μάτια είχαν πρόσωπα με γωνίες, πιο μακρύ σαγόνι, πιο στενό στόμα, πιο μικρά μάτια και τα φρύδια τους ήταν πιο μακριά το ένα από το άλλο. Οι άνδρες και οι γυναίκες όμως με καστανά μάτια είχαν πιο μεγάλο στόμα, πιο τετράγωνο σαγόνι, πιο μεγάλη μύτη και τα φρύδια τους ήταν πιο κοντά το ένα στο άλλο.

Στη συνέχεια οι φοιτητές ζήτησαν από διακόσια τριάντα οκτώ άτομα να δουν τις φωτογραφίες των ογδόντα ανδρών και γυναικών και να πουν σε ποιους έχουν πιο μεγάλη εμπιστοσύνη. Οι πιο πολλοί απάντησαν ότι έχουν πιο μεγάλη εμπιστοσύνη σ' αυτούς που έχουν καστανά μάτια χωρίς όμως να ξέρουν γιατί. Οι φοιτητές που έκαναν την έρευνα κατάλαβαν ότι στην απάντηση των διακοσίων τριάντα οκτώ ατόμων **έπαιξε ρόλο** όχι μόνο το χρώμα των ματιών αλλά και το σχήμα του προσώπου.

http://www.tovima.gr/science/medicine-biology/article/?aid=492326 *(Διασκευή)*

		Σωστό	Λάθος
1.	Οι φοιτητές μελέτησαν μόνο το χρώμα των ματιών 80 ανδρών.		
2.	Αυτοί που έχουν μπλε μάτια έχουν πιο μεγάλο στόμα.		
3.	Αυτοί που έχουν καστανά μάτια έχουν πιο μεγάλη μύτη.		
4.	Τα πιο πολλά άτομα είπαν ότι έχουν πιο μεγάλη εμπιστοσύνη σ' αυτούς που έχουν καστανά μάτια.		
5.	Στις απαντήσεις έπαιξε ρόλο και το σχήμα του προσώπου.		

 ## ΠΑΡΑΓΩΓΗ ΠΡΟΦΟΡΙΚΟΥ ΛΟΓΟΥ (___ / 5)

3.21. **Κάνετε διαλόγους ανά ζεύγη. Στη συνέχεια αλλάξτε ρόλους.**

Ρόλος Α: *Λέτε σ' ένα φίλο / σε μία φίλη σας ποια ρούχα, παπούτσια και αξεσουάρ σάς αρέσουν και ποια όχι. Τέλος μιλάτε για ένα ρούχο που σας χάρισαν και το αλλάξατε με κάτι άλλο γιατί δε σας άρεσε. Πείτε γιατί δε σας άρεσε (π.χ. δε σας πάει αυτό το χρώμα ή σχέδιο).*

Ρόλος Β: *Ένας φίλος / Μία φίλη σας σας λέει ποια ρούχα, παπούτσια και αξεσουάρ τού/τής αρέσουν και ποια όχι. Συμφωνείτε ή δε συμφωνείτε με το φίλο / τη φίλη σας και λέτε τι αρέσει σ' εσάς. Τέλος ο φίλος / η φίλη σας σας μιλάει για ένα δώρο που δεν του/της άρεσε και το άλλαξε με κάτι άλλο. Καταλαβαίνετε ότι αυτό το δώρο ήταν το δώρο που εσείς του/της κάνατε πέρσι στα γενέθλιά του/της.*

 ## ΠΑΡΑΓΩΓΗ ΓΡΑΠΤΟΥ ΛΟΓΟΥ (___ / 5)

3.22. **Διαλέξτε ένα γνωστό σας πρόσωπο και περιγράψτε το.**

το τραγούδι μας ♫

3.23. 66 Ο κυρ-Αντώνης (1961)

Μουσική & στίχοι: Μάνος Χατζιδάκις, ερμηνεία: Γιώργος Νταλάρας

3.23.α. YouTube **Ακούστε το τραγούδι και συμπληρώστε τα κενά με λέξεις από το πλαίσιο.**

https://goo.gl/Ml4rAx

θυμό / άστρα / λουλούδι / μάτια / κρεβάτι / αυλή / καιρός / κρασί / βροχή / πουλιά / όνειρά του / βράδυ / προσευχή / παιδιά / κανάτι / ρούχα / μαλλιά / φωτιές / πόρτα / χαραυγή / νύχτα /
ζει / γελάμε / ξεχνάμε / πηδάμε / αγαπάμε / μετράμε / τριγυρνάμε / έζησε / ξυπνάμε / καρτεράμε

Ο κυρ-Αντώνης πάει ______________ που ζούσε στην ______________
με ένα ______________ κι ένα ______________ και με ______________ πολύ.
Είχε δυο ______________ γαλανά κι αχτένιστα ______________
κι ένα ______________ πάντα φορούσε στα ______________ τα παλιά.

Αχ, κυρ-Αντώνη, πώς σ' ______________ και μαζί σου τ' άστρα ______________,
τις φωτιές για σένα ______________ ώσπου να 'ρθει βροχή.
Και το θυμό σου πάντα ______________, σαν πουλιά μαζί ______________ ,
σαν παιδιά με σένα ______________ σαν κάνεις προσευχή.

Ο κυρ-Αντώνης βιάζεται να πάει να κοιμηθεί
γιατί το ______________ στα ______________ θέλει να θυμηθεί
ό,τι ποτέ δεν ______________ μεσ' στ' όνειρό του ______________.
Μα η ______________ φεύγει και λυπημένο τον βρίσκει η ______________.

Αχ, κυρ-Αντώνη, πώς σ' αγαπάμε και μαζί σου τ' ______________ μετράμε,
τις ______________ για σένα πηδάμε ώσπου να 'ρθει ______________.
Και το ______________ σου πάντα ξεχνάμε, σαν ______________ μαζί τριγυρνάμε,
σαν ______________ με σένα γελάμε σαν κάνεις ______________.

Μα ένα βράδυ ο κυρ-Αντώνης στρώνει να κοιμηθεί
κι όταν ______________, τον ______________ στην ______________ να φανεί.
Μα ο κυρ-Αντώνης δε θα βγει ποτέ του στην αυλή,
αφού για πάντα μεσ' στ' όνειρό του θέλησε πια να ζει.

67

Ο Μάνος και η Μελίνα

Ήταν γνωστή η στενή φιλία του Χατζιδάκι με τη Μελίνα Μερκούρη.
Η Μελίνα είπε πολλά τραγούδια του Μάνου Χατζιδάκι όπως *Χάρτινο το φεγγαράκι*, *Αγάπη που 'γινες δίκοπο μαχαίρι* και άλλα.
Σε ένα σπάνιο βίντεο τραγουδούν μαζί τον *Κυρ-Αντώνη*.

goo.gl/c40Voo

3.23.β. **Ψάχνω στο λεξικό και γράφω τη μετάφραση στη γλώσσα μου**

ο θυμός = ...
ο παρατατικός = ...
η προσευχή = ...
η συνεργασία = ...
η χαραυγή = ...
το κανάτι = ...
αχτένιστος-η-ο = ...
πηδάω (-ώ) = ...
τριγυρνάω (-ώ) = ...

φορούσε (παρατατικός του ρ. φορώ)
σαν κάνεις = όταν κάνεις
ώσπου = μέχρι
το άστρο = το αστέρι
ό,τι = αυτό που...
ζούσε (παρατατικός του ρ. ζω)
να φανεί (τέλεια υποτακτική του ρ. φαίνομαι)
καρτερώ = περιμένω
να θυμηθεί (τέλεια υποτακτική του ρ. θυμάμαι)
να κοιμηθεί (τ. υποτακτική του ρ. κοιμάμαι)
πάει καιρός = εδώ και πολύ καιρό

Μάνος Χατζιδάκις (1925 - 1994)

Τι προσέχουμε;

ΛΕΞΙΛΟΓΙΟ
ΓΡΑΜΜΑΤΙΚΗ
- Ονόματα αρσενικά, θηλυκά, ουδέτερα
- Ρήματα Β' συζυγίας

Βήμα 4 Πώς είναι το σπίτι σου;

Επικοινωνία

✓ **Περιγράφω μια κατοικία**
- Περιγράφω μια κατοικία γενικά *(είδος, όροφοι κ.λπ.)*
- Περιγράφω την εσωτερική της διαρρύθμιση
- Περιγράφω τη διακόσμηση των χώρων
- Μιλάω για τα έπιπλα και τα αντικείμενα μιας κατοικίας και τη θέση τους στο χώρο

✓ **Λέω από τι υλικό είναι κάτι**

Θεματικές ενότητες

Τοποθετήσεις στο χώρο

✓ **Κατοικία**
- Είδος & περιγραφή
- Περιβάλλων χώρος
- Επίπλωση και υλικά

Λεξιλόγιο

- **Έπιπλα**
- **Υλικά**
- **Είδη μπάνιου**
- **Διαστάσεις**

How is your house?

Communication

✓ **I describe a house**
- I describe a house in general *(type of house, number of stories etc.)*
- I describe the interior lay out of a house
- I describe the interior decoration
- I talk about the furniture and the objects of a house and their placement in it

✓ **I say from what material things are made of**

Thematic units

Placement

✓ **House**
- Type & description
- Surrounding area
- Furniture and material

Vocabulary

- **Furniture**
- **Material**
- **Bathroom fixtures**
- **Dimensions**

Γραμματική

1. Η οριστική αντωνυμία ***μόνος - μόνη - μόνο***
2. Οι τρεις εγκλίσεις: η οριστική, η υποτακτική, η προστακτική
3. Η υποτακτική (ατελής & τέλεια)
4. Η σύνταξη του ***πριν*** και του ***μετά***
5. Οι δευτερεύουσες χρονικές προτάσεις με υποτακτική που εισάγονται α. με ***πριν*** και β. με ***όταν, μόλις***
6. Πίνακας νέων ρημάτων

Grammar

1. The definite pronoun *μόνος - μόνη - μόνο*
2. The three moods: the indicative, the subjunctive, the imperative
3. The subjunctive A & B (incomplete & complete action)
4. The position of *πριν* and *μετά* in a sentence
5. Subordinate time clauses with subjunctive that start: a. with *πριν* and b. with *όταν, μόλις*
6. Table of new verbs

Πλάκα

Την προηγούμενη εβδομάδα το περιοδικό «Κατοικώ στην πόλη» παρουσίασε το σπίτι της Δανάης Λούρη στην Πλάκα.

4.1. 68 *Μια πέτρινη νεοκλασική κατοικία στην Πλάκα*

Άρθρο του Θανάση Αναστασόπουλου

Η **ιδιοκτήτρια** του σπιτιού, Δανάη Λούρη, γεννήθηκε και μεγάλωσε στην Πλάκα, την πιο παλιά γειτονιά της Αθήνας. Όταν οι γονείς της έφυγαν για την Αίγινα, η Δανάη αποφάσισε να μείνει με την κόρη της στο **πατρικό** της σπίτι. Η πέτρινη νεοκλασική κατοικία της οδού Τρικόρφων έχει καταπληκτική θέα στην Ακρόπολη και στο Λυκαβηττό.* Είναι διώροφη, έχει ψηλά **ταβάνια**, **ξύλινα πατώματα** και είναι πολύ **φωτεινή**. Στο πίσω μέρος υπάρχει μια μικρή αυλή με λίγα δέντρα και πολλές **γλάστρες** με λουλούδια. Σ' αυτή την ήσυχη αυλή η Δανάη κι η κόρη της έβαλαν ένα τραπέζι με καρέκλες κι έναν καναπέ για **να περνούν όμορφα** με τους φίλους τους τα ζεστά βράδια του καλοκαιριού.

Η Δανάη **διακόσμησε μόνη της** το σπίτι της και **συνδύασε** μοντέρνα και παλιά **αντικείμενα**. **Πριν μπούμε** στο σαλόνι, στον τοίχο του χολ βλέπουμε έναν υπέροχο ασημένιο καθρέφτη από τη Βενετία.** Σε μια γωνία του σαλονιού υπάρχει ένα **μαρμάρινο** τζάκι και μπροστά του ένα τετράγωνο **χαμηλό** τραπέζι και δύο μοντέρνοι αναπαυτικοί καναπέδες μαζί με μια παλιά **δερμάτινη** πολυθρόνα. Ανάμεσα στους καναπέδες η Δανάη έβαλε ένα στρογγυλό **τραπεζάκι** που έφερε από το Μαρόκο. Οι κουρτίνες του σαλονιού είναι από ένα **πολύχρωμο ύφασμα**, και αυτό από την Αφρική. Πάνω από το τζάκι υπάρχει ένας πίνακας του Γιάννη Μόραλη και μπροστά στην **μπαλκονόπορτα** ο "***Ταξιδιώτης** με τη βαλίτσα*", ένα γλυπτό του Γιώργου Λάππα. Το γλυπτό παρουσιάζει έναν κόκκινο άντρα από **πλαστικό** που κρατάει μια βαλίτσα. Ένα **περσικό** χαλί κι ένα μοντέρνο φωτιστικό **συμπληρώνουν** τέλεια τη **διακόσμηση** του σαλονιού.

Για την τραπεζαρία η Δανάη διάλεξε ένα απλό **γυάλινο** τραπέζι με **μεταλλικές** καρέκλες και δίπλα έβαλε έναν παραδοσιακό **μπουφέ** της γιαγιάς της. «Δεν ήθελα **να πετάξω** τα έπιπλα της γιαγιάς μου. Προσπάθησα να τα ταιριάξω με τα καινούργια. Αυτόν τον μπουφέ, για παράδειγμα, γιατί να τον πετάξω; Και μου αρέσει και τον **χρησιμοποιώ** συνέχεια», μου είπε η Δανάη.

Η ιδιοκτήτρια **ανακαίνισε** και όλη την κουζίνα. Άλλαξε τα **πλακάκια** και πρόσθεσε αρκετά **ντουλάπια** και ράφια. Τέλος έβαλε σ' όλο το σπίτι **διπλά τζάμια**.

Το αγαπημένο δωμάτιο της Δανάης είναι ένας μικρός χώρος δίπλα στην κουζίνα, δύο μέτρα **μήκος επί** τρία μέτρα **πλάτος**. **Χωράει** μόνο μία βιβλιοθήκη κι ένα μικρό γραφείο. Εκεί η Δανάη προτιμάει **να κάθεται μόνη της** με τα βιβλία της, τη μουσική της και τη δουλειά της. Στο χολ υπάρχει μια εσωτερική ξύλινη σκάλα που **οδηγεί** στον επάνω όροφο. Εκεί βρίσκονται δύο κρεβατοκάμαρες με τα μπάνια τους κι ένας ξενώνας για **να φιλοξενεί** η οικογένεια τους αγαπημένους της φίλους.

Η Δανάη συνδύασε με τον πιο ωραίο **τρόπο** το παλιό με το μοντέρνο **στιλ**. «Θέλω **να ζω** ανάμεσα σε αντικείμενα που αγαπώ. Θέλω τα πράγματα γύρω μου κάτι **να** μου **λένε**, κάτι **να** μου **θυμίζουν**» μου είπε. «Μπορεί να είναι καινούργια ή της γιαγιάς μου...· δε **με νοιάζει** καθόλου, για μένα είναι το ίδιο».

* *ο Λυκαβηττός: λόφος στην Αθήνα.*
** *η Βενετία: Venice*

4.1.α. Σημειώστε: Σωστό ή Λάθος; Tick: True or False?

		Σωστό	Λάθος
1.	Η Δανάη νοίκιασε ένα νεοκλασικό σπίτι στην Πλάκα.		
2.	Η Δανάη δε χρησιμοποιεί ποτέ την αυλή της.		
3.	Η Δανάη συνδύασε μοντέρνα και παλιά έπιπλα και αντικείμενα.		
4.	Στο σαλόνι βλέπει κανείς έναν υπέροχο καθρέφτη από τη Βενετία.		
5.	Στο σπίτι υπάρχουν αντικείμενα και από την Ελλάδα κι από άλλες χώρες.		
6.	Η Δανάη προσπάθησε να αλλάξει όλα τα παλιά έπιπλα του σπιτιού με καινούργια.		
7.	Η Δανάη έκανε πολλές αλλαγές και στην κουζίνα του σπιτιού.		
8.	Στο δωμάτιο δίπλα στην κουζίνα δε χωράνε πολλά έπιπλα.		
9.	Σ' αυτό το δωμάτιο η Δανάη και η κόρη της περνάνε ωραία με τους φίλους τους.		
10.	Η Δανάη θέλει να έχει μόνο καινούργια πράγματα στο σπίτι της.		

Και τώρα εσείς!

4.1.β.

Συζητήστε ανά ζεύγη για το σπίτι σας. Κάντε ερωτήσεις ο ένας στον άλλον (είδος και μέγεθος σπιτιού, είδος διακόσμησης, αγαπημένοι χώροι, αγαπημένα έπιπλα και αντικείμενα κ.λπ.).

4.2. 69 Ακούστε το κείμενο: *Το μπάνιο χρειάζεται ανακαίνιση*

ΠΡΙΝ

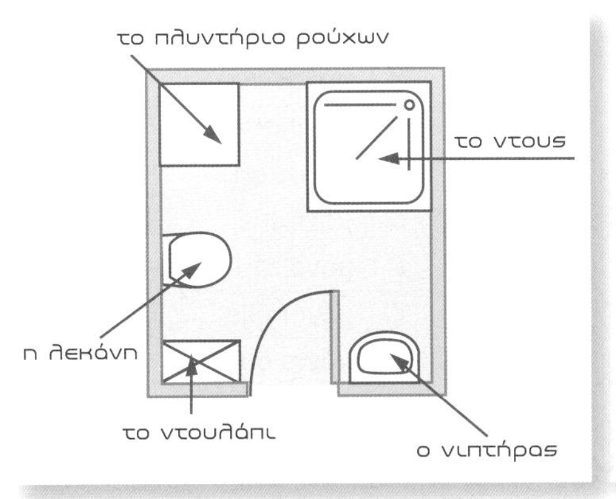

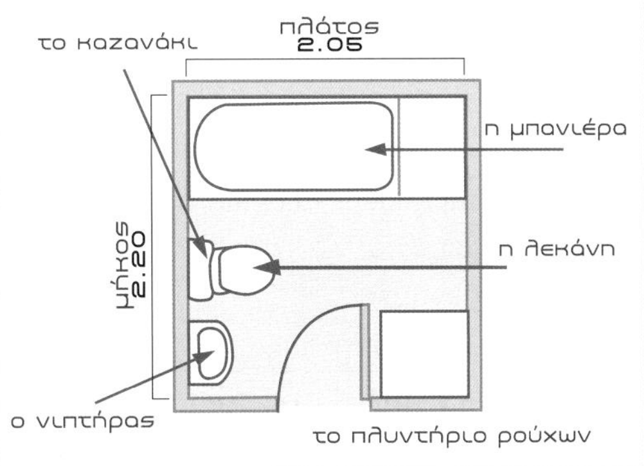

ΜΕΤΑ

4.2.α. Ταιριάξτε τις στήλες. Match the columns.

1.	Η κα Παππά αγόρασε ένα διαμέρισμα	___	α.	την παλιά λεκάνη, το παλιό καζανάκι και το ντους.
2.	Η κα Παππά θα ανακαινίσει μόνο	___	β.	τη λεκάνη και το καζανάκι.
3.	Η κα Παππά δεν είναι σίγουρη	___	γ.	το νιπτήρα και το πάτωμα.
4.	Η κα Παππά θα βάλει μπανιέρα και	___	δ.	θα μπει αριστερά από την πόρτα.
5.	Η μπανιέρα	___	ε.	θα μπει απέναντι από την πόρτα.
6.	Η καινούργια λεκάνη	___	ζ.	το μπάνιο της κόρης της.
7.	Το παλιό καζανάκι	___	η.	ήταν πολύ ψηλά πάνω από τη λεκάνη.
8.	Ο νιπτήρας	___	θ.	θα βγάλει το ντους.
9.	Το ταβάνι του μπάνιου	___	ι.	θα είναι, όπως και η παλιά, στη μέση του αριστερού τοίχου.
10.	Η κα Παππά θα αλλάξει	___	κ.	ότι χωράει μπανιέρα στο μπάνιο.
11.	Η κα Παππά δε θα αλλάξει	___	λ.	χρειάζεται **βάψιμο**.
12.	Η κα Παππά θα πετάξει	___	μ.	σε πολύ καλή κατάσταση.

Και τώρα εσείς!

4.2.β.

Θέλετε να ανακαινίσετε το σπίτι σας. Τι θα αλλάξετε; Τι θα κρατήσετε;

ΕΙΔΗ ΥΓΙΕΙΝΗΣ	BATHROOM FIXTURES
ο νιπτήρας	bathroom sink
η λεκάνη	toilet bowl
η μπανιέρα	bathtub
το καζανάκι	toilet flush, cistern
το ντους (η ντουσιέρα)	shower

4.3. μόνος - μόνη - μόνο (μου/σου/του...)

Στο σπίτι τα κάνω όλα **μόνη μου**, χωρίς καμιά βοήθεια.

Πάλι θα περάσω όλη τη μέρα **μόνος μου**, χωρίς παρέα...

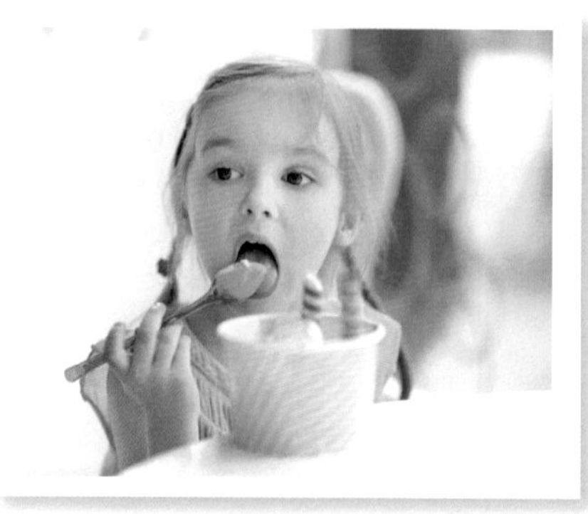

Το παιδί τρώει **μόνο του**!

4.3.α. Ταιριάξτε τις στήλες. Match the columns.

1.	Οι γιοι σας τακτοποιούν το δωμάτιό τους	___	α.	μόνος μου
2.	Η Ελένη κρέμασε τις κουρτίνες	___	β.	μόνη σου
3.	Άννα, εσύ και η αδελφή σου θα ταξιδέψετε για πρώτη φορά	___	γ.	μόνος του
4.	Εγώ κι ο άντρας μου θα διακοσμήσουμε το σπίτι	___	δ.	μόνη της
5.	Οι κόρες μας διαλέγουν ρούχα πάντα	___	ε.	μόνο του
6.	Το παιδί μου ξέρει να βάζει πλυντήριο	___	ζ.	μόνοι μας
7.	Η Αλίκη αφήνει τα παιδιά της στο σπίτι	___	η.	μόνες σας
8.	Ελένη, αν αργήσεις, θα πας για ψώνια	___	θ.	μόνοι τους
9.	Θα μαγειρέψω απόψε	___	ι.	μόνες τους
10.	Ο άντρας μου σιδερώνει τα πουκάμισά του	___	κ.	μόνα τους

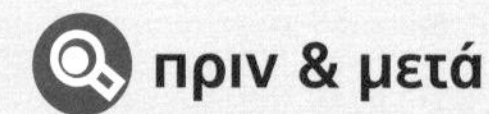

Και τώρα εσείς!

4.3.β.

*Μένετε **μόνος** / **μόνη** (σας); Κάνετε όλες τις δουλειές του σπιτιού **μόνος** / **μόνη** σας; Σας αρέσει να μένετε **μόνος** / **μόνη** σας στο σπίτι; Μαγειρεύετε **μόνος** / **μόνη** σας; Πάτε για ψώνια **μόνος** / **μόνη** σας ή με ένα φίλο / μια φίλη σας; Πηγαίνετε σινεμά, θέατρο ή στο εστιατόριο **μόνος** / **μόνη** (σας); Πηγαίνετε ταξίδια **μόνος** / **μόνη** (σας); Οι γονείς σας / ο παππούς σας / η γιαγιά σας ζουν μαζί σας ή **μόνοι** (τους); Αν έχετε κατοικίδια ζώα, τα αφήνετε **μόνα τους** στο σπίτι;*

4.4. πριν & μετά

Πριν από τη γυμναστική — **Μετά** τη γυμναστική

Πριν από τη δίαιτα — **Μετά** τη δίαιτα

Πριν από την εκκλησία υπάρχει μία στάση.
Μετά την εκκλησία υπάρχει ένα δάσος.

4.4.α. Μετά το διάλειμμα και μετά από εσένα

Στο συνέδριο

Νίκη: Ποιοι θα μιλήσουν **μετά το** διάλειμμα;
Έλλη: **Μετά το** διάλειμμα θα μιλήσω εγώ.
Νίκη: Ξέρεις ποιος θα μιλήσει **μετά από εσένα**;
Έλλη: Ναι, **μετά από εμένα** θα μιλήσει ο Θάνος Αργυρίου.
Νίκη: Και **μετά από αυτόν**;
Έλλη: **Μετά από αυτόν** θα μιλήσει η καθηγήτρια της φιλοσοφίας, Άννα Μαρτίνου.
Νίκη: Πόσοι άλλοι θα μιλήσουν **μετά από εκείνη**;
Έλλη: Νομίζω ότι θα μιλήσουν τρεις ακόμη.

4.4.β.  Σημειώστε το σωστό. Tick the correct answer.

1.	Δέκα μέρες ***πριν*** / ***μετά*** από τα Χριστούγεννα βάζω τα δώρα κάτω από το χριστουγεννιάτικο δέντρο.
2.	Μία εβδομάδα ***πριν από*** / ***μετά*** τις διακοπές του Πάσχα αρχίζουν πάλι τα μαθήματα.
3.	Χτες πήγε στην τράπεζα η φίλη μου η Καίτη, ***μετά*** / ***πριν*** από αυτήν πήγα κι εγώ και ***πριν*** / ***μετά*** *από* εμένα ήρθε κι ο άντρας μου. Το πιστεύετε;
4.	Ησυχία, παρακαλώ! Ο κύριος Δήμαρχος θα μιλήσει πρώτος, ***πριν*** / ***μετά*** από όλους. Οι άλλοι θα μιλήσουν ***μετά*** / ***πριν*** από εκείνον.
5.	Πρόσεξε, μην περάσεις το σχολείο! Το σπίτι μου είναι ***πριν*** / ***μετά*** από το σχολείο. ***Μετά*** / ***Πριν*** το σχολείο υπάρχει μόνο ένα πάρκο.

Και τώρα εσείς!

Τι κάνετε ***πριν από*** *μία μεγάλη γιορτή στην πόλη σας; Τι κάνετε* ***πριν από*** *τα Χριστούγεννα στη χώρα σας; Και* ***πριν από*** *το Πάσχα; Τι κάνετε* ***πριν από*** *τις διακοπές σας;* ***Μετά*** *τις διακοπές σας;* ***Πριν από*** *ένα πάρτι σας;* ***Μετά*** *το πάρτι σας; Τι υπάρχει στο δρόμο σας* ***πριν από*** / ***μετά*** *το σπίτι σας (κτήρια, πάρκο, δάσος, οικόπεδο κ.λπ.);*

4.5. πριν - όταν - μόλις

4.5.α. Σημειώστε το σωστό. Tick the correct answer.

1.	Πριν ***θα έρθεις / έρθεις / έρχεσαι*** στο γραφείο μου, ψάξε τα χαρτιά που σου είπα.
2.	Μόλις ***θα βρεις / βρεις / βρήκες*** μια αγγελία που σε ενδιαφέρει, τηλεφώνησε στον ιδιοκτήτη.
3.	Όταν ***μπεις / μπες / να μπεις*** στην τράπεζα, ζήτησε τον κύριο Κούρκουλο, το διευθυντή.
4.	Πριν ***υπογράψεις / υπέγραψες / υπογράφεις*** το συμφωνητικό, πρέπει πρώτα να το διαβάσεις.
5.	Όταν ***αποφάσισες / να αποφασίσεις / αποφασίσεις*** να αλλάξεις σπίτι, τηλεφώνησε σ' ένα μεσίτη.
6.	Μόλις ***φτάσεις / να φτάνεις / έφτασες*** στην πλατεία, στρίψε στον πρώτο δρόμο δεξιά.

Παροιμίες -Γνωμικά

Των φρονίμων τα παιδιά **πριν πεινάσουν**, μαγειρεύουν.

Οι συνετοί άνθρωποι είναι προνοητικοί.

The children of wise people cook before they get hungry.

The prudent see danger and take refuge.

4.5.β. Πείτε το αλλιώς σύμφωνα με το παράδειγμα.

Say it in another way following the example.

0.	Πρώτα θα πετάξεις τα σκουπίδια και μετά θα βγάλεις βόλτα το σκύλο. *Πριν βγάλεις βόλτα το σκύλο, πέταξε τα σκουπίδια.*
1.	Πρώτα θα καθαρίσεις το σπίτι και μετά θα πας στο σουπερμάρκετ.
2.	Πρώτα θα κόψεις τη σαλάτα και μετά θα στρώσεις το τραπέζι.
3.	Πρώτα θα φτιάξεις το γλυκό και μετά θα μαγειρέψεις το κοτόπουλο.
4.	Πρώτα θα ξεσκονίσεις τα έπιπλα και μετά θα σκουπίσεις το πάτωμα.
5.	Πρώτα θα πλύνεις τα πιάτα και μετά θα σιδερώσεις τα ρούχα.
6.	Πρώτα θα τακτοποιήσεις το δωμάτιό σου και μετά θα δεις την ταινία.

Και τώρα εσείς!

4.5.γ.

*Τι κάνετε **πριν** πάτε για ύπνο; **Πριν** φύγετε για τη δουλειά σας ή το μάθημά σας; **Πριν** ξεκινήσετε για ένα ταξίδι; **Πριν** κλείσετε ξενοδοχείο σ' ένα νησί; **Πριν** έρθουν στο σπίτι σας οι φίλοι σας για φαγητό; **Πριν** μπείτε στο νέο σας σπίτι;*

Να μιλάω ή να μιλήσω;

Μπορώ **να μιλήσω** στη Ράνια, παρακαλώ;

Η Ράνια, αγόρι μου, έχει διάβασμα. Δεν μπορεί **να μιλάει** συνέχεια μαζί σου στο τηλέφωνο!

Κάνω κάτι μια φορά	Κάνω κάτι συνέχεια ή συχνά
- Μπορώ **να μιλήσω** στη Ράνια, παρακαλώ;	- Η Ράνια, αγόρι μου, έχει διάβασμα. Δεν μπορεί **να μιλάει** συνέχεια μαζί σου στο τηλέφωνο!
- Προτιμώ **να αγοράσω** όλα τα καινούργια μου έπιπλα απο ένα κατάστημα.	- Δε συμφωνώ! Εγώ προτιμώ πάντα **να αγοράζω** έπιπλα από διάφορα καταστήματα.
- Γιατρέ μου, σήμερα μπορώ **να φάω** σαλάτα;	- Όχι, απαγορεύεται. Από μεθαύριο όμως μπορείτε **να τρώτε** όλα τα φαγητά.
- Προτιμάς **να οδηγήσεις** εσύ ή **να οδηγήσω** εγώ;	- Προτιμώ **να μην οδηγώ** τη νύχτα. Οδήγησε εσύ!
- Επιτρέπεται **να καπνίσω;**	- Όχι, δεν επιτρέπεται **να καπνίζει** κανείς στο νοσοκομείο.

4.6.α. Τι παρατηρείτε στις παρακάτω προτάσεις? What do you observe in the following sentences?

1.	Μου αρέσει **να μένω** (~~να μείνω~~) στην πόλη.
2.	Σταμάτησα **να αγοράζω** (~~να αγοράσω~~) λαχανικά. Τώρα καλλιεργώ λαχανικά στον κήπο μου.
3.	Του χρόνου θα αρχίσω **να παρακολουθώ** (~~να παρακολουθήσω~~) μαθήματα διακόσμησης εσωτερικών χώρων.
4.	Μαθαίνω **να φτιάχνω** (~~να φτιάξω~~) έπιπλα μόνος μου.
5.	Ξέρεις **να ανακαινίζεις** (~~να ανακαινίσεις~~) παλιές κατοικίες;
6.	Συνεχίζεις **να μένεις** (~~να μείνεις~~) στην ίδια πολυκατοικία με τους γονείς σου;

4.6.β. Σημειώστε το σωστό. Tick the correct answer.

1.	Αποφάσισα ***να διακοσμώ / να διακοσμήσω*** το σπίτι μου μόνη μου.
2.	Σκέπτομαι ***να παίρνω / να πάρω*** ξύλινα και όχι πλαστικά έπιπλα για τον κήπο μου.
3.	Μου αρέσει ***να συνδυάζω / να συνδυάσω*** παλιά και μοντέρνα αντικείμενα.
4.	Προτιμώ ***να αγοράζω / να αγοράσω*** ελληνικά έπιπλα αλλά για το υπνοδωμάτιό μου λέω ***να αγοράζω / να αγοράσω*** κρεβάτι από την Ιταλία.
5.	Το Μάρτιο άρχισα ***να φτιάχνω / να φτιάξω*** το σπίτι μου κι εύχομαι ***να το τελειώνω / να το τελειώσω*** πριν από το φθινόπωρο.
6.	Δεν μπορώ ***να τακτοποιώ / να τακτοποιήσω*** πάντα εγώ την αποθήκη. Αύριο πρέπει ***να την καθαρίζεις / να την καθαρίσεις*** εσύ!
7.	Θέλω τα πράγματα γύρω μου κάτι ***να μου λένε / να μου πουν***, κάτι ***να μου θυμίζουν / να μου θυμίσουν.***
8.	Μου αρέσει ***να κάθομαι / να κάτσω*** μόνη μου με τα βιβλία μου, τη μουσική μου και τη δουλειά μου.
9.	Από την άλλη εβδομάδα αποφάσισα ***να πηγαίνω / να πάω*** στη δουλειά μου με τα πόδια. Αύριο όμως πρέπει ***να πηγαίνω / να πάω*** με το αυτοκίνητο.
10.	Από αύριο αποφάσισα ***να τρώω / να φάω*** μόνο λαχανικά και φρούτα. Δε θέλω ***να τρώω / να φάω*** ξανά κρέας!

4.7.  Σημαίνει πολλά: πετάω (-ώ)

4.7.α.  Ακούστε το κείμενο και συμπληρώστε τα κενά. Listen to the text and fill in the gaps.

πετάω (-ώ)	*[είμαι στον αέρα]*	1. Τα πουλιά _________ στον ουρανό. 2. Το αεροπλάνο _________ πάνω από τα σύννεφα.
	[ταξιδεύω με αεροπλάνο]	3. Αύριο ____ _________ για Λονδίνο με την Ολυμπιακή.
πετάω (-ώ) κάτι	*[ρίχνω κάτι]*	4. _________ την μπάλα μακριά! 5. ____ _________ τα ρούχα σου σ' όλο το σπίτι.
	[ρίχνω κάτι στα σκουπίδια]	6. Πρέπει επιτέλους ____ _________ αυτά τα παλιά παπούτσια.

Οικογένειες λέξεων

πετάω (-ώ)
η πτήση
ιπτάμενος-η-ο
το ιπτάμενο δελφίνι

Πετάω από τη χαρά μου!

Πετάω τα σκουπίδια.

Πετάω χαρταετό.

Πετάω την μπάλα.

4.8. Σημαίνει πολλά: χωράω (-ώ) & οδηγώ

χωράω (-ώ)	Το σαλόνι **χωράει** και τους δύο καναπέδες. Το αυτοκίνητό μου **χωράει** πέντε άτομα.
	Αυτή η βιβλιοθήκη δε **χωράει** στο υπνοδωμάτιό σου. Το αυτοκίνητό μου **χωράει** στο γκαράζ σου;
μου χωράει	Αυτή η φούστα δε **μου χωράει**. Θέλω πιο μεγάλο νούμερο.
οδηγώ	**Οδηγώ** πάντα με προσοχή.
	- Πού **οδηγεί** αυτή η σκάλα; - Στο υπόγειο.

*Το αυτοκίνητο δε **χωράει** τον ελέφαντα!*
*Ο ελέφαντας δε **χωράει** στο αυτοκίνητο!*

*Πού **οδηγεί** αυτό το μονοπάτι;*

4.9. Από τι υλικό είναι;

Ο ***Δρομέας*** του Κώστα Βαρώτσου είναι από **γυαλί**. Είναι ένα **γυάλινο** έργο τέχνης.

Η Αφροδίτη της Μήλου είναι από **μάρμαρο**. Είναι ένα **μαρμάρινο** άγαλμα.

Η Μάνα του Χρήστου Καπράλου είναι από **ξύλο**. Είναι ένα **ξύλινο** γλυπτό.

Τα Φρούτα του Παύλου (Διονυσόπουλου) είναι από **χαρτί**. Είναι ένα **χάρτινο** έργο τέχνης.

4.9.α. Ταιριάξτε τις εικόνες με τις προτάσεις.

Match the pictures with the sentences.

1.	Μείναμε σ' έναν καταπληκτικό **πέτρινο** ξενώνα στη Μάνη.	_____
2.	Αγόρασα ένα παλιό **ξύλινο** τραπέζι με έξι **δερμάτινες** καρέκλες.	_____
3.	Ο άντρας μου μου έκανε δώρο ένα ζευγάρι **χρυσά** σκουλαρίκια.	_____
4.	Μ' αρέσουν πολύ τα **μεταλλικά** γλυπτά της Νάτας (Ναταλίας) Μελά.	_____
5.	Το Αρχαιολογικό Μουσείο της Αθήνας έχει υπέροχα **κεραμικά** αντικείμενα.	_____
6.	Πρόσεξε μη σπάσεις το παλιό **γυάλινο** βάζο της γιαγιάς μου!	_____

α. το μέταλλο

β. ο χρυσός

γ. το γυαλί

δ. το ξύλο

ε. το δέρμα

ζ. η πέτρα

η. ο πηλός

Και τώρα εσείς!

4.9.β.

Από τι είναι το αγαπημένο σας βάζο; Προτιμάτε τα ***ασημένια*** *ή τα* ***χρυσά*** *κοσμήματα; Ποιο είναι το κόσμημα που φοράτε κάθε μέρα; Από τι είναι; Από τι υλικό είναι το πάτωμα στο σαλόνι σας και από τι είναι στην κρεβατοκάμαρά σας; Οι μπαλκονόπορτες και τα παράθυρα στο σπίτι σας, από τι είναι; Σας αρέσουν τα* ***δερμάτινα*** *ρούχα; Τι* ***δερμάτινα*** *ρούχα έχετε; Τι* ***πλαστικά*** *πράγματα έχετε στο σπίτι σας; Υπάρχουν στη γειτονιά σας* ***πέτρινα*** *σπίτια; Έχετε* ***μεταλλικά*** *ή* ***σιδερένια*** *αντικείμενα / έπιπλα στο σπίτι σας; Ποια είναι αυτά; Είδατε* ***μαρμάρινα*** *αγάλματα σε μουσεία; Θυμάστε ποια είδατε;*

4.9.γ. Ψάξτε στο διαδίκτυο. Search the Internet.

Βρείτε **χάρτινα** έπιπλα, **χάρτινα** φορέματα ή **χάρτινα** έργα τέχνης στο διαδίκτυο και φέρτε τις φωτογραφίες στην τάξη. Ασχολείστε με την κεραμική; Ψάξτε στο διαδίκτυο και βρείτε πληροφορίες για την περιοχή του **Κεραμεικού** στην Αθήνα. Πείτε μας γιατί η περιοχή πήρε αυτό το όνομα. Βρείτε πληροφορίες και για το όνομα άλλων περιοχών. Π.χ.: *Μεταξουργείο, Ομόνοια, Σύνταγμα* κ.λπ.

ΥΛΙΚΑ	MATERIAL	ΕΠΙΘΕΤΑ ΥΛΙΚΩΝ	MATERIAL - ADJECTIVES
ο πηλός	clay	**πήλινος-η-ο** **κεραμικός-ή-ό**	ceramic
ο χρυσός	gold	**χρυσός-ή-ό**	golden
η πέτρα	stone	**πέτρινος-η-ο**	stone
το ασήμι	silver	**ασημένιος-α-ο**	silver
το γυαλί	glass	**γυάλινος-η-ο**	glass
το δέρμα	leather	**δερμάτινος-η-ο**	leather

ΥΛΙΚΑ	MATERIAL	ΕΠΙΘΕΤΑ	MATERIAL - ADJECTIVES
το μάρμαρο	marble	**μαρμάρινος-η-ο**	marble
το μέταλλο	metal	**μεταλλικός-ή-ό**	metallic
το ξύλο	wood	**ξύλινος-η-ο**	wooden
το πλαστικό	plastic	**πλαστικός-ή-ό**	plastic
το σίδερο	iron	**σιδερένιος-α-ο**	iron
το χαρτί	paper	**χάρτινος-η-ο**	paper

4.10. Θυμάμαι ή θυμίζω;

Αυτό το κοχύλι **μού θυμίζει** τις διακοπές μας στη Σαντορίνη. Μου θυμίζει τα μπάνια στον Περίβολα, την παραλία με τη μαύρη άμμο, την ταβέρνα με τα φρέσκα ψάρια και όλη την παρέα του καλοκαιριού.
Θυμάμαι ιδιαίτερα το άσπρο σπίτι μας, στα Φηρά*, με την καταπληκτική βεράντα του στην άκρη του βράχου και την υπέροχη θέα του.

** η πρωτεύουσα της Σαντορίνης*

4.10.α. Σημειώστε το σωστό. Tick the correct answer.

1.	Αυτός ο άνθρωπος μου ***θυμάται*** / ***θυμίζει*** τον παππού μου.
2.	Η Ευγενία ***θυμάται*** / ***θυμίζει*** τις διακοπές της στο χωριό.
3.	Αυτές οι φωτογραφίες μού ***θυμούνται*** / ***θυμίζουν*** πολλά.
4.	Η Έλενα δε ***θυμάται*** / ***θυμίζει*** ποτέ τα ραντεβού της.

4.11. Κοντός ή χαμηλός;

ψηλός-ή-ό ≠ κοντός-ή-ό	Ο Περικλής είναι **ψηλός**. Ο Σωκράτης είναι **πιο κοντός από** τον Περικλή.
ψηλός-ή-ό ≠ χαμηλός-ή-ό	Η πολυκατοικία είναι **ψηλή**. Το ξενοδοχείο είναι **πιο χαμηλό από** την πολυκατοικία.
μακρύς-ιά-ύ ≠ κοντός-ή-ό	Η Δανάη έχει **μακριά** μαλλιά και φοράει μια **μακριά** φούστα. Η Μαρίνα έχει **κοντά** μαλλιά και φοράει μια **κοντή** φούστα.

Ο Σωκράτης

Το ξενοδοχείο

4.11.α. Σημειώστε το σωστό. Tick the correct answer.

1.	Ο Γιάννης είναι πιο ***κοντός*** / ***χαμηλός*** από τους περισσότερους συμμαθητές του.
2.	Οι ***κοντές*** / ***χαμηλές*** φούστες είναι φέτος στη μόδα.
3.	Τα καινούργια σπίτια έχουν πιο ***κοντά*** / ***χαμηλά*** ταβάνια από τα παλιά νεοκλασικά σπίτια.
4.	Μη φοβάσαι! Ο σκύλος μου δεν μπορεί να ανεβεί στο τραπέζι. Έχει πολύ ***κοντά*** / ***χαμηλά*** πόδια.
5.	Τα ***χαμηλά*** / ***κοντά*** μαλλιά πάνε πολύ στην Ελένη.
6.	Θυμάμαι το χωριό μου με τα ***κοντά*** / ***χαμηλά*** λευκά σπιτάκια του.

Η Μαρίνα

 **Και τώρα εσείς!**

4.11.β. *Ποια πράγματα σας* ***θυμίζουν*** *τους γονείς σας / τον παππού και τη γιαγιά σας / τους παιδικούς σας φίλους / την πρώτη σας αγάπη / τις διακοπές σας / τα χρόνια στο σχολείο ή στο πανεπιστήμιο / το πατρικό σας σπίτι / τη χώρα σας;*

Ψάξτε και βρείτε στο σπίτι σας παλιά αντικείμενα (π.χ. ένα βιβλίο, ένα κόσμημα, ένα έπιπλο, μια φωτογραφία, ένα ρούχο, ένα παιχνίδι κ.λπ.). Τι ***θυμάστε*** *όταν τα βλέπετε;*

Ποιο είναι το πιο ***ψηλό*** *βουνό στη χώρα σας και ποιο είναι το πιο* ***χαμηλό****; Στη γειτονιά σας υπάρχουν* ***χαμηλά*** *ή* ***ψηλά*** *σπίτια; Το σπίτι σας έχει* ***ψηλά*** *ή* ***χαμηλά*** *ταβάνια; Στο σαλόνι σας έχετε* ***μακριές*** *ή* ***κοντές*** *κουρτίνες; Έχετε* ***μακριά*** *ή* ***κοντά*** *μαλλιά; Φοράτε πιο συχνά* ***κοντές*** *ή* ***μακριές*** *φούστες /* ***μακριά*** *ή* ***κοντά*** *φορέματα;*

4.12. Οικογένειες λέξεων: το φως

4.12.α. Ταιριάξτε τις στήλες σύμφωνα με το παράδειγμα.
Match the columns following the example.

το φως (του **φωτός**)
η **φωτιά**
η **φωτογραφία**
η **φωτοτυπία**
το **φωτιστικό**
φωτίζω
φωτεινός-ή-ό

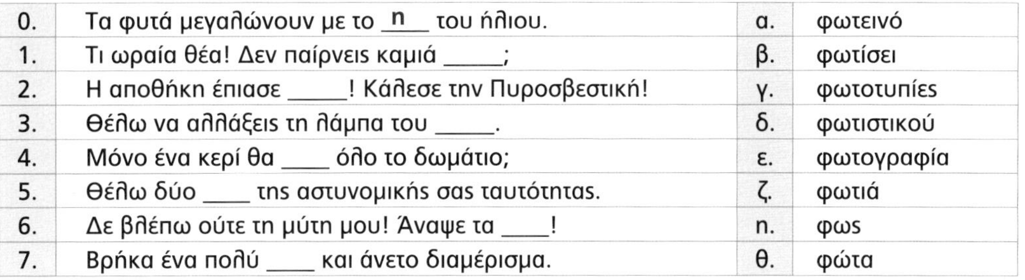

0.	Τα φυτά μεγαλώνουν με το __η__ του ήλιου.	α.	φωτεινό
1.	Τι ωραία θέα! Δεν παίρνεις καμιά _____;	β.	φωτίσει
2.	Η αποθήκη έπιασε _____! Κάλεσε την Πυροσβεστική!	γ.	φωτοτυπίες
3.	Θέλω να αλλάξεις τη λάμπα του _____.	δ.	φωτιστικού
4.	Μόνο ένα κερί θα ____ όλο το δωμάτιο;	ε.	φωτογραφία
5.	Θέλω δύο ____ της αστυνομικής σας ταυτότητας.	ζ.	φωτιά
6.	Δε βλέπω ούτε τη μύτη μου! Άναψε τα ____!	η.	φως
7.	Βρήκα ένα πολύ ____ και άνετο διαμέρισμα.	θ.	φώτα

γραμματική

1. Η οριστική αντωνυμία *μόνος - μόνη - μόνο*
The definite pronoun *μόνος - μόνη – μόνο*

Σημαίνει «χωρίς βοήθεια» ή «χωρίς συνοδεία/παρέα». Όταν σημαίνει «χωρίς βοήθεια», συνοδεύεται πάντα από τους αδύνατους τύπους της προσωπικής αντωνυμίας. Όταν σημαίνει «χωρίς συνοδεία/παρέα», χρησιμοποιείται, με ή χωρίς την προσωπική αντωνυμία.
It means "without help" or "without escort/company". When it means "without help" it is always accompanied by the weak types of the personal pronoun. When it means "without escort/company" it can be used with or without the personal pronoun.

μόνος-μόνη-μόνο	μου	Έκανα την άσκηση **μόνος μου**.*
	σου	Πήγες σινεμά **μόνη (σου)**.**
μόνος	του	Ο Μίλτος σήμερα μαγείρεψε **μόνος του**.*
μόνη	της	Διακόσμησε το σπίτι της **μόνη της**.*
μόνο	του	Αυτό το παιδί διαβάζει **μόνο του**.* Το παιδί έμεινε **μόνο (του)** στο σπίτι.**
μόνοι-μόνες-μόνα	μας	Όλοι έφυγαν κι επιτέλους μείναμε **μόνοι (μας)**.**
	σας	**Μόνοι (σας)** ήρθατε, χωρίς την κόρη σας;**
	τους	Αυτές οι δύο κοπέλες ζουν **μόνες (τους)**.** Τα παιδιά μου πάνε σχολείο **μόνα τους**.*

* *χωρίς τη βοήθεια άλλου ατόμου* ** *χωρίς συνοδεία/παρέα*

Προσοχή! Υπάρχει και το επίρρημα ***μόνο***. Π.χ.: Στο μπαλκόνι μου έχω **μόνο** μία καρέκλα. Attention! There is also the adverb *μόνο*.
E.g.: Στο μπαλκόνι μου έχω **μόνο** μία καρέκλα.

2. Οι τρεις εγκλίσεις: Η οριστική, η υποτακτική, η προστακτική
The three moods of the verb: the indicative, the subjunctive, and the imperative

Οριστική: Το ρήμα εκφράζει το βέβαιο ή το πραγματικό. Indicative: the verb states a certainty or a reality.	**Φεύγω** τώρα. Πότε **θα φύγεις**; Ο Νίκος δεν **έφυγε** χτες.
Υποτακτική: Το ρήμα εκφράζει επιθυμία, προσδοκία, πιθανότητα. Subjunctive: the verb expresses a wish, an expectation or a possibility.	Θέλεις **να φύγουμε** τώρα; Μπορεί **να φύγω** αύριο.
Προστακτική: Το ρήμα εκφράζει προσταγή, προτροπή, παράκληση. Imperative: the verb expresses a command, a request or a plea.	**Φύγε** αμέσως! Μη **φύγετε**!

3. Η υποτακτική (ατελής & τέλεια)
The subjunctive A & B (incomplete & complete action)

Ατελής υποτακτική ή **υποτακτική Α** (θέμα ενεστώτα): Παρουσιάζεται η ρηματική πράξη στην εξέλιξή της και δηλώνει επανάληψη.
Τέλεια υποτακτική ή **υποτακτική Β** (θέμα αορίστου): Παρουσιάζεται η ρηματική πράξη συνοπτικά.
The subjunctive of incomplete action or subjunctive A (present tense stem): The verbal action is in progress and expresses repetition or duration.
The subjunctive of complete action or subjunctive B (past tense stem): The verbal action is completed.

Ατελής υποτακτική	Τέλεια υποτακτική
Εγώ και η Τάνια αποφασίσαμε **να βγαίνουμε** έξω κάθε Σάββατο.	Αυτό το Σάββατο όμως αποφασίσαμε **να μη βγούμε**.
Απαγορεύεται **να αφήνετε** το αυτοκίνητό σας στις διαβάσεις πεζών.	Απαγορεύεται **να αφήσετε** το αυτοκίνητό σας εδώ, κύριε! Είναι διάβαση!
Συνήθως προτιμώ **να ταξιδεύω** με πλοίο.	Φέτος όμως προτιμώ **να ταξιδέψω** με αεροπλάνο.
Κάθε μέρα πρέπει **να μαγειρεύω** για τρία άτομα.	Σήμερα όμως πρέπει **να μαγειρέψω** για πέντε άτομα.

Λεξιλόγιο	*Glossary*
ΟΝΟΜΑΤΑ	NOUNS
δρομέας, ο	runner
μπουφές, ο	sideboard, server
ταξιδιώτης, ο	traveller (masc.)
τρόπος, ο	way, manner
χαρταετός, ο	kite
ανακαίνιση, η	renovation
γλάστρα, η	flower pot
διακόσμηση, η	decoration
ιδιοκτήτρια, η	owner fem.)
μπαλκονόπορτα, η	balcony door
ταξιδιώτισσα, η	traveller (fem.)
φωτοτυπία, η	photocopy
αντικείμενο, το	object
βάψιμο, το	painting
μήκος, το	length
ντουλάπι, το	cupboard
πάτωμα, το	floor
πλακάκι, το	tile
πλαστικό, το	plastic
πλάτος, το	width
ταβάνι, το	ceiling
στιλ, το	style
τζάμι, το	window glass
τραπεζάκι, το	small table, side table
ύφασμα, το	fabric
ΑΝΤΩΝΥΜΙΕΣ	PRONOUNS
μόνος-η-ο (μου/σου/του...)	alone, by myself, on my own
ΕΠΙΘΕΤΑ - ΜΕΤΟΧΕΣ	ADJ. - PARTICIPLES
γυάλινος-η-ο	glass
δερμάτινος-η-ο	leather
διπλός-ή-ό	double
ιπτάμενος-η-ο	flying
μαρμάρινος-η-ο	marble
μεταλλικός-ή-ό	metallic
ξύλινος-η-ο	wooden
πατρικός-ή-ό	paternal
πατρικό σπίτι, το	paternal house
περσικός-ή-ό	Persian
πολύχρωμος-η-ο	colourful
χαμηλός-ή-ό	low
φρόνιμος-η-ο	prudent, wise
φωτεινός-ή-ό	bright
ΡΗΜΑΤΑ	VERBS
ανακαινίζω	I renovate, redecorate
βάφω (τοίχο)	I paint
διακοσμώ	I decorate
νοιάζει / νοιάζουν	I care, I mind
με νοιάζει	I care, I mind
δε με νοιάζει	I don't care, I don't mind
οδηγώ	I drive, I lead
οδηγώ κάπου	I lead somewhere
πετάω (-ώ)	I fly, I throw
πετάω (-ώ) κάτι	I throw something
συμπληρώνω	I complete
συνδυάζω	I combine
φωτίζω	I light, I illuminate
χρησιμοποιώ	I use
χωράω (-ώ)	I fit
δε μου χωράει	something doesn't fit me
ΕΠΙΡΡΗΜΑΤΑ	ADVERBS
όμορφα	beautifully
ΠΡΟΘΕΣΕΙΣ	PREPOSITIONS
επί	times (multiplication)
ΕΚΦΡΑΣΕΙΣ	EXPRESSIONS
πετάω (-ώ) από τη χαρά μου	I am overjoyed, thrilled
πετάω (-ώ) χαρταετό	I fly a kite

Ας θυμηθούμε! Με τα ρήματα ***αρχίζω, μαθαίνω, συνεχίζω*** και την έκφραση ***μου αρέσει*** χρησιμοποιούμε πάντα ατελή υποτακτική. [*Βλέπε* ***Ελληνικά για σας Α1***, *Βιβλίο του μαθητή, Γρ. 3, σελ. 133*]. Επίσης και με το ρήμα: ***ξέρω***.
Let's remember! With the verbs ***αρχίζω, μαθαίνω, συνεχίζω*** and the expression ***μου αρέσει*** we always use subjunctive A (incomplete action). [*See* ***Greek for you A1***, *Textbook, Gr. 3, p. 133*]. The same is true with the verb: ***ξέρω***.

Π.χ.: Αυτός ο ποδοσφαιριστής ***άρχισε να παίζει*** (~~να παίξει~~) ποδόσφαιρο από πέντε χρόνων και ***σταμάτησε να παίζει*** (~~να παίξει~~) όταν έγινε σαράντα χρόνων. Η κόρη μου ***έμαθε να μιλάει*** (~~να μιλήσει~~) γαλλικά από τριών χρόνων. ***Ξέρεις να κολυμπάς*** (~~να κολυμπήσεις~~); ***Μου αρέσει να παρακολουθώ*** (~~να παρακολουθήσω~~) εκπομπές για τέχνη. ***Συνεχίζεις να ξυπνάς*** (~~να ξυπνήσεις~~) κάθε μέρα στις έξι το πρωί;

4. Η σύνταξη του *πριν* & του *μετά* The position of *πριν* and *μετά* in a sentence

επίρρημα adverb	**πριν**	Τώρα άρχισες να μελετάς; Τι έκανες **πριν**; Ξέρεις πού είναι το θέατρο; Το σπίτι μου είναι δύο δρόμους **πριν**.
πρόθεση preposition	**πριν από** + αιτιατική	Θα γυρίσω στην Ελλάδα **πριν από τα** Χριστούγεννα. Το σπίτι μου είναι **πριν από το** σταθμό του μετρό. Έμαθα τα νέα **πριν από εσένα**.
σύνδεσμος conjunction	**πριν** + υποτακτική *[Βλέπε & Γραμματική 3]*	Έφυγε **πριν τελειώσει** η παράσταση.
επίρρημα adverb	**μετά**	Έφυγαν όλοι. Η θεία μου έφυγε λίγες μέρες **μετά**. Ο αγώνας τελειώνει σε δέκα λεπτά. Πού θα πάμε **μετά**; Ξέρεις πού είναι το θέατρο; Το σπίτι μου είναι δύο δρόμους **μετά**. Φάγαμε όλοι μαζί και **μετά** έφυγαν τα παιδιά.
πρόθεση preposition	**μετά** + αιτιατική *	Θα γυρίσω στην Ελλάδα **μετά τα** Χριστούγεννα. Θα φύγουμε **μετά το** Πάσχα. Θα μιλήσω **μετά τον** κύριο. **Μετά (από) την** τράπεζα είναι το σπίτι μου.
	μετά από + αντωνυμία στην αιτιατική **	Έμαθα τα νέα **μετά από** εσένα. (ΟΧΙ: ~~μετά εσένα~~) Θα μιλήσω **μετά από αυτόν** τον κύριο. (ΟΧΙ: ~~μετά αυτόν~~)

* *Χρησιμοποιείται συνήθως χωρίς το* ***από***. *The preposition* ***μετά*** *is mostly used without the preposition* ***από***.
** *Όταν ακολουθεί προσωπική αντωνυμία, η πρόθεση* ***από*** *δεν πρέπει να παραλείπεται. When the preposition* ***μετά*** *is followed by a personal pronoun, the preposition* ***από*** *should not be omitted.*

5. Δευτερεύουσες χρονικές προτάσεις με υποτακτική Subordinate time clauses with subjunctive

α. Χρονικές προτάσεις με *πριν* + τέλεια υποτακτική
Subordinate time clauses with ***πριν*** + subjunctive B (complete action)

πριν + υποτακτική (χωρίς *να*)
Ο Νίκος έφυγε **πριν** τελειώσει η παράσταση.
[Πρώτα έφυγε ο Νίκος και μετά τελείωσε η παράσταση.]
Θέλω να σε δω **πριν** (να) φύγεις.
[Πρώτα θα σε δω και μετά θα φύγεις.]

Προσοχή! Στις χρονικές προτάσεις με ***πριν***, δε βάζουμε ποτέ οριστική (ενεστώτας, μέλλοντας, αόριστος) και το ***να*** δεν είναι απαραίτητο.
Attention! In the subordinate time clauses with ***πριν*** we never use indicative (present, future, past) and ***να*** is not necessary.

Π.χ.: Πάρε το φάρμακό σου **πριν φας**. (ΟΧΙ: ~~πριν τρως~~, ~~πριν θα φας~~, ~~πριν έφαγες~~). Πέρασε να δεις τη γιαγιά σου **πριν πας** για ψώνια. (ΟΧΙ: ~~πριν πηγαίνεις~~, ~~πριν θα πας~~, ~~πριν πήγες~~).

β. Χρονικές προτάσεις με *όταν / μόλις* + τέλεια υποτακτική*
Subordinate time clauses with ***όταν / μόλις*** + subjunctive A (incomplete action)*

όταν/μόλις + υποτακτική (χωρίς *να*)
Όταν τελειώσει η παράσταση, θα φύγω.
[Πρώτα θα τελειώσει η παράσταση και μετά θα φύγω.]
Μόλις έρθεις, θα δούμε μια ταινία.
[Πρώτα θα έρθεις και μετά θα δούμε μια ταινία.]

* Οι χρονικές προτάσεις με ***όταν / μόλις*** συντάσσονται και με οριστική. [*Βλέπε* ***Ελληνικά για σας Α1***, *Βιβλίο του μαθητή Α1, Γρ. 5, σελ.161*]
Subordinate time clauses with ***όταν / μόλις*** can also be in the indicative. *[See* ***Greek for you***, *Textbook A1, Gr. 5, p. 161]*

Π.χ.: **Μόλις τελείωσε** τη δουλειά του, έφυγε. **Όταν τρως**, δεν πρέπει να μιλάς.

6. Πίνακας νέων ρημάτων Table of new verbs

	Θέμα ενεστώτα		Θέμα αορίστου			
	Ενεστώτας	Ατελής Υποτακτική	Αόριστος	Τέλειος Μέλλοντας	Τέλεια Υποτακτική	Τέλεια Προστακτική
ανά	**ανα**καινίζω	να **ανα**καινίζω	**ανα**καίνισα	θα **ανα**καινίσω	να **ανα**καινίσω	**ανα**καίνισε - **ανα**καινίστε
	με νοιάζει	να με νοιάζει	με ένοιαξε	θα με νοιάξει	να με νοιάξει	-
συν	**συμ**πληρώνω*	να **συμ**πληρώνω	**συμ**πλήρωσα	θα **συμ**πληρώσω	να **συμ**πληρώσω	**συμ**πλήρωσε - **συμ**πληρώστε
	συνδυάζω	να **συν**δυάζω	**συν**δύασα	θα **συν**δυάσω	να **συν**δυάσω	**συν**δύασε - **συν**δυάστε
	φωτίζω	να φωτίζω	φώτισα	θα φωτίσω	να φωτίσω	φώτισε - φωτίστε
διά	**δια**κοσμώ	να **δια**κοσμώ	**δια**κόσμησα	θα **δια**κοσμήσω	να **δια**κοσμήσω	**δια**κόσμησε - **δια**κοσμήστε
	χρησιμοποιώ	να χρησιμοποιώ	χρησιμοποίησα	θα χρησιμοποιήσω	να χρησιμοποιήσω	χρησιμοποίησε - χρησιμοποιήστε
	χωράω (-ώ)	να χωράω (-ώ)	χώρεσα	θα χωρέσω	να χωρέσω	χώρεσε - χωρέστε

* *Όταν το* ***ν*** *της πρόθεσης* ***συν*** *(πρώτο συνθετικό), ακολουθείται από λέξη που αρχίζει από το γράμμα* ***π***, *γίνεται* ***μ***: *συν+πληρώνω = συμπληρώνω.*
When the letter ***ν*** *of the preposition* ***συν*** *(first part of the word) is followed by a word that starts with the letter* ***π***, *the letter* ***ν*** *becomes* ***μ***: *συν+πληρώνω = συμπληρώνω.*

4.13. 78 Ακούστε το κείμενο: Το γράμμα της Ταμάρας

4.13.α. Σημειώστε: Σωστό ή Λάθος; Tick: True or False?

		Σ.	Λ.
1.	Η Ταμάρα δεν άρχισε ακόμα μαθήματα στο πανεπιστήμιο.		
2.	Νοίκιασε το σπίτι ενός συγγενή της Δανάης.		
3.	Το νοίκι είναι πιο ακριβό από το νοίκι μιας **γκαρσονιέρας** στην Αθήνα.		
4.	Το υπνοδωμάτιό της βλέπει στο δρόμο.		
5.	Η Ταμάρα πρέπει να αγοράσει μόνο ένα **πορτατίφ** κι ένα **φούρνο μικροκυμάτων**.		
6.	Η Ταμάρα δεν ξέρει ακόμα τι θα κάνει το δεύτερο υπνοδωμάτιο.		
7.	Η Ταμάρα πρέπει να πάρει λεωφορείο για να πάει στην τράπεζα ή στο ταχυδρομείο.		
8.	Μπροστά στο σπίτι της περνούν πολλά λεωφορεία και πολύ κοντά υπάρχει σταθμός του μετρό.		
9.	Το σπίτι της Ταμάρας δεν έχει ευτυχώς κανένα πρόβλημα.		
10.	Η Ταμάρα κάθεται συχνά στο μπαλκόνι του σαλονιού της.		

Λεξιλόγιο 4.13.

ο φούρνος μικροκυμάτων	microwave oven
η γκαρσονιέρα	studio apartment
το πορτατίφ	lamp

Λεξιλόγιο 4.14.

ο κόλπος	gulf
κτίζω (χτίζω)	I build

4.14. 79 Ένας έλληνας αρχιτέκτονας

4.14.α. Ακούστε το κείμενο και συμπληρώστε τα κενά.
Listen to the text and fill in the gaps with words from the box.

Ο Εμμανουήλ (Μανόλης) Βουρέκας (1907-1993) [1] _______________ στο Νέο Φάληρο το 1907. [2] _______________ ένα πολύ καλό σχολείο, το Βαρβάκειο, και [3] _______________ για τη Γερμανία. [4] _______________ αρχιτεκτονική στο πανεπιστήμιο της Δρέσδης. [5] _______________ στην Αθήνα, το 1929, και [6] _______________ να [7] _______________ με το επάγγελμά του. [8] _______________ ένας από τους καλύτερους έλληνες αρχιτέκτονες.

Κτίζει τις πρώτες του πολυκατοικίες. Το πλούσιο έργο του [9] _______________ σαράντα περίπου πολυκατοικίες. Κτίζει επίσης και μονοκατοικίες, κτήρια γραφείων, τράπεζες, σχολεία, δημόσια κτήρια και ξενοδοχεία. Τα έργα του είναι πάνω από διακόσια.

Γύρω στο 1960 ο Βουρέκας [10] _______________ το ξενοδοχείο Χίλτον, ένα πολύ σπουδαίο έργο για εκείνη την εποχή. [11] _______________ έργα για τον τουρισμό στη Γλυφάδα*, στο Καβούρι*, στη Βουλιαγμένη* και στη Θεσσαλονίκη. Τα κτήρια του Βουρέκα ήταν πολύ μοντέρνα για την εποχή τους και [12] _______________ πολύ την παραλία του Σαρωνικού **κόλπου** στα νότια προάστια της Αθήνας και την παραλία του Θερμαϊκού κόλπου στη Θεσσαλονίκη.

Ο Μανόλης Βουρέκας ήταν ένας αρχιτέκτονας που [13] _______________ τη δουλειά του κι [14] _______________ σημαντικό ρόλο στην ιστορία της αρχιτεκτονικής στην Ελλάδα.

Από το διαδίκτυο

** Νότια προάστια της Αθήνας*

4.14.β. Ταιριάξτε τις στήλες. Match the columns.

1.	Δε σπούδασε	___	α.	να κτίζει πολυκατοικίες.
2.	Επέστρεψε	___	β.	σαράντα περίπου πολυκατοικίες και πολλά άλλα κτήρια.
3.	Άρχισε	___	γ.	για τον τουρισμό.
4.	Έγινε	___	δ.	ήταν πολύ μοντέρνα για την εποχή της.
5.	Έκτισε	___	ε.	στην Ελλάδα αλλά στη Γερμανία.
6.	Ακολούθησαν έργα	___	ζ.	σημαντικό ρόλο στην ιστορία της αρχιτεκτονικής στην Ελλάδα.
7.	Η αρχιτεκτονική του Βουρέκα	___	η.	στη χώρα του το 1929.
8.	Ο Βουρέκας έπαιξε	___	θ.	ένας από τους πιο σπουδαίους έλληνες αρχιτέκτονες.

4.15. 80 Ένα σπίτι στο Πήλιο

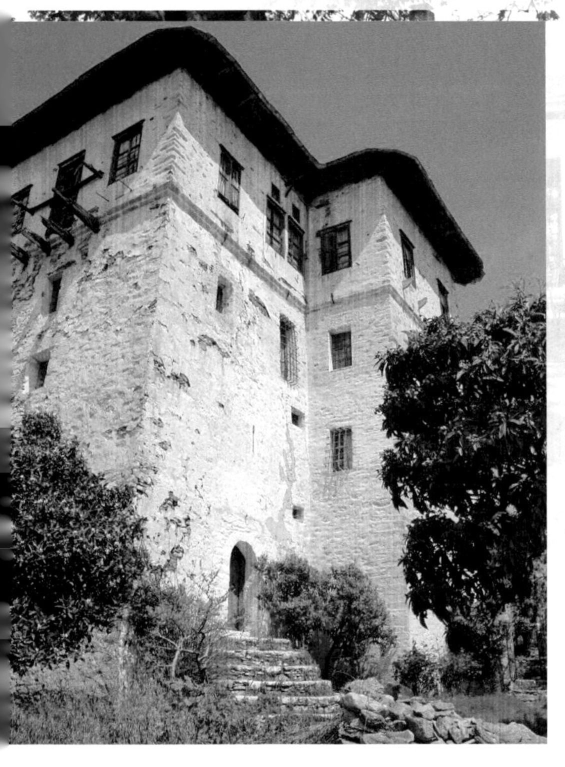

Τον περασμένο μήνα ο Αχιλλέας μού ζήτησε να πάω μαζί του στο Πήλιο, για να δούμε το σπίτι του παππού του. Εδώ και δεκαπέντε χρόνια δε μένει κανείς εκεί και ο Αχιλλέας θέλει να το φτιάξει, για να πηγαίνει με την οικογένειά του στις διακοπές. Θέλει να τον βοηθήσω με τη διακόσμηση (αυτή είναι η δουλειά μου).

Πρώτα απ' όλα δρόμος για το σπίτι δεν υπάρχει! Ανεβαίνεις με τα πόδια περίπου εκατό μέτρα από ένα μονοπάτι για κατσίκες και φτάνεις στη μεγάλη σιδερένια πόρτα του κήπου. Ένα πέτρινο μονοπάτι οδηγεί στο σπίτι αλλά δεν το βρίσκεις εύκολα γιατί είναι γεμάτο φυτά. Το σπίτι είναι διώροφο με ψηλά ξύλινα ταβάνια. Στο ισόγειο υπάρχει μια μεγάλη κουζίνα, το σαλόνι (και οι δύο χώροι έχουν τζάκι) κι ένα μπάνιο. Στον επάνω όροφο βρίσκονται δύο υπνοδωμάτια κι ένα καταπληκτικό παραδοσιακό καθιστικό. Τα υπνοδωμάτια έχουν μόνο παράθυρα, το καθιστικό έχει ένα μικρό μπαλκόνι με υπέροχη θέα. Μπάνιο δεν υπάρχει στον επάνω όροφο. **Τέλος**, κάτω από το ισόγειο υπάρχει μια μικρή αποθήκη, για να βάζει κανείς τρόφιμα ή κρασί.

Αυτοί είναι οι χώροι του σπιτιού. Τώρα η κατάστασή του… δεν είναι καθόλου καλή. Το σπίτι έχει **ρεύμα**, δεν έχει όμως θέρμανση. Τα πέτρινα πατώματα στην κουζίνα και στο μπάνιο είναι καλά, τα ξύλινα πατώματα όμως και στο ισόγειο και στον επάνω όροφο χρειάζονται πολλή δουλειά, ίσως και αλλαγή. Στο μπάνιο πρέπει να αλλάξουν όλα τα είδη υγιεινής. Η κουζίνα επίσης χρειάζεται μεγάλη ανακαίνιση γιατί δεν έχει καθόλου ηλεκτρικά είδη και οι τοίχοι της έχουν υγρασία. Ο Αχιλλέας θα κρατήσει ίσως δύο τρία από τα παλιά παραδοσιακά έπιπλα. Τα άλλα όμως πρέπει να τα πετάξει.

Βρήκα το φίλο μου στον κήπο κάτω από ένα **τεράστιο** δέντρο. «Αχιλλέα», είπα, «πριν αποφασίσεις, πρέπει να ξέρεις ότι χρειάζεσαι πολλά χρήματα και πολύ χρόνο, για να φτιάξεις αυτό το σπίτι. Αν αυτό θέλεις, εγώ θα σε βοηθήσω. Μήπως όμως είναι καλύτερα να το πουλήσεις;» «**Αποκλείεται**! Θα το φτιάξω» απάντησε εκείνος και πρόσθεσε «Ξέρεις πόσων ετών είναι αυτό το δέντρο, Άρη; Διακοσίων! **Απίστευτο**, ε;»

Λεξιλόγιο 4.15.

ο (ηλεκτρικό) ρεύμα	electric current
ο καθάρισμα	cleaning (n.)
εράστιος-α-ο	huge
ιποκλείεται	there is no way
έλος	finally
ιπίστευτο!	unbelievable, incredible

4.15.α. Σημειώστε: Σωστό ή Λάθος; Tick: True or False?

		Σ.	Λ.
1.	Ο Αχιλλέας και η οικογένειά του πηγαίνουν διακοπές κάθε χρόνο στο σπίτι τους στο Πήλιο.		
2.	Ο Αχιλλέας ασχολείται με τη διακόσμηση.		
3.	Οι δύο φίλοι πήγαν με αυτοκίνητο έως το σπίτι.		
4.	Το μονοπάτι του κήπου χρειάζεται **καθάρισμα** από τα φυτά.		
5.	Το σπίτι έχει ένα μόνο μπάνιο κι ένα μπαλκόνι.		
6.	Το πέτρινο πάτωμα της κουζίνας χρειάζεται αλλαγή.		
7.	Τα ξύλινα πατώματα δεν είναι σε καλή κατάσταση.		
8.	Υπάρχει ηλεκτρική κουζίνα στο σπίτι.		
9.	Ο Αχιλλέας πρέπει να πετάξει όλα τα έπιπλα του σπιτιού.		
10.	Δεν είναι εύκολο να ανακαινίσει κανείς αυτό το σπίτι.		
11.	Ο Άρης θέλει να βοηθήσει το φίλο του.		
12.	Ο Αχιλλέας προτιμά να πουλήσει το σπίτι.		

4.16. Η κατοικία

Πού βρίσκεται / είναι το σπίτι σου; Είναι στην πόλη ή σε προάστειο;

- Είναι στην πόλη / σε προάστιο / σε χωριό / στο βουνό / στη θάλασσα.
- Είναι στο κέντρο, κοντά στην πόλη, μακριά από την πόλη.

Τι υπάρχει κοντά;

- Υπάρχει ένα δάσος / μία λίμνη / ένα ποτάμι.
- Υπάρχουν καταστήματα (φούρνος, σουπερμάρκετ, φαρμακείο), τράπεζα, σταθμός μετρό, στάση λεωφορείου, σινεμά, θέατρα, ιατρικό κέντρο, νοσοκομείο.

Υπάρχει εκεί κοντά κανένα φαρμακείο, καμιά τράπεζα;

- Ναι, υπάρχει ένα φαρμακείο πολύ κοντά στο σπίτι μου. Δεν υπάρχει καμία τράπεζα εδώ κοντά.

Σε ποια πόλη μένεις; Σε ποια περιοχή μένεις; Ποιος είναι ο ταχυδρομικός σου κωδικός;

- Μένω στην Αθήνα, στο Παγκράτι και ο ταχυδρομικός μου κωδικός είναι 11 635.

Πού ακριβώς μένεις; Ποια είναι η διεύθυνσή σου; Τι διεύθυνση έχεις;

- Μένω στην οδό Ακαδημίας 56 / στη λεωφόρο Αλεξάνδρας 31 / στην πλατεία Κοτζιά 42.
- Η διεύθυνσή μου είναι (οδός) Ακαδημίας 56. Η διεύθυνσή μου είναι λεωφόρος Κηφισίας, αριθμός 46.
- Μένω στη γωνία Δροσοπούλου και Πιπίνου 11, στην Κυψέλη.

Πώς είναι η εξωτερική εμφάνιση του σπιτιού; Μένεις σε πολυκατοικία ή σε μονοκατοικία; Σε ποιον όροφο μένεις;

- Είναι ένα κτήριο μπεζ / λευκό / άσπρο / παλιό / καινούργιο / μοντέρνο / νεοκλασικό / πέτρινο / ξύλινο.
- Έχει μπαλκόνια, βεράντες, παράθυρα. Έχει κήπο, αυλή, πισίνα, γκαράζ.
- Μένω σε μια μονοκατοικία με κήπο με πολλά δέντρα και λουλούδια / με μια μικρή αυλή.
- Μένω σ' ένα διώροφο / τριώροφο σπίτι με ψηλά / χαμηλά ταβάνια, ξύλινα πατώματα.
- Μένω σε μια μεζονέτα με τρεις ορόφους. Στο υπόγειο είναι το πλέι ρουμ και ο ξενώνας μ' ένα μικρό μπάνιο, στο ισόγειο είναι το σαλόνι, η κουζίνα και η τραπεζαρία και στον πρώτο όροφο είναι οι κρεβατοκάμαρες.
- Μένω σε μια πολυκατοικία / σ' έναν ουρανοξύστη.
- Μένω σ' ένα διαμέρισμα στο υπόγειο, στο ισόγειο, στον πρώτο όροφο, στο δεύτερο όροφο..., στο ρετιρέ.
- Μένω σ' ένα στούντιο. Μένω σε μια γκαρσονιέρα. Μένω σ' ένα δυάρι / τριάρι / τεσσάρι / πεντάρι.

Πόσα τετραγωνικά είναι το σπίτι σου; Πόσα δωμάτια έχει το σπίτι σου;

- Είναι εξήντα πέντε / εκατό / διακόσια... τετραγωνικά.
- Έχει δύο / τρία... πέντε δωμάτια.
- Έχει ένα σαλόνι, ένα καθιστικό, ένα γραφείο, μια τραπεζαρία, τρία υπνοδωμάτια / τρεις κρεβατοκάμαρες, έναν ξενώνα, δύο μπάνια / λουτρά, ένα WC / μία τουαλέτα, ένα μεγάλο χολ και δύο αποθήκες.

Τι υπάρχει σε κάθε δωμάτιο; Τι άλλαξες; Έκανες ανακαίνιση;

- Στο σαλόνι υπάρχει ένας καναπές, δύο πολυθρόνες, ένα χαμηλό τετράγωνο τραπεζάκι μπροστά στο τζάκι, ένα φωτιστικό. Στις μπαλκονόπορτες έβαλα μακριές κουρτίνες και στους τοίχους πίνακες γνωστών ζωγράφων.
- Στη τραπεζαρία έχω ένα γυάλινο τραπέζι με έξι καρέκλες, έναν παραδοσιακό μπουφέ, ένα στρογγυλό ασημένιο καθρέφτη κι ένα μοντέρνο γλυπτό από πλαστικό / γυαλί / μέταλλο / πηλό / άρμαρο / ξύλο.
- Στο γραφείο έχω ένα μακρύ γραφείο, μια ξύλινη βιβλιοθήκη και μια μικρή σιδερένια σκάλα για να φτάνω τα ράφια που είναι ψηλά.
- Στην κρεβατοκάμαρά μου έχω ένα κρεβάτι, δύο κομοδίνα με δύο μικρά πορτατίφ, μία δερμάτινη πολυθρόνα, μια ντουλάπα κι ένα ξύλινο έπιπλο με πολλά συρτάρια.
- Στην κουζίνα έχω όλα τα ηλεκτρικά είδη (μία ηλεκτρική κουζίνα με φούρνο, ένα πλυντήριο πιάτων, ένα ψυγείο, ένα φούρνο μικροκυμάτων, μία καφετιέρα, ένα βραστήρα και άλλα).
- Στο χολ υπάρχει μια ξύλινη σκάλα που οδηγεί στον επάνω όροφο.
- Την κουζίνα την ανακαίνισα πρόσφατα και άλλαξα τον πάγκο, το νεροχύτη, τα πλακάκια στο πάτωμα και στους τοίχους. Πρόσθεσα επίσης ντουλάπια και ράφια.
- Στο μπάνιο άλλαξα όλα τα είδη υγιεινής (το νιπτήρα, τη λεκάνη με το καζανάκι, την μπανιέρα, το ντους, τις βρύσες, τα πλακάκια και τον καθρέφτη). Επίσης έβαψα το ταβάνι.
- Στην αποθήκη έχω ένα πλυντήριο ρούχων, το σίδερο για τα ρούχα και την ηλεκτρική μου σκούπα.

γραπτός λόγος

Λεξιλόγιο 4.17.

το εσωτερικό	interior

4.17. Περιγράφω μια κατοικία

Το κυρίως κείμενο	
Η αρχή	Λέω πού βρίσκεται (περιοχή, δρόμος, τι υπάρχει γύρω).
Το βασικό θέμα	Περιγράφω πώς είναι η εξωτερική εμφάνιση του σπιτιού και τι έχει έξω (είδος σπιτιού, κήπος, μπαλκόνι κ.λπ.). Περιγράφω πώς είναι το **εσωτερικό** του σπιτιού γενικά, κάτι ιδιαίτερο που έχει, το στιλ του, υλικά κ.λπ. Περιγράφω κάθε δωμάτιο (έπιπλα, αντικείμενα κ.λπ.).
Το τέλος	Λέω κάτι γενικό για το σπίτι που περιγράφω. Προσθέτω τι μου αρέσει σ' αυτό (στιλ, έπιπλα κ.λπ.), τι θυμάμαι από αυτό το σπίτι (ανθρώπους, κάτι που έγινε εκεί), τι μου θυμίζουν τα αντικείμενα του σπιτιού κ.λπ.).

4.17.α.  Το σπίτι του ποιητή Κωνσταντίνου Καβάφη (1863 - 1933)

Το σπίτι του Καβάφη βρίσκεται στην οδό Λέψιους, ένα μικρό δρόμο στο κέντρο της Αλεξάνδρειας, στην Αίγυπτο. Απέναντι από το σπίτι του βρίσκεται το νοσοκομείο της πόλης, ανάμεσα σε μικρά χαμηλά σπίτια. Το κτήριο αυτό δεν έχει ούτε κήπο ούτε αυλή. Είναι μεγάλο, παλιό, σε πορτοκαλί χρώμα, με πολλά παράθυρα κι ένα μόνο μπαλκόνι πάνω από την κύρια είσοδο. Το διαμέρισμα του ποιητή βρίσκεται στο δεύτερο όροφο. Έχει ψηλά ταβάνια και ξύλινα πατώματα. Όταν μπαίνει κανείς μέσα, το πρώτο πράγμα που βλέπει είναι η **πλατιά** και ψηλή βιβλιοθήκη του ποιητή σ' όλο τον τοίχο. Είναι ξύλινη κι έχει πόρτες με τζάμια. Στα ράφια υπάρχουν πολλά βιβλία, μεγάλα και μικρά, το ένα επάνω στο άλλο. Στο σαλόνι υπάρχουν όμορφα παλιά έπιπλα: ένας καναπές τούρκικος, αρκετές πολυθρόνες και καρέκλες με ωραία υφάσματα, δύο τραπεζάκια από ξύλο κι επάνω τους **κηροπήγια** από ασήμι ή **λάμπες** με γυαλί. Ο Καβάφης στο σπίτι του δεν είχε ηλεκτρικό. Είχε παντού κεριά και λάμπες πετρελαίου. Τα παράθυρα και οι μπαλκονόπορτες έχουν μακριές κουρτίνες από υφάσματα σε σκούρα χρώματα. Στους τοίχους δεν έχει πίνακες αλλά μόνο φωτογραφίες κι έναν παλιό καθρέφτη. Μια μεγάλη φωτογραφία δείχνει τη μητέρα του ποιητή, τη Χαρίκλεια Φωτιάδη. Στο πάτωμα υπάρχουν παλιά χαλιά από την **Ανατολή**. Το γραφείο του ποιητή, ένα μικρό αλλά πολύ κομψό έπιπλο, είναι σε μια γωνία του σαλονιού. Η πολυθρόνα πίσω από το γραφείο είναι από ξύλο και ύφασμα σε χρώμα κίτρινο και οι δύο ξύλινες καρέκλες, δεξιά και αριστερά από το γραφείο, έχουν ύφασμα σε χρώμα μπορντό. Το υπνοδωμάτιο του ποιητή είναι πολύ απλό. Δεν έχει πολλά έπιπλα, αλλά μόνο ένα σιδερένιο στενό κρεβάτι, ένα ξύλινο κομοδίνο, μια καρέκλα και πολλά μικρά πορτρέτα του ποιητή στον τοίχο. Σ΄αυτό το σπίτι, που τώρα είναι μουσείο, έζησε ένας από τους πιο σπουδαίους έλληνες ποιητές, ο Κωνσταντίνος Καβάφης. Πολλοί επισκέπτες απ' όλο τον κόσμο έρχονται να δουν από κοντά το χώρο όπου γεννήθηκαν τα υπέροχα ποιήματά του.

Λεξιλόγιο 4.17.α.

η Ανατολή	Orient
η λάμπα	lamp
το κηροπήγιο	candlestick
πλατύς-ιά-ύ	wide

4.17.β. **Ταιριάξτε τις εικόνες 1 - 4 με τους τίτλους α - δ [α. το υπνοδωμάτιο, β. το κτήριο, γ. το γραφείο, δ. το σαλόνι]. Περιγράψτε τις εικόνες.** Match the pictures 1 - 4 with the titles α - δ [α. the bedroom, β. The building, γ. The office, δ. The living room]. Describe the pictures.

1. ____

2. ____

3. ____

4. ____

4.17.γ. **Διαβάστε το κείμενο και χωρίστε το σε επτά παραγράφους. Γράψτε τον τίτλο που ταιριάζει σε κάθε παράγραφο [Το υπνοδωμάτιο - Το κτήριο γενικά - Το γραφείο - Το διαμέρισμα - Το σαλόνι - Η βιβλιοθήκη - Ένα σπίτι-μουσείο]. Μετά συμπληρώστε την πρώτη και την τελευταία λέξη κάθε παραγράφου, σύμφωνα με το παράδειγμα.**

Read the text and separate it in seven paragraphs. Put a title to each paragraph [Bedroom – The building in general - The study - The appartment - The living room - The library - A house-museum]. Then write the first and the last word of each paragraph, following the example.

	Τίτλος	Πρώτη λέξη	Τελευταία λέξη
1.	*Το κτήριο γενικά*	*Το σπίτι...*	*... είσοδο*
2.			
3.			
4.			
5.			
6.			
7.			

4.17.δ. **Υπογραμμίστε μέσα στο κείμενο τα ονόματα των επίπλων με τα επίθετά τους με κόκκινο, των υλικών με μπλε, των αντικειμένων με τα επίθετά τους με πορτοκαλί και διαφόρων στοιχείων του σπιτιού (π.χ. ταβάνι, μπαλκόνι, παράθυρο κ.λπ.) με τα επίθετά τους με πράσινο.** In the text, underline the names of the furniture with their adjectives with red, of the material with blue, of the objects and their adjectives with orange, and of the various elements of the house (e.g. ταβάνι, μπαλκόνι, παράθυρο etc.) and their adjectives with green.

4.17.ε. **Γράφετε για ένα περιοδικό ένα άρθρο σχετικά με την κατοικία ενός διάσημου προσώπου. Χρησιμοποιήστε τον πίνακα 4.17. και προσπαθήστε το κείμενό σας να έχει αρχή, κύριο θέμα με παραγράφους και τέλος.** You are writing an article for a magazine about the house of a famous person. Use table 4.17. and try to use a beginning, a main topic and an ending.

αξιολόγηση - οι τέσσερις δεξιότητες (___ / 20)

ΚΑΤΑΝΟΗΣΗ ΠΡΟΦΟΡΙΚΟΥ ΛΟΓΟΥ (___ / 5)

Έπιπλα και άλλα

4.18. (82) **Ακούστε τα κείμενα 1 έως 5. Κάθε κείμενο περιλαμβάνει κάποια αντικείμενα. Σημειώστε τον αριθμό του κειμένου (1 - 5) στις εικόνες με τα αντικείμενα που ακούτε στο κάθε κείμενο. Παράδειγμα: Στο κείμενο 1 ακούτε την πρόταση: «Χρειάζομαι ένα διπλό κρεβάτι». Σημειώνετε 1 στην εικόνα α.**

α.___ β.___ γ.___ δ.___ ε.___ ζ.___ η.___ θ.___ ι.___ κ.___

ΚΑΤΑΝΟΗΣΗ ΓΡΑΠΤΟΥ ΛΟΓΟΥ (___ / 5)

4.19. (83) **Διαβάστε το κείμενο και ταιριάξτε τις στήλες.**

Το δυάρι

Ζούμε στην εποχή του **τσιμέντου** και της πολυκατοικίας. Κι εγώ τώρα κάθομαι σε πολυκατοικία. Έχω ένα εσωτερικό δυάρι στον τρίτο όροφο. Εσωτερικά τα λένε τώρα τα διαμερίσματα που δε βλέπουν στο δρόμο αλλά στην αυλή. Μα και η αυλή πια δε λέγεται αυλή αλλά **ακάλυπτος** χώρος.

Στις πιο πολλές απ' αυτές τις πολυκατοικίες **σπάνια** θα δεις παράθυρο. Είναι **όλο** μπαλκονόπορτες και βγαίνουν σ' ένα μπαλκόνι που πάει **γύρω-γύρω** [...] και θυμίζει **κατάστρωμα** πλοίου... Πώς θα **επιπλώσεις**, πώς θα κατοικήσεις αυτό το χώρο, δεν το αποφασίζεις εσύ. Το αποφάσισε πριν ο αρχιτέκτονας. Σου έβαλε την πρίζα για την τηλεόραση εκεί που δε θέλεις να βάλεις τηλεόραση, σου έβαλε τις πρίζες για τα φώτα εκεί που θα μπει ο καναπές, το χαμηλό τραπέζι και οι δύο τεράστιες μοντέρνες πολυθρόνες.

Δεν υπάρχει **γωνιά** για τη νοικοκυρά... Εκεί που θα καθίσει να πιει τον καφέ της, να πάρει τη γάτα στην **αγκαλιά** της και να νιώσει την **αναπνοή** του σπιτιού της. Ίσως **γι' αυτό** οι γυναίκες σήμερα δεν αγαπούν το σπίτι τους.

Από το βιβλίο «Η Αυλή μας» (1981) της Μαρίας Ιορδανίδου (1897 - 1989) (διασκευή).

Λεξιλόγιο 4.19.

ο ακάλυπτος	open space between buildings, yard
η αγκαλιά	hug
η αναπνοή	breath (n.)
η γωνιά	corner
το κατάστρωμα	deck
το τσιμέντο	cement
ακάλυπτος-η-ο	uncovered, barren space
αναπνέω	I breath
επιπλώνω	I furnish
γύρω-γύρω	all around
όλο	full of
σπάνια	rarely
γι' αυτό	for this reason

1.	Έχω ένα εσωτερικό δυάρι.	___	α.	Εκεί κάθονται οι ταξιδιώτες που θέλουν να έχουν φρέσκο αέρα.
2.	Ακάλυπτος χώρος.	___	β.	Βλέπεις πολύ πιο συχνά μπαλκονόπορτες από παράθυρα.
3.	Το κατάστρωμα πλοίου.	___	γ.	Κάτι είναι πάρα πολύ μεγάλο.
4.	Σπάνια θα δεις παράθυρο.	___	δ.	Βάζω τα χέρια μου γύρω του και τον κρατάω κοντά στο στήθος μου.
5.	Επιπλώνω το σπίτι.	___	ε.	Ένα διαμέρισμα δύο δωματίων που βλέπει πίσω και όχι στο δρόμο.
6.	Κάτι είναι τεράστιο.	___	ζ.	Είναι ένα είδος εσωτερικής αυλής στο πίσω μέρος των πολυκατοικιών.
7.	Παίρνω άνθρωπο ή ζώο αγκαλιά.	___	η.	Ζω στο σπίτι μου και το αισθάνομαι σαν κάτι που ζει και **αναπνέει**.
8.	Νιώθω την αναπνοή του σπιτιού μου.	___	θ.	Οι γυναίκες σήμερα δε χαίρονται τη ζωή μέσα στο σπίτι τους.
9.	Δεν υπάρχει γωνιά για τη νοικοκυρά.	___	ι.	Αγοράζω έπιπλα για το σπίτι.
10.	Ίσως γι' αυτό οι γυναίκες σήμερα δεν αγαπούν το σπίτι τους.	___	κ.	Η γυναίκα δεν έχει ένα συμπαθητικό μέρος μέσα στο σπίτι της για να κάτσει ήρεμα μετά τις δουλειές του σπιτιού.

ΠΑΡΑΓΩΓΗ ΠΡΟΦΟΡΙΚΟΥ ΛΟΓΟΥ (___ / 5)

4.20. **Κάνετε διαλόγους ανά ζεύγη. Αλλάξτε ρόλους.**

Ρόλος Α: *Ένας φίλος / Μια φίλη σας σάς μιλάει για το σπίτι των ονείρων του/της. Του/Της κάνετε ερωτήσεις για τη χώρα και την περιοχή, που θα ήθελε να βρίσκεται το σπίτι. Του/Της κάνετε επίσης ερωτήσεις και για το είδος του σπιτιού, το μέγεθος, τη διακόσμηση, τα έπιπλα και τα αντικείμενα που θα ήθελε να έχει.*

Ρόλος Β: *Μιλάτε μ' ένα φίλο / μια φίλη σας για το σπίτι των ονείρων σας. Απαντάτε στις ερωτήσεις του/της.*

ΠΑΡΑΓΩΓΗ ΓΡΑΠΤΟΥ ΛΟΓΟΥ (___ / 5)

4.21. **Μετακομίζετε στο παλιό σπίτι της γιαγιάς σας. Θέλετε να το ανακαινίσετε. Περιγράψτε τι θα κρατήσετε, τι θα φτιάξετε και τι θα αλλάξετε.**

το τραγούδι μας ♫

4.22.  Καμαρούλα μια σταλιά (1969)

Μουσική: Μίμης Πλέσσας, στίχοι: Λευτέρης Παπαδόπουλος, ερμηνεία: Γιάννης Πουλόπουλος

4.22.α.   **Ακούστε το τραγούδι και συμπληρώστε τα κενά με λέξεις από το πλαίσιο.**

https://goo.gl/qVB774

γλ / κλ / κλ / κρ / πλ / ρδ / σβ / στ / στ / σφ / τρ / τρ / χτ / χτ / χτ

Ά____ωσε το μεσονύ____ι
το ____υκό του δί____υ
πάνω στη μι____ή μας γειτονιά.
Ξέχασέ τα όλα τώρα,
είναι της αγάπης ώρα,
βάλε το ____ειδί στην ____ειδωνιά.

Καμαρούλα μια ____αλιά
δύο επί ____ία,
κόχη και λα____εία,
τοίχος και φιλιά.
Καμαρούλα μια σταλιά,
τοίχος και φιλιά.

Φύσα το κερί να ____ήσει
και να μας αφήσει
μόνους μεσ' στη νύ____α την καλή.
____ίξου στην κα____ιά μου επάνω
για να σε ζε____άνω
σαν χελιδονάκι, σαν πουλί.

R̸

Τι προσέχουμε;

ΠΡΟΦΟΡΑ PRONUNCIATION

Συνδυασμοί συμφώνων
Consonant combinations
γλ, κλ, κρ, πλ, ρδ, σβ, στ, σφ, τρ, χτ.

Συνώνυμα *Synonyms*
η σταλιά / στάλα / σταλαγματιά / σταγόνα
η κάμαρα = το δωμάτιο & το υπνοδωμάτιο
η κρεββατοκάμαρα = το υπνοδωμάτιο

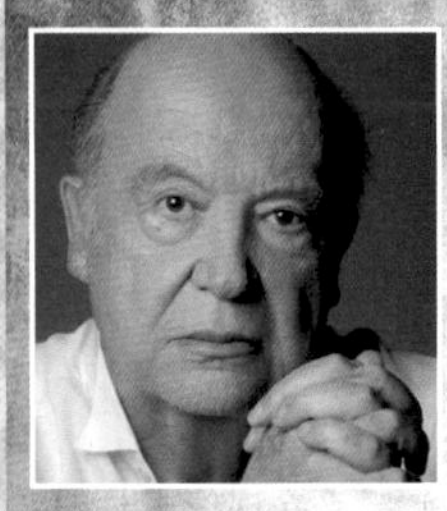
Μίμης Πλέσσας
Μουσικός, συνθέτης (1924)
http://www.plessas.org/

Λευτέρης Παπαδόπουλος
Στιχουργός (1935)

Γιάννης Πουλόπουλος
Τραγουδιστής (1945)

(85) Καμαρούλα μια σταλιά...

Μετά την Καταστροφή της Σμύρνης, το 1922, περίπου ένα εκατομμύριο Έλληνες της Μικράς Ασίας ήρθαν στην Ελλάδα. Στην Αθήνα, έγιναν οικισμοί με τα ονόματα των πόλεων καταγωγής των προσφύγων. Έτσι έχουμε τη Νέα Σμύρνη, τη Νέα Ιωνία, τη Νέα Φιλαδέλφεια κ.ά.

Τα σπίτια των οικισμών ήταν ισόγεια... ένα δωμάτιο, μια μικρή κουζίνα και μια κοινόχρηστη τουαλέτα για πολλά σπίτια μαζί. Η «καμαρούλα» ήταν πολύ μικρή, «μια σταλιά» όπως λέει και το τραγούδι. Σε μια γωνία ήταν το σιδερένιο κρεβάτι για το ζευγάρι και στον τοίχο ήταν **κρεμασμένα** τα λίγα ρούχα τους. Στη μέση της κάμαρας, το τραπέζι με τις καρέκλες. Στον τοίχο η φωτογραφία με την παραλία της Σμύρνης πριν από την Καταστροφή και στη γωνία οι εικόνες: η Παναγία, ο Χριστός, οι Άγιοι... με το **καντηλάκι** τους. Σε ένα δύο ράφια τα λίγα όμορφα πράγματα που μπόρεσαν να φέρουν μαζί τους από τη Μικρά Ασία.

4.22.β. **Ψάχνω στο λεξικό και γράφω τη μετάφραση στη γλώσσα μου**

ο/η στιχουργός = ...
η κάμαρα = το δωμάτιο
η καμαρούλα = το μικρό δωμάτιο
η κλειδωνιά = ...
η κόχη = ...
η λατρεία = ...
η σταλιά = ...
μια σταλιά = πολύ μικρή, σα μια σταγόνα βροχής
το δίχτυ = ...
το καντήλι = ...
το καντηλάκι = μικρό καντήλι
το χελιδόνι = ...
το χελιδονάκι = μικρό χελιδόνι
κρεμασμένος-η-ο = ...
ζεσταίνω = ...

Βήμα 5

Ψάχνεις για σπίτι;

Επικοινωνία

✓ **Νοικιάζω ή αγοράζω κατοικία**
- Κατανοώ & συντάσσω μικρές αγγελίες για ενοικίαση ή πώληση κατοικίας
- Συζητώ με ένα μεσίτη για ενοικίαση ή αγορά κατοικίας
- Κατανοώ και δίνω οδηγίες / συμβουλές για την επιλογή του κατάλληλου σπιτιού

✓ **Λέω γιατί προτιμώ τη ζωή στην πόλη ή στην εξοχή, στο κέντρο ή σε προάστιο (τα υπέρ και τα κατά)**

Θεματικές ενότητες

Τοποθετήσεις στο χώρο

✓ **Ακίνητα**
- Ενοικίαση ή αγορά
- Στο μεσίτη
- Μικρές αγγελίες
- Περιβάλλων χώρος
- Παρεχόμενες υπηρεσίες *(μόνωση, είδος θέρμανσης κ.λπ.)*

✓ **Πλεονεκτήματα και μειονεκτήματα της ζωής στην πόλη/σε προάστιο/στην εξοχή**

Λεξιλόγιο

- **Μικρές αγγελίες (ακίνητα)**
- **Πλεονεκτήματα και μειονεκτήματα μιας κατοικίας, της ζωής στην πόλη κ.λπ.**

Γραμματική

1. **Τα μονολεκτικά παραθετικά** ***καλύτερος-η-ο, χειρότερος-η-ο, περισσότερος-η-ο, λιγότερος-η-ο***
2. Παραγωγή επιρρημάτων σε ***-α*** από επίθετα ***καλός -> καλά, καλύτερος -> καλύτερα***
3. Το ρήμα ***ενδιαφέρομαι*** και η έκφραση ***με ενδιαφέρει***

Ξάνθη: Δρόμος στην παλιά πόλη

Are you looking for a house?

Communication

✓ **I rent or buy a house**
- I understand & draft a classified ad for renting or buying a house
- I discuss with a real estate agent about renting or buying a house
- I understand and give advice in order to choose the right house

✓ **I say why I prefer living in the city or in the country side, in the centre or in a suburb (pros and cons)**

Thematic units

Placement

✓ **Real estate**
- Renting or buying
- At the real estate agency
- Classified ads
- Surrounding area
- Related services *(insulation, type of heating etc.)*

✓ **Advantages and disadvantages of living in the city/in a suburb/in the country side**

Vocabulary

- **Classified ads (real estate)**
- **Advantages and disadvantages of a house, of living in the city etc.**

Grammar

1. **The monolectic comparative adjectives** ***καλύτερος-η-ο, χειρότερος-η-ο, περισσότερος-η-ο, λιγότερος-η-ο***
2. **Formation of adverbs in *-α* deriving from adjectives *καλός -> καλά, καλύτερος -> καλύτερα***
3. **The verb *ενδιαφέρομαι* and the expression *με ενδιαφέρει***

Βήμα 5 Ψάχνεις για σπίτι;

ΜΙΚΡΕΣ ΑΓΓΕΛΙΕΣ - Ακίνητα

Ενοικιάζεται διαμέρισμα 60 τ.μ., 3ου ορ., περιοχή Ζωγράφου, κοντά στην **Πανεπιστημιούπολη**. Ήσυχο, φωτεινό, με θέα στον Υμηττό*. **Ανακαινισμένο** & σε εξαιρετική κατάσταση.
Ενοίκιο: 250 ευρώ.
Κύριοι **χώροι**: σαλόνι, 1 υπνοδωμάτιο, κουζίνα, **λουτρό**.
Βοηθητικοί χώροι: αποθήκη, πάρκινγκ.
Έτος **κατασκευής**: 1980
Τηλέφωνο: 6976 438932 (**Ώρες γραφείου**).

** Βουνό στην Αθήνα.*

Ο Μαξίμ, ένας φοιτητής από τη Ρωσία, ψάχνει διαμέρισμα κοντά στο πανεπιστήμιο.

5.1. Σ' ένα μεσιτικό γραφείο

Μαξίμ: Καλημέρα σας! **Ενδιαφέρομαι** για μία γκαρσονιέρα ή ένα δυάρι στην περιοχή Ζωγράφου. Γύρισα την περιοχή και βρήκα αρκετά **ενοικιαστήρια** αλλά τα **περισσότερα** σπίτια δε μου άρεσαν. Εσείς έχετε να μου δείξετε κάτι άλλο;

Μεσίτης: Μάλιστα! Έχουμε, ξέρετε, **περισσότερα** διαμερίσματα από τα άλλα μεσιτικά γραφεία. Είμαστε οι **καλύτεροι** στην περιοχή! Πόσο θέλετε να είναι το ενοίκιο;

Μαξίμ: Από 200 έως 250 ευρώ.

Μεσίτης: Έχω ένα πολύ καλό δυάρι, εξήντα τετραγωνικά, στον τρίτο όροφο, με 250 ευρώ νοίκι. Είναι φωτεινό, **ευρύχωρο** κι έχει πολύ καλή **μόνωση** και για το **θόρυβο** και για την υγρασία. Ο ιδιοκτήτης το ανακαίνισε **πρόσφατα** και είναι σε εξαιρετική κατάσταση. Επίσης έβαλε **πόρτα ασφαλείας**, παράθυρα και μπαλκονόπορτες από **αλουμίνιο** κι άλλαξε και τα είδη υγιεινής στο μπάνιο. Στην κουζίνα άλλαξε πλακάκια, **πάγκο**, **νεροχύτη**... Εσείς δε χρειάζεται να φτιάξετε τίποτα.

Μαξίμ: Τέλεια! Το διαμέρισμα **βλέπει στο δρόμο**;

Μεσίτης: Όχι, **βλέπει πίσω** κι έτσι δεν έχει καθόλου φασαρία από το δρόμο. Είναι πολύ ήσυχο.

Μαξίμ: **Καλύτερα**! Δε μου αρέσει ο θόρυβος γιατί είμαι φοιτητής και διαβάζω πολλές ώρες. Θέλω επίσης να μου πείτε για τα κοινόχρηστα και τη θέρμανση.

Μεσίτης: Το χειμώνα τα κοινόχρηστα είναι περίπου εξήντα ευρώ. Η πολυκατοικία έχει κεντρική θέρμανση και τώρα **τελευταία** έβαλαν **φυσικό αέριο** που είναι πιο **οικονομικό**. Το καλοκαίρι βεβαίως τα κοινόχρηστα είναι πολύ **λιγότερα** από το χειμώνα, γύρω στα είκοσι ευρώ.

Μαξίμ: Μια ερώτηση ακόμα. Το διαμέρισμα έχει αποθήκη;

Μεσίτης: Α, ναι, ξέχασα να σας πω ότι έχει μια μικρή αποθήκη στο υπόγειο, δύο επί τρία μέτρα και μία θέση στο γκαράζ.

Μαξίμ: Ωραία! Μια αποθήκη είναι πάντα **χρήσιμη**. Το γκαράζ **δε μ' ενδιαφέρει** γιατί κυκλοφορώ με **μηχανάκι**.

Μεσίτης: Θα ήθελα να προσθέσω ότι το διαμέρισμα είναι σε πολύ κεντρικό σημείο. Απέναντι είναι το σουπερμάρκετ και δίπλα ο φούρνος. Στη γωνία είναι μία τράπεζα και στο ισόγειο της πολυκατοικίας υπάρχουν **αριστερά** ένα φαρμακείο και **δεξιά** ένα καθαριστήριο. Η στάση του λεωφορείου είναι ένα στενό πιο κάτω. Πολύ **κοντά** έχει καφετέριες, μπαρ, αρκετά σινεμά κι ένα θέατρο.

Μαξίμ: **Ωραία**! Πόσα ενοίκια είναι η **εγγύηση;**

Μεσίτης: Μόνο ένα.

Μαξίμ: Πότε μπορω να το δω;

Μεσίτης: Αύριο το πρωί στις δέκα. Θα σας περιμένω εδώ, στο γραφείο μου. Μόλις φτάσετε, χτυπήστε το κουδούνι και θα σας συναντήσω στην είσοδο.

Μαξίμ: Αν μου αρέσει το σπίτι, θέλω να μετακομίσω αυτό το μήνα. Πότε μπορούμε να υπογράψουμε το **συμφωνητικό;**

Μεσίτης: Μέχρι το τέλος της εβδομάδας.

5.1.α. Σημειώστε: Σωστό ή Λάθος;

Tick: True or False?

		Σωστό	Λάθος
1.	Πριν τηλεφωνήσει στο μεσίτη, ο Μαξίμ έψαξε μόνος του στην περιοχή.		
2.	Ο μεσίτης πιστεύει ότι το γραφείο του είναι το πιο καλό στην περιοχή.		
3.	Το διαμέρισμα είναι καινούργιο και δεν έχει πολύ φως.		
4.	Το διαμέρισμα έχει θόρυβο και υγρασία.		
5.	Οι μπαλκονόπορτες και τα παράθυρα δεν ήταν πριν από αλουμίνιο.		
6.	Ο Μαξίμ προτιμάει το διαμέρισμα να βλέπει μπροστά, στο δρόμο.		
7.	Το χειμώνα τα κοινόχρηστα είναι πιο πολλά από το καλοκαίρι.		
8.	Το διαμέρισμα έχει κεντρική θέρμανση με πετρέλαιο.		
9.	Ο Μαξίμ δε χρειάζεται γκαράζ.		
10.	Το διαμέρισμα είναι κοντά στο κέντρο της γειτονιάς.		
11.	Ο Μαξίμ δε χρειάζεται να δώσει εγγύηση για να νοικιάσει το σπίτι.		
12.	Ο Μαξίμ θα συναντήσει το μεσίτη έξω από το διαμέρισμα.		

ΕΝΟΙΚΙΑΖΕΤΑΙ

ΠΩΛΕΙΤΑΙ

ΠΛΗΡΟΦΟΡΙΕΣ:

ΔΙΑΤΙΘΕΤΑΙ

5.1.β. **Θέλετε να νοικιάσετε το σπίτι σας. Γράψτε πρώτα μια μικρή αγγελία. Κάντε ένα διάλογο με το διπλανό / τη διπλανή σας που ενδιαφέρεται να το νοικιάσει. Αλλάξτε ρόλους.**

You want to rent your house. Write first a classified ad. Then make a dialogue with the person sitting next to you, who is interested to rent it. Switch roles.

5.1.γ. **Ο Μαξίμ στέλνει ένα μέιλ στους γονείς του και περιγράφει το σπίτι που θα νοικιάσει. Τους λέει ποια είναι τα βασικά του προσόντα και γιατί του αρέσει. (80-100 λέξεις)**

Maxim sends an e-mail to his parents and describes the house that he is going to rent. He tells them which are its basic qualities and why he likes it. (80-100 words)

5.2. 87 Ακούστε το κείμενο: *Χρήσιμες συμβουλές για ενοικιαστές*

5.2.α. Ταιριάξτε τις στήλες. Match the columns.

1.	Πρώτα επιλέξτε την περιοχή που σας ενδιαφέρει	__	α.	Υπάρχει κοντά στάση λεωφορείου ή μετρό;
2.	Μπορείτε επίσης να πάτε ο ίδιος	__	β.	Υπάρχει αποθήκη;
3.	Για να είστε σίγουρος ότι το σπίτι δεν έχει υγρασία,	__	γ.	Είναι ήσυχη περιοχή / γειτονιά;
4.	Αν δε θέλετε να πληρώνετε **ακριβά** τη θέρμανση, ρωτήστε:	__	δ.	Πόσο είναι το ενοίκιο; Θα έχει αύξηση; Πόσα είναι τα κοινόχρηστα;
5.	Αν έχετε σκύλο ή γάτα, ρωτήστε:	__	ε.	πηγαίνετε να το δείτε ξανά μαζί με φίλους ή συγγενείς σας.
6.	Αν έχετε πολλά πράγματα, ρωτήστε:	__	ζ.	και να ψάξετε μόνος σας στην περιοχή.
7.	Αν έχετε αυτοκίνητο, ρωτήστε:	__	η.	διαβάστε **προσεκτικά** το συμφωνητικό πριν το υπογράψετε.
8.	Αν δεν έχετε αυτοκίνητο, ρωτήστε:	__	θ.	Επιτρέπονται τα κατοικίδια;
9.	Αν δε σας αρέσει ο θόρυβος, ρωτήστε:	__	ι.	και μετά ψάξτε στις εφημερίδες και στο διαδίκτυο.
10.	Αν θέλετε να ξέρετε πόσο ακριβώς είναι το νοίκι μαζί με τα κοινόχρηστα, ρωτήστε:	__	κ.	Έχει καλή μόνωση το σπίτι; Έχει φυσικό αέριο ή πετρέλαιο θέρμανσης;
11.	Αν θέλετε να είστε σίγουρος ότι το σπίτι είναι καλό,	__	λ.	κοιτάξτε προσεκτικά όλους τους τοίχους.
12.	Αν αποφασίσετε να νοικιάσετε το σπίτι,	__	μ.	Υπάρχει θέση πάρκινγκ; Είναι εύκολο να παρκάρει κανείς στην περιοχή;

Και τώρα εσείς!

5.2.β.

Σε ποια περιοχή είναι το σπίτι σας; Σε πόλη, προάστιο ή σε χωριό; Είναι ήσυχη περιοχή ή έχει πολλή κίνηση και θόρυβο; Έχετε κοντά σας στάση, τράπεζα, καταστήματα, φαρμακείο κ.λπ.; Μένετε σε μονοκατοικία ή σε πολυκατοικία; Το σπίτι σας έχει μπαλκόνια ή μόνο παράθυρα; Έχει θέα; Τι βλέπετε; Το σπίτι σας είναι σε καλή κατάσταση ή χρειάζεται ανακαίνιση; Πότε το βάψατε για τελευταία φορά; Τι θέρμανση έχετε; Το σπίτι έχει καλή μόνωση; Έχει διπλά τζάμια; Υπάρχει πουθενά υγρασία; Έχει γκαράζ; Πόσες θέσεις πάρκινγκ έχετε; Έχετε αποθήκη; Επιτρέπονται τα κατοικίδια ζώα; Εσείς έχετε ζώα στο σπίτι σας; Αν νοικιάζετε σπίτι, τι νοίκι πληρώνετε; Τι εγγύηση δώσατε;

ανάπτυξη

  ενδιαφέρομαι - μ' ενδιαφέρει

Με ενδιαφέρει η παραδοσιακή αρχιτεκτονική.
Με ενδιαφέρουν οι μοντέρνες κατοικίες.
Ενδιαφέρομαι για τα νεοκλασικά σπίτια.
Ενδιαφέρομαι για τα παιδιά μου.

Με ενδιαφέρει να αγοράσω μια μονοκατοικία.
Ενδιαφέρομαι να αγοράσω ένα οικόπεδο κοντά στη θάλασσα.

5.3.α. ✓ Σημειώστε το σωστό. Tick the correct answer.

1.	Σας ενδιαφέρουν ***οι πλαστικές / για τις πλαστικές*** ή ***οι μεταλλικές / για τις μεταλλικές*** καρέκλες;
2.	Ενδιαφέρομαι ***τις μεταλλικές / για τις μεταλλικές*** καρέκλες.
3.	Ενδιαφέρομαι ***για να βρω / να βρω*** ένα σπίτι με θέα.
4.	Δεν τον ενδιαφέρει ***για να αλλάξει / να αλλάξει*** τα ντουλάπια.
5.	***Ενδιαφέρονται / Τους ενδιαφέρει*** η ελληνική γλώσσα.
6.	Ενδιαφέρεστε ***να παρακολουθήσετε / για να παρακολουθήσετε*** μαθήματα πληροφορικής;
7.	Σας ενδιαφέρουν ***αυτοί οι ζωγράφοι / αυτός ο ζωγράφος***;
8.	Ενδιαφέρονται ***όλα / για όλα*** τα σπορ.
9.	Ποια από αυτά τα διαμερίσματα ***σ' ενδιαφέρει / σ' ενδιαφέρουν***;
10.	Ποιο από αυτά τα διαμερίσματα ***σ' ενδιαφέρει / σ' ενδιαφέρουν***;

 **Και τώρα εσείς!**

5.3.β.

Σας ενδιαφέρει *η ζωγραφική / η ιστορία / η αρχαιολογία / ο χορός / η μουσική; Ποια αθλήματα* ***σας ενδιαφέρουν****; Για ποια μαθήματα για ενηλίκους* ***ενδιαφέρεστε****; Τι άλλο* ***σας ενδιαφέρει****;*

Σας ενδιαφέρει *περισσότερο η μοντέρνα ή η κλασική μουσική;* ***Ενδιαφέρεστε*** *περισσότερο για τη μοντέρνα ή για την παραδοσιακή αρχιτεκτονική;*

Ενδιαφέρεστε *να αγοράσετε ή να νοικιάσετε σπίτι;* ***Σας ενδιαφέρει*** *να αγοράσετε σπίτι στο βουνό ή στη θάλασσα;* ***Ενδιαφέρεστε*** *να αγοράσετε μονοκατοικία ή διαμέρισμα σε πολυκατοικία;*

Θα μετακομίσετε; ***Ενδιαφέρεστε*** *να βρείτε ένα σπίτι στην πόλη σας ή αλλού; Για τι είδους σπίτι* ***ενδιαφέρεστε****; Τι* ***σας ενδιαφέρει*** *να έχει οπωσδήποτε το σπίτι (κήπο / ασανσέρ / κεντρική θέρμανση / γκαράζ / αποθήκη κ.λπ.);*

5.4.   Καλύτερος ή χειρότερος; Περισσότερος ή λιγότερος;

πιο καλός = **καλύτερος**	πιο κακός = **χειρότερος**	πιο πολύς = **περισσότερος**	πιο λίγος = **λιγότερος**

«Ο πιο καλός (**ο καλύτερος**) ο μαθητής ήμουν εγώ **στην** τάξη»*	Φέτος είχαμε **το χειρότερο** χειμώνα **των** τελευταίων πέντε χρόνων.	Χτες το Μουσείο της Ακρόπολης είχε **περισσότερο** κόσμο **από το** Βυζαντινό Μουσείο.	Σήμερα το Βυζαντινό Μουσείο έχει **το λιγότερο** κόσμο **απ' όλα** τα Μουσεία **της** περιοχής.

καλός	**καλύτερος**	κακός	**χειρότερος**	πολύς	**περισσότερος**	λίγος	**λιγότερος**
καλή	**καλύτερη**	κακή/κακιά	**χειρότερη**	πολλή	**περισσότερη**	λίγη	**λιγότερη**
καλό	**καλύτερο**	κακό	**χειρότερο**	πολύ	**περισσότερο**	λίγο	**λιγότερο**

** Τίτλος τραγουδιού του Γιώργου Ζαμπέτα (1925 - 1992)*

5.4.α. Σημειώστε το σωστό. Tick the correct answer.

1.	Ποια είναι η ***χειρότερη / λιγότερη*** ταινία που είδατε;
2.	Ποιος είναι ο ***περισσότερος / καλύτερος*** βιολιστής στον κόσμο;
3.	Η ***χειρότερη / καλύτερη*** στιγμή της ζωής μου ήταν η γέννηση του παιδιού μου.
4.	Μία από τις ***καλύτερες / χειρότερες*** σοπράνο στον κόσμο ήταν η Μαρία Κάλας. Ήταν υπέροχη!
5.	Οι ***περισσότεροι / λιγότεροι*** Αθηναίοι πάνε διακοπές τον Αύγουστο. Η πόλη μένει άδεια.
6.	Βάλε ***λιγότερη / καλύτερη*** ζάχαρη στον καφέ σου. Κάνεις δίαιτα!

Και τώρα εσείς!

5.4.β. 

*Ποιος είναι **ο καλύτερός** σας φίλος/ **η καλύτερή** σας φίλη; Ποιες μέρες της εβδομάδας έχετε **περισσότερο** χρόνο για να βγείτε έξω και να δείτε τους φίλους σας; Ποια είναι **η καλύτερη** και ποια είναι **η χειρότερη** μέρα της εβδομάδας για σας; Ποια ήταν **η καλύτερη / χειρότερη** στιγμή της ζωής σας;*

*Τι κάνουν **οι περισσότεροι** φίλοι σας το καλοκαίρι; Ποιες μέρες έχει **λιγότερο** κόσμο στην αγορά; Ποιες ώρες της ημέρας έχει **τη λιγότερη** κίνηση στους δρόμους της πόλης σας; Ποια εποχή του χρόνου έρχονται **οι περισσότεροι** τουρίστες στη χώρα σας;*

*Ποια είναι **η χειρότερη** ταινία που είδατε; Ποια νομίζετε ότι είναι **τα** πέντε **καλύτερα** τραγούδια όλων των εποχών; Ποιοι είναι **οι** πέντε **καλύτεροι / καλύτερες** ηθοποιοί του κόσμου; Ποια είναι **η καλύτερη** παράσταση που είδατε ποτέ; Ξέρετε την ταινία «**Τα καλύτερά** μας χρόνια» (1973) με την Μπάρμπρα Στρέιζαντ και τον Ρόμπερτ Ρέντφορντ;*

5.5. Από το *καλός* στο *καλά*

καλός-ή-ό	τα **καλά** νέα	-> Είμαι πολύ **καλά**.
μακρύς-ιά-ύ	τα **μακριά** φορέματα	-> Μένω **μακριά** σου.
καλύτερος-η-ο	τα **καλύτερα** παιδιά	-> Είμαι **καλύτερα** από χτες.
χειρότερος-η-ο	τα **χειρότερα** βιβλία	-> Τραγούδησε **χειρότερα** στην πρόβα.

Αλλά:

περισσότερος-η-ο -> περισσότερο	Μου αρέσει **περισσότερο** η ζωή στην πόλη και **λιγότερο** στο χωριό.
λιγότερος-η-ο -> λιγότερο	

5.5.α. Συμπληρώστε τα κενά με λέξεις από το πλαίσιο. Μετά ακούστε το κείμενο κι ελέγξτε τις απαντήσεις σας.

Fill in the gaps with words from the box. Then listen to the text and check your answers.

Από το *καλύτερος* στο *καλύτερα*.

καλύτερα / συχνά / γρήγορα / κοντά / δυνατά / σπάνια / γρήγορα / χειρότερα

1.

- Έλα _________ μου, Γιάννη.
- Έρχομαι, μαμά!

2.

- Οδηγείς αργά;
- Όχι, συνήθως οδηγώ _________.

3.

- Εμπρός! Με ακούτε;
- Όχι! Μιλήστε πιο _________ !

4.

- Πώς παίξατε σήμερα; ________ από χτες;
- Όχι, παίξαμε ___________ και κερδίσαμε.

5.

- Αυτά τα πουλιά ανήκουν σ΄ ένα **σπάνιο** είδος.
- Σωστά! Κι έρχονται _________ στην Ελλάδα.

6.

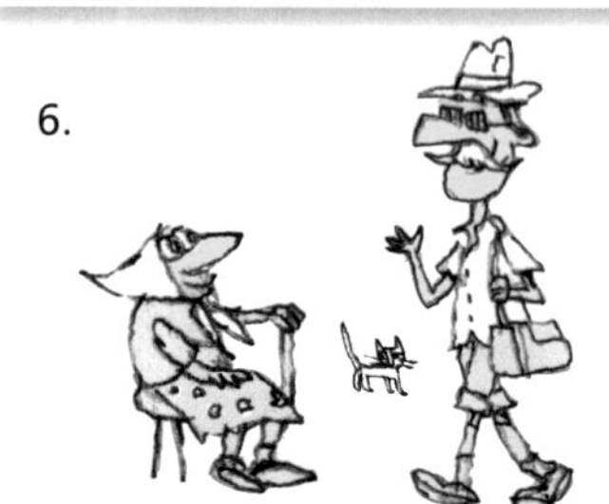

- Τον τελευταίο καιρό δεν έρχεστε _________ στην Αίγινα.
- Ναι, έρχομαι _________ γιατί έχω πολλή δουλειά.

 **Και τώρα εσείς!**

5.5.β. *Μένεις* ***κοντά*** *στο κέντρο ή* ***μακριά****; Οδηγείς* ***γρήγορα*** *ή* ***αργά****; Πάτε* ***συχνά*** *ή* ***σπάνια*** *στο θέατρο; Όταν βγαίνεις από το σπίτι σου, στρίβεις* ***αριστερά*** *ή* ***δεξιά*** *για τη στάση του λεωφορείου; Αγόρασες το αυτοκίνητό σου* ***φτηνά*** *ή* ***ακριβά****; Είναι* ***καλύτερα*** *ή* ***χειρότερα*** *να πας στο κέντρο με το αυτοκίνητό σου; Μαθαίνεις* ***εύκολα*** *ή* ***δύσκολα*** *μια ξένη γλώσσα; Χτες το βράδυ πέρασες* ***ωραία*** *ή* ***άσχημα****; Σήμερα νιώθεις* ***καλύτερα*** *ή* ***χειρότερα*** *από χθες;*

Έβαψες το σπίτι σου ***πρόσφατα*** *ή πιο* ***παλιά****; Τους πίνακες στο σπίτι σου συνήθως τους κρεμάς* ***ψηλά*** *ή* ***χαμηλά*** *στον τοίχο; Σου αρέσουν* ***περισσότερο*** *οι μοντέρνοι ζωγράφοι ή οι κλασικοί; Σου αρέσει* ***λιγότερο*** *η παραδοσιακή αρχιτεκτονική από τη μοντέρνα;*

5.6. Ακούστε το κείμενο: *Ο Τόμας Μόρτον προτιμά την Αθήνα ή την Αίγινα;*

5.6.α.   Σημειώστε: Σωστό ή Λάθος; Tick: True or False?

		Σωστό	Λάθος
1.	Ο Τόμας πήγε το χειμώνα για λίγο καιρό και στην Αγγλία.		
2.	Ο Τόμας αγόρασε ένα σπίτι στην Αθήνα.		
3.	Ο Τόμας γνώρισε στην Αίγινα μια αρχιτέκτονα, τη Ράνια.		
4.	Ο Τόμας θα δουλέψει στο **αρχιτεκτονικό** γραφείο της Ράνιας.		
5.	Του Τόμας δεν του αρέσει καθόλου η ζωή στην Αθήνα.		
6.	Στο νησί είναι εύκολο να συναντήσει κανείς τους γνωστούς του.		
7.	Στο νησί ο Τόμας χαίρεται την **ομορφιά** της φύσης και η **ποιότητα** ζωής είναι πολύ καλύτερη.		
8.	Στην Αθήνα ζει κανείς **ήρεμα** και χωρίς άγχος.		
9.	Στην Αθήνα η ζωή έχει και **μειονεκτήματα** και **πλεονεκτήματα**.		
10.	Στην Αθήνα ο Τόμας έχει λιγότερες ευκαιρίες για δουλειές.		
11.	Φαίνεται ότι η συνάδελφός του, η αρχιτέκτονας, αρέσει στον Τόμας.		
12.	Το Σάββατο το βράδυ ο Τόμας και η Ράνια θα βγουν έξω.		

5.7.  Οικογένειες λέξεων: η αγορά & η πώληση

η **αγορά**	Πήγα στην **αγορά** της περιοχής μου και αγόρασα πολύ φρέσκα ψάρια. Η **αγορά** ενός καλού ακινήτου χρειάζεται έρευνα.
η υπερ**αγορά** (το σούπερ μάρκετ)	Από την **υπεραγορά** παίρνω μόνο απορρυπαντικά.
η λαϊκή **αγορά**	Φρούτα και λαχανικά παίρνω πάντα από τη **λαϊκή αγορά** της γειτονιάς μου.
αγοράζω	**Αγόρασα** ένα διαμέρισμα στην ίδια πολυκατοικία με τους γονείς μου.

η **πώλ**ηση	Τα μεσιτικά γραφεία ασχολούνται με αγορές και **πωλήσεις** ακινήτων.
ο **πωλ**ητής η **πωλ**ήτρια	Ζητούνται τρεις **πωλητές** και δύο **πωλήτριες** για κατάστημα ηλεκτρικών ειδών.
ο μικρο**πωλ**ητής η μικροπωλήτρια	Αγόρασα μια υπέροχη τσάντα στο δρόμο από ένα **μικροπωλητή**.
πουλάω (-ώ)* **πωλ**είται - **πωλ**ούνται	Ο ξάδελφός μου **πούλησε** το σπίτι του στην Αθήνα και μετακόμισε στην Κρήτη. **Πωλείται** μονοκατοικία σε πολύ καλή τιμή. **Πωλούνται** εξοχικά σπίτια στην Πάρο.

* *πιο παλιά: πωλώ - πωλούμαι*

Η Βαρβάκειος Κεντρική Αγορά στην Αθήνα

ΚΑΤΑΣΤΗΜΑΤΑ ΙΔΙΟΚΤΗΤΕΣ, ΥΠΑΛΛΗΛΟΙ	SHOPS OWNERS, EMPLOYEES
το ανθο**πωλ**είο	flower shop
ο ανθο**πώλ**ης - η ανθο**πώλ**ισσα	florist (masc., fem.)
το βιβλιο**πωλ**είο	bookstore
ο βιβλιο**πώλης** - η βιβλιο**πώλ**ισσα	bookseller (masc., fem.)
το ιχθυο**πωλ**είο (το ψαράδικο)	fish shop
ο ιχθυο**πώλ**ης - η ιχθυο**πώλ**ισσα	fishmonger (masc., fem.)
το κρεο**πωλ**είο (το χασάπικο)	butcher's
ο κρεο**πώλ**ης - η κρεο**πώλ**ισσα	butcher (masc., fem.)
το παλαιο**πωλ**είο	antique store
ο παλαιο**πώλ**ης - η παλαιο**πώλ**ισσα	antique dealer (masc., fem.)
το χαρτο**πωλ**είο	stationary store
ο χαρτο**πώλ**ης - η χαρτο**πώλ**ισσα	stationary store owner (masc., fem.)

5.7.α. ✓ Ταιριάξτε τις στήλες. Match the columns.

1.	Για το βράδυ αγόρασα ψάρια και γαρίδες από το	__	α.	ανθοπωλείο.
2.	Τετράδια και μαρκαδόρους θα βρείτε απέναντι, στο	__	β.	βιβλιοπωλείο.
3.	Για τη γιορτή σου θα πάρω τριαντάφυλλα από ένα	__	γ.	ιχθυοπωλείο.
4.	Δυστυχώς δε βρήκα το λεξικό που ήθελες στο	__	δ.	κρεοπωλείο.
5.	Μην ξεχάσεις να πάρεις ένα κοτόπουλο από το	__	ε.	παλαιοπωλείο.
6.	Βρήκα μια υπέροχη παλιά πολυθρόνα σ' ένα	__	ζ.	χαρτοπωλείο.

Λεξιλόγιο	*Glossary*
ΟΝΟΜΑΤΑ	NOUNS
ενοικιαστής, ο	tenant (masc.)
θόρυβος, ο	noise
μικροπωλητής, ο	vendor (masc.)
νεροχύτης, ο	sink (kitchen)
πάγκος, ο	countertop
εγγύηση, η	warranty
ενοικιάστρια, η	tenant (fem.)
κατασκευή, η	construction
μικροπωλήτρια, η	vendor (fem.)
μόνωση, η	insulation
ομορφιά, η	beauty
Πανεπιστημιούπολη, η	university campus
ποιότητα, η	quality
πόρτα ασφαλείας, η	safety door
συμβουλή, η	advice
αέριο, το	gas
φυσικό αέριο, το	natural gas
αλουμίνιο, το	aluminum
ενοικιαστήριο, το	rental poster
λουτρό, το	bathroom
μειονέκτημα, το	disadvantage, con
μεσιτικό γραφείο, το	real estate agency
μηχανάκι, το	motor bike
πλεονέκτημα, το	advantage, pro
συμφωνητικό, το	agreement
ώρες γραφείου, οι	business hours
ΕΠΙΘΕΤΑ - ΜΕΤΟΧΕΣ	ADJ. - PARTICIPLES
ανακαινισμένος-η-ο	renovated
αρχιτεκτονικός-ή-ό	architectural
βοηθητικός-ή-ό	spare
βοηθητικοί χώροι, οι	spare spaces
ευρύχωρος-η-ο	spacious
καλύτερος-η-ο	best
λιγότερος-η-ο	less
οικονομικός-ή-ό	cheap, economical
περισσότερος-η-ο	more
σπάνιος-α-ο	rare
φυσικός-ή-ό	natural
χειρότερος-η-ο	worse
χρήσιμος-η-ο	useful
ΡΗΜΑΤΑ	VERBS
ενδιαφέρομαι	I am interested
ενδιαφέρω	I interest
με ενδιαφέρει	I am interested
ΕΠΙΡΡΗΜΑΤΑ	ADVERBS
ακριβά	expensive
απλώς	only
εντελώς	totally, absolutely
ευχάριστα	nicely, pleasantly
ήρεμα	calmly
καλύτερα	better
παλιά	in the past
προσεκτικά (προσεχτικά)	in detail
πρόσφατα	recently
τελείως	totally
τελευταία	lately
φτηνά (φθηνά)	cheap
χαμηλά	low
χειρότερα	worse
ΕΚΦΡΑΣΕΙΣ	EXPRESSIONS
βλέπει μπροστά/πίσω/ στο δρόμο	has a front view / back view / street view

1. Τα μονολεκτικά παραθετικά *καλύτερος-η-ο, χειρότερος-η-ο, περισσότερος-η-ο, λιγότερος-η-ο*
The monolectic comparative adjectives *καλύτερος-η-ο, χειρότερος-η-ο, περισσότερος-η-ο, λιγότερος-η-ο*

Θετικός βαθμός	Συγκριτικός βαθμός			Υπερθετικός βαθμός	
καλός-ή-ό	**καλύτερος-η-ο** [πιο καλός-ή-ό]	από	το(ν)... τη(ν)... το...	**ο καλύτερος, η καλύτερη, το καλύτερο** [ο/η/το πιο καλός-ή-ό]	στο(ν)/στη(ν/στο... του/της/του... από όλους/όλες/όλα...
κακός-ή/-ιά-ό	**χειρότερος-η-ο** [πιο κακός-ή/-ιά-ό			**ο χειρότερος, η χειρότερη, το χειρότερο** [ο/η/το πιο κακός-ή/-ιά-ό]	
πολύς-πολλή-πολύ	**περισσότερος-η-ο** [πιο πολύς-πολλή-πολύ]			**ο περισσότερος, η περισσότερη, το περισσότερο** [ο/η/το πιο πολύς-πολλή-πολύ]	
λίγος-η-ο	**λιγότερος-η-ο** [πιο λίγος-η-ο]			**ο λιγότερος, η λιγότερη, το λιγότερο** [ο/η/το πιο λίγος-η-ο]	

2. Παραγωγή επιρρημάτων σε *-α* από επίθετα
Formation of adverbs in *-α* deriving from adjectives

καλός -> καλά, καλύτερος -> καλύτερα

Τα επιρρήματα σε *-α* σχηματίζονται από τον πληθυντικό του ουδετέρου των αντίστοιχων επιθέτων.
Adverbs ending in *-α* derive from the plural number of the relevant neuter nouns.

⚠ Προσοχή! Τα μονολεκτικά παραθετικά ***περισσότερος-η-ο*** και ***λιγότερος-η-ο*** σχηματίζουν τα επιρρήματά τους σε *-ο* ***(περισσότερο*** & ***λιγότερο)***.
Attention! The monolectic comparative ***περισσότερος-η-ο*** and ***λιγότερος-η-ο*** form their adverbs in ***-ο (περισσότερο & λιγότερο)***

Επίθετο Adjectif	Πληθ. ουδετέρου Pl. neuter	Επίρρημα Adverb
καλός-ή-ό	τα καλά νέα	Είμαι πολύ **καλά**.
ωραίος-α-ο	τα ωραία κορίτσια	Περνάμε πολύ **ωραία** στο σπίτι σου.
μακρύς-ιά-ύ	τα μακριά μαλλιά	Μένω **μακριά** από το κέντρο.
καλύτερος-η-ο	τα καλύτερα χρόνια	Αισθάνομαι **καλύτερα** σήμερα.
χειρότερος-η-ο	τα χειρότερα χρόνια	Αισθάνομαι **χειρότερα** σήμερα.

Λεξιλόγιο

ακριβά	expensively
ακριβώς	exactly
απλά	simply
απλώς	only
εντελώς	completely
ευχάριστα	nicely, pleasantly
ευχαρίστως	with pleasure
τέλεια	perfectly
τελείως	totally

Μερικά επίθετα σε ***-ος*** σχηματίζουν επιρρήματα και σε ***-α (-ά)*** και σε ***-ως (-ώς)*** με την ίδια ή διαφορετική σημασία.
Some adjectives in ***-ος*** form adverbs also in ***-α (-ά)*** and in ***-ως (-ώς)*** with the same or different meaning.

α. Επιρρήματα σε ***-α (-ά)*** & σε ***-ως (-ώς)*** με την ίδια σημασία   Adverbs in ***-α (-ά)*** & ***-ως (-ώς)*** with the same meaning

βέβαιος-η-ο	**Βέβαια**, θα έρθω.	**Βεβαίως**, θα έρθω.
καλός-ή-ό	Είμαι πολύ **καλά**.	**Καλώς** ήρθες! **Καλώς** όρισες!

β. Επιρρήματα σε ***-α (-ά)*** & σε ***-ως (-ώς)*** με διαφορετική σημασία   Adverbs in ***-α (-ά)*** & ***-ως (-ώς)*** with different meaning

ευχάριστος-η-ο	Περάσαμε **ευχάριστα** *[= πολύ ωραία]* χτες.	Θα έρθω **ευχαρίστως** *[= με χαρά]* στο πάρτι σου.
απλός-ή-ό	Θα σου το πω πολύ **απλά**. *[= με απλό τρόπο]*	Χρειάζεται **απλώς** *[= μόνο]* μιά υπογραφή.
ακριβός-ή-ό	Αυτό το ρολόι κάνει πολύ **ακριβά**. *[= όχι φθηνά]*	Θα είμαι εκεί στις τρεις **ακριβώς**. *[= ούτε πιο νωρίς ούτε πιο αργά]* Μου είπε **ακριβώς** τι έγινε. *[= με όλες τις λεπτομέρειες]*
τέλειος-α-ο	Είπε το μάθημα **τέλεια**. *[= χωρίς λάθη]* Περάσαμε **τέλεια** στο πάρτι! *[= πάρα πολύ ωραία]*	Είμαι **τελείως** έτοιμη για το ταξίδι. *[= **εντελώς**]*

3. Το ρήμα *ενδιαφέρομαι* και η έκφραση *με ενδιαφέρει*
The verb *ενδιαφέρομαι* and the expression *με ενδιαφέρει*

ενδιαφέρομαι ενδιαφέρεσαι ενδιαφέρεται ενδιαφερόμαστε ενδιαφερόσαστε & ενδιαφέρεστε ενδιαφέρονται	**για το(ν)/τη(ν)/το...** **να...**	με σε το(ν)/τη(ν)/το μας σας τους/τις/τα	ενδιαφέρει* ενδιαφέρουν	**ο/η/το...** **οι/τα...**
			ενδιαφέρει	**να...**

Π.χ.: **Ενδιαφερόμαστε για το** περιβάλλον και **τα** σπάνια πουλιά. **Ενδιαφερόμαστε να αγοράσουμε** ένα εξοχικό σπίτι.
Με ενδιαφέρει ο χορός. **Τους ενδιαφέρουν** μόνο **τα** σπορ. **Μας ενδιαφέρει να παρακολουθήσουμε** μαθήματα ιστορίας.

⚠ * ***Προσοχή!*** *Αόριστος:* ***με ενδιέφερε - με ενδιέφεραν***

5.8. Στη Σκόπελο ή στην Αθήνα;

Δ.: Δημοσιογράφος, Γ.: Γιάννης Μελαχρινάκης, Π.: Πέτρος Μελαχρινάκης

α. Συνέντευξη με τον κύριο Γιάννη Μελαχρινάκη

Δ.: Βρισκόμαστε στο χωριό *Γλώσσα* της Σκοπέλου. Μαζί μας έχουμε τον κύριο Γιάννη Μελαχρινάκη, έναν από τους πιο ηλικιωμένους κατοίκους του νησιού. Πόσων χρόνων είστε, κύριε Γιάννη;

Γ.: Είμαι ενενήντα ενός ετών.

Δ.: Να ζήσετε! Φαίνεστε πολύ πιο νέος. Και μένετε όλα αυτά τα χρόνια εδώ στο νησί;

Γ.: Εδώ στο νησί. Πήγα και λίγους μήνες στην Αθήνα. Εκεί είναι το παιδί μου και η οικογένειά του. Ήθελαν να μείνω μαζί τους, για να μην είμαι μόνος μου στο χωριό. Φοβούνται γιατί έχω ένα μικρό πρόβλημα με την καρδιά μου κι εδώ στη Σκόπελο, εντάξει, δεν είναι το ίδιο πράγμα. Η Αθήνα έχει πολλά νοσοκομεία, πολλούς γιατρούς, έχει από όλα. Στο νησί καμιά φορά δεν υπάρχει ούτε καρδιολόγος. Αλλά δεν άντεξα στην Αθήνα. Δε μου άρεσε η ζωή εκεί.

Δ.: Τι δε σας άρεσε;

Γ.: Δεν είχα τι να κάνω, δεν ήξερα κανέναν. Δεν ήξερα ούτε ποιος κατοικεί στον κάτω όροφο. Πήγα κι είπα στο γιο μου «Εσύ καλά κάνεις, εδώ είναι η δουλειά σου, εδώ σπουδάζουν τα παιδιά σου, δε θέλεις να ζήσεις αλλού, το καταλαβαίνω. Εγώ όμως δεν μπορώ **άλλο**. Όλη τη μέρα είμαι μέσα στο σπίτι με την τηλεόραση ανοιχτή και περιμένω να γυρίσετε. Δεν είναι ζωή αυτή. Εδώ θα αρρωστήσω.» Και επέστρεψα.

Δ.: Δε σας λείπει κάτι στο νησί;

Γ.: Μόνο τα παιδιά και τα εγγόνια μου. Θα ήθελα, βέβαια, να έχει περισσότερους γιατρούς το νησί, γιατί ο γιος μου **ανησυχεί** για μένα αλλά δεν πειράζει. Τίποτα άλλο δε μου λείπει. Δε μου λείπουν ούτε τα καταστήματα ούτε ο θόρυβος. Στο νησί έχω την ησυχία μου. Βγαίνω από το σπίτι μου και δεν κλειδώνω ποτέ. Στην Αθήνα, στο περίπτερο πάνε και κλειδώνουν όλο το σπίτι, πόρτες, μπαλκονόπορτες, παράθυρα... Μου είπε μια φορά η εγγονή μου «Παππού, δε θέλω να βγαίνεις τα βράδια μόνος σου. Φοβάμαι. Είναι επικίνδυνο.»

Δ.: Και πώς περνάτε εδώ;

Γ.: Όπως πάντα. Σηκώνομαι νωρίς το πρωί, φτιάχνω έναν καφέ και φεύγω. Συνταξιούχος είμαι αλλά δεν κάθομαι. Χειμώνα καλοκαίρι περπατάω. Πηγαίνω στα ζώα· δεν έχω πολλά, μόνο λίγες κότες και δύο πρόβατα. Δουλεύω και λίγο στο **περιβόλι** μου· έχω ντομάτες, μελιτζάνες, μαρούλια, πατάτες… Κάνω και καμιά βόλτα και κοιτάω για ώρες τη θάλασσα από ψηλά. Καλύτερα κι από την τηλεόραση. Μετά πηγαίνω στο καφενείο και συναντώ τους φίλους μου και τα λέμε. Τους γνωρίζω όλη μου τη ζωή. Μεγαλώσαμε μαζί και είναι κι αυτοί οικογένειά μου. Έτσι περνάμε εδώ. Είναι ήρεμη η ζωή στο νησί και αυτό είναι που μου αρέσει περισσότερο απ' όλα.

β. Συνέντευξη με τον κύριο Πέτρο Μελαχρινάκη

Δ.: Μιλάμε τώρα με το γιο του κυρίου Γιάννη, τον Πέτρο Μελαχρινάκη. Εσείς, κύριε Μελαχρινάκη, αφήσατε πίσω το νησί και μάλλον για πάντα.

Π.: Πέτρο, παρακαλώ. Θα ήθελα **να μιλάμε στον ενικό**. Το νησί δεν το ξεχνάω. Ερχόμαστε συχνά, τουλάχιστον τρεις φορές το χρόνο, για διακοπές. Τα παιδιά μου αγαπάνε πολύ τη Σκόπελο. Κι εγώ βεβαίως. Αλλά δεν μπορώ να ζήσω εδώ. Είμαι **φυσικός** και κάνω έρευνα. Εδώ μπορώ να δουλέψω μόνο στο γυμνάσιο. Δεν ήθελα όμως να γίνω καθηγητής. Και η γυναίκα μου δεν μπορεί να δουλέψει εδώ. Είναι δημοσιογράφος. Τι μπορεί να κάνει στο νησί; Στην Αθήνα υπάρχουν περισσότερες ευκαιρίες για εργασία. Και μην ξεχνάτε και τις ευκαιρίες που έχουν τα παιδιά για σπουδές!

Δ.: Αλλά έχουμε και θόρυβο και **καυσαέριο** και άγχος. Και βεβαίως δεν έχουμε αυτή τη θέα!

Π.: Έχει πολλά μειονεκτήματα η ζωή στην πρωτεύουσα. Συμφωνώ. Σας τα είπε κι ο πατέρας μου. Νομίζω όμως ότι είναι πολύ δύσκολο για μένα να μείνω κάπου αλλού. Μ' αρέσει να ζω κοντά στο κέντρο, να διαλέγω τις παραστάσεις ή τις ταινίες που με ενδιαφέρουν, να βλέπω εκθέσεις στα μουσεία... Μ' αρέσει να ψωνίζω και στα μεγάλα εμπορικά κέντρα και στα μικρά καταστήματα της κάθε γειτονιάς. Μου αρέσει περισσότερο απ' όλα η **ζωντάνια** της Αθήνας. Πάντα κάτι γίνεται, πάντα κάτι αλλάζει. Ο γρήγορος **ρυθμός** της ζωής στην πόλη μού ταιριάζει. Στο νησί όλα πάνε πιο αργά.

Λεξιλόγιο 5.8.

ο ενικός	singular
μιλάω (-ώ)σε κάποιον στον ενικό	I speak to someone on first name terms
ο ρυθμός	rhythm
ο/η φυσικός	physicist
η ζωντάνια	liveliness
το καυσαέριο	gas emission
το περιβόλι	vegetable garden
ανησυχώ	I am worried
άλλο	anymore
κατά	cons, disadvantages
υπέρ	pros, advantages
τα υπέρ και τα κατά	the pros and the cons

5.8.α. Σημειώστε ποιες φράσεις αναφέρονται στα υπέρ ή τα κατά της πόλης και ποιες στα υπέρ ή τα κατά του νησιού. Note which phrases refer to the pros and the cons of the city and the pros and the cons of the island.

Συμπληρωματικά κείμενα με ασκήσεις

5.8.β. **Στη συνέχεια βρείτε στο κείμενο τα τμήματα πού έχουν το ίδιο νόημα με τις παρακάτω φράσεις 1 έως 16.** Then find in the text the phrases that have the same meaning with the following phrases 1 to 16.

		ΥΠΕΡ		ΚΑΤΑ	
α.	***Γιάννης Μελαχρινάκης***	***Πόλη***	***Νησί***	***Πόλη***	***Νησί***
1.	Εκεί υπάρχουν πολλά νοσοκομεία και γιατροί.				
2.	Εκεί δεν υπάρχει θόρυβος.				
3.	Εκεί υπάρχουν περισσότερες ασχολίες για τους ηλικιωμένους, όπως το περπάτημα, τα κατοικίδια ζώα, οι δουλειές στο περιβόλι.				
4.	Εκεί είναι επικίνδυνο να κυκλοφορούν οι ηλικιωμένοι μόνοι τους το βράδυ.				
5.	Εκεί όλοι φοβούνται περισσότερο τους κλέφτες.				
6.	Εκεί δεν υπάρχουν όλοι οι γιατροί που χρειάζεται κανείς.				
7.	Εκεί η ζωή είναι ήρεμη.				
8.	Εκεί οι άνθρωποι συναντούν πιο εύκολα τους φίλους τους.				
9.	Εκεί οι άνθρωποι δε γνωρίζουν ούτε τους γείτονές τους.				
10.	Εκεί οι ηλικιωμένοι δεν έχουν τι να κάνουν και βλέπουν συνεχώς τηλεόραση.				
β.	***Πέτρος Μελαχρινάκης***	***Πόλη***	***Νησί***	***Πόλη***	***Νησί***
11.	Εκεί μπορεί κανείς να διασκεδάσει όπως θέλει.				
12.	Εκεί υπάρχει ζωντάνια και τα πράγματα αλλάζουν πιο γρήγορα.				
13.	Εκεί δεν μπορείς να κάνεις πάντα τη δουλειά που θέλεις να κάνεις.				
14.	Εκεί υπάρχει πολύς θόρυβος, ο αέρας δεν είναι πάντα καθαρός και η ζωή είναι γεμάτη άγχος.				
15.	Εκεί υπάρχουν πολλά καταστήματα και μεγάλα εμπορικά κέντρα.				
16.	Εκεί μπορεί κανείς να κάνει τις σπουδές που θέλει.				

5.8.γ. **Γράψτε ένα άρθρο σ' ένα περιοδικό. Εξηγήστε γιατί ο Γιάννης Μελαχρινάκης προτιμάει το νησί και ο γιος του, ο Πέτρος, την πόλη.**
Write an article for a magazine. Explain why Yiannis Melachrinakis prefers the island, and his son, Petros, the city.

5.9. *Θα νοικιάσετε ή θα αγοράσετε;*

ΠΩΛΕΙΤΑΙ στο ΠΙΚΕΡΜΙ

Κατοικία 250 τ.μ., σε οικόπεδο 3.000 τ.μ. στο Πικέρμι (περίπου 20 χλμ. από την Αθήνα), τριώροφη, σε εξαιρετική κατάσταση, πρόσφατα ανακαινισμένη, 3 υπνοδωμάτια, 2 μπάνια, WC ξένων, σαλόνι με τζάκι, τραπεζαρία, μεγάλη κουζίνα, 2 αποθήκες, φυσικό αέριο, συναγερμός, κλιματισμός. Κήπος με **γκαζόν** και πολλά δέντρα, πισίνα, 3 θέσεις πάρκινγκ.
Τιμή ευκαιρίας.

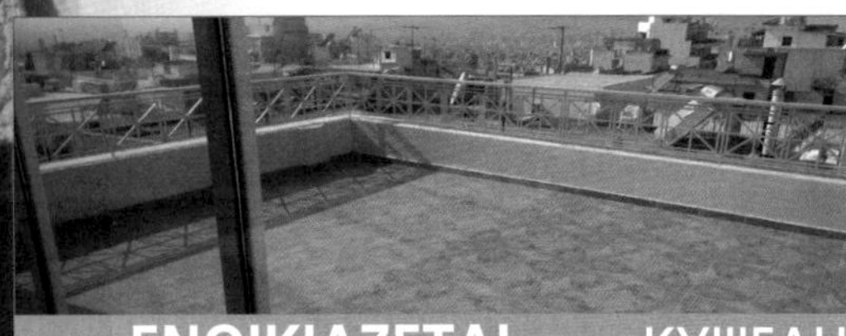

ΕΝΟΙΚΙΑΖΕΤΑΙ στην ΚΥΨΕΛΗ

Δυάρι κατασκευής 1980, 45 τ.μ., 6ος όροφος, ρετιρέ, 1 υπνοδωμάτιο, μπάνιο, σαλόνι, μικρή κουζίνα, εξαιρετική θέα, κεντρική θέρμανση (πετρέλαιο), κλιματισμός, ασανσέρ, πόρτα ασφαλείας, πολύ κοντά σε **μέσα συγκοινωνίας**. Σε καλή κατάσταση, ανακαινισμένο, χρειάζεται μόνο βάψιμο. **Κατάλληλο** και για φοιτητές.

Μεσιτικό γραφείο *Κατοικία*
Διαλέξτε ακίνητο

☐ Αγορά ☐ **Ενοικίαση**

Κατηγορία
☐ Κατοικία ☐ Γραφείο

Περιοχή
☐ Αθήνα ☐ Προάστιο

Είδος ακινήτου
☐ Διαμέρισμα ☐ Μεζονέτα ☐ Μονοκατοικία
☐ Ρετιρέ ☐ Γκαρσονιέρα

Τετραγωνικά ______
Δωμάτια ______

Μπάνια/ Τουαλέτες
☐ Μπάνιο ☐ W.C

Θέρμανση
☐ Αυτόνομη (πετρέλαιο) ☐ Αυτόνομη (φυσικό αέρι
☐ Κεντρική (πετρέλαιο) ☐ Κεντρική (φυσικό αέριο
☐ Χωρίς θέρμανση

Κατάσταση
☐ Καινούργιο ☐ Ανακαινισμένο
☐ Σε καλή κατάσταση ☐ Σε εξαιρετική κατάσταση
☐ Χρειάζεται ανακαίνιση ☐ Χρειάζεται βάψιμο

Γκαράζ	☐ Ναι	☐ Όχι
Αποθήκη	☐ Ναι	☐ Όχι
Κήπος	☐ Ναι	☐ Όχι
Ασανσέρ	☐ Ναι	☐ Όχι
Κλιματισμός	☐ Ναι	☐ Όχι
Συναγερμός	☐ Ναι	☐ Όχι
Πόρτα ασφαλείας	☐ Ναι	☐ Όχι
Ηλιακός θερμοσίφωνας	☐ Ναι	☐ Όχι

Λεξιλόγιο 5.9.

η ενοικίαση	renting (n.)
η κατηγορία	category, type
η συγκοινωνία	public transportation
τα μέσα συγκοινωνίας	means of public transportation
η τιμή ευκαιρίας	bargain price
το γκαζόν	lawn, grass
ηλιακός-ή-ό	solar
ο ηλιακός θερμοσίφωνας	solar boiler
κατάλληλος-η-ο	appropriate
τριώροφος-η-ο	three-story

5.9.α. Δουλέψτε με το διπλανό σας. Διαλέξτε ο καθένας ένα από τα δύο σπίτια και συμπληρώστε την καρτέλα με τα στοιχεία του. Ελέγξτε ο ένας την καρτέλα του άλλου.

Work with the person sitting next to you. Choose one of the two houses and fill out the form with your information. Check each other's form.

5.10. Είστε ευχαριστημένα από τη γειτονιά σας;

95

Ο Μάνος ***ανεβάζει*** *την* ***παρακάτω*** *ερώτηση στο* ***μπλογκ*** *του: «Μένετε στην Αθήνα ή σε προάστιο; Είστε* ***ευχαριστημένοι*** *από τη γειτονιά σας ή όχι;»*

1. ___ *Πάνος:* Εγώ μένω στα *Εξάρχεια* και λατρεύω τη γειτονιά μου. Έχει ζωντάνια, κίνηση όλο το εικοσιτετράωρο, ταβέρνες με τα τραπεζάκια τους στο πεζοδρόμιο, σινεμά και τα καλύτερα μπαρ της Αθήνας. Μένω σ' έναν πεζόδρομο, από το μπαλκόνι μου βλέπω το Λυκαβηττό κι είμαι μόνο δέκα λεπτά από το Σύνταγμα! Τη γειτονιά μου δεν την αλλάζω με καμιά άλλη.
2. ___ *Σοφία:* Εμένα δε μ' ενδιαφέρει να έχω κοντά μου μπαρ και ταβέρνες. Θέλω να έχω στη γειτονιά μου **ευκολίες** και τις έχω. Μένω στην πλατεία Κυψέλης, απέναντι έχω την αγορά και λίγο πιο κει σουπερμάρκετ, τράπεζες, φαρμακεία... Και κάθε Πέμπτη γίνεται λαϊκή έξω από την πόρτα μου. Όλα τα έχω δίπλα μου, δε μου λείπει τίποτα.
3. ___ *Κώστας:* Εγώ, παιδιά, μένω σε προάστιο κι έχω πολλά προβλήματα· η δουλειά μου είναι στο κέντρο, τα μεταφορικά μέσα κοντά στο σπίτι μου είναι λίγα, κάθε πρωί **κάνω μια ώρα** για να φτάσω στο γραφείο με το αυτοκίνητό μου και μετά πρέπει να ψάχνω μισή ώρα για να βρω μια θέση για να παρκάρω. Και δεν έχω αρκετά χρήματα για να πληρώνω θέση σε πάρκινγκ **με το μήνα**. Αδύνατον! Είναι πολύ ακριβό. Πληρώνω ένα ενοίκιο για το σπίτι και θα πρέπει να δίνω άλλο μισό για το αυτοκίνητο; Σκέπτομαι πολύ σοβαρά να φύγω **σύντομα** από το *Πικέρμι* και να μετακομίσω πιο κοντά στο κέντρο.
4. ___ *Μάγδα:* Μεγάλο λάθος, Κώστα! Μην το κάνεις! Καλύτερα είναι ν' αλλάξεις δουλειά. Εγώ μένω κοντά στο γραφείο μου, που είναι στην οδό Πανεπιστημίου, και δεν αντέχω άλλο το κέντρο. Ζω χειμώνα καλοκαίρι με κλιματισμό. Ανοίγω το παράθυρο για να μπει λίγος φρέσκος αέρας, μπαίνει καυσαέριο και δεν μπορώ και να δουλέψω από το θόρυβο. Τις νύχτες πολλές φορές δεν κοιμάμαι. Μηχανάκια, αυτοκίνητα, φασαρία, **σειρήνες** από ασθενοφόρα... Κάθε χρόνο περιμένω τις διακοπές μου για να πάω στην **εξοχή** και να ζήσω λίγες μέρες πιο ήσυχα.
5. ___ *Μιχάλης:* Εγώ, παιδιά, μένω σε προάστιο, στη Γλυφάδα, και δεν το αλλάζω με τίποτα. Έχω τον κήπο μου, την ησυχία μου, πάω το σκύλο μου βόλτα στη θάλασσα, κάνω **τζόκινγκ** κι αναπνέω καθαρό αέρα... Και μπάνια αρχίζω από το Μάιο. Αυτοκίνητο σπάνια παίρνω. Παντού πάω με το ποδήλατό μου.
6. ___ *Σοφία:* Ναι, και για να πας ένα θέατρο στο κέντρο, κάνεις δύο ώρες. Πώς περνάς τα βράδια; Μέσα και ίντερνετ ή DVD και πίτσα; **Δε μας τα λες καλά**, φίλε...

5.10.α.

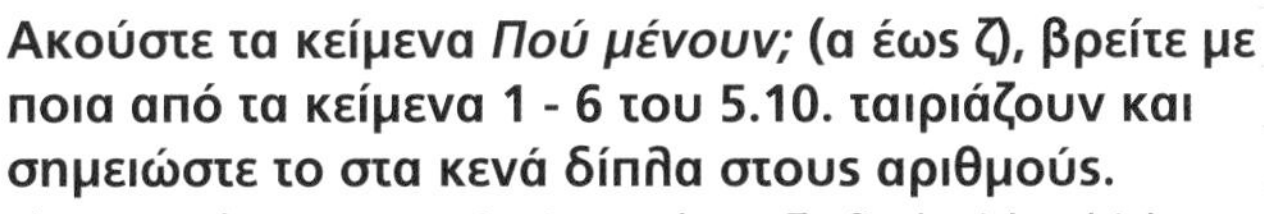

Ακούστε τα κείμενα *Πού μένουν;* (α έως ζ), βρείτε με ποια από τα κείμενα 1 - 6 του 5.10. ταιριάζουν και σημειώστε το στα κενά δίπλα στους αριθμούς.

Listen to the texts *Πού μένουν* (α to ζ), find with which of the texts 1 - 6 of 5.10 they match, and fill out the above gaps.

5.10.β.

Μιλήστε ανά ζεύγη. Πείτε πού μένετε και ποια είναι τα πλεονεκτήματα και τα μειονεκτήματα της γειτονιάς σας.

In pairs, discuss where you live and which are the pros and the cons of your neighbourhood.

Λεξιλόγιο 5.10.

η ευκολία	facility
οι ευκολίες	facilities
η εξοχή	country side
η σειρήνα	siren
το μπλογκ	blog
το τζόκινγκ	jogging
ευχαριστημένος-η-ο	pleased, content
ανεβάζω	I upload
ανεβάζω κάτι στο διαδίκτυο	I upload something on the internet
παρακάτω	following
σύντομα	soon
κάνω μια ώρα	it takes an hour (long time)
με το μήνα	monthly
δε μας τα λες καλά	you are not being honest, are you?

το θέμα μας

5.11. α. Η κατοικία: ΕΝΟΙΚΙΑΖΕΤΑΙ - ΠΩΛΕΙΤΑΙ - ΔΙΑΤΙΘΕΤΑΙ - ΖΗΤΕΙΤΑΙ

Ο μεσίτης

- Ενδιαφέρεστε για πώληση, για αγορά ή ενοικίαση;
- Θέλετε / Ενδιαφέρεστε να πουλήσετε, να αγοράσετε, ή να νοικιάσετε...;
- Ενδιαφέρεστε για κατοικία ή για γραφείο / χώρο εργασίας;
- Τι ακίνητο έχετε; Κατοικία στην πόλη, εξοχικό σπίτι ή οικόπεδο;

Ο πελάτης

- Έψαξα στις μικρές αγγελίες / στην περιοχή και είδα πολλά ενοικιαστήρια...
- Θέλω ν' αλλάξω σπίτι.
- Θέλω να βρω ένα σπίτι με πιο φθηνό / χαμηλό νοίκι.
- Θέλω να είναι επιπλωμένο.
- Πόσο είναι το νοίκι / ενοίκιο;
- Πόσα είναι τα κοινόχρηστα; / Τι κοινόχρηστα έχει;
- Έχει ασανσέρ, αποθήκη, γκαράζ; (Πόσες θέσεις πάρκινγκ;)
- Έχει κεντρική ή αυτόνομη θέρμανση;
- Η θέρμανση είναι με πετρέλαιο ή με φυσικό αέριο;
- Βλέπει μπροστά ή πίσω; Βλέπει στο δρόμο / στον ακάλυπτο;
- Πρέπει να δώσω προκαταβολή;
- Πόσα νοίκια είναι η εγγύηση;
- Πότε θα υπογράψουμε το συμφωνητικό;

Πλεονεκτήματα του σπιτιού

- Είναι πρόσφατα / τελευταία ανακαινισμένο.
- Είναι σε αρκετά καλή / πολύ καλή κατάσταση.
- Είναι φωτεινό. Έχει πολύ ωραία / καταπληκτική θέα.
- Έχει μπαλκόνι / βεράντα μπροστά και πίσω.
- Έχει άνετους / μεγάλους χώρους.
- Έχει διπλά τζάμια / μπαλκονόπορτες και παράθυρα από αλουμίνιο.
- Έχει ψηλά ταβάνια και ξύλινα / μαρμάρινα πατώματα.
- Έχει πόρτα ασφαλείας.
- Έχει καλή μόνωση / Δεν έχει υγρασία.
- Έχει πολλά ντουλάπια / μεγάλες ντουλάπες.
- Έχει κλιματισμό.
- Δεν έχει θόρυβο / φασαρία. Έχει ησυχία.

Τι χρειάζεται το σπίτι;

- Χρειάζεται ανακαίνιση.
- Χρειάζεται βάψιμο.
- Χρειάζονται αλλαγή τα είδη υγιεινής / τα πλακάκια.
- Χρειάζεται καινούργια μόνωση.

5.12. β. Πόλη ή εξοχή; Πλεονεκτήματα και μειονεκτήματα

Πόλη

Υπέρ / Πλεονεκτήματα	Κατά / Μειονεκτήματα
- πολλά καταστήματα και μεγάλα εμπορικά κέντρα - θέατρα, κινηματογράφοι, συναυλίες - μουσεία, εκθέσεις - κέντρα διασκέδασης, ταβέρνες και πολλών ειδών εστιατόρια - μεγάλα νοσοκομεία και πολλοί γιατροί - περισσότερες ευκαιρίες για να βρει κανείς δουλειά - πανεπιστήμια και πολλές άλλες σχολές για τις σπουδές των νέων - κίνηση και ζωή όλο το εικοσιτετράωρο (ανοιχτά μπαρ, ταβέρνες...) - πολλά και διαφορετικά μεταφορικά μέσα - είναι κανείς πιο ελεύθερος να ζει όπως θέλει	- θόρυβος, φασαρία, καυσαέριο - κίνηση στους δρόμους - δύσκολο πάρκινγκ / δε βρίσκεις εύκολα να παρκάρεις - χρειάζεται κανείς περισσότερο χρόνο για τις δουλειές του - δεν υπάρχει αρκετός χρόνος για την οικογένεια και για φίλους - η ζωή είναι πιο ακριβή (ενοίκιο, εστιατόρια, πάρκινγκ κ.λπ.) - συχνά οι άνθρωποι αισθάνονται πιο μόνοι - μακριά από τη φύση - οι άνθρωποι ζουν σε διαμερίσματα χωρίς κήπο - τα παιδιά δεν κυκλοφορούν μόνα τους, δεν παίζουν στο δρόμο

Εξοχή

Υπέρ / Πλεονεκτήματα	Κατά / Μειονεκτήματα
- ζει κανείς στον καθαρό αέρα και χαίρεται την ομορφιά της φύσης - ζει κανείς την αλλαγή των εποχών - υπάρχει περισσότερος ελεύθερος χρόνος για να ασχολείται κανείς με τα χόμπι του - περνάει κανείς περισσότερες ώρες με την οικογένειά του - η ζωή είναι πιο ήσυχη και πιο εύκολη, ιδιαίτερα για τους ηλικιωμένους - όλοι ζουν κοντά και συναντούν πιο εύκολα τους φίλους τους - τα τρόφιμα είναι πιο φρέσκα και καλύτερης ποιότητας	- δεν υπάρχουν οι ευκολίες που έχει κανείς στην πόλη (μεγάλα εμπορικά κέντρα, πολλά καταστήματα, τράπεζες) - δεν υπάρχουν πολλά κέντρα διασκέδασης και πολιτισμού - δεν υπάρχουν σχολές και πανεπιστήμια - λιγότερες ευκαιρίες να βρει κανείς τη δουλειά που τον ενδιαφέρει - οι νέοι φεύγουν για σπουδές και εργασία στις μεγάλες πόλεις - όλοι γνωρίζουν τι κάνουν οι άλλοι και πώς ζουν - δεν υπάρχουν αρκετά μέσα συγκοινωνίας / μεταφορικά μέσα, η συγκοινωνία είναι αραιή - δεν υπάρχουν αρκετά νοσοκομεία και γιατροί

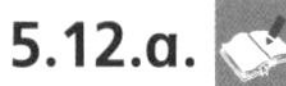

5.12.α. **Γράψτε ένα γράμμα.** Write a letter.

Μένετε στην Αθήνα με την οικογένειά σας. Οι γονείς σας μένουν ακόμα στο πατρικό σας σπίτι στο χωριό. Θέλετε να μετακομίσουν και αυτοί στην Αθήνα.
Τους γράφετε ένα γράμμα και τους λέτε τα πλεονεκτήματα της ζωής στην πόλη και τα μειονεκτήματα της ζωής στο χωριό.

5.13. Γράφω ένα γράμμα σ' ένα μεσίτη

Το κυρίως γράμμα Θέμα: *Θέλω να νοικιάσω ένα ακίνητο*	
Η αρχή	[1] Λέω γιατί γράφω αυτό το γράμμα (ενοικίαση ακινήτου στην περιοχή Χ).
Το βασικό θέμα	[2] Περιγράφω το ακίνητο που με ενδιαφέρει να νοικιάσω (είδος, όροφος/οι, τετραγωνικά, χώροι κ.λπ.) [3] Λέω τι πρέπει να έχει οπωσδήποτε το ακίνητο (ασανσέρ, αποθήκη/-ες, θέσεις γκαράζ, θέρμανση, κλιματισμό, μόνωση, ηλιακό θερμοσίφωνα κ.λπ.). [4] Λέω σε τι κατάσταση θέλω να είναι το ακίνητο. [5] Λέω τι ευκολίες θα ήθελα να υπάρχουν στην περιοχή (τράπεζα, μέσα συγκοινωνίας, καταστήματα κ.λπ.) [6] Λέω πόσο περίπου θέλω να είναι το ενοίκιο, για πόσα χρόνια με ενδιαφέρει να γίνει το συμφωνητικό κ.λπ.
Το τέλος	[7] Ζητάω να μου προτείνει ο μεσίτης κατάλληλα ακίνητα και λέω μέχρι πότε πρέπει να μου απαντήσει.

5.13.α.  Συμπληρώστε τα κενά με λέξεις από το πλαίσιο. Μετά ακούστε το κείμενο και ελέγξτε τις απαντήσεις σας.
Fill in the gaps with words from the box. Then listen to the text and check your answers.

97 **Η εταιρεία «ΕΨΙΛΟΝ *Αρχιτεκτονική*» αλλάζει γραφεία**
Ο αρχιτέκτονας Δημήτρης Αναγνωστόπουλος ψάχνει να βρει ένα ακίνητο για να μετακομίσει η εταιρεία του. Γράφει ένα μέιλ σ' ένα μεσίτη.

θέσεων / βοηθητικοί / χώρους / τζάμια / μέσα συγκοινωνίας / αποθήκη / θέρμανση / αυτού του μήνα / κατάλληλο / φωτεινοί / τουλάχιστον / πρόσφατα / σύντομα / περισσότερο από / Προτιμούμε να / Ενδιαφερόμαστε να / Μας ενδιαφέρει / Ενδιαφερόμαστε για

Αγαπητέ κύριε Ζερβούδη,
[1] ________________ νοικιάσουμε ένα ακίνητο στο κέντρο της Αθήνας για τα γραφεία της εταιρείας μας «ΕΨΙΛΟΝ Αρχιτεκτονική». ________________ βρίσκεται κοντά στην Πλατεία Συντάγματος ή στο Μοναστηράκι.
[2] ________________ ένα διώροφο νεοκλασικό κτήριο περίπου 200 με 250 τετραγωνικά μέτρα. Στην εταιρεία μας εργάζονται δεκαπέντε άτομα. Χρειαζόμαστε τουλάχιστον επτά διαφορετικούς ________________ για τους αρχιτέκτονες της εταιρείας και ένα μεγάλο χώρο ________________ για τις συναντήσεις με τους πελάτες μας. Οι χώροι πρέπει να είναι ________________ και ευρύχωροι.
[3] Το κτήριο πρέπει να έχει οπωσδήποτε ασανσέρ, κεντρική ________________, κλιματισμό και μια αρκετά ευρύχωρη ________________. Πρέπει επίσης να υπάρχει χώρος πάρκινγκ (τουλάχιστον τεσσάρων ________________) για τους πελάτες μας. ________________ να έχει καλή μόνωση το κτήριο και κυρίως να υπάρχουν διπλά ________________ για να έχουμε ησυχία την ώρα της εργασίας.
[4] Προτιμούμε το κτήριο να είναι ________________ ανακαινισμένο. Μικρές αλλαγές όμως (βάψιμο, ________________ χώροι, διακόσμηση) μπορούμε να κάνουμε κι εμείς.
[5] Θα θέλαμε να υπάρχει κοντά τράπεζα και σταθμός μετρό γιατί οι συνάδελφοί μου κι εγώ προτιμούμε να κατεβαίνουμε στο κέντρο με τα ________________.
[6] Τέλος, θα θέλαμε το ενοίκιο να μην είναι ________________ 3.000 ευρώ το μήνα. Επίσης μας ενδιαφέρει να νοικιάσουμε το κτήριο για πέντε χρόνια ________________.
[7] Αν έχετε κτήριο κατάλληλο για την εταιρεία μας, απαντήστε μας, παρακαλούμε, ________________.
Πρέπει να έχουμε μια απάντησή σας έως το τέλος ________________.
Με τιμή,
Δημήτρης Αναγνωστόπουλος
Αρχιτέκτονας - Μηχανικός

5.13.β. Γράψτε δύο γράμματα. Write two letters.

Έχετε ένα σπίτι στην Πάρο και θέλετε να το δώσετε για ενοικίαση. Γράφετε ένα μέιλ σ' ένα μεσιτικό γραφείο που ασχολείται με κατοικίες για διακοπές. Περιγράφετε το σπίτι σας και λέτε τι ζητάτε.

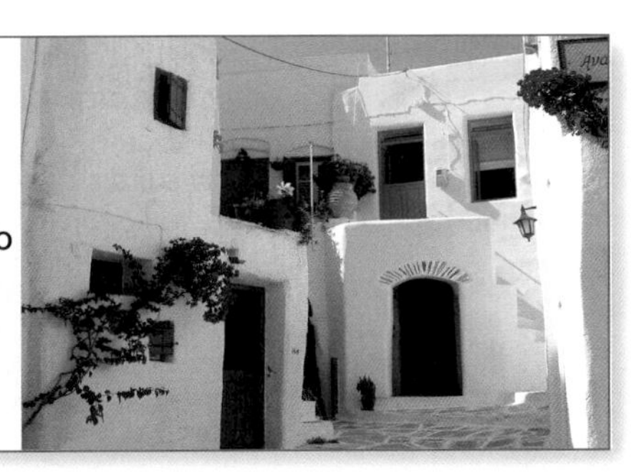

Το φθινόπωρο θα αρχίσετε σπουδές στη Θεσσαλονίκη. Ψάχνετε ένα κατάλληλο διαμέρισμα κοντά στο πανεπιστήμιο. Γράφετε ένα μέιλ σ' ένα μεσιτικό γραφείο και περιγράφετε το διαμέρισμα που θέλετε να νοικιάσετε.

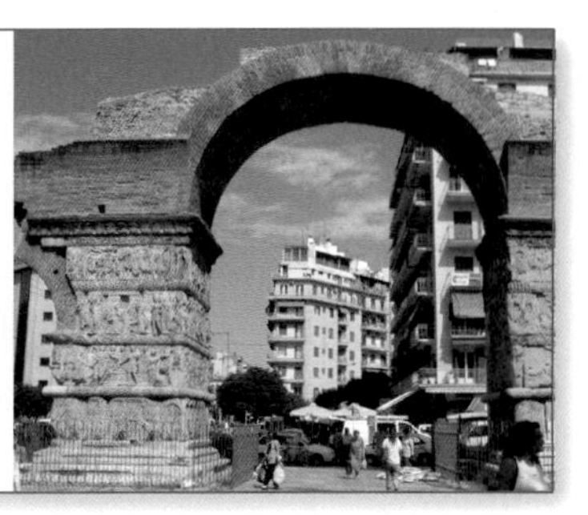

αξιολόγηση - οι τέσσερις δεξιότητες (___ /20)

ΚΑΤΑΝΟΗΣΗ ΠΡΟΦΟΡΙΚΟΥ ΛΟΓΟΥ (___ /5)

5.14. 98 **Ακούστε τα κείμενα α - ε και ταιριάξτε τα με τις εικόνες 1 - 5.**

Μικρές αγγελίες

1. ___

2. ___

3. ___

4. ___

5. ___
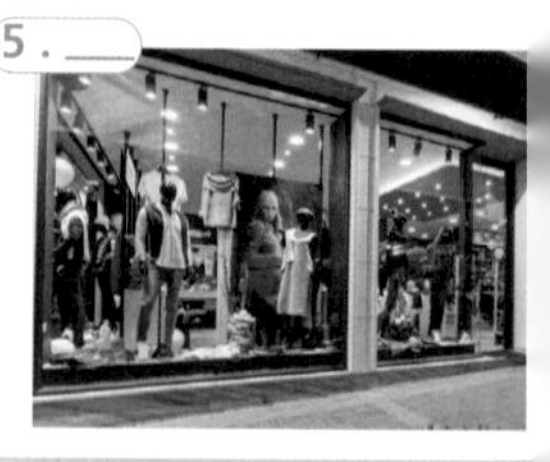

ΚΑΤΑΝΟΗΣΗ ΓΡΑΠΤΟΥ ΛΟΓΟΥ (___ /5)

5.15. **Διαβάστε το κείμενο και σημειώστε: Σωστό ή Λάθος;**

99 **Την πόλη δεν την αλλάζω με τίποτα!**

Όλοι μιλάνε για το θόρυβο, την κίνηση, το άγχος της ζωής στην πόλη. Εμένα πάντως όλα αυτά δε με νοιάζουν. Περνάω μια χαρά εδώ. Από τότε που πήρα τη σύνταξή μου, συνέχεια κάτι κάνω, συνέχεια βλέπω κόσμο. Κάθε πρωί περνάω από την εκκλησία μας για να βοηθήσω. Κάνει πολλά πράγματα ο παπάς μας για τους **φτωχούς**. Μετά πάω στα εγγόνια μου ή βοηθάω το γιο μου στη δουλειά του (έχει κατάστημα με ρούχα). Ασχολούμαι και με το σπίτι. Όλα τα έχω έτοιμα για τον Επαμεινώνδα μου. Τα απογεύματα και τα βράδια όμως είναι για μένα. Τρεις φορές την εβδομάδα θα πάω οπωσδήποτε στο γυμναστήριο. Κάνω γυμναστική και σκέφτομαι να αρχίσω και κολύμπι. Άλλες δύο φορές παρακολουθώ τα μαθήματα κεραμικής που κάνει ο δήμος μας. Ποτέ δεν είναι αργά για να μάθεις κάτι καινούργιο. Και αργότερα, το βράδυ βγαίνω με τις φίλες μου. Ο Επαμεινώνδας; Σπίτι και τηλεόραση. Του λέω συνέχεια: «Έλα, Επαμεινώνδα μου, να βγούμε, να πάμε σε κανένα σινεμά ή σε κανένα εστιατόριο». Εκείνος... τίποτα! Έτσι λοιπόν κι εγώ βγαίνω χωρίς το σύζυγο! Πηγαίνω με τις φίλες μου σε εκθέσεις, σινεμά, θέατρα. **Παίζουμε** και **χαρτιά** - χωρίς χρήματα βέβαια. Και καμιά φορά πηγαίνουμε όλες μαζί εκδρομή το Σαββατοκύριακο.

Προχτές μου είπε ο Επαμεινώνδας: «Λιλή μου, τι λες; Δεν πάμε να μείνουμε στο χωριό; Και σπίτι έχουμε και οι συγγενείς μας είναι εκεί... Μια χαρά θα είμαστε». «Σοβαρά μιλάς, Επαμεινώνδα; Προτιμώ να χωρίσουμε!» του είπα.

		Σωστό	Λάθος
1.	Η Λιλή είναι μια ηλικιωμένη γυναίκα που ζει σε μια μεγάλη πόλη.		
2.	Δεν αντέχει το θόρυβο, την κίνηση και το άγχος της πόλης.		
3.	Είναι συνταξιούχος αλλά έχει πολλές ασχολίες κάθε μέρα.		
4.	Μετά την εκκλησία πάει στα εγγόνια της ή στο μαγαζί του γιου της.		
5.	Δεν ασχολείται καθόλου με το σπίτι και τον άντρα της.		
6.	Πάει κάθε μέρα στο γυμναστήριο και κάνει και κολύμπι.		
7.	Την ενδιαφέρουν η τέχνη, το θέατρο και ο κινηματογράφος.		
8.	Ο άντρας της, ο Επαμεινώνδας, έχει τις ίδιες ασχολίες με τη Λιλή.		
9.	Η Λιλή παίζει χαρτιά και συνήθως κερδίζει λίγα χρήματα.		
10.	Η Λιλή δε θέλει να γυρίσουν στο χωριό τους.		

Λεξιλόγιο 5.15.

ο δήμος	municipality
ο φτωχός	poor person
τα χαρτιά	cards
φτωχός-ή/ιά-ό	poor (adj.)
παίζω χαρτιά	I play cards

ΠΑΡΑΓΩΓΗ ΠΡΟΦΟΡΙΚΟΥ ΛΟΓΟΥ (___ /5)

5.16. **Κάνετε διαλόγους ανά ζεύγη. Αλλάξτε ρόλους.**

Μονοκατοικία στο Διόνυσο

Ενοικιάζεται διώροφη μονοκατοικία στο Διόνυσο, μόλις 30 χλμ. από το κέντρο της Αθήνας, 250 τ.μ., σε καλή κατάσταση, 4 υπνοδωμάτια, 3 μπάνια, WC ξένων, μεγάλη τραπεζαρία, καθιστικό με τζάκι, πισίνα, κήπος με πολλά δέντρα, ήσυχη περιοχή. Φυσικό αέριο, συναγερμός, δύο θέσεις πάρκινγκ. Ενοίκιο σε καλή τιμή.

Ρετιρέ στο Λυκαβηττό

Στην περιοχή του Λυκαβηττού ενοικιάζεται διαμέρισμα (ρετιρέ) με θέα την Ακρόπολη, επιπλωμένο με μοντέρνα έπιπλα, 200 τ.μ., 3 υπν., σαλόνι, τραπεζαρία, γραφείο, με μεγάλη βεράντα, μία θέση πάρκινγκ, πρόσφατα ανακαινισμένο.

Για το ενοίκιο τηλεφωνήστε στο 6999000129.

Ρόλος Α: *Έχετε μεγάλη οικογένεια και θέλετε να νοικιάσετε ένα σπίτι. Πηγαίνετε σ' ένα μεσίτη. Σας προτείνει δύο σπίτια. Εσείς εργάζεστε στο κέντρο, η γυναίκα σας είναι ζωγράφος, η μεγάλη σας κόρη σπουδάζει στο Πανεπιστήμιο Αθηνών, τα δύο μικρά αγόρια σας πάνε σχολείο και αγαπούν το κολύμπι. Ρωτάτε για την περιοχή των σπιτιών, τις ευκολίες της γειτονιάς, τα δωμάτια, τα έπιπλα, τις θέσεις πάρκινγκ, την ανακαίνιση, αν χρειάζεται, κ.λπ. Συζητήστε τα υπέρ και τα κατά των δύο σπιτιών.*

Ρόλος Β: *Είστε μεσίτης και προτείνετε σε έναν πελάτη δύο σπίτια. Απαντάτε στις ερωτήσεις του σχετικά με την περιοχή των σπιτιών, τις ευκολίες της γειτονιάς, τα δωμάτια, τις θέσεις πάρκινγκ, την ανακαίνιση, αν χρειάζεται κ.λπ. Συζητάτε τα υπέρ και τα κατά των δύο σπιτιών.*

ΠΑΡΑΓΩΓΗ ΓΡΑΠΤΟΥ ΛΟΓΟΥ (___ /5)

5.17. **Γράψτε ένα κείμενο. (100 - 150 λέξεις)**

Γεννηθήκατε στην Αθήνα αλλά εδώ και πέντε χρόνια μένετε σ' ένα νησί των Κυκλάδων, την Τήνο. Θέλετε να μετακομίσει στην Τήνο και ο καλύτερός σας φίλος με την οικογένειά του. Γράφετε ένα γράμμα και του λέτε τα πλεονεκτήματα της ζωής στο νησί και τα μειονεκτήματα της ζωής στην πόλη.

5.18. 100 Η αγάπη πού μένει; (2008)

Μουσική: Μιχάλης Χατζηγιάννης, στίχοι: Νίκος Μωραΐτης, ερμηνεία: Μιχάλης Χατζηγιάννης

5.18.α. YouTube **Ακούστε το τραγούδι και συμπληρώστε τα κενά με λέξεις από το πλαίσιο.**

https://goo.gl/1Bp8Fh

καβγά / ζωή / οι τοίχοι / όροφο / παράθυρο / βράδια / Ησυχία / αστυνομία / αυτί (αφτί) / ιστορία / κυρία / κρεβάτι / γυρίζει / Θα φύγω / ανεβαίνει / θα μετακομίσω / δίπλα / εδώ / Όλο / πάνω / Πού / πού / πέρα / αλλού / παντού / κάτω / πίσω

Ένα σπίτι ______________, ένα σπίτι ______________,
ένα σπίτι ______________ και στη μέση εγώ.
______________ λέω «Τι κάνω;», όλο λέω «______________ ήρθα;»,
όλο λέω «______________» κι όλο μένω ______________.

Το [έ]χω αποφασίσει, ______________,
μα μου λέν[έ] ______________ «Τι θα βρεις ______________;».
Η ζωή τ' [του] ανθρώπου δε ______________ ______________,
εδώ ______________ ζούμε ό,τι ζει ______________.

Πες μου η αγάπη ______________ μένει, σε ποιον ______________ μένει,
αν τα ______________ κοιμάται ή αν με περιμένει.
Σ' ένα ______________ είδα μια σκιά αναμμένη
κι η καρδιά μου απ' τη σκάλα να σε βρει ______________, ανεβαίνει.

Απ' τον ένα τοίχο λένε «______________»,
απ' τον άλλον τοίχο στήνουνε ______________,
που ένας «Θα καλέσω την ______________»,
«Έχω ιδιοκτησία» ο άλλος απαντά.

Κι απ' τον τρίτο τοίχο η διπλανή ______________
έχει ανοίξει μάτι, έχει στήσει ______________
κι είναι πιο δική της του άλλου η ______________,
τι έχει στο ______________, τι έχει στη ______________.

R] *δις*

Μιχάλης Χατζηγιάννης (1978)

Το τραγούδι *Η αγάπη πού μένει;* είναι από το σίριαλ *Η πολυκατοικία* (2008).

Τι προσέχουμε;

ΓΡΑΜΜΑΤΙΚΗ
ΟΡΘΟΓΡΑΦΙΑ

Ονόματα, ρήματα
Επιρρήματα

5.18.β. Ψάχνω στο λεξικό και γράφω τη μετάφραση στη γλώσσα μου

ο καβγάς = ...
  στήνω καβγά = ...
στήνω αυτί = ...
  έχω στήσει αυτί = έστησα αυτί, άκουσα
ανοίγω μάτι = ...
  έχω ανοίξει μάτι = άνοιξα μάτι, είδα
αποφασίζω = ...
  έχω αποφασίσει = αποφάσισα
η ιδιοκτησία = ...
η σκιά = ...
αναμμένος-η-ο = ...
διπλανός-ή-ό = ...
κοιμάμαι = ...
δικός-ή-ό (μου/σου/του) = ...
ό,τι = αυτό που
εδώ πέρα = εδώ
όλο = συνέχεια

Πολιτισμός 1

Ας γνωρίσουμε την Ελλάδα

1. Τα γεωγραφικά διαμερίσματα της Ελλάδας και οι νομοί της

Η Ελλάδα **διαιρείται** σε 9 μεγάλες περιοχές που ονομάζονται **γεωγραφικά διαμερίσματα**. Η **διαίρεση** αυτή έγινε **με βάση** τη γεωγραφία αλλά και την ιστορία κάθε περιοχής.

Κάθε γεωγραφικό διαμέρισμα περιλαμβάνει πιο μικρά τμήματα, τους νομούς. Η Ελλάδα έχει 51 νομούς και το *Άγιο Όρος*, τμήμα που δεν ανήκει σε κανένα νομό και **αυτοδιοικείται**. Πρωτεύουσα κάθε νομού είναι συνήθως η πιο μεγάλη πόλη της περιοχής. Το *Άγιο Όρος*, που λέγεται επίσης και *Το περιβόλι της Παναγιάς*, είναι μια **μοναστική πολιτεία** που βρίσκεται στη **χερσόνησο** του Άθω στη Μακεδονία. Περιλαμβάνει είκοσι μεγάλα ανδρικά μοναστήρια και άλλα μοναστικά κέντρα.

Στο Άγιο Όρος απαγορεύεται η είσοδος των γυναικών.

Λεξιλόγιο Π.1.1.

η βάση	basis
με βάση	on the basis
η διαίρεση	division
η πολιτεία	state
η χερσόνησος	peninsula
το διαμέρισμα	department
το μοναστήρι	monastery
γεωγραφικός-ή-ό	geographic
το γεωγραφικό διαμέρισμα	geographic div / region
μοναστικός-ή-ό	monastic
αυτοδιοικούμαι	I am self-gover
διαιρούμαι	I am divided

ΘΡΑΚΗ	
Νομός	**Πρωτεύουσα**
Έβρου	*Αλεξανδρούπολη*
Ροδόπη	*Κομοτηνή*
Ξάνθης	*Ξάνθη*

ΑΓΙΟ ΟΡΟΣ
Καρυές (πρωτεύουσα)

ΜΑΚΕΔΟΝΙΑ	
Καβάλας	*Καβάλα*
Δράμας	*Δράμα*
Σερρών	*Σέρρες*
Χαλκιδικής	*Πολύγυρος*
Θεσσαλονίκης	*Θεσσαλονίκη*
Κιλκίς	*Κιλκίς*
Πέλλας	*Έδεσσα*
Ημαθίας	*Βέροια*
Καστοριάς	*Καστοριά*
Φλώρινας	*Φλώρινα*
Κοζάνης	*Κοζάνη*
Γρεβενών	*Γρεβενά*
Πιερίας	*Κατερίνη*

ΗΠΕΙΡΟΣ	
Ιωαννίνων	*Γιάννενα*
Θεσπρωτίας	*Ηγουμενίτσα*
Άρτας	*Άρτα*
Πρέβεζας	*Πρέβεζα*

ΘΕΣΣΑΛΙΑ	
Λαρίσης	*Λάρισα*
Μαγνησίας	*Βόλος*
Τρικάλων	*Τρίκαλα*
Καρδίτσας	*Καρδίτσα*

ΠΕΛΟΠΟΝΝΗΣΟΣ	
Κορινθίας	*Κόρινθος*
Αχαΐας	*Πάτρα*
Αργολίδας	*Ναύπλιο*
Ηλείας	*Πύργος*
Αρκαδίας	*Τρίπολη*
Μεσσηνίας	*Καλαμάτα*
Λακωνίας	*Σπάρτη*

ΣΤΕΡΕΑ ΕΛΛΑΔΑ			
Νομός	**Πρωτεύουσα**		
Αττικής	*Αθήνα*	**Ευβοίας**	*Χαλκίδα*
Ευρυτανίας	*Καρπενήσι*	**Φωκίδας**	*Άμφισσα*
Βοιωτίας	*Λιβαδειά*	**Αιτωλοακαρνανίας**	*Μεσολόγγι*
Φθιώτιδας	*Λαμία*		

ΝΗΣΙΑ ΑΙΓΑΙΟΥ	
Κυκλάδων	*Ερμούπολη*
Λέσβου	*Μυτιλήνη*
Χίου	*Χίος*
Σάμου	*Σάμος*
Δωδεκανήσου	*Ρόδος*

ΝΗΣΙΑ ΙΟΝΙΟΥ	
Κερκύρας	*Κέρκυρα*
Λευκάδας	*Λευκάδα*
Κεφαλληνίας	*Αργοστόλι*
Ζακύνθου	*Ζάκυνθος*

ΚΡΗΤΗ	
Χανίων	*Χανιά*
Ρεθύμνου	*Ρέθυμνο*
Ηρακλείου	*Ηράκλειο*
Λασιθίου	*Άγιος Νικόλαος*

2. Αρχαιολογικοί χώροι Πού βρίσκονται;

Σημειώστε σε ποιο νομό ανήκουν σήμερα οι παρακάτω αρχαιολογικοί χώροι και μνημεία.
Find in which prefecture these archaeological sites and monuments belong today.

1. Ο **Παρθενώνας** (447 - 432 π.Χ.) βρίσκεται στο νομό:
   α. Φωκίδας (Στερεά Ελλάδα) **γ**. Θεσσαλονίκης (Μακεδονία)
   β. Αττικής (Στερεά Ελλάδα) **δ**. Σπάρτης (Πελοπόννησος)

2. Ο **Ναός του Ποσειδώνος** (440 π.Χ.) στο Σούνιο βρίσκεται στο νομό:
   α. Βέροιας (Μακεδονία) **γ**. Ρόδου (Νησιά Αιγαίου)
   β. Ηλείας (Πελοπόννησος) **δ**. Αττικής (Στερεά Ελλάδα)

3. Η **Ολυμπία** (Πρώτοι Ολυμπιακοί αγώνες: 776 π.Χ.) βρίσκεται στο νομό:
   α. Ιωαννίνων (Ήπειρος) **γ**. Τρικάλων (Θεσσαλία)
   β. Ηλείας (Πελοπόννησος) **δ**. Ζακύνθου (Νησιά Ιονίου)

4. Οι **Μυκήνες** (1600 - 1100 π.Χ.) βρίσκονται στο νομό:
   α. Ροδόπης (Θράκη) **γ**. Αργολίδας (Πελοπόννησος)
   β. Μεσσηνία (Πελοπόννησος) **δ**. Γρεβενών (Μακεδονία)

5. Το **Ακρωτήρι** (2000 - 1600 π.Χ.) στη Σαντορίνη βρίσκεται στο νομό:
   α. Λευκάδας (Νησιά Ιονίου) **γ**. Ρεθύμνου (Κρήτη)
   β. Κυκλάδων (Νησιά Αιγαίου) **δ**. Έβρου (Θράκη)

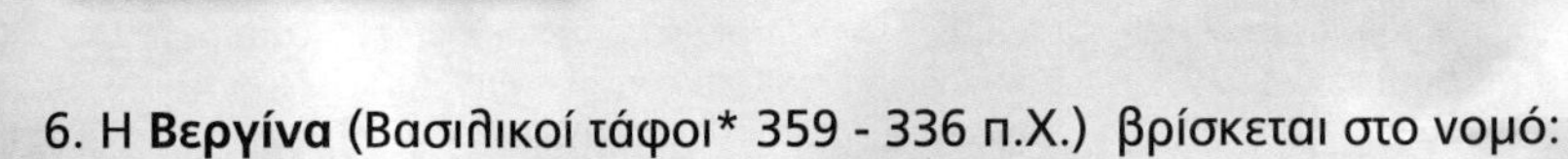

6. Η **Βεργίνα** (Βασιλικοί τάφοι* 359 - 336 π.Χ.) βρίσκεται στο νομό:
   α. Ημαθίας (Μακεδονία) **γ**. Μαγνησίας (Θεσσαλία)
   β. Αρκαδίας (Πελοπόννησος) **δ**. Ξάνθης (Θράκη)

7. Οι **Δελφοί** (6ος - 4ος αιώνας π.Χ.) βρίσκονται στο νομό:
   α. Λευκάδας (Νησιά Ιονίου) **γ**. Ρεθύμνου (Κρήτη)
   β. Ξάνθης (Θράκη) **δ**. Φωκίδας (Στερεά Ελλάδα)

8. Η **Δήλος** (6ος - 1ος π.Χ.) βρίσκεται στο νομό:
   α. Πρέβεζας (Ήπειρος) **γ**. Κυκλάδων (Νησιά Αιγαίου)
   β. Πέλλας (Μακεδονία) **δ**. Δωδεκανήσων (Νησιά Αιγαίου)

9. Ο **Ναός της Αφαίας** (500 - 490 π.Χ.) στην Αίγινα βρίσκεται στο νομό:
   α. Κοζάνης (Μακεδονία) **γ**. Σπάρτης (Πελοπόννησος)
   β. Αττικής (Στερεά Ελλάδα) **δ**. Λέσβου (Νησιά Αιγαίου)

10. Η **Κνωσός** (2000 - 1350 π.Χ.) βρίσκεται στο νομό:
    α. Σάμου (Νησιά Αιγαίου) **γ**. Αττικής (Στερεά Ελλάδα)
    β. Ηρακλείου (Κρήτη) **δ**. Καβάλας (Μακεδονία)

3. Χρονολογικός πίνακας των βασικών περιόδων της ελληνικής ιστορίας

Chronological table of the basic eras of Greek history

Προϊστορικοί πολιτισμοί που αναπτύχθηκαν στον Ελλαδικό χώρο.		Prehistoric civilizations in the Greek area
3000 - 2000 π.Χ.	**Κυκλαδικός πολιτισμός**. Νησιά Κυκλάδων.	**Cycladic civilization**. Cycladic Islands
3000 - 1600 π.Χ.	**Μινωικός πολιτισμός**. Κρήτη και περιοχές του Αιγαίου.	**Minoan civilization**. Crete and other areas in the Aegean Sea

I	**1600 - 1200 π.Χ.**	**Μυκηναϊκός πολιτισμός.** Τόπος: Κεντρική Ελλάδα με επίκεντρο τις Μυκήνες (Πελοπόννησος).	**Mycenaean civilization**. Location: Central Greece, based in Mycenae (Peloponnese).
II	**1200 - 800 π.Χ.**	**Γεωμετρικοί χρόνοι** (*Σκοτεινοί χρόνοι*). Μεταβατική περίοδος που ακολουθεί την πτώση του Μυκηναϊκού πολιτισμού.	**Geometric Time** (Greek "Dark Ages"). Transitional period that follows the fall of Mycenaean civilization.
III	**800 - 500 π.Χ.**	**Αρχαϊκή περίοδος.** Αποικίες Ελλήνων στη Μεσόγειο και στη Μαύρη Θάλασσα. Σταδιακή δημιουργία της ελληνικής *πόλης (polis)*. Ομηρικά έπη. - 776 π.Χ.: Πρώτοι Ολυμπιακοί Αγώνες.	**Archaic period**. Greek colonisation in the Mediterranean and the Black Sea. Gradual formation of the Greek city *(polis)*. Greek epic tradition (Homeric poems). 776 B.C. First Olympic Games.
IV	**501 - 324 π.Χ.**	**Κλασική περίοδος. Ηγεμονία της Αθήνας.** «Χρυσούς αιώνας». Γέννηση της Δημοκρατίας. Ανάπτυξη των γραμμάτων (φιλοσοφία, θέατρο, κ.ά.) και τεχνών. - Αμυντικοί περσικοί πόλεμοι. (Αναχαίτιση της επεκτατικής τάσης των Περσών προς τη Δύση). **Άνοδος του Βασιλείου της Μακεδονίας** (από τον Φίλιππο Β΄, πατέρα του Μ. Αλεξάνδρου). - Πολιτική υποταγή των ελληνικών πόλεων στους Μακεδόνες.	**Classical period. Hegemony of Athens**. "Golden Age". Birth of Democracy. Development of culture (philosophy, drama et al.) and the arts. - Greek defense wars against the Persians. (Containment of Persian expansion westwards). **Rise of the Macedonian kingdom** (by Philip II of Macedon, father of Alexander the Great) - Political subordination of the Greek cities.
V	**324 - 146 π.Χ.**	Ο **Μέγας Αλέξανδρος** και **η δημιουργία του Ελληνιστικού Κόσμου.** Μεγάλη επέκταση των γεωγραφικών ορίων επίδρασης και παράλληλα εξάπλωση του ελληνικού πολιτισμού στην Ανατολή και στη Μεσόγειο. Αλληλεπίδραση με τους πολιτισμούς των λαών που κατακτήθηκαν. **Ελληνιστικά χρόνια.** Εξάπλωση της Ελληνιστικής Κοινής γλώσσας.	**Alexander the Great and the creation of Hellenistic World**. Greatest expansion of Greek civilization and interaction with the cultures of the East and the Mediterranean Sea. Interaction with cultures of conquered people. **Hellenistic Period**. Diffusion of the Hellenistic Koine ("common") language as a lingua franca.
VI	**146 π.Χ. - 324 μ.Χ.**	**Ρωμαϊκή κυριαρχία.** Το 146 π.Χ. η Ρώμη καταστρέφει την Κόρινθο. Η Ελλάδα μεταβάλλεται σε Ρωμαϊκή διοικητική περιφέρεια (επαρχία). Η Ελλάδα, αν και έχασε την ανεξαρτησία της, μεταλαμπάδευσε στους Ρωμαίους τον πολιτισμό της και άσκησε μεγάλη επιρροή στα θέματα της θρησκείας, των γραμμάτων και των τεχνών. **Μία Ελληνο-Ρωμαϊκή Ανατολή.** Ίδρυση της Κωνσταντινούπολης. Δημιουργία του Ανατολικού Ρωμαϊκού κράτους (Βυζάντιο).	**Roman Supremacy**. In 146 B.C. Rome destroys the city of Corinth. Greece is transformed into a Roman territory (province). Although Greece lost its independence, it managed to transfer its culture to the Romans and exerted considerable influence in the areas of religion, culture and art. **Graeco-Roman East**. Foundation of Constantinople. Creation of the East Roman Empire (Byzantium).
VII	**324 - 1453**	**Βυζαντινή αυτοκρατορία.** Σύνθεση: Ρωμαϊκό διοικητικό και πολιτειακό πλαίσιο + επικράτηση ελληνικής γλώσσας και χριστιανικής θρησκείας. Αποτέλεσμα: Βαθμιαία αποκρυστάλλωση της ελληνικής πολιτιστικής ταυτότητας.	**Byzantine Empire**. Synthesis: Roman administrative and constitutional frame + prevalence of the Greek language and the Christian religion. Result: Gradual reawakening of a Greek cultural identity.
VIII	**1453 - 1821**	**Οθωμανική κυριαρχία στην Ελλάδα.** Η ελληνική πολιτιστική ταυτότητα διατηρήθηκε μέσω της εκκλησίας, της εκπαίδευσης και της τοπικής αυτοδιοίκησης.	**Greece under the Ottoman Empire**. Greek cultural identity was preserved through church, education, and the Greek communal administration.
IX	**1821 - 1828**	**Ελληνική Επανάσταση** εναντίον της οθωμανικής κυριαρχίας. - Ίδρυση του Νεότερου Ελληνικού Κράτους (1828).	**Greek War of Independence against the Ottoman rule**. - Foundation of the first Modern Greek State (1828).
X	**1828 - 1936**	**Από τον Ιωάννη Καποδίστρια (1776 - 1831) στον Ελευθέριο Βενιζέλο (1864 - 1936).** Η Ελλάδα επεκτείνει την επικράτειά της και εδραιώνει την κρατική οντότητα και την πολιτιστική ταυτότητά της. 1912 - 1913: Βαλκανικοί πόλεμοι 1914 - 1918: Πρώτος Παγκόσμιος πόλεμος 1918 - 1922: Ελληνοτουρκικός πόλεμος & Μικρασιατική καταστροφή	**From Ioannis Kapodistrias (1776 - 1831) to Eleftherios Venizelos (1864 - 1936).** Greece enlarges its territory and solidifies its administrative and cultural identity. 1912 - 1913: Balkan Wars 1914 - 1918: World War I 1918 - 1922: Greco-Turkish War & Asia Minor Catastrophe
XI	**1940 έως σήμερα**	1940 - 1944: Η Ελλάδα στο Δεύτερο Παγκόσμιο πόλεμο. 1946 - 1949: Εμφύλιος πόλεμος 1967 - 1974: Στρατιωτική δικτατορία 1974: Αποκατάσταση της Δημοκρατίας 1981: Ένταξη της Ελλάδας στην Ε.Ε. ως πλήρους μέλους, επί πρωθυπουργίας Κωνσταντίνου Καραμανλή.	1940 - 1944: Greece through World War II 1946 - 1949: Greek Civil War 1967 - 1974: Military junta 1974: Restoration of Democracy 1981: Greece joins the EU as a full member, while Konstantinos Karamanlis is prime minister.

Προσωπική ζωή & ελεύθερος χρόνος

Ενότητα 2
Βήματα 6 - 10

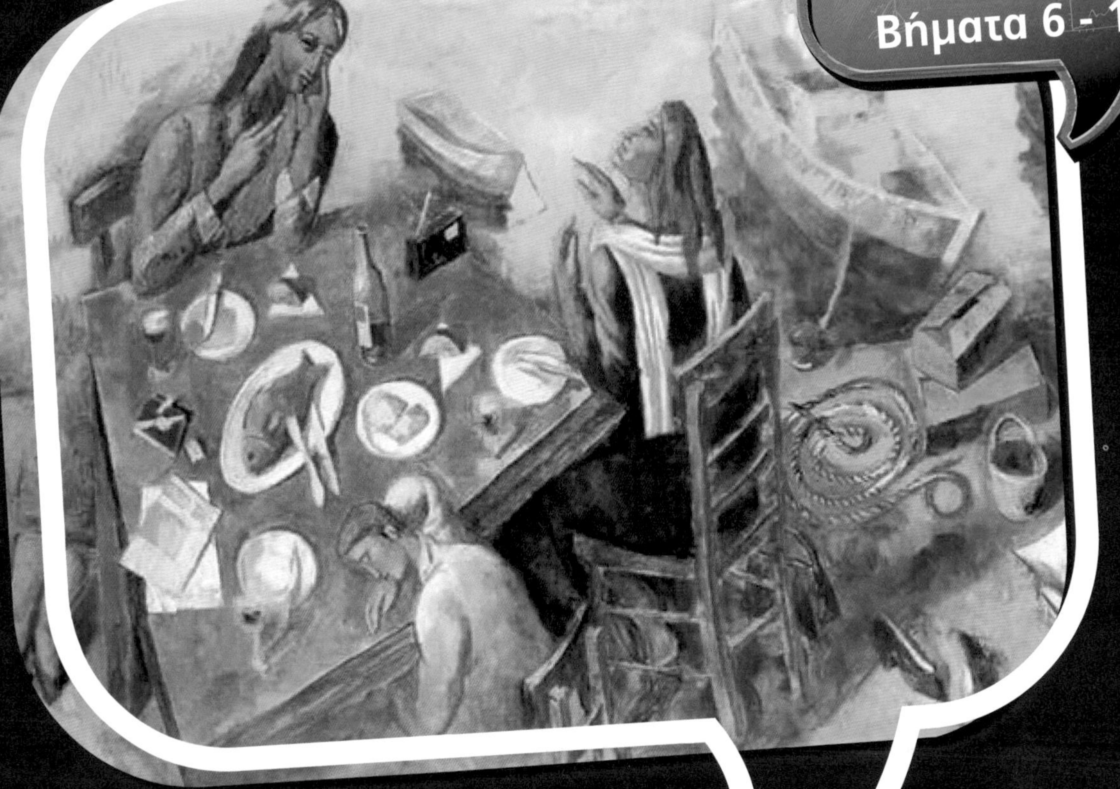

«Στο νησί» (1.30 X 2.00, ακρυλικό σε μουσαμά)
Παύλος Σάμιος (1948-)

ΕΠΙΚΟΙΝΩΝΙΑΚΟΙ ΣΤΟΧΟΙ
✓ Οικογενειακές σχέσεις

✓ Ο ελεύθερος χρόνος

✓ Η καθημερινή ζωή

✓ Η ζωή άλλοτε και τώρα

✓ Ταξίδια

✓ Ο καιρός

COMMUNICATION TARGETS
✓ Family relations

✓ Free / Leisure time

✓ Everyday life

✓ Life then and now

✓ Travel

✓ Weather

Περιεχόμενα της δεύτερης ενότητας

Προσωπική ζωή & ελεύθερος χρόνος

Σωτήρης Σόρογκας (1936 -)

Εγώ και οι άλλοι

Επικοινωνία

- ✓ Αυτοσυστήνομαι
- ✓ Συστήνω κάποιον άλλο
- ✓ Δημιουργώ απλές κοινωνικές σχέσεις
- ✓ Συμμετέχω σε κοινωνικές εκδηλώσεις
- ✓ Δίνω ευχές
- ✓ Συμφωνώ, διαφωνώ, εκφράζω αμφιβολία

Θεματικές ενότητες

Κοινωνικές σχέσεις

✓ **Χαιρετισμοί / Συστάσεις**
- Αυτοπαρουσιάζομαι
- Συστήνω κάποιον άλλο

Χαρακτηρισμοί

✓ **Οικογενειακές σχέσεις**
- Συγγενικές σχέσεις

✓ **Προσωπική ζωή**
- Σχέσεις ζευγαριού

Ελεύθερος χρόνος

✓ **Ελεύθερος χρόνος εκτός σπιτιού**
- Κοινωνικές σχέσεις
- Συμμετοχή σε κοινωνικές εκδηλώσεις

Λεξιλόγιο

- **Χαιρετισμοί / Συστάσεις**
- **Σχέσεις**
- **Συμφωνώ, διαφωνώ, εκφράζω αμφιβολία**

Γραμματική

1. Τα υποκοριστικά σε ***-άκης***, ***-ούλης***, σε ***-ούλα***, ***-ίτσα*** & σε ***-άκι***
   *ο Κώστας - ο Κωστ**άκης**, ο μικρός - ο μικρ**ούλης**, η ταβέρνα - η ταβερν**ούλα**, η κούκλα - η κουκλ**ίτσα**, το κορίτσι - το κοριτσ**άκι**, το ούζο - το ουζ**άκι***
2. Το δεικτικό μόριο ***να*** με προσωπικές αντωνυμίες ***να τος / να τη / να το***
3. Το επίθετο ***αρκετός-ή-ό*** και οι αόριστες αντωνυμίες ***κάποιος-α-ο*** & ***μερικοί-ές-ά***
4. Η θέση της κτητικής αντωνυμίας
5. Ο αόριστος, ο τέλειος μέλλοντας & η τέλεια υποτακτική των ρημάτων σε ***-ομαι*** & ***-άμαι***
   *ντύνομαι - **ντύθηκα** - **θα ντυθώ***
   *κοιμάμαι - **κοιμήθηκα** - **θα κοιμηθώ***
6. Πίνακας νέων ρημάτων
7. **Πλάγιος λόγος (3):** Μεταφέρω μια συζήτηση σε πλάγιο λόγο *[Βλέπε 6.22]*

The others and I

Communication

- ✓ I present myself
- ✓ I introduce someone else
- ✓ I create simple social relations
- ✓ I participate in social events
- ✓ I wish people something
- ✓ I agree, I disagree, I express doubt

Thematic units

Social relations

✓ **Greetings / Introductions**
- I present myself
- I introduce someone else

Characterisations

✓ **Family relations**
- Relations between relatives

✓ **Personal life**
- Couples and their relationship

Free / Leisure time

✓ **Free time outside the house**
- Social relationships
- Participation in social events

Vocabulary

- **Greetings / Introductions**
- **Relationships**
- **I agree, I disagree, I express doubt**

Grammar

1. **The diminutive nouns ending in *-άκης, -ούλης*, & in *-ούλα, -ίτσα* & in *-άκι***
   *ο Κώστας - ο Κωστ**άκης**, ο μικρός - ο μικρ**ούλης**, η ταβέρνα - η ταβερν**ούλα**, η κούκλα - η κουκλ**ίτσα**, το κορίτσι - το κοριτσ**άκι**, το ούζο - το ουζ**άκι***
2. **The indicative particle *να* with personal pronouns *να τος / να τη / να το***
3. **The adjective *αρκετός-ή-ό* and the indefinite pronouns *κάποιος-α-ο* & *μερικοί-ές-ά***
4. **The position of possessive pronoun**
5. **The past, the simple future & the simple subjunctive of the verbs ending in *-ομαι* & *-άμαι***
   *ντύνομαι - **ντύθηκα** - **θα ντυθώ***
   *κοιμάμαι - **κοιμήθηκα** - **θα κοιμηθώ***
6. **Table of new verbs**
7. **Indirect speech (3): I transfer a dialogue in indirect speech *[See 6.22]***

Βήμα 6 Εγώ και οι άλλοι

*Ο Νικόλα συναντάει μετά **από** πολύ **καιρό** τον Έντι, έναν παιδικό του φίλο. Πάνε σ' ένα **ταβερνάκι**, πίνουν το **ουζάκι** τους και λένε τα νέα τους.*

6.1. 102 *Τι νέα;*

Ν.: Νικόλα, Ε.: Έντι, Μ.: Μαριλένα

Ε.: Γεια σου, Νικόλα! **Τι έγινες**; Εδώ και δυο μήνες ούτε σε βλέπω ούτε ξέρω τι κάνεις. Καλά είσαι;
Ν.: Καλά είμαι, Έντι. Εσύ **τι γίνεσαι; Τι νέα;**
Ε.: Είμαι μια χαρά. Και η Έρα τι κάνει;
Ν.: Η Έρα; Παλιά ιστορία. Αυτή η **σχέση** τελείωσε πια.
Ε.: Γιατί; Εσείς ήσασταν μια χαρά.
Ν.: Κοίταξε... πέρσι το φθινόπωρο η Έρα ήρθε στην Αθήνα και μείναμε σχεδόν έξι μήνες μαζί.
Ε.: Και τι έγινε;
Ν.: Καταλάβαμε πολύ απλά ότι δεν **ταιριάζουμε. Τα χαλάσαμε** για λίγο καιρό, **τα φτιάξαμε** πάλι, αλλά τελικά χωρίσαμε
Ε.: Τι κρίμα! Γιατί, βρε **παιδάκι** μου;
Ν.: Τι να κάνουμε; Δεν ταιριάξαμε. Είμαστε ακόμα όμως φίλοι με την Έρα... Κι εσύ; Τι κάνει ο **μεγάλος σου έρωτας**, η Αναστασία;
Ε.: Είμαι πάντα πολύ ερωτευμένος μαζί της. Πέρσι παντρευτήκαμε· κάναμε πολιτικό γάμο στην Κορυτσά και μετά από τρεις μήνες, **θρησκευτικό** στην Ελλάδα. Έχουμε κι ένα **κοριτσάκι** τεσσάρων μηνών.
Ν.: Αλήθεια; Να σας ζήσει!
Ε.: Και το επόμενο Σάββατο έχουμε τα βαφτίσια της. Σε περιμένουμε οπωσδήποτε.
Ν.: Θα έρθω με **μεγάλη μου χαρά**!
Ε.: Θα σου στείλω **ηλεκτρονικά** την πρόσκληση γιατί δεν προλαβαίνω με το ταχυδρομείο. Εκεί έχει όλες τις **λεπτομέρειες** πού, πότε, κ.λπ.
Ν.: Την περιμένω και **θα χαρώ*** πολύ να έρθω στα βαφτίσια της κόρης σου. Σου έχω όμως κι εγώ μια έκπληξη. Παντρεύομαι τον άλλο μήνα.
Ε.: Νικόλα, είσαι **απίθανος**. Πότε πρόλαβες; Εσύ μόλις χώρισες.
Ν.: Στη σχολή που πάω γνώρισα μια καταπληκτική κοπέλα και πολύ όμορφη. Ξέρεις την Κίρστεν Ντανστ, την ηθοποιό; Της μοιάζει πολύ.
Ε.: Σοβαρά; Και... πώς τη λένε;
Ν.: Το όνομά της είναι Μαρία-Ελένη αλλά τη φωνάζουν Μαριλένα. Θέλει να γίνει **ηχολήπτρια**, λατρεύει τη μουσική... **τα πάμε πολύ καλά** μαζί.
Ε.: Μπράβο, Νικόλα! Σου εύχομαι να είσαι πάντα ευτυχισμένος.
Ν.: Σ' ευχαριστώ πολύ, Έντι! Θα σου στείλω κι εγώ μια πρόσκληση πολύ σύντομα.
Ε: Και πότε θα τη γνωρίσω;
Ν.: Θα είναι εδώ σε μισή ώρα.

Σε λίγο:
Ν.: **Να τη**! Έρχεται. Γεια σου, Μαριλένα μου. **Να σου συστήσω** τον Έντι, έναν παιδικό μου φίλο.
Μ.: **Χαίρω πολύ**, Έντι!
Ε.: Κι εγώ επίσης! Ο Νικόλα μού είπε τα νέα σας. Τα συγχαρητήριά μου!
Ν.: Σ' ευχαριστούμε, Έντι. Θα κάτσεις μαζί μας;
Ε.: Δυστυχώς πρέπει να φύγω. Με περιμένουν στο σπίτι. **Χάρηκα*** πολύ για τη **γνωριμία**, Μαριλένα. Σας περιμένω στα βαφτίσια.

** χαίρω / χαίρομαι*

6.1.α. **Σημειώστε ποιες φράσεις αφορούν το Νικόλα και ποιες τον Έντι.**
Note which phrases regard Nikola and which Eddie.

		N.	E.
1.	Είναι παντρεμένος.		
2.	Προσκαλεί το φίλο του στο γάμο.		
3.	Τα χάλασε και μετά τα έφτιαξε πάλι με την Έρα.		
4.	Τα πάει πολύ καλά με τη Μαριλένα.		
5.	Έχει ένα κοριτσάκι τεσσάρων μηνών.		
6.	Τελικά κατάλαβε ότι δεν ταιριάζουν με την Έρα.		
7.	Πέρσι η φίλη του ήρθε στην Αθήνα και έμειναν μαζί έξι μήνες.		

		N.	E.
8.	Είναι ακόμα ερωτευμένος με τη γυναίκα του.		
9.	Έκανε και πολιτικό και θρησκευτικό γάμο.		
10.	Το άλλο Σάββατο βαφτίζει την κόρη του.		
11.	Γνώρισε μια καταπληκτική κοπέλα στη σχολή του.		
12.	Παντρεύεται σύντομα.		
13.	Καλεί στα βαφτίσια το φίλο του.		
14.	Δεν έχει χρόνο να στείλει την πρόσκληση με το ταχυδρομείο.		

6.1.β. **Γράψτε το μέιλ που στέλνει ο Έντι με τα νέα του Νικόλα σ' ένα κοινό φίλο τους στην Αλβανία. (80-100 λέξεις)** Write a letter that Eddie sends to a friend of his and Nikola's in Albania, with the news of the latter. (80-100 words)

6.2. *Παντρευόμαστε!*

Το ζευγάρι και οι γονείς της Μαριλένας συζητούν για το γάμο.

Μαριλένα: Λοιπόν συμφωνούμε όλοι. Ο γάμος θα γίνει το Σάββατο 28 Μαΐου, στις επτάμισι το απόγευμα, στον Άγιο Δημήτριο το Λουμπαρδιάρη, στο **λόφο** του Φιλοπάππου.

κ. Χλωρός: Και τώρα το πιο δύσκολο θέμα: πού θα γίνει η δεξίωση του γάμου;

Νικόλα: Είδαμε με τη Μαριλένα, ένα πολύ ωραίο ξενοδοχείο, το «Ηρώδειο»· και δεν είναι πολύ ακριβό.

Μαριλένα: Κι έχει μια υπέροχη ταράτσα με θέα την Ακρόπολη!

κα Χλωρού: Δε θα κάνουμε τη δεξίωση στο σπίτι; Α! πα, πα! Αποκλείεται. Θα έρθουν στην Ελλάδα οι συγγενείς του Νικόλα και δε θα τους καλέσουμε στο σπίτι μας; **Δε γίνεται. Άλλο** στο σπίτι και **άλλο** στο ξενοδοχείο.

κ. Χλωρός: Πόπη μου, ίσως έχεις δίκιο αλλά το σπίτι μας δε χωράει πολύ κόσμο. Αν κάνουμε τη δεξίωση στο σπίτι, θα πρέπει να καλέσουμε το μισό κόσμο... και δε νομίζω ότι είναι σωστό.

κα Χλωρού: Τι λες, Κώστα; Δε χωράει κόσμο το σπίτι μας; Δε συμφωνώ καθόλου! Και η βεράντα μας; Χωράει **άνετα** πέντε μεγάλα τραπέζια. Και η θέα μας είναι πιο ωραία. **Εκτός** από την Ακρόπολη, εμείς βλέπουμε και το Λυκαβηττό και τη θάλασσα! **Άλλωστε**, όπως **συμβαίνει** συνήθως, **μερικοί** δε θα μπορέσουν να έρθουν. **Κάποιοι** θα είναι άρρωστοι, άλλοι θα είναι σε ταξίδι... δεν έρχονται πάντα όλοι. **Επομένως** δεν υπάρχει κανένα πρόβλημα!

κ. Χλωρός: Πόπη μου, με συγχωρείς αλλά τα παιδιά θα αποφασίσουν, όχι εμείς.

Μαριλένα: Ακούστε... **διαφωνώ** και με τις δύο **λύσεις**. **Κατά τη γνώμη μου**, τα πράγματα είναι απλά. Υπάρχει και μια τρίτη λύση. Δε θα κάνουμε δεξίωση γάμου ούτε στο σπίτι ούτε σε ξενοδοχείο. **Θα προσφέρουμε** ποτά και **μεζεδάκια** έξω από την εκκλησία κι εκεί θα κόψουμε και την τούρτα.

Νικόλα: Είδαμε προχτές το χώρο με τη Μαριλένα· είναι και αρκετά μεγάλος για τους καλεσμένους μας και πολύ ωραίος. Είναι μέσα σ' ένα **δασάκι**. Νομίζει κανείς ότι είναι μακριά από την Αθήνα.

Μαριλένα: Πολύ **ρομαντικό** μέρος! Και τους συγγενείς του Νικόλα, θα τους καλέσουμε μια άλλη μέρα στο σπίτι. Συμφωνείς, μαμά;

κα Χλωρού: Χμ! Δεν ξέρω ακόμα... δεν είμαι σίγουρη...

Μαριλένα: Εσύ, μπαμπά, τι λες; Ποια είναι η γνώμη σου;

κ. Χλωρός: Πολύ καλή ιδέα! Μπράβο! Κι εγώ συμφωνώ.

Νικόλα: Και είναι και η πιο οικονομική λύση, δε νομίζετε;

κ. Χλωρός: Έχεις δίκιο, Νικόλα! Άντε, παιδιά μου, και **η ώρα η καλή**!

Μια παλιά μικρή εκκλησία (16ος μ.Χ.) στο λόφο του Φιλοπάππου, μέσα σ' ένα πάρκο, γεμάτο δέντρα και φυτά, πολύ κοντά στ. Ακρόπολη. Το λόφο διασχίζει ένας υπέροχος πέτρινος δρόμος, έργο του διάσημου αρχιτέκτονα, Δημήτρη Πικιώνη.

Πρόσκληση

Την πιο ευτυχισμένη μέρα της ζωής μας
θα θέλαμε όλοι οι φίλοι μας να είναι κοντά μας.

Παντρευόμαστε το Σάββατο 28 Μαΐου στις 19:30
στον Άγιο Δημήτριο το Λουμπαρδιάρη
στο λόφο Φιλοπάππου.

Μετά το γάμο θα πιούμε ένα κρασί έξω από την εκκλησία.

Σας περιμένουμε,
Μαριλένα & Νικόλα

Π.Α. μέχρι 10 Μαΐου, τηλ.: 6910 324987

6.2.α.  Σημειώστε: Σωστό ή Λάθος; Tick: True or False?

		Σωστό	Λάθος
1.	Όλοι συμφωνούν ότι ο γάμος θα γίνει το Σάββατο 28 Μαΐου.		
2.	Ο γάμος θα γίνει στο λόφο του Φιλοπάππου.		
3.	Ο Νικόλα και η Μαριλένα πρότειναν το ξενοδοχείο *Ηρώδειο* για τη δεξίωση.		
4.	Το ξενοδοχείο είναι λίγο ακριβό αλλά έχει πολύ ωραία θέα.		
5.	Η κυρία Χλωρού θέλει να γίνει η δεξίωση στο σπίτι.		
6.	Ο κύριος Χλωρός πιστεύει ότι το σπίτι τους δε χωράει πολύ κόσμο.		
7.	Η κυρία Χλωρού συμφωνεί με τον κύριο Χλωρό.		
8.	Ο κύριος Χλωρός λέει ότι πρέπει να αποφασίσουν ο Νικόλα και η Μαριλένα.		
9.	Ο Νικόλα προτείνει να προσφέρουν ποτά και μεζεδάκια έξω από την εκκλησία.		
10.	Η κυρία Χλωρού θέλει κι εκείνη να καλέσουν τους συγγενείς του Νικόλα μια άλλη μέρα στο σπίτι.		
11.	Ο κύριος Χλωρός διαφωνεί με τη Μαριλένα.		
12.	Ο Νικόλα λέει ότι αυτή η λύση είναι και η πιο οικονομική.		

Δημήτρης Πικιώνης (1887-1968)

 Ακούστε το κείμενο: *Συμφωνείτε ή διαφωνείτε;*

6.3.α. Σημειώστε το σωστό (1 έως 4 σωστά).
Tick the correct answer (1 to 4 correct).

		α. κ. Χλωρός	β. κα Χλωρού	γ. Μαριλένα	δ. Νικόλας
1.	Ποιοι συμφωνούν να γίνει ο γάμος στις 28 Μαΐου, στις 19:30;				
2.	Ποιοι προτείνουν να γίνει η δεξίωση στο ξενοδοχείο *Ηρώδειο*;				
3.	Ποιοι νομίζουν ότι το *Ηρώδειο* έχει ωραία θέα και δεν είναι ακριβό;				
4.	Ποιοι προτείνουν να γίνει η δεξίωση στο διαμέρισμα της οικογένειας Χλωρού;				
5.	Ποιοι θέλουν να καλέσουν τους συγγενείς του Νικόλα στο σπίτι;				
6.	Ποιοι διαφωνούν να γίνει η δεξίωση στο σπίτι;				
7.	Ποιοι προτείνουν να γίνει η δεξίωση στο χώρο έξω από την εκκλησία;				
8.	Ποιοι συμφωνούν με αυτή τη λύση;				
9.	Ποιοι λένε ότι η λύση αυτή είναι η πιο οικονομική;				
10.	Ποιοι δεν είναι σίγουροι για την τρίτη λύση;				

ανάπτυξη

6.4. Συστήνομαι & συστήνω

105 Συστήνομαι

** Τα γυναικεία επώνυμα σχηματίζονται από τη γενική του αρσενικού επωνύμου.*
** Feminine last names derive from the genitive of the masculine last name.*
Π.χ.: ο κύριος Χλωρός - του κύριου Χλωρού -> η κυρία Χλωρού.

106 Συστήνω άλλους

Γνωρίζετε το(ν)/τη(ν)/το...; **Γνωρίζεστε;** **Γνωρίζεστε με το(ν)/τη(ν)/το...;**	**Από (ε)δω ο/η/το...** **Να σου/σας συστήσω το(ν)/τη(ν)/το...** **Να σου/σας γνωρίσω το(ν)/τη(ν)/το...**
1. *Α*: Κυρία Μακρή, **γνωρίζετε τον** κύριο Χλωρό; *Β*: Όχι, δεν **τον γνωρίζω**. *Α*: Κύριε Χλωρέ, **από εδώ** η Ευτυχία Μακρή. *Γ*: **Χαίρω πολύ**, κυρία Μακρή! *Β*: **Επίσης**, κύριε Χλωρέ!	2. *Α*: Κύριε Μακρή, **γνωρίζεστε με την** κυρία Χλωρού; *Β*: Όχι, δε **γνωριζόμαστε**. *Α*: Κυρία Χλωρού, **να σας συστήσω τον** κύριο Νίκο Μακρή. *Γ*: **Χαίρω πολύ**, κύριε Μακρή! *Σε λίγο* *Β*: Αντίο σας, κυρία Χλωρού! **Χάρηκα πολύ*** για τη γνωριμία μας.
3. *Α*: Να η Ιουλία! **Τη γνωρίζεις**, Μαρία; *Β*: Όχι, δεν **τη γνωρίζω**. *Α*: **Να σου τη συστήσω** λοιπόν. Ιουλία μου, **από δω** η συνάδελφός μου, η Μαρία. *Γ*: Γεια σου, Μαρία! *Β*: **Χαίρω πολύ**, Ιουλία!	4. *Α*: Μάρκο, θέλεις **να σου γνωρίσω το** διευθυντή μου; *Β*: Ευχαρίστως! **Θα χαρώ** πολύ να τον γνωρίσω. *Α*: Κύριε Μακρίδη, **να σας συστήσω** το σύζυγό μου, το Μάρκο. *Γ*: **Χαίρω πολύ**, κύριε Αντωνίου! *Β*: Κι εγώ, κύριε Μακρίδη. **Από καιρό** ήθελα **να σας γνωρίσω**.

** Την έκφραση **Χάρηκα πολύ** τη χρησιμοποιούμε συνήθως όταν αποχαιρετάμε κάποιον που μόλις γνωρίσαμε.*
*The expression **Χάρηκα πολύ** is mainly used to say goodbye to someone we just met.*

6.4.α. Σημειώστε το σωστό. Tick the correct answer.

1.	- ***Γνωρίζετε / Γνωρίζεστε*** με τον κύριο Ανδρέου;	- Όχι, ***δε γνωρίζουμε / δε γνωριζόμαστε.***
2.	Κύριε Μακρίδη, ***να σε συστήσω / να σας συστήσω*** τον πατέρα μου;	
3.	Αλέξανδρε, ***να σε συστήσω / να σου συστήσω*** τον πεθερό μου.	
4.	Νίκο, θέλεις ***να σε συστήσω / να σου συστήσω*** τη συγκάτοικό μου;	
5.	Αντίο σας, κύριε Μακρίδη, ***χαίρω πολύ / χάρηκα πολύ*** που σας γνώρισα!	
6.	- Γρηγόρη, θέλεις ***να σε γνωρίσω / να σου γνωρίσω*** το θείο μου;	- Ναι, ***θα χαρώ / χάρηκα*** πολύ να τον γνωρίσω!

6.4.β. Χωριστείτε σε ομάδες ανά τρεις και κάντε συστάσεις μεταξύ σας, με βάση τους διαλόγους του 6.4.

Form groups of three and introduce each other, based on the dialogues of 6.4.

6.5. Σχέσεις

γνωρίζομαι / γνωριζόμαστε γνωρίστηκα / γνωριστήκαμε	
τα φτιάχνω / τα φτιαχνουμε τα 'φτιαξα / τα φτιάξαμε	
τα έχω / τα έχουμε τα είχα / τα είχαμε	
τα πάω καλά / τα πάμε καλά τα πήγα καλά / τα πήγαμε καλά	με το(ν)/τη(ν)...
ταιριάζω / ταιριάζουμε ταίριαξα / ταιριάξαμε	
τα χαλάω / τα χαλάμε τα χάλασα / τα χαλάσαμε	

ερωτεύομαι ερωτεύτηκα είμαι ερωτευμένος/η	το(ν)/τη(ν).. το(ν)/τη(ν).. με το(ν)/τη(ν)...
αρραβωνιάζομαι / αρραβωνιαζόμαστε αρραβωνιάστηκα / αρραβωνιαστήκαμε	(με) το(ν)/τη(ν)...
παντρεύομαι / παντρευόμαστε παντρεύτηκα / παντρευτήκαμε	(με) το(ν)/τη(ν)...
χωρίζω / χωρίζουμε χώρισα / χωρίσαμε	με το(ν)/τη(ν)...
παίρνω / παίρνουμε **διαζύγιο** πήρα / πήραμε διαζύγιο	(με) το(ν)/τη(ν)...

-Πώς τα πάτε με το Γιάννη;	-Τα πάμε	καλά τέλεια **υπέροχα** **φανταστικά**	έτσι κι έτσι άσχημα πολύ άσχημα χάλια

6.5.α. 107 *Η Ηλέκτρα και ο Μιχάλης*

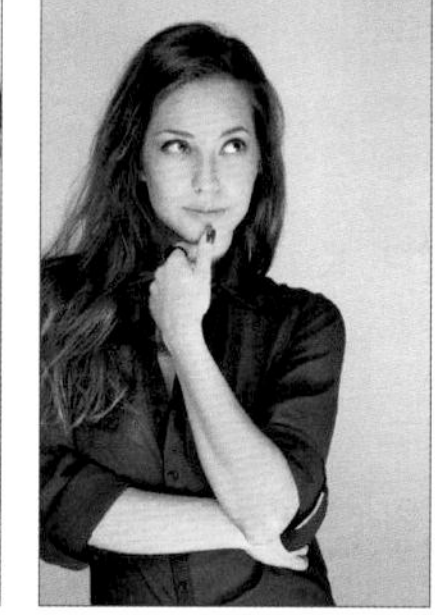

1.	2.	3.	4.	5.
Γνωριστήκαμε με το Μιχάλη σ' ένα πάρτι. **Τον ερωτεύτηκα** μόλις τον είδα.	**Τα φτιάξαμε** γύρω στο φθινόπωρο.	**Τα είχαμε** για εφτά μήνες. Η **σχέση** μας ήταν υπέροχη.	Αργότερα όμως άρχισαν τα προβλήματα και οι **καβγάδες**.	Άρχισα να πιστεύω ότι δεν **ταιριάζουμε** καθόλου και ότι **θα τα χαλάσουμε** σύντομα.

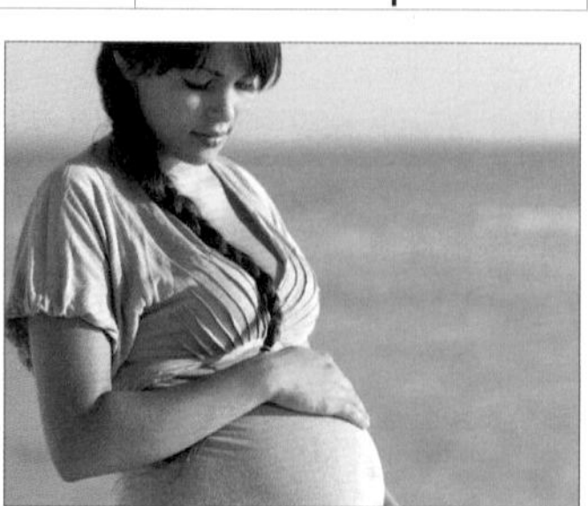

6.	7.	8.	9.	10.
Τελικά ένα μήνα αργότερα **χωρίσαμε**.	Ένα χρόνο μετά **αρραβωνιάστηκα** την παλιά μου αγάπη, τον Αχιλλέα.	**Παντρευτήκαμε** πολύ γρήγορα.	Έξι μήνες όμως μετά, **χωρίσαμε**. **Πήραμε** και **διαζύγιο**.	Αργότερα **τα φτιάξαμε** ξανά. Το καλοκαίρι **παντρευτήκαμε** για δεύτερη φορά. Τώρα περιμένουμε το πρώτο μας παιδί.

6.5.β.  *Η ιστορία της Αριάδνης.*

6.5.γ. Διαγράψτε το λάθος. Ακούστε το κείμενο και ελέγξτε τις απαντήσεις σας.

Cross out the mistake. Listen to the text and check your answers.

Γνωρίσαμε / Γνωριστήκαμε σ' ένα συνέδριο για το περιβάλλον, στη Βιέννη. Μας ***σύστησε / συστήσανε*** ένας φίλος μας. Ο Στέφανος ήταν ψηλός, μελαχρινός με μπλε σκούρα μάτια και πολύ γλυκό χαμόγελο. Μου άρεσε από την πρώτη στιγμή αλλά φαίνεται ότι κι εγώ ***του άρεσε / του άρεσα***. Το βράδυ βγήκαμε με μια παρέα συναδέλφων για τα παραδοσιακά λουκάνικα, το βραστό λάχανο και φυσικά τις αγαπημένες πατάτες των Αυστριακών. Γυρίσαμε στο ξενοδοχείο μας και καθίσαμε για λίγο στο μπαρ. Συζητήσαμε για χίλια δυο πράγματα μέχρι τις τρεις το πρωί.

Μόλις γύρισα στο δωμάτιό μου κατάλαβα ότι ήμουν ***ερωτευμένη / αγαπημένη*** με το Στέφανο. Αργότερα μου είπε ότι κι εκείνος ***θα με ερωτευτεί / με ερωτεύτηκε*** από την πρώτη στιγμή.

Τα έφτιαξα / Τα φτιάξαμε πριν τελειώσει το συνέδριο. Γυρίσαμε στην Ελλάδα και για ένα χρόνο ***τα πήγαμε / τα είχαμε*** πολύ καλά. ***Η σχέση / Οι σχέσεις*** μας ήταν υπέροχη. Μας άρεσαν τα ίδια πράγματα, το θέατρο, η μουσική, ο κινηματογράφος... Σιγά-σιγά όμως τα πράγματα άλλαξαν. Καταλάβαμε ότι είχαμε πολύ ***διαφορετικούς / ίδιους*** χαρακτήρες. ***Τα χαλάσαμε / τα φτιάξαμε*** μετά από ένα χρόνο. Εγώ έμεινα μόνη για αρκετούς μήνες και τον πρώτο καιρό ήμουν πολύ δυστυχισμένη. Ο Στέφανος ***τα είχε / τα έφτιαξε*** σύντομα με μια συνάδελφό του. ***Παντρεύτηκαν / Θα παντρευτούν*** πριν από ένα μήνα.

Εγώ ***ερωτεύτηκα / θα ερωτευτώ*** ξανά. Είμαι με τον Ορφέα εδώ και τρεις μήνες και τα πάμε φανταστικά. ***Αρραβωνιαστήκαμε / Θα αρραβωνιαστούμε*** την άλλη εβδομάδα και ***θα παντρευτούμε / παντρευτήκαμε*** το καλοκαίρι στην Κρήτη γιατί ο Ορφέας είναι από εκεί. Αποφασίσαμε να κάνουμε θρησκευτικό γάμο κι ένα παραδοσιακό κρητικό **γλέντι** με πολλούς καλεσμένους, μουσική και βέβαια πολύ χορό! Γαμήλιο ταξίδι σκεπτόμαστε να μην πάμε το καλοκαίρι αλλά αργότερα, το χειμώνα.

6.5.δ.  *Η Καίτη και ο Πάνος*

6.5.ε.  Ακούστε το κείμενο και συμπληρώστε τα κενά. Listen to the text and fill in the gaps.

Νίνα: Τι [1] _______________, Καίτη μου;

Καίτη: Είμαι μια χαρά, Νίνα μου. Έχω μια [2] _______________ και είμαι πολύ [3] _______________. [4] _______________ με τον Παύλο πριν από ένα μήνα. Ο Παύλος είναι πολύ γλυκός άνθρωπος και [5] _______________ πολύ. Μας αρέσουν [6] _______________ πράγματα και [7] _______________ πολύ καλά. [8] _______________ ένα μήνα μένουμε μαζί. Είμαστε πολύ [9] _______________.

Χρήστος: Τι γίνεσαι, Πάνο μου;

Πάνος: Τι [10] _______________; Είμαι χάλια. Ξέρεις... [11] _______________ με την Όλγα. [12] _______________ περίπου δύο χρόνια. Όταν [13] _______________, μετακόμισα. Βρήκα ένα στούντιο κοντά στον αδελφό μου και από τότε μένω εκεί. Και [14] _______________ από όλα αυτά [15] _______________ και η αδερφή μου. Και έχει δύο παιδιά!

Και τώρα εσείς!

6.5.ζ. *Μιλήστε για ένα φιλικό σας ζευγάρι / για τους γονείς σας / για τον παππού σας και τη γιαγιά σας κ.λπ. (Πότε γνωρίστηκαν; Πότε ερωτεύτηκε ο ένας τον άλλον; Πότε τα έφτιαξαν; Πόσα χρόνια τα είχαν; Αρραβωνιάστηκαν; Πόσο καιρό έμειναν αρραβωνιασμένοι; Παντρεύτηκαν; Με πολιτικό ή με θρησκευτικό γάμο; Είναι ακόμη παντρεμένοι ή χώρισαν;)*

6.6. Ακούστε το κείμενο: *Ο Πικάσο και οι γυναίκες του*

Πορτρέτα της Ντόρα Μαρ

6.6.α. Σημειώστε το σωστό. (1 ή 2 σωστά) Tick the correct answer. (1 or 2 correct)

Οι γυναίκες του Πικάσο		α. Παντρεύτηκαν αλλά χώρισαν	β. Παντρεύτηκαν και δε χώρισαν	γ. Τα έφτιαξαν αλλά χώρισαν	δ. Τα έφτιαξαν αλλά τελικά εκείνη πέθανε	ε. Έκανε παιδιά μαζί της
1.	Φερνάντε Ολιβιέ					
2.	Εύα Γκουέλ					
3.	Όλγα Κόκλοβα					
4.	Μαρί-Τερέζ Γουόλτερ					
5.	Ντόρα Μαρ					
6.	Φρανσουάζ Ζιλό					
7.	Ζακλίν Ροκ					

6.6.β. Μιλήστε ανά ζεύγη για τις σχέσεις κάποιου διάσημου ατόμου. Χρησιμοποιήστε λέξεις κι εκφράσεις από το 6.5

Make a dialogue in pairs regarding the relations of a famous person. Use the words and expressions in 6.5.

6.7. Η οικογένεια της Δανάης

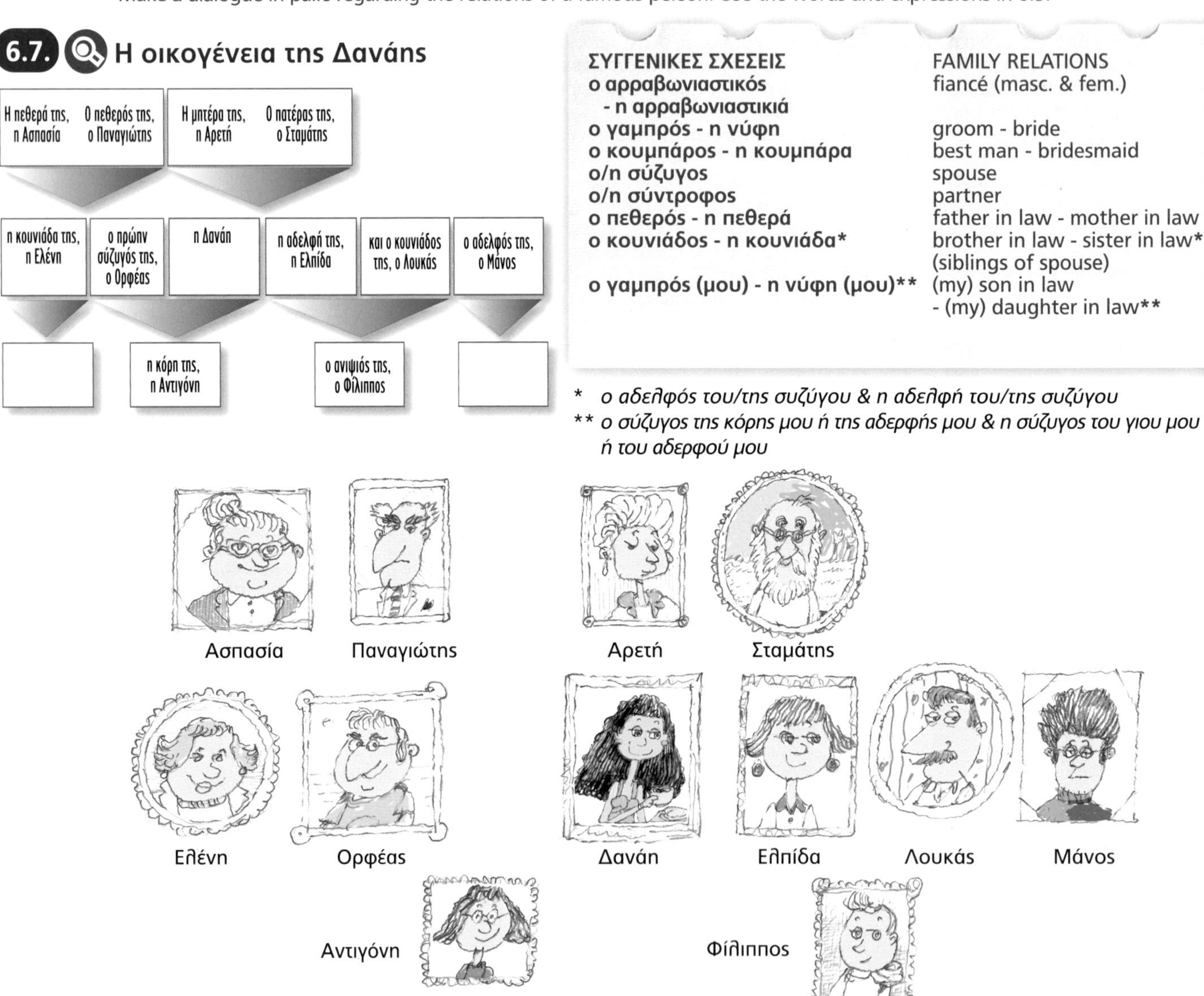

ΣΥΓΓΕΝΙΚΕΣ ΣΧΕΣΕΙΣ	FAMILY RELATIONS
ο αρραβωνιαστικός - η αρραβωνιαστικιά	fiancé (masc. & fem.)
ο γαμπρός - η νύφη	groom - bride
ο κουμπάρος - η κουμπάρα	best man - bridesmaid
ο/η σύζυγος	spouse
ο/η σύντροφος	partner
ο πεθερός - η πεθερά	father in law - mother in law
ο κουνιάδος - η κουνιάδα*	brother in law - sister in law* (siblings of spouse)
ο γαμπρός (μου) - η νύφη (μου)**	(my) son in law - (my) daughter in law**

* *ο αδελφός του/της συζύγου & η αδελφή του/της συζύγου*

** *ο σύζυγος της κόρης μου ή της αδερφής μου & η σύζυγος του γιου μου ή του αδερφού μου*

6.7.α. Ταιριάξτε τις στήλες. Match the columns.

1.	Ο κουνιάδος μου	_	α.	Η μητέρα της γυναίκας μου ή του άντρα μου.
2.	Η νύφη μου	_	β.	Η αδερφή της γυναίκας μου ή του άντρα μου.
3.	Η πεθερά μου	_	γ.	Ο πατέρας της γυναίκας μου ή του άντρα μου.
4.	Η αρραβωνιαστικιά μου	_	δ.	Η γυναίκα του γιου μου ή του αδερφού μου.
5.	Ο σύντροφός μου	_	ε.	Ο αδερφός της γυναίκας μου ή του άντρα μου.
6.	Η σύζυγός μου	_	ζ.	Ο άντρας της κόρης μου ή της αδερφής μου.
7.	Ο γαμπρός μου	_	η.	Ο άντρας μου.
8.	Ο σύζυγός μου	_	θ.	Εκείνη κι εγώ θα παντρευτούμε σύντομα.
9.	Η κουνιάδα μου	_	ι.	Εκείνος κι εγώ έχουμε σχέση.
10.	Ο πεθερός μου	_	κ.	Η γυναίκα μου.

6.8. Η δεξίωση και οι ευχές*

Μετά το γάμο το ζευγάρι και οι γονείς τους κάνουν συνήθως μια δεξίωση και καλούν τους συγγενείς και τους φίλους για να γιορτάσουν όλοι μαζί αυτή τη σημαντική μέρα. Όλοι εύχονται: *Να σας χαιρόμαστε! Σας ευχόμαστε **βίο ανθόσπαρτο**! Σας ευχόμαστε κάθε ευτυχία και χαρά! Πάντα ευτυχισμένοι! Να ζήσετε! Όλες μας τις ευχές! Συγχαρητήρια! Να ζήσει **η νύφη** κι **ο γαμπρός**! Να ζήσουν οι **νιόπαντροι**!*

Για τις ευχές βλέπε* **Ελληνικά για σας Α1, *Βιβλίο του μαθητή, σελ.134 - 136.*

6.8.α. Σημειώστε το σωστό. Tickt the correct answer.

1.	Στην ανιψιά σας που έχει τα γενέθλιά της.	α.	Η ώρα η καλή!	β.	Να τα εκατοστίσεις!
2.	Σε ένα ζευγάρι που μόλις παντρεύτηκε.	α.	Να ζήσετε!	β.	Να σας ζήσει!
3.	Σε κάποιον που έχει τα γενέθλιά του.	α.	Να σε χαιρόμαστε!	β.	Τα συγχαρητήριά μου!
4.	Σε κάποιον που μόλις παντρεύτηκε.	α.	Η ώρα η καλή!	β.	Σου εύχομαι βίο ανθόσπαρτο!
5.	Στα βαφτίσια ενός παιδιού.	α.	Χρόνια πολλά!	β.	Να σας ζήσει!
6.	Στους συγγενείς κάποιου που πέθανε.	α.	Να τον χαίρεστε!	β.	Τα συλλυπητήριά μου!
7.	Σε ένα ζευγάρι που αποφάσισε να παντρευτεί.	α.	Να ζήσουν οι νιόπαντροι!	β.	Η ώρα η καλή!
8.	Σε έναν άνδρα που έχασε τη γυναίκα του.	α.	Να ζήσετε να τη θυμάστε!	β.	Τα συγχαρητήριά μου!
9.	Σε μια θεία σας που γιορτάζει.	α.	Χρόνια πολλά!	β.	Να τη χαίρεστε!
10.	Σε ένα ζευγάρι που γιορτάζει την επέτειο του γάμου του.	α.	Να είστε πάντα ευτυχισμένοι!	β.	Η ώρα η καλή!

6.9. Σημαίνει πολλά: Γίνομαι

Τι έγινες;	Πού ήσουν; / Τι έκανες;
Τι γίνεσαι;	Τι κάνεις; / Πώς είσαι; / Πώς τα πας;
Τι θα γίνεις;	Τι επάγγελμα θα κάνεις;
Δε γίνεται.	Δεν μπορώ. / Είναι αδύνατον. / Αποκλείεται.
Τι γίνεται; **Τι έγινε;**	Τι συμβαίνει; Τι **συνέβη;**
Έγινε!	Εντάξει! / Σύμφωνοι!

6.9.α. Ακούστε το κείμενο και συμπληρώστε τα κενά. Listen to the text and fill in the gaps.

1.	- ______________ εδώ κι ένα μήνα; Δεν πήρες ούτε ένα τηλέφωνο. - Είχα πολλή δουλειά. Αρρώστησε κι ο μικρός.... Καταλαβαίνεις...
2.	- Γεια σου, ______________; Και τα παιδιά σου, ______________; - Είμαστε όλοι καλά.
3.	- Τι ______________ όταν μεγαλώσεις, Κωστάκη; - ______________ γιατρός!
4.	- Αύριο σε περιμένω για φαγητό στο σπίτι. - ______________ να έρθω αύριο. Έχω πολλές δουλειές.
5.	- ______________ έξω; Ακούω φασαρία. - Έγινε ένα ατύχημα στη γωνία του δρόμου μας.
6.	- Μπορείς να έρθεις μαζί μου στο γιατρό; - ______________!

6.10. Να ο... / η... / το...! Να τος! Να τη! Να το!

Να ο Στέφανος!

- Ακόμη δεν ήρθε ο Στέφανος;
- **Να τος!** Έρχεται με το ποδήλατο.

Να οι φίλοι σου!

- Πού είναι οι φίλοι σου;
- **Να τοι!** Δεν τους βλέπεις;

Να η Ιόλη!

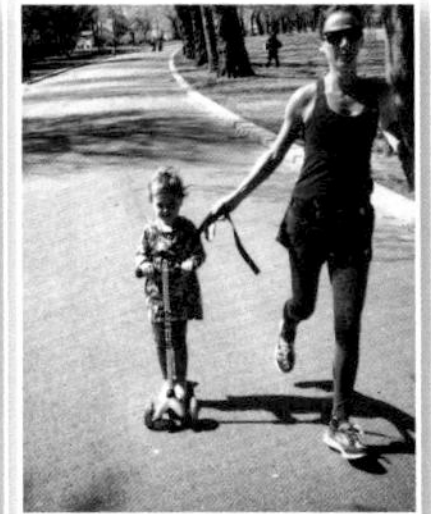

- Πού είναι η Ιόλη;
- **Να τη!** Πάει περίπατο με την κόρη της!

Να οι φίλες σου!

- Δεν βλέπω τις φίλες σου.
- **Να τες!** Πλησιάζουν.

Να το παιδί σου!

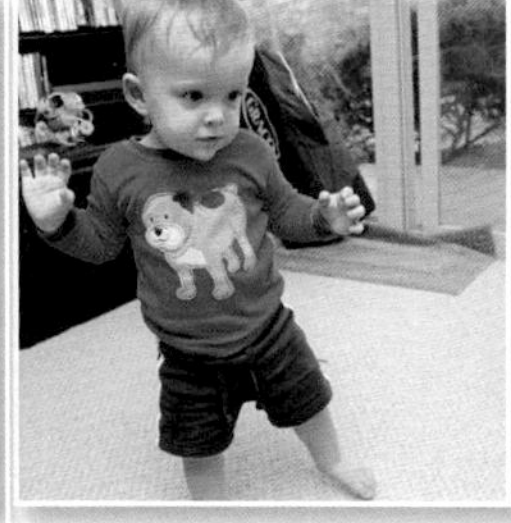

- Πού είναι το παιδί σου;
- **Να το!** Περπατάει τώρα μόνο του.

Να τα παιδιά!

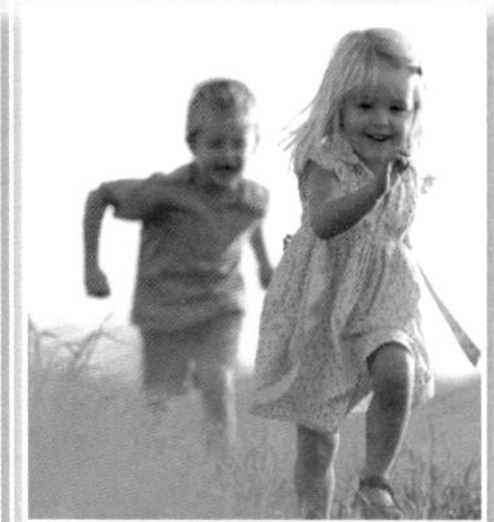

- Πού είναι τα παιδιά;
- **Να τα!** Έρχονται!

6.10.α. Ταιριάξτε τις στήλες. Match the columns.

1.	Βρήκες τη γάτα σου;	___	α.	Να τη! Είναι πίσω από τον κουμπάρο.
2.	Ξέρεις πότε θα 'ρθουν οι κουμπάροι;	___	β.	Να το! Είναι στον κήπο επάνω στο πεύκο.
3.	Δε βλέπω τον κουνιάδο σου. Δε θα 'ρθει στο γάμο;	___	γ.	Να τος! Είναι κάτω από εκείνο το μπλε βιβλίο.
4.	Πού είναι η σύντροφος του κουμπάρου, η Κλέλια;	___	δ.	Να τοι! Είναι μπροστά στην εκκλησία.
5.	Ακόμα δεν έφεραν τις μπομπονιέρες;	___	ε.	Να τα! Ήταν μέσα στην τσέπη του μπουφάν σου.
6.	Το πουλάκι βγήκε έξω; Δεν το βλέπω πουθενά.	___	ζ.	Να τη! Δεν τη βλέπεις; Κοιμάται μπροστά στο τζάκι.
7.	Πού είναι τα καλά μου τα παπούτσια;	___	η.	Να τοι! Είναι στο σαλόνι. Έλα να δεις!
8.	Δε βρίσκω τα κλειδιά μου. Ψάξε να τα βρεις, σε παρακαλώ!	___	θ.	Να τες! Είναι επάνω στο τραπέζι, κοντά στην είσοδο.
9.	Βλέπεις πουθενά το χάρακα;	___	ι.	Να τος! Έρχεται! Είναι μέσα στο μπλε αυτοκίνητο.
10.	Πού έβαλες τελικά τους άσπρους καναπέδες;	___	κ.	Να τα! Είναι κάτω από το κρεβάτι.

6.11.  Πιο μικρό ή πιο αγαπημένο;

Τα υποκοριστικά

✓για κάποιον / κάτι που είναι μικρό

✓για κάποιον / κάτι που αγαπάμε ή που μας αρέσει πολύ

Έχω ένα σπιτ**άκι** τριάντα τετραγωνικά.

Το σπιτ**άκι** μας!

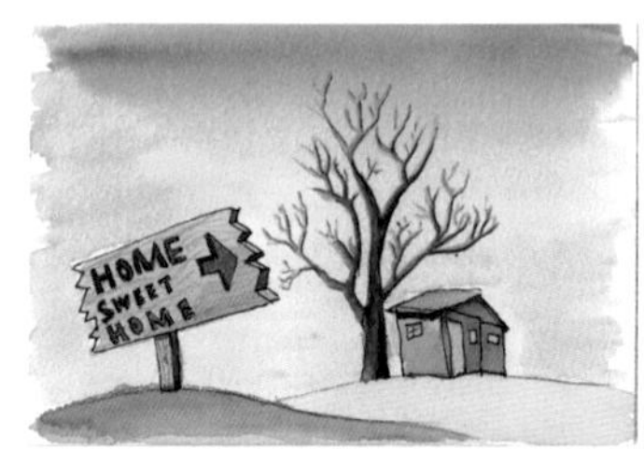

Σπίτι μου, σπιτ**άκι** μου!

6.11.α. 114 Ακούστε το κείμενο και συμπληρώστε τα κενά. Listen to the text and fill in the gaps.

Ο Μιχάλης κι ο Μιχαλάκης

1. Ο μεγάλος και ο μικρ**ός** Μιχάλη**ς**

Να ο Μιχάλης κι ο Μιχαλ______.
Ο μικρ______ μας ψαρεύει!

2. Ο Γιώργ**ος** και ο Κώστ**ας**

-Πώς πάει, Γιωργ______;
- Άστα, βρε Κωστ______...

3. Η βάρκ**α**

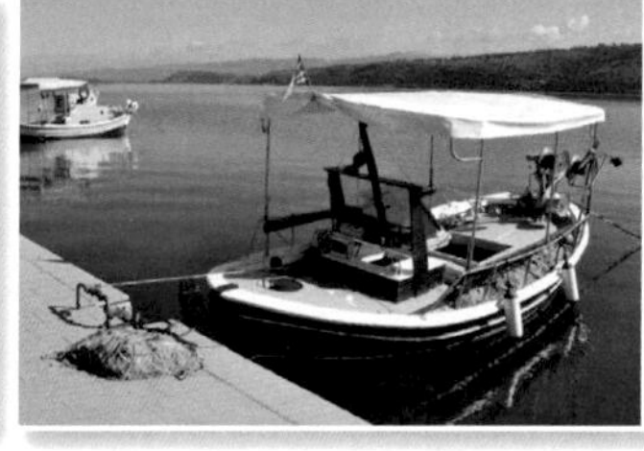

Η βαρκ______ του παππού μου.

4. Η Αγγελικ**ή** & η Ελέν**η**

- Αγγελικ______ μου!
- Ελεν______ μου!

5. Η μπίρ**α**

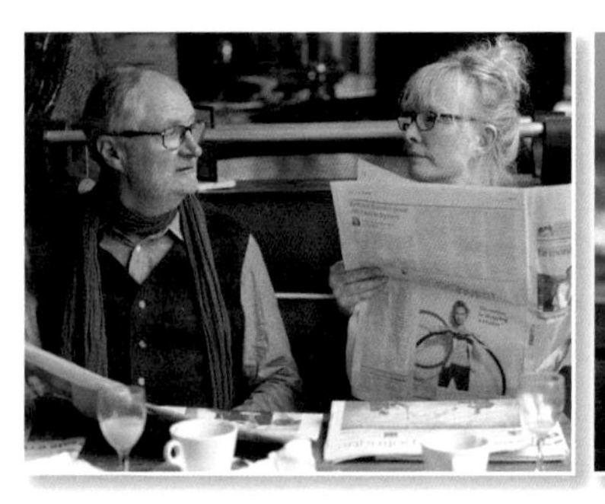

- Δυο μπίρ ______ ήπια μόνο, Κική μου!
- Πιες κι άλλο καφέ! Οδηγείς!

6. Το κορίτσ**ι**

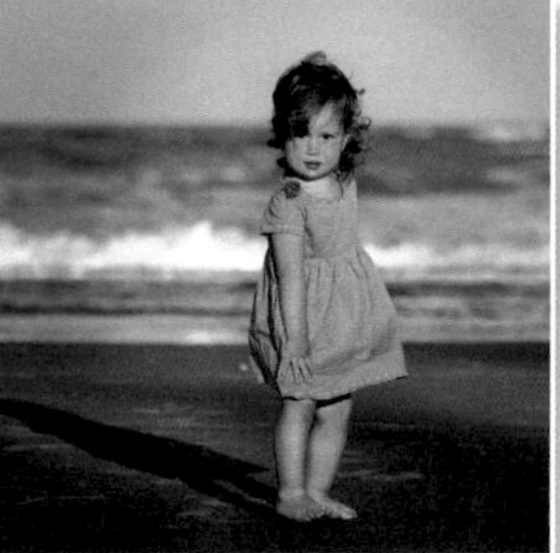

Το κοριτσ______ μου, πρώτη φορά στη θάλασσα!

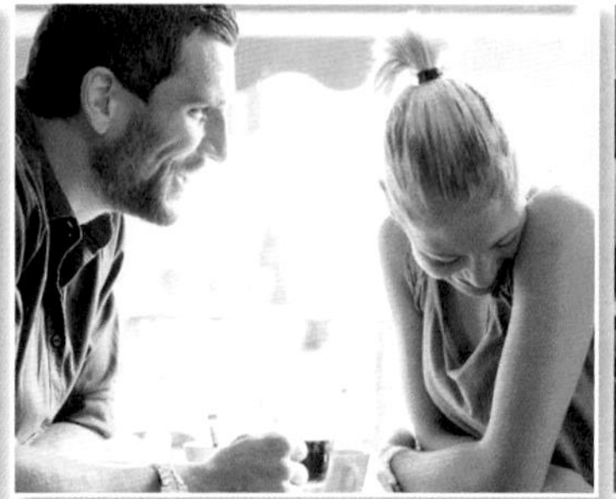

Τι θα πιει σήμερα το κοριτσ_____ μας;

7. Το αυτοκίνητ**ο**

Το αυτοκινητ______ μου!

.11.β. Παρατηρήστε την άσκηση 6.11.α. Σημειώστε ποιες καταλήξεις υποκοριστικών απαντούν σε κάθε γένος.
Observe exercise 6.11.α. Note which are the endings of diminutives of each gender.

	-άκι	-ούλα	-ίτσα	-άκης	-ούλης
Αρσενικά					
Θηλυκά					
Ουδέτερα					

  Κάποιος - κάποια - κάποιο

Κάποιος χτυπάει το κουδούνι. Άνοιξε την πόρτα, σε παρακαλώ!	**Κάποια** κυρία ζήτησε τσάι. Ποια κυρία, παρακαλώ;	Οι περισσότεροι άνθρωποι πηγαίνουν διακοπές στη θάλασσα. **Κάποιοι** όμως προτιμούν το βουνό.

6.12.α. Ταιριάξτε τις στήλες και συμπληρώστε τα κενά με *κάποιος-α-ο.*
Match the columns and fill in the gaps with *κάποιος-α-ο.*

1.	Κάποιος	α.	__________ γυναίκες προτιμούν το θρησκευτικό γάμο, άλλες τον πολιτικό.
2.	Κάποια	β.	__________ παιδί έσπασε το τζάμι του γραφείου μου με μια μπάλα. Δεν είδα όμως ποιο ήταν.
3.	Κάποιο	γ.	__________ καλεσμένοι άργησαν. Οι περισσότεροι όμως ήρθαν στην ώρα τους.
4.	Κάποιοι	δ.	__________ οδηγός χτύπησε χτες στο πάρκινγκ το αυτοκίνητό μου. Πώς θα βρω ποιος ήταν;
5.	Κάποιες	ε.	Όλα τα ταξίδια είναι ωραία. __________ ταξίδια όμως αλλάζουν τη ζωή σου.
6.	Κάποια	ζ.	__________ μέρα θα έρθω στο σπίτι σου. Δεν ξέρω ακόμα πότε.

6.13. Αρκετοί & μερικοί

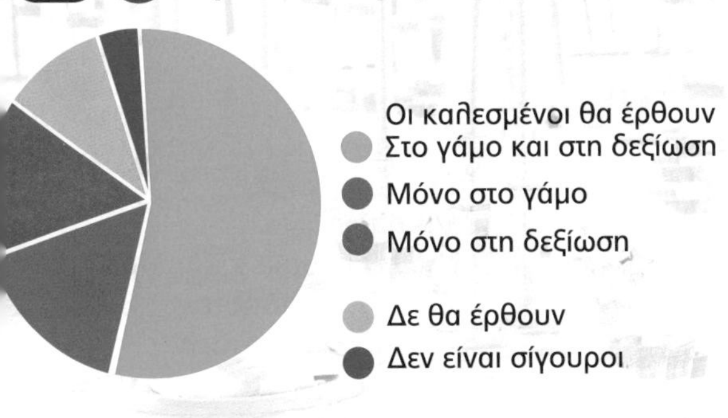

Οι καλεσμένοι

Θα έρθουν στο γάμο & στη δεξίωση	Οι περισσότεροι	70%
Θα έρθουν μόνο στο γάμο	Αρκετοί	13%
Θα έρθουν μόνο στη δεξίωση	Μερικοί	8%
Δε θα έρθουν	Κάποιοι	7%
Δεν είναι σίγουροι	Πολύ λίγοι	2%

6.13.α.  Σημειώστε το σωστό. Μετά ακούστε το κείμενο κι ελέγξτε τις απαντήσεις σας.
Tick the correct answer. Then listen to the text and check your answers.

Πόσοι θα έρθουν στο γάμο και πόσοι στη δεξίωση;

Οι περισσότεροι / οι λιγότεροι καλεσμένοι απάντησαν ότι θα έρθουν και στην εκκλησία και στη δεξίωση. ***Αρκετοί / Μερικοί*** είπαν ότι θα έρθουν στην εκκλησία αλλά θα φύγουν μόλις τελειώσει ο γάμος. ***Αρκετοί / Μερικοί*** δε θα προλάβουν να έρθουν στην εκκλησία και θα πάνε μόνο στη δεξίωση. ***Κάποιοι / Πολλοί*** δε θα έρθουν καθόλου γιατί δεν μπορούν εκείνη την ημέρα. ***Αρκετοί / Πολύ λίγοι*** δεν ξέρουν ακόμα τι θα κάνουν και θα απαντήσουν αργότερα.

6.14. 117 Συμφωνείτε ή διαφωνείτε; Ποια είναι η γνώμη σας;

1

Συνέχεια τα ίδια και τα ίδια κάνουμε, βρε παιδιά. Σήμερα το βράδυ **λέω να** πάμε στην Όπερα. **Τι λέτε; Συμφωνείτε;**	**Μπράβο**, βρε Δημητράκη! **Συμφωνώ!** Η όπερα ήταν και είναι η μεγάλη μου αγάπη.	Εγώ **δεν ξέρω**... **Ίσως**! **Θα το σκεφτώ**! Αν παίζει *Κάρμεν*, **μπορεί** να έρθω. **Θα δω**...	**Αποκλείεται**, φίλε! **Δεν πάμε καλύτερα** σε κανένα ταβερνάκι;

2

- **Κατά τη γνώμη μου** πρέπει να παραγγείλουμε ένα ακόμα πολυμηχάνημα.
- **Έχετε δίκιο**. **Συμφωνώ** κι εγώ. Το παλιό χαλάει συνέχεια.

3

- **Ποια είναι η γνώμη σας** για το νέο λογιστή;
- Μου φαίνεται ότι είναι ένας πολύ σοβαρός και καλός υπάλληλο
- **Επομένως**, θα τον κρατήσουν στην εταιρεία μας.
- **Σίγουρα** θα τον κρατήσουν!

Συμφωνώ, διαφωνώ, αμφιβάλλω

Αρχίζω τη συζήτηση	Ζητάω τη γνώμη κάποιου	Λέω τη γνώμη μου	Συμφωνώ
ΤΟ ΘΕΜΑ Θα ήθελα να... Σκέπτομαι να... Αποφάσισα να... Λέω να... Προτείνω να...	Τι λες / λέτε; Ποια είναι η γνώμη σου/σας; Τι νομίζεις; / νομίζετε;	Κατά τη γνώμη μου... Θα ήθελα να σας πω ότι... Η γνώμη μου είναι ότι... Νομίζω ότι... Πιστεύω ότι... Μου φαίνεται ότι... Λέω ότι... Προτείνω να...	Συμφωνώ (με...) Έχεις δίκιο. Δεν έχεις άδικο. Σωστά. Εντάξει. Βέβαια / Βεβαίως. Σίγουρα. Έγινε! Οπωσδήποτε. Μπράβο! Ωραία ιδέα!

Διακόπτω μια συζήτηση	Διαφωνώ	Αμφιβάλλω	Τελειώνω τη συζήτηση
Ένα λεπτό, παρακαλώ. Μπορώ να πω κάτι; Συγγνώμη, να πω κι εγώ κάτι; Με συγχωρείτε, μπορώ να μιλήσω; Θα ήθελα να προσθέσω κάτι.	Διαφωνώ (με ...) Δε συμφωνώ (με...) Λυπάμαι, αλλά... Α, όχι! Α! πα, πα! Δεν έχετε δίκιο! Έχετε άδικο! Δε γίνεται! Αποκλείεται. Μα τι λες / λέτε;	Δεν ξέρω. Ίσως. Δεν είμαι σίγουρος/η. Μάλλον. **Μπορεί**. Μπα, δε νομίζω. Θα δω / Θα δούμε.	Τελικά... Τέλος... Λοιπόν... Έτσι λοιπόν... Επομένως...

6.14.α. Ακούστε το κείμενο: *Πού θα πάμε γαμήλιο ταξίδι;*

6.14.β.  Σημειώστε: Σωστό ή Λάθος;

Tick: True or False?

		Σωστό	Λάθος
1.	Θα πάνε γαμήλιο ταξίδι με τα χρήματα που τους έδωσαν οι γονείς τους.		
2.	Το ταξίδι τους θα κρατήσει δύο εβδομάδες.		
3.	Ο Νικόλα προτείνει να πάνε σε μια ευρωπαϊκή πόλη.		
4.	Η Μαριλένα δεν μπορεί να αποφασίσει.		
5.	Ο Νικόλα της προτείνει τότε να πάνε σε μια ελληνική πόλη.		
6.	Η Μαριλένα προτιμάει τα ελληνικά νησιά.		
7.	Αποφασίζουν να πάνε μόνο στα ελληνικά νησιά.		
8.	Τελικά και οι δύο έχουν μια πιο καλή ιδέα.		

6.14.γ. Ακούστε το κείμενο: *Με ταξί, με τον προαστιακό ή με το γιωταχί (Ι.Χ.) μας;*

6.14.δ.  Συμπληρώστε τα κενά με λέξεις κι εκφράσεις από το πλαίσιο. Ακούστε το κείμενο ξανά και ελέγξτε τις απαντήσεις σας.

Fill in the gaps with words and expressions from the box. Listen to the text again and check your answers.

Λοιπόν / Σωστά / Λέω να / Συμφωνώ / Μπορούμε να / Λέτε να / Μου φαίνεται ότι / Εγώ προτείνω να / είσαι σίγουρος ότι / Πρέπει να αποφασίσουμε / Θα ήθελα να σας θυμίσω / Συγγνώμη, μπορώ να

Είναι βράδυ, ο Θάνος Συμεωνίδης με τη γυναίκα του Σοφία και την κόρη του, Ειρήνη, συζητούν για την εκδρομή τους στη Θεσσαλονίκη. Την άλλη μέρα το πρωί φεύγουν με το αεροπλάνο.

1.	*Σοφία:*	______________ ότι η πτήση μας είναι στις οκτώμισι το πρωί. ______________ πώς θα πάμε στο αεροδρόμιο. __________ πάρουμε ταξί ή να πάμε με τον προαστιακό;
2.	*Θάνος:*	______________ πάμε με το αυτοκίνητό μας. Θα το αφήσουμε στο πάρκινγκ του αεροδρομίου. Δύο μέρες θα λείψουμε. Το πάρκινγκ για δύο μέρες είναι πολύ πιο φτηνό από το ταξί.
3.	*Σοφία:*	Θάνο, ______________ είναι πιο φτηνό; Τηλεφώνησε πρώτα στο αεροδρόμιο για να μάθεις πόσο κάνει το πάρκινγκ και μετά αποφασίζουμε πώς θα πάμε.
4.	*Ειρήνη:*	______________ πω κι εγώ κάτι; __________ πάρουμε τον προαστιακό. ______________ μάθουμε ακριβώς **τα δρομολόγια** και να φτάσουμε στην ώρα μας χωρίς άγχος. Ούτε ταξί ούτε πάρκινγκ. Τι νομίζετε;
5.	*Θάνος:*	______________ η Ειρήνη έχει δίκιο. Καμιά φορά στο πάρκινγκ του αεροδρομίου κάνεις και δυο τρεις βόλτες για να βρεις θέση. Και η κίνηση στους δρόμους; Αν είναι όπως χτες, θα χάσουμε σίγουρα το αεροπλάνο.
6.	*Σοφία:*	__________! Καλύτερα να πάμε με τον προαστιακό. __________ κι εγώ με την Ειρήνη. __________, Θάνο, κοίταξε τα δρομολόγια του τρένου στο ίντερνετ κι εμείς θα φτιάξουμε τις βαλίτσες.

6.14.ε. Χωριστείτε σε ομάδες των τεσσάρων ατόμων και μιλήστε για τα παρακάτω θέματα (α - γ). Ο πρώτος αρχίζει τη συζήτηση. Ο δεύτερος συμφωνεί με τον πρώτο. Ο τρίτος διακόπτει τη συζήτηση και διαφωνεί. Ο τέταρτος δεν είναι σίγουρος για τις δύο προτάσεις και προτείνει κάτι άλλο. Συνεχίστε τη συζήτηση συμφωνώντας, διαφωνώντας κ.λπ.

Form groups of four and discuss the following topics (α - γ). One person starts talking; the second person agrees with the first; the third person interrupts the discussion; the fourth says that he is not certain about the previous two proposals and proposes something else. Continue the discussion agreeing, disagreeing etc.

α.: Αποφασίζετε με την παρέα σας να κάνετε ένα πάρτι. Πού (σε ένα ξενοδοχείο, στον κήπο του σπιτιού μιας φίλης, σε ένα χώρο ειδικό για πάρτι); Πότε (μετά από πόσο καιρό); Πόσο θα κοστίσει; Τι θα προσφέρετε (μεζέδες, γλυκά ή μόνο ποτά και ξηρούς καρπούς);
β.: Αποφασίζετε να πάτε ένα ταξίδι. Πού; Πότε; Πώς; Πού θα μείνετε;
γ.: Συζητάτε με την οικογένειά σας τι θα μαγειρέψετε για δύο φίλους που θα έρθουν το βράδυ στο σπίτι σας.

γραμματική

1. Τα υποκοριστικά σε *-άκης*, *-ούλης*, σε *-ούλα*, *-ίτσα* & σε *-άκι*

The diminutive nouns ending in *-άκης, -ούλης,* in *-ούλα, -ίτσα* & in *-άκι*

Υποκοριστικά είναι τα ονόματα που δηλώνουν σμίκρυνση πραγματική, συναισθηματική, ειρωνική και σχηματίζονται με τα επιθήματα ***-άκης, -ούλης, -ούλα, -ίτσα, -άκι.***
Diminutives are the nouns that denote actual, emotional, or ironic diminution and are formed with the suffix *-άκης, -ούλης, -ούλα, -ίτσα, -άκι.*

ο	-άκης	η	-ούλα / -ίτσα	το	-ακι
ο Κώστας	ο Κωστάκης	η σημαία	η σημαιούλα	το μωρό	το μωράκι
ο Δημήτρης	ο Δημητράκης	η κόρη	η κορούλα	το τραπέζι	το τραπεζάκι
ο Γιώργος	ο Γιωργάκης	η αυλή	η αυλίτσα		
		η μπίρα	η μπιρίτσα		

Επίσης: ο Γιάννης - ο Γιαννάκης, η γάτα - η γατούλα, η τσέπη - η τσεπούλα, η κούκλα - η κουκλίτσα, η Ελένη - η Ελενίτσα, το νερό - το νεράκι, το λουλούδι - το λουλουδάκι κ.λπ.

⚠ Αλλά: η ταβέρνα - το ταβερνάκι, ο μεζές - το μεζεδάκι.
Τα ουδέτερα σε ***-άκι*** δε σχηματίζουν γενική ενικού και πληθυντικού.
Επίσης τα θηλυκά σε ***-ούλα*** & σε ***-ίτσα*** δε σχηματίζουν γενική πληθυντικού.
Neuter nouns ending in *-άκι* are not used in the genitive in the singular and plural.
In addition, feminine nouns ending in *-ούλα* & in *-ίτσα* are not used in the genitive in the plural.

2. Το δεικτικό μόριο *να* με προσωπικές αντωνυμίες

The indicative particle *να* with personal pronouns

Το δεικτικό μόριο ***να*** συντάσσεται πολύ συχνά με ουσιαστικό σε ονομαστική ή με τον αδύνατο τύπο της προσωπικής αντωνυμίας σε ονομαστική ή αιτιατική.
The indicative particle ***να*** is followed very often by a noun in the nominative case or by the weak form of the personal pronoun in the nominative or accusative case.

Ενικός		**Ονομαστική**	**Αιτιατική**
Έρχεται ο Αλέξης.	**Να ο** Αλέξης!	**Να τος!**	**Να τον!**
Έρχεται η Ιόλη.	**Να η** Ιόλη!	**Να τη!**	**Να την!**
Έρχεται το παιδί σου.	**Να το** παιδί σου!	**Να το!**	**Να το!**
Πληθυντικός		**Ονομαστική**	**Αιτιατική**
Έρχονται οι φίλοι μου.	**Να οι** φίλοι μου!	**Να τοι!**	**Να τους!**
Έρχονται οι αδερφές μου.	**Να οι** αδερφές μου!	**Να τες!**	**Να τες!**
Έρχονται τα παιδιά σου.	**Να τα** παιδιά σου!	**Να τα!**	**Να τα!**

3. Το επίθετο *αρκετός-ή-ό* και οι αόριστες αντωνυμίες *κάποιος-α-ο* & *μερικοί-ές-ά*

The adjective ***αρκετός-ή-ό*** and the indefinite pronouns ***κάποιος-α-ο*** & ***μερικοί-ές-ά***

	Ενικός			**Πληθυντικός**		
Ον.	αρκετός	αρκετή	αρκετό	αρκετοί	αρκετές	αρκετά
Γεν.	αρκετού	αρκετής	αρκετού	αρκετών	αρκετών	αρκετών
Αιτ.	αρκετό	αρκετή	αρκετό	αρκετούς	αρκετές	αρκετά
	Ενικός			**Πληθυντικός**		
Ον.	κάποιος	κάποια	κάποιο	κάποιοι	κάποιες	κάποια
Γεν.	κάποιου	κάποιας	κάποιου	κάποιων	κάποιων	κάποιων
Αιτ.	κάποιον	κάποια	κάποιο	κάποιους	κάποιες	κάποια
				μερικοί	μερικές	μερικά
				μερικών	μερικών	μερικών
				μερικούς	μερικές	μερικά

Λεξιλόγιο — Glossary

Λεξιλόγιο	Glossary
ΟΝΟΜΑΤΑ	NOUNS
βίος, ο	life
γάμος, ο	wedding
θρησκευτικός γάμος, ο	religious wedding
πολιτικός γάμος, ο	civil wedding
γαμπρός, ο	groom
ηχολήπτης, ο	sound technician (masc.)
καβγάς, ο	quarrel
καιρός, ο	time
από καιρό	long time ago
καλεσμένος, ο	guest (masc.)
λόφος, ο	hill
γνώμη, η	opinion
κατά τη γνώμη μου	in my opinion
γνωριμία, η	meeting
ηχολήπτρια, η	sound technician (fem.)
καλεσμένη, η	guest (fem.)
λεπτομέρεια, η	detail
λύση, η	solution, answer
νύφη, η	bride
γιωταχί (Ι.Χ.), το	passenger car
γλέντι, το	feast, party
διαζύγιο, το	divorce
δρομολόγιο, το	itinerary, schedule (bus etc
μεζεδάκι, το	small appetisers
ταβερνάκι, το	small tavern
ΕΠΙΘΕΤΑ - ΜΕΤΟΧΕΣ	ADJECTIVES – PARTICIPLES
ανθόσπαρτος-η-ο	strewn with flowers
απίθανος-η-ο	terrific
γαμήλιος-α-ο	wedding (adj.)
γαμήλιο ταξίδι, το	honeymoon, (wedding trip
δυστυχισμένος-η-ο	miserable
νιόπαντρος-η-ο	newly wed
πρώην (ο-η-το)	ex
ΡΗΜΑΤΑ	VERBS
αμφιβάλλω	I doubt
αρραβωνιάζομαι	I get engaged
γίνομαι	I become
δε γίνεται	it's impossible
τι γίνεσαι;	what's up?
τι έγινε;	what happened?
τι έγινες;	what happened to you?
τι θα γίνεις;	what are you going to be (when you grow up)?
γνωρίζομαι	I am acquainted
διακόπτω	I interrupt
διαφωνώ	I disagree
ερωτεύομαι	I fall in love
κρατάω (-ώ)	I last
κρατάει	it lasts
μπορεί	it might
προσφέρω	I offer
συμβαίνει	it happens
συνέβη	it happened
συστήνω	I introduce
να σου/σας συστήσω τον/την/το…	let me introduce you…
ταιριάζω (με κάποιον)	I match (with someone)
φτιάχνω	I make
χαίρομαι	I am glad
χάρηκα πολύ!	nice to have met you
χαίρω πολύ	nice to meet you
χωρίζω	I break up
ΕΠΙΡΡΗΜΑΤΑ	ADVERBS
άνετα	comfortably
άλλωστε	besides
εκτός	apart, except
επομένως	therefore
ηλεκτρονικά	electronically
υπέροχα	wonderfully
φανταστικά	fantastic
ΜΟΡΙΑ	PARTICLES
να	there
να τος/τη/το!	there he/she/it is!
ΕΚΦΡΑΣΕΙΣ	EXPRESSIONS
άλλο… κι άλλο…	it is one thing… and another…
η ώρα η καλή	«to the good hour» referring to the hour of the wedding
τα έχω με κάποιον	I date someone
τα πάω καλά με κάποιον	I get along with someone
τα φτιάχνω με κάποιον	I get involved with someon
τα χαλάω με κάποιον	I break up with someone
τι νέα;	what's new / up?

⚠ Η αόριστη αντωνυμία ***κάποιος-α-ο*** χρησιμοποιείται (ως αντωνυμία ή ως επίθετο) για την αόριστη δήλωση.
The indefinite pronoun ***κάποιος-α-ο*** is used (as a pronoun or as an adjective) for the indefinite statement.

Π.χ.: **Κάποιος** άρχισε να φωνάζει. [Αλλά δεν ξέρω ποιος ήταν ή δε μ' ενδιαφέρει.]
Κάποιες κυρίες ξέχασαν τις τσάντες τους στο πούλμαν. [Αλλά δεν ξέρω ποιες ήταν ή δε μ' ενδιαφέρει.]
Οι περισσότεροι καλεσμένοι θα έρθουν και στο γάμο και στη δεξίωση. **Κάποιοι** [Μερικοί] όμως θα έρθουν μόνο στο γάμο.

⚠ Η αόριστη αντωνυμία ***μερικοί-ές-ά*** [στον Πληθυντικό] χρησιμοποιείται για να δηλωθεί ένας μικρός αριθμός (προσώπων, πραγμάτων κ.λπ.) που δεν ορίζονται πιο συγκεκριμένα.
The indefinite pronoun ***μερικοί-ές-ά*** is used in the plural to denote a small number (of people, objects etc.) that cannot be defined more specifically.

Π.χ.: Οι περισσότεροι τουρίστες έρχονται στην Ελλάδα το καλοκαίρι. **Μερικοί** όμως προτιμούν το φθινόπωρο ή την άνοιξη.
Στο πάρτι δε θα καλέσω όλους τους φίλους μου. Θα καλέσω **μερικούς**.

4. Η θέση της κτητικής αντωνυμίας The place of the possessive pronoun

Οι αδύνατοι τύποι της προσωπικής αντωνυμίας στη γενική ***(μου, σου, του, της, του, μας, σας, τους)*** χρησιμοποιούνται ως κτητικές αντωνυμίες (= γενικές κτητικές) και ακολουθούν το όνομα ή τον επιθετικό προσδιορισμό του ονόματος στο οποίο αναφέρονται. The weak types of the personal pronouns at the genitive case ***(μου, σου, του, της, του, μας, σας, τους)*** are used as possessive pronouns (=genitive possessive pronouns) and follow the name or the adjective of the name to which they refer.

Π.χ.: Ο αγαπημένος **μου** ηθοποιός είναι ο Μπραντ Πιτ. Είδα προχτές έναν παιδικό **μου** φίλο. Θα έρθω στο γάμο **σας** με μεγάλη **μου** χαρά.

5. Ο αόριστος, ο τέλειος μέλλοντας και η τέλεια υποτακτική των ρημάτων σε *-ομαι* & *-άμαι*

The past and the simple future tense, and the simple subjunctive of the verbs in ***-ομαι*** & ***-άμαι***

ντύνομαι

Αόριστος

ντύ**θηκα**
ντύ**θηκες**
ντύ**θηκε**
ντυ**θήκαμε**
ντυ**θήκατε**
ντύ**θηκαν**
& ντυ**θήκανε**

Τέλειος μέλλοντας

θα ντυ**θώ**
θα ντυ**θείς**
θα ντυ**θεί**
θα ντυ**θούμε**
θα ντυ**θείτε**
θα ντυ**θούν(ε)**

Τέλεια υποτακτική

να ντυ**θώ**
να ντυ**θείς**
να ντυ**θεί**
να ντυ**θούμε**
να ντυ**θείτε**
να ντυ**θούν(ε)**

Ενεστώτας		Αόριστος	Τέλειος μέλλοντας	Τέλεια υποτακτική
ντύνομαι		ντύ**θηκα**	θα ντυ**θώ**	να ντυ**θώ**
σκώνομαι	**-θηκα**	σκώ**θηκα**	θα σκω**θώ**	να σκω**θώ**
συστήνομαι		συστή**θηκα**	θα συστη**θώ**	να συστη**θώ**
αραβωνιάζομαι		αρραβωνιά**στηκα**	θα αρραβωνια**στώ**	να αρραβωνια**στώ**
βιάζομαι		βιά**στηκα**	θα βια**στώ**	να βια**στώ**
γνωρίζομαι		γνωρί**στηκα**	θα γνωρι**στώ**	να γνωρι**στώ**
εργάζομαι	**-στηκα**	εργά**στηκα**	θα εργα**στώ**	να εργα**στώ**
λούζομαι		λού**στηκα**	θα λου**στώ**	να λου**στώ**
ξυρίζομαι		ξυρί**στηκα**	θα ξυρι**στώ**	να ξυρι**στώ**
χτενίζομαι		χτενί**στηκα**	θα χτενι**στώ**	να χτενι**στώ**
σκέφτομαι	**-φτηκα**	σκέ**φτηκα**	θα σκε**φτώ**	να σκε**φτώ**
ερωτεύομαι	**-εύτηκα**	ερωτ**εύτηκα**	θα ερωτ**ευτώ**	να ερωτ**ευτώ**
παντρεύομαι		παντρ**εύτηκα**	θα παντρ**ευτώ**	να παντρ**ευτώ**
κοιμάμαι		κοιμ**ήθηκα**	θα κοιμ**ηθώ**	να κοιμ**ηθώ**
λυπάμαι	**-ήθηκα**	λυπ**ήθηκα**	θα λυπ**ηθώ**	να λυπ**ηθώ**
θυμάμαι		θυμ**ήθηκα**	θα θυμ**ηθώ**	να θυμ**ηθώ**
φοβάμαι		φοβ**ήθηκα**	θα φοβ**ηθώ**	να φοβ**ηθώ**
χαίρομαι		χάρηκα	θα χαρώ	να χαρώ

6. Πίνακας νέων ρημάτων Table of new verbs

	Θέμα ενεστώτα		Θέμα αορίστου			
Προθέσεις	Ενεστώτας	Ατελής υποτακτική	Αόριστος	Τέλειος μέλλοντας	Τέλ. υποτακτική	Τέλεια προστακτική
αμφί	**αμφι**βάλλω	να **αμφι**βάλλω	**αμφ**έβαλα	θα **αμφι**βάλω	να **αμφι**βάλω	**αμφί**βαλε - **αμφι**βάλετε
διά	**δια**κόπτω	να **δια**κόπτω	**διέ**κοψα	θα **δια**κόψω	να **δια**κόψω	**διά**κοψε - **διακό**ψτε
διά	**δια**φωνώ	να **δια**φωνώ	**δια**φώνησα	θα **δια**φωνήσω	να **δια**φωνήσω	**διαφώ**νησε - **διαφω**νήστε
προς	**προσ**φέρω	να **προσ**φέρω	**προσέ**φερα	θα **προσ**φέρω	να **προσ**φέρω	**πρόσ**φερε - **προσ**φέρετε
συν	**συ**στήνω	να **συ**στήνω	**σύ**στησα	θα **συ**στήσω	να **συ**στήσω	**σύ**στησε - **συ**στήστε

Διάσημα ζευγάρια

6.15. 120 Σιμόν ντε Μποβουάρ (1908 - 1986) και Ζαν-Πολ Σαρτρ (1905 - 1980)

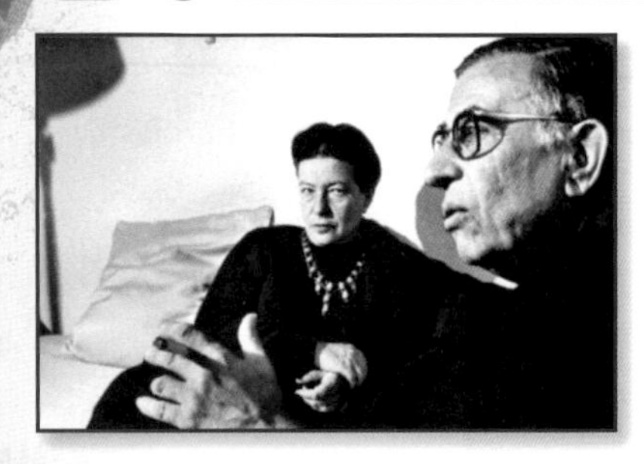

Η Σιμόν ντε Μποβουάρ, **φιλόσοφος** και **φεμινίστρια,** και ο φιλόσοφος Ζαν Πολ Σαρτρ, γνωρίστηκαν το 1928· εκείνη ήταν είκοσι, εκείνος είκοσι τριών ετών. Σπούδασαν και οι δύο φιλοσοφία.

Μόλις τελείωσαν τις σπουδές τους, ο Σαρτρ τής έκανε **πρόταση γάμου** αλλά τη Σιμόν Ντε Μπωβουάρ δεν την ενδιέφερε ο γάμος. Έτσι δεν παντρεύτηκαν ποτέ ούτε έκαναν παιδιά. Δεν έμειναν ποτέ μαζί. Και όμως ήταν σύντροφοι για πενήντα χρόνια. Ταξίδεψαν μαζί σε όλον τον κόσμο. Είχαν μια σπάνια σχέση που κράτησε για όλη τους τη ζωή. Ο Σαρτρ πέθανε το 1980, σε ηλικία 75 ετών κι εκείνη έξι χρόνια αργότερα.

Ο διάσημος φιλόσοφος είπε σε μια συνέντευξή του: «Αυτό που είναι ιδιαίτερο ανάμεσά μας είναι η **ισότητα** στη σχέση μας».

Λεξιλόγιο 6.15.

ο φεμινιστής	feminist (masc.)
ο/η φιλόσοφος	philosopher
η ισότητα	equality
η πρόταση γάμου	marriage proposal
η φεμινίστρια	feminist (fem.)
η φιλοσοφία	philosophy

6.15.α. Ταιριάξτε τις στήλες. Match the columns.

1.	Γνωρίστηκαν.	__	α.	Είπε όχι στην πρόταση γάμου του.
2.	Της έκανε πρόταση γάμου.	__	β.	Δε χώρισαν ποτέ.
3.	Δεν ήθελε να παντρευτεί.	__	γ.	Συνάντησε ο ένας τον άλλο.
4.	Ήταν σύντροφοι.	__	δ.	Της πρότεινε να παντρευτούν.
5.	Η σχέση κράτησε όλη τους τη ζωή.	__	ε.	Είχαν σχέση.

6.16. 121 Φρίντα Κάλο (1907 - 1954) και Ντιέγκο Ριβέρα (1886 - 1957)

6.16.α. Ακούστε το κείμενο και συμπληρώστε τα κενά. Listen to the text and fill in the gaps.

Η Φρίντα Κάλο, μία από τις πιο σπουδαίες μεξικάνες ζωγράφους, [1] ______________ στην Πόλη του Μεξικού στις 6 Ιουλίου του 1907. Από μικρό παιδί είχε πολλά προβλήματα υγείας. Όταν ήταν δεκαοκτώ χρόνων, [2] ______________ πάρα πολύ **σοβαρά** σ' ένα ατύχημα μέσα σ' ένα λεωφορείο. Δεν [3] ______________ ποτέ να κάνει παιδί και είχε πολλά προβλήματα με το περπάτημα.

[4] ______________ στη *Σχολή Πρεπαρατόρια*, μια από τις πιο σπουδαίες **Σχολές Καλών Τεχνών** του Μεξικού. Ήταν ένα από τα τριάντα πέντε κορίτσια ανάμεσα σε δύο χιλιάδες φοιτητές.

Στη *Σχολή Πρεπαρατόρια* γνώρισε το ζωγράφο Ντιέγκο Ριβέρα που έγινε αργότερα ο άντρας της [5] ______________ της. Ήταν είκοσι ένα χρόνια πιο μεγάλος από αυτήν. Ο Ντιέγκο Ριβέρα έκανε κυρίως [6] ______________ και η Φρίντα Κάλο πορτρέτα. [7] ______________, [8] ______________ και μετά παντρεύτηκαν για δεύτερη φορά. [9] ______________ ένα μεγάλο [10] ______________ και μια ζωή γεμάτη [11] ______________. «Είχα δύο σοβαρά [12] ______________ στη ζωή μου. Το ένα όταν [13] ______________ μέσα στο λεωφορείο και το άλλο ο Ντιέγκο» είπε η Φρίντα Κάλο σε μια συνέντευξή της.

«Οι πίνακές της είναι η ιστορία της ζωής της» έγραψε ένας Μεξικανός [14] ______________ τέχνης, το 1954.

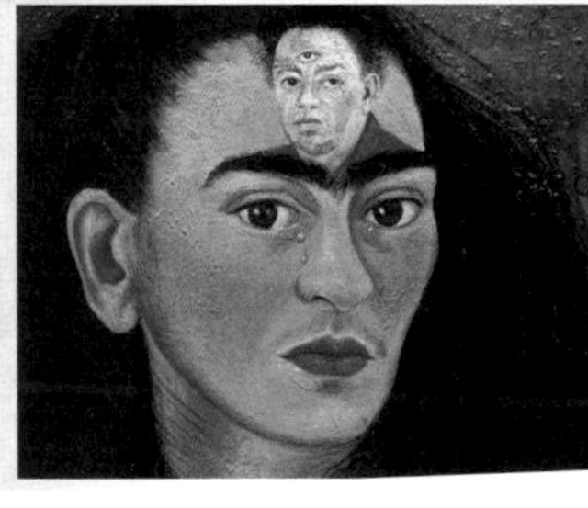

*"Τι χρειάζομαι τα πόδια όταν έχω **φτερά** για να πετάξω;"*
Frida Kahlo

6.16.β.   Σημειώστε: Σωστό ή Λάθος; Tick: True or False?

		Σ.	Λ.
1.	Η Φρίντα Κάλο **τραυματίστηκε** όταν ήταν μικρό παιδί.		
2.	Στη Σχολή Καλών Τεχνών δεν είχε άλλο κορίτσι.		
3.	Η Φρίντα Κάλο γνώρισε τον Ντιέγκο Ριβέρα πριν πάει στη Σχολή Πρεπαρατόρια.		
4.	Ο Ριβέρα και η Κάλο είχαν την ίδια ηλικία.		
5.	Στο Ριβέρα άρεσε να κάνει μεγάλα έργα σε τοίχους.		
6.	Στην Κάλο άρεσε να ζωγραφίζει πρόσωπα.		
7.	Ο Ριβέρα και η Κάλο δε χώρισαν ποτέ.		
8.	Η ζωή των δύο ζωγράφων ήταν ήρεμη και ο έρωτάς τους δεν είχε προβλήματα.		
9.	Η Κάλο είπε ότι ο άντρας της ήταν το δεύτερο ατύχημα στη ζωή της.		
10.	Οι πίνακες της Φρίντα Κάλο έχουν θέματα από τη ζωή της.		

Λεξιλόγιο 6.16.

ο/η κριτικός	critic (masc., fem.)
ο/η κριτικός τέχνης	art critic
η σχολή	(university) school, department
η Σχολή Καλών Τεχνών	School of Fine Arts
το πάθος	passion
το φτερό	feather
τραυματίζομαι	I get injured
σοβαρά	seriously

6.17. Σεφέρης (1900 - 1971) και Μαρώ (1898 - 2000)

*Ο Γιώργος Σεφέρης είναι ένας από τους πιο μεγάλους έλληνες ποιητές. Πήρε το 1963 το **Βραβείο Νόμπελ** λογοτεχνίας.*

Ο ποιητής Γιώργος Σεφέρης γνώρισε τη Μαρώ το 1936, όταν εκείνος ήταν τριάντα ξι κι εκείνη τριάντα οκτώ χρόνων. Την ερωτεύτηκε αμέσως όπως κι εκείνη αυτόν.)μως η Μαρώ ήταν ήδη παντρεμένη με το **ναύαρχο** Ανδρέα Λόντο και είχε δύο ιαιδιά.

Όταν ο Σεφέρης πήγε στην Αίγυπτο, η Μαρώ τον ακολούθησε. Δεν ήταν εύκολο να ιάρει η Μαρώ διαζύγιο από τον άνδρα της, τελικά όμως χώρισε και παντρεύτηκε με το :εφέρη το 1941. Ο Σεφέρης αγάπησε τις δύο κόρες της σα να ήταν κόρες του.

*Από την **αλληλογραφία** του Γιώργου Σεφέρη με τη Μαρώ*

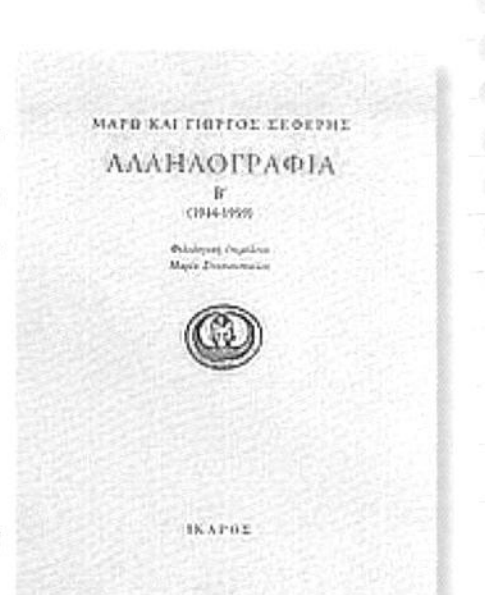

*«Σ' αγαπώ (μου επιτρέπεις;) και τίποτα δεν μπορεί να ιταματήσει αυτή την αγάπη εκτός από σένα...[...] Το μόνο **:ακό** που μπορείς να μου κάνεις είναι να σταματήσεις να μου 'ράφεις.[...]*

*Αυτά είναι τα νέα μου. Θα είναι τα ίδια για δυο τρεις μήνες. :να ραδιόφωνο στο επάνω **πάτωμα** με **ενοχλεί**.[...]*

*Η χαρά είναι δύσκολη.[...] Ίσως γι αυτό να έχει **αξία**».[...]*

Στο σπίτι θα σου στέλνω γράμμα κάθε βδομάδα, αλλά θα ιρέπει να με βοηθάς κι εσύ. Σε κάτι θα πρέπει να απαντώ.[...]

*Δε θα γράφεις, όταν δεν **έχεις κέφι**, χρυσό μου κορίτσι,)ύτε όταν δεν έχεις τίποτα να πεις.»*

Λεξιλόγιο 6.17.

ο ναύαρχος	admiral
η αλληλογραφία	correspondence
η αξία	worth, value
το βραβείο Νόμπελ	Nobel prize
το κέφι	cheerfulness, merry mood
έχω κέφι (να κάνω κάτι)	I feel like doing something
το κακό	bad thing
κάνω κακό (σε κάποιον)	I hurt someone
το πάτωμα	floor, storey
ενοχλώ	I bother

6.17.α.  **Κάντε ερωτήσεις και δώστε απαντήσεις ανά ζεύγη, με βάση το κείμενο. Ξεκινήστε με την ερώτηση: «Πότε γνώρισε ο Σεφέρης τη Μαρώ;»** Ask questions and give answers in pairs, based on the text. Start with the question: «Πότε γνώρισε ο Σεφέρης τη Μαρώ;»

6.18.  Ερωτόκριτος και Αρετούσα

«Ερωτόκριτος και Αρετούσα»
Έργο του Θεόφιλου
(περίπου 1870 - 1935)

*Ο «Ερωτόκριτος» είναι ένα μεγάλο ποίημα που έγραψε ο Βιτσέντζος Κορνάρος το 17ο αιώνα στην Κρήτη. Έχει 10.012 **στίχους** στην κρητική γλώσσα εκείνης της εποχής. Κεντρικό του θέμα είναι ο έρωτας ανάμεσα σε δύο νέους, τον Ερωτόκριτο και την Αρετούσα. Πολλοί συνθέτες έγραψαν τη μουσική για το υπέροχο αυτό ποίημα και πολλοί ζωγράφοι, όπως ο λαϊκός ζωγράφος Θεόφιλος, ζωγράφισαν θέματα από αυτό.*

Ο βασιλιάς της Αθήνας, Ηρακλής, και η σύζυγός του έκαναν μετά από πολλά χρόνια γάμου μια όμορφη κόρη, την Αρετούσα. Ο Ερωτόκριτος, που ήταν γιος κάποιου πολύ καλού φίλου του βασιλιά, ερωτεύτηκε την Αρετούσα. Σύντομα τον ερωτεύτηκε κι εκείνη. Ήταν όμως αδύνατον να παντρευτούν γιατί ο βασιλιάς δεν ήθελε τον Ερωτόκριτο για γαμπρό του. Έστειλε **μάλιστα** μερικούς **στρατιώτες** του για να τον **σκοτώσουν**. Ο Ερωτόκριτος όμως μ' ένα φίλο του σκότωσε τους στρατιώτες κι έφυγε μακριά από την Αθήνα.

Ο βασιλιάς μετά από μερικά χρόνια **οργάνωσε** αγώνες **κονταρομαχίας** για να διασκεδάσει η κόρη του. **Πήραν μέρος** πολλοί νέοι από όλο τον κόσμο. Ανάμεσά τους ήταν και ο Ερωτόκριτος που τελικά **νίκησε** στους αγώνες. **Ζήτησε** ξανά **σε γάμο** την Αρετούσα από τον πατέρα της. Ο βασιλιάς όμως πάλι δεν ήθελε να παντρέψει την κόρη του με τον Ερωτόκριτο και τον **έδιωξε** μακριά. Ο Ερωτόκριτος όμως, πριν φύγει, αρραβωνιάστηκε **κρυφά** την αγαπημένη του Αρετούσα.

Μετά από τρία χρόνια, ο Ερωτόκριτος έσωσε τη ζωή του βασιλιά σε μια **μάχη** αλλά τραυματίστηκε ο ίδιος σοβαρά. Ο βασιλιάς για να τον ευχαριστήσει, δέχτηκε επιτέλους να του δώσει για σύζυγο την κόρη του.

Έτσι ο Ερωτόκριτος παντρεύτηκε την Αρετούσα κι αργότερα έγινε και βασιλιάς της Αθήνας. «Κι έζησαν αυτοί καλά κι εμείς καλύτερα», όπως λένε στα **παραμύθια**.

Λεξιλόγιο 6.18.

ο στίχος	verse
ο στρατιώτης	soldier
η κονταρομαχία	joust
η μάχη	battle
το μέρος	place, location
παίρνω μέρος σε κάτι	I participate in something
το παραμύθι	fairytale
διώχνω	I send away
ζητάω (-ώ) σε γάμο	I ask somebody to marry me
νικάω (-ώ)	I win, I prevail
οργανώνω	I organise
σκοτώνω	I kill
κρυφά	secretly
μάλιστα	indeed

6.18.α. Βάλτε στη σειρά τις φράσεις. Put the phrases in order.

1.	__	α.	Στην κονταρομαχία που οργάνωσε ο βασιλιάς για την κόρη του, νίκησε ο Ερωτόκριτος.
2.	__	β.	Σε μια μάχη ο Ερωτόκριτος έσωσε τη ζωή του βασιλιά αλλά τραυματίστηκε.
3.	__	γ.	Η Αρετούσα γεννήθηκε στην Αθήνα και ήταν κόρη του βασιλιά Ηρακλή.
4.	__	δ.	Για δεύτερη φορά ο βασιλιάς δεν ήθελε να δώσει στον Ερωτόκριτο την Αρετούσα για γυναίκα του και τον έστειλε μακριά.
5.	__	ε.	Ο Ερωτόκριτος παντρεύτηκε την Αρετούσα κι έγινε βασιλιάς της Αθήνας.
6.	__	ζ.	Όταν μεγάλωσε, την ερωτεύτηκε ο Ερωτόκριτος.
7.	__	η.	Ο βασιλιάς χάρηκε πολύ γιατί του έσωσε τη ζωή και του πρότεινε να τον κάνει γαμπρό.
8.	__	θ.	Ο Ερωτόκριτος όμως σκότωσε τους στρατιώτες και έφυγε μακριά.
9.	__	ι.	Ο βασιλιάς δεν ήθελε να παντρευτεί η κόρη του με τον Ερωτόκριτο και έστειλε στρατιώτες για να τον σκοτώσουν.
10.	__	κ.	Η Αρετούσα αρραβωνιάστηκε κρυφά τον Ερωτόκριτο.

6.18.β. Περιγράψτε την ιστορία της σχέσης ενός ζευγαριού που γνωρίζετε καλά (π.χ. των γονιών σας, του παππού και της γιαγιάς, φίλων σας). (80-100 λέξεις)

Describe a relationship of a couple you know well (e.g. your parents, your grandparents, your friends). (80-100 words)

6.19. (124) Ο θρησκευτικός γάμος στην Ελλάδα

Στην Ελλάδα, ο γαμπρός και η νύφη δεν πάνε μαζί στην εκκλησία. Ο γαμπρός πάει πρώτος και περιμένει τη νύφη που έρχεται με κάποιο μέλος της οικογένειάς της, συνήθως με τον πατέρα της. Στην είσοδο της εκκλησίας ο γαμπρός τής δίνει μια **ανθοδέσμη** με λευκά συνήθως λουλούδια. Το ζευγάρι μπαίνει στην εκκλησία μαζί με τα **παρανυφάκια** που τους ακολουθούν και **στέκονται** όλοι μαζί μπροστά στο τραπέζι του **μυστηρίου** όπου βρίσκονται το **Ευαγγέλιο**, τα **στέφανα**, οι **βέρες** και το κόκκινο κρασί. Δεξιά και αριστερά από το ιερό τραπέζι υπάρχουν δύο μεγάλες άσπρες **λαμπάδες**. Δίπλα στο ζευγάρι στέκονται οι γονείς, τα αδέρφια και οι κουμπάροι. Στην αρχή ο ιερέας βάζει τις βέρες στα δάχτυλα του ζευγαριού.

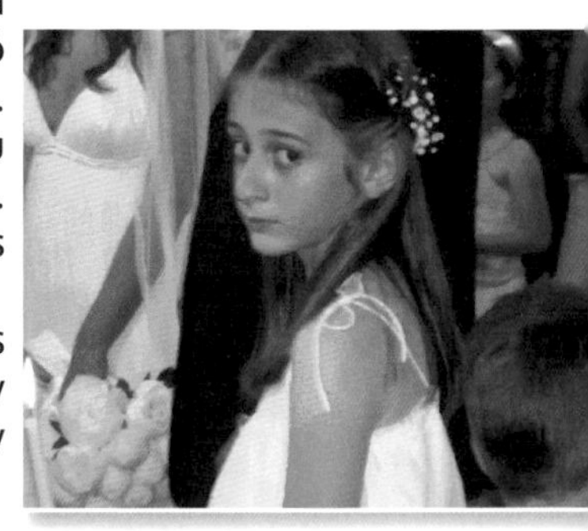

Οι βέρες, με το στρογγυλό σχήμα τους, **συμβολίζουν** την αγάπη που δεν έχει αρχή και τέλος. Μετά οι κουμπάροι βάζουν τα στέφανα στα κεφάλια του ζευγαριού. Στη συνέχεια ο γαμπρός και η νύφη πίνουν γλυκό κρασί από το ίδιο ποτήρι. Αυτό συμβολίζει ότι, **από εδώ και πέρα**, θα περνούν μαζί όλες τις στιγμές της ζωής τους, και τις χαρές και τις **λύπες**. Ακολουθεί ο «χορός του Ησαΐα»: το ζευγάρι γυρίζει τρεις φορές γύρω από το τραπέζι του μυστηρίου και οι καλεσμένοι τούς ρίχνουν ρύζι και **πέταλα** (συνήθως από τριαντάφυλλα). Το ρύζι συμβολίζει την **αφθονία** και τα λουλούδια την ευτυχία. Ο γάμος φτάνει στο τέλος του. Ο παπάς λέει ευχές στο ζευγάρι και βγάζει τα στέφανα από τα κεφάλια τους.

Μετά το γάμο το νέο ζευγάρι, οι γονείς και οι κουμπάροι στέκονται στην είσοδο της εκκλησίας και δέχονται ευχές από όλον τον κόσμο. Νεαρά κορίτσια προσφέρουν μπομπονιέρες με κουφέτα στους καλεσμένους. Τα αμύγδαλα των κουφέτων συμβολίζουν τη δύναμη και τη **αντοχή** του γάμου.

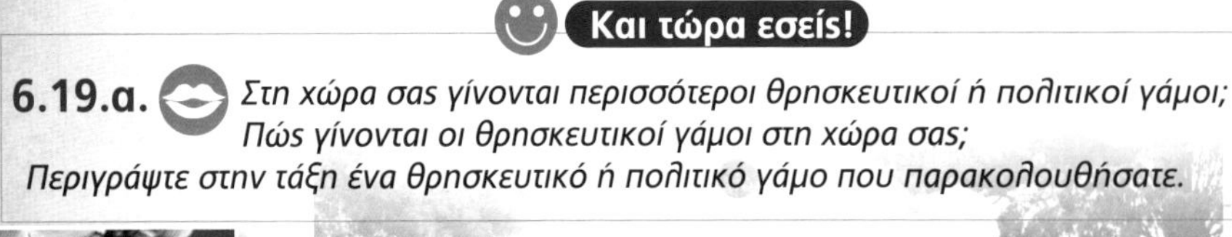

Και τώρα εσείς!

6.19.α. *Στη χώρα σας γίνονται περισσότεροι θρησκευτικοί ή πολιτικοί γάμοι; Πώς γίνονται οι θρησκευτικοί γάμοι στη χώρα σας; Περιγράψτε στην τάξη ένα θρησκευτικό ή πολιτικό γάμο που παρακολουθήσατε.*

Λεξιλόγιο 6.19.

ο Ησαΐας	Isaiah
η ανθοδέσμη	bouquet
η αντοχή	resilience, endurance
η αφθονία	abundance
η βέρα	wedding ring
η δύναμη	power
η λαμπάδα	candle, torch
η λύπη	misfortune, sadness
το Ευαγγέλιο	Gospel
το μυστήριο	ceremony
το παρανυφάκι	flower girl
το πέταλο	petal
τα στέφανα	wedding wreath
στέκομαι	I stand
συμβολίζω	I symbolise
από εδώ και πέρα	from now on

6.20. Στο δρόμο προς το Δημαρχείο: Ο πολιτικός γάμος

Α. **Τι χρειάζεται για έναν πολιτικό γάμο**

Πρώτα θα πάτε στο δημαρχείο της περιοχής σας και θα συμπληρώσετε μια **αίτηση** για την **άδεια γάμου**. Μαζί με την αίτηση πρέπει να καταθέσετε τα παρακάτω **δικαιολογητικά**:

- **Ληξιαρχική πράξη γέννησης**.
- **Υπεύθυνη δήλωση** ότι είστε κάτοικος αυτού του δήμου.
- **Παράβολο** από την **εφορία**.
- Την εφημερίδα με την **αναγγελία** του γάμου.
- Για την άδεια γάμου χρειάζονται δύο **μάρτυρες** με ελληνική υπηκοότητα και με τις ταυτότητές τους.

***Οι αλλοδαποί** πρέπει να καταθέσουν επίσης:*

- **Άδεια διαμονής / παραμονής**.
- Ληξιαρχική πράξη γέννησης στα ελληνικά.

Η άδειά σας θα είναι έτοιμη σε οκτώ με δέκα ημέρες μετά την κατάθεση των δικαιολογητικών. Για να την πάρετε από το δημαρχείο, πρέπει να έχετε μαζί την ταυτότητά σας.

Β. **Το επώνυμο των παιδιών**

Πριν από το γάμο το ζευγάρι πρέπει **να δηλώσει** το επώνυμο που θα έχουν τα παιδιά τους. Μπορούν να διαλέξουν ένα από τα δύο επώνυμα των γονιών, ή και τα δύο, αν θέλουν. Αν οι γονείς δε δηλώσουν κάποιο επώνυμο, τότε τα παιδιά παίρνουν το επώνυμο του πατέρα.

Λεξιλόγιο 6.20.

ο αλλοδαπός	alien, foreigner (masc.)
ο φόρος	tax
ο/η μάρτυρας	witness
η άδεια	license, permit
η άδεια γάμου	marriage license
η άδεια διαμονής/ παραμονής	residence permit
η αίτηση	application
η αλλοδαπή	alien, foreigner (fem.)
η αναγγελία	announcement
η δήλωση	statement
η υπεύθυνη δήλωση	affidavit of truth
η διαμονή	residence (in a country)
η εφορία	tax office
η ληξιαρχική πράξη γέννησης	birth certificate
η παραμονή	residence, stay
το γένος	maiden name
το παράβολο	administrative fee
τα δικαιολογητικά	supporting documentation
τα κοινωνικά (νέα)	social column
δηλώνω	I declare

ΚΟΙΝΩΝΙΚΑ

ΓΑΜΟΙ

Ο ΚΩΝΣΤΑΝΤΙΝΟΣ ΠΑΠΑΔΟΠΟΥΛΟΣ, του Αθανασίου και της Πηνελόπης, το γένος* Μαυρίδη, που γεννήθηκε στη Θεσσαλονίκη και κατοικεί στη Γλυφάδα και η ΑΝΑΣΤΑΣΙΑ ΚΑΡΑΓΙΑΝΝΗ, του Μιλτιάδη και της Ελένης, το γένος Ρουμελιώτη, που γεννήθηκε στην Ύδρα και κατοικεί στο Χολαργό, θα παντρευτούν στη Γλυφάδα Αττικής.

**το επώνυμο της μητέρας*

6.20.α.  **Γράψτε μια αναγγελία γάμου για τα ΚΟΙΝΩΝΙΚΑ κάποιας εφημερίδας.**
Write a wedding announcement for the social column of a newspaper.

6.20.β. **Ταιριάξτε τις στήλες.** Match the columns.

1.	ο αλλοδαπός	___	α.	το επίσημο χαρτί που γράφει κανείς για να ζητήσει κάτι από ένα δημόσιο οργανισμό
2.	ο μάρτυρας	___	β.	η επίσημη άδεια που παίρνει κανείς από το δημαρχείο για να παντρευτεί
3.	η άδεια διαμονής / παραμονής	___	γ.	η επίσημη άδεια που παίρνει κανείς για να μείνει σε μια ξένη χώρα
4.	η αίτηση	___	δ.	κάνω κάτι γνωστό σε άλλον
5.	η αναγγελία γάμου	___	ε.	τα επίσημα χαρτιά που χρειάζονται, για να πάρει κανείς μια άδεια γάμου
6.	η άδεια γάμου	___	ζ.	η αγγελία που μπαίνει στην εφημερίδα πριν από ένα γάμο
7.	η εφορία	___	η.	το άτομο που δηλώνει, για παράδειγμα, ότι γνωρίζει το ζευγάρι (για την άδεια)
8.	η ληξιαρχική πράξη γέννησης	___	θ.	εκεί πληρώνουμε τους φόρους
9.	το παράβολο	___	ι.	η απόδειξη που δείχνει ότι κάποιος πλήρωσε κάτι στην εφορία
10.	δηλώνω	___	κ.	το επίσημο χαρτί που γράφει πού και πότε γεννήθηκε κάποιος
11.	τα δικαιολογητικά	___	λ.	γράφω τα στοιχεία που λείπουν από ένα επίσημο χαρτί
12.	συμπληρώνω μια αίτηση	___	μ.	ο ξένος

το θέμα μας

6.21. Περιγράφω μια σχέση

- Πώς άρχισε η σχέση τους;
- Πού γνωρίστηκαν;
- Ποιος τους σύστησε;
- Πώς τα πήγαν στο πρώτο ραντεβού; Καλά; Άσχημα;
- Ερωτεύτηκαν αμέσως / από την πρώτη στιγμή αργότερα;
- Ταίριαξαν αμέσως;
- Τα έφτιαξαν αμέσως / γρήγορα / αργότερα / μετά από αρκετό καιρό;
- Ήταν πολύ καιρό ερωτευμένοι;

Τι έγινε στη συνέχεια;

A
- Πώς ήταν η σχέση τους; Καλή / τέλεια / υπέροχη / φανταστική...;
- Τους άρεσαν τα ίδια πράγματα;
- Αρραβωνιάστηκαν;
- Ποιος έκανε πρόταση γάμου σε ποιον; / Ποιος ζήτησε σε γάμο ποιον;

- Παντρεύτηκαν τελικά;
    - Τι γάμο έκαναν; Θρησκευτικό; Πολιτικό;
    - Πώς ήταν ο γάμος τους;
    - Μετά το γάμο τι έκαναν; Έκαναν δεξίωση;
    - Πήγαν γαμήλιο ταξίδι; Πού πήγαν;

- Μήπως δεν παντρεύτηκαν αλλά έμειναν μαζί;

Τι έγινε τελικά;

A
- Έμειναν για πάντα μαζί;
- Έκαναν παιδιά;

B
- Χώρισαν; / Πήραν διαζύγιο; Γιατί;

B
- Πώς ήταν η σχέση τους; Έτσι κι έτσι / αρκετά καλή / χάλια...;
- Τα είχαν αρκετό καιρό;
- Τα χάλασαν; Πότε;
- Γιατί; Μήπως είχαν διαφορετικούς χαρακτήρες;
- Μήπως δεν τους άρεσαν τα ίδια πράγματα;
- Είχαν κάποια άλλα προβλήματα;

- Όταν τα χάλασαν, τι έγινε;
- Πώς αισθάνθηκαν; Ευτυχισμένοι; Δυστυχισμένοι;
- Έμειναν αρκετό καιρό μόνοι;
- Τα έφτιαξαν ξανά ή χώρισαν;

- Πόσο κράτησε η σχέση τους;

Τι έγινε τελικά;

- Τα έφτιαξαν αργότερα με κάποιον άλλο / κάπ**οια άλλη;**

γραπτός λόγος

6.22. Πλάγιος λόγος (3): Από το διάλογο στον πλάγιο λόγο

- Οι λέξεις σε μπλε είναι τα ρήματα που εισάγουν τον πλάγιο λόγο
  λέει στον/στην/στο... ότι / πως... *πιστεύει ότι...*
  προτείνει στον/στην/στο... να... *προσθέτει ότι...*
  ρωτάει τον/την/το... (πώς / τι / γιατί...)
  απαντάει στον/στην/στο... ότι / πως...
- Οι λέξεις σε πράσινο
  Στήλη Α: παραλείπονται στον πλάγιο λόγο.
  Π.χ.: *μα*, *λοιπόν*, *μπράβο*, *έγινε*.
  Στήλη Β: πρόσθετες λέξεις που διευκολύνουν την μετατροπή σε πλάγιο λόγο.
  Π.χ.: *και*, *αλλά*, *επίσης*, *γιατί*.
- Οι λέξεις και οι καταλήξεις σε **έντονο μαύρο** αλλάζουν από τον ευθύ στον πλάγιο λόγο.
  Το **Α΄+Β΄** πρόσωπο των ρημάτων γίνεται **Γ΄** πρόσωπο
  Το **Α΄+Β΄** πρόσωπο των προσ. αντων. γίνεται **Γ΄** πρόσωπο.
  Π.χ.: *Σοφία:* ***Εγώ*** *συμφων**ώ**. **Αυτή** συμφων**εί**.*

- The words in **blue** are the verbs that introduce indirect speech.
  λέει στον/στην/στο... ότι / πως... *πιστεύει ότι...*
  προτείνει στον/στην/στο... να... *προσθέτει ότι...*
  ρωτάει τον/την/το... (πώς / τι / γιατί...)
  απαντάει στον/στην/στο... ότι / πως...
- The words in **green**
  Column A: are omitted in the indirect speech
  Π.χ.: ***μα, λοιπόν, μπράβο, έγινε.***
  Column B: additional words that facilitate the transfer to indirect speech.
  Π.χ.: ***και, αλλά, επίσης, γιατί.***
- The words and the endings in **bold black** change from direct to indirect speech.
  The **1st + 2nd** person of the verbs become **3rd** person.
  The **1st + 2nd** person of the personal pronouns become **3rd** person. Π.χ.: *Σοφία:* ***Εγώ*** *συμφων**ώ**. **Αυτή** συμφων**εί**.*

6.22.α. *Τι λέτε; Θέλετε να πάμε στο Πήλιο;*

 Ευθύς λόγος	127 Πλάγιος λόγος
Πέτρος: Παιδιά, αποφασίσαμε με τη Σοφία να πάμε στο Πήλιο αυτό το Σαββατοκύριακο. Βρήκαμε έναν καταπληκτικό ξενώνα στις Μηλιές.	Ο Πέτρος λέει στα παιδιά ότι αποφάσισαν με τη Σοφία να πάνε στο Πήλιο αυτό το Σαββατοκύριακο και ότι βρήκαν έναν καταπληκτικό ξενώνα στις Μηλιές.
Άννα: Πέτρο, δεν πρέπει να πάτε! Άκουσα στο δελτίο καιρού ότι θα έχει πολύ άσχημο καιρό.	Η Άννα λέει στον Πέτρο ότι δεν πρέπει να πάνε γιατί άκουσε στο δελτίο καιρού ότι θα έχει πολύ άσχημο καιρό.
Άρης: Μπορεί ακόμα και να κλείσουν οι δρόμοι από το χιόνι. Πώς θα ανεβείτε στο βουνό; Πώς θα κάνετε εκδρομές στα γύρω χωριά;	Ο Άρης λέει ότι μπορεί ακόμα και να κλείσουν οι δρόμοι από το χιόνι. Τους ρωτάει πώς θα ανεβούν στο βουνό και πώς θα κάνουν εκδρομές στα γύρω χωριά.
Σοφία: Δίκιο έχουν η Άννα και ο Άρης, Πέτρο. Γιατί πρέπει να πάμε εκδρομή οπωσδήποτε αυτό το Σαββατοκύριακο;	Η Σοφία λέει στον Πέτρο ότι η Άννα και ο Άρης έχουν δίκιο και τον ρωτάει γιατί πρέπει να πάνε εκδρομή οπωσδήποτε αυτό το Σαββατοκύριακο.
Πέτρος: Μα το Πήλιο το χειμώνα είναι καταπληκτικό. Αν χιονίσει, Σοφία μου, θα κάτσουμε στο τζάκι, θα παίξουμε παιχνίδια, θα διαβάσουμε βιβλία και θα κάνουμε βόλτες στο χωριό. Μόνο εκδρομές δε θα κάνουμε.	Ο Πέτρος λέει στη Σοφία ότι το χειμώνα το Πήλιο είναι καταπληκτικό και ότι, αν χιονίσει, θα κάτσουν στο τζάκι, θα παίξουν παιχνίδια, θα διαβάσουν βιβλία και θα κάνουν βόλτες στο χωριό. Της λέει επίσης ότι μόνο εκδρομές δε θα κάνουν.
Σοφία: Σωστά, δεν έχεις άδικο, Πέτρο. Ωραία θα περάσουμε και με χιόνι.	Η Σοφία τού απαντάει ότι δεν έχει άδικο και ότι θα περάσουν ωραία και με χιόνι.
Άννα: **Εγώ**, παιδιά, διαφωνώ. Δεν είναι δυνατόν να πάτε στο Πήλιο και να δείτε μόνο τις Μηλιές. Καλύτερα είναι να πάτε την άνοιξη και να γυρίσετε όλα τα υπέροχα χωριά του Πηλίου: την Τσαγκαράδα, τη Μακρυνίτσα, την Πορταριά... Είναι κρίμα να μην τα δείτε. Τότε όλο το βουνό θα είναι πράσινο και γεμάτο λουλούδια. Σοφία, ποια είναι η γνώμη **σου**;	Η Άννα λέει ότι **αυτή** διαφωνεί γιατί δεν είναι δυνατόν να πάνε στο Πήλιο και να δουν μόνο τις Μηλιές. Τους λέει ότι είναι καλύτερα να πάνε την άνοιξη και να γυρίσουν όλα τα υπέροχα χωριά του Πηλίου: την Τσαγκαράδα, τη Μακρυνίτσα, την Πορταριά... Λέει επίσης ότι είναι κρίμα να μην τα δουν. Προσθέτει ότι τότε όλο το βουνό θα είναι πράσινο και γεμάτο λουλούδια. Ρωτάει τη Σοφία ποια είναι η γνώμη **της**.
Σοφία: Άννα, **μου** φαίνεται πως έχεις δίκιο αλλά δεν είμαι και σίγουρη. Ποια είναι η καλύτερη εποχή; Τι να αποφασίσω; Δεν ξέρω... Σκέπτομαι και τον Πέτρο που λατρεύει το χειμώνα στο Πήλιο.	Η Σοφία λέει στην Άννα ότι **της** φαίνεται πως έχει δίκιο αλλά πως δεν είναι και σίγουρη. Ρωτάει ποια είναι η καλύτερη εποχή. Δεν ξέρει τι να αποφασίσει. Λέει επίσης ότι σκέπτεται και τον Πέτρο που λατρεύει το χειμώνα στο Πήλιο.
Άρης: Λοιπόν, παιδιά, έχω μια τρομερή ιδέα. Προτείνω να πάμε όλοι μαζί τον Ιούνιο στο Πήλιο. Κατά τη γνώμη **μου** είναι η καλύτερη εποχή. Μπορούμε να κάνουμε τα μπανάκια μας, τις εκδρομούλες μας, να πηγαίνουμε σε ταβερνάκια και να τρώμε τα ψαράκια μας... Πώς **σας** φαίνεται η ιδέα **μου**;	Ο Άρης λέει στα παιδιά ότι έχει μια τρομερή ιδέα. Τους προτείνει να πάνε όλοι μαζί τον Ιούνιο στο Πήλιο. Κατά τη γνώμη **του** είναι η καλύτερη εποχή. Τους λέει επίσης ότι μπορούν να κάνουν τα μπανάκια τους, τις εκδρομούλες τους, να πηγαίνουν σε ταβερνάκια και να τρώνε τα ψαράκια τους. Τέλος τους ρωτάει πώς **τους** φαίνεται η ιδέα **του**.
Άννα: Μπράβο, Άρη! Η ιδέα **σου** είναι καταπληκτική. Και η Σοφία σίγουρα δε θα πει «όχι». Έτσι δεν είναι, Σοφία;	Η Άννα λέει στον Άρη ότι η ιδέα **του** είναι καταπληκτική. Πιστεύει ότι και η Σοφία σίγουρα δε θα πει «όχι».
Σοφία: **Εγώ** συμφωνώ, αλλά το πρόβλημα είναι ο Πέτρος που λατρεύει τα χιόνια.	Η Σοφία λέει ότι **αυτή** συμφωνεί αλλά ότι το πρόβλημα είναι ο Πέτρος που λατρεύει τα χιόνια.
Άννα: Πέτρο, πάμε όλοι μαζί τον Ιούνιο στο Πήλιο;	Η Άννα προτείνει στον Πέτρο να πάνε όλοι μαζί τον Ιούνιο στο Πήλιο.
Πέτρος: Έγινε! Το πιο σημαντικό είναι να κάνουμε μια εκδρομή όλοι μαζί.	Ο Πέτρος συμφωνεί και λέει ότι το πιο σημαντικό είναι να κάνουν μια εκδρομή όλοι μαζί.

6.22.β.  **Δουλέψτε σε ομάδες. Γράψτε ένα διάλογο με βάση το 6.14.**
Work in groups. Write a dialogue based on 6.14.

Τέσσερις φίλοι θέλουν να βγουν το βράδυ αλλά δεν ξέρουν ακόμα πού θα πάνε.

***Ο Παύλος** αρχίζει τη συζήτηση. Προτείνει να πάνε σινεμά, γιατί παίζει ένα πολύ ωραίο έργο που πήρε πολλά Όσκαρ. **Η Ελένη** συμφωνεί. Της αρέσει πολύ ο κινηματογράφος. **Η Νίκη** διαφωνεί. Λέει ότι πηγαίνουν συνέχεια σινεμά και θέλει να κάνουν κάτι διαφορετικό το βράδυ. Προτείνει να πάνε στο θέατρο γιατί παίζει ένα έργο που θα σταματήσει σε δέκα μέρες και οι ηθοποιοί είναι πολύ γνωστοί και πολύ καλοί. **Η Μελίνα** δε θέλει να πάνε ούτε στον κινηματογράφο ούτε στο θέατρο. Τους λέει να πάνε σ' ένα ταβερνάκι που μόλις άνοιξε στη γειτονιά της και έχει πολύ νόστιμο και φτηνό φαγητό.*

Τι αποφάσισαν τελικά; Πού θα πάνε; Γιατί; Τι άλλο είπαν;

6.22.γ.  **Μετατρέψτε το διάλογο που γράψατε σε πλάγιο λόγο.**
Transfer the dialogue you just wrote into indirect speech.

αξιολόγηση - οι τέσσερις δεξιότητες (___/20)

ΚΑΤΑΝΟΗΣΗ ΠΡΟΦΟΡΙΚΟΥ ΛΟΓΟΥ (___/5)

6.23. 128 **Ακούστε την ιστορία 5 ζευγαριών (κείμενα α έως ζ). Ταιριάξτε τα κείμενα α έως ζ με τις εικόνες 1 έως 5. Υπάρχει ένα κείμενο που δεν ταιριάζει με καμιά εικόνα.**

1. _____ 2. _____ 3. _____ 4. _____ 5. _____

ΚΑΤΑΝΟΗΣΗ ΓΡΑΠΤΟΥ ΛΟΓΟΥ (___/5)

6.24. 129 **Βάλτε το κείμενο στη σωστή σειρά. Γράψτε τα γράμματα α έως ε δίπλα στους αριθμούς 1 έως 5. Μετά ακούστε τις απαντήσεις κι ελέγξτε τις απαντήσεις σας.**

Ποιος ήταν ο Αλέξανδρος Μαλάμος;

1.	_____	α.	Ο Αλέξανδρος πέρασε άσχημα εκείνο τον καιρό. Δεν ήθελε να βγαίνει έξω, δεν ήθελε να βλέπει τους φίλους του, δεν ήθελε να πηγαίνει πουθενά. Το μόνο πράγμα που έκανε ήταν η γυμναστική. Κάθε μέρα το πρόγραμμά του ήταν το ίδιο: δουλειά, γυμναστήριο, σπίτι και σπίτι, δουλειά, γυμναστήριο. Έτσι ήταν τα πράγματα μέχρι που η πρόσκληση του Φοίβου, ενός φίλου του από το Πανεπιστήμιο, για ένα Σαββατοκύριακο στην Ύδρα, του άλλαξε τη ζωή.
2.	_____	β.	Στην Ελλάδα βρήκε μια πολύ καλή θέση σε μια τεχνική εταιρεία. Εκεί γνώρισε την Έφη, μια πολύ συμπαθητική συνάδελφό του, αρχιτέκτονα. Στην αρχή έκαναν μόνο παρέα... ταβερνάκια με φίλους, σινεμά, θέατρο... Τελικά είδαν ότι ταιριάζουν, ότι τους αρέσουν τα ίδια πράγματα και τα έφτιαξαν. Για ένα χρόνο η σχέση τους ήταν υπέροχη. Έκαναν μαζί πολλά πράγματα... ταξίδια, εκδρομές, διάφορα σπορ... Μετά από δύο χρόνια όμως άρχισαν τα προβλήματα: Ο Αλέξανδρος ήθελε να βγαίνουν πιο συχνά, η Έφη ήθελε να μένουν σπίτι, ο Αλέξανδρος ήθελε παιδιά και οικογένεια, η Έφη δεν ήθελε. Τελικά τα χάλασαν και χώρισαν.
3.	_____	γ.	Μετά τις σπουδές του στην Αθήνα έκανε ένα μεταπτυχιακό στη Γαλλία. Στη συνέχεια εργάστηκε για μερικούς μήνες σε μια μεγάλη γαλλική τράπεζα αλλά δεν του άρεσε ούτε η δουλειά ούτε η ζωή εκεί κι έτσι επέστρεψε στην Ελλάδα.
4.	_____	δ.	Ο Αλέξανδρος Μαλάμος γεννήθηκε στις 13 Ιουλίου το 1988, στην Καστέλα, μια από τις πιο όμορφες περιοχές του Πειραιά. Όταν έγινε έξι χρόνων οι γονείς του τον έστειλαν σ' ένα από τα πιο καλά σχολεία του Πειραιά. Ο Αλέξανδρος τελείωσε το σχολείο και σπούδασε οικονομικά στο Πανεπιστήμιο Αθηνών γιατί ήθελε να γίνει επιχειρηματίας.
5.	_____	ε.	Στο σπίτι του Φοίβου στην Ύδρα γνώρισε μια πολύ γλυκιά κοπέλα, τη Νάντια. Ήταν ξανθιά, ψηλή, ήρεμη και πολύ έξυπνη. Η Νάντια ήταν δασκάλα σ' ένα δημόσιο σχολείο στην Αθήνα. Ο Αλέξανδρος, μόλις την είδε, την ερωτεύτηκε αλλά κι εκείνη τον ερωτεύτηκε αμέσως. Μετά από τρεις μήνες αρραβωνιάστηκαν. Παντρεύτηκαν το επόμενο καλοκαίρι στην Κρήτη, τον τόπο καταγωγής της Νάντιας. Ο γάμος τους κράτησε τρεις μέρες, όπως γίνεται στην Κρήτη, με χορό, τραγούδια και όλα τα παραδοσιακά κρητικά έθιμα.

ΠΑΡΑΓΩΓΗ ΠΡΟΦΟΡΙΚΟΥ ΛΟΓΟΥ (___/5)

6.25. Κάνετε διαλόγους ανά ζεύγη. Αλλάξτε ρόλους.

Ρόλος Α: *Αποφασίζετε με μια φίλη σας να κάνετε ένα πάρτι. Εσείς θέλετε να καλέσετε πενήντα άτομα σ' ένα ξενοδοχείο, στις 9:00 το βράδυ του Σαββάτου. Λέτε ότι σας είπαν ότι η τιμή για κάθε άτομο (με ποτά και φαγητό) θα είναι 15 ευρώ. Εσείς συμφωνείτε με όλα.*
Ρόλος Β: *Αποφασίζετε με μια φίλη σας να κάνετε ένα πάρτι. Σας λέει πότε και πού θέλει να γίνει, τι θα προσφέρετε, πόσα άτομα θα καλέσετε και ποια είναι η τιμή για κάθε άτομο. Εσείς δε συμφωνείτε και λέτε ότι καλύτερα θα είναι να γίνει το πάρτι σ' ένα από τα δύο σπίτια σας. (Και τα δυο σπίτια είναι αρκετά μεγάλα, είναι πιο οικονομική λύση, δε χρειάζεται να μαγειρέψετε, μπορείτε να προσφέρετε μόνο ποτά και μερικά μεζεδάκια κ.λπ.).*

ΠΑΡΑΓΩΓΗ ΓΡΑΠΤΟΥ ΛΟΓΟΥ (___/5)

6.26. Περιγράψτε τη ζωή ενός διάσημου προσώπου (πραγματικού ή όχι). Γράψτε πρώτα τα γενικά στοιχεία της ζωής του (πού γεννήθηκε κ.λπ.) και μετά περιγράψτε τρεις διαφορετικές σχέσεις που είχε.

6.27. Εικόνα - Συζήτηση

6.28. 130 Σήμερα γάμος γίνεται)

Στίχοι & Μουσική: Παραδοσιακό (Κυκλάδες), ερμηνεία: Γιάννης Πάριος

6.28.α.  **Ακούστε το τραγούδι και συμπληρώστε τα κενά με λέξεις από το πλαίσιο.**

https://goo.gl/1CocSt

αποχωρίζεται / γίνεται / περήφανε αητέ / περιβόλι / νύφη / βασιλικό / καμαρώνεις / μάνα / πεταχτεί / αγκαλιά / μαλώνεις / φτερά

Σήμερα γά-, σήμερα γάμος ____________ [δις]
σ' ωραίο ____________. [δις]

Σήμερα από-, σήμερα ____________ [δις]
η ____________ από την κόρη. [δις]

Γαμπρέ, τη νύ-, γαμπρέ, τη ____________ ν' αγαπάς [δις]
να μην την(ε) ____________. [δις]

Σαν το βασί-, σαν το ____________στη γη [δις]
να την(ε), ____________. [δις]

Σήκω περή-, σήκω ____________ [δις]
κι άνοιξε τα ____________ σου. [δις]

Να ____________ η πέρδικα [δις]
που 'χεις στην ____________ σου. [δις]

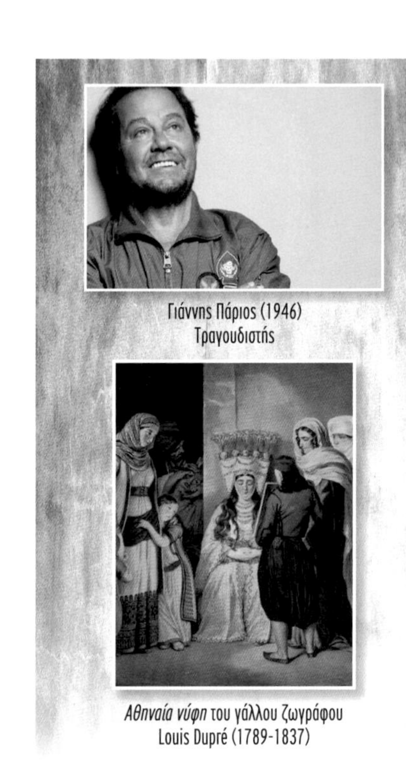

Γιάννης Πάριος (1946)
Τραγουδιστής

Αθηναία νύφη του γάλλου ζωγράφου
Louis Dupré (1789-1837)

Τι προσέχουμε;

ΛΕΞΙΛΟΓΙΟ

6.28.β. **Ψάχνω στο λεξικό και γράφω τη μετάφραση στη γλώσσα μου**

ο αητός = ...
ο βασιλικός = ...
η αγκαλιά = ...
η μάνα = ...
η πέρδικα = ...
το περιβόλι = ...
το φτερό = ...
περήφανος-η-ο = ...
αποχωρίζομαι = ...
καμαρώνω = ...
μαλώνω = ...
πετάγομαι = ...

Βήμα 7

Ώρα για ταξίδι!

Επικοινωνία

✓ **Ζητάω πληροφορίες για τα πλοία**
- δρομολόγια, κρατήσεις, τρόποι πληρωμής

✓ **Ζητάω πληροφορίες για ενοικίαση αυτοκινήτου**
- ημερήσιο κόστος, τι περιλαμβάνει η τιμή, τόπος παράδοσης / παραλαβής του αυτοκινήτου

✓ **Συζητώ σε πρατήριο καυσίμων**
- είδος / ποσότητα καυσίμων, έλεγχος αυτοκινήτου

✓ **Λέω τι βλάβη έχει ή τι ζημιά έπαθε το αυτοκίνητό μου**

✓ **Περιγράφω ένα ταξίδι / μια εκδρομή**
- οργάνωση, πρόγραμμα, αξιοθέατα & φύση, εντυπώσεις

✓ **Εκφράζω τα παράπονά μου**
- για τη διοργάνωση του ταξιδιού
- για τα ξενοδοχεία, τον ξεναγό κ.λπ.

Θεματικές ενότητες

Ελεύθερος χρόνος - Εκτός σπιτιού

✓ **Ταξίδια**
- Κράτηση εισιτηρίων, διαμονή, μεταφορικά μέσα
- Ενοικίαση αυτοκινήτου
- Στο πρατήριο βενζίνης

✓ **Φύση**
- Περιγραφή φυσικού περιβάλλοντος
- Ελληνική χλωρίδα
- Γεωγραφικά στοιχεία

Λεξιλόγιο

- **Ταξίδια**
- **Αυτοκίνητο** (περιγραφή, ζημιές, βλάβες)
- **Φυσικό περιβάλλον** (δέντρα του δάσους, οπωροφόρα, βότανα)

Γραμματική

1. Η υποτακτική στη θέση της προστακτικής
2. Η θέση της προσωπικής αντωνυμίας στην προστακτική
3. Η θέση της προσωπικής αντωνυμίας στην υποτακτική όταν χρησιμοποιείται στη θέση της προστακτικής
4. Πάθη φωνηέντων
5. Η αποκοπή στην προστακτική
6. Υποθετικός λόγος (*αν* + τέλεια υποτακτική)

7. Πίνακας νέων ρημάτων

Time to travel

Communication

✓ **I ask information about the boats**
- itineraries, reservations, methods of payment

✓ **I ask information about renting a car**
- daily cost, what does the price include, delivery & drop off location of the car

✓ **I discuss at the gas station**
- type / quantity of gas, car check

✓ **I say what is wrong with my car**

✓ **I describe a trip / excursion**
- organisation, schedule, landmarks & nature, impressions

✓ **I complain**
- about the organisation of the trip
- about the hotels, tour guide etc.

Thematic units

Free / Leisure time - Outside the house

✓ **Trips**
- Ticket reservation, accommodation, transportation
- Car rental
- At the gas station

✓ **Nature**
- Description of the natural environment
- Greek flora
- Geographical data

Vocabulary

- **Travel**
- **Car** (description, malfunction, damages)
- **Natural environment** (trees of the forest, fruit trees, herbs)

Grammar

1. Subjunctive instead of imperative
2. The position of the personal pronoun in the imperative
3. The position of the personal pronoun in the subjunctive when it is used instead of the imperative
4. Vowel reduction
5. Apocope in the imperative
6. Conditional (*αν* + simple subjunctive)

7. Table of new verbs

Βήμα 7 Ώρα για ταξίδι!

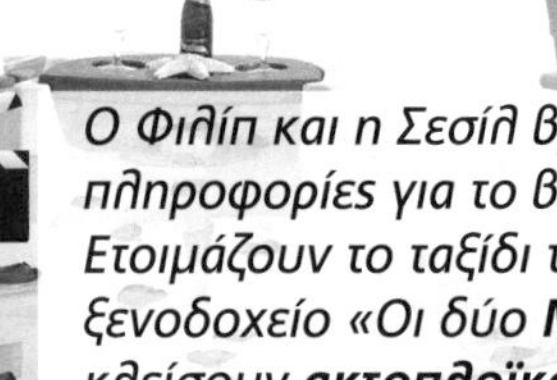

*Ο Φιλίπ και η Σεσίλ βρίσκονται στην Ελλάδα. Ο Φιλίπ μαζεύει πληροφορίες για το βιβλίο που γράφει για τα κρασιά της Μεσογείου. Ετοιμάζουν το ταξίδι τους στην Πάρο. Έκλεισαν ήδη δωμάτιο στο ξενοδοχείο «Οι δύο **Μύλοι**» στην Παροικιά και τώρα θέλουν να κλείσουν **ακτοπλοϊκά** εισιτήρια με το **πρακτορείο Αιγαίο**.*

7.1. 131 Πρακτορείο τουρισμού *Το Αιγαίο*

Στο ξενοδοχείο «Ηλέκτρα» *Σ.: Σεσίλ, Υ.: Υπάλληλος, Φ.: Φιλίπ*

Υ.: Πρακτορείο *Αιγαίο*, καλημέρα σας! Σε τι μπορώ **να** σας **εξυπηρετήσω;**

Σ.: Θα ήθελα να μάθω τα δρομολόγια αυτής της Πέμπτης από Πειραιά για Πάρο, παρακαλώ.

Υ.: Υπάρχουν τα καθημερινά δρομολόγια, δηλαδή το **πρωινό φέρι-μποτ** που **αναχωρεί** στις επτά το πρωί και το **απογευματινό** στις πεντέμισι το απόγευμα. Επίσης την Πέμπτη υπάρχει κι ένα **ταχύπλοο** στη μία το μεσημέρι.*

Σ.: Θα ήθελα να κλείσω εισιτήρια για δύο άτομα με το πλοίο των επτά.

Υ.: Εισιτήρια απλά ή με επιστροφή;

Σ.: Απλά, παρακαλώ. Πόσο **κοστίζουν**;

Υ.: Σας ενδιαφέρουν οι θέσεις στο **κατάστρωμα**; Είναι οι πιο φθηνές.

Σ.: Α, όχι! Οικονομική ή πρώτη, παρακαλώ.

Υ.: Η οικονομική θέση κοστίζει τριάντα εννιά ευρώ. **Αν πάρετε** πρώτη θέση, η τιμή είναι σαράντα πέντε ευρώ. Μπορείτε να κλείσετε και **καμπίνα**. Δυστυχώς αυτή τη στιγμή έχουμε θέσεις μόνο σε τετράκλινες καμπίνες.

Σ.: Μπα! Δε μας ενδιαφέρει. Επομένως **κλείστε μου** δύο εισιτήρια πρώτης θέσης. **Πείτε μου** κάτι ακόμα. Πώς θα πάρουμε τα εισιτήρια; Πρέπει να έρθουμε στο πρακτορείο σας;

Υ.: Όχι, δε χρειάζεται. Μπορείτε να τα πάρετε από το γραφείο μας στο λιμάνι, μία ώρα πριν από την αναχώρηση του πλοίου. Αν θέλετε, μπορούμε επίσης να τα φέρουμε στο χώρο σας με κούριερ. Τα **έξοδα αποστολής** είναι τρία ευρώ. Μπορούμε βέβαια να τα στείλουμε και ηλεκτρονικά. Εσείς **επιλέγετε**.

Σ.: Προτιμώ με κούριερ. Σε πόσες μέρες θα τα έχουμε;

Υ.: **Αν κρατήσετε** τα εισιτήρια τώρα, θα τα έχετε αύριο.

Σ. : Πολύ ωραία! Κάντε λοιπόν κράτηση για δύο εισιτήρια πρώτης θέσης. **Στείλτε τα** αύριο μέχρι τις δώδεκα, αν **είναι δυνατόν**, στο ξενοδοχείο *Ηλέκτρα* και **αφήστε τα** στην **υποδοχή**. Μπορώ να πληρώσω με την πιστωτική μου κάρτα;

Υ.: Βεβαίως! **Δώστε μου** τον αριθμό της κάρτας σας, παρακαλώ! Α, κάτι ακόμα! Τα πλοία για την Πάρο φεύγουν από την **πύλη** οκτώ του λιμανιού.

Σε λίγο

Σ.: Φιλίπ, κράτησα δύο θέσεις για την Πέμπτη, στις επτά το πρωί.

Φ.: Πολύ ωραία! Σεσίλ, ξέχασα να σου πω ότι έκλεισα ραντεβού με τον κύριο Μωραΐτη στην Πάρο. Θα επισκεφθούμε το **οινοποιείο** του και έπειτα θα μας δείξει τ' **αμπέλια** και το **κτήμα** του.

Σ.: Μπράβο! Πώς θα πάμε όμως στο οινοποιείο; Αυτοκίνητο βρήκες;

Φ.: Ωχ! Ξέχασα να τηλεφωνήσω. Θα πάρω αμέσως!

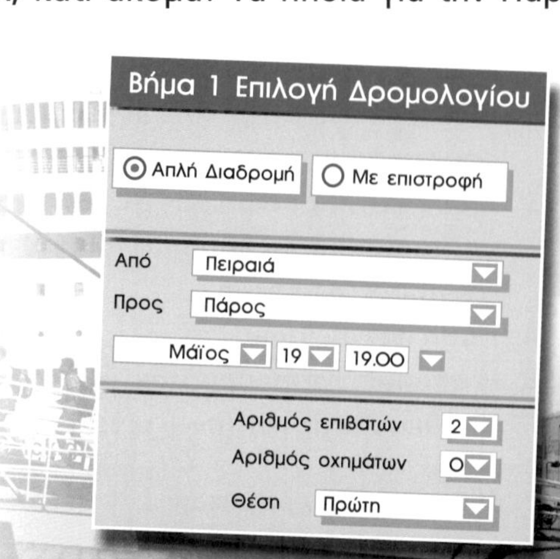

* *Στην Ελλάδα λέμε μεσημέρι την ώρα 12:00 αλλά και τις ώρες 12:00 με 15:00 περίπου.*

7.1.α. Σημειώστε: Σωστό ή Λάθος; Tick: True or False?

		Σωστό	Λάθος
1.	Το πρακτορείο πουλάει μόνο ακτοπλοϊκά εισιτήρια με επιστροφή.		
2.	Κάθε μέρα υπάρχουν τουλάχιστον δύο δρομολόγια για την Πάρο.		
3.	Το απογευματινό πλοίο είναι φέρι-μποτ.		
4.	Το εισιτήριο της πρώτης θέσης είναι πολύ πιο ακριβό από το εισιτήριο της οικονομικής θέσης.		
5.	Η Σεσίλ προτιμάει να πάρει τα πιο φτηνά εισιτήρια.		
6.	Υπάρχει μόνο ένας τρόπος για να πάρει η Σεσίλ τα εισιτήρια από το πρακτορείο.		
7.	Η τιμή του εισιτηρίου δεν περιλαμβάνει τα έξοδα αποστολής στο χώρο του πελάτη.		
8.	Το πρακτορείο δέχεται μόνο μετρητά για την αγορά ακτοπλοϊκών εισιτηρίων.		
9.	Η Σεσίλ θα περιμένει η ίδια τον κούριερ για να πάρει τα εισιτήρια και να τον πληρώσει.		

Και τώρα εσείς!

7.1.β.

Προτιμάτε να ταξιδεύετε με πλοίο, με τρένο ή με αεροπλάνο; Πόσο καιρό πριν από ένα ταξίδι κάνετε την κράτηση των εισιτηρίων; Κλείνετε τα εισιτήριά σας με πρακτορείο ή από το διαδίκτυο; Ποια είναι τα πιο φτηνά εισιτήρια που αγοράσατε μέχρι τώρα; Ποιο είναι το πιο ωραίο ταξίδι που κάνατε μέχρι τώρα; Σε ποια ελληνικά νησιά πήγατε έως τώρα; Ταξιδέψατε στα νησιά αυτά με πλοίο ή με αεροπλάνο; Όταν ταξιδεύετε με πλοίο, προτιμάτε τα φέρι-μποτ, τα ταχύπλοα ή τα δελφίνια;

7.1.γ. Συζητήστε στην τάξη για το παρακάτω θέμα. Discuss the following topic in the classroom.

Θέλετε να πάτε όλοι μαζί ένα ταξίδι. Αποφασίζετε πού θα πάτε, πότε θα πάτε και με ποιο μέσο θα ταξιδέψετε (πλοίο, τρένο, αεροπλάνο). Σημειώνετε στον πίνακα όλα τα στοιχεία. Ένας/Μια από εσάς κάνει τον υπάλληλο του ταξιδιωτικού πρακτορείου και οι υπόλοιποι του/της λέτε τον αριθμό των εισιτηρίων που θέλετε και τις ημερομηνίες αναχώρησης και επιστροφής. Στη συνέχεια του/της ζητάτε πληροφορίες για τα δρομολόγια, τις θέσεις (οικονομική, πρώτη), την τιμή των εισιτηρίων κ.λπ. Τον/Τη ρωτάτε επίσης πόσες ώρες κρατάει το ταξίδι, πώς θα πάρετε τα εισιτήρια και πώς θα τα πληρώσετε.

7.2. Θέλουμε να νοικιάσουμε αυτοκίνητο

132

Κος Διαλυνάς: Ενοικιάσεις αυτοκινήτων *Η κόκκινη* ***ρόδα***, καλημέρα σας! Τι θα θέλατε, παρακαλώ;

Φιλίπ: Γεια σας! Την Πέμπτη έρχομαι με τη γυναίκα μου στην Πάρο και θα θέλαμε να νοικιάσουμε ένα αυτοκίνητο. Πώς θα κάνω την κράτηση;

Κος Διαλυνάς: **Να μπείτε** πρώτα στην ιστοσελίδα μας! **Να επιλέξετε** το αυτοκίνητο που σας αρέσει και **να συμπληρώσετε** την αίτηση με τα στοιχεία σας και τις ημερομηνίες **παραλαβής** και επιστροφής.

Φιλίπ: Πόσο περίπου κοστίζει την ημέρα;

Κος Διαλυνάς: Για μία ημέρα κοστίζει από σαράντα έως ογδόντα ευρώ. **Εξαρτάται** από το αυτοκίνητο που θα επιλέξετε. **Αν το νοικιάσετε** για περισσότερες μέρες, θα σας κάνουμε καλύτερη τιμή.

Φιλίπ: Και τι περιλαμβάνει η τιμή;

Κος Διαλυνάς: Περιλαμβάνει οδική βοήθεια και ασφάλεια αυτοκινήτου. Δεν περιλαμβάνει βεβαίως τα **καύσιμα**. Συγγνώμη, **τι είδους** αυτοκίνητο σας ενδιαφέρει;

Φιλίπ: Θα ήθελα ένα μικρό αυτοκίνητο για να μην **καίει** πολλή βενζίνη. Η **μάρκα** δε μ' ενδιαφέρει.

Κος Διαλυνάς: Πολύ ωραία! Έχουμε **διάφορα** μικρά αυτοκίνητα που είναι οικονομικά. **Δείτε τα** στην ιστοσελίδα μας!

Φιλίπ: Εντάξει! **Πείτε μου** κάτι ακόμα. Από πού θα πάρω το αυτοκίνητο;

Κος Διαλυνάς: Μπορείτε να το πάρετε από το γραφείο μας που είναι πενήντα μέτρα απόσταση από το λιμάνι. **Αν έρθετε** όμως με αεροπλάνο, μπορούμε να φέρουμε το αυτοκίνητο στο αεροδρόμιο.

Φιλίπ: Θα έρθουμε με πλοίο, επομένως προτιμώ να το πάρουμε από το γραφείο σας. Σας ευχαριστώ πολύ για τις πληροφορίες. Θα κάνω την κράτηση σήμερα.

Κος Διαλυνάς: Εντάξει! Καλό ταξίδι και θα τα πούμε από κοντά στην Πάρο.

7.2.α. Ταιριάξτε τις φράσεις. Match the columns.

1.	Η τιμή του αυτοκινήτου εξαρτάται	___	α.	γιατί δε θέλει να πληρώσει πολλά χρήματα για καύσιμα.
2.	Η τιμή περιλαμβάνει	___	β.	από πού θα πάρει το αυτοκίνητο.
3.	Ο Φιλίπ θέλει ένα αυτοκίνητο μικρό	___	γ.	μικρά αυτοκίνητα, πολύ οικονομικά.
4.	Τον Φιλίπ δεν τον ενδιαφέρει	___	δ.	από το είδος του αυτοκινήτου.
5.	Ο κύριος Διαλυνάς έχει διάφορα	___	ε.	να πάρει το αυτοκίνητο από το γραφείο, στο λιμάνι.
6.	Ο Φιλίπ ρωτάει τον κύριο Διαλυνά	___	ζ.	η μάρκα του αυτοκινήτου.
7.	Ο κύριος Διαλυνάς του απαντάει	___	η.	οδική βοήθεια και ασφάλεια.
8.	Ο Φιλίπ προτιμάει	___	θ.	ότι μπορεί να πάρει το αυτοκίνητο ή από το λιμάνι ή από το αεροδρόμιο.

7.2.β. Συμπληρώστε την αίτηση. Fill in the application.

Αίτηση ενοικίασης οχήματος			
Όνομα	____________	Χώρα διαμονής	____________
Επώνυμο	____________	Τόπος παραλαβής	____________
Άδεια οδήγησης (αριθμός)	____________	Τόπος παράδοσης	____________
Ημερομηνία έκδοσης	____________	Ημερομηνία παραλαβής	____________
Ηλικία οδηγού	____________	Ημερομηνία παράδοσης	____________

Κατηγορία αυτοκινήτου:
☐ μικρό / οικονομικό
☐ μεσαίο / κανονικό
☐ μεγάλο
☐ **βαν** (6 θέσεων)
☐ βαν (9 θέσεων)

7.2.γ. Κάντε διαλόγους ανά ζεύγη. Στη συνέχεια αλλάξτε τους ρόλους σας.

Make dialogues in pairs. Then change roles.

Ρόλος Α: *Θα κάνετε ένα ταξίδι σ' ένα ελληνικό νησί με αεροπλάνο. Είστε μια παρέα έξι ατόμων. Τηλεφωνείτε σ' ένα γραφείο που νοικιάζουν αυτοκίνητα και λέτε στον/στην υπάλληλο ότι ενδιαφέρεστε για ένα βαν έξι ατόμων. Του/Της λέτε ποιες ημερομηνίες σας ενδιαφέρουν. Τον/Τη ρωτάτε για την τιμή και τι περιλαμβάνει. Του/Της ζητάτε να γίνει η παραλαβή και η παράδοση του αυτοκινήτου στο αεροδρόμιο. Του/Της ζητάτε επίσης να σας κάνει μια καλύτερη τιμή γιατί θα το νοικιάσετε για δέκα μέρες.*

Ρόλος Β: *Είστε υπάλληλος σ΄ ένα γραφείο που νοικιάζει αυτοκίνητα. Απαντάτε στο τηλέφωνο σε κάποιον πελάτη / κάποια πελάτισσα που θέλει να νοικιάσει ένα βαν για έξι άτομα. Απαντάτε στις ερωτήσεις του/της για την τιμή, τις ημερομηνίες, τον τόπο παραλαβής και παράδοσης κ.λπ. Του/Της λέτε επίσης ότι πάντα κάνετε καλύτερη τιμή όταν οι πελάτες νοικιάζουν ένα αυτοκίνητο για πολλές μέρες.*

Και τώρα εσείς!

7.2.δ. *Τι είδους αυτοκίνητο έχετε; Μικρό; Μεγάλο; Παλιό ή καινούργιο; Πότε το αγοράσατε; Τι μάρκα είναι και τι χρώμα; Είναι οικονομικό ή καίει πολλή βενζίνη; Έχετε οδική βοήθεια; Πόσο πληρώνετε το χρόνο; Έχετε ασφάλεια; Όταν πάτε ταξίδι, νοικιάζετε αυτοκίνητο; Τι είδους αυτοκίνητο νοικιάσατε την τελευταία φορά που πήγατε ταξίδι; Είχατε κάποιο πρόβλημα με το αυτοκίνητο που νοικιάσατε;*

7.3. 133 Στο βενζινάδικο

Α: Υπάλληλος , Β: Πάνος Διαλυνάς

Ο Πάνος Διαλυνάς πάει το αυτοκίνητο που νοίκιασε ο Φιλίπ στο ***πρατήριο καυσίμων*** *για ένα μικρό* ***έλεγχο***.

Α: Πάνο, γεια σου! Πόση βενζίνη να βάλω;
Β: Βάλε σαράντα ευρώ! Ένα λεπτό... καλύτερα **γέμισέ το**! Πόσο έχει σήμερα το λίτρο;
Α: Αμόλυβδη δε βάζεις; Ένα και πενήντα η απλή κι ένα εβδομήντα η **σούπερ**.
Β: Εντάξει, βάλε σούπερ! Μπορείς να κοιτάξεις και τα λάδια;
Α: Θέλουν αλλαγή. **Δες τα**, είναι μαύρα.
Β: Δίκιο έχεις. **Άλλαξέ τα**.
Α: Λοιπόν έβαλα δύο λίτρα κι έμεινε κι άλλο ένα στο **δοχείο**.
Β: Δεν πειράζει, **βάλ' το**, σε παρακαλώ, στο **πορτ-μπαγκάζ**.
Α: Θέλεις να δω και τα **υγρά φρένων**;
Β: Ναι, **δες τα**, σε παρακαλώ. Και τα **λάστιχα** χρειάζονται αέρα. **Κοίταξέ τα** κι αυτά.
Α: Είναι βρώμικο το αυτοκίνητο. Να το πλύνω;
Β: Ναι, **πλύν' το**! Τι ώρα θα 'ναι έτοιμο;
Α: Έλα σε καμιά ώρα.
Β: Τρέχω να προλάβω το συνεργείο. Άφησα εκεί το μαύρο **τζιπ** που πάλι **δεν παίρνει μπρος**. Μάλλον θέλει καινούργια **μπαταρία**.

7.3.α. Σημειώστε: Σωστό ή Λάθος; Tick: True or False?

Ο Πέτρος Διαλυνάς λέει στο βενζινοπώλη:	Σωστό	Λάθος
1. Να το γεμίσεις με απλή αμόλυβδη!		
2. Να αλλάξεις τα λάδια!		
3. Να κάνεις έλεγχο στα υγρά φρένων!		
4. Να μη βάλεις αέρα στα λάστιχα!		
5. Να το πλύνεις!		
6. Να το πας στο συνεργείο!		

7.4. Στείλτε! Να στείλετε!

- Πού να στείλω τα εισιτήρια;

- **Στείλτε** τα εισιτήρια στο ξενοδοχείο!

- Τι είπατε;

- **Να στείλετε** τα εισιτήρια στο ξενοδοχείο!

7.4.α. Πείτε το αλλιώς, σύμφωνα με το παράδειγμα. Say it in another way, following the example.

0.	Νοικιάστε ένα τζιπ! *Να νοικιάσετε ένα τζιπ!*		
1.	Πλύνε το αυτοκίνητο!	6.	Κοίταξε τα λάστιχα του αυτοκινήτου μου!
2.	Άλλαξε τα λάδια!	7.	Πες στον πελάτη από πού θα πάρει το τζιπ!
3.	Γεμίστε το αυτοκίνητο με απλή βενζίνη!	8.	Επιλέξτε το αυτοκίνητο που σας αρέσει!
4.	Βάλτε το δοχείο στο πορτ-μπαγκάζ!	9.	Μπες στην ιστοσελίδα μας!
5.	Δες τα φρένα!	10.	Κλείσε δύο εισιτήρια πρώτης θέσης!

7.5. Να με περιμένεις! Περίμενέ με!

- Πού να σε περιμένω; - Να **με** περιμένεις στο λιμάνι! - Κι αν αργήσεις; - Δε θ' αργήσω. **Περίμενέ με** οπωσδήποτε!	- Να κρατήσω και τις δύο δίκλινες καμπίνες; - Ναι, να **τις** κρατήσεις! - Μήπως όμως δεν τις χρειαζόμαστε; Είναι κι ακριβές. - Είναι μεγάλο ταξίδι. **Κράτησέ τες** οπωσδήποτε!	- Να πλύνω το αυτοκίνητό σας; - Να **το** πλύνετε, παρακαλώ! - Και μέσα και έξω; - Ναι! **Πλύντε το** μέσα έξω!	- Πότε να σας πάρω τηλέφωνο για την κράτηση; - Να **με** πάρετε μετά τις δύο! - Τι είπατε; Δεν άκουσα καλά. - **Πάρτε με** μετά τις δύο!!!

7.5.α. Συμπληρώστε τα κενά με λέξεις από το πλαίσιο. Fill in the gaps with words from the box.

με / τον / τη(ν) / το / μας / τους / τες / τα

1.	Έχω κάτι να σου πω. Άκουσέ _____ με μεγάλη προσοχή!
2.	Βρέχει! Μην ξεχάσετε την ομπρέλα σας. Πάρτε _____ μαζί σας!
3.	Ακόμη δεν ήπιες τον καφέ σου. Πιες _____ γιατί θα κρυώσει!
4.	Ερχόμαστε! Μη φύγεις! Περίμενέ _____!
5.	Ακόμα δεν βάλατε τα πιάτα στο τραπέζι. Βάλτε _____ αμέσως!
6.	Δεν έμαθες ακόμα τους διαλόγους; Μάθε _____ αμέσως!
7.	Δε γράψατε ακόμα τις ασκήσεις; Γράψτε _____ γρήγορα!
8.	Γιατί δεν στείλατε χτες στο ξενοδοχείο το εισιτήριό μου; Στείλτε _____ οπωσδήποτε αύριο!

7.5.β. Πείτε το αλλιώς σύμφωνα με το παράδειγμα. Say it in another way, following the example.

0.	Πρέπει να διασχίσεις το δρόμο. *Διάσχισέ τον!*	7.	Πρέπει να καλέσεις τους αστυνομικούς.
1.	Θέλω να σβήσετε τα τσιγάρα.	8.	Σου ζητάω να οδηγήσεις τη μοτοσυκλέτα.
2.	Πρέπει να φωνάξεις το γιατρό.	9.	Σας ζητάω να στείλετε τις κάρτες.
3.	Σου ζητάω να υπογράψεις το συμφωνητικό.	10.	Πρέπει να ανακαινίσεις την κουζίνα.
4.	Σου ζητάω να περιγράψεις το ατύχημα.	11.	Σου ζητάω να συμπληρώσεις την αίτηση.
5.	Σου λέω να επιστρέψεις το βιβλίο.	12.	Θέλω να πετάξεις τα παλιά έπιπλα.
6.	Σας ζητάω να κόψετε τη σαλάτα.	13.	Πρέπει να βρεις τις δύο βαλίτσες μας.

7.6. Να μου στείλεις! Στείλε μου!

136

- Να **μου** στείλεις τα εισιτήρια στο ξενοδοχείο αύριο το πρωί! - Στο ξενοδοχείο; Όχι στο σπίτι; - Όχι! **Στείλε μου** τα εισιτήρια στο ξενοδοχείο!	- Δεν τηλεφώνησα ακόμα στον κύριο Μωρίκη για το ραντεβού. - Να **του** τηλεφωνήσεις τώρα! - Δεν είναι αργά; - Όχι! **Τηλεφώνησέ του** τώρα γιατί μετά θα φύγει από το γραφείο του.	- Να **μου** φέρετε, παρακαλώ, το αυτοκίνητο στο αεροδρόμιο. - Μήπως προτιμάτε στο ξενοδοχείο; - Ναι! Ίσως είναι καλύτερα. **Φέρτε μου**, λοιπόν, το αυτοκίνητο στο ξενοδοχείο!

7.6.α. Πείτε το αλλιώς, σύμφωνα με το παράδειγμα. Μετά συμπληρώστε τα κενά.

Say it in another way, following the example. Then fill in the gaps.

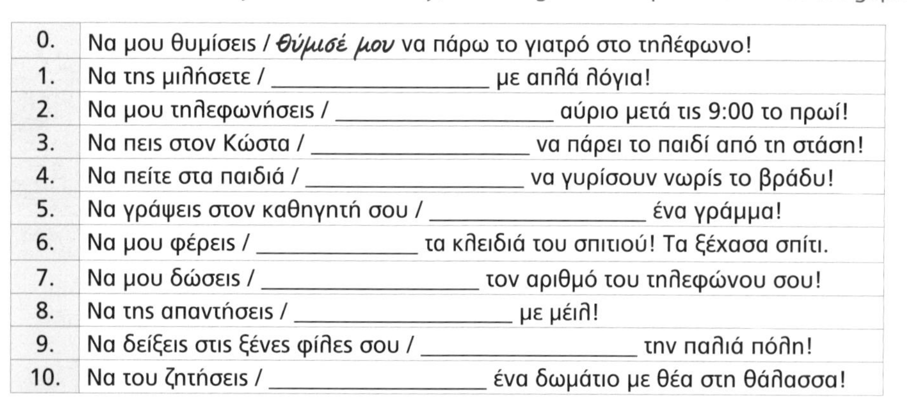

0.	Να μου θυμίσεις / *Θύμισέ μου* να πάρω το γιατρό στο τηλέφωνο!
1.	Να της μιλήσετε / ________________ με απλά λόγια!
2.	Να μου τηλεφωνήσεις / ________________ αύριο μετά τις 9:00 το πρωί!
3.	Να πεις στον Κώστα / ________________ να πάρει το παιδί από τη στάση!
4.	Να πείτε στα παιδιά / ________________ να γυρίσουν νωρίς το βράδυ!
5.	Να γράψεις στον καθηγητή σου / ________________ ένα γράμμα!
6.	Να μου φέρεις / ________________ τα κλειδιά του σπιτιού! Τα ξέχασα σπίτι.
7.	Να μου δώσεις / ________________ τον αριθμό του τηλεφώνου σου!
8.	Να της απαντήσεις / ________________ με μέιλ!
9.	Να δείξεις στις ξένες φίλες σου / ________________ την παλιά πόλη!
10.	Να του ζητήσεις / ________________ ένα δωμάτιο με θέα στη θάλασσα!

7.7. Φέρ' το! Φά' το!

137

1.	2.	3.	4.

Φέρε την εφημερίδα σ' εμένα! Φέρ' τη γρήγορα! Φέρε μου την εφημερίδα!	Δώσε το πόδι σου σ' εμένα! Δώσ' το σ' εμένα! Δώσ' μου το πόδι σου!	Φάε το φαγητό σου! Φά' το αμέσως!	Πιάσε τον κλέφτη! Πιάσ' τον!

7.7.α.  1. ***Φέρ' τη! Δώσ' το! Φά' το! Πιάσ' τον!*** **Πριν από ποιο σύμφωνο φεύγει το ε;**
Φέρ' τη! Δώσ' το! Φά' το! Πιάσ' τον! Before which consonant is the vowel *ε* omitted?

2. **Τι διαφορά παρατηρείτε ανάμεσα στο *φέρε μου* και στο *δώσ' μου*;**
What difference do you notice between *φέρε μου* and *δώσ' μου*?

7.8. Το αυτοκίνητό μου

7.8.α. Συμπληρώστε τα κουτάκια σύμφωνα με το παράδειγμα.
Fill in the boxes following the example.

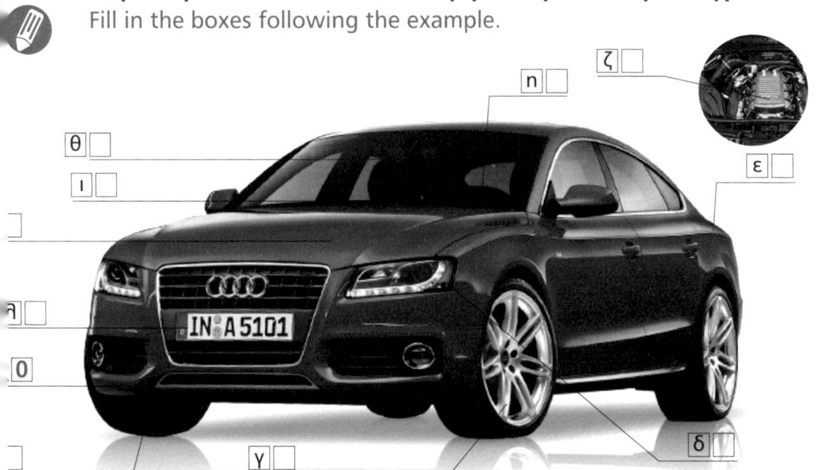

ΤΟ ΑΥΤΟΚΙΝΗΤΟ	THE CAR
0. ο προφυλακτήρας	0. bumper
1. ο υαλοκαθαριστήρας	1. windshield wiper
2. η μηχανή	2. engine
3. η πινακίδα	3. license plate
4. η ρόδα	4. wheel
5. το καπό	5. hood
6. το λάστιχο	6. tire
7. το παρμπρίζ	7. windshield
8. το πορτ-μπαγκάζ	8. boot, trunk
9. το τιμόνι	9. steering wheel
10. το φανάρι	10. lights
η μπαταρία	battery
το φρένο	brake
το ψυγείο	cooler
τα υγρά φρένων	brake fluids
η βλάβη	malfunction
η ζημιά	damage
παίρνει μπρος (μια μηχανή)	starts (the engine)
μένω από κάτι	I run out of something
μένω από βενζίνη	I run out of gas, oil
μένω από μπαταρία	my battery died
μένω από λάστιχο	I have a flat tire

7.8.β.  **Ακούστε το κείμενο:** ***Το αυτοκίνητο του Αγησίλαου δεν παίρνει μπρος***

7.8.γ. **Σημειώστε: Σωστό ή Λάθος;** Tick: True or False?

		Σωστό	Λάθος
1.	Ο Αγησίλαος δε χρειάζεται ν' αλλάξει την μπαταρία.		
2.	Το ψυγείο χρειάζεται αλλαγή.		
3.	Ο Αγησίλαος πρέπει ν' αλλάξει τα φρένα.		
4.	Δεν είναι σίγουρο ότι θα φτιάξουν τη μηχανή.		
5.	Τα λάστιχα είναι όλα εντάξει.		
6.	Ο Αγησίλαος άλλαξε τα λάστιχα πέρσι.		

7.9.    Τι είδους...;

Επιβατικό αυτοκίνητο με τέσσερις πόρτες;

Βαν για έξι άτομα;

Τζιπ με κίνηση εμπρός και πίσω;

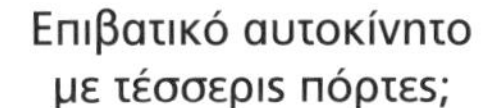

Και τώρα εσείς!

7.9.α. ***Τι είδους*** *αυτοκίνητο προτιμάτε; Τζιπ, επιβατικό με δύο πόρτες / με τέσσερις πόρτες, βαν;* ***Τι είδους*** *σπίτι θέλετε να αγοράσετε; Μονοκατοικία (μεγάλη, μικρή, με κήπο, χωρίς κήπο); Διαμέρισμα (δυάρι, τριάρι, ρετιρέ); Στην πόλη, σε προάστιο, στην εξοχή, στο χωριό;* ***Τι είδους*** *μουσική προτιμάτε; Τζαζ, ροκ, ποπ, κλασική, παραδοσιακή, κάποια άλλη;*

7.10. Αν....

7.10.α. ✓ Σημειώστε το σωστό. Tick the correct answer.

1.	Αν ***έρθεις / ήρθες / έρχεσαι*** στην Πάρο, θα σε φιλοξενήσω.
2.	Αν δεν **περνάτε / περάσατε / περάσετε** από το πρακτορείο μας, θα σας στείλουμε τα εισιτήρια με κούριερ.
3.	Αν μου **έδωσες / δώσεις / δίνεις** τη διεύθυνσή σου, θα σου στείλω μία κάρτα από την Πάρο.
4.	Αν **επιλέξατε / επιλέξετε / επιλέγετε** αυτό το αυτοκίνητο, θα σας κάνουμε μεγάλη έκπτωση.
5.	Αν **φτάνεις / έφτασες / φτάσεις** πιο νωρίς από μένα στην Παροικιά, περίμενέ με στο λιμάνι.
6.	Αν δε **βρήκες / βρίσκεις / βρεις** να παρκάρεις στο δρόμο, βάλε το αυτοκίνητο στο πάρκινγκ.

7.11. Πάμε ταξίδι!

Πού θα μείνουμε;

Σε ξενώνα

Σε ξενοδοχείο

Σε τροχόσπιτο στην παραλία

Σε ενοικιαζόμενα δωμάτια

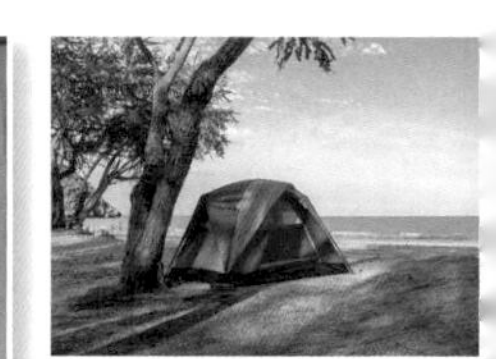

Σε σκηνή στην αμμουδιά
Σε ελεύθερο κάμπινγκ

Σε κάμπινγκ

Προς Κάμπινγκ
Γαλάζια Ακρογιαλιά

Τι θα επισκεφθούμε;

Ένα κάστρο
Ρόδος

Ένα μοναστήρι
Μετέωρα

Ένα λόφο με κυπαρίσσια και πεύκα
Λυκαβηττός, Αθήνα

Μια ακρογιαλιά
με βράχια και βότσαλα
Εύβοια

Ένα ποτάμι με πλατάνους
Τέμπη - Θεσσαλία

Μια λίμνη στο βουνό
Λίμνη Πλαστήρα - Θεσσαλία

Θα μείνουμε	Θα επισκεφθούμε τα **αξιοθέατα**	**Θα θαυμάσουμε** τη φύση
✓ σε ξενοδοχεία δύο / τριών / τεσσάρων / πέντε **αστέρων** ✓ σε παραδοσιακούς ξενώνες ✓ σε **ενοικιαζόμενα δωμάτια** ✓ σε **σκηνή**, σε **κάμπινγκ / κατασκήνωση** ✓ σε σκηνή, σε ελεύθερο κάμπινγκ ✓ σε **τροχόσπιτο**	✓ τους αρχαιολογικούς χώρους ✓ τα **μνημεία** ✓ τα μουσεία, τις πινακοθήκες ✓ τις εκκλησίες, τα μοναστήρια, τους ναούς, τα **κάστρα** ✓ τους παραδοσιακούς οικισμούς	✓ τα δάση, τα πάρκα, τους λόφους, τα βουνά, τις λίμνες, τα ποτάμια, τις **κοιλάδες** ✓ τα φυτά και τα δέντρα (η ελιά, το **έλατο**, το **κυπαρίσσι**, το **πεύκο**, ο **πλάτανος** & το **πλατάνι**) ✓ τη θάλασσα, τις παραλίες, τις **ακρογιαλιές**, τους κόλπους, τις αμμουδιές, τα βράχια,* τα βότσαλα

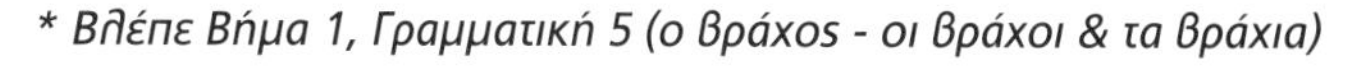

** Βλέπε Βήμα 1, Γραμματική 5 (ο βράχος - οι βράχοι & τα βράχια)*

7.11.α. 142 Μερικά δέντρα της ελληνικής γης

το πεύκο
pine tree

το κυπαρίσσι
cypress

ο πλάτανος
sycamore

το έλατο
fir

η λεύκα
poplar

η ελιά
olive tree

η πορτοκαλιά
orange tree

η λεμονιά
lemon tree

η μηλιά
apple tree

η αμυγδαλιά
almond tree

η καρυδιά
walnut tree

η συκιά
fig tree

7.11.β. 143 Ακούστε το κείμενο: *Μια βόλτα στην Παροικιά, στην Πάρο*

Ο ναός της Παναγίας της Εκατονταπυλιανής

Η παλιά πόλη κάτω από το κάστρο

7.11.γ.   Σημειώστε: Σωστό ή Λάθος; Tick: True or False?

		Σωστό	Λάθος
1.	Ο Φιλίπ και η Σεσίλ έμειναν σ' ένα ξενοδοχείο στην περιοχή της Αγίας Άννας.		
2.	Νοίκιασαν αυτοκίνητο από την Παροικιά.		
3.	Πρώτα **ξεκουράστηκαν** και μετά επισκέφτηκαν τους παραδοσιακούς μύλους της Αγίας Άννας.		
4.	Η *Εκατονταπυλιανή* είναι μία από τις πιο παλιές **βυζαντινές** εκκλησίες.		
5.	Μετά την εκκλησία επισκέφτηκαν την Παλιά Αγορά με το κάστρο.		
6.	Μετά σταμάτησαν για ένα ουζάκι σ' ένα μεζεδοπωλείο, γιατί **κουράστηκαν**.		
7.	Πρόλαβαν να δουν το **ηλιοβασίλεμα** από το ξενοδοχείο τους.		
8.	Πόρτες λέγονται οι δύο βράχοι που βρίσκονται δίπλα στο ξενοδοχείο τους.		

7.11.δ.  Μια βόλτα στη φύση

Jean-Marie Parizel "Οι ελιές"

Το αμπέλι

Το οινοποιείο

7.11.ε.  Ακούστε το κείμενο και συμπληρώστε τα κενά με τις λέξεις από το πλαίσιο.

Listen to the text and fill in the gaps with words from the box.

αγριολούλουδα / πεύκα / αμμουδιές / να επισκεφθούν / κυπαρίσσια / περίπατο / ακρογιαλιά / αμπέλια / βότσαλα / βράχια / παραλία / κτήμα / διαδρομή / λόφους / να θαυμάσουν

Την επόμενη μέρα το πρωί ο Φιλίπ και η Σεσίλ ξεκίνησαν νωρίς από το ξενοδοχείο τους για [1] ____________ το οινοποιείο του κύριου Μωραΐτη, που απέχει περίπου 20 χιλιόμετρα από την Παροικιά. Η [2] ____________ ήταν θαύμα! Διέσχισαν δασάκια με [3] ____________ και [4] ____________ κι ανέβηκαν στο βουνό. Σταμάτησαν για [5] ____________ τη θέα από ψηλά και μετά άρχισαν να κατεβαίνουν προς το [6] ____________ του κυρίου Μωραΐτη. Έφτασαν εκεί κατά τις δέκα. Ο κύριος Μωραΐτης τους έδειξε το οινοποιείο και μετά τα [7] ____________ του στους γύρω [8] ____________. Ο Φιλίπ έκανε πολλές ερωτήσεις για το βιβλίο που γράφει για τα κρασιά της Μεσογείου και η Σεσίλ πήρε υπέροχες φωτογραφίες. Έπειτα έκαναν και οι τρεις έναν πολύ ωραίο [9] ____________ στο κτήμα. Περπάτησαν ανάμεσα στις ελιές και στα [10] ____________. Κάποιες από τις ελιές ήταν πάνω από εκατό ετών. Κατέβηκαν μέχρι την [11] ____________. Το κτήμα είχε μια μικρή παραλία με [12] ____________ και πολύ καθαρά νερά. Δεξιά και αριστερά [13] είχε ____________ . Ακόμα και η Σεσίλ, που προτιμάει τις [14] ____________, είπε ότι η [15] ____________ αυτή ήταν πολύ όμορφη και γραφική.

7.11.ζ. Κάνετε 20 ερωτήσεις επάνω στο κείμενο ακολουθώντας την ροή του, που να αρχίζουν με τις παρακάτω λέξεις.

Following the narration of the text, ask 20 questions starting with the following words.

1. Πότε; 2. Πόσο… από…; 3. Πώς …; 4. Τι …; 5. Πού …; 6. Γιατί …; 7. Προς τα πού …; 8. Τι ώρα …; 9. Τι … πρώτα; 10. Τι … μετά; 11. Τι είδους βιβλίο …; 12. Τι … η Σεσίλ; 13. Τι … και οι τρεις; 14. Πού …; 15. Πόσων χρόνων …; 16. Μέχρι πού …; 17. Τι …; 18. Τι …; 19. Τι …;

7.11.η. Διηγηθείτε έναν περίπατο που κάνατε τελευταία.

Describe a walk that you liked.

(Από πού ξεκινήσατε; Από πού περάσατε; Τι διασχίσατε, Σταθήκατε κάπου; Ανεβήκατε…; Κατεβήκατε …; Τι συναντήσατε; Τι είδατε; Τι σας άρεσε; Τι δε σας άρεσε; Πού φτάσατε; Ποιους επισκεφτήκατε; κ.λπ.)

7.11.θ.  Κάντε ένα μικρό κείμενο για την τοπική εφημερίδα της περιοχής σας και περιγράψτε τον περίπατο που διηγηθήκατε στο 7.11.η. (80-100 λέξεις)

Write a text for your local newspaper and describe the walk in 7.11.η. (80-100 words)

7.12. Οικογένειες λέξεων: ο τουρισμός

ο **τουρ**ισμός
ο **τουρ**ίστας
η **τουρ**ίστρια
τουριστικός-ή-ό
ο **τουρ**ιστικός οδηγός
η **τουρ**ιστική αστυνομία
το **τουρ**ιστικό γραφείο
το **τουρ**ιστικό πρακτορείο
το γραφείο **τουρ**ισμού
το πρακτορείο **τουρ**ισμού

7.12.α. Συμπληρώστε τα κενά με τη σωστή λέξη.

Fill the gaps with the right word.

1.	Το καλοκαίρι οι περισσότεροι ____________ επιλέγουν κάποιο νησί για τις διακοπές τους.
2.	Θα ρωτήσω για ενοικιαζόμενα δωμάτια στην ____________ αστυνομία.
3.	Στο γραφείο ____________ μού πρότειναν ένα καταπληκτικό πακέτο διακοπών.
4.	Θέλω να βρω έναν καλό ____________ οδηγό για την Ινδία.
5.	Οι ταξιδιώτες που επιλέγουν θρησκευτικό ____________ επισκέπτονται μοναστήρια και εκκλησίες.

Μονεμβασιά
(Μονεμβάσια)

7.13. Οικογένειες λέξεων: ο τροχός (η ρόδα)

ο **τροχ**ός
η **τροχ**αία
ο/η **τροχ**ονόμος
το **τροχ**όσπιτο
το **τροχ**οφόρο (όχημα)

7.13.α. Συμπληρώστε τα κενά με τη σωστή λέξη.
Fill in the gaps with the correct word.

1.	Απαγορεύεται η είσοδος σε όλα τα _____________.
2.	Αγόρασαν ένα καταπληκτικό _____________ για να κάνουν διακοπές.
3.	Ο _____________ μού έδωσε μια κλήση γιατί πέρασα με κόκκινο.
4.	Οι μοτοσυκλέτες έχουν δύο _____________.
5.	Η _____________ ήρθε ένα τέταρτο μετά το ατύχημα.

7.14. Συνηθισμένες εκφράσεις προσφώνησης, κυρίως προφορικής.
145
Usual phrases of -mainly- oral salutation.

Ανάμεσα σε ζευγάρια
Σε άνδρα: αγάπη μου, γλυκέ μου, μωρό μου, Αλέξη μου…
Σε γυναίκα: αγάπη μου, γλυκιά μου, κούκλα μου, μωρό μου, Δανάη μου…

Σε παιδί
παιδί μου, παιδάκι μου, μωρό μου, αγοράκι μου, κοριτσάκι μου, μάτια μου, ματάκια μου, χρυσό μου, γλυκό μου, φως μου, Μιχαλάκη μου, Ελενίτσα μου…

Σε φίλους
Σε άνδρα: αγόρι μου, παιδί μου, παιδάκι μου, φίλε μου, μάτια μου, Γιώργο μου…
Σε γυναίκα: παιδί μου, παιδάκι μου, μάτια μου, Χριστίνα μου…

Από μεγάλους σε πιο νέους / νέες
Σε άνδρα: παλικάρι μου
Σε γυναίκα: κορίτσι μου, κοπέλα μου

Σε άγνωστο/η
Σε άνδρα: κύριε, κύριέ μου
Σε νέο (κυρίως έφηβο): νεαρέ, μικρέ
Σε γυναίκα: κυρία μου
Σε νέα: δεσποινίς

Λεξιλόγιο / Glossary

Λεξιλόγιο	Glossary
ΟΝΟΜΑΤΑ	NAMES
αρχαιολογικός χώρος, ο	archaeological site
αστέρας, ο	star
ξενοδοχείο τριών αστέρων, το	three star hotel
έλεγχος, ο	checking (n.)
μύλος, ο	mill
τουριστικός οδηγός, ο	tour guide
τροχός, ο	wheel
ακρογιαλιά, η	shore, seaside
αμμουδιά, η	sand beach
αποστολή, η	sending, shipping
διαδρομή, η	way, itinerary
απλή διαδρομή, η	one way trip
διαδρομή με επιστροφή, η	return trip
επιβάτιδα (επιβάτισσα), η	passenger (fem.)
επιλογή, η	choice
καμπίνα, η	cabin
κατασκήνωση, η	camp
κοιλάδα, η	valley
μάρκα, η	brand, make
μπαταρία (αυτοκινήτου), η	battery (of a car)
Παναγία, η	Virgin Mary, Madonna
παράδοση, η	delivery
παραλαβή, η	receipt, pick up
πύλη, η	gate
ρόδα, η	tire, wheel
σκηνή, η	tent
σούπερ (βενζίνη), η	premium gas, petrol
τουριστική αστυνομία, η	tourist police
υποδοχή (ρεσεψιόν), η	reception
αμπέλι, το	vineyard
αξιοθέατο, το	landmark, worth seeing
βαν, το	van
βήμα, το	step
βότσαλο, το	pebble
δοχείο, το	container
ενοικιαζόμενο δωμάτιο, το	room to let
έξοδο, το	expense
έξοδα αποστολής, τα	postal / shipping expense
ηλιοβασίλεμα, το	sunset
κάμπινγκ, το	camping
κάστρο, το	castle
καύσιμο, το	fuel
κτήμα, το	ranch, estate
λάδι, το	oil
λάστιχο, το	tire
μνημείο, το	monument
οινοποιείο, το	winery
όχημα, το	vehicle
παλικάρι (παλληκάρι), το	young man
πορτ-μπαγκάζ, το	boot, trunk
πρακτορείο (τουρισμού), το	travel agency
πρατήριο (καυσίμων), το	gas/petrol station
ταχύπλοο, το	motorboat, speedboat
τζιπ, το	SUV, 4x4 vehicle
τροχόσπιτο, το	trailer
τροχοφόρο (όχημα), το	automobile
υγρό, το	fluid
υγρά φρένων, τα	brake fluids
φέρι-μποτ, το	ferryboat
φρένο, το	brake
ΕΠΙΘΕΤΑ - ΜΕΤΟΧΕΣ	ADJ. - PARTICIPLES
ακτοπλοϊκός-ή-ό	sea liner
απογευματινός-ή-ό	afternoon
βυζαντινός-ή-ό	Byzantine
διάφοροι-ες-α	various
πρωινός-ή-ό	morning (adj.)
ταξιδιωτικός-ή-ό	traveling
τουριστικός-ή-ό	touristic
ΡΗΜΑΤΑ	VERBS
αναχωρώ	I depart
εξαρτάται	it depends
εξυπηρετώ	I serve, I facilitate
επιλέγω	I choose, I select
επισκέπτομαι	I visit
θαυμάζω	I admire
καίω	I consume
καίει πολλή βενζίνη	it consumes a lot of gas / petrol
κοστίζω	I cost
κουράζομαι	I get tired
ξεκουράζομαι	I get some rest, I relax
χάνομαι	I get lost
ΕΚΦΡΑΣΕΙΣ	EXPRESSIONS
είναι δυνατόν	it is possible
τι είδους…;	what kind…?
είναι επικίνδυνο να…	it is dangerous to…

γραμματική

1. Η υποτακτική στη θέση της προστακτικής   Subjunctive instead of imperative

Στη θέση της προστακτικής μπορούμε να χρησιμοποιήσουμε και την υποτακτική.
We can use subjunctive in the place of the imperative.

Ας θυμηθούμε! Για την άρνηση στην προστακτική χρησιμοποιούμε πάντα τον αρνητικό τύπο της υποτακτικής ***(να) μη(ν)***.
Η προστακτική δεν έχει δικό της αρνητικό τύπο.   Let's remember! In the place of negative imperative, we always use the negative subjunctive ***(να) μη(ν)***. The imperative does not form a negation.

Φύγε!	**Να φύγεις!**	**(Να) μη φύγεις!**
Άνοιξε την πόρτα!	**Να / Ν' ανοίξεις** την πόρτα!	**(Να) μην ανοίξεις** την πόρτα!
Τηλεφώνησε στον Άρη!	**Να τηλεφωνήσεις** στον Άρη!	**(Να) μην τηλεφωνήσεις** στον Άρη!

2. Η θέση της προσωπικής αντωνυμίας στην προστακτική
The position of the personal pronoun in the imperative

Στην προστακτική οι προσωπικές αντωνυμίες ακολουθούν το ρήμα. Π.χ.: *Άκουσέ **με**! Μίλησέ **μου**!*
In the imperative, the personal pronouns follow the verb. *E.g.: Άκουσέ **με**! Μίλησέ **μου**!*

Ας θυμηθούμε! Εκτός από την προστακτική οι προσωπικές αντωνυμίες έχουν την θέση τους αμέσως πριν από το ρήμα.
Let's remember! Except in the case of the imperative, the personal pronouns are positioned immediately before the verb.
*Π.χ.: Δε **με** άκουσες. Δε θα **με** ακούσεις; Θέλω να **με** ακούσεις. Δε **μου** μίλησες. Μη **μου** μιλήσεις!*

Προστακτική + προσωπική αντωνυμία (**Αδύνατοι τύποι** - Αιτιατική) Imperative + personal pronoun (Weak types - Accusative)		
Άκουσε Ακούστε	**με** **τον / τη(ν) / το** **μας** **τους / τες* / τα**	Άκουσέ **με**! / Ακούστε **με**! Άκουσέ **μας**! / Ακούστε **μας**! Άκουσέ **τον**! / Ακούστε **τον**! Άκουσέ **τη(ν)**! / Ακούστε **τη(ν)**! Άκουσέ **το**! / Ακούστε **το**! Άκουσέ **τες**! / Ακούστε **τες**!

Προστακτική + προσωπική αντωνυμία (**Αδύνατοι τύποι** - Γενική) Imperative + personal pronoun (Weak types - Genitive)		
Φέρε Φέρτε	**μου** **του / της / του** **μας** **τους**	Φέρε / Φέρτε **μου** τη σαλάτα! Φέρε / Φέρτε **του** τον καφέ! Φέρε / Φέρτε **της** το τζιν της! Φέρε / Φέρτε **μου** να πιω κρασί! Φέρε / Φέρτε **μας** να φάμε κάτι! Φέρε / Φέρτε **τους** τα κλειδιά!

⚠ **Προσοχή!** *Δεν **τις** άκουσες. Θα **τις** ακούσεις; Πρέπει να **τις** ακούσεις!* ***ΑΛΛΑ**: *Άκουσέ **τες**!*

3. Η θέση της προσωπικής αντωνυμίας στην υποτακτική όταν χρησιμοποιείται στη θέση της προστακτικής
The position of the personal pronoun in the subjunctive when it is used instead of the imperative

	Προστακτική Imperative	**Η υποτακτική στη θέση της προστακτικής**	Subjunctive instead of imperative Αρνητικός τύπος Negative
Ενικός	Άκουσέ **με**!	Να **με** ακούσεις!	Να μη **με** ακούσεις! Μη **με** ακούσεις!
	Τηλεφώνησέ **μου**!	Να **μου** τηλεφωνήσεις!	(Να) μη **μου** τηλεφωνήσεις!
	Συνάντησέ **τον / τη(ν) / το**!	Να **τον / τη(ν) / το** συναντήσεις!	(Να) μην **τον / τη(ν) / το** συναντήσεις!
	Μίλησέ **του / της / του**!	Να **του / της / του** μιλήσεις!	(Να) μην **του / της / του** μιλήσεις!
Πληθυντικός	Άκουσέ **μας**!	Να **μας** ακούσεις!	(Να) μη **μας** ακούσεις!
	Τηλεφώνησέ **μας**!	Να **μας** τηλεφωνήσεις!	(Να) μη **μας** τηλεφωνήσεις!
	Βοήθησέ **τους / τες / τα**!	Να **τους / τις / τα** βοηθήσεις!	(Να) μην **τους / τις / τα** βοηθήσεις!
	Στείλε **τους / τους / τους** μέιλ!	Να **τους / τους / τους** στείλεις μέιλ!	(Να) μην **τους / τους / τους** στείλεις μέιλ!

4. Πάθη φωνηέντων   Vowel reduction

Αποκοπή: Όταν μια λέξη τελειώνει σε φωνήεν και η επόμενη λέξη αρχίζει από σύμφωνο, η πρώτη λέξη χάνει το τελικό της φωνήεν και στη θέση του μπαίνει απόστροφος.
Apocope: When a word finishes in a vowel and the following word starts with a consonant, the first word loses its final vowel and in its place we put an apostrophe.
Π.χ.: από τον κόσμο - **απ'** τον κόσμο.

Ας θυμηθούμε!

Έκθλιψη: Όταν μια λέξη τελειώνει σε φωνήεν και η επόμενη λέξη αρχίζει από φωνήεν, η πρώτη λέξη χάνει το τελικό της φωνήεν και στη θέση του μπαίνει απόστροφος.
Elision: When a word finishes in a vowel and the following word starts with a vowel, the first word loses its final vowel and in its place we put an apostrophe.
Π.χ.: **για** αυτό - **γι'** αυτό, **με** έφερε - **μ'** έφερε, **να** ανοίξεις - **ν'** ανοίξεις, **το** όνομα - **τ'** όνομα.

. Η αποκοπή στην προστακτική Apocope in the imperative

ο β΄ ενικό πρόσωπο (δισύλλαβο) της τέλειας προστακτικής χάνει συχνά το τελικό *-ε* όταν ακολουθούν οι αδύνατοι τύποι της ροσωπικής αντωνυμίας στο 3° πρόσωπο: ***τον/τη(ν)/το - τους/τες/τα*** & ***του/της/του - τους***.

ι the simple imperative, the 2nd person singular (that has two syllables) often loses the final *-ε* when it is followed by the weak type f the personal pronoun in the 3rd person: ***τον/τη(ν)/το - τους/τες/τα*** & ***του/της/του - τους***.

 προστακτική ***δώσε*** χάνει συνήθως το τελικό ***-ε*** και πριν από το πρώτο πρόσωπο ***μου, μας***.

he imperative of ***δώσε*** usually loses the final *-ε*, also before the first person ***μου, μας***.

.χ.: φέρε το - **φέρ'** το, δώσε μου - **δώσ'** μου / μας

	Αιτιατική		Γενική
Φέρε **τον καθρέφτη**!	**Φέρ' τον!**	Φέρε **στον Κώστα** τον καθρέφτη!	**Φέρ' του** τον καθρέφτη!
Βάλε **τα παπούτσια σου**!	**Βάλ' τα!**	Βάλε **στο παιδί** τα παπούτσια!	**Βάλ' του** τα παπούτσια!
Πάρε **την τσάντα σου**!	**Πάρ' την!**	Πάρε **στη φίλη σου** την μπλε τσάντα!	**Πάρ' της** την μπλε τσάντα!
Δώσε **τη γόμα**!	**Δώσ' τη!**	Δώσε **στα παιδιά** τη γόμα!	**Δώσ' τους** τη γόμα!
Δώσε **το βιβλίο**!	**Δώσ' το!**	Δώσε **σ' εμένα** το βιβλίο!	**Δώσ' μου** το βιβλίο!
Δώσε **το κρασί**!	**Δώσ' το!**	Δώσε **σ' εμάς** το κρασί!	**Δώσ' μας** το κρασί!
Δείξε **τις ασκήσεις σου**!	**Δείξ΄ τες!**	Δείξε **σ' εμάς** τις ασκήσεις σου!	**Δείξε μας** τις ασκήσεις σου!
Ψάξε **το πορτοφόλι σου**!	**Ψάξ' το!**		
Κάνε **το γλυκό**!	**Κάν' το!**		
Φάε **το φαγητό σου**!	**Φά' το!**		

. Υποθετικός λόγος Conditional

Υπόθεση Conditional clause	**Απόδοση** Main clause	
Αν + Τέλεια υποτακτική (χωρίς «να»)	Τέλειος μέλλοντας	Αν φύγω από την Αθήνα, **θα μείνω** σίγουρα σ' ένα νησί. Αν έρθεις κι εσύ στην εκδρομή, **θα περάσουμε** πολύ ωραία.
	Τέλεια προστακτική	Αν βρεις δωμάτιο με θέα, **κράτησέ το / να το κρατήσεις** αμέσως! Αν αργήσω λίγο, **περίμενέ με / να με περιμένεις**!

Ας θυμηθούμε!

Αν + Ενεστώτας	**Τέλεια προστακτική**	**Αν πεινάς, φάε / να φας** ένα φρούτο. **Αν δεν πεινάς, μη φας** τώρα. **Αν διψάτε, μην πιείτε** κρασί, **πιείτε** νερό.
	Τέλειος μέλλοντας **Ενεστώτας**	**Αν περπατάς** κάθε μέρα, **θα χάσεις** πιο εύκολα βάρος. **Αν περπατάς** κάθε μέρα, **χάνεις** πιο εύκολα βάρος.

7. Πίνακας νέων ρημάτων Table of new verbs

	Θέμα ενεστώτα		**Θέμα αορίστου**			
ΠΡΟΘΕΣΕΙΣ	Ενεστώτας	Ατ. Υποτακτική	Αόριστος	Τ. Μέλλοντας	Τ. Υποτακτική	Τ. Προστακτική
ανά	**ανα**χωρώ	να **ανα**χωρώ	**ανα**χώρησα	θα **ανα**χωρήσω	να **ανα**χωρήσω	**ανα**χώρησε - **ανα**χωρήστε
εξ / εκ	**εξ**υπηρετώ	να **εξ**υπηρετώ	**εξ**υπηρέτησα	θα **εξ**υπηρετήσω	να **εξ**υπηρετήσω	**εξ**υπηρέτησε - **εξ**υπηρετήστε
επί	**επι**λέγω	να **επι**λέγω	**επ**έλεξα	θα **επι**λέξω	να **επι**λέξω	**επί**λεξε - **επι**λέξτε
	θαυμάζω	να θαυμάζω	θαύμασα	θα θαυμάσω	να θαυμάσω	θαύμασε - θαυμάστε
	καίω*	να καίω	έκαψα	θα κάψω	να κάψω	κάψε - κάψτε
	κοστίζω	να κοστίζω	κόστισα	θα κοστίσω	να κοστίσω	κόστισε - κοστίστε
	επισκέπτομαι	να επισκέπτομαι	επισκέφθηκα	θα επισκεφθώ	να επισκεφθώ	
	κουράζομαι	να κουράζομαι	κουράστηκα	θα κουραστώ	να κουραστώ	
	ξεκουράζομαι	να ξεκουράζομαι	ξεκουράστηκα	θα ξεκουραστώ	να ξεκουραστώ	
	χάνομαι	να χάνομαι	χάθηκα	θα χαθώ	να χαθώ	

* *Το ρήμα **καίω** κλίνεται όπως το **κλαίω** (Βλέπε Βήμα 3, Γραμματική 4).*
*The verb **καίω** is conjugated as the verb **κλαίω** (See Step 3, Grammar 4).*

Λεξιλόγιο 7.15.

η ημιδιατροφή	half board
η περίοδος	(time) period
πλήρης-ης-ες*	full
η πλήρης διατροφή	full board
υπαίθριος-α-ο	open air
δωρεάν	for free
τίποτα	nothing, you are welcome
είμαι στη διάθεσή σου/σας	I am at your disposal

7.15. 146 Πάμε στο Ναύπλιο;

7.15.α. Ακούστε το κείμενο και συμπληρώστε τα κενά με λέξεις από το πλαίσιο.
Listen to the text and fill in the gaps with words from the box.

στη διάθεσή σας / να σας εξυπηρετήσουμε / κοστίζει / τρίκλινα / μονόκλινο / ημιδιατροφή / Χρειαζόμαστε / να επισκεφτούμε / πελάτες / περισσότερο / τιμές / μερικές / δωρεάν

Υπάλληλος: Ξενία Ναυπλίου, παρακαλώ λέγετε!
Ράνια: Καλημέρα σας! Τηλεφωνώ από Αθήνα και θα ήθελα [1] ________________ πληροφορίες.
Υπάλληλος: Μάλιστα! Σας ακούω.
Ράνια: Είμαστε μια παρέα δεκαοκτώ ατόμων και θα θέλαμε [2] ________________ το Ναύπλιο και τη γύρω περιοχή την άνοιξη, ακριβώς μετά το Πάσχα. [3] ________________ οκτώ με δέκα δωμάτια, τα περισσότερα δίκλινα και μερικά μονόκλινα. Υπάρχουν δωμάτια γι' αυτή την **περίοδο;**
Υπάλληλος: Κοιτάξτε, αυτή τη στιγμή έχουμε και μπορούμε [4] ________________.
Πρέπει όμως να κάνετε την κράτησή σας μέχρι το τέλος αυτής της εβδομάδας.
Ράνια: Ωραία! Και οι [5] ________________, ποιες είναι;
Υπάλληλος: Λοιπόν το [6] ________________ δωμάτιο με θέα στη θάλασσα έχει ογδόντα ευρώ και το δίκλινο εκατόν δέκα. Με θέα πίσω έχει εξήντα ευρώ το μονόκλινο και ενενήντα ευρώ το δίκλινο. Η τιμή περιλαμβάνει και το πρωινό. Με [7] ________________ τα δωμάτια κοστίζουν δώδεκα ευρώ [8] ________________ το άτομο και με **πλήρη διατροφή** είκοσι τέσσερα ευρώ περισσότερο.
Ράνια: Τρίκλινα υπάρχουν;
Υπάλληλος: Τα δίκλινα γίνονται και [9] ________________. Μπαίνει ένα τρίτο κρεβάτι και [10] ________________ τριάντα πέντε ευρώ ακόμα.
Ράνια: Υπάρχει πάρκινγκ στο ξενοδοχείο;
Υπάλληλος: Βεβαίως! Υπάρχει [11] ________________ **υπαίθριο** πάρκινγκ για τους [12] ________________ του ξενοδοχείου.
Ράνια: Σας ευχαριστώ πολύ για τις πληροφορίες.
Υπάλληλος: **Τίποτα**, είμαστε πάντα [13] ________________. Αν τελικά αποφασίσετε να έρθετε στο ξενοδοχείο μας, τηλεφωνήστε στις κρατήσεις μας στο τηλέφωνο 24210 92700.

* *Για τα επίθετα σε* ***-ης-ης-ες***, *βλέπε επίπεδο Β1. For the adjectives in* ***-ης-ης-ες***, *see level B1.*

7.15.β. Σημειώστε: Σωστό ή Λάθος; Tick: True or False?

		Σωστό	Λάθος
1.	Η Ράνια και η παρέα της θέλουν να περάσουν το Πάσχα στο Ναύπλιο.		
2.	Χρειάζονται μόνο δίκλινα δωμάτια.		
3.	Το ξενοδοχείο μπορεί να τους εξυπηρετήσει γι' αυτή την περίοδο.		
4.	Δε χρειάζεται να κάνουν σύντομα κράτηση.		
5.	Τα δίκλινα με θέα στη θάλασσα είναι τα πιο ακριβά δωμάτια.		
6.	Τα δωμάτια με ημιδιατροφή είναι πιο ακριβά από αυτά με πλήρη διατροφή.		
7.	Στο ξενοδοχείο υπάρχουν μερικά μόνο τρίκλινα δωμάτια.		
8.	Οι πελάτες του ξενοδοχείου δεν πληρώνουν στο πάρκινγκ.		

7.16.

Πήγαμε, είδαμε και σας προτείνουμε

✓Το πρακτορείο μας προσφέρει οργανωμένα ταξίδια στο εξωτερικό και στην Ελλάδα, οικονομικά **πακέτα διακοπών**, γαμήλια και επαγγελματικά ταξίδια και κρουαζιέρες στη Μεσόγειο.
Οργανώνει επίσης **εντυπωσιακά** ταξίδια περιπέτειας.

✓Στο Ζέφυρο θα βρείτε επίσης τα πιο φθηνά αεροπορικά και ακτοπλοϊκά εισιτήρια για όλα τα ταξίδια σας.

Λεξιλόγιο 7.16.

ο ζέφυρος	westerly (wind)
η κρουαζιέρα	cruise
η μεταφορά	transportation
η ξενάγηση	tour guiding
η προσφορά	offer
η τρίτη ηλικία	old age
το εξωτερικό	abroad
το πακέτο διακοπών	vacation package
αεροπορικός-ή-ό	air (adj.)
εντυπωσιακός-ή-ό	impressive
επαγγελματικός-ή-ο	professional
οργανωμένος-η-ο	organised
ταξιδιωτικός-ή-ό	travelling

Οργανωμένα ταξίδια

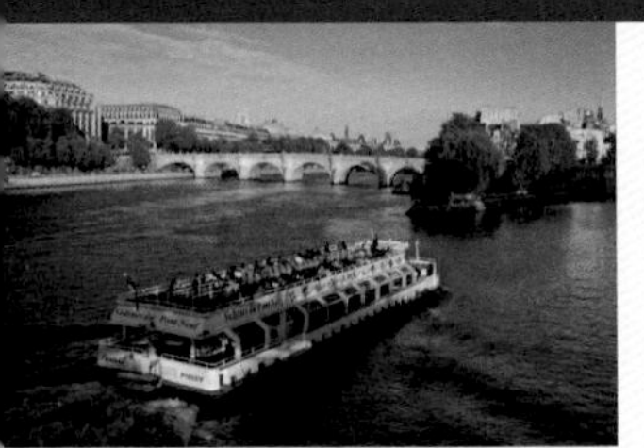

Το γραφείο μας σας προσφέρει **οργανωμένα** ταξίδια και εκδρομές στην Ελλάδα και στο **εξωτερικό**. **Αεροπορικά** και οδικά ταξίδια με διαμονή σε εξαιρετικά ξενοδοχεία τεσσάρων ή πέντε αστέρων, **ξεναγήσεις** και **μεταφορές** από & προς το αεροδρόμιο.*

περισσότερα ...

Πάμε Ελλάδα;

Ταξιδέψτε μαζί μας στα πιο όμορφα μέρη της Ελλάδας όλες τις εποχές του χρόνου.
Με πούλμαν, πλοίο ή αεροπλάνο.
Ταξίδια για νέους, άτομα **τρίτης ηλικίας**, οικογένειες, άτομα που ταξιδεύουν μόνα τους, παρέες / γκρουπ...

περισσότερα ...

Κρουαζιέρες

Οι διακοπές των ονείρων σας!
Σας προτείνουμε υπέροχες **κρουαζιέρες** (ημερήσιες, 10 ή 20 ημερών) με αναχώρηση από τον Πειραιά ή από λιμάνια του εξωτερικού.

περισσότερα ...

Πακέτα διακοπών

Η προσφορά της εβδομάδας!
Πόρτο Χέλι, Πελοπόννησος
4, 6 ή 8 μέρες
σε εξαιρετικό ξενοδοχείο
4 αστέρων,
με ημιδιατροφή.
Έκπτωση 50% σε παιδιά κάτω των 12 ετών.
*Η **προσφορά** δεν περιλαμβάνει τη μεταφορά στο Πόρτο Χέλι.*

περισσότερα ...

* *από (το αεροδρόμιο) και προς το αεροδρόμιο*

7.16.α.  **Ταιριάξτε τις στήλες.** Match the columns.

1.	Το γραφείο μας σας προσφέρει οργανωμένα	___	α.	και προς το αεροδρόμιο.
2.	Προσφέρει επίσης διαμονή	___	β.	ηλικίας.
3.	Η τιμή δεν περιλαμβάνει τη μεταφορά από	___	γ.	σε εξαιρετικά ξενοδοχεία τεσσάρων ή πέντε αστέρων.
4.	Προτάσεις για άτομα τρίτης	___	δ.	από το λιμάνι του Πειραιά.
5.	Κρουαζιέρες με αναχώρηση	___	ε.	πρωινό και ημιδιατροφή.
6.	Ξενοδοχείο τεσσάρων αστέρων με	___	ζ.	ταξίδια και εκδρομές.

7.16.β. 148 Ζέφυρος! Εξυπηρέτηση 24 ώρες το 24ωρο!

✔ Βρείτε τα πιο φθηνά αεροπορικά για τους επόμενους 6 μήνες με ένα... κλικ στην ιστοσελίδα μας!
✔ Κλείστε αεροπορικά και ακτοπλοϊκά εισιτήρια εύκολα και γρήγορα από το κινητό σας!
✔ Σούπερ προσφορά!!! Αθήνα - Νέα Υόρκη **μέσω** Πράγας στη μισή τιμή από την **απευθείας πτήση**.

✔ ΟΛΑ ΕΜΕΙΣ!
- **Έληξε** το διαβατήριό σας;
- **Θα** το **ανανεώσουμε** ΕΜΕΙΣ!
- Χρειάζεστε **βίζα**;
- Θα ασχοληθούμε ΕΜΕΙΣ!
ΕΣΕΙΣ θα ετοιμάσετε μόνο τη βαλίτσα σας!

7.16.γ.  Ταιριάξτε τις στήλες. Match the columns.

1.	αεροπορικά	___	α.	οικονομικά
2.	φθηνά	___	β.	θα το κάνουμε εμείς
3.	ακτοπλοϊκά	___	γ.	με το αεροπλάνο
4.	θα το ανανεώσουμε	___	δ.	με το πλοίο
5.	θα ασχοληθούμε εμείς με αυτό	___	ε.	αποσκευή
6.	βαλίτσα	___	ζ.	θα το αλλάξουμε με κάτι καινούργιο

Λεξιλόγιο 7.16.β.

η βίζα	visa
η εξυπηρέτηση	service
ανανεώνω	I renew
λήγω	I expire
μέσω	via
απευθείας	directly
η απευθείας πτήση	direct flight

7.17.  149 Κουτί παραπόνων

Κύριοι,

Την περασμένη εβδομάδα επέστρεψα με τη γυναίκα μου από ένα ταξίδι επτά ημερών στην Ιταλία (Βενετία - Φλωρεντία - Ρώμη) που οργάνωσε το γραφείο σας. Έχουμε και οι δύο πολλά παράπονα από αυτό το ταξίδι.

Τα ξενοδοχεία και στις τρεις πόλεις ήταν από 10 έως 20 χιλιόμετρα μακριά από το κέντρο. Επομένως ήταν δύσκολο να επισκεφτούμε αυτές τις υπέροχες πόλεις, όπως θέλαμε όλοι στο γκρουπ. **Σύμφωνα με** το πρόγραμμά σας τα ξενοδοχεία έπρεπε να είναι κοντά στο κέντρο. Επίσης το ξενοδοχείο στη Βενετία ήταν μόνο δύο αστέρων και όχι τεσσάρων όπως τα άλλα δύο. Γιατί; Ήταν και πολύ βρώμικο. Τα δωμάτια όλων μας και σε όλα τα ξενοδοχεία ήταν πίσω και δεν είχαν θέα. Σας ρωτώ: Δεν είχε κανένα ξενοδοχείο δωμάτια μπροστά για το γκρουπ μας;

Το πούλμαν ήταν παλιό και η μηχανή του έκανε πολύ θόρυβο. Επίσης μόνο μια μέρα είχε κλιματισμό, τις άλλες τίποτα! Και σας θυμίζω ότι αυτές τις μέρες έκανε πολλή ζέστη στην Ιταλία... Η ξεναγός δεν ήταν καθόλου συμπαθητική και δεν ήξερε και ιταλικά! Τις περισσότερες παραγγελίες στα εστιατόρια τελικά τις έκανε η γυναίκα μου που θυμάται λίγα ιταλικά από τα **σχολικά** της χρόνια! Το φαγητό ήταν άνοστο και η ποιότητά του χάλια! Πώς είναι δυνατόν σε μια χώρα, που είναι γνωστή για την καλή κουζίνα της, να μας πάτε σε αυτά τα εστιατόρια;

Κύριοι, πληρώσαμε πολύ ακριβά αυτό το ταξίδι και αυτά που μας προσφέρατε κοστίζουν πολύ λιγότερα χρήματα. Αυτή είναι η γνώμη μας αλλά και η γνώμη όλου του γκρουπ.

Πρέπει να ξέρετε επίσης ότι δε θα συστήσουμε σε κανένα γνωστό ή φίλο το γραφείο σας. Την επόμενη εβδομάδα θα δείτε κι ένα γράμμα με παράπονα και με τις υπογραφές όλου του γκρουπ σε μια πολύ γνωστή εφημερίδα. Έτσι θα μάθει όλος ο κόσμος «αυτά που προσφέρετε στους πελάτες σας!»

Πέτρος και Εύα Αλεξοπούλου

Λεξιλόγιο 7.17.

σχολικός-ή-ό	school (adj.)
σύμφωνα με...	according to

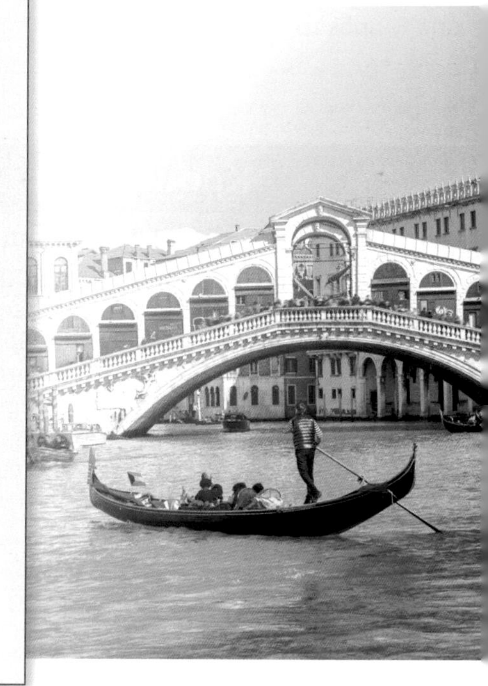

7.17.α. Σημειώστε το σωστό. Tick the correct answer.

		α.	β.	
1.	Τα ξενοδοχεία ήταν	αρκετά	πολύ λίγα	χιλιόμετρα μακριά από την πόλη.
2.	Το ξενοδοχείο στη Βενετία ήταν	δύο	τεσσάρων	αστέρων.
3.	Το ξενοδοχείο στη Βενετία ήταν	αρκετά	πολύ	βρώμικο.
4.	Τα δωμάτια σε όλα τα ξενοδοχεία ήταν	πίσω χωρίς	μπροστά με	θέα.
5.	Το πούλμαν είχε κλιματισμό	κάθε	μία	μέρα.
6.	Η ξεναγός ήταν	συμπαθητική	αντιπαθητική	και δεν ήξερε ιταλικά.
7.	Το φαγητό ήταν	άνοστο	νόστιμο	και η ποιότητά του χάλια.
8.	Το ταξίδι φάνηκε	ακριβό	φτηνό	στον Πέτρο και στην Εύα.
9.	Ο Πέτρος και η Εύα	ίσως συστήσουν	δε θα συστήσουν	το τουριστικό γραφείο στους φίλους τους.
10.	Επίσης θα στείλουν ένα γράμμα	με τα παράπονα	με τα παράπονα και τις υπογραφές	όλου του γκρουπ σε μια πολύ γνωστή εφημερίδα.

7.18. 150 Ο Βυζαντινός δρόμος της Πάρου

Λεξιλόγιο 7.18.

ο πειρατής	pirate
ο χωρικός	peasant (masc.)
ο/η έμπορος	merchant, trader
η γεύση	taste
η γέφυρα	bridge
η πειρατίνα	pirate (fem.)
η πλαγιά	slope
η πλάκα	stone tile
η χωρική	peasant (fem.)
το άρωμα	perfume
το τοπίο	landscape
ευχάριστος-η-ο	pleasant
ορεινός-ή-ό	mountainous
ανηφορίζω	I go uphill
ενώνω	I connect
κατηφορίζω	I go downhill

7.18.α. Ακούστε το κείμενο και συμπληρώστε τα κενά με λέξεις από το πλαίσιο.
Listen to the text and fill in the gaps with words from the box.

***κατηφορίζει** / **τοπίο** / **πειρατές** / **ενώνει** / κυπαρίσσια / θυμάρι / κορυφή / **ορεινό** / **πλάκες** / ναυτικοί / ταξιδιώτες / **γεύση** / **γέφυρα** / μονοπάτια / ευχάριστος / τουριστικά / **αρώματα** / **χωρικοί** / **ανηφορίζει** / σημεία / πρωτεύουσα*

Αν πάτε στην Πάρο, πρέπει οπωσδήποτε να επισκεφτείτε τις *Λεύκες*, ένα πολύ όμορφο [1] _______________ χωριό της Πάρου. Τα παλιά χρόνια, όταν το Αιγαίο ήταν γεμάτο [2] _______________, οι *Λεύκες* ήταν η [3] _______________ του νησιού γιατί ήταν στο βουνό, μακριά από τη θάλασσα. Η Πάρος είχε αρκετούς χωματόδρομους και [4] _______________ από τις *Λεύκες* προς τα λιμάνια και τα άλλα χωριά του νησιού για να κυκλοφορούν οι κάτοικοι και οι [5] _______________. Ο *Βυζαντινός Δρόμος* είναι σήμερα το πιο γνωστό κομμάτι από τους παλιούς δρόμους του νησιού και [6] _______________ τις *Λεύκες* με το χωριό *Πρόδρομος*. Ο *Βυζαντινός Δρόμος* είναι χιλίων ετών και ακόμα και τώρα μια από τις πιο αγαπημένες διαδρομές των επισκεπτών της Πάρου.

Είναι ένας [7] _______________ περίπατος που διαρκεί περίπου μιάμιση ώρα. Σε κάποια [8] _______________ του είναι ένα απλό μονοπάτι από χώμα αλλά το πιο μεγάλο κομμάτι του είναι ένας αρκετά φαρδύς δρόμος με [9] _______________, πολύ εύκολος για περπάτημα. Διασχίζει λόφους και **πλαγιές** γεμάτες ελιές, πεύκα και [10] _______________, θάμνους, αγριολούλουδα και βότανα. Το [11] _______________ είναι ήρεμο και γεμάτο [12] _______________ από ρίγανη, [13] _______________, φασκόμηλο και τσάι του βουνού. Όπως προχωρεί κανείς, ταξιδεύει στο χρόνο, σε πιο παλιές εποχές, τότε που οι **ταξιδιώτες** ήταν [14] _______________, **έμποροι** και [15] _______________.

Στη μέση περίπου της διαδρομής, μετά από μια μικρή [16] _______________, ο δρόμος [17] _______________ και φθάνει σε μια [18] _______________ με καταπληκτική θέα. Από εκεί το μονοπάτι [19] _______________ προς τον *Πρόδρομο*, ένα χωριό πολύ διαφορετικό από τις *Λεύκες*, αλλά επίσης όμορφο και γραφικό.

Ο περίπατος στο *Βυζαντινό Δρόμο* προσφέρει μια [20] _______________ από την παλιά Πάρο, που δύσκολα τη βρίσκει κανείς στις παραλίες και στα άλλα [21] _______________ μέρη του νησιού.

ΒΟΤΑΝΑ

το τσάι του βουνού	το φασκόμηλο	η λεβάντα	η ρίγανη	το δεντρολίβανο	το θυμάρι	το χαμομήλι
mountain herb	sage	lavender	oregano	rosemary	thyme	chamomile

7.18.β. Ταιριάξτε τις στήλες. Match the columns.

1.	Όλοι οι τουρίστες πρέπει να επισκεφτούν	___	α.	είναι ο Βυζαντινός δρόμος.
2.	Από τις Λεύκες ξεκινούν χωματόδρομοι και μονοπάτια που	___	β.	από τις αγαπημένες διαδρομές των ξένων.
3.	Το πιο γνωστό κομμάτι από τους παλιούς δρόμους	___	γ.	ενώνουν την παλιά πρωτεύουσα με το λιμάνι και άλλα χωριά.
4.	Αυτός ο δρόμος που έχει ιστορία άνω των χιλίων ετών, είναι	___	δ.	είναι ένας αρκετά φαρδύς δρόμος με πλάκες.
5.	Το πιο μεγάλο τμήμα του Βυζαντινού δρόμου	___	ε.	πεύκα, κυπαρίσσια, αγριολούλουδα & θάμνους.
6.	Ο Βυζαντινός δρόμος διασχίζει λόφους και πλαγιές γεμάτες	___	ζ.	το πιο ωραίο ορεινό χωριό της Πάρου, τις *Λεύκες*.
7.	Οι ταξιδιώτες του Βυζαντινού δρόμου ήταν τα παλιά	___	η.	μια κορυφή και από εκεί κατηφορίζει προς το χωριό *Πρόδρομος*.
8.	Μετά από μια μικρή γέφυρα ο δρόμος ανηφορίζει, φθάνει σε	___	θ.	εκείνα χρόνια χωρικοί, έμποροι και ναυτικοί.

7.19. Πάω ταξίδι / Πάω διακοπές

Πριν από το ταξίδι

Πού θα ψάξω;
Ζητάω πληροφορίες για ένα ταξίδι από ένα τουριστικό / ταξιδιωτικό γραφείο ή πρακτορείο
Ψάχνω πληροφορίες στο διαδίκτυο
Ψάχνω φτηνά πακέτα διακοπών / προσφορές

Τι είδους ταξίδι θα κάνω;
Θα κάνω ένα ταξίδι
- επαγγελματικό
- γαμήλιο
- τουριστικό

Θα κάνω μία κρουαζιέρα

Θα ταξιδέψω μόνος/μόνη ή με άλλους;
- μόνος/μόνη
- με φίλους / με παρέα
- με την οικογένειά μου / οικογενειακώς
- με γκρουπ (σε οργανωμένο ταξίδι)

Τι άλλο πρέπει να κάνω;
- να ανανεώσω το διαβατήριό μου
- να βγάλω βίζα

Τι περιλαμβάνει το πακέτο διακοπών / η προσφορά / η τιμή που βρήκα;
- τα εισιτήρια
- τη μεταφορά από & προς το αεροδρόμιο
- τη διαμονή με πρωινό / ημιδιατροφή / πλήρη διατροφή
- τις μετακινήσεις με πούλμαν
- τις ξεναγήσεις
- την είσοδο σε αρχαιολογικούς χώρους και μουσεία

Σε ποια θέση θα ταξιδέψω;
Για το αεροπλάνο / πλοίο / τρένο:
- (στην) οικονομική / πρώτη θέση

Μόνο για το πλοίο:
- στο κατάστρωμα
- σε καμπίνα δίκλινη / τρίκλινη / τετράκλινη

Πού θα μείνω;
- σε ξενοδοχείο δύο, τριών, τεσσάρων, πέντε αστέρων
- σε παραδοσιακό ξενώνα
- σε ενοικιαζόμενο δωμάτιο
- σε κάμπινγκ / κατασκήνωση
- σε σκηνή
- σε τροχόσπιτο

Πόσες θέσεις θα κλείσω / θα κρατήσω;
Θα κλείσω / κρατήσω Χ θέσεις
Θα κλείσω / κρατήσω / βγάλω εισιτήριο
- με την πτήση των έξι
- με το δρομολόγιο των επτά
- με το πλοίο / τρένο των οκτώ
- με την πρωινή πτήση
- με το απογευματινό πλοίο
- με το βραδινό τρένο

Τι είδους εισιτήριο θα βγάλω;
Θα βγάλω εισιτήριο
- απλό / με επιστροφή

Πώς θα ταξιδέψω;
- με απευθείας πτήση
- μέσω άλλης πόλης

Αυτοί που ταξιδεύουν:
ο επιβάτης - η επιβάτιδα & επιβάτισσα
ο ταξιδιώτης - η ταξιδιώτισσα
ο τουρίστας - η τουρίστρια

Πώς προτιμάω να ταξιδεύω;
- με (το) αεροπλάνο
- με (το) πλοίο
- με (το) τρένο
- με (το) πούλμαν
- με το αυτοκίνητό μου
- με τη μοτοσυκλέτα μου
- με το ποδήλατό μου
- με τροχόσπιτο

Προτιμώ το τρένο από το αυτοκίνητο.

Τι θα ρωτήσω στο αεροδρόμιο / στο λιμάνι / στο σταθμό;
Η πτήση έχει καθυστέρηση;
Από ποια έξοδο φεύγει η πτήση Α3 786 για...;
Πού είναι οι αναχωρήσεις / αφίξεις;
Πού γίνεται ο έλεγχος εισιτηρίων / διαβατηρίων / αποσκευών;
Πόσο διαρκεί / κρατάει η πτήση Αθήνα - Λευκωσία;
Πού θα βρω τη βαλίτσα μου που έχασα;

Από πού φεύγει / αναχωρεί...;
Από ποια πύλη φεύγει το πλοίο για την Αίγινα;
Από ποια **αποβάθρα** φεύγει το τρένο για τη Λάρισα;
Από ποια αφετηρία αναχωρούν τα πούλμαν για το Βόλο;

Λεξιλόγιο 7.19.
η αποβάθρα platform

Μετά το ταξίδι

Τι επισκέφτηκα; Τι είδα;

Επισκέφτηκα όλα τα αξιοθέατα
- αρχαιολογικούς χώρους / γνωστά μνημεία / εξαιρετικά μουσεία / καταπληκτικές πινακοθήκες / βυζαντινές εκκλησίες / παλιά μοναστήρια / αρχαίους ναούς / εντυπωσιακά κάστρα
- ωραίες πόλεις / γραφικά χωριά / παραδοσιακούς οικισμούς / παλιές γειτονιές
- υπέροχα τοπία / πυκνά δάση / ψηλά βουνά / χαμηλούς λόφους / μεγάλες & μικρές λίμνες / μεγάλα & μικρά ποτάμια / πέτρινες γέφυρες / πράσινες κοιλάδες / καταπληκτικές παραλίες

Περπάτησα / Πήγα βόλτα / Πήγα περίπατο
- στο κέντρο της πόλης / στα στενά δρομάκια του χωριού / στην αγορά / στα καταστήματα κ.λπ.

Έκανα πεζοπορία στη φύση / μπάνιο ή σερφ στη θάλασσα / σκι στο βουνό / καγιάκ ή ράφτινγκ σε ποτάμι

Πώς πέρασα; Τι μου άρεσε περισσότερο;

Πέρασα θαύμα / καταπληκτικά / τέλεια / υπέροχα
- Έμεινα σ' ένα καταπληκτικό ξενοδοχείο / σ' ένα υπέροχο μέρος...
- Ο καιρός ήταν υπέροχος, ο/η ξεναγός καταπληκτικός-ή, το φαγητό εξαιρετικό...
- Έκανα ωραίες εκδρομές / νέες γνωριμίες / νέους φίλους
- Διασκέδασα πολύ με την παρέα μου, ξεκουράστηκα
- Δοκίμασα καινούργια πράγματα (π.χ. αθλήματα)
- Γνώρισα άλλες χώρες / άλλους πολιτισμούς
- Έμαθα πολλά

Πέρασα έτσι κι έτσι / πολύ άσχημα / χάλια
- Το ταξίδι δεν ήταν πολύ ευχάριστο / ήταν κουραστικό
- Είχα κάποια προβλήματα (με το ξενοδοχείο, με τον καιρό, με το φαγητό κ.λπ.)
- Έχασα το πλοίο / το αεροπλάνο...
- Δεν πρόλαβα την πτήση / το τρένο...
- Έχασα τις αποσκευές μου / το πορτοφόλι μου / το διαβατήριό μου...
- Αρρώστησα / Είχα πυρετό / Έπαθα ένα ατύχημα...
- Χάθηκα στην παλιά πόλη / στο βουνό...

γραπτός λόγος

7.20. Περιγράφω ένα ταξίδι / μια εκδρομή

Η αρχή	Το βασικό θέμα		Το τέλος
Πριν από το ταξίδι	*Το καθημερινό πρόγραμμα*	*Οι εντυπώσεις μου*	*Λέω τη γνώμη μου*
✓ Πού πήγα; ✓ Με ποιους πήγα; ✓ Από πότε έως πότε; ✓ Πώς πήγαμε εκεί; ✓ Πού μείναμε;	✓ Τι επισκεφτήκαμε; ✓ Ποια αξιοθέατα είδαμε; ✓ Ποιους συναντήσαμε; ✓ Πώς διασκεδάσαμε; ✓ Τι ιδιαίτερο κάναμε που δεν κάνουμε συνήθως;	✓ Πώς πέρασα; ✓ Πώς ήταν ο καιρός; ✓ Τι μου άρεσε περισσότερο; ✓ Τι δε μου άρεσε καθόλου; ✓ Τι μου έκανε **εντύπωση**;	✓ για το πρόγραμμα ✓ για την **οργάνωση** ✓ γενικά για το ταξίδι για την εκδρομή

7.20.α. 151 Μια εκδρομή στην Ήπειρο

Ένα λύκειο στην Αθήνα οργάνωσε μια εκδρομή στην Ήπειρο. Οι μαθητές έγραψαν το παρακάτω άρθρο με το πρόγραμμα της εκδρομής για την εφημερίδα του σχολείου τους.

Εκδρομή λυκείου: Γύρος Ηπείρου - Ζαγοροχώρια 20 - 23 Μαΐου

Φέτος η εκδρομή του Λυκείου μας θα γίνει στην Ήπειρο. Θα πάμε με πούλμαν μέσω Ρίου - Αντιρρίου και θα μείνουμε σ' ένα ξενοδοχείο τριών αστέρων στα Ιωάννινα (Γιάννενα) σε δίκλινα δωμάτια. Σας παρουσιάζουμε το ημερήσιο πρόγραμμα της εκδρομής.

Πρώτη μέρα:	Αναχώρηση στις 8:00 π.μ. για τον **Ισθμό** *της Κορίνθου*. Στάση για καφέ. Θα περάσουμε τη γέφυρα *Ρίου - Αντιρρίου* και θα σταματήσουμε στην *Αμφιλοχία* για μεσημεριανό φαγητό. Στη συνέχεια μέσω *Άρτας* θα συνεχίσουμε για *Ιωάννινα*. Άφιξη στα *Ιωάννινα* και τσεκ-ιν (**τακτοποίηση**) στο ξενοδοχείο. Βραδινό στο ξενοδοχείο.
Δεύτερη μέρα:	Μετά το πρωινό θα ξεκινήσουμε τη μέρα μας μ΄ έναν περίπατο στην πόλη. Στη συνέχεια θα κάνουμε το γύρο της λίμνης *Παμβώτιδας* με το πούλμαν μας και θα σταματήσουμε στο μοναστήρι του Αγίου Παντελεήμονα. Θα επισκεφθούμε επίσης το σπήλαιο στο *Πέραμα*, τον αρχαιολογικό χώρο της *Δωδώνης* και το αρχαίο θέατρο του 3ου αιώνα π.Χ. Επιστροφή στο ξενοδοχείο. Βραδινό φαγητό: *Ιωάννινα*. **Διανυκτέρευση**.
Τρίτη μέρα:	Μετά το πρωινό θα αναχωρήσουμε για τα **φημισμένα** *Ζαγοροχώρια*. Θα αρχίσουμε από το *Μονοδένδρι*. Θα κάνουμε επίσης ένα μικρό περίπατο στη **Χαράδρα** του Βίκου με τη σπάνια ομορφιά. Μεσημεριανό φαγητό στην *Κόνιτσα*. Έπειτα θα επισκεφθούμε το **Πολεμικό** Μουσείο στο *Καλπάκι*. Επιστροφή στα *Ιωάννινα*. Φαγητό και διανυκτέρευση.
Τέταρτη μέρα:	Μετά το πρωινό θα αναχωρήσουμε για το *Μέτσοβο* το οποίο είναι γνωστό για την αρχιτεκτονική του, την κουζίνα του, τα κρασιά του και το τυρί *μετσοβόνε*!* Από το *Μέτσοβο* επίσης **κατάγονται** πολλοί σπουδαίοι Έλληνες όπως ο Γεώργιος Αβέρωφ, ο Μιχαήλ Τοσίτσας και ο Νικόλαος Στουρνάρας, που προσέφεραν πολλά στην **πατρίδα** μας. Θα σταματήσουμε για μεσημεριανό φαγητό στην όμορφη *Καλαμπάκα* που βρίσκεται κάτω από τους εντυπωσιακούς βράχους των *Μετεώρων*. Στη συνέχεια θα επισκεφτούμε κάποια από τα πιο σημαντικά μοναστήρια των *Μετεώρων*. Επιστροφή στην Αθήνα.

Για περισσότερες λεπτομέρειες ρωτήστε την κυρία Παππά στη γραμματεία. Παρακαλούμε να δηλώσετε τη **συμμετοχή** σας έως την πρώτη Μαΐου.

* *κίτρινο* **καπνιστό** *τυρί από το Μέτσοβο*

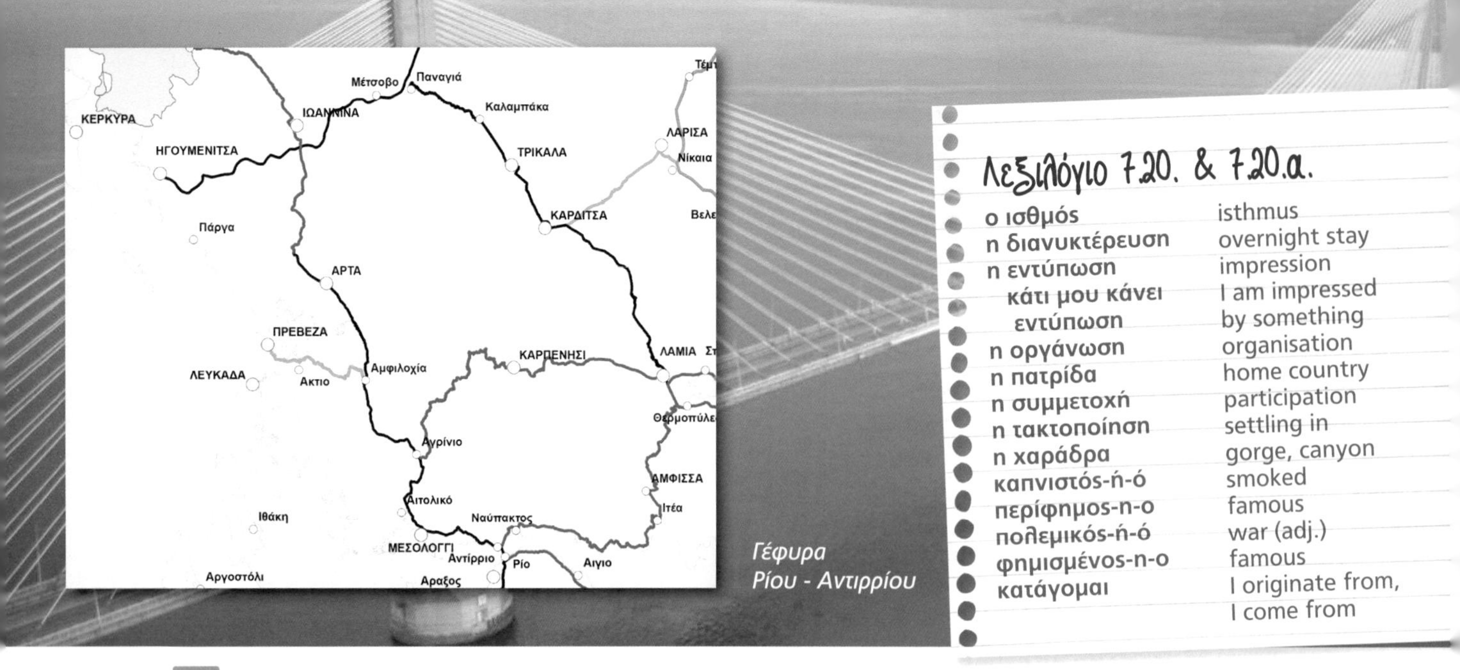

Γέφυρα Ρίου - Αντιρρίου

Λεξιλόγιο 7.20. & 7.20.α.

ο ισθμός	isthmus
η διανυκτέρευση	overnight stay
η εντύπωση	impression
κάτι μου κάνει εντύπωση	I am impressed by something
η οργάνωση	organisation
η πατρίδα	home country
η συμμετοχή	participation
η τακτοποίηση	settling in
η χαράδρα	gorge, canyon
καπνιστός-ή-ό	smoked
περίφημος-η-ο	famous
πολεμικός-ή-ό	war (adj.)
φημισμένος-η-ο	famous
κατάγομαι	I originate from, I come from

7.20.β.  **Γράψτε ένα άρθρο για το περιοδικό του σχολείου σας. Περιγράψτε μια εκδρομή που κάνατε με την τάξη σας, με βάση το 7.20.** Based on 7.20, write an article for the magazine of your school, describing the above excursion that you did with your class.

7.20.γ. (152) Μια κάρτα (καρτ ποστάλ) από την Ήπειρο

Η Ευγενία πήρε μέρος στην εκδρομή του λυκείου της στην Ήπειρο. Έστειλε από τα Ιωάννινα την παρακάτω καρτ ποστάλ στον παππού και στη γιαγιά της.

22 Μαΐου 2015

Πολυαγαπημένα μου παππού και γιαγιά,

Σας στέλνω χαιρετίσματα από τα Γιάννενα.
Είναι καταπληκτικό μέρος και περνάμε υπέροχα με όλα τα παιδιά και τους καθηγητές μας. Κάνουμε εκδρομές, περιπάτους, επισκεπτόμαστε όλα τα αξιοθέατα και διασκεδάζουμε πολύ! Κάθε μέρα καθόμαστε γύρω στις τρεις το πρωί.
Θα σας πω τα νέα μου όταν έρθω. Θα γυρίσουμε την Πέμπτη.
Καλή αντάμωση!

Σας φιλώ πολύ, πολύ, πολύ!!!
Η εγγονή σας,
Ευγενία

7.20.δ. 

Γράψτε μια καρτ ποστάλ σε κάποιο αγαπημένο σας πρόσωπο από το μέρος όπου περνάτε τις διακοπές σας.
Write a post card to a loved one from a place where you vacation.

Η λίμνη Παμβώτιδα (αρχαίο όνομα Παμβώτις), είναι η γνωστή λίμνη των Ιωαννίνων

αξιολόγηση - οι τέσσερις δεξιότητες (___ / 20)

ΚΑΤΑΝΟΗΣΗ ΠΡΟΦΟΡΙΚΟΥ ΛΟΓΟΥ (___ / 5)

 **7.21.**  Έχετε μπροστά σας διάφορες φωτογραφίες. Ποια φωτογραφία ταιριάζει στους διαλόγους που ακούτε;
Θ' ακούσετε τους διαλόγους δύο (2) φορές. Σημειώστε τον αριθμό του διαλόγου στη σωστή φωτογραφία, όπως στο παράδειγμα.
ΠΡΟΣΕΞΤΕ! Πρέπει να σημειώσετε αριθμούς σε ΠΕΝΤΕ (5) φωτογραφίες χωρίς το παράδειγμα. Υπάρχουν δύο φωτογραφίες που δεν ταιριάζουν σε κανένα διάλογο.

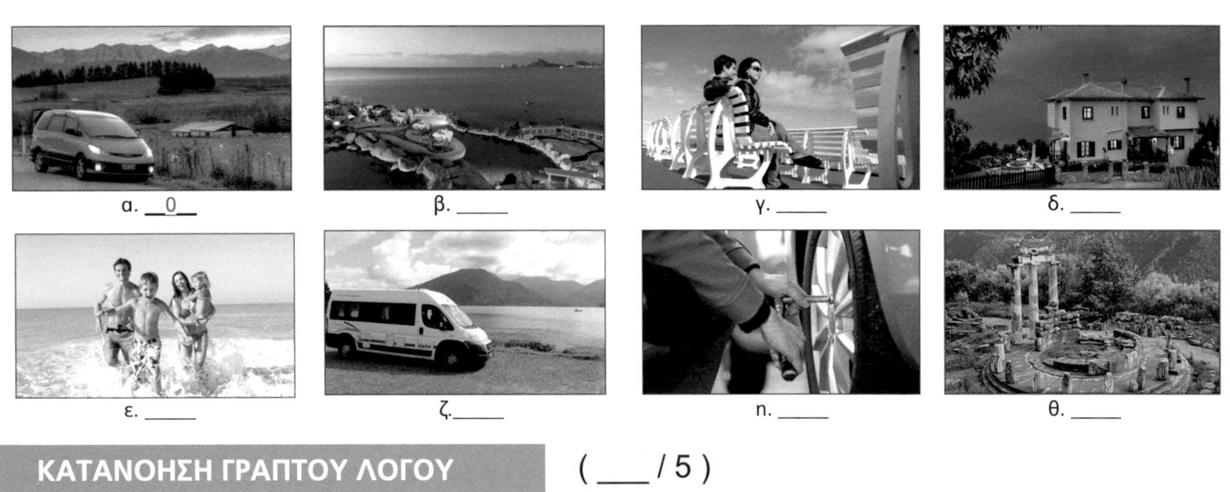

α. __0__ β. _____ γ. _____ δ. _____

ε. _____ ζ. _____ η. _____ θ. _____

ΚΑΤΑΝΟΗΣΗ ΓΡΑΠΤΟΥ ΛΟΓΟΥ (___ / 5)

7.22. **Το παρακάτω κείμενο είναι ένας διάλογος ανάμεσα στο Μάνο και στη Νέλη. Από το κείμενο λείπουν μερικές λέξεις. Διαβάστε προσεκτικά το κείμενο και συμπληρώστε δίπλα σε κάθε λέξη του πίνακα τον αριθμό του κενού στο οποίο αυτή ταιριάζει, όπως στο παράδειγμα. ΠΡΟΣΕΞΤΕ! Οι αριθμοί που πρέπει να συμπληρώσετε είναι ΔΕΚΑ (10) χωρίς το παράδειγμα. Υπάρχουν τρεις λέξεις που δεν ταιριάζουν σε κανένα κενό. Όταν κάνετε την άσκηση, ακούστε το κείμενο κι ελέγξτε τις απαντήσεις σας.**

154

0	πακέτο	___	να ανανεώσω	___	μάς ενδιαφέρουν	___	περιλαμβάνει	___	έληξε
___	διαμονή	___	οργανωμένο	___	αεροπορικά	___	ημιδιατροφή	___	να επισκεφθώ
___	βίζα	___	κοστίσει	___	μουσεία	___	μεταφορά		

Ετοιμάζω ένα ταξίδι στην Ινδία

Μ: Μάνος, Ν: Νέλη

Μ.: Πότε θα φύγεις για την Ινδία, Νέλη;

Ν.: Δεν ξέρω ακόμη. Πήγα χτες σε δύο μεγάλα τουριστικά γραφεία και πήρα τιμές. Το πρακτορείο *Ερμής* μού έδωσε μια καταπληκτική τιμή για ένα **(0)** ____ διακοπών που θα κάνει στην Ινδία την περίοδο που θέλουμε να πάμε ταξίδι ο Άγης κι εγώ.

Μ.: Και τι **(1)** ____ η τιμή;

Ν.: Περιλαμβάνει τα **(2)** ____ εισιτήρια για Ινδία μέσω Ντόχας, **(3)** ____ από και προς τα αεροδρόμια, **(4)** ____ σε ξενοδοχεία πέντε αστέρων με **(5)** ____, μετακινήσεις με πούλμαν, ξεναγήσεις, εισόδους στους αρχαιολογικούς χώρους και στα **(6)** ____.

Μ.: Και το άλλο γραφείο, τι σου πρότεινε;

Ν.: Το πρακτορείο *Κόσμος* δεν είχε **(7)** ____ ταξίδι για την Ινδία και μου έκανε ένα πρόγραμμα για δύο άτομα με τα στοιχεία που τους έδωσα. Τους είπα ποιες ημερομηνίες **(8)** ____, ποιες περιοχές και ποιες πόλεις θέλουμε να επισκεφθούμε και όλα τ' άλλα.

Μ.: Σου έδωσαν τιμή;

Ν.: Ναι, θα μας **(9)** ____ πολύ πιο ακριβά αλλά θα είναι ένα ταξίδι ακριβώς όπως το θέλουμε.

Μ.: Και δε μου λες, για την Ινδία χρειάζεται βίζα;

Ν.: Βεβαίως, χρειάζεται. Εγώ πρέπει **(10)** ____ και το διαβατήριό μου γιατί έληξε την περασμένη εβδομάδα.

Μ.: Αν έχεις κανένα φυλλάδιο με το πρόγραμμα που σας πρότεινε το πρακτορείο *Κόσμος*, μ' ενδιαφέρει να το δω. Ίσως αποφασίσουμε με την Άντα να έρθουμε μαζί σας.

Ν.: Μακάρι! Αν είμαστε τέσσερις, θα μας κάνουν οπωσδήποτε και καλύτερη τιμή.

ΠΑΡΑΓΩΓΗ ΠΡΟΦΟΡΙΚΟΥ ΛΟΓΟΥ (___ / 5)

7.23. **Κάνετε διαλόγους ανά ζεύγη. Αλλάξτε ρόλους.**

Ρόλος Α: *Θα πάτε με ένα φίλο / μια φίλη σας διακοπές σ' ένα ελληνικό νησί, την Αστυπάλαια. Μπορείτε να πάτε και με πλοίο και με αεροπλάνο. Λέτε ότι προτιμάτε το πλοίο γιατί κάνετε ηλιοθεραπεία στο κατάστρωμα, αναπνέετε τον αέρα της θάλασσας, βλέπετε κι άλλα νησιά, διαβάζετε το βιβλίο σας, παίζετε χαρτιά ή άλλα επιτραπέζια παιχνίδια. Αν έχετε καμπίνα, κοιμάστε, ξεκουράζεστε κ.λπ. Λέτε επίσης ότι το αεροπλάνο είναι πολύ ακριβό και ότι πρέπει να πάρετε το εισιτήριο πολύ καιρό πριν από την ημέρα της αναχώρησης, αν θέλετε να βρείτε καλύτερη τιμή. Λέτε επίσης ότι το ταξίδι με το αεροπλάνο είναι πιο κουραστικό γιατί κάθεται κανείς συνεχώς στην ίδια θέση.*

Ρόλος Β: *Θα πάτε με ένα φίλο / μια φίλη σας διακοπές σ' ένα ελληνικό νησί, την Αστυπάλαια.. Μπορείτε να πάτε και με πλοίο και με αεροπλάνο. Ο φίλος / Η φίλη σας σάς λέει όλα τα υπέρ ενός ταξιδιού με πλοίο. Εσείς λέτε ότι πρέπει να είστε στο λιμάνι τουλάχιστον δύο ώρες πριν από την αναχώρηση του πλοίου για να βρείτε καλές θέσεις για όλη την παρέα σας. Λέτε επίσης ότι, αν έχει κακό καιρό, το ταξίδι με το πλοίο δεν είναι καθόλου ευχάριστο. Επίσης το ταξίδι με το πλοίο κρατάει πολλές ώρες κι έτσι χάνετε χρόνο από τις διακοπές σας. Είστε υπέρ του αεροπλάνου γιατί πάτε κάπου πιο γρήγορα, ταξιδεύετε πιο άνετα και κερδίζετε χρόνο.*

ΠΑΡΑΓΩΓΗ ΓΡΑΠΤΟΥ ΛΟΓΟΥ (___ / 5)

7.24. **Επιστρέψατε από ένα ταξίδι που οργάνωσε το ταξιδιωτικό γραφείο Ερμής. Τους γράφετε ένα γράμμα με παράπονα (για τα μεταφορικά μέσα, την ξεναγό, το ξενοδοχείο, το φαγητό κ.λπ.).**

7.25. 155 Κρίνα του γιαλού (2012)

Μουσική: Ευανθία Ρεμπούτσικα, στίχοι: Μιχάλης Γκανάς, ερμηνεία: Άλκηστις Πρωτοψάλτη

7.25.α. YouTube Ακούστε το τραγούδι και συμπληρώστε τα κενά με λέξεις από το πλαίσιο.

https://goo.gl/VwWgSD

Μά___ μου σε ψηλό βου____
θ' ανέβω μήπως και ____ δω,
ό____ τα νη____, το ___κι και τη ____.
Μάνα μου αχ, την Αμοργό
και ως το ____ντε το χλωρό,
βήματα θεού, ____ κρίνα του ____λού.

Αχ, έλα στη Λευκάδα,
νύχτα με φε____ράδα,
να ____σεις το φε____ρι με συρτή.
Αχ, και στη Σαντορίνη,
έλα σαν το δελφίνι,
το αίμα σου να γίνει θα____σσί.

Μά____μου σαν μικρός θεός,
απ(ό) το (έ)να στ(ο) άλλο πέλαγος,
έ____ μόλα ____, με μία δρασκε____.
Μάνα μου αχ από τη____
και μέχρι το Ιό____,
βήματα θεού, σαν κρίνα του ____λού.

Αχ, έ____ και στη ____σο,
στην Κρήτη και στην ____σο,
να ____σουμε ____πού____ στο χορό.
Αχ, και στη Μυτιλήνη,
στη Νάξο, στο Μερσίνι,
____ρίφα____να στρώσω στο νερό.

R

7.25.β. Σημειώστε σε ποια θάλασσα βρίσκονται τα νησιά.
Write down in which sea do these islands belong.

Νησιά	Θάλασσα	
	Ιόνιο πέλαγος	Αιγαίο πέλαγος
η Αμοργός		✓
η Ζάκυνθος		
η Θάσος		
η Ιθάκη		
η Ίος		
η Κάσος		
η Κρήτη		
η Λευκάδα		
η Μυτιλήνη		
η Νάξος		
η Σαντορίνη		
η Σκιάθος		
η Τζια		✓

Ευανθία Ρεμπούτσικα Μουσικός, συνθέτης | Μιχάλης Γκανάς Στιχουργός | Άλκηστις Πρωτοψάλτη Τραγουδίστρια

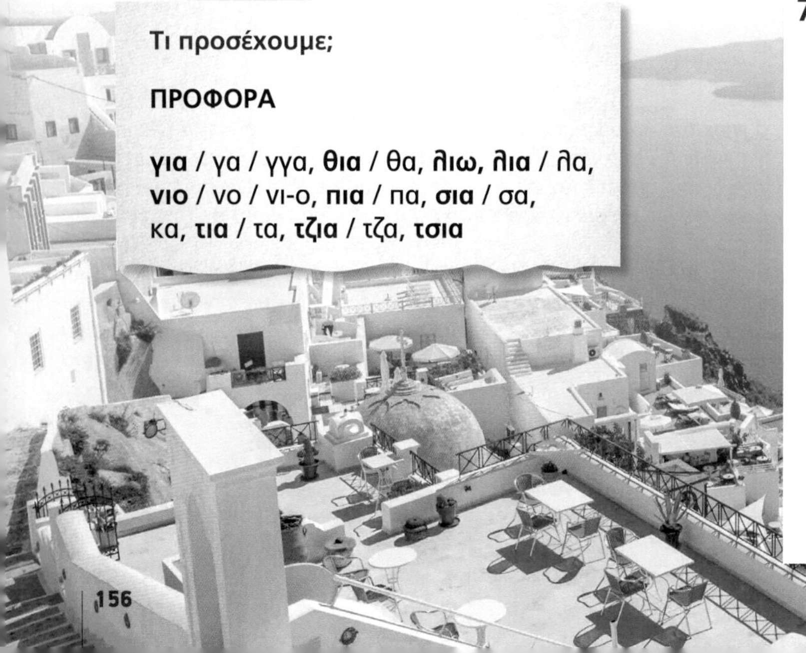

Τι προσέχουμε;

ΠΡΟΦΟΡΑ

για / γα / γγα, **θια** / θα, **λιω, λια** / λα, **νιο** / νο / νι-ο, **πια** / πα, **σια** / σα, κα, **τια** / τα, **τζια** / τζα, **τσια**

7.25.γ. Ψάχνω στο λεξικό και γράφω τη μετάφραση στη γλώσσα μου

ο γιαλός = ...
η δρασκελιά = ...
η συρτή = ...
η φεγγαράδα = ...
το γαρίφαλο = ...
το δελφίνι = ...
το κρίνο = ...
το πέλαγος = ...
θαλασσής-ιά-ί = ...
χλωρός-ή-ό = ...
λιώνω = ...
έγια μόλα = ...
μάτια μου = αγαπημένε/η μου
η Νιος = η Ίος
η Τζια = η Κέα
το Θιάκι = η Ιθάκη
το Τζάντε = η Ζάκυνθος

Τι καιρό θα κάνει;

What's the weather going to be?

Επικοινωνία

✓ **Ο καιρός**
- Κατανοώ ένα δελτίο καιρού
- Ζητάω πληροφορίες για τον καιρό
- Περιγράφω τον καιρό

Communication

✓ **The weather**
- I understand a weather report
- I ask information about the weather
- I describe the weather

Θεματικές ενότητες

Ελεύθερος χρόνος - **Εκτός σπιτιού**
✓ **Ο καιρός**

Thematic units

Free / Leisure time - **Outside the house**
✓ **The weather**

Λεξιλόγιο

- **Ο καιρός**
  (φυσικά φαινόμενα, μετεωρολογικό δελτίο, θερμοκρασία)
- **Τα σημεία του ορίζοντα**
  (επιθετικοί & επιρρηματικοί προσδιορισμοί)
- **Ημέρα - Εβδομάδα - Μήνας - Χρόνος**
  (επιθετικοί χρονικοί προσδιορισμοί)

Vocabulary

- **The weather**
  (natural phenomena, weather forecast, temperature)
- **The Cardinal points**
  (adjectives and adverbs)
- Day - **Weak** - **Month** - **Year**
  (time adjectives)

Γραμματική

1. Τα ουδέτερα ονόματα ***το πρωί*** & ***το πρωινό***
2. Τα ουδέτερα όνοματα ***το βράδυ*** & ***το ρολόι***
3. Πίνακας νέων ρημάτων

Grammar

1. The neuter names ***το πρωί*** & ***το πρωινό***
2. The neuter names ***το βράδυ*** & ***το ρολόι***
3. Table of new verbs

Βήμα 8 Τι καιρό θα κάνει;

Η Σεσίλ και ο Φιλίπ πέρασαν δέκα ωραίες μέρες στην Πάρο και τώρα έφτασε η ώρα της επιστροφής στην Αθήνα.

8.1. 156 *Τέλος οι διακοπές!*

Φ: Φιλίπ, Σ: Σεσίλ

Σ' ένα ίντερνετ καφέ στην Πάρο

Φ: Σεσίλ, αύριο φεύγουμε. Ξέρεις τι καιρό θα κάνει; Ελπίζω να μην **έχει κύμα.**

Σ: Ένα λεπτό... Στο ίντερνετ λέει «Την Πέμπτη ο καιρός θα είναι **αίθριος** και η θερμοκρασία θα είναι **υψηλή** για την εποχή από 27 έως 31 **βαθμούς Κελσίου**. Στο Αιγαίο οι άνεμοι **θα πνέουν** βόρειοι **μέτριοι** έως **ισχυροί,** 6 με 7 **μποφόρ**». Φιλίπ, να μην ξεχάσεις να πάρεις μαζί σου τα **χάπια** για τη **ναυτία**!

Φ: Θεέ μου! Ευτυχώς το ταξίδι δε διαρκεί πολλές ώρες. Τέλος πάντων... τι ώρα φεύγουμε;

Σ: Το πλοίο φεύγει στις 10:30. Πρέπει να πάμε στο λιμάνι κατά τις 10:00. Περάσαμε υπέροχα αλλά δυστυχώς... όλα τα ωραία πράγματα τελειώνουν γρήγορα!

Την επόμενη μέρα στο πλοίο

Σ: Αχ! Ο καιρός είναι καταπληκτικός! Στο κατάστρωμα είναι όνειρο!

Φ: Καθόμαστε στον ήλιο και δε **ζεσταίνομαι** καθόλου. Φυσάει **βοριάς** κι έχει πολλή **δροσιά**!

Σ: Εγώ **κρυώνω** λίγο. Δώσε μου τη ζακέτα μου! Την έχω μέσα στο σακίδιο μου δίπλα σου!

Φ: Πάντως με το **αεράκι** που φυσάει δε καταλαβαίνει κανείς ότι έχει 30 βαθμούς!

Σ: Αεράκι το λες εσύ αυτό! Πρέπει να έχει έξι, ίσως κι επτά μποφόρ. Κοίταξε, συννέφιασε! Φοβάμαι πως ο καιρός **θα χαλάσει** γρήγορα.

Φ: Δίκιο έχεις. Άρχισε να έχει κύμα! Λέω να πάμε μέσα.

Σ: Θεέ μου! Νομίζω ότι έρχεται **καταιγίδα**. Βλέπω αστραπές στον **ορίζοντα**!

Φ: Άρχισαν και τα **μπουμπουνητά**! Κάνει πολλή **ψύχρα** στο κατάστρωμα.

Σ: Κι εγώ **πάγωσα**! Πάμε γρήγορα κάτω στο σαλόνι!

Φ: Πω! Πω! **Ψιχαλίζει**! Δεν το πιστεύω! Είναι Μάιος μήνας, σχεδόν καλοκαίρι, και ο καιρός μοιάζει χειμωνιάτικος!

Σ: Στο **μετεωρολογικό δελτίο** χτες είπαν ότι οι άνεμοι θα είναι δυνατοί. Δεν είπαν όμως τίποτα για βροχές και καταιγίδες.

Φ: Σεσίλ, δεν αισθάνομαι καλά, ζαλίζομαι, τα χάπια μου!

8.1.α. Σημειώστε: Σωστό ή Λάθος; Tick: True or False?

		Σωστό	Λάθος
1.	Την ημέρα του ταξιδιού ο καιρός θα είναι καλός και θα κάνει ζέστη.		
2.	Θα φυσάει αρκετά. Επομένως ο Φιλίπ θα χρειαστεί φάρμακα για να μη ζαλιστεί.		
3.	Ο Φιλίπ και η Σεσίλ κάθονται στο σαλόνι του πλοίου.		
4.	Έξω κάνει πολλή ζέστη.		
5.	Ξαφνικά αρχίζει να κάνει κρύο.		
6.	Ο ουρανός γεμίζει σύννεφα.		
7.	Ευτυχώς η θάλασσα είναι ακόμα ήρεμη.		
8.	Ο Φιλίπ και η Σεσίλ προτιμούν να μείνουν κι άλλο στο κατάστρωμα.		
9.	Ο Φιλίπ δεν μπορεί να πιστέψει ότι το Μάιο κάνει κρύο.		
10.	Στο δελτίο καιρού είπαν ότι θα έχει βροχές και καταιγίδες.		

8.1.β.  Συνεχίστε το σενάριο και γράψτε την περίληψη του κειμένου. (80-100 λέξεις)

Continue the script and write the summary of the text. (80-100 words)

8.2. Τι καιρό κάνει;

έχει / κάνει δροσιά
έχει / κάνει ψύχρα
έχει / κάνει παγωνιά
έχει αέρα
έχει κύμα
έχει απαίσιο ≠ υπέροχο καιρό
έχει λιακάδα
έχει καύσωνα
ρίχνει / πέφτει χαλάζι
έρχεται καταιγίδα

το ουράνιο τόξο βγαίνει
ο καιρός χαλάει ≠ φτιάχνει
κρυώνω ≠ ζεσταίνομαι
παγώνω

1. Το βράδυ έπεσε η θερμοκρασία. Στο σινεμά έβαλα τη ζακέτα μου γιατί έκανε ψύχρα.

2. Χάλασε ο καιρός! Έχει κύμα και αέρα! Χειμωνιάτικη μέρα! Κρυώνω πολύ.

3. Έρχεται καταιγίδα! Τι αστραπές, Θεέ μου, τι μπουμπουνητά! Ρίχνει και **χαλάζι**! Ο καιρός είναι **απαίσιος**!

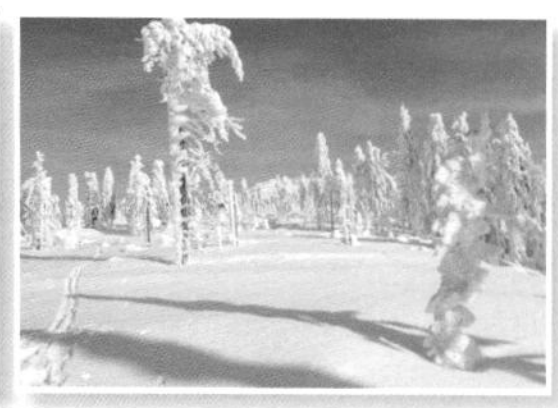

4. Είχε **παγωνιά** χτες τη νύχτα. Η λίμνη πάγωσε. Και στο δρόμο έχει **πάγο** και **γλιστράει** πολύ.

5. Μετά τη βροχή βγήκε το **ουράνιο τόξο**.

6. **Ο καιρός έφτιαξε** κι έχει μια υπέροχη λιακάδα. Τι όμορφη μέρα!

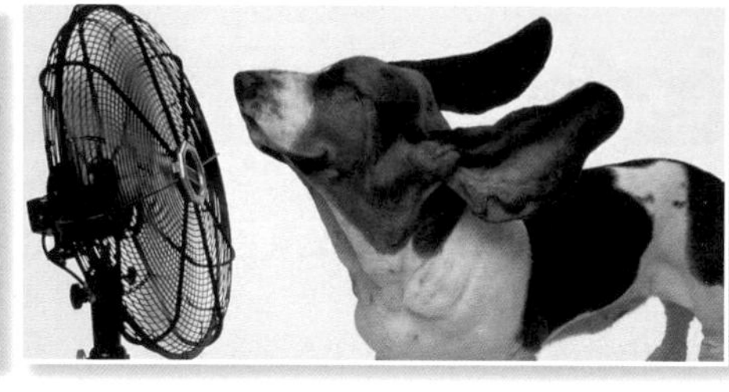

7. Έχει **καύσωνα** σήμερα και ο **υδράργυρος** έφτασε τους 42 βαθμούς. Πώς **καίει** ο ήλιος! Ουφ! Ζεσταίνομαι πάρα πολύ.

8.2.α. *Τι άσχημος καιρός!*

8.2.β.

Ακούστε το κείμενο και συμπληρώστε τα κενά με λέξεις από το πλαίσιο.
Listen to the text and fill in the gaps with words from the box.

θα φτιάξει ο καιρός / απαίσιος / να μη χαλάσει / Έχει κύμα / καταιγίδα / μποφόρ / πολλή ψύχρα / θα έχει παγωνιά / θα έχει καύσωνα / ψιχαλίζει / θα έχει δροσιά / να ρίχνει και χαλάζι

Χάλασε ο καιρός!

Σήμερα ο καιρός είναι [1] ________________! Από το πρωί [2] ________________ κι έχει [3] ________________. Πριν από πέντε λεπτά άρχισε [4] ________________. Από το παράθυρο βλέπω τη θάλασσα. [5] ________________ και φυσάει πολύ δυνατά! Ο αέρας πήρε τις καρέκλες του απέναντι καφενείου και τις έριξε στη θάλασσα. Τι [6] ________________ είναι αυτή! Και πού είναι το πλοίο της γραμμής; Τις Τρίτες έρχεται στις έντεκα το πρωί ακριβώς. Το ρολόι μου δείχνει δώδεκα και το πλοίο δε φάνηκε ακόμα. Είμαι σίγουρη ότι δε θα μπορέσει να έρθει με εννιά [7] ________________. Στην τηλεόραση είπαν ότι το βράδυ [8] ________________ σ' όλο το νησί. Και είναι ήδη τέλος Απριλίου...

Ο καιρός θα φτιάξει!

Από την άλλη εβδομάδα άκουσα στην τηλεόραση ότι [9] ________________. Τη Δευτέρα και την Τρίτη το θερμόμετρο θα φτάσει τους σαράντα βαθμούς και [10] ________________. Την Τετάρτη και την Πέμπτη θα πέσει η θερμοκρασία και [11] ________________. Μακάρι [12] ________________ πάλι ο καιρός!

8.2.γ. **Δουλέψτε ανά ζεύγη. Διαλέξτε τρεις χώρες. Βρείτε στο διαδίκτυο τον καιρό που θα κάνει αύριο και μεθαύριο στις χώρες αυτές. Σημειώστε τις πληροφορίες και παρουσιάστε αυτά που βρήκατε στην τάξη σας.**

Work in pairs. Choose three countries. Check on the internet the weather forecast for tomorrow and the day after in those countries. Note down the information and present your findings in the classroom.

8.3. Σημαίνει πολλά: γλιστράω (-ώ) & παγώνω

γλιστράω (-ώ)	Ο δρόμος είχε πάγο. Γλίστρησα κι έπεσα κάτω.
γλιστράει	Πρόσεξτε! Μόλις σφουγγάρισα και το πάτωμα γλιστράει.
παγώνω	Το νερό παγώνει στους 0⁰ Κελσίου. *[Γίνεται πάγος]*
	Πω, πω! Τι κρύο είναι αυτό! Πάγωσα! *[Κρυώνω πολύ]*

8.4. Οικογένειες λέξεων: ο πάγος

Πατινάζ στον πάγο.

ο **πάγ**ος
η **παγ**ωνιά
το **παγ**άκι
το **παγ**όβουνο
το **παγ**ωτό
παγωμένος-η-ο
παγώνω

8.4.α. Συμπληρώστε τα κενά. Fill in the gaps.

1.	Βάλε μου στο ποτήρι λίγο ούζο και πολλά ____________.
2.	Η ____________ χάλασε τα λουλούδια του κήπου μου.
3.	Θα φας κι άλλο ____________; Θα ____________ ο λαιμός σου!
4.	Ο Τιτανικός* χτύπησε επάνω σε ένα τεράστιο ____________.
5.	Είναι επικίνδυνο να οδηγείς όταν ο δρόμος έχει ____________.
6.	Θέλω μια ____________ μπίρα, παρακαλώ!

* *Ο Τιτανικός:Titanic*

8.5. Οικογένειες λέξεων: Τα 4 σημεία του ορίζοντα

Από το ***βορράς*** στο ***βόρειος***		
ο Βορράς	βόρειος-α-ο	northern
ο Νότος	νότιος-α-ο	southern
η Ανατολή	ανατολικός-ή-ό	eastern
η Δύση	δυτικός-ή-ό	western
Επίσης:	βορειοανατολικός-ή-ό	northeastern
	βορειοδυτικός-ή-ό	northwestern
	νοτιοανατολικός-ή-ό	southeastern
	νοτιοδυτικός-ή-ό	southwestern

Η Ελλάδα έχει θάλασσα **ανατολικά**, **δυτικά** και **νότια**. Μόνο **βόρεια** δεν έχει θάλασσα.

	βόρεια	north
	νότια	south
	ανατολικά	east
	δυτικά	west
Επίσης:	βορειοανατολικά	northeast
	βορειοδυτικά	northwest
	νοτιοανατολικά	southeast
	νοτιοδυτικά	southwest

Του μικρού Βοριά παράγγειλα*
να 'ναι καλό παιδάκι.
[Να] Μη μου χτυπάει **πορτόφυλλα**
και στο παραθυράκι.
Οδυσσέας Ελύτης

* *του ζήτησα*

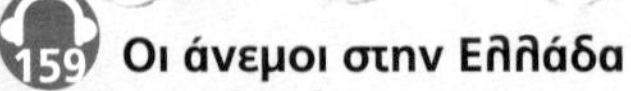

http://www.stixoi.info/stixoi.php?info=Lyrics&act=details&song_id=4954

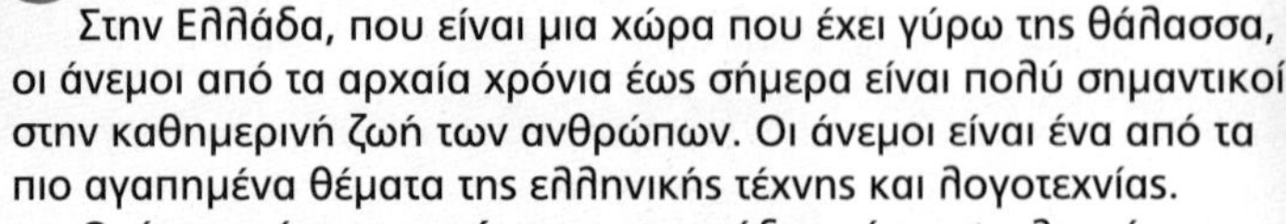

159 **Οι άνεμοι στην Ελλάδα**

Στην Ελλάδα, που είναι μια χώρα που έχει γύρω της θάλασσα, οι άνεμοι από τα αρχαία χρόνια έως σήμερα είναι πολύ σημαντικοί στην καθημερινή ζωή των ανθρώπων. Οι άνεμοι είναι ένα από τα πιο αγαπημένα θέματα της ελληνικής τέχνης και λογοτεχνίας.

Οι άνεμοι έγιναν **ποιήματα**, τραγούδια, πίνακες, γλυπτά.

Ο βοριάς και ο νοτιάς

Ο **νοτιάς** (ο νότιος άνεμος) φέρνει υγρασία και ζέστη.
Ο **βοριάς** (ο βόρειος άνεμος) φέρνει κρύο το χειμώνα και δροσιά το καλοκαίρι.

8.5.α. Συμπληρώστε τα κενά με λέξεις από το πλαίσιο. Fill in the gaps with words from the box.

δυτικά / ξημερώνει / βοριάς / βόρειοι / ανατέλλει / δύει / Νύχτωσε / νότιοι / νοτιάς / ανατολικά / βραδιάζει

Η Ανατολή Η Δύση

Η Ανατολή Η Δύση

Η ανατολή του ήλιου	Η δύση του ήλιου
Ο ήλιος ανατέλλει	Ο ήλιος δύει
Το ξημέρωμα	Το ηλιοβασίλεμα
Ξημερώνει	Νυχτώνει / Βραδιάζει
Καλό ξημέρωμα!	Καλό βράδυ!

1.	Οι ______________ άνεμοι είναι πολύ ισχυροί.
2.	Σήμερα πνέουν ______________ άνεμοι.
3.	Στα ______________ (τμήματα) της χώρας θα χιονίσει.
4.	Στα ______________ της χώρας, θα έχει συννεφιά και ομίχλη.
5.	Φυσάει ____________ σήμερα, αύριο όμως θα φυσήξει ______________!
6.	Τον Ιούνιο ο ήλιος ______________ νωρίς το πρωί και ______________ αργά το βράδυ.
7.	Το καλοκαίρι ______________ πολύ νωρίς και ______________ αργά.
8.	______________! Άναψε τα φώτα!

8.6.  Οικογένειες λέξεων

Τις **πρωινές** ώρες κάνει ψύχρα.

Ο **φθινοπωρινός** καιρός μ' αρέσει πολύ.

Από το ***πρωί*** στο ***πρωινός***		
το πρωί*	πρωινός-ή-ό	morning
το μεσημέρι	μεσημεριανός-ή-ό	mid-day
το απόγευμα	απογευματινός-ή-ό	afternoon
το βράδυ	βραδινός-ή-ό	evening
η νύχτα	νυχτερινός-ή-ό	night

** το πρωί / το πρωινό (Βλέπε ΓΡΑΜΜΑΤΙΚΗ 1)*
Το πρωινό = 1. Το πρωί, 2. Το πρόγευμα (το φαγητό που τρώμε το πρωί)

Από το ***καλοκαίρι*** στο ***καλοκαιρινός***		
το καλοκαίρι	καλοκαιρινός-ή-ό	summer
	θερινός-ή-ό	summer
το φθινόπωρο	φθινοπωρινός-ή-ό	fall
ο χειμώνας	χειμωνιάτικος-η-ο	winter
	χειμερινός-ή-ό	winter
η άνοιξη	ανοιξιάτικος-η-ο	spring

«Φανταστικό καφενείο»
(1.60 X 1.40, ακρυλικό σε μουσαμά)
Παύλος Σάμιος (1948-2021)

Από το ***σήμερα*** στο ***σημερινός***		
σήμερα	σημερινός-ή-ό	today
αύριο	αυριανός-ή-ό	tomorrow
χτες (χθες)	χτεσινός-ή-ό (χθεσινός-ή-ό)	yesterday
κάθε μέρα	καθημερινός-ή-ό	daily
φέτος	φετινός-ή-ό	this year
πέρ(υ)σι	περ(υ)σινός-ή-ό	last year

Ο καιρός άλλαξε πολύ, είναι τελείως διαφορετικός από το **χθεσινό** καιρό.

Νομίζω πως θα βρέξει.

Η σημερινή μέρα είναι υπέροχη!

Πώς θα είναι άραγε ο **αυριανός** καιρός;

«Σε περιμένω»
(1.20Χ70,ακρυλικό σε μουσαμά)
Παύλος Σάμιος (1948-2021)

8.6.α. Συμπληρώστε τα κενά με λέξεις από το πλαίσιο. Fill in the gaps with words from the box.

βραδινή / απογευματινό / νυχτερινό / χειμερινό / καλοκαιρινούς / θερινά / χειμωνιάτικα / μεσημεριανός / σημερινός / καθημερινές / ανοιξιάτικος / φετινός / περσινό

1.	Ο ______________ ήλιος είναι δυνατός και καίει πολύ, κυρίως από τις 12:00 έως τις 3:00.
2.	Θα πάρω το ______________ πλοίο που φεύγει στις 17:30.
3.	Δεν υπάρχει ______________ πτήση για την Πάρο, υπάρχει μόνο πρωινή και απογευματινή.
4.	Στα μεσάνυχτα θα ακούσουμε το ______________ δελτίο καιρού.
5.	Τους ______________ μήνες στην Ελλάδα συνήθως δε βρέχει.
6.	Τον Ιούνιο ανοίγουν παντού στην Ελλάδα τα ______________ σινεμά.
7.	Αγόρασα πολύ ζεστά ______________ ρούχα σε σκούρα χρώματα.
8.	Στις αρχές Νοεμβρίου σταματάει το θερινό ωράριο των καταστημάτων και αρχίζει το ______________.
9.	Ο ______________ καιρός μού αρέσει πάρα πολύ.
10.	Το πρωί είπαν στην τηλεόραση ότι ο ______________ καιρός θα είναι πολύ άσχημος.
11.	Δεν προλαβαίνω πάντα όλες τις ______________ μου δουλειές.
12.	Ο ______________ χειμώνας ήταν αρκετά ζεστός. Τον ______________ χειμώνα όμως έκανε πολύ κρύο.

Και τώρα εσείς!

8.6.β. *Στις διακοπές σας προτιμάτε τους **πρωινούς, απογευματινούς** ή **βραδινούς** περιπάτους; Όταν το καλοκαίρι κάνει πολλή ζέστη, κάνετε **νυχτερινό** μπάνιο στη θάλασσα; Κάνετε **πρωινή** γυμναστική; Σας αρέσει ο **μεσημεριανός** ύπνος; Κάνετε **χειμερινά** αθλήματα; Ποια αθλήματα κάνετε; Πώς περνάτε τα **χειμωνιάτικα** βράδια σας; Ποια είναι τα αγαπημένα σας **ανοιξιάτικα** λουλούδια; Ποιο μήνα πάτε συνήθως τις **καλοκαιρινές** σας διακοπές; Έχετε στη χώρα σας **θερινά** σινεμά; Σας αρέσουν οι **φθινοπωρινές** καταιγίδες; Στη χώρα σας έχετε πιο πολλές **ανοιξιάτικες** ή **φθινοπωρινές** βροχές; Προτιμάτε το **φθινοπωρινό** ή τον **ανοιξιάτικο** καιρό; Είδατε κάτι σημαντικό ή περίεργο στις **χτεσινές** ειδήσεις; Πώς ήταν ο **χτεσινός** καιρός; Πώς είναι ο **σημερινός** και πώς θα είναι ο **αυριανός** καιρός; Διαβάσατε στον υπολογιστή σας τα **σημερινά** νέα; Ποιες είναι οι **καθημερινές** σας ασχολίες και δουλειές; Ποιο είναι το **καθημερινό** σας πρόγραμμα; Πώς είναι η **καθημερινή** σας ζωή; Πού περάσατε τις **περσινές** σας διακοπές και πού θα περάσετε τις **φετινές**;*

8.7. Οικογένειες λέξεων

Από την ***ημέρα*** στο ***ημερήσιος***

Μια ημερήσια (ή καθημερινή) εφημερίδα		*Ένα εβδομαδιαίο περιοδικό*		*Ένα μηνιαίο περιοδικό*		*Ένα ετήσιο φεστιβάλ*	
η ημέρα	**ημερήσιος-α-ο**	η εβδομάδα	**εβδομαδιαίος-α-ο**	ο μήνας	**μηνιαίος-α-ο**	το έτος	**ετήσιος-α-ο**

Σημαίνει πολλά: ημερήσιος

ημερήσιος-α-ο	*[που γίνεται κάθε μέρα]*	το **ημερήσιο** πρόγραμμα, τα **ημερήσια** έξοδα, ο **ημερήσιος** τύπος
	[που διαρκεί μόνο μια μέρα]	η **ημερήσια** εκδρομή

.7.α. Συμπληρώστε τα κενά με λέξεις από το πλαίσιο. Fill in the gaps with words from the box.

εβδομαδιαίο / μηνιαίους / ημερήσια (2) / μηνιαία / ετήσια

1.	Πρέπει να προσέχεις τα ______________ έξοδά σου για να μη μένεις από χρήματα στο τέλος του μήνα.
2.	Πληρώνω μέσω ίντερνετ τους ______________ λογαριασμούς των δύο κινητών μου.
3.	Η ______________ συνάντηση των παλιών συμμαθητών γίνεται κάθε χρόνο στις αρχές Δεκεμβρίου.
4.	Τα περισσότερα περιοδικά μόδας είναι ______________.
5.	Στις εφημερίδες της Κυριακής υπάρχει το ______________ πρόγραμμα της τηλεόρασης.
6.	Αποφασίσαμε να κάνουμε μια ______________ εκδρομή στην Αίγινα το Σάββατο. Θα επιστρέψουμε με το βραδινό πλοίο.

Και τώρα εσείς!

8.7.β. *Αγοράζετε κάποια **ημερήσια** εφημερίδα; Αγοράζετε κάποιο **εβδομαδιαίο** ή **μηνιαίο** περιοδικό; Στη χώρα σας τα περισσότερα περιοδικά είναι **εβδομαδιαία** ή **μηνιαία**; Ποια **ετήσια** φεστιβάλ γίνονται στη χώρα σας; Εσείς πηγαίνετε σε κάποιο από αυτά; Κάνετε **ημερήσιες** εκδρομές; Ποια είναι η πιο πρόσφατη **ημερήσια** εκδρομή που κάνατε;*

8.8. Από το *καυτό* στο *παγωμένο*

καυτός-ή-ό	Όταν πονάει ο λαιμός μου, πίνω ένα φλιτζάνι **καυτό** τσάι με λεμόνι.
ζεστός-ή-ό / θερμός-ή-ό	Οι νότιοι άνεμοι είναι συνήθως **θερμοί**. Τα χειμωνιάτικα βράδια τρώω πάντα μια **ζεστή** σούπα.
χλιαρός-ή-ό	Το φαγητό είναι **χλιαρό**. Πρέπει να το βάλουμε πάλι στο φούρνο.
δροσερός-ή-ό	Φέρε μου ένα ποτήρι **δροσερό** νεράκι!
κρύος-α-ο / ψυχρός-ή-ό	Στο Αιγαίο αύριο θα πνέουν **ψυχροί** βόρειοι άνεμοι. Τον Απρίλιο η θάλασσα είναι ακόμα πολύ **κρύα** για μπάνιο.
παγωμένος-η-ο	Έχεις **παγωμένη** πορτοκαλάδα; Αν δεν έχεις, φέρε μου και **παγάκια**. Όταν το νερό **παγώνει**, τα ζώα του δάσους μπορούν να διασχίσουν τον **παγωμένο** ποταμό.

8.8.α. Ταιριάξτε τις στήλες. Match the columns.

1.	Όταν κάνω ντους, προτιμώ το νερό να μην είναι ούτε ζεστό ούτε κρύο αλλά	—	α.	δροσερό.
2.	Χτες είχε καύσωνα αλλά το βραδάκι η θερμοκρασία έπεσε γιατί φύσηξε ένα αεράκι πολύ	—	β.	χλιαρό.
3.	Θα πάω για πατινάζ. Η θερμοκρασία έπεσε κάτω από το μηδέν και η λίμνη μας είναι	—	γ.	ψυχρός.
4.	Βγήκα έξω χωρίς παλτό και πάγωσα! Έχει βοριά και ο αέρας είναι πολύ	—	δ.	παγωμένη.
5.	Χάλασε το κλιματιστικό και δε βγάζει ψυχρό αέρα αλλά	—	ε.	καυτή.
6.	Πρέπει να περιμένω να κρυώσει η σούπα. Δεν μπορώ να τη φάω. Είναι πολύ	—	ζ.	θερμό.

8.9. Οικογένειες λέξεων: θερμός-ή-ό

θερμός-ή-ό
ο **θερμ**οσίφωνας
η **θέρμ**ανση
η **θερμ**οκρασία
το **θερμ**οκήπιο
το **θερμ**όμετρο
το **θερμ**ός
το **θέρ**ος*
θερινός-ή-ό

8.9.α. Συμπληρώστε τα κενά. Fill in the gaps.

1.	Χάλασε ο ______________. Πώς θα κάνω το μπάνιο μου;
2.	Αυτές οι ντομάτες είναι από ______________.
3.	Βάλε ______________! Νομίζω ότι έχεις πυρετό.
4.	Τι παίζουν σήμερα τα ______________ σινεμά της γειτονιάς;
5.	Ψάχνω διαμέρισμα με κεντρική ______________.
6.	Η πηγή αυτή βγάζει πάντα ______________ νερό.
7.	Αύριο η ______________ θα φτάσει τους 36 βαθμούς.
8.	Έβαλα το νερό στο ______________ για να μείνει κρύο.

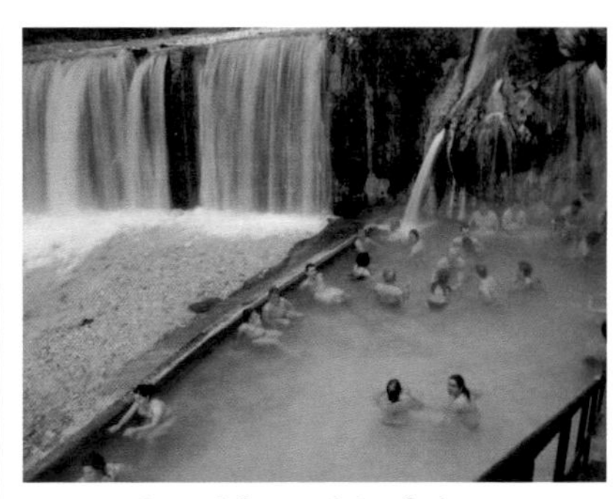

Θερμά λουτρά Αριδαίας

* *Θέρος: η αρχαία ελληνική λέξη για το «καλοκαίρι».*

 Ακούστε το κείμενο: ***Ξαφνικά πέρσι το καλοκαίρι***

8.10.α. Σημειώστε: Σωστό ή Λάθος;

Tick: True or False?

		Σωστό	Λάθος
1.	Ο Σπήλιος πήγε μόνος του διακοπές στην Πάρο.		
2.	Στην Αθήνα το θερμόμετρο **ξεπέρασε** τους 40 βαθμούς.		
3.	Στις Κυκλάδες σπάνια έχει αέρα.		
4.	Ήθελαν να δουν τη δύση του ήλιου από την παραλία *Χρυσή* ***Ακτή***.		
5.	Έπρεπε* να φύγουν από το ξενοδοχείο πριν ανατείλει ο ήλιος.		
6.	Η θάλασσα ήταν πολύ ήρεμη. Ήταν **λάδι**.		
7.	Στα νησιά το πρωί κάνει πάντα ζέστη.		
8.	Στο δρόμο ο καιρός χάλασε. Άρχισαν αστραπές, βροντές. Έριξε και χαλάζι.		
9.	Στο δελτίο καιρού στο ραδιόφωνο είπαν ότι οι άνεμοι θα ξεπεράσουν τα οκτώ μποφόρ.		
10.	Είπαν επίσης ότι ο καιρός θα φτιάξει από το απόγευμα.		

** πρέπει*

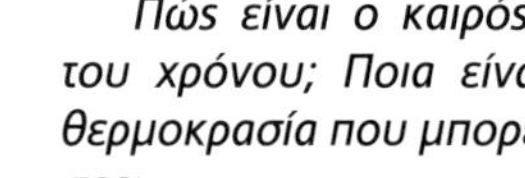

8.10.β.

Τι καιρό έκανε χτες; Τι καιρό κάνει σήμερα; Τι καιρό θα κάνει αύριο; Δείτε επίσης στο διαδίκτυο τι ώρα θα ξημερώσει και τι ώρα θα βραδιάσει αύριο.

Πώς είναι ο καιρός στη χώρα σας τις τέσσερις εποχές του χρόνου; Ποια είναι η πιο υψηλή και η πιο χαμηλή θερμοκρασία που μπορεί να φτάσει το θερμόμετρο στη χώρα σας;

Περιγράψτε τον καιρό που σας αρέσει. Ποια είναι η αγαπημένη σας εποχή; Γιατί;

Λεξιλόγιο — Glossary

Λεξιλόγιο	Glossary
ΟΝΟΜΑΤΑ	NOUNS
βαθμός, ο	degree
βαθμός Κελσίου, ο	degree Celsius
βοριάς, ο	north wind
καύσωνας, ο	heat wave
νοτιάς, ο	south wind
ορίζοντας, ο	horizon
πάγος, ο	ice
υδράργυρος, ο	mercury
ακτή, η	shore
ανατολή, η	East, sunrise
δροσιά, η	mist
δύση, η	West, sunset
καταιγίδα, η	storm
ναυτία, η	nausea
παγωνιά, η	iciness, ice
ψύχρα, η	chill
αεράκι, το	breeze
δελτίο, το	forecast
μετεωρολογικό δελτίο, το	weather forecast
θερμός, το	cooler (v.)
θέρος (καλοκαίρι), το	summer
κύμα, το	wave
έχει κύμα	it's wavy, the water is choppy
λουτρό, το	bathroom
λουτρά, τα	(thermal) springs
μπουμπουνητό, το	thunder
μποφόρ, το	Beaufort (scale)
ξημέρωμα, το	sunrise
ουράνιο τόξο, το	rainbow
παγάκι, το	ice cube
παγόβουνο, το	iceberg
πατινάζ, το	ice skating
ποίημα, το	poem
πορτόφυλλο, το	jalousie, veranda door
πρωινό, το	morning, breakfast
σημείο (του ορίζοντα), το	(Cartesian) point
χαλάζι, το	hail
ρίχνει / πέφτει χαλάζι	there is a hail storm
χάπι, το	pill
ΕΠΙΘΕΤΑ - ΜΕΤΟΧΕΣ	ADJECTIVES - PARTICIPLES
αίθριος-α-ο	clear, calm (weather)
απαίσιος-α-ο	awful
δροσερός-ή-ό	cool
εβδομαδιαίος-α-ο	weekly
ετήσιος-α-ο	annual
ημερήσιος-α-ο	daily
θερμός-ή-ό	hot
ισχυρός-ή-ό	strong
καυτός-ή-ό	hot
μετεωρολογικός-ή-ό	meteorological
μέτριος-α-ο	medium
μηνιαίος-α-ο	monthly
παγωμένος-η-ο	cold, frozen
υψηλός-ή-ό	high
χλιαρός-ή-ό	lukewarm
ψυχρός-ή-ό	cold
ΡΗΜΑΤΑ	VERBS
ανατέλλω	I rise
βραδιάζει	the evening falls
γλιστράω (-ώ)	I slide
δύω	I set
έχει	it is, it has, there is
έχει αέρα	it's windy
έχει καύσωνα	there is a heat wave
έχει κύμα	it's wavy, the water is choppy
έχει λιακάδα	it's sunny
ζεσταίνομαι	I am hot / warm
καίει (ο ήλιος)	(the sun) burns
κρυώνω	I am cold
νυχτώνει	it gets dark
ξεπερνάω (-ώ)	I exceed
ξημερώνει	it dawns
παγώνω	I freeze
πνέω	I blow
φτιάχνει (ο καιρός)	(the weather) gets better
χαλάει (ο καιρός)	(the weather) worsens
ψιχαλίζει	it drizzles
ΕΚΦΡΑΣΕΙΣ	EXPRESSIONS
είναι λάδι (η θάλασσα)	(the sea) is still
καλό ξημέρωμα!	good rise!
όπως είναι γνωστό	as it is known / as you know
μένω από χρήματα	I run out of money / I am broke

γραμματική

. Τα ουδέτερα ονόματα *το πρωί* & *το πρωινό*
The neuter names *το πρωί* & *το πρωινό*

	Ενικός		Πληθυντικός
Ον.	το πρωί	το πρωινό	τα πρωινά
εν.	του πρω**ινού**	του πρωινού	των πρωινών
Αιτ.	το πρωί	το πρωινό	τα πρωινά
Κλ.	- πρωί	- πρωινό	- πρωινά

ο **πρωί** ξυπνάω πολύ νωρίς. Πέρασα ένα υπέροχο **πρωινό** κοντά τη φύση. Τα **πρωινά** μελετάω και τα απογεύματα βγαίνω έξω. ο καλοκαίρι τρώω το **πρωινό** μου στον κήπο.

. Τα ουδέτερα ονόματα *το βράδυ* & *το ρολόι*
The neuter names *το βράδυ* & *το ρολόι*

	Ενικός	Πληθυντικός	Ενικός	Πληθυντικός
Ον.	το βράδ**υ**	τα βράδια	το ρολόι	τα ρολό**γ**ια
Γεν.	του βραδιού	των βραδιών	του ρολο**γ**ιού	των ρολο**γ**ιών
Αιτ.	το βράδ**υ**	τα βράδια	το ρολόι	τα ρολό**γ**ια
Κλ.	- βράδ**υ**	- βράδια	- ρολόι	- ρολό**γ**ια

)πως το ρολόι: το τσάι (του τσαγιού), το φαΐ.

. Πίνακας νέων ρημάτων Table of new verbs

	Θέμα ενεστώτα		**Θέμα αορίστου**			
ΠΡΟΘΕΣΕΙΣ	Ενεστώτας	Ατ. Υποτακτική	Αόριστος	Τ. Μέλλοντας	Τ. Υποτακτική	Τ. Προστακτική
ανά	**ανα**τέλλω	να **ανα**τέλλω	**ανέ**τειλα	θα **ανα**τείλω	να **ανα**τείλω	**ανά**τειλε - **ανα**τείλετε
	δύω	να δύω	έδυσα	θα δύσω	να δύσω	δύσε - δύσετε
	κρυώνω	να κρυώνω	κρύωσα	θα κρυώσω	να κρυώσω	κρύωσε - κρυώστε
	ξεπερνάω (-ώ)	να ξεπερνάω (-ώ)	ξεπέρασα	θα ξεπεράσω	να ξεπεράσω	ξεπέρασε - ξεπεράστε
	παγώνω	να παγώνω	πάγωσα	θα παγώσω	να παγώσω	πάγωσε - παγώστε
	πνέω	να πνέω	έπνευσα	θα πνεύσω	να πνεύσω	πνεύσε - πνεύστε
	πρέπει	να πρέπει	έπρεπε*	θα πρέπει	να πρέπει	-
	βραδιάζει	να βραδιάζει	βράδιασε	θα βραδιάσει	να βραδιάσει	-
	νυχτώνει	να νυχτώνει	νύχτωσε	θα νυχτώσει	να νυχτώσει	-
	ξημερώνει	να ξημερώνει	ξημέρωσε	θα ξημερώσει	να ξημερώσει	-
	ψιχαλίζει	να ψιχαλίζει	ψιχάλισε	θα ψιχαλίσει	να ψιχαλίσει	-
	ζεσταίνομαι	να ζεσταίνομαι	ζεστάθηκα	θα ζεσταθώ	να ζεσταθώ	-

* *Το απρόσωπο ρήμα **πρέπει** έχει ίδιο αόριστο και παρατατικό. The impersonal verb **πρέπει** has the same past and imperfect tense.*

Ο Πύργος των Ανέμων και η Ρωμαϊκή αγορά

8.11. (161) Ο Πύργος των ανέμων

Ο ***Πύργος*** *των Ανέμων* (47 π.Χ.), έργο του έλληνα **αστρονόμου** Ανδρόνικου του Κυρρήστου, βρίσκεται στη **Ρωμαϊκή** Αγορά, στην Πλάκα. Λέγεται επίσης *Ρολόι του Κυρρήστου.* Είναι από μάρμαρο κι έχει ύψος 12 μέτρα. Οι ιστορικοί νομίζουν ότι ήταν ένα είδος **μετεωρολογικού σταθμού** της εποχής, που **παράλληλα** είχε τη **δυνατότητα να υπολογίζει** και την ώρα. Ήταν σημαντικό για τους εμπόρους να γνωρίζουν την ώρα και τους ανέμους για να μπορούν να υπολογίζουν πότε περίπου θα φτάσουν τα προϊόντα τους στην αγορά. Ακόμα και σήμερα δεν ξέρουμε πώς ακριβώς λειτουργεί το *Ρολόι του Κυρρήστου*.

Επάνω στη **στέγη** ήταν ένας **ανεμοδείκτης**, ο οποίος σήμερα δεν υπάρχει. Ακριβώς κάτω από τη στέγη, γύρω-γύρω από τον Πύργο, βρίσκονται οκτώ γλυπτά με τους οκτώ πιο σημαντικούς ανέμους. Κάτω από κάθε άνεμο ήταν ένα ηλιακό ρολόι. Στο εσωτερικό του πύργου ήταν ένα **υδραυλικό ρολόι** για να υπολογίζει την ώρα, τις μέρες χωρίς ήλιο, αλλά και τις νύχτες.

Ο *Πύργος των Ανέμων* έδωσε το όνομα ***Αέρηδες*** (άνεμοι) σ' όλη τη γειτονιά.

Τέσσερα από τα οκτώ γλυπτά του *Πύργου των Ανέμων*

Ο ΒΟΡΕΑΣ (ο βοριάς):	***Ο ΑΠΗΛΙΩΤΗΣ (ο ανατολικός άνεμος):***
ο κρύος άνεμος από το βουνό. Ο Βορέας είναι ένας γέρος που φυσάει παγωμένο αέρα από ένα κοχύλι.	ο άνεμος που έρχεται από τον Ήλιο. Ο Απηλιώτης είναι ένας νέος που φέρνει φρούτα και **σιτηρά**.

Ο ΝΟΤΟΣ (ο νοτιάς):	***Ο ΖΕΦΥΡΟΣ (ο δυτικός άνεμος):***
ο άνεμος που φέρνει τη βροχή. Ο Νότος είναι ένας νέος που **αδειάζει** ένα δοχείο με νερό.	ο μέτριος άνεμος από τη Δύση. Ο Ζέφυρος είναι ένας νέος που **σκορπίζει** λουλούδια.

Λεξιλόγιο 8.11.

ο ανεμοδείκτης	windsock
ο μετεωρολογικός σταθμός	weather station
ο πύργος	tower
η δυνατότητα	possibility
η στέγη	roof
ο/η αρχαιολόγος	archaeologist
ο/η αστρονόμος	astronomer
το ηλιακό ρολόι	sun clock
τα σιτηρά	wheat products
σύγχρονος-η-ο	contemporary
ρωμαϊκός-ή-ό	Roman
υδραυλικός-ή-ό	hydraulic
αδειάζω	I empty
σκορπίζω	I scatter
υπολογίζω	I calculate
παράλληλα	parallelly

Ένας **σύγχρονος** ανεμοδείκτης

8.11.α. Σημειώστε: Σωστό ή Λάθος; Tick: True or False?

		Σωστό	Λάθος
1.	Το ρολόι του Κυρρήστου λέγεται κι αλλιώς.		
2.	Το ρολόι χτίστηκε στη Ρωμαϊκή Αγορά της Αθήνας για να μπορούν οι έμποροι να βλέπουν την ώρα και να γνωρίζουν τι καιρό θα κάνει.		
3.	Το ρολόι του Κυρρήστου λειτουργεί μέχρι σήμερα.		
4.	Οι τέσσερις άνδρες των γλυπτών είναι νέοι.		
5.	Ο βόρειος άνεμος είναι ένας ζεστός άνεμος.		
6.	Ο άνδρας στο γλυπτό του ανατολικού ανέμου κρατάει τρόφιμα.		
7.	Ο νότιος άνεμος φέρνει χιόνια και κρύο.		
8.	Ο δυτικός άνεμος είναι ένας πολύ δυνατός και ψυχρός άνεμος.		

8.12. (162) Η καταιγίδα

Την περασμένη εβδομάδα πήγαμε με τη φίλη μου, την Αλέκα, στο κέντρο της πόλης για ψώνια. Ήταν μια γλυκιά φθινοπωρινή ημέρα με ήλιο και καθαρό ουρανό. **Την ώρα που** φτάσαμε στο κέντρο, μαύρα σύννεφα φάνηκαν στον ορίζοντα. «**Λες να** βρέξει;» με ρώτησε η Αλέκα. «**Ξέρω κι εγώ;**» της απάντησα. Δεν πρόλαβα να τελειώσω τη **φράση** μου και χοντρές σταγόνες βροχής έπεσαν στο πρόσωπό μου. Άρχισε να βρέχει δυνατά. Η μέρα έγινε νύχτα. Αστραπές φώτισαν τον ουρανό και τα δυνατά μπουμπουνητά **τρόμαξαν** δύο σκυλιά του δρόμου που έτρεξαν και πήγαν κάτω από ένα μπαλκόνι. Και η Αλέκα κι εγώ αρχίσαμε να τρέχουμε. Γίναμε μούσκεμα. Ο δρόμος έγινε ποτάμι κι αισθάνθηκα τα πόδια μου να κολυμπάνε μέσα στα παπούτσια μου. Μπήκαμε σ' ένα πολυκατάστημα. «Παναγία μου! Τι καταιγίδα είναι αυτή!» είπα στην Αλέκα. «Μη φοβάσαι! Δε θα κρατήσει πολύ. Δεν ξέρεις τον καιρό στην Ελλάδα; Σε λίγο θα βγει ο ήλιος.» μου είπε. Η Αλέκα δεν είχε άδικο. Σε λίγο ένα υπέροχο ουράνιο τόξο φάνηκε στον ουρανό. Παπούτσια δεν ήθελα να αγοράσω εκείνη την ημέρα αλλά τελικά ήταν το πρώτο πράγμα που αγόρασα. Έπρεπε να κάνω κάτι για τα παγωμένα μου πόδια.

Λεξιλόγιο 8.12.

η φράση	phrase
τρομάζω	I scare, I startle
λες να...;	you think...?
ξέρω κι εγώ;	how would I know?
την ώρα που...	while

8.12.α.  Σημειώστε το σωστό. Tick the correct answer.

1.	Όταν είδε τα σύννεφα η Αλέκα α. ήταν σίγουρη ότι θα βρέξει β. δεν ήταν σίγουρη ότι θα βρέξει	5.	Το νερό της βροχής α. έβρεξε τα ρούχα μου β. μπήκε στα παπούτσια μου
2.	Σύντομα α. άρχισε να βρέχει β. άρχισε να φυσάει	6.	Εγώ φοβήθηκα αλλά η Αλέκα μού είπε ότι α. η καταιγίδα θα σταματήσει σύντομα β. η καταιγίδα δεν είναι επικίνδυνη για εμάς
3.	Οι βροντές και οι αστραπές τρόμαξαν α. την Αλέκα κι εμένα β. δύο σκυλιά της περιοχής	7.	Τελικά α. η καταιγίδα δεν κράτησε πολύ β. η καταιγίδα κράτησε μια ώρα
4.	Η Αλέκα κι εγώ α. αρχίσαμε να τρέχουμε β. συνεχίσαμε να περπατάμε	8.	Αγόρασα παπούτσια γιατί α. ήθελα ένα ζευγάρι καινούργια παπούτσια β. χρειάστηκα καινούργια παπούτσια

Παροιμίες - Γνωμικά

Καθαρός ουρανός αστραπές δε φοβάται.

Ο τίμιος και ειλικρινής άνθρωπος δε φοβάται τον έλεγχο και την κριτική των άλλων.

A clear sky is not afraid of lightening.

An honest and truthful person is not afraid of the inspection and criticism of others.

8.13. (163) Το κλίμα της Ελλάδας

Το κλίμα της Ελλάδας είναι μεσογειακό. Το χειμώνα δεν κάνει πολύ κρύο αλλά έχει αρκετές βροχές και υγρασία. Τα καλοκαίρια είναι ζεστά και **ξηρά** και γενικά έχει πολλές μέρες με ήλιο. Το κλίμα είναι διαφορετικό από περιοχή σε περιοχή επειδή η Ελλάδα έχει και πολλά βουνά και παντού θάλασσα. Έτσι από το ξηρό κλίμα της Αττικής και γενικά της Ανατολικής Ελλάδας φτάνουμε στο **υγρό** κλίμα της Βόρειας και Δυτικής Ελλάδας. Μεγάλες **διαφορές** στο κλίμα συναντάμε ακόμη και σε μέρη που βρίσκονται πολύ κοντά το ένα με το άλλο. Αυτό είναι κάτι που υπάρχει σε λίγες μόνο χώρες.

Στην Ελλάδα από το Νοέμβριο μέχρι τον Απρίλιο κάνει κρύο και βρέχει. Οι βροχές όμως στη χώρα μας δε διαρκούν πολλές μέρες. Ακόμα και το χειμώνα έχουμε πολλές λιακάδες. Στην Ελλάδα, στο τέλος Ιανουαρίου, για πέντε έξι μέρες κάνει ζέστη κι έχει ήλιο. Οι μέρες αυτές λέγονται *Αλκυονίδες μέρες*.

Από το Μάιο έως τον Οκτώβριο κάνει ζέστη και σπάνια έχουμε βροχές. Οι πιο κρύοι μήνες του χρόνου είναι ο Ιανουάριος και ο Φεβρουάριος και οι πιο ζεστοί είναι ο Ιούλιος και ο Αύγουστος.

8.13.α.  Ταιριάξτε τις στήλες. Match the columns.

1.	Η Ελλάδα έχει	___	α.	μαλακοί και τα καλοκαίρια κάνει ζέστη.
2.	Οι χειμώνες είναι	___	β.	είναι μέρες με ήλιο στη μέση περίπου του χειμώνα.
3.	Η Ελλάδα παρουσιάζει διαφορές κλίματος γιατί	___	γ.	δε διαρκούν πολλές μέρες .
4.	Στην Ελλάδα οι βροχές	___	δ.	δε βρέχει συχνά.
5.	Οι Αλκυονίδες μέρες	___	ε.	μεσογειακό κλίμα.
6.	Τους καλοκαιρινούς μήνες	___	ζ.	βρέχεται από θάλασσα και έχει πολλά βουνά.

Λεξιλόγιο 8.13.

η διαφορά	difference
ξηρός-ή-ό	dry
υγρός-ή-ό	wet

8.14. 164 Οι Αλκυονίδες μέρες

Από τη λαογραφία

Οι Αλκυονίδες μέρες (*Οι μέρες των πουλιών*)

Οι καλές μέρες, που κάνει στο τέλος του Ιανουαρίου, λέγονται *Μέρες των πουλιών*. Γιατί τα πουλιά, **οι αλκυόνες** (τα **ψαροπούλια**), που κτίζουν τότε τις **φωλιές** τους στα βράχια, παρακάλεσαν το Θεό να τους χαρίσει μερικές καλές ημέρες, για να μη χαλάει η **τρικυμία** τις φωλιές τους και να μπορούν να **κλωσάνε** τα αβγά τους. Ο Θεός τα άκουσε, και έτσι στην καρδιά του χειμώνα κάνει λίγες καλοκαιρινές ημέρες.

(από την Πάτμο)
ΝΙΚΟΛΑΟΣ ΠΟΛΙΤΗΣ, **«ΠΑΡΑΔΟΣΕΙΣ»**

Από τη μυθολογία

Η Αλκυόνη και ο Κύνκας

Η Αλκυόνη ήταν μια πολύ όμορφη γυναίκα, κόρη του θεού των ανέμων, Αιόλου. Παντρεύτηκε τον Κύνκα και ήταν πολύ ευτυχισμένοι μαζί.

Μια μέρα, ο Κύνκας ήθελε να πάει για ψάρεμα με το πλοίο του. Η Αλκυόνη τον παρακάλεσε να μη φύγει αλλά εκείνος δεν την άκουσε και βγήκε στο **πέλαγος**. Ένας δυνατός άνεμος άρχισε να φυσάει, τα κύματα έγιναν τεράστια και το πλοίο του Κύνκα **βούλιαξε**.

Η Αλκυόνη, που είδε απο μακριά το ναυάγιο, πήδηξε από ένα βράχο και **σκοτώθηκε**.

Ο Δίας τη λυπήθηκε και τη **μεταμόρφωσε** σε πουλί, τη γνωστή μας αλκυόνη. Και επειδή οι αλκυόνες γεννούν τα αυγά τους τον Ιανουάριο σε φωλιές μέσα στους βράχους, ο Δίας έκανε και κάτι άλλο γι' αυτήν. Ζήτησε από τον άνεμο να μη φυσάει αυτές τις μέρες και από τον ήλιο να βγαίνει και να ζεσταίνει τις αλκυόνες μέχρι να βγουν τα μικρά τους. Οι ζεστές αυτές μέρες του Ιανουαρίου ονομάζονται *Αλκυονίδες μέρες*.

8.14.α.  Σημειώστε: Σωστό ή Λάθος; Tick: True or False?

		Σ.	Λ.
1.	Οι μέρες του Ιανουαρίου με καλό καιρό λέγονται *Αλκυονίδες ημέρες*.		
2.	Η αλκυόνη είναι είδος πουλιού που λέγεται και ψαροπούλι.		
3.	Οι αλκυόνες κλωσάνε τα αβγά τους στις αρχές Ιανουαρίου.		
4.	Η Αλκυόνη ήταν ένα πραγματικό πρόσωπο.		
5.	Ο Αίολος ήταν ο θεός της θάλασσας.		
6.	Ο σύζυγος της Αλκυόνης, ο Κύνκας, πέθανε σ' ένα ναυάγιο.		
7.	Η Αλκυόνη πέθανε κι αυτή στο ίδιο ναυάγιο.		
8.	Ο Δίας μεταμόρφωσε την Αλκυόνη σε πουλί.		

Λεξιλόγιο 8.14.

η αλκυόνη (το ψαροπούλι)	alcyone, kingfisher
η λαογραφία	folklore
η παράδοση	tradition
η τρικυμία	storm
η φωλιά	nest
το πέλαγος	(open) sea
βουλιάζω	I sink
κλωσάω (-ώ)	I hatch
μεταμορφώνω	I transform
σκοτώνομαι	I get killed

8.15. Ο καιρός

Ο καιρός είναι / ήταν

- καλός / ευχάριστος / ωραίος / αίθριος* / υπέροχος / καταπληκτικός
- κακός / άσχημος / απαίσιος / χάλια

Ο καιρός αλλάζει - άλλαξε
χαλάει - χάλασε ≠ φτιάχνει - έφτιαξε

** ο καιρός είναι αίθριος = έχει λιακάδα, έχει καθαρό ουρανό, δεν έχει συννεφιά*

Έχει - κάνει / Είχε - έκανε

- δροσιά* / ψύχρα / κρύο / παγωνιά
- ζέστη / καύσωνα
- λιακάδα** / **ηλιοφάνεια**

** συνήθως για καλοκαιρινές μέρες ** συνήθως για φθινοπωρινές, χειμωνιάτικες ή ανοιξιάτικες μέρες με ήλιο*

Η θερμοκρασία

- είναι υψηλή / χαμηλή (για την εποχή)
- θα είναι από 17 έως 20 βαθμούς Κελσίου

• ανεβαίνει - ανέβηκε - θα ανεβεί • κατεβαίνει - κατέβηκε - θα κατεβεί	στους 21° βαθμούς αρκετά, πολύ, λίγο
• πέφτει - έπεσε - θα πέσει	στους 5° βαθμούς Κελσίου
• φτάνει - έφτασε - θα φτάσει • ξεπερνάει - ξεπέρασε - θα ξεπεράσει	τους 40° βαθμούς

- θα ανεβεί πάνω από το μηδέν
- θα κατεβεί / θα πέσει κάτω από το μηδέν

Ο υδράργυρος θα φτάσει τους 40° βαθμούς Κελσίου.
Ο υδράργυρος **θα χτυπήσει κόκκινο** (θα κάνει πολλή ζέστη / καύσωνα).

Έχει / Είχε		**Οι άνεμοι**
• συννεφιά σύννεφα / **νεφώσεις** (ο ουρανός) συννεφιά / νεφώσεις με **διαστήματα** ηλιοφάνειας	• συννεφιάζει - συννέφιασε	έχει αέρα έχει 6 με / έως 7 μποφόρ φυσάει
• υγρασία / ομίχλη	• ψιχαλίζει - ψιχάλισε	Οι άνεμοι πνέουν - έπνευσαν - θα πνεύσουν • από μέτριοι έως ισχυροί • βόρειοι / βορειοανατολικοί / βορειοδυτικοί / νότιοι / νοτιοανατολικοί νοτιοδυτικοί
• βροχή / καταιγίδα	• βρέχει - έβρεξε • ρίχνει - έριξε βροχή • πέφτει - έπεσε βροχή	
• αστραπές / βροντές / μπουμπουνητά	• αστράφτει και βροντάει	Σήμερα φυσάει νοτιάς / φυσάνε βοριάδες.
• χιόνι	• χιονίζει - χιόνισε • πέφτει - έπεσε χιόνι • ρίχνει - έριξε χιόνι	
• πάγο (στο δρόμο, στη σκάλα...)	• παγώνει / πάγωσε (η λίμνη)	

• πέφτει - έπεσε χαλάζι ρίχνει - έριξε χαλάζι • Μετά την καταιγίδα βγήκε το ουράνιο τόξο.	• Η θάλασσα έχει κύμα ≠ είναι ήρεμη / είναι λάδι

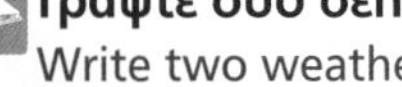

8.15.α. **Γράψτε δύο δελτία καιρού με βάση το 8.15. (80-100 λέξεις)**
Write two weather reports based on 8.15. (80-100 words)

Λεξιλόγιο 8.15.

η ηλιοφάνεια	sunshine
η νέφωση	cloudiness
το διάστημα	period / interval
τα διαστήματα ηλιοφάνειας	periods / intervals of sunshine
ο υδράργυρος θα χτυπήσει κόκκινο	there will be extreme heat (mercury will go up to red)

8.15.β. **Παρατηρήστε τους χάρτες και μιλήστε ανά ζεύγη σχετικά με τον καιρό της συγκεκριμένης μέρας σε διάφορα σημεία της Ελλάδας και της Ευρώπης.**
Notice the maps and discuss in pairs the weather of a specific day in various places of Greece and Europe.

Μια καλοκαιρινή μέρα στην Ελλάδα και στην Ευρώπη

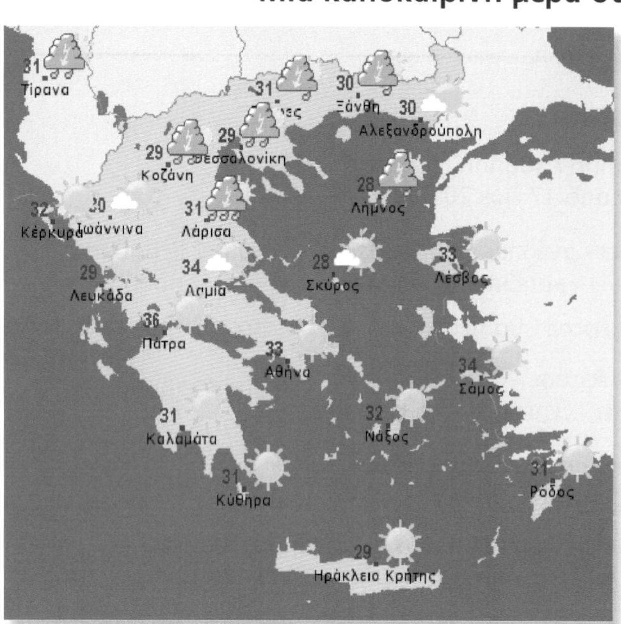

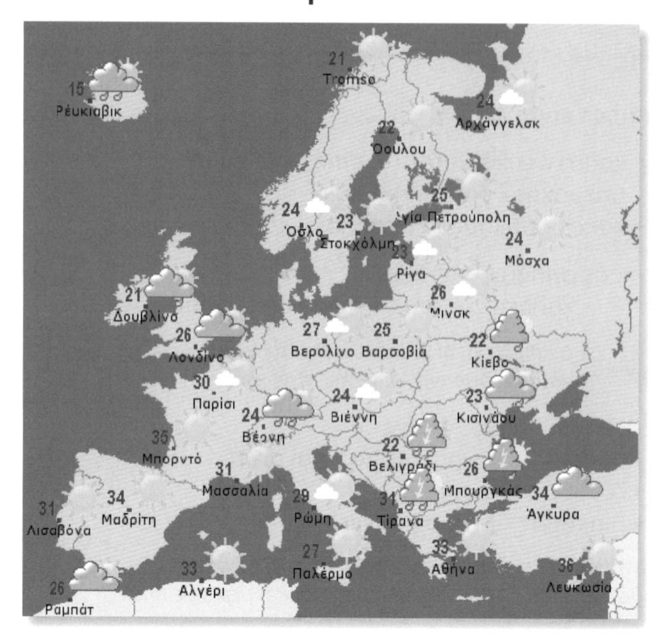

8.15.γ. **Περιγράψτε τον καιρό σε διάφορες πόλεις της Ελλάδας. Μην ξεχάσετε να αναφέρετε τους ανέμους [διεύθυνση και μποφόρ].** Describe the weather in different cities of Greece. Don't forget to mention the winds [direction and Beaufort scale].

Ήλιος	Καταιγίδα
Λίγες νεφώσεις Λίγα σύννεφα	Χαλάζι
Αραιές νεφώσεις Αραιά σύννεφα	Χιόνι
Διαστήματα ηλιοφάνειας	Πάγος
Πυκνές νεφώσεις Πυκνά σύννεφα	Ομίχλη
Βροχή	↗ 5-6 Άνεμος

ΠΕΜΠΤΗ

Αθήνα	23 - 36	↗	3
Ηράκλειο	24 - 31	↓	4
Θεσσαλονίκη	22 - 35	↖	3
Ιωάννινα	17 - 34	→	2
Καλαμάτα	22 - 34	↗	3
Κέρκυρα	23 - 34	→	4
Λάρισα	20 - 37	←	2
Λέσβος	24 - 30	↘	5
Νάξος	25 - 31	↘	6
Ξάνθη	21 - 30	↓	3
Πάτρα	23 - 35	→	3
Ρόδος	25 - 32	↓	4

ΠΑΡΑΣΚΕΥΗ

24 - 37	↑	4
26 - 35	↘	5
23 - 34	↖	3
18 - 35	↘	2
25 - 35	→	3
23 - 34	↗	3
21 - 37	←	2
21 - 30	↓	6
22 - 30	↓	7
22 - 32	↙	2
24 - 36	→	2
25 - 33	↘	5

ΣΑΒΒΑΤΟ

Αθήνα	3 - 11	↘	4
Ηράκλειο	8 - 13	↖	4
Θεσσαλονίκη	-2 - 8	←	1
Ιωάννινα	0 - 9	→	2
Καλαμάτα	7 - 12	→	7
Κέρκυρα	6 - 12	↗	4
Λάρισα	-2 - 10	←	2
Λέσβος	6 - 11	↙	5
Νάξος	7 - 14	↓	9
Ξάνθη	-4 - 7	↘	
Πάτρα	23 - 35	→	3
Ρόδος	25 - 32	↖	8

ΚΥΡΙΑΚΗ

4 - 12	↘	3
8 - 14	←	5
0 - 9	↙	2
0 - 11	↗	2
6 - 13	↘	3
6 - 13	→	6
1 - 11	↙	5
5 - 9	↓	7
7 - 15	↓	8
-6 - 7	↙	
24 - 36	→	2
25 - 33	↑	6

8.15.δ. **Περιγράψτε τον καιρό ενός χειμωνιάτικου Σαββατοκύριακου σε διάφορες πόλεις της Ελλάδας.** Describe the weather of a winter weekend in various cities of Greece.

αξιολόγηση - οι τέσσερις δεξιότητες (___ / 20)

ΚΑΤΑΝΟΗΣΗ ΠΡΟΦΟΡΙΚΟΥ ΛΟΓΟΥ (___ / 5)

8.16. **Έχετε μπροστά σας διάφορες φωτογραφίες. Ποια φωτογραφία ταιριάζει στους διαλόγους 0 - 5 που ακούτε; Θ' ακούσετε τους διαλόγους δύο (2) φορές. Σημειώστε τον αριθμό του διαλόγου στο σωστό κουτάκι, όπως στο παράδειγμα. ΠΡΟΣΕΞΤΕ! Πρέπει να σημειώσετε αριθμούς σε ΠΕΝΤΕ (5) φωτογραφίες. Υπάρχουν δύο φωτογραφίες που δεν ταιριάζουν σε κανένα διάλογο.**

165

Πώς είναι ο καιρός;

α __0__

β. _____

γ. _____

δ. _____

ε. _____

ζ. _____

η. _____

θ. _____

ΚΑΤΑΝΟΗΣΗ ΓΡΑΠΤΟΥ ΛΟΓΟΥ (___ / 5)

8.17. **Ταιριάξτε τις φράσεις.**

1.	Αύριο στο Αιγαίο θα πνέουν βόρειοι άνεμοι μέτριοι έως ισχυροί από 6 έως 7 μποφόρ.	___	α.	Πω! πω! Από αύριο έρχεται καύσωνας!
2.	Το Σαββατοκύριακο ο καιρός θα είναι αίθριος. Η θερμοκρασία θα είναι από 15 έως 21 βαθμούς Κελσίου.	___	β.	Τι χαλάζι ήταν αυτό χτες βράδυ! Δε θα το πιστέψεις· έσπασε το παρμπρίζ του αυτοκινήτου μου!
3.	Αύριο ο υδράργυρος θα φτάσει τους 40 βαθμούς Κελσίου και τα επόμενα δύο εικοσιτετράωρα οι θερμοκρασίες θα είναι υψηλές.	___	γ.	Χτες το απόγευμα έριξε πολύ χιόνι. Όλα ντύθηκαν στα λευκά: το μπαλκόνι, οι γλάστρες και όλα τα φυτά μου.
4.	Τις βραδινές ώρες η θερμοκρασία θα πέσει κάτω από το μηδέν.	___	δ.	Το πρωί θα κάνει παγωνιά. Το μεσημέρι όμως θα κάνει λιγότερο κρύο.
5.	Τις πρώτες πρωινές ώρες η θερμοκρασία θα είναι πολύ χαμηλή. Τις μεσημεριανές όμως ώρες η θερμοκρασία θα ανεβεί στους 10 βαθμούς Κελσίου.	___	ε.	Το βράδυ η θερμοκρασία θα κατεβεί κι άλλο και μπορεί να έχει πάγο στο δρόμο.
6.	Τα επόμενα δύο εικοσιτετράωρα θα έχουμε βροχές και καταιγίδες, ιδιαίτερα στα νοτιοδυτικά της χώρας.	___	ζ.	Το δελτίο είπε ότι το απόγευμα θα ψιχαλίσει. Πάρε οπωσδήποτε ομπρέλα!
7.	Ανατολή ηλίου: 06:03, Δύση ηλίου: 20:51	___	η.	Αύριο θα έχει βοριάδες και πολύ κύμα.
8.	Χτες, τις απογευματινές ώρες, ο καιρός άλλαξε. Χιόνισε ακόμα και στο κέντρο της πόλης.	___	θ.	Στις 21 Ιουνίου ξημερώνει νωρίς και βραδιάζει πολύ αργά.
9.	Χτες στη βόρεια Ελλάδα έριξε χοντρό χαλάζι. Στις Σέρρες αρκετά αυτοκίνητα έπαθαν μεγάλες ζημιές.	___	ι.	Το Σαββατοκύριακο θα έχει λιακάδα και ζέστη. Λέμε να πάμε εκδρομή.
10.	Το απόγευμα θα συννεφιάσει και ίσως πέσουν αραιές βροχές.	___	κ.	Ο καιρός θα χαλάσει από αύριο! Ξεχάστε τις λιακάδες για μια-δυο μέρες!

ΠΑΡΑΓΩΓΗ ΠΡΟΦΟΡΙΚΟΥ ΛΟΓΟΥ (___ / 5)

8.18. **Κάνετε διαλόγους ανά ζεύγη. Αλλάξτε ρόλους.**

Ρόλος Α: *Μόλις είδατε το μετεωρολογικό δελτίο στην τηλεόραση. Ένας φίλος / μια φίλη σας σας ρωτάει λεπτομέρειες για τον αυριανό καιρό στην Αθήνα, στις Κυκλάδες και στη Βόρεια Ελλάδα κι εσείς απαντάτε.* **Ρόλος Β**: *Ένας φίλος / μια φίλη σας είδε το μετεωρολογικό δελτίο. Του / της κάνετε ερωτήσεις για τον αυριανό καιρό στην Αθήνα, στις Κυκλάδες και στη Βόρεια Ελλάδα.*

ΠΑΡΑΓΩΓΗ ΓΡΑΠΤΟΥ ΛΟΓΟΥ (___ / 5)

8.19. **Κάνατε ένα μεγάλο ταξίδι με το αυτοκίνητό σας στην Ελλάδα. Είχατε αρκετά προβλήματα με τον καιρό που ήταν κάθε μέρα διαφορετικός. Γράψτε ένα γράμμα σ' ένα φίλο / μια φίλη σας και περιγράψτε τις περιπέτειές σας με τον καιρό.**

  Έρχεται βροχή (1971)

Στίχοι, μουσική, ερμηνεία: Διονύσης Σαββόπουλος

8.20.α.  **Ακούστε το τραγούδι και συμπληρώστε τα κενά με λέξεις από το πλαίσιο.**
https://goo.gl/391WFM

θερμοφόρα / βροχή / σειρήνες / περιοδικά / παγωνιά / κουβέρτα / σκιά / πολυθρόνα / δίσκος / ταινία / κουρσάκια / πόλη / φωτιά / φώτα / ώρα / κουρτίνες / στρατιώτες / καταφύγια / πολιτεία / ανθρωπάκια / αγκαλιά / τσαγιέρα / μπόρα

Έρχεται ________________, έρχεται μπόρα,
έρχεται μπόρα και ________________.
Στα πόδια μας ζεστή μια ________________ ,
κόκκινη ________________ και παλιά ________________.

Και στο γραμμόφωνο ο ________________ που μ' αρέσει.
Όλα έχουν τελειώσει κι είν' αργά.
Στην ________________ και για τους δυο μας έχει θέση.
Κλείσε τις ________________ και πάρε με αγκαλιά!

Σάμπως μέσα σε βουβή ________________,
μια ________________ χοροπηδά,
δρόμοι, ________________ και γραφεία,
πολυκατοικίες και ________________ ιδιωτικά.

Πόσο πολύ έχει αλλάξει αυτή η ________________!
Βάλε την ________________ στη ________________!
Η νύχτα έρχεται, η ________________ δυναμώνει
κι όλα είναι χαμένα και προπολεμικά.

Τα παιδιά μεγάλωσαν και πάνε.
Τι ________________ να 'ναι και ποιος χτυπά;
Στους δρόμους ________________ τραγουδάνε.
Κλείδωσε την πόρτα και στάσου στη ________________.

Στα ________________ βουβά και τρομαγμένα
κι έξω οι ________________ σαν μωρά.
Σβήσε τα ________________, μην ανοίξεις σε κανένα.
Κλείσε τις κουρτίνες και πάρε με ________________!

Διονύσης Σαββόπουλος (1944)

Από το 1967 μέχρι το 1974 στην Ελλάδα ήταν δικτατορία (χούντα). Το τραγούδι βγήκε το 1971.
Ο Σαββόπουλος δημιουργεί μια χειμωνιάτικη ατμόσφαιρα στο τραγούδι αυτό και παράλληλα θυμάται μέρες πολέμου (*σειρήνες, καταφύγια*) αλλά εκφράζει και το φόβο του γι' αυτά που συμβαίνουν καθημερινά με τη χούντα (*Στους δρόμους στρατιώτες..., τι ώρα να' ναι; ποιος χτυπά; μην ανοίξεις σε κανένα, κλείδωσε την πόρτα, κλείσε τις κουρτίνες...*).
Ευτυχώς που υπάρχει η αγκαλιά της αγαπημένης του.

8.20.β. Ψάχνω στο λεξικό και γράφω τη μετάφραση στη γλώσσα μου

ο καβγάς = ...
ο δίσκος = ...
ο φόβος = ...
η ατμόσφαιρα = ...
η δικτατορία = ...
η θερμοφόρα = ...
η κούρσα = αυτοκίνητο
το κουρσάκι = μικρό αυτοκίνητο
η μπόρα =..............................
η πολιτεία = η πόλη
η σειρήνα = ...
η τσαγέρα = ...
το ανθρωπάκι = ...
το γραμμόφωνο = ...
το καταφύγιο = ...
βουβός-ή-ό = που δεν έχει φωνή, που δε μιλάει
προπολεμικός-ή-ό = ...
τρομαγμένος-η-ο = ...
χαμένος-η-ο = ...
δημιουργώ = ...
δυναμώνω = ...
εκφράζω = ...
χοροπηδάω (-ώ) = ...
στέκομαι = ...
στάσου (προστακτική) = ...
σάμπως = σαν

Τι προσέχουμε;

ΛΕΞΙΛΟΓΙΟ
ΓΡΑΜΜΑΤΙΚΗ
Ονόματα

Βήμα 9

Τι να κάνουμε σήμερα;

Επικοινωνία

✓ **Λέω τι κάνω τον ελεύθερο χρόνο μου (Α΄ μέρος)**
- Επιλέγω κάποιο θέαμα & αιτιολογώ την επιλογή μου
- Κλείνω εισιτήρια για κάποιο θέαμα
- Επιλέγω βιβλία ή ταινίες
- Δίνω οδηγίες κατεύθυνσης
- Κατανοώ και συντάσσω προσκλήσεις
- Δέχομαι ή αρνούμαι μία πρόσκληση

✓ **Λέω τι κάνω κάθε μέρα** (καθημερινές ασχολίες)

Θεματικές ενότητες

Ελεύθερος χρόνος

✓ **Έξοδοι: Θεάματα**

✓ **Αναγνώσματα: Βιβλία & τύπος**

✓ **Κοινωνικές σχέσεις & εκδηλώσεις**

Η καθημερινή ζωή

Λεξιλόγιο

- **Είδη θεαμάτων** *(όπερα, μπαλέτο, θεατρικές παραστάσεις, συναυλίες…)*
- **Είδη ταινιών / θεατρικών έργων / βιβλίων**
- **Προσκλήσεις**
- **Συμφωνώ, διαφωνώ, αμφιβάλλω**
- Κατευθύνσεις
- Καθημερινές ασχολίες

What are we going to do today?

Communicate

✓ **I say what I do during my free time (Part 1)**
- I choose a certain show & I explain my choice.
- I reserve tickets for a show
- I choose books or films
- I give directions
- I understand and draft invitations
- I accept or decline an invitation

✓ **I say what I do every day** (daily routine)

Thematic units

Free / Leisure time

✓ **Outings: Shows**

✓ **Readings: Books & press**

✓ **Social relations & events**

Everyday life

Vocabulary

- **Kinds of shows** *(opera, ballet, theatre plays, concerts…)*
- **Genres of films / plays / books**
- **Invitations**
- **I agree, I disagree, I doubt**
- Directions
- Daily routine

Γραμματική

1. **Ονόματα αρσενικά σε *-έας/-είς***
   ο συγγραφέας - οι συγγραφείς
2. **Χρήσεις υποτακτικής**
3. **Η υποτακτική με το μόριο *ας***
4. **Δευτερεύουσες τελικές προτάσεις που εισάγονται με *(για) να***
5. **Ρήματα με το πρόθημα *ξανά-***
   βλέπω - ξαναβλέπω, παίζω - ξαναπαίζω
6. **Πλάγιος λόγος (4): Ερωτήσεις ολικής άγνοιας**
7. **Πίνακας νέων ρημάτων**

Grammar

1. **Masculine nouns in *-έας /-είς***
   ο συγγραφέας - οι συγγραφείς
2. **Use of subjunctive**
3. **Subjunctive with the particle *as***
4. **Subordinate clauses with *(για) να***
5. **Verbs with the prefix *ξανά-* (re)**
   βλέπω - ξαναβλέπω, παίζω - ξαναπαίζω
6. **Indirect speech (4): Questions of complete ignorance**
7. **Table of new verbs**

Βήμα 9 Τι να διαλέξουμε; Πού να πάμε;

*Η Αγγελική πήγε στο σπίτι της Δανάης για να πιουν καφέ και να τα πούνε. Η Αγγελική έχει μαζί της το Αθηνόραμα, ένα εβδομαδιαίο περιοδικό, που παρουσιάζει τις **εκδηλώσεις** και τα **θεάματα** στην Αθήνα.* (www.athinorama.gr)

9.1. Τι να διαλέξουμε; Πού να πάμε;

Δανάη: Αγγελική, κοίταξε το *Αθηνόραμα!* Άραγε **να έχει** τίποτα καλό αυτή την εβδομάδα;

Αγγελική: Τι ψάχνεις ακριβώς; Πού θέλεις να πας;

Δανάη: Να, θέλω να οργανώσω μια **έξοδο** για όλη την παρέα. Έρχεται ο Φιλίπ και η Σεσίλ από την Πάρο και λέω να πάμε όλοι μαζί σε κανένα θέατρο, σε καμιά συναυλία, σε κανένα θερινό σινεμά...

Αγγελική: Λοιπόν άκουσε! Βλέπω ότι η ***Ταινιοθήκη*** παίζει σε **επανάληψη** το *Θίασο* του Αγγελόπουλου. Ευτυχώς παίζεται στο θερινό κινηματογράφο Λαΐς και όχι σε κλειστή **αίθουσα.** Ο *Θίασος* είναι από τις καλύτερες ελληνικές ταινίες και θα τους αρέσει πολύ. Υπάρχει και η κωμωδία *Γάμος **αλά ελληνικά***. Είναι **κάπως** παλιά αλλά είχε τεράστια επιτυχία στην Αμερική το 2002. Περιγράφει πώς βλέπουν οι Αμερικανοί τον ελληνικό γάμο και την ελληνική οικογένεια.

Δανάη: Μπα, δε νομίζω ότι θα τους ενδιαφέρει. Δε μου λες, το Φεστιβάλ Αθηνών άρχισε;

Αγγελική: Ίσως! Δεν ξέρω. Περίμενε να δω. Και βέβαια άρχισε! Μισό λεπτό... **Κατεβάζω** στην **ταμπλέτα** μου το πρόγραμμα. Λοιπόν, στο Ηρώδειο έχει την **τραγωδία** *Ηλέκτρα* του Ευριπίδη, στο Εθνικό θέατρο έχει τους ***Μυστικούς*** *αρραβώνες* του Ξενόπουλου και στο *Θέατρο Βράχων* την *Κάρμεν* του Μπιζέ με την *Όπερα της Βαλίτσας.** Γίνεται, βέβαια, και μια **συναυλία** του Μάλαμα στο Θέατρο του Λυκαβηττού αλλά δεν ξέρω **αν οι φίλοι σου τον γνωρίζουν**. Α, βλέπω ότι υπάρχει και η μουσική παράσταση «*Ποιος τη ζωή μου...*» για τη ζωή του Μίκη Θεοδωράκη. Καταπληκτική παράσταση!

Δανάη: Την είδα πέρσι κι **ενθουσιάστηκα**. Την **ξαναπαίζου**ν φέτος;

Αγγελική: Ναι, για δεύτερη χρονιά, γιατί πέρσι είχε μεγάλη επιτυχία.

Δανάη: Εγώ την **ξαναβλέπω** ευχαρίστως. **Μακάρι να βρούμε** εισιτήρια! Της Σεσίλ άραγε θα της αρέσει; Και του Φιλίπ; **Να** τους **πάρω** τηλέφωνο ή **να κλείσω** εισιτήρια τώρα; Τι **να κάνω**; Δεν ξέρω...

Αγγελική: Καλύτερα είναι να τους πάρεις πρώτα τηλέφωνο και να τους ρωτήσεις τι προτιμάνε να δούνε εκείνοι.

Δανάη: Σωστά! **Ας διαλέξουν** εκείνοι. Εμένα, δε με νοιάζει. **Ας πάμε** όπου θέλουν! Παίρνω τώρα τηλέφωνο.

Αγγελική: Δανάη, ένα λεπτό! Βλέπω ότι υπάρχει και κάτι άλλο. Αν τους αρέσει το **μπαλέτο**, η **Λυρική Σκηνή** παρουσιάζει το *Χαμόγελο της Τζοκόντας*. Είναι μία **χορογραφία** σε μουσική του Μάνου Χατζιδάκι.

Δανάη: Ωραία, θα τους ρωτήσω τι ακριβώς θέλουν να δουν και μετά θα κλείσω τα εισιτήρια.

* *Η «Όπερα της Βαλίτσας» είναι μια προσπάθεια της Εθνικής Λυρικής Σκηνής **να κάνει** γνωστό το έργο της σ' ένα νέο **κοινό** σ' όλη την Ελλάδα. Τα θεατρικά έργα ταξιδεύουν εύκολα με όλα τα σκηνικά... μέσα σε μια βαλίτσα! Παρουσιάζονται σε αρχαιολογικούς χώρους, μουσεία, βιβλιοθήκες, κ.ά. Για την παράσταση χρειάζεται μόνο ένα πιάνο και όχι ολόκληρη ορχήστρα. Για παράδειγμα, η **παραγωγή** της Εθνικής Λυρικής Σκηνής, «Κάρμεν», ταξίδεψε σε είκοσι δύο πόλεις σε όλη την Ελλάδα.*

.1.α. Σημειώστε: Σωστό ή Λάθος; Tick: True or False?

		Σωστό	Λάθος
1.	Η Δανάη με τη φίλη της την Αγγελική πίνουν τον καφέ τους σε μια καφετέρια στην Πλάκα.		
2.	Το βράδυ θέλουν να βγουν έξω και η Αγγελική ψάχνει στο ίντερνετ για να βρει πού θα πάνε.		
3.	Η Δανάη θέλει να οργανώσει μια έξοδο για το Φιλίπ και τη Σεσίλ που επιστρέφουν από την Πάρο.		
4.	Η Δανάη θέλει να πάνε οπωσδήποτε σ' ένα θερινό σινεμά.		
5.	Η Δανάη δεν ξέρει αν άρχισε ήδη το Φεστιβάλ Αθηνών.		
6.	Η Αγγελική προτείνει στη Δανάη πέντε παραστάσεις εκτός από τις δύο ταινίες.		
7.	Η μουσική παράσταση «*Ποιος τη ζωή μου...*» **παίζεται** για δεύτερη χρονιά.		
8.	Η Δανάη δε θέλει να δει για δεύτερη φορά την ίδια παράσταση.		
9.	Η Δανάη θα κλείσει αμέσως εισιτήρια για την παράσταση «*Ποιος τη ζωή μου...*».		
10.	Το *Χαμόγελο της Τζοκόντας* είναι μια όπερα του Μάνου Χατζιδάκι.		

9.2. Τι παίζουν;

168

α

ΕΘΝΙΚΟ ΘΕΑΤΡΟ

ΜΥΣΤΙΚΟΙ ΑΡΡΑΒΩΝΕΣ

Γρηγορίου Ξενόπουλου

Σκηνοθεσία: Σωτήρης Χατζάκης
Πρωταγωνιστές: Άλκης Κούρκουλος & Δανάη Σκιάδη
Μουσική: Θοδωρής Οικονόμου

ΘΕΑΤΡΟ ΠΕΤΡΑΣ - 31 ΙΟΥΛΙΟΥ

Τιμές εισιτηρίων: 25€, 20€
Φοιτητικό: 10€, Άνεργοι: 5€, Άνω των 65 ετών: 13€

Το Εθνικό θέατρο **ανεβάζει** τους *Μυστικούς αρραβώνες* του Γρηγορίου Ξενόπουλου σε σκηνοθεσία Σωτήρη Χατζάκη.

β

Η «Κάρμεν» μπήκε κι αυτή στη... βαλίτσα!
Η Εθνική Λυρική Σκηνή **παρουσιάζει** την Κάρμεν του Ζωρζ Μπιζέ στο Θέατρο Βράχων «Μελίνα Μερκούρη».

γ

Στο θέατρο Badminton **συνεχίζεται** για λίγες ακόμα μέρες η μουσική παράσταση *«Ποιος τη ζωή μου...»* με θέμα τη ζωή και το έργο του Μίκη Θεοδωράκη.

«Μια παράσταση γεμάτη από χρώματα κι αρώματα μιας άλλης Ελλάδας.»

Από τον τύπο

δ

Μη χάσετε την ευκαιρία να δείτε το μπαλέτο της Εθνικής Λυρικής Σκηνής που αγάπησε το κοινό το φετινό χειμώνα!

Μια χορογραφία επάνω στο μουσικό έργο του Μάνου Χατζιδάκι, *Το χαμόγελο της Τζοκόντας.*

Στις 4 Ιουλίου για μία και **μοναδική** παράσταση.

ε

Ο Σπύρος Ευαγγελάτος, από τους πιο σημαντικούς σκηνοθέτες, παρουσιάζει την τραγωδία του Ευριπίδη *Ηλέκτρα* στο Ηρώδειο.

ζ

Στο φως του φεγγαριού

Ο αγαπημένος μας Σωκράτης Μάλαμας **δίνει** μία και μοναδική συναυλία στο θέατρο Λυκαβηττού.

η

Το τρένο θα σφυρίξει τρεις φορές
High Noon

Δράμα / Γουέστερν 1952 / Ασπρόμαυρη
Διάρκεια: 85 λεπτά
Αμερικανική ταινία, σκηνοθεσίας Φρεντ Τσίνεμαν, με τους: Γκάρι Κούπερ, Γκρέις Κέλι, Τόμας Μίτσελ

Πού παίζεται: **Βοξ** **Θερινός**
Πλατεία Εξαρχείων, τηλ.: 2103301170
Εισιτήρια: 7 €, 6€ (παιδικό, φοιτητικό & άνω των 65)
Ώρες **προβολής:** Παρ.- Κυρ.: 21:00

Η ταινία σταθμός του παγκόσμιου κινηματογράφου **παίζεται** στο σινεμά μας για τρεις μόνο μέρες. Μην τη χάσετε!

θ

Γάμος αλά ελληνικά
My Big Fat Greek Wedding

Κωμωδία 2002 / Έγχρωμη
Διάρκεια: 95 λεπτά
Αμερικανική ταινία, σκηνοθεσίας Τζόελ Τσούικ, με τους: Νία Βαρντάλος, Τζον Κόρμπετ

Πού παίζεται: **Kosmopolis**
Λεωφ.Κηφισίας 73, Μαρούσι
Εισιτήρια: **Κανονικό** 7€, φοιτητικό 6 €
Ώρες προβολής: Αίθουσα 2, Τετ.- Πέμ.: 20:10 / 22:30

Μια ταινία που είχε μεγάλη επιτυχία στην Αμερική και στην Ελλάδα, ξανά στις αίθουσες για λίγες μόνο προβολές.

Ο Θίασος

Δράμα / Σινεφίλ 1975 / Έγχρωμη
Διάρκεια: 230 λεπτά
Ελληνική ταινία, σκηνοθεσίας Θόδωρου Αγγελόπουλου
με τους: Εύα Κοταμανίδου, Αλίκη Γεωργούλη

Πού παίζεται: **Λαΐς (Ταινιοθήκη της Ελλάδας)** **Θερινός**
Ιερά Οδός 48 & Μεγ. Αλεξάνδρου
Ώρες προβολής: Πέμ.-Τετ.: 20:30
Είσοδος: Ελεύθερη

ΕΙΔΙΚΗ ΠΡΟΒΟΛΗ
Η Ταινιοθήκη της Ελλάδας παρουσιάζει την ταινία *Ο Θίασος*, μια από τις πιο γνωστές ταινίες του έλληνα σκηνοθέτη.

Θερινό σινεμά «Λαΐς» της Ταινιοθήκης της Ελλάδας

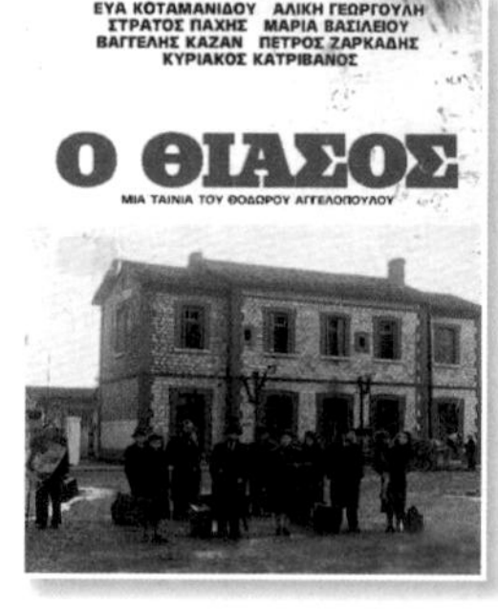

9.2.α.  Σημειώστε σε ποιο είδος ανήκει το κάθε θέαμα. Note in which genre every show belongs.

	Θεάματα	α. μπαλέτο	β. όπερα	γ. μουσική παράσταση	δ. θεατρικό έργο	ε. ταινία	ζ. συναυλία
1.	Μυστικοί αρραβώνες						
2.	Κάρμεν						
3.	Ποιος τη ζωή μου…						
4.	Το χαμόγελο της Τζοκόντας						
5.	Ηλέκτρα						
6.	Γάμος αλά ελληνικά						
7.	Στο φως του φεγγαριού						
8.	Το τρένο θα σφυρίξει τρεις φορές						
9.	Ο Θίασος						

9.2.β. **Απαντήστε προφορικά στις ερωτήσεις. Σημειώστε σε ποια αφίσα (α έως ι) βρίσκονται οι απαντήσεις σας. (1 ή 2 σωστά)** Answer the questions orally. Find your answers in the posters (**α to ι**). (1 or 2 correct answers)

1.	Ποιο θεατρικό έργο έγραψε ο συγγραφέας Γρηγόριος Ξενόπουλος;	_____
2.	Ποια παράσταση αρχίζει την πρώτη Ιουλίου;	_____
3.	Ποιες παραστάσεις αρχίζουν στις οκτώ ακριβώς;	_____
4.	Ποιες παραστάσεις ή προβολές έχουν φοιτητικό εισιτήριο;	_____
5.	Ποια θεάματα έχουν τα πιο φτηνά εισιτήρια;	_____
6.	Ποιο έργο σκηνοθέτησε ο σκηνοθέτης Θόδωρος Αγγελόπουλος;	_____
7.	Σε ποια θέαματα μπορούν να πάνε ηλικιωμένοι με πιο φθηνό εισιτήριο;	_____
8.	Σε ποιο έργο η πρωταγωνίστρια είναι μια πολύ γνωστή ξένη ηθοποιός που δε ζει πια;	_____
9.	Ποιο έργο παρουσιάζεται μόνο τέσσερις μέρες το μήνα Ιούλιο;	_____
10.	Ποια ταινία έχει θέμα τη σχέση ενός ζευγαριού;	_____
11.	Ποιες ταινίες παίζονται σε θερινούς κινηματογράφους;	_____
12.	Ποια ταινία παίζεται σε χειμερινό κινηματογράφο με πολλές αίθουσες;	_____
13.	Ποια είναι η ταινία που διαρκεί περίπου μιάμιση ώρα και παίζεται μόνο Τετάρτη και Πέμπτη;	_____
14.	Ποια συναυλία γίνεται στο θέατρο Λυκαβηττού;	_____

9.2.γ. **Κάντε μικρούς διαλόγους ανά ζεύγη με βάση το 9.2.** Make short dialogues in pairs based in 9.2.

Π.χ.: - Πού παίζεται η ταινία *Το τρένο θα σφυρίξει τρεις φορές*; - Στο σινεμά Βοξ.
- Τι ώρα αρχίζει η συναυλία του Μάλαμα; - Στις εννέα ακριβώς.

9.2.δ. **Ψάξτε στο διαδίκτυο, φέρτε πληροφορίες και συζητήστε στην τάξη τα παρακάτω.** Search for the following topics on the internet, gather information, and discuss them in the classroom.

- Ποιοι είναι ο Ευριπίδης, ο Μίκης Θεοδωράκης, ο Μάνος Χατζιδάκις, ο Θόδωρος Αγγελόπουλος, ο Γρηγόριος Ξενόπουλος;
- Τι είναι το Φεστιβάλ Αθηνών και Επιδαύρου; [http://www.greekfestival.gr/gr/venue12-arxaio-theatro-epidavroy.htm]
- Τι γίνεται στην Αθήνα αυτή την εβδομάδα; Ποιες είναι οι καινούργιες ταινίες; Ποια θεατρικά έργα έχουν πρεμιέρα; Γίνονται κάποιες συναυλίες; Τι εκθέσεις υπάρχουν (ζωγραφικής, φωτογραφίας, γλυπτικής, αρχιτεκτονικής, κάτι άλλο); Περιοδικό Αθηνόραμα: www.athinorama.gr/

9.3. 169 *Η Δανάη στέλνει μια πρόσκληση*

Η Δανάη τηλεφώνησε στο Φιλίπ και στη Σεσίλ **να τους ρωτήσει** σε ποια παράσταση θέλουν να πάνε. Και οι δύο προτίμησαν να πάνε στο Ηρώδειο **να δουν** την Ηλέκτρα του Ευριπίδη από το Εθνικό Θέατρο. Η Δανάη τηλεφώνησε στον Τόμας και στην Ταμάρα και τους πρότεινε να έρθουν κι εκείνοι στην παράσταση **να δουν** το Φιλίπ και τη Σεσίλ και **να μάθουν** τα νέα τους. Και οι δύο ενθουσιάστηκαν με αυτή την πρόταση και μάλιστα χάρηκαν ακόμη πιο πολύ όταν η Δανάη τούς είπε ότι εκείνη τη βραδιά θα έχει **πανσέληνο**. Το Νικόλα δεν τον ειδοποίησε γιατί ήξερε ότι ήταν στο γαμήλιο ταξίδι του.

Η Δανάη πήγε η ίδια κι αγόρασε τα εισιτήρια από το ταμείο του Ηρωδείου και τους κάλεσε να έρθουν στο σπίτι της την ημέρα της παράστασης στις επτάμισι ακριβώς **να πιουν** ένα ποτό και να πάνε παρέα στο θέατρο.

Η Δανάη ετοίμασε και μια έκπληξη για τη Σεσίλ και το Φιλίπ. Έστειλε μέιλ σε όλους τους έλληνες φίλους των Λαφόν και τους κάλεσε στο σπίτι της για ένα απλό φαγητό μετά την παράσταση. Ευτυχώς μόνο ένας ειδοποίησε ότι δεν μπορεί να έρθει. Ο ζωγράφος Στέλιος Παρμενίδης, αγαπημένος φίλος του Φιλίπ, απάντησε ότι δυστυχώς θα λείπει στο εξωτερικό για δουλειές. Αλλά και η Μαράλ, που αυτές τις μέρες μένει στο σπίτι της Δανάης, **πιθανόν να μην είναι** μαζί τους. Δεν ξέρει ακόμα **αν θα προλάβει να έρθει**, γιατί εκείνο το βράδυ έχει μια συνάντηση με την ιδιοκτήτρια της **γκαλερί** για τα **εγκαίνια** της έκθεσης που ετοιμάζει. **Ίσως έρθει** αργά μετά το φαγητό. **Μακάρι να τα καταφέρει**! Αυτό εύχεται όλη η παρέα της Αίγινας.

Νέο Μήνυμα

Οι Λαφόν είναι εδώ!

Σας περιμένω την Κυριακή, στις 10:30 το βράδυ για ένα απλό δείπνο στην αυλή μου για να σας δουν και να τους δείτε.
Ελπίζω να έρθετε όλοι.

Φιλικά
Δανάη Λούρη

Υ.Γ. **Ειδοποιήστε** με, αν δεν μπορείτε να έρθετε!

Αποστολή

9.3.α. **Σημειώστε: Σωστό ή Λάθος;** Tick: True or False.

		Σωστό	Λάθος
1.	Η Δανάη κάλεσε για την παράσταση στο Ηρώδειο τους Λαφόν, τον Τόμας και την Ταμάρα.		
2.	Το βράδυ της παράστασης δε θα έχει φεγγάρι.		
3.	Η Δανάη αγόρασε τα εισιτήρια μέσω ίντερνετ.		
4.	Έδωσαν ραντεβού για την παράσταση μπροστά στην είσοδο του Ηρωδείου.		
5.	Μετά την παράσταση οι καλεσμένοι θα φάνε στο σπίτι της Δανάης στην Πλάκα.		
6.	Όλοι οι καλεσμένοι θα προσπαθήσουν να έρθουν στο δείπνο εκτός από έναν που δε θα βρίσκεται στην Αθήνα.		
7.	Η Μαράλ θα φάει και αυτή σίγουρα μαζί τους.		

9.4. 170 Πού θα πάμε σήμερα;

- ένα σινεμά **παίζει** μια ταινία
- μια ταινία **παίζεται** σ' ένα σινεμά
- **δίνω** μια συναυλία / ένα ρεσιτάλ
- μια συναυλία **γίνεται** κάπου
- **οργανώνω** μια εκδήλωση
- **παρουσιάζω** / **ανεβάζω** ένα έργο
- ένα έργο **παρουσιάζεται** κάπου
- **γυρίζω** μια ταινία
- μια παράσταση **συνεχίζεται**

Εδώ και πολλά χρόνια το Υπουργείο Πολιτισμού και πολλοί **Δήμοι** σε όλη την Ελλάδα οργανώνουν εκδηλώσεις τη βραδιά της πανσελήνου τον Αύγουστο. Οι αρχαιολογικοί χώροι και τα μουσεία **παραμένου**ν ανοιχτά έως αργά τη νύχτα.

9.4.α. Σημειώστε το σωστό. Tick the correct answer.

1.	Ένα ξεχωριστό ρεσιτάλ ***θα δώσει / θα παίξει*** ο γνωστός βιολιστής Λεωνίδας Καβάκος στον Αρχαιολογικό χώρο Ελευσίνας το βράδυ της πανσελήνου τον Αύγουστο.
2.	Μουσική εκδήλωση ***οργανώνει / δίνει*** ο Δήμος Θεσσαλονίκης στο Μουσείο Βυζαντινού Πολιτισμού.
3.	Η Ορχήστρα των Χρωμάτων ***παρουσιάζει / γίνεται*** το έργο «Οδός Ονείρων» του Μάνου Χατζιδάκι στον Αρχαιολογικό χώρο Πέλλας.
4.	Η γνωστή τραγουδίστρια Σαβίνα Γιαννάτου ***δίνει / παρουσιάζει*** συναυλία στο Θέατρο Βράχων με παλιές και νέες επιτυχίες της.
5.	Ο θερινός κινηματογράφος Θησείο ***παίζει / δίνει*** τη γαλλική κωμωδία «Οικογένεια Μπελιέ».

6.	Η ταινία «Οικογένεια Μπελιέ» ***παίζεται / γίνεται*** σε άλλους δύο θερινούς κινηματογράφους.
7.	Ο Νίκος Πορτοκάλογλου ***θα δώσει / θα παρουσιάσει*** συναυλία σήμερα το βράδυ στο Θέατρο Λυκαβηττού.
8.	Το έργο του Μίκη Θεοδωράκη «Άξιον εστί» ***γίνεται / παρουσιάζεται*** στη Ρωμαϊκή Αγορά με γνωστούς καλλιτέχνες.
9.	Στο Αρχαίο Θέατρο Επιδαύρου ο ιαπωνικός θίασος «Νο» ***δίνει / ανεβάζει*** για πρώτη φορά στην Ελλάδα την «Οδύσσεια» του Ομήρου.
10.	Την νύχτα της πανσελήνου ***γίνονται / παίζονται*** συναυλίες στους αρχαιολογικούς χώρους που ***παραμένουν / γίνονται*** ανοιχτοί για το κοινό έως αργά.

9.5. Τι είδους ταινίες προτιμάτε;

Ταινία περιπέτειας / δράσης

Ταινία τρόμου

Ταινία επιστημονικής φαντασίας

Ταινία εποχής

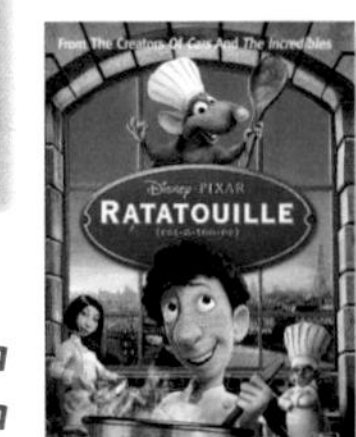

Κινούμενα σχέδια

ΣΤΟ ΣΙΝΕΜΑ	AT THE CINEMA
ο ήρωας	hero
η ηρωίδα	heroine
ο θεατής	spectator
ο πρωταγωνιστής	leading man
η πρωταγωνίστρια	leading lady
ο σκηνοθέτης	director (masc.)
η σκηνοθέτρια	director (fem.)
ο συνθέτης	composer (masc.)
η συνθέτρια	composer (fem.)
ο/η ηθοποιός	actor / actress
ο/η κριτικός	critic (masc. & fem.)
ο/η παραγωγός	producer
η αίθουσα σινεμά	screen
η κριτική	critic
η μουσική	music
η παραγωγή	production
η προβολή	projection
η σκηνοθεσία	direction
η υπόθεση	plot
το κοινό	audience

** σινεφίλ: ο φίλος του καλού σινεμά*

ΕΙΔΗ ΤΑΙΝΙΩΝ	GENRES FILMS
η αισθηματική ταινία	love story
η αστυνομική ταινία	film noire
η δραματική ταινία	drama
η κοινωνική ταινία	social film
η κομεντί	romantic comedy
η κωμωδία	comedy
η οικογενειακή ταινία	family film
η παιδική ταινία	children's film
η πολεμική ταινία	war film
η ταινία (για) σινεφίλ*	film for cinephiles
η ταινία δράσης	action film
η ταινία επιστημονικής φαντασίας	science fiction film
η ταινία εποχής	period film
η ταινία περιπέτειας	adventure
η ταινία τρόμου	horror film
το γουέστερν	western
το θρίλερ	thriller
το μιούζικαλ	musical
το ντοκιμαντέρ	documentary
τα κινούμενα σχέδια	cartoon, animation

9.5.α. Ακούστε το κείμενο: *Τι θα δούμε στον κινηματογράφο σήμερα;*

9.5.β. Ταιριάξτε τις στήλες. Match the columns.

1.	Σ' αυτές τις ταινίες παίρνεις πληροφορίες για τη ζωή τα παλιά χρόνια, για την ιστορία, για κοινωνικά θέματα.	_____	α.	Κινούμενα σχέδια (Ταμάρα)
2.	Σ' αυτές τις ταινίες ζεις σ' ένα **φανταστικό** κόσμο. Οι περισσότερες είναι για παιδιά αλλά μερικές είναι μόνο για ενήλικες. Η τεχνολογία σ' αυτές τις ταινίες προχώρησε πάρα πολύ. Πολλές είναι **3D.***	_____	β.	Ντοκιμαντέρ (Σεσίλ)
3.	Διασκεδάζεις, ξεχνάς τα προβλήματά σου, γελάς και περνάς ευχάριστα την ώρα σου.	_____	γ.	Θρίλερ (Τόμας)
4.	Σ' αυτές τις ταινίες ο **φόβος** γίνεται τρόπος διασκέδασης. Φοβάσαι για τη ζωή του **ήρωα** ή της **ηρωίδας**, φωνάζεις δυνατά με όλους γύρω σου, παγώνεις από την **αγωνία** και γενικά περνάς καλά.	_____	δ.	Ταινία εποχής (Σεσίλ)
5.	Πώς είναι η ζωή στην άγρια φύση; Πώς ζουν τα άγρια ζώα, τα πουλιά, τα **ερπετά**, τα **έντομα**; Πώς ζουν οι κάτοικοι του Αμαζονίου** ή οι κάτοικοι της παγωμένης Ανταρκτικής; Αυτά και πολλά άλλα μας δείχνουν αυτού του είδους οι ταινίες.	_____	ε.	Κωμωδία (Φιλίπ)

** 3D: σε τρεις διαστάσεις* ** in 3D* *** ο Αμαζόνιος* *** Amazon*

9.5.γ. *Τι είδους ταινίες σάς αρέσουν και γιατί; Τι είδους ταινίες δε σας αρέσουν καθόλου και γιατί; Ποιες είναι οι πέντε πιο αγαπημένες ταινίες σας; Ποιες είναι, κατά τη γνώμη σας, οι δέκα καλύτερες ταινίες όλων των εποχών;*
Ποια είναι η αγαπημένη σας ταινία; Τι είδους ταινία είναι; Ποιος είναι ο σκηνοθέτης της; Πότε τη γύρισε; Ποιος έγραψε το σενάριο;

9.5.δ. Μιλήστε ανά ζεύγη. Discuss in pairs.

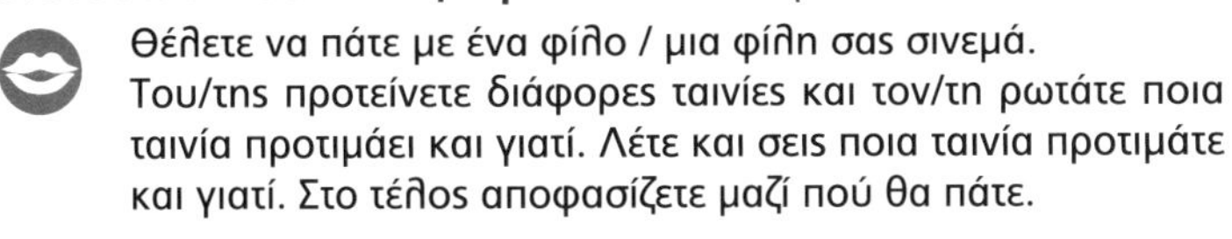

Θέλετε να πάτε με ένα φίλο / μια φίλη σας σινεμά.
Του/της προτείνετε διάφορες ταινίες και τον/τη ρωτάτε ποια ταινία προτιμάει και γιατί. Λέτε και σεις ποια ταινία προτιμάτε και γιατί. Στο τέλος αποφασίζετε μαζί πού θα πάτε.

9.6.  *Ο περιπτεράς της οδού Κοραή*

Στο περίπτερό μου θα βρείτε απ' όλα: εφημερίδες, περιοδικά ακόμα και βιβλία. Έχω όλες τις καθημερινές εφημερίδες αλλά και εβδομαδιαίες αθλητικές, οικονομικές και άλλες. Μόνο **ψηφιακές** δεν έχω.

Έχω περιοδικά για λογοτεχνία, όπως *Η λέξη*, για αυτοκίνητα, όπως οι *4 τροχοί*, το *Αθηνόραμα* για τις εξόδους σας και τη διασκέδασή σας και πολλά **βιβλία τσέπης**.

Είμαι εδώ από το πρωί μέχρι το βράδυ!

 **Και τώρα εσείς!**

9.6.α. *Αγοράζετε εφημερίδες ή διαβάζετε τα νέα από τις ψηφιακές εφημερίδες στο διαδίκτυο; Τι είδους περιοδικά διαβάζετε; Αγοράζετε περιοδικά σχετικά με τα χόμπι σας; Αν πρέπει να διαλέξετε ένα από τα παραπάνω πέντε περιοδικά, ποιο θα διαλέξετε και γιατί;*

9.6.β. Μιλήστε ανά ζεύγη. Discuss in pairs.

Είστε στο περίπτερο της γειτονιάς σας. Ζητάτε από τον περιπτερά εφημερίδες και περιοδικά με τα θέματα που σας ενδιαφέρουν (πολιτικά ή αθλητικά νέα, διακόσμηση, λογοτεχνία, μαγειρική κ.λπ.). Ρωτάτε την τιμή κ.λπ.

9.7.  Τι είδους βιβλία διαβάζετε;

Λογοτεχνία						
Πεζογραφία				Ποίηση	Θεατρικά έργα	Κόμικς
Μυθιστορήματα	Διηγήματα	Παραμύθια	Παιδική λογοτεχνία			
Ν. ΚΑΖΑΝΤΖΑΚΗ Αλέξης Ζορμπάς	Χριστουγεννιάτικα Διηγήματα	Τα παραμύθια του παππού και της γιαγιάς	Ο μεγάλος περίπατος του Πέτρου	ΠΟΙΗΜΑΤΑ	Η αυλή των θαυμάτων	LOGICOMIX

9.7.α. *Ένα βιβλιοπωλείο στο κέντρο της πόλης*

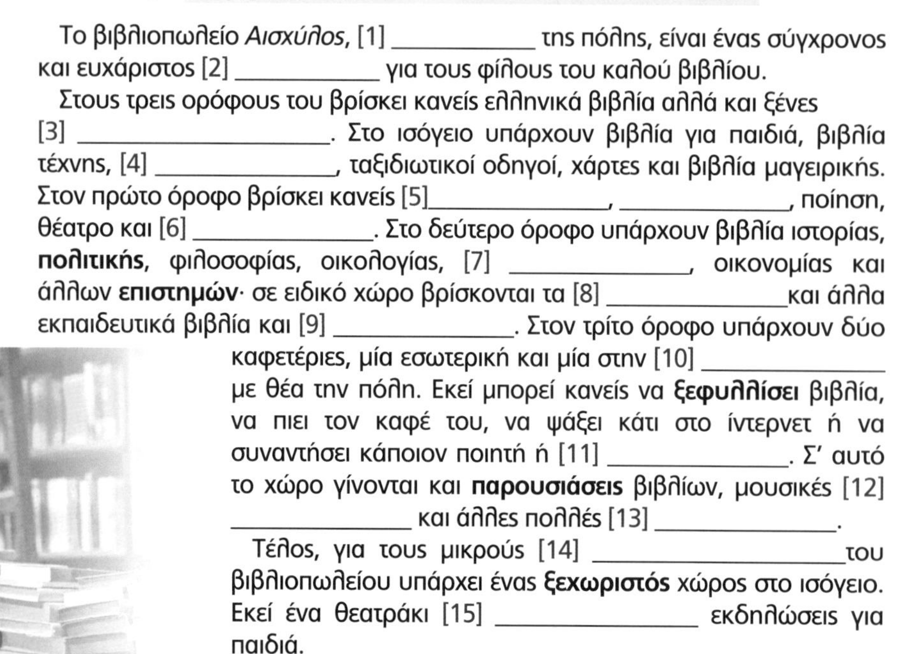

Το βιβλιοπωλείο *Αισχύλος*, [1] ___________ της πόλης, είναι ένας σύγχρονος και ευχάριστος [2] ___________ για τους φίλους του καλού βιβλίου.

Στους τρεις ορόφους του βρίσκει κανείς ελληνικά βιβλία αλλά και ξένες [3] ___________. Στο ισόγειο υπάρχουν βιβλία για παιδιά, βιβλία τέχνης, [4] ___________, ταξιδιωτικοί οδηγοί, χάρτες και βιβλία μαγειρικής. Στον πρώτο όροφο βρίσκει κανείς [5]___________, ___________, ποίηση, θέατρο και [6] ___________. Στο δεύτερο όροφο υπάρχουν βιβλία ιστορίας, **πολιτικής**, φιλοσοφίας, οικολογίας, [7] ___________, οικονομίας και άλλων **επιστημών**· σε ειδικό χώρο βρίσκονται τα [8] ___________και άλλα εκπαιδευτικά βιβλία και [9] ___________. Στον τρίτο όροφο υπάρχουν δύο καφετέριες, μία εσωτερική και μία στην [10] ___________ με θέα την πόλη. Εκεί μπορεί κανείς να **ξεφυλλίσει** βιβλία, να πιει τον καφέ του, να ψάξει κάτι στο ίντερνετ ή να συναντήσει κάποιον ποιητή ή [11] ___________. Σ' αυτό το χώρο γίνονται και **παρουσιάσεις** βιβλίων, μουσικές [12] ___________ και άλλες πολλές [13] ___________.

Τέλος, για τους μικρούς [14] ___________του βιβλιοπωλείου υπάρχει ένας **ξεχωριστός** χώρος στο ισόγειο. Εκεί ένα θεατράκι [15] ___________ εκδηλώσεις για παιδιά.

9.7.β. Ακούστε το κείμενο και συμπληρώστε τα κενά. Listen to the text and fill in the gaps.

ΣΤΟ ΒΙΒΛΙΟΠΩΛΕΙΟ	AT THE BOOKSTORE
ο ποιητής	poet (masc.)
ο/η συγγραφέας	writer
η βιογραφία	biography
η έκδοση	edition / publication
η λογοτεχνία	literature
η μετάφραση	translation
η μυθολογία	mythology
η πεζογραφία	prose
η ποίηση	poetry
η ποιήτρια	poet (fem.)
το βιβλίο τσέπης	pocket book
το διήγημα	short story
το θεατρικό έργο	theatre play
το μυθιστόρημα	novel
το παραμύθι	fairy tale
το ποίημα	poem
τα κόμικς (κόμιξ)	comics

Και τώρα εσείς!

9.7.γ. *Τι διαβάζετε; Προτιμάτε την πεζογραφία ή την ποίηση; Ποιος είναι ο αγαπημένος σας συγγραφέας / ποιητής / θεατρικός συγγραφέας; Ποιο είναι το αγαπημένο σας ποίημα; Προτιμάτε τα διηγήματα ή τα μυθιστορήματα και γιατί; Τι είδους βιβλία διαβάζετε; Διαβάζετε αστυνομικά μυθιστορήματα; Διαβάζετε ξένη λογοτεχνία σε μετάφραση; Ποια άλλα βιβλία σάς ενδιαφέρουν; Ποιο είναι το αγαπημένο σας βιβλιοπωλείο στη χώρα σας; Ποιο είναι το τελευταίο μυθιστόρημα που διαβάσατε; Ποια είναι η υπόθεσή του; Ποια είναι τα κεντρικά πρόσωπά του; Τι γίνεται στο τέλος;*

9.7.δ. Ακούστε το κείμενο: ***Ποιο βιβλίο ψάχνω;***

9.7.ε. **Σημειώστε: Σωστό ή Λάθος;** Tick: True or False?

		Σωστό	Λάθος
1.	Ο διάλογος γίνεται σ' ένα βιβλιοπωλείο ανάμεσα στον υπάλληλο και μια πελάτισσα.		
2.	Η πελάτισσα θέλει ένα βιβλίο αλλά δε θυμάται ούτε τον τίτλο ούτε το συγγραφέα του.		
3.	Η συγγραφέας του βιβλίου είναι Αγγλίδα.		
4.	Η πελάτισσα θέλει αυτό το βιβλίο γιατί είδε την ταινία που έγινε από το βιβλίο.		
5.	Η πελάτισσα δε θυμάται καθόλου την υπόθεση της ταινίας.		
6.	Η ταινία είναι μια αισθηματική κωμωδία.		
7.	Ο υπάλληλος κατάλαβε ποιο βιβλίο θέλει η πελάτισσα.		
8.	Η ιστορία του βιβλίου γίνεται στην Αγγλία.		
9.	Το βιβλίο γύρισε ταινία ο άντρας της συγγραφέως που είναι σκηνοθέτης.		
10.	Η πελάτισσα ψάχνει κι ένα άλλο βιβλίο για δώρο για ένα φίλο της.		
11.	Στο φίλο της αρέσουν τα βιβλία επιστημονικής φαντασίας.		
12.	Τελικά θα αγοράσει ένα αστυνομικό μυθιστόρημα που έγραψε ένας έλληνας συγγραφέας.		

Σκηνή από την ταινία του Παντελή Βούλγαρη "Μικρά Αγγλία".

9.7.ζ. **Μιλήστε ανά ζεύγη.** Discuss in pairs.

Είστε σ' ένα βιβλιοπωλείο. Ζητάτε από την υπάλληλο να σας προτείνει βιβλία για εσάς και για έναν φίλο σας που γιορτάζει. Λέτε τι αρέσει στο φίλο σας και τι αρέσει σ' εσάς. Η υπάλληλος σας προτείνει κάποια βιβλία. Τι θα πάρετε; κ.λπ.

9.7.η. **Γράψτε το διάλογο που κάνατε στην άσκηση 9.7.ζ.**
Write the dialogue that you had in exercise 9.7.ζ.

9.8. Να τα εκατοστίσεις!

9.8.α. **Ταιριάξτε τις στήλες.** Match the columns.

1.	Δύο φίλοι φεύγουν από το σπίτι σας μετά από ένα δείπνο. Τι τους λέτε;	___	α.	Να ζήσετε να τον θυμάστε!
2.	Το παιδί σας πάει διακοπές. Τι του λέτε;	___	β.	Να έχεις την ευχή μου!
3.	Ο παππούς κάποιας φίλης σας πέθανε. Τι της λέτε;	___	γ.	Να ζήσετε!
4.	Είστε στα βαφτίσια ενός μωρού. Τι λέτε στους γονείς του;	___	δ.	Να περάσεις καλά!
5.	Είστε σ' ένα γάμο. Τι λέτε στο ζευγάρι;	___	ε.	Να σας ζήσει!
6.	Μία ηλικιωμένη ευχαριστεί κάποιον που τη βοήθησε. Τι λέει;	___	ζ.	Να τα εκατοστίσεις!
7.	Ένας φίλος σας έχει τα γενέθλιά του. Τι του λέτε;	___	η.	Στο καλό να πάτε!

9.9.  Τι να κάνω;

9.9.α. Δεν ξέρετε τι να κάνετε. Κάντε ερωτήσεις πρώτα προφορικά και μετά γραπτά σύμφωνα με το παράδειγμα.

You don't know what to do. Ask questions first orally and then in writing following the example.

0.	Τι ώρα (ξεκινάω) *να ξεκινήσω* για το αεροδρόμιο;
1.	Πού (βρίσκω) ________________ ταξί εδώ κοντά;
2.	Πώς (έρχομαι) ________________ στο σπίτι σου;
3.	Τι (μαγειρεύω) ________________ σήμερα;
4.	Τι (φέρνω) ________________ στο πάρτι σου;
5.	Από πού (παίρνω) ________________ τα εισιτήρια;
6.	Πότε (καλώ) ________________ όλη την παρέα;
7.	Πόσα εισιτήρια (αγοράζω) ________________ ;
8.	Ποια εφημερίδα (φέρνω) ________________ ;
9.	Τι (αγοράζω) ________________ από το σούπερ μάρκετ;
10.	Μέχρι πότε (κρατάω) ________________ το δωμάτιο;
11.	Τι (κάνω) ________________ ;
12.	Πού (πάω) ________________ ;
13.	Τι (τρώω) ________________ ;
14.	Τι (πίνω) ________________ ;
15.	Πού (πηγαίνω) ________________ φέτος διακοπές;
16.	Τι (σπουδάζω) ________________ ;

9.9.β. Ταιριάξτε τις στήλες. Match the columns.

1.	Ποιος	____	α.	με το τραμ ή με το λεωφορείο;
2.	Να ζήσετε και	____	β.	πάντα την υγειά* σας!
3.	Να ζει κανείς	____	γ.	πάω στο σταθμό;
4.	Να πάμε	____	δ.	να κερδίσει άραγε; Ο Ολυμπιακός ή η ΑΕΚ;
5.	Πώς να	____	ε.	να στρίψουμε για Πειραιά;
6.	Από πού	____	ζ.	να ξεκινήσουμε για το λιμάνι;
7.	Να έχετε	____	η.	να τηλεφωνήσω για τα εισιτήρια;
8.	Σε ποιον	____	θ.	χαιρόμαστε!
9.	Τι ώρα	____	ι.	να σας χαίρονται οι γονείς σας!
10.	Να σας	____	κ.	ή να μη ζει;

* υγεία

  Ας πιούμε ένα ποτηράκι!

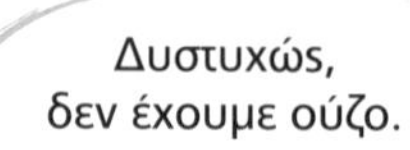

9.10.α. Απαντήστε προφορικά στις παρακάτω ερωτήσεις αρχίζοντας με το *as*.

Answer orally the following questions starting with *as*.

1.	Δε βρήκατε εισιτήρια με την πτήση των 10:00 για Σαντορίνη αλλά βρήκατε με την πτήση των 11:00. Τι λέτε στη γυναίκα σας;
2.	Το φαγητό είναι έτοιμο. Τι λέτε στους καλεσμένους σας;
3.	Προτείνετε στους καλεσμένους στο γάμο της κόρης σας να πιείτε όλοι μαζί στην υγεία του ζευγαριού. Τι τους λέτε;
4.	Αύριο θα πάτε μια εκδρομή στην Ύδρα και φοβάστε ότι θα βρέξει. Τι ευχή κάνετε;
5.	Είστε με το/τη σύζυγό σας σ' ένα βιβλιοπωλείο και θέλετε να αγοράσετε ένα βιβλίο για μια φίλη σας. Η υπάλληλος σας λέει ότι δεν έχουν αυτό το βιβλίο. Τι λέτε στο/στη σύζυγό σας;
6.	Είστε με κάποιο φίλο σας στη στάση του λεωφορείου και βιάζεστε να πάτε σε μια συναυλία. Το λεωφορείο όμως αργεί. Εν τω μεταξύ περνούν συνεχώς άδεια ταξί. Τι λέτε στο φίλο σας;
7.	Θέλετε να πάτε σινεμά με τη φίλη σας. Στο σινεμά της γειτονιάς σας όμως δεν παίζει το έργο που θέλετε να δείτε. Παίζει ένα θρίλερ. Τι της λέτε;

9.11.  Οπωσδήποτε! Αποκλείεται! Ίσως...

- Είναι 7:30, **λες να έρθει** ο Σάκης;
- Δεν ξέρω, **πιθανόν να έρθει**!
- Εμένα, **μου φαίνεται απίθανο να έρθει** γιατί ο Σάκης συνήθως δεν αργεί. Το ραντεβού μας ήταν στις 6:30.
- **Ίσως** έχει κίνηση. Ας περιμένουμε λίγο ακόμη!
- **Αποκλείεται να φύγεις**, Νίτσα μου!
- Τι λες, Βρασίδα μου; **Δε γίνεται να μείνω** άλλο εδώ! **Πρέπει οπωσδήποτε να φύγω**! Με περιμένουν οι φίλες μου!
- **Ίσως** έρθω κι εγώ τότε μαζί σου!
- Τι είπες, Βρασίδα; Αυτό **αποκλείεται**!

Δέχομαι - Αρνούμαι μια πρόσκληση		
Θα έρθετε στο γάμο μας / στα βαφτίσια του γιου μας / στα γενέθλιά μου / στη γιορτή μου / στην επέτειο του γάμου μας / στο πάρτι μας / στη **φιλανθρωπική** εκδήλωση / στη **συγκέντρωση** για...;		
ΝΑΙ - Δέχομαι	**ΟΧΙ - Αρνούμαι**	**ΙΣΩΣ - Δεν είμαι σίγουρος/-η**
Ναι, θα έρθω **οπωσδήποτε**! Θα έρθω **με μεγάλη μου χαρά**. Θα έρθω **σίγουρα** γιατί... **Βεβαίως / Βέβαια**! Θα έρθω. **Ασφαλώς**! (και) θα έρθω! **Φυσικά**! (και) θα έρθω! **Οπωσδήποτε**.	**Λυπάμαι** αλλά **δεν μπορώ / δε θα μπορέσω** (να έρθω). **Δυστυχώς, δεν μπορώ / δε θα μπορέσω.** **Κρίμα! Δεν μπορώ** εκείνη την ημέρα. Μου **είναι δύσκολο να** έρθω. **Αποκλείεται να** έρθω γιατί... Θα το ήθελα πολύ αλλά... **Δεν είναι δυνατόν** γιατί... **(Είναι) Αδύνατον να** έρθω γιατί... **Δε γίνεται να** έρθω.	Ίσως. / Ίσως έρθω. **Μπορεί. / Μπορεί να** έρθω. Αν τα καταφέρω, θα έρθω. **Πιθανόν. / Πιθανόν να** έρθω, αν... **Δεν είμαι σίγουρος/-η.** **Δεν ξέρω ακόμα.** **Εξαρτάται. / Εξαρτάται από..** **Δε νομίζω / Δεν πιστεύω ότι** θα τα καταφέρω.

9.11.α.  Η Δανάη σάς καλεί στη βραδιά για τους Λαφόν. Απαντήστε προφορικά και γραπτά με βάση τον παραπάνω πίνακα δικαιολογώντας την απάντησή σας.

Danae invites you at the evening gathering with Lafon. Answer orally and in writing based on the above table, supporting your answer.

Η απάντησή μου

9.11.β. 179 *Το οικόπεδο να γίνει εμπορικό ή αθλητικό κέντρο;*

Στο προάστιο Δαφνοσπηλιά υπάρχει ένα πολύ μεγάλο άδειο οικόπεδο. Ένας επιχειρηματίας θέλει να κτίσει εκεί ένα εμπορικό κέντρο. Οι κάτοικοι όμως θέλουν να γίνει σ' αυτό το οικόπεδο αθλητικό κέντρο με γήπεδα τένις, μπάσκετ, ποδοσφαίρου, με γυμναστήριο, με πισίνα και με πολύ **πράσινο**. Η **οργάνωση** *Για μια καλύτερη ζωή* καλεί όλους τους κατοίκους της περιοχής σε μία συγκέντρωση στο δημοτικό θέατρο του προαστίου. Η συγκέντρωση θα γίνει το Σάββατο το απόγευμα.

Τα μέλη της μοιράζουν στον κόσμο φυλλάδια και **ενημερώνουν** τους κατοίκους για τη συγκέντρωση. Οι πιο νέοι πάνε από σπίτι σε σπίτι, στις καφετέριες και στα ζαχαροπλαστεία, στις λαϊκές αγορές, στα καταστήματα και στα εμπορικά κέντρα και ενημερώνουν συνεχώς μικρούς και μεγάλους. Σταματούν ακόμη και τους περαστικούς και τους ρωτούν **αν θα πάνε** στη συγκέντρωση. Σίγουρα κάτι θα καταφέρουν!

9.11.γ. 180 Ακούστε το κείμενο: *Ποιος θα έρθει στη συγκέντρωση;*

9.11.δ. Σημειώστε το σωστό.

Tick the correct answer.

		ΝΑΙ	ΟΧΙ	ΙΣΩΣ
1.	κα Παππά			
2.	κος Νικολάου			
3.	κα Μελά			
4.	κος Μελάς			
5.	κος Καλυβάς			
6.	δις Μελετίου			

9.11.ε. **Δουλέψτε ανά ζεύγη και ετοιμάστε το κείμενο για το φυλλάδιο που μοιράζουν οι κάτοικοι της Δαφνοσπηλιάς.** Work in pairs and prepare a text for the brochure that is distributed by the residents of *Dafnospilia.*

9.11.ζ. **Κάντε συζήτηση σε ομάδες. Ένας ρωτάει τους υπόλοιπους αν θα πάνε στη συγκέντρωση και εκείνοι απαντούν δικαιολογώντας την απάντησή τους, με βάση τον πίνακα 9.11.**
Discuss in groups. One person asks the rest of the group if they are going to join the rally and they all reply justifying their answer based on table 9.11.

9.12. Προσκλήσεις

Η πρόσκληση

Σας προσκαλούμε Θα ήταν μεγάλη χαρά για μας να έρθετε Σας περιμένουμε με μεγάλη χαρά	**στο** γάμο μας **στα** βαφτίσια της κόρης μας **στη** βάπτιση του γιου μας	**την** 1η Ιουνίου **στις** 2 Μαΐου **στις** 30 Ιουλίου	**στο** Δημαρχείο Γλυφάδας **στον** Ιερό Ναό του Αγίου Κωνσταντίνου
	στη δεξίωση - **για** την επέτειο του γάμου μας - **για** τα βαφτίσια του/της...		**που** θα γίνει στο ξενοδοχείο...

Καλώ / προσκαλώ

Κάλεσα φίλους / κόσμο / δέκα άτομα Έχω καλεσμένους / τραπέζι / κόσμο	**για**	τσάι / καφέ γεύμα / δείπνο / φαγητό / χορό
Κάνω ένα τραπέζι / ένα πάρτι	**για**	τη γιορτή μου / τα γενέθλιά μου την επέτειο του γάμου μου / τα βαφτίσια της κόρης μου

Με καλούν / προσκαλούν

Με κάλεσαν / προσκάλεσαν Είμαι καλεσμένος/η		**σε**	μία δεξίωση γάμου ένα τραπέζι / ένα πάρτι ένα τσάι / καφέ μια φιλανθρωπική εκδήλωση / μια συγκέντρωση
Πήρα / **Έλαβα*** Μου έστειλαν	μια πρόσκληση	**για**	

* *λαμβάνω και λαβαίνω*

9.12.α. **Γράψτε δύο προσκλήσεις, μία για γάμο, μία για βάπτιση.**
Write two invitations, one for a wedding, and one for a baptism.

9.12.β. Κάντε φράσεις πρώτα προφορικά και μετά γραπτά.
Make phrases first orally, then in writing.

1.	του γάμου μου / και κάλεσα / την επέτειο / Αύριο / για / δείπνο / έχω / κόσμο	
2.	για φαγητό / Θέλω / να καλέσω / τη γιορτή μου / κόσμο / για	
3.	για / Έλαβα / φιλανθρωπικό σκοπό / μια πρόσκληση / μια εκδήλωση / για	
4.	φίλους μου / δέκα / το βράδυ / έχω / σε / τραπέζι / Σήμερα	
5.	μια δεξίωση / Είμαι / ξενοδοχείο *Τιτάνια* / σε / στο / καλεσμένος / γάμου	
6.	κάλεσε / γεύμα / Σάββατο / σε / συνάδελφός μου / με / Μια / το επόμενο	
7.	μια / την Πρωτοχρονιά / πρόσκληση / για / έστειλαν / ένα πάρτι / Μου	
8.	βράδυ / πάρτι σου / καλεσμένους / και δε θα έρθω / αύριο / Έχω / στο	
9.	καφέ / Αύριο / η μητέρα μου / φίλες της / για / κάλεσε / το απόγευμα / πέντε	
10.	τα βαφτίσια / Κάλεσα / πενήντα / δείπνο / της / σε / για / κόρης μου / άτομα	
11.	θα γίνει / γάμο μας / Σας / που / την πρώτη / προσκαλούμε / στο Δημαρχείο Κηφισιάς / Ιουλίου / στο	

9.13. Με ρωτάει αν...

9.13.α. Συμπληρώστε την άσκηση πρώτα προφορικά και μετά γραπτά σύμφωνα με το παράδειγμα.
Fill in the exercise first orally and then in writing following the example.

0.	*Νίκος:* Ελένη, θα πας στο πάρτι;	*Ο Νίκος ρωτάει την Ελένη αν θα πάει στο πάρτι.*
1.	*Δανάη:* Κώστα, αγόρασες το βιβλίο;	
2.	*Μάνος:* Κάτια, βρήκες εισιτήρια για το Ηρώδειο;	
3.	*Μάνια:* Μενέλαε, θα πας τελικά σινεμά το βράδυ;	
4.	*Γιώργος:* Μηνά, βρέχει τώρα στην Πάρο;	
5.	*Κατερίνα:* Μίλτο, πέταξες τα σκουπίδια;	
6.	*Άρης:* Μαρία, σου αρέσουν τα θρίλερ;	
7.	*Λυδία:* Σπύρο, σε ενδιαφέρει η αρχιτεκτονική;	
8.	*Έλλη:* Νίκο, σου μοιάζει ο γιος σου;	
9.	*Μανόλης:* Έλσα, σε ενδιαφέρει αυτή η παράσταση;	
10.	*Αλέξανδρος:* Παιδιά, θέλετε να φάτε πίτσα;	

9.14. Σου είπα και σου ξαναλέω

ξανά +	βλέπω	ξαναβλέπω	see again
	λέω	ξαναλέω	say again, repeat
	παίζω	ξαναπαίζω	play again, replay
	πάω	ξαναπάω	go back, return
	πίνω	ξαναπίνω	drink again / more
	τρώω	ξανατρώω	eat again / more

" Σ' το 'πα (Σου το είπα) & σ' το ξαναλέω στο γιαλό μην κατεβείς..." (Παραδοσιακό τραγούδι) Βλέπε ΒΗΜΑ 11 Το τραγούδι μας

9.14.α. Συμπληρώστε τα κενά με τα ρήματα από το πλαίσιο.
Fill in the gaps with verbs from the box.

ξαναβλέπω / θα ξαναπάω / ξαναπιώ / ξαναπώ / ξαναδώ / ξαναπήγα / ξαναπαίξει / ξαναήπια / ξαναφάω

1.	Πήγες πέρσι στη Μύκονο; Ναι, πήγα πέρσι και ________________ φέτος.
2.	Οι ταινίες του Αγγελόπουλου είναι εξαιρετικές. Τις βλέπω, τις ________________ και πάλι θέλω να τις ________________.
3.	Ο γιατρός μού είπε να μην τρώω ζάχαρη. Αποφάσισα, λοιπόν, να μην ________________ γλυκά.
4.	Πήγα σε ένα εστιατόριο και όταν έφυγα με έπιασαν τρομεροί πόνοι στο στομάχι. Από τότε δεν ________________ σ' αυτό το εστιατόριο.
5.	Από τότε που βγήκε η μπίρα χωρίς αλκοόλ, δεν ________________ μπίρα με αλκοόλ.
6.	Δε θα ________________ παγωμένο νερό. Πονάει τώρα ο λαιμός μου και βήχω συνεχώς.
7.	Το θερινό σινεμά *Θησείον* θα ________________ το Σαββατοκύριακο τη γαλλική ταινία που πήρε πέντε Όσκαρ.
8.	Έγραψες το τηλέφωνο του θεάτρου ή θέλεις να σου το ________________;

9.15. Οικογένειες λέξεων: ο φίλος

9.15.α. Συμπληρώστε τα κενά. Fill in the gaps.

ο **φίλ**ος / η **φίλ**η
η **φιλ**ία
φιλικός-ή-ό
φιλικά
το **φιλ**ί
φιλάω (-ώ)

ο/η **φιλ**όσοφος
η **φιλ**οσοφία
ο/η **φιλ**όλογος
η **φιλ**ολογία

φιλοξενώ
η **φιλ**οξενία
φιλόξενος-η-ο

φιλανθρωπικός-ή-ό
το **φιλ**οδώρημα

1.	Ο Σωκράτης ήταν ένας σπουδαίος ________________.
2.	Η μητέρα μου διδάσκει αρχαία ελληνικά. Είναι ________________.
3.	Έχω ________________ σχέσεις με τους γείτονές μου.
4.	Μου έδωσε ένα ________________ και με ρώτησε αν τον αγαπώ κι εγώ.
5.	Πάντα τελειώνω τα γράμματά μου με τη λέξη ________________.
6.	Εργάζομαι σε μία ________________ οργάνωση που ασχολείται με οικογένειες με προβλήματα.
7.	Κάθε καλοκαίρι ________________ στο σπίτι μου στην Πάρο δύο αγαπημένους μου ________________ από τη Γαλλία.
8.	Διαβάζω ________________ γιατί βοηθάει τον άνθρωπο να γίνει καλύτερος.
9.	Θα σπουδάσω αγγλική ________________ γιατί λατρεύω τους άγγλους συγγραφείς.
10.	Η αληθινή ________________ φαίνεται στις δύσκολες στιγμές. Ο καλός φίλος είναι πάντα κοντά σου.
11.	Οι κάτοικοι των νησιών είναι γνωστοί για τη ________________ τους.
12.	Έδωσα ένα καλό ________________ στο σερβιτόρο του εστιατορίου.
13.	Η Μαρία είναι πολύ ________________. Το σπίτι της είναι πάντα ανοιχτό για γνωστούς και φίλους.

9.15.β. Συμπληρώστε τα κενά. Fill in the gaps.

1.	ο **φιλ**έλληνας	philhellene	ο **φίλ**ος + ________
2.	ο/η **φίλ**αθλος	sports fan	ο **φίλ**ος + το άθλημα*
3.	ο/η **φιλ**όλογος	philologist	ο **φίλ**ος + ο λόγος
4.	ο/η **φιλ**όσοφος	philosopher	ο **φίλ**ος + η **σοφία**
5.	**φιλ**οπόλεμος-η-ο	bellicose, warlike	ο **φίλ**ος + ________
6.	**φιλ**οχρήματος-η-ο	penurious	ο **φίλ**ος + ________
7.	**φιλ**όζωος-η-ο	animal lover	ο **φίλ**ος + ________
8.	**φιλ**ελεύθερος-η-ο	libertarian, liberal	ο **φίλ**ος + ________
9.	**φιλ**άνθρωπος-η-ο	philanthropist	ο **φίλ**ος + ________
10.	**φιλ**όξενος-η-ο	hospitable, welcoming	ο **φίλ**ος + ________

* *Στα αρχαία ελληνικά ο άθλος (= άθλημα) ο αγώνας για νίκη*
In Ancient Greek, ***ο άθλος (=sport)*** *the race for victory*

Ραφαήλ "Σχολή των Αθηνών" (1510).

9.16. Ας παίξουμε με τις λέξεις Let's play with words

9.16.α. Χωρίστε τις προτάσεις σε λέξεις. Γράψτε τες και τονίστε τες. Divide the sentences into words. Write them down and put accents.

1.	Ησκηνοθεσιατηςταινιαςπουειδαμεηταναπεροχη.
2.	Δεθυμαμαιποιοςητανοσκηνοθετηςκαιποιοςοσυνθετηςτηςμουσικης.
3.	ΟπαραγωγοςαυτηςτηςταινιαςητανΑμερικανος.
4.	Ηπαραγωγηητανπολυακριβη.
5.	Ητανμιαταινιαεπιστημονικηςφαντασιας.
6.	Ηαιθουσαπροβοληςητανγεματηκυριωςαπονεουςκαιπαιδια.
7.	Οιπρωταγωνιστεςειναιδυονεοιηθοποιοιπολυκαλοι.
8.	Οικριτικοιεγραψανπολυκαληκριτικηγιατηνταινια.
9.	Ηυποθεσητουεργουδενητανσπουδαια.
10.	Ηφωτογραφιαομωςητανκαταπληκτικη.
11.	Παντωςοιθεατεςβγηκαναποτηναιθουσαενθουσιασμενοι.

9.16.β. Φτιάξτε λέξεις, βάλτε άρθρα και τονίστε τες. Make words, and put articles and accents.

ο-λει-βι-πω-βλι-ο	γι-α-μυ-λο-θο	ζο- γρα-α-πε-φι	η-ση-ποι
θι-ρη-μυ-στο-μα	μα-η-δι-γη	ας-συγ-φε-γρα	θι-ρα-μυ-πα
χνι-γο-α-λο-τε	μα-η-ποι	φι-βι-γρα-ο-α	της-ποι-η
φρα-με-ση-τα	κδο-ση-ε	τρι-ποι-α-η	κος-τι-κρι

9.16.γ. Βάλτε τις λέξεις των ευχών στη σωστή σειρά. Βάλτε κεφαλαία και στίξη όπου χρειάζεται. Put the words denoting wish in the right order. Use capital letters and punctuation where needed.

1.	γονείς / σας / να / οι / χαίρονται / σας
2.	πάντα / να / ευτυχισμένοι / είστε
3.	θυμάστε / να / να / ζήσετε / τον
4.	να / εκατοστίσεις / τα
5.	ευχή / την / να / μου / έχεις
6.	να / στο / πάτε / καλό
7.	βίο / να / ανθόσπαρτο / έχετε
8.	χαρά / και / να / πάντα / έχετε / υγεία

Λεξιλόγιο — Glossary

Λεξιλόγιο	Glossary
ΟΝΟΜΑΤΑ	NOUNS
δήμος, ο	town hall
ήρωας, ο	hero
φόβος, ο	fear
αγωνία, η	agony
αίθουσα (σινεμά), η	screen
γκαλερί, η	gallery
διάρκεια, η	duration
εκδήλωση, η	event
έναρξη, η	start, opening
έξοδος, η	outing
επανάληψη, η	repetition
επιστήμη, η	science
επιτυχία, η	success
ηρωίδα, η	heroine
κόκα-κόλα, η	coca cola
οργάνωση, η	organisation
πανσέληνος, η	full moon
παραγωγή, η	production
παρουσίαση, η	presentation
πολιτική, η	politics
πρεμιέρα, η	premiere
προβολή, η	projection
σκηνή, η	stage
Λυρική Σκηνή, η	lyric opera
σκηνοθεσία, η	direction
συγκέντρωση, η	rally, meeting
ταινιοθήκη, η	film archive
ταμπλέτα, η	tablet
τραγωδία, η	tragedy
υπόθεση, η	plot
φιλία, η	friendship
φιλοξενία, η	hospitality
χορογραφία, η	choreography
βιβλίο τσέπης, το	pocket book
έντομο, το	insect
ερπετό, το	serpent
θέαμα, το	show
κοινό, το	audience
μπαλέτο, το	ballet
πράσινο, το	greenery
σενάριο, το	script
ρεσιτάλ, το	recital (music)
φιλοδώρημα, το	tip, gratuity
εγκαίνια, τα	opening, inauguration
ΕΠΙΘΕΤΑ-ΜΕΤΟΧΕΣ	ADJECTIVES - PARTICIPLES
ασπρόμαυρος-η-ο	black and white
ειδικός-ή-ό	special, specific
μοναδικός-ή-ό	unique
μυστικός-ή-ό	secret
ξεχωριστός-ή-ό	distinct
φανταστικός-ή-ό	fantastic
φιλανθρωπικός-ή-ό	charitable
φοιτητικός-ή-ό	student
ΕΠΙΡΡΗΜΑΤΑ	ADVERBS
άνω	above
άνω των 65 ετών	above 65 years old
ασφαλώς	certainly
κάπως	somehow
πιθανόν (να...)	possible (to...)
φυσικά	naturally
ΡΗΜΑΤΑ	VERBS
ανεβάζω (ένα θεατρικό έργο)	I produce (a play)
αρνούμαι	I decline, I refuse
ειδοποιώ	I prevent, I warn
ενημερώνω	I inform
δίνω (μια συναυλία)	I perform (concert)
ενθουσιάζομαι	I am excited
καταφέρνω	I succeed
τα καταφέρνω	I succeed in doing something
κατεβάζω	I take down
κατεβάζω κάτι (από το ίντερνετ)	I download (from the internet)
λαβαίνω & λαμβάνω	I receive, I get
ξεφυλλίζω	I skim, I flip
(παίζομαι)	
παίζεται (ταινία)	it is showing
παραμένω	I remain
παρουσιάζομαι	I show, I present myself
(συνεχίζομαι)	
συνεχίζεται	it is going on / continued
σφυρίζω	I whistle
ΜΟΡΙΑ	PARTICLES
ας	let's

γραμματική

1. Ονόματα αρσενικά & θηλυκά σε *-έας/-είς* Masculine / famine nouns in *-έας* (plur. *-είς*)

	Ενικός			Πληθυντικός
Ον.	ο/η	συγγραφέας	οι	συγγραφείς
Γεν.	του της	συγγραφέα & συγγραφέως συγγραφέως	των	συγγραφέων
Αιτ.	το/τη	συγγραφέα	τους/τις	συγγραφείς
Κλητ.	-	συγγραφέα	-	συγγραφείς

Όπως
ο/η συγγραφέας:
ο/η γραμματέας

2. Χρήσεις υποτακτικής Use of subjunctive

✓ Όταν εκφράζω ευχή When I wish people something	**Να ζήσετε**! **Να σας χαιρόμαστε**! **Να έχεις** την υγειά σου! **Να είστε** καλά!
✓ Όταν εκφράζω απορία When I wonder Και με την έκφραση ***Λες να...;*** And with the expression ***Λες να...;***	**Να παίζει**, άραγε, καμιά καλή ταινία αυτή την εβδομάδα; Πώς **να πάμε** στο θέατρο; Με ταξί ή με το μετρό; Τι **να κάνω** τώρα; Πού **να πάω**; Από πού **να στρίψω**; Πότε **να φύγω**; Τι **να πω**; Ποιους **να καλέσουμε; Σε** ποιον **να τηλεφωνήσω; Λες να βρέξει** σήμερα;

Το επίρρημα ***ίσως*** εκφράζει πιθανότητα. Σε φράση που εκφράζει αβεβαιότητα ή έχει μελλοντική σημασία συντάσσεται με τέλεια υποτακτική χωρίς το ***να***. The adverb ***ίσως*** shows possibility. In a phrase that expresses uncertainty or has a future meaning it is used with simple subjunctive without ***να***.	- Θα έρθει ο Γιάννης; - Θα βγεις σήμερα το βράδυ; - Θα φύγεις για διακοπές;	-**Ίσως έρθει.** -**Ίσως βγω.** Δεν ξέρω ακόμα. -**Ίσως φύγω.** Δεν είναι σίγουρο.

Ας θυμηθούμε!

✓ Όταν ζητάω ή δίνω άδεια When I ask or give permission *(Βλέπε:* ***Ελληνικά για σας Α1****, Βιβλίο, Β.24.4, σελ.191)*	- **Να ανοίξω** το παράθυρο; - **Να ρωτήσω** και κάτι ακόμα;	- **Να** το **ανοίξεις**. - **Να ρωτήσεις.**
✓ Όταν εκφράζω προσταγή When I order *(Βλέπε* ***Ελληνικά για σας Α2****, Βιβλίο, Β.7, Γραμ. 1)*	**Να φύγεις!** (= Φύγε!) **Να πάρετε** αυτά τα εισιτήρια! **Να είστε** ένα τέταρτο πιο νωρίς στο θέατρο! **Να πάρεις** τη Σεσίλ τηλέφωνο και **να** τη **ρωτήσεις**.	

Ας θυμηθούμε! Απρόσωπα ρήματα και εκφράσεις με υποτακτική *(Βλέπε:* ***Ελληνικά για σας Α1****, Βιβλίο, Β. 22, σελ.183)*
Let's remember! Impersonal verbs and expressions with subjunctive *(See:* ***Greek for you A1****, Textbook, Step 22, page 183)*

αποκλείεται να...	**Αποκλείεται** να έρθω στο σπίτι σου.
πρέπει να....	**Πρέπει** να φύγω στο εξωτερικό για μια δουλειά.
επιτρέπεται να...	Δεν **επιτρέπεται** να δει το παιδί μου αυτή την ταινία.
απαγορεύεται να...	**Απαγορεύεται** να μπεις στο θέατρο μετά την έναρξη της παράστασης.
γίνεται να...	Δε **γίνεται** να κλείσω εισιτήρια από το ίντερνετ.
μπορεί να...	**Μπορεί** να χιονίσει.
μου αρέσει να...	**Μου αρέσει** να χορεύω.
με ενδιαφέρει να...	**Σε ενδιαφέρει** να δεις αυτή την έκθεση;

πιθανόν (είναι) να...	**Πιθανόν (είναι)** να μην είναι μαζί τους η Μαρίλ.
είναι αδύνατον να...	**Είναι αδύνατον** να έρθω.
είναι δυνατόν να...	Δεν **είναι δυνατόν** να φύγεις με αυτό το χιόνι.
είναι εύκολο να...	Δεν **είναι εύκολο** να βρω το δρόμο που μένεις.
είναι δύσκολο να...	**Είναι δύσκολο** να βρω εισιτήρια γι' αυτή την παράσταση.
	Να πάμε με το μετρό ή με ταξί;
καλύτερα (είναι) να...	**Καλύτερα (είναι)** να πάμε με το μετρό.

3. Η υποτακτική με το μόριο *ας* Subjunctive with the particle *as*

Η υποτακτική μπορεί να εκφράσει ευχή, προτροπή ή υποχώρηση με τα μόρια ***ας*** και ***να***.
The subjunctive may express wish, incitement, or concession with the particles ***as*** and ***να***.

	ας	να
Ευχή Wish	**Ας μη βρέξει! Ας** έρθει νωρίς! **Ας γίνει** καλά ο άνθρωπος!	Μακάρι **να μη βρέξει**! Αχ, **να έρθει** νωρίς! Αχ και **να γίνει καλά** ο άνθρωπος!
Προτροπή Incitement	**Ας καθίσουμε!** Αρκετά μείναμε, **ας** φύγουμε!	**Να καθίσουμε!** Αρκετά μείναμε, **να φύγουμε!**
Υποχώρηση Concession	*Θέλω να πάμε στο θέατρο αλλά εσείς θέλετε να πάμε σινεμά.* Εντάξει! **Ας μην πάμε** θέατρο! **Ας πάμε** σινεμά!	Εντάξει! **Να μην πάμε** θέατρο! **Να πάμε** σινεμά!
	Έκφραση: Τι κάνεις; **Ας τα λέμε καλά**! (= όχι και τόσο καλά)	

4. Δευτερεύουσες τελικές προτάσεις που εισάγονται με *(για) να*
Subordinate final clauses with *(για) να*

Τελικές προτάσεις λέγονται οι δευτερεύουσες προτάσεις που εισάγονται με το ***για να*** ή με το ***για να μη(ν)*** στις αρνητικές προτάσεις. Εκφράζουν το σκοπό μιας πράξης και εκφέρονται με υποτακτική. *(Βλέπε: **Ελληνικά για σας Α1**, Βιβλίο, Βήμα 22, Γραμματική 6, σελ.183)*
Πολλές φορές το ***για*** παραλείπεται.

Final clauses are the subordinate clauses that start with *για να* or *για να μη(ν)* in the negative. They express the purpose, aim of an action through the use of subjunctive.
*(See: **Greek for you A1**, Textbook, Step 22, Grammar 6, page 183)*
A lot of times *για* is omitted.

Τα παιδιά πηγαίνουν στο σχολείο **(για) να μάθουν** γράμματα.
Οι Λαφόν προτίμησαν να πάνε στο Ηρώδειο **(για) να δούνε** την Ηλέκτρα.
Η Δανάη τούς ειδοποίησε να περάσουν από το σπίτι της **(για) να πιουν** ένα ποτό.
Βάλε τη ζακέτα σου **για να μην** κρυώσεις / **να μην** κρυώσεις.

5. Ρήματα με το πρόθημα *ξανά-* Verbs with the prefix *ξανά-* (re)

Να μην πεις **ξανά** αυτή τη λέξη.	Να μην **ξανα**πείς αυτή τη λέξη.	**ξανα**λέω
Πότε θ' αρχίσεις **ξανά** να δουλεύεις;	Πότε θα **ξαν**αρχίσεις να δουλεύεις;	**ξαν**αρχίζω
Ο ξάδερφός μου παντρεύτηκε **ξανά**.	Ο ξάδερφός μου **ξανα**παντρεύτηκε.	**ξανα**παντρεύομαι
Φύγε και να μη σε δω **ξανά** μπροστά μου!	Φύγε και να μη σε **ξανα**δώ μπροστά μου!	**ξανα**βλέπω

6. Πλάγιος λόγος (4): Ερωτήσεις ολικής άγνοιας Indirect speech (4): Questions of complete ignorance

Ευθύς λόγος		Πλάγιος λόγος
Κώστας: Πεινάς; Διψάς; Θα μαγειρέψεις; Έφαγες;	-->	Ο Κώστας ρωτάει το Νίκο (τον ρωτάει) **αν πεινάει.** **αν διψάει.** **αν θα μαγειρέψει.** **αν έφαγε.**

7. Πίνακας νέων ρημάτων Table of new verbs

Θέμα ενεστώτα		**Θέμα αορίστου**			
Ενεστώτας	**Ατ. Υποτακτική**	**Αόριστος**	**Τ. Μέλλοντας**	**Τ. Υποτακτική**	**Τ. Προστακτική**
ανεβάζω	να ανεβάζω	ανέβασα	θα ανεβάσω	να ανεβάσω	ανέβασε - ανεβάστε
ενημερώνω	να ενημερώνω	ενημέρωσα	θα ενημερώσω	να ενημερώσω	ενημέρωσε - ενημερώστε
καταφέρνω	να **κατα**φέρνω	**κατά**φερα	θα **κατα**φέρω	να **κατα**φέρω	**κατά**φερε - **κατα**φέρτε
κατεβάζω	να κατεβάζω	κατέβασα	θα κατεβάσω	να κατεβάσω	κατέβασε -κατεβάστε
λαμβάνω & λαβαίνω	να λαμβάνω & να λαβαίνω	έλαβα	θα λάβω	να λάβω	λάβε - λάβετε
ξαναβλέπω	να ξαναβλέπω	ξαναείδα & ξανάδα	θα ξαναδώ	να ξαναδώ	ξαναδές - ξαναδείτε & ξαναδέστε
ξαναλέω	να ξαναλέω	ξαναείπα & ξανάπα	θα ξαναπώ	να ξαναπώ	ξαναπές - ξαναπέστε & ξαναπείτε
ξαναπαίζω	να ξαναπαίζω	ξαναέπαιξα & ξανάπαιξα	θα ξαναπαίξω	να ξαναπαίξω	ξαναπαίξε - ξαναπαίξτε
ξαναπάω & ξαναπηγαίνω	να ξαναπηγαίνω	ξαναπήγα	θα ξαναπάω	να ξαναπάω	-
ξαναπίνω	να ξαναπίνω	ξαναήπια & ξανάπια	θα ξαναπιώ	να ξαναπιώ	ξαναπιές -ξαναπιείτε
ξανατρώω	να ξανατρώω	ξαναέφαγα & ξανάφαγα	θα ξαναφάω	να ξαναφάω	ξαναφάε - ξαναφάτε
ξεφυλλίζω	να ξεφυλλίζω	ξεφύλλισα	θα ξεφυλλίσω	να ξεφυλλίσω	ξεφύλλισε - ξεφυλλίστε
παραμένω	να **παρα**μένω	**παρ**έμεινα	θα **παρα**μείνω	να **παρα**μείνω	**παρά**μεινε -**παρα**μείνετε
σφυρίζω	να σφυρίζω	σφύριξα	θα σφυρίξω	να σφυρίξω	σφύριξε - σφυρίξτε
ειδοποιώ	να ειδοποιώ	ειδοποίησα	θα ειδοποιήσω	να ειδοποιήσω	ειδοποίησε - ειδοποιήστε
αρνούμαι	να αρνούμαι	αρνήθηκα	θα αρνηθώ	να αρνηθώ	-
ενθουσιάζομαι	να ενθουσιάζομαι	ενθουσιάστηκα	θα ενθουσιαστώ	να ενθουσιαστώ	-
(παίζομαι)					-
παίζεται	να παίζεται	παίχτηκε	θα παιχτεί	να παιχτεί	
παρουσιάζομαι	να παρουσιάζομαι	παρουσιάστηκα	θα παρουσιαστώ	να παρουσιαστώ	-
(συνεχίζομαι)					-
συνεχίζεται	να συνεχίζεται	συνεχίστηκε	θα συνεχιστεί	να συνεχιστεί	

9.17. 183 Στο ταμείο του Ηρωδείου

Δανάν: Θα ήθελα, παρακαλώ, πέντε εισιτήρια για τις 2 Ιουλίου.

Ταμίας: Πού προτιμάτε, στο άνω **διάζωμα** ή στις **ζώνες** Α και Β;

Δανάν: Κοιτάξτε, δε θέλω πολύ ακριβά εισιτήρια. Είδα ότι οι θέσεις στο άνω διάζωμα κοστίζουν είκοσι πέντε ευρώ και οι θέσεις στη ζώνη Β, που είναι στο πλάι, κοστίζουν τριάντα ευρώ. Εσείς τι λέτε; Πού είναι καλύτερα; Να πάρω στη ζώνη Β ή στο άνω διάζωμα;

Ταμίας: Στο άνω διάζωμα οι θέσεις δεν είναι **αριθμημένες**. Αν θέλετε να βρείτε καλές θέσεις στο κέντρο, πρέπει να έρθετε πολύ πιο νωρίς. Κοιτάξτε, καλύτερα είναι να πάρετε εισιτήρια στη ζώνη Β γιατί και θα βλέπετε πιο καλά και οι θέσεις είναι αριθμημένες.

Δανάν: Νομίζω πως έχετε δίκιο.

Ταμίας: Σας προτείνω να πάρετε αυτές τις θέσεις στη δέκατη σειρά της ζώνης Β. Θα μείνετε σίγουρα όλοι πολύ ευχαριστημένοι.

Δανάν: Εντάξει, δώστε μου τότε πέντε εισιτήρια των τριάντα ευρώ. Να ρωτήσω και κάτι ακόμη; Υπάρχουν εισιτήρια και με πιο φθηνή τιμή;

Ταμίας: Μάλιστα, υπάρχουν στη ζώνη Β με δεκατρία ευρώ για άτομα άνω των εξήντα πέντε ετών και φοιτητικά με δέκα ευρώ.

Δανάν: Ωραία, θα πάρω τότε τέσσερα εισιτήρια των τριάντα ευρώ και ένα των δέκα ευρώ για μια φοιτήτρια που θα είναι μαζί μας.

Ταμίας: Προσέξτε, η φοιτήτρια θα πρέπει να έχει μαζί την ταυτότητά της. Ίσως της ζητήσουν να τη δείξει στην είσοδο. Και κάτι ακόμα: Να είστε ένα τέταρτο πιο νωρίς στο θέατρο γιατί η παράσταση αρχίζει στις οκτώμισι ακριβώς. **Επειδή** δεν επιτρέπεται η είσοδος μετά την έναρξη, αν αργήσετε, θα μπείτε στο διάλειμμα.

Δανάν: Εντάξει, σας ευχαριστώ πολύ.

Θεωρεία
Εξώστης
Σκηνή
Πλατεία

Ευτυχώς που βρήκα θέση και είμαι **καθιστή**. Αλλιώς θα ήμουν **όρθια**.

Λεξιλόγιο 9.17.

ο εξώστης	theatre balcony
η ζώνη	zone
η πλατεία	theatre stalls
το διάζωμα	tier
το θεωρείο	theatre box
αριθμημένος-η-ο	numbered
καθιστός-ή-ό	seated
όρθιος-α-ο	standing
επειδή	because

9.17.α. **Σημειώστε: Σωστό ή Λάθος;** Tick: True or False?

		Σωστό	Λάθος
1.	Οι θέσεις της ζώνης Β βρίσκονται στο κέντρο.		
2.	Αν η Δανάν πάρει θέσεις στη ζώνη Β, θα πρέπει όλοι να πάνε πολύ πιο νωρίς στο θέατρο.		
3.	Η Δανάν κράτησε πέντε εισιτήρια στο άνω διάζωμα.		
4.	Η Ταμάρα θα πληρώσει λιγότερο από τους άλλους.		
5.	Ίσως ζητήσουν την ταυτότητα της Ταμάρας στον έλεγχο των εισιτηρίων.		
6.	Μετά την έναρξη της παράστασης απαγορεύεται η είσοδος στο χώρο του θεάτρου.		

9.18. Κοιτάξτε ψηλά! Κήπος!

Στο έργο «Ψηλά, Κήπος» η Ρεμπέκα Λουίζ Λο άλλαξε την ίσοδο της *Στέγης Γραμμάτων και Τεχνών* του ***Ιδρύματος** Ωνάση* ε 11.000 λουλούδια και **δημιούργησε** έναν πράσινο ουρανό ου έκανε τους επισκέπτες να κοιτάζουν αμέσως ψηλά. Τα φυτά ταν κυρίως λουλούδια αλλά και αρωματικά φυτά της Ελλάδας πως λεβάντα, βασιλικός, ρίγανη καθώς και **κλαδιά** ελιάς. Τα ργα της Λο δε ζούνε για πάντα, αλλά συνεχώς αλλάζουν με ο χρόνο και με το φως που μπαίνει στο χώρο. Το έργο «Ψηλά, ;ήπος» κράτησε ένα χρόνο και οι επισκέπτες είδαν τα λουλούδια α «**μαραίνονται** όμορφα».

9.18.α.

Σημειώστε: Σωστό ή Λάθος;
Tick: True or False?

		Σωστό	Λάθος
1.	Η Ρεμπέκα Λουίζ Λο είναι καλλιτέχνης.		
2.	Η Λο δημιούργησε έναν ουρανό από φρέσκα λουλούδια στην είσοδο της Στέγης.		
3.	Τα αρωματικά φυτά τα έφερε από το εξωτερικό.		
4.	Το έργο αυτό έμεινε συνεχώς ίδιο.		
5.	Το έργο δεν έμεινε στη Στέγη περισσότερο από ένα χρόνο.		
6.	Τα λουλούδια της Λο δε μαραίνονται ποτέ.		

Λεξιλόγιο 9.18. & 9.19.

η εγκατάσταση	installation
το ίδρυμα	foundation
το κλαδί	branch
υπόγειος-α-ο	underground
η υπόγεια διάβαση	underground passage
δημιουργώ	I create
μαραίνομαι	I wither

9.19. Πώς να φτάσετε στη Στέγη Γραμμάτων και Τεχνών

Ταμάρα: Μαράλ, τι λες, πάμε σήμερα το απόγευμα να δούμε την εγκατάσταση με τα έντεκα χιλιάδες λουλούδια που έκανε η καλλιτέχνης Ρεμπέκα Λουίζ Λο στη *Στέγη Γραμμάτων και Τεχνών*;

Μαράλ: Ναι, καλή ιδέα. Παρακολουθώ τη δουλειά της Λο και νομίζω ότι είναι πολύ ιδιαίτερη. Έχω πολλή όρεξη να τη δω.

Ταμάρα: Ξέρεις πώς να πας;

Μαράλ: Δε θυμάμαι ακριβώς πώς πάει κανείς. Μπορείς να μου πεις ποια γραμμή του μετρό να πάρω και πού να κατεβώ;

Ταμάρα: Λοιπόν πρέπει να πάρεις την κόκκινη γραμμή 2 προς *Ελληνικό*, να κατεβείς στη στάση *Συγγρού-Φιξ* και να ακολουθήσεις τις πινακίδες που γράφουν «Έξοδος προς Συγγρού/Δράκου» για να βγεις στη λεωφόρο Συγγρού.

Μαράλ: Ωραία! Και από κει είναι κοντά η *Στέγη* για να πάω με τα πόδια;

Ταμάρα: Είναι περίπου ένα τέταρτο. Μπορείς να προχωρήσεις ευθεία στη λεωφόρο Συγγρού μέχρι το *Πάντειο Πανεπιστήμιο* και να περάσεις απέναντι στη *Στέγη* από την **υπόγεια διάβαση**.

Μαράλ: Κι αν βιάζομαι, υπάρχει κανένα λεωφορείο από το μετρό μέχρι τη *Στέγη*;

Ταμάρα: Ναι, η στάση βρίσκεται μπροστά στην έξοδο του μετρό, στη λεωφόρο Συγγρού. Για τη *Στέγη* θα κατεβείς μετά από τέσσερις στάσεις.

Μαράλ: Εντάξει, Ταμάρα μου, σ' ευχαριστώ πολύ. Τι ώρα να δώσουμε ραντεβού;

Ταμάρα: Να δώσουμε κατά τις πέντε; Μπορείς;

Μαράλ: Ναι, μπορώ. Και μετά, αν έχουμε χρόνο, μπορούμε να πάμε μέχρι την γκαλερί να σου δείξω το χώρο για την έκθεσή μου.

Ταμάρα: Πολύ ωραία! Λοιπόν ραντεβού στην είσοδο της *Στέγης* στις πέντε.

9.19.α. **Ταιριάξτε τις δύο στήλες ακολουθώντας τη σειρά του κειμένου. Γράψτε ολόκληρες τις φράσει σ' ένα τετράδιο. Το κείμενο που προκύπτει πρέπει να είναι ο διάλογος 9.18. σε πλάγιο λόγο**
Match the columns following the narration of the text. Write the full sentences in a notebook. The text tha is formed has to be the same as dialogue 9.18. in indirect speech.

1.	Η Ταμάρα ρωτάει τη Μαράλ	____
2.	Η Μαράλ τής απαντάει	____
3.	Προσθέτει όμως	____
4.	Η Ταμάρα τής εξηγεί	____
5.	Η Ταμάρα προσθέτει	____
6.	Η Μαράλ ρωτάει	____
7.	Η Ταμάρα τής λέει	____
8.	Η Μαράλ ρωτάει	____
9.	Η Ταμάρα απαντάει	____
10.	Η Μαράλ ρωτάει την Ταμάρα	____
11.	Η Ταμάρα τής προτείνει	____
12.	Η Μαράλ συμφωνεί και προτείνει	____

α.	ότι δε θυμάται πώς πάνε εκεί.
β.	ότι πρέπει να πάρει την κόκκινη γραμμή 2 και να ακολουθήσει τις πινακίδες που γράφουν «Έξοδος προς Συγγρού/Δράκου» για να βγει στη Λεωφόρο Συγγρού.
γ.	αν μπορεί να πάει με τα πόδια από τη στάση του μετρό στη Στέγη.
δ.	ότι μπορεί να πάει με τα πόδια γιατί είναι πολύ κοντά.
ε.	να δώσουν ραντεβού γύρω στις πέντε το απόγευμα.
ζ.	ότι υπάρχει και ότι πρέπει να κατεβεί μετά από τέσσερις στάσεις.
η.	ποια γραμμή του μετρό να πάρει και πού να κατεβεί.
θ.	τι ώρα να δώσουν ραντεβού.
ι.	ότι την ενδιαφέρει πολύ να επισκεφθεί αυτή την εγκατάσταση.
κ.	να περάσουν μετά και από την γκαλερί, όπου θα κάνει την έκθεσή της.
λ.	αν υπάρχει κάποιο λεωφορείο για τη Στέγη.
μ.	αν θέλει να πάνε να δουν την εγκατάσταση της Ρεμπέκα Λουίζ Λο στη Στέγη Γραμμάτων και Τεχνών.

9.20. (186) Πάμε να δούμε μια έκθεση; Πάμε να ακούσουμε μια διάλεξη; Πώς θα πάμε;

1

ΠΑΡΑΣΤΑΣΕΙΣ: ΠΑΙΔΙΚΟ ΘΕΑΤΡΟ

Απαγορεύεται η μουσική
Σύλλογος "Οι φίλοι της Μουσικής"
Μέγαρο Μουσικής
Αυτή την Κυριακή και κάθε Κυριακή στις 15:00
Για παιδιά 4 - 9 ετών
Εισιτήρια: Ενήλικες: 10€ Παιδιά: 8€
Διεύθυνση: Λεωφόρος Βασιλίσσης Σοφίας 8 & Κόκκαλη, Στάση μετρό: Μέγαρο Μουσικής

2

ΔΙΑΛΕΞΕΙΣ: ΠΟΙΗΣΗ

Κύκλος μαθημάτων: «Κ. Π. Καβάφης» (για ενήλικες) στο **Φουαγιέ** 4ου ορόφου
Στέγη Γραμμάτων & Τεχνών
Οι **διαλέξεις** θα γίνουν τις παρακάτω ημερομηνίες: 17/1, 24/1, 31/1, 7/2, 14/2 & 21/2
Ώρα: 12:00 - 14:00 Είσοδος ελεύθερη
Διεύθυνση: Λεωφόρος Συγγρού 107-109, Στάση μετρό: Συγγρού - Φιξ

3

ΕΚΘΕΣΕΙΣ: ΑΡΧΑΙΟΛΟΓΙΑ

ΙΑΣΙΣ
Υγεία, Νόσος, Θεραπεία από τον Όμηρο στο Γαληνό
Το Μουσείο **Κυκλαδικής** Τέχνης θα έχει απόψε τις πόρτες του ανοιχτές μέχρι τα μεσάνυχτα και σας προσκαλεί σε μία ξενάγηση στην έκθεση ΙΑΣΙΣ με έκπτωση στο εισιτήριο (7€ αντί 10€), μουσική και ποτό.
Διεύθυνση: Νεοφύτου Δούκα 4, Στάση μετρό: Ευαγγελισμός

4

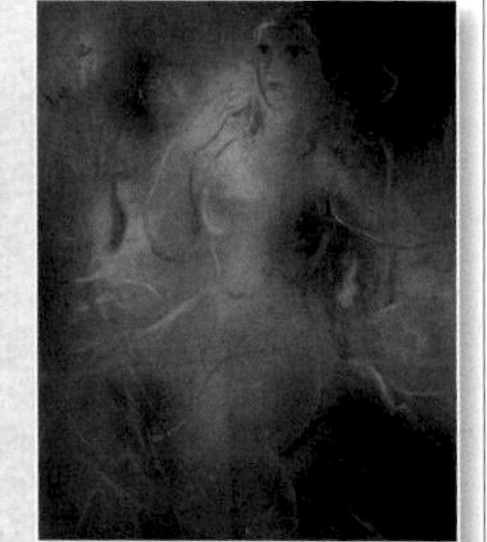

ΕΚΘΕΣΕΙΣ: ΖΩΓΡΑΦΙΚΗ

ΙΔΡΥΜΑ ΘΕΟΧΑΡΑΚΗ
Αναδρομική έκθεση Γιώργου Γουναρόπουλου
Παρουσιάζονται 150 έργα από το 1912 έως το 1976.
Εγκαίνια: 28 Μαΐου
Διάρκεια: 28/5 έως 27/9
Μέρες & ώρες λειτουργίας: ΔΕ., ΤΡ., ΤΕΤ., ΠΑΡ., ΣΑΒ., ΚΥΡ.: 10:00 - 18:00, ΠΕΜ.: 10:00 - 20:00
Διεύθυνση: Λεωφόρος Βασιλίσσης Σοφίας 1 & Μέρλιν, Στάση μετρό: Σύνταγμα

5

ΕΚΘΕΣΕΙΣ: ΚΟΣΜΗΜΑ

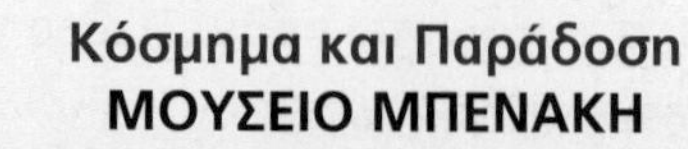

Κόσμημα και Παράδοση
ΜΟΥΣΕΙΟ ΜΠΕΝΑΚΗ
Μέρες & ώρες λειτουργίας: Καθημερινά 10:00 - 18:30 εκτός Τρίτης
Διάρκεια: 18/2 έως 3/6
Είσοδος ελεύθερη
Διεύθυνση: Λεωφόρος Βασιλίσσης Σοφίας & Κουμπάρη 1, Μετρό: Σύνταγμα & Ευαγγελισμός

Λεξιλόγιο 9.20.

η διάλεξη	lecture
η θεραπεία	therapy
η ίαση (παλιά: η ίασις)	treatment (older version: ίασις)
η νόσος	disease
το φουαγιέ	foyer
αναδρομικός-ή-ό	retroactive
η αναδρομική έκθεση	retroactive exposition
κυκλαδικός-ή-ό	Cycladic

9.20.α. **Κάνετε διαλόγους ανά ζεύγη. Γράψτε το διάλογο.**
Make the dialogue in pairs. Write the dialogue.

Ένας φίλος σας / Μια φίλη σας σας τηλεφωνεί και σας μιλάει για πέντε εκδηλώσεις που γίνονται στην Αθήνα. Λέτε σε ποια προτιμάτε να πάτε και γιατί. Ο φίλος / Η φίλη σας προτιμάει να πάει σε μια άλλη. Συμφωνείτε σε ποια εκδήλωση θα πάτε, ποια μέρα και ποια ώρα. Στο τέλος ρωτάτε τη φίλη σας ποια είναι η διεύθυνση και δίνετε ραντεβού.

9.20.β. **Δώστε οδηγίες.** Give instructions.

Έχετε ραντεβού με τρεις φίλες σας στο Μουσείο Κυκλαδικής Τέχνης, στην οδό Νεοφύτου Δούκα. Η Ίγκε μένει στη γωνία Αμερικής και Τσακάλωφ. Η Μαρί μένει στη γωνία Μαρασλή και Πατριάρχου Ιωακείμ. Η Βαλέρια μένει στη γωνία Κανάρη και Σόλωνος. Σας ρωτάνε πώς να έρθουν στο μουσείο με τα πόδια.
Χρησιμοποιήστε το παρακάτω λεξιλόγιο: *ξεκινάω, προχωρώ ευθεία, συνεχίζω, διασχίζω, στρίβω δεξιά / αριστερά, περνάω απέναντι / μπροστά από…, συναντώ, φτάνω.*

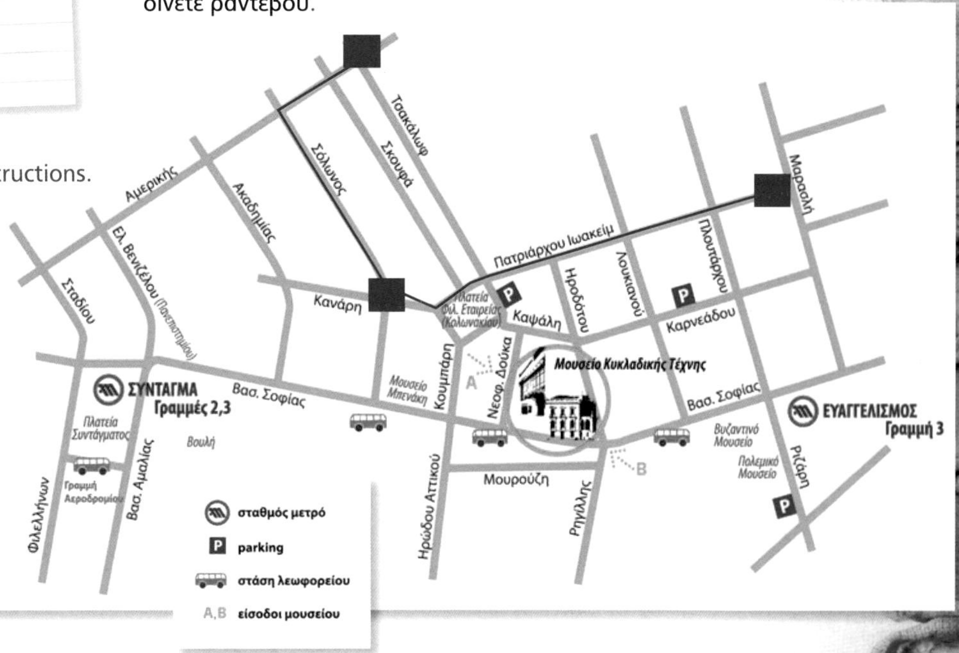

9.20.γ. **Πείτε στην τάξη πώς θα πάτε, πρώτα προφορικά και μετά γραπτά.**
Explain in the classroom how you are going to arrive there, first orally and then in writing.
Είστε στην αρχή της οδού Πατησίων κοντά στο σταθμό του Μετρό Ομόνοια. Ποια γραμμή θα πάρετε για το Μέγαρο Μουσικής, για τη Στέγη Γραμμάτων και Τεχνών, για το Μουσείο Μπενάκη, για το Ίδρυμα Θεοχαράκη;
(Βλέπε Χάρτη 2 στο τέλος του Βιβλίου Α2)

9.20.δ. **Ψάξτε στο διαδίκτυο και φέρτε στην τάξη πληροφορίες για τα παρακάτω.**
Search on the internet and bring in the classroom information on the following.

Μέγαρο Μουσικής Αθηνών	www.megaron.gr	Μουσείο Κυκλαδικής Τέχνης	www.cycladic.gr
Στέγη Γραμμάτων και Τεχνών	www.sgt.gr	Μουσείο Μπενάκη	www.benaki.gr
Ίδρυμα Ωνάση	www.onassis.gr	Ίδρυμα Θεοχαράκη	www.thf.gr
Μουσείο Γ. Γουναρόπουλου	www.gounaropoulos.gr	Ελληνικό Παιδικό Μουσείο	www.hcm.gr

9.21. 187 Γίνε κι εσύ ένας από εμάς!

From:
Subject:

Αγαπητοί φίλοι,
θα θέλαμε να σας καλέσουμε στην εκδήλωση ΓΙΝΕ ΚΙ ΕΣΥ ΕΝΑΣ ΑΠΟ ΕΜΑΣ που οργανώνει ο **σύλλογος** *Οι Φίλοι του παιδιού*, για να αγοράσει εμβόλια για τα παιδιά των ξένων του Δήμου μας που δεν έχουν ασφάλεια υγείας.
Στην εκδήλωσή μας ένα από τα καλύτερα συγκροτήματα ελληνικής και ξένης μουσικής, το συγκρότημα «Νότες», θα μας παρουσιάσει ένα πρόγραμμα δύο ωρών με υπέροχες **μελωδίες**.
Οι γνωστοί καλλιτέχνες Μάγια Αρβανίτη και Μένης Μαντάς θα μας πουν τραγούδια από όλο τον κόσμο.
Μετά την εκδήλωση οι κυρίες του συλλόγου θα μας προσφέρουν παραδοσιακούς μεζέδες και γλυκά από διάφορες χώρες που θα ετοιμάσουν οι ίδιες. Και το κρασί της βραδιάς θα προσφέρει ο γνωστός παραγωγός Νίκος Κάλφας, που πάντα βοηθάει το έργο μας.
Ελάτε στη σημερινή μας εκδήλωση, φέρτε και τους φίλους σας και θα γίνετε κι εσείς ΕΝΑΣ ΑΠΟ ΕΜΑΣ.

Περιμένουμε την απάντησή σας.
Μαριλένα και Νικόλα

Πρόσκληση

ΓΙΝΕ ΚΙ ΕΣΥ ΕΝΑΣ ΑΠΟ ΕΜΑΣ

Ο σύλλογος *Οι Φίλοι του παιδιού* χρειάζεται τη βοήθειά σου για να αγοράσει εμβόλια για τα παιδιά των ξένων του δήμου μας που δεν έχουν ασφάλεια.

Αν θέλεις πραγματικά να μας βοηθήσεις στο **σκοπό** μας, *Γίνε κι εσύ ένας από εμάς* κι έλα στην εκδήλωση αγάπης που οργανώνουμε

την **Τετάρτη 11 Ιουλίου**
στις 21:00 το βράδυ
στο **Θέατρο Αναβρύτων** στο **Μαρούσι.**

Το συγκρότημα «**Νότες**» θα παρουσιάσει τα *«Τραγούδια του κόσμου»*

Εισιτήριο: 10 ευρώ

Λεξιλόγιο 9.21.

ο σκοπός	purpose
ο σύλλογος	association,
η μελωδία	melody
η νότα	note

9.21.α. Σημειώστε: Σωστό ή Λάθος; Tick: True or False?

		Σωστό	Λάθος
1.	Ο Νικόλα και η Μαριλένα στέλνουν ένα μέιλ για να καλέσουν τους φίλους τους σε μια εκδήλωση.		
2.	Την εκδήλωση οργανώνει ο σύλλογος «Γίνε κι εσύ ένας από εμάς».		
3.	Στην εκδήλωση θα παίξει το συγκρότημα «Νότες».		
4.	Η εκδήλωση γίνεται για όλα τα παιδιά του Δήμου μας που δεν έχουν ασφάλεια υγείας.		
5.	Η εκδήλωση θα γίνει μια καλοκαιρινή βραδιά μετά τη δύση του ήλιου στο Θέατρο Αναβρύτων.		
6.	Το συγκρότημα «Νότες» θα παίξει μόνο ελληνική μουσική.		
7.	Ο σκοπός της εκδήλωσης είναι φιλανθρωπικός.		
8.	Μετά τη μουσική εκδήλωση ο σύλλογος θα προσφέρει ελληνικά φαγητά.		
9.	Με τα χρήματα από τη φιλανθρωπική εκδήλωση θα αγοράσουν τρόφιμα για παιδιά.		
10.	Στο μέιλ ο Νικόλα και η Μαριλένα ζητούν από τον κόσμο να φέρουν κι άλλους φίλους στην εκδήλωση.		

9.21.β. Γράψτε ένα μέιλ και μία πρόσκληση. Συνεργαστείτε με το διπλανό / τη διπλανή σας.

Write an e-mail and an invitation. Work with the person sitting next to you.

Ανήκετε σ' ένα φιλοζωικό συλλόγο. Χρειάζεστε χρήματα για να φροντίσετε τα ζώα της περιοχής σας και αποφασίζετε να κάνετε μια εκδήλωση. Στέλνετε ένα μέιλ και την πρόσκληση για την εκδήλωση σε φίλους και γνωστούς. Στη συνέχεια παρουσιάζετε τη δουλειά σας στην τάξη.

Μέιλ

Πρόσκληση

9.22. 188 Η ζωή δεν είναι μόνο διασκέδαση

Η Αλεξάνδρα δουλεύει σε μια τράπεζα κάθε μέρα εκτός από το Σαββατοκύριακο. Την Παρασκευή το μεσημέρι ***σχολάει*** *πιο νωρίς και κάνει τα ψώνια της εβδομάδας. Σήμερα στο δρόμο συνάντησε τη γειτόνισσά της, την Ιουλία Μακρίδη, που βγήκε κι εκείνη για ψώνια.*

Ιουλία: Γεια σου, Αλεξάνδρα! **Για πού το 'βαλες**;

Αλεξάνδρα: Γεια σου, Ιουλία μου! Για ψώνια, τι άλλο; Το **συνηθισμένο** πρόγραμμα της Παρασκευής.

Ιουλία: Κι εγώ για ψώνια βγήκα. Πάω πρώτα στο φαρμακείο για φάρμακα και για μερικά **καλλυντικά** και υπάρχει και συνέχεια. Άσ' τα!

Αλεξάνδρα: Κι εγώ, αν δεν ψωνίσω την Παρασκευή, χαλάει όλο το πρόγραμμα της εβδομάδας.

Ιουλία: Κανένα καφεδάκι δε θα πιούμε;

Αλεξάνδρα: Ειδικά σήμερα **δεν είμαι για** καφέ.
Άκουσε πρόγραμμα: Σούπερ μάρκετ, ζαχαροπλαστείο για να πάρω ένα γλυκό για τη φίλη μου, που έχει τραπέζι το βράδυ, στο φούρνο για ψωμί, στο χασάπη για κρέας και στο καθαριστήριο, αν προλάβω βέβαια, για ένα καλό μου φόρεμα που θέλει καθάρισμα και το χρειάζομαι για ένα γάμο το άλλο Σάββατο. Θα τρέχω όλη μέρα.

Ιουλία: **Καλά**, θα τα προλάβεις; Κι εγώ όμως δεν πάω πίσω. Άφησα το παιδί στη γιαγιά του για μια ώρα - βλέπεις η πεθερούλα μου δεν αντέχει περισσότερο - και πρέπει να τρέξω να πληρώσω την πιστωτική μου κάρτα που λήγει σήμερα και να πάρω χρήματα από το ΑΤΜ, να πάω στο ταχυδρομείο για ένα γράμμα επείγον και συστημένο του Αντρέα, στη συνέχεια να πληρώσω λογαριασμούς: ηλεκτρικό, τηλέφωνα, νερό, και μετά... κάτι έχω ακόμα... αλλά δε θυμάμαι. Πρέπει να δω πού τα σημείωσα.

Αλεξάνδρα: Πάντως, είχες όρεξη και για καφεδάκι!

Ιουλία: **Για πλάκα** το είπα! Το πίστεψες;

Αλεξάνδρα: Κατάλαβα! Άντε γεια και τα λέμε!

Ιουλία: Χαιρετισμούς στη μαμά σου!
Την είδα το πρωί στο μπαλκόνι.

Αλεξάνδρα: Ναι, ήρθε προχτές από τη Θεσσαλονίκη.
Κι εσύ στον Αντρέα!

Λεξιλόγιο 9.22.

το καλλυντικό	cosmetic (n.)
η πλάκα	fun
για πλάκα	joke for fun
συνηθισμένος-η-ο	usual
σχολάω (-ώ)	I finish work / school
για πού το 'βαλες;	where do you think you are going?
είμαι για κάτι	I am in [I want to do something]
Καλά, ...	You mean, ...

9.22.α. **Ταιριάξτε τις στήλες.** Match the columns.

1.	Για πού το 'βαλες;	____	α.	Σήμερα έχω πάρα πολλές δουλειές και δεν έχω καιρό για καφέ.
2.	Για ψώνια, τι άλλο;	____	β.	Δεν μπορώ να πιστέψω ότι θα τα προλάβεις όλα αυτά.
3.	Κανένα καφεδάκι δε θα πιούμε;	____	γ.	Κι εγώ δεν έχω λιγότερες δουλειές να κάνω από σένα σήμερα.
4.	Ειδικά σήμερα δεν είμαι για καφέ.	____	δ.	Κι έχω κι άλλα να κάνω μετά. Ας μη μιλάμε άλλο γι' αυτά.
5.	Καλά, θα τα προλάβεις;	____	ε.	Γεια σου και θα τα πούμε πάλι όταν σε ξαναδώ.
6.	Κι εγώ δεν πάω πίσω.	____	ζ.	Η «αγαπημένη» μου πεθερά δεν μπορεί να κρατήσει το εγγόνι της πάνω από μια ώρα.
7.	... και υπάρχει και συνέχεια. Άσ' τα!	____	η.	Θα βρούμε καιρό για κανένα καφεδάκι;
8.	... βλέπεις η πεθερούλα μου δεν αντέχει περισσότερο.	____	θ.	Σου το είπα για να γελάσουμε.
9.	Πάντως, είχες όρεξη και για καφεδάκι!	____	ι.	Πάω μόνο ψώνια. Δε θα πάω πουθενά αλλού.
10.	Για πλάκα στο είπα!	____	κ.	Πού πας;
11.	Άντε γεια και τα λέμε!	____	λ.	Είχες πολλές δουλειές αλλά ήθελες να πιούμε κι έναν καφέ.

9.22.β. **Κάντε ένα διάλογο ανά ζεύγη.**
Make the dialogue in pairs.

Γράψτε μία λίστα με τις δουλειές και τα ψώνια που πρέπει να κάνετε. Στη συνέχεια κάντε ένα διάλογο με το διπλανό / τη διπλανή σας, όπως στο 9.22.

Λεξιλόγιο 9.22.β.

ο διπλανός (μου)	the person sitting next to me (masc.)
η διπλανή (μου)	the person sitting next to me (fem.)

9.23. Ελεύθερος χρόνος (Α΄ μέρος) Θεάματα - Βιβλιοπωλεία - Κρατήσεις εισιτηρίων - Κατευθύνσεις

1. Πού θα πάμε σήμερα;

- **Τι σου αρέσει;** - **Τι σε ενδιαφέρει;** Το θέατρο; Η ποίηση; - **Για τι** *(πράγμα)* **ενδιαφέρεσαι;** Για μπαλέτο; Για όπερα;	- **Μου αρέσει** ο κινηματογράφος και η όπερα. - **Μου αρέσουν** οι πολεμικές ταινίες. - **Με ενδιαφέρει** η ποίηση και η μουσική. - **Με ενδιαφέρουν** τα κινούμενα σχέδια. - **Ενδιαφέρομαι για** (το) μπαλέτο & (το) θέατρο.
- **Ποιες** ταινίες, **ποια** έργα / φιλμ **σάς αρέσουν;** - **Τι είδους** βιβλία **προτιμάτε;** ταινίες **σάς αρέσουν;** μουσεία **σάς ενδιαφέρουν;** - **Για τι είδους** ταινίες / βιβλία **ενδιαφέρεστε;** - **Τι σου αρέσει να διαβάζεις;** - **Τι σας αρέσει να διαβάζετε;**	- **Μου αρέσουν** οι ταινίες τρόμου. - **Προτιμώ** τα βιβλία τέχνης & ιστορίας. - **Μου αρέσουν** τα θρίλερ. - **Με ενδιαφέρουν** τα μουσεία μοντέρνας τέχνης. - **Ενδιαφέρομαι για** ταινίες εποχής & βιβλία τέχνης. - **Λατρεύω** τα διηγήματα και τα αστυνομικά μυθιστορήματα. - **Τρελαίνομαι για** μυθολογία, λαογραφία και παραμύθια.
- **Τι προτιμάς περισσότερο**, το θέατρο ή τον κινηματογράφο; - **Τι σου αρέσει πιο πολύ;** - **Τι σε ενδιαφέρει περισσότερο;** - **Για τι ενδιαφέρεσαι περισσότερο;**	- **Προτιμώ** περισσότερο το θέατρο από τον κινηματογράφο. - **Μου αρέσει** πιο πολύ η ποίηση. - **Με ενδιαφέρουν** περισσότερο οι συναυλίες κλασικής μουσικής από τις συναυλίες ροκ. - **Ενδιαφέρομαι** περισσότερο **για** τη ζωγραφική.
- **Τι θα δείτε;** - **Τι θα παρακολουθήσετε;** - **Τι θα επισκεφθείτε;** - **Τι διαβάζεις;**	- **Θα δω** μια παιδική παράσταση. - **Θα παρακολουθήσω** μια συναυλία. μια εκδήλωση. - **Θα επισκεφθώ** την πινακοθήκη και μια έκθεση φωτογραφίας. - **Διαβάζω** ένα ψηφιακό βιβλίο στην ταμπλέτα μου.

ΣΤΟ ΣΙΝΕΜΑ - Είδα μια ταινία
Ποιος είναι ο σκηνοθέτης της ταινίας; Ποια χρονιά έγινε; Ποιος έγραψε το σενάριο; Ποιοι ηθοποιοί παίζουν; Ποιος έγραψε τη μουσική; Είναι ελληνική ή ξένη παραγωγή; Ποια είναι η υπόθεση του έργου; Τι είδους ταινία είναι; Είναι ταινία μικρού ή μεγάλου μήκους; Πόσα εισιτήρια έκανε; Είχε επιτυχία; Τι έγραψαν οι κριτικοί; Πήρε κάποιο βραβείο; Πού παίζεται; Σε ποιες αίθουσες / σε ποια σινεμά παίζεται; Ποιες είναι οι ώρες προβολής;

ΣΤΟ ΘΕΑΤΡΟ - Είδα ένα έργο
Ποιος είναι ο σκηνοθέτης; Ποιανού συγγραφέα είναι το έργο; Ποια θεατρική ομάδα το ανέβασε; Πότε ήταν η πρεμιέρα; Μέχρι πότε θα παίζεται; Ποιοι ηθοποιοί παίζουν; Ποιος έγραψε τη μουσική; Ποια είναι η υπόθεση του έργου; Τι είδους έργο είναι (αρχαία τραγωδία, κωμωδία, μιούζικαλ...); Είχε καλές κριτικές; Σε ποιο θέατρο παίζεται; Ποιες είναι οι καλύτερες θέσεις; (Στην πλατεία, στον εξώστη ή στα θεωρεία; Σε ποια σειρά;) Ποιες είναι οι ώρες παραστάσεων; Έχει απογευματινή παράσταση ή μόνο βραδινή; Ποια είναι η ώρα έναρξης; Πόσο διαρκεί η παράσταση;

ΣΤΟ ΒΙΒΛΙΟΠΩΛΕΙΟ - Πήρα (αγόρασα) ένα βιβλίο
Ποιος είναι ο συγγραφέας; Ποιων εκδόσεων είναι; Κυκλοφορεί και σε ψηφιακή έκδοση; Υπάρχει και σε μετάφραση; Τι είδους βιβλίο είναι; Είχε καλή κριτική; Θα γίνει κάποια παρουσίαση του βιβλίου; Ποια είναι η υπόθεσή του; Ποιοι είναι οι ήρωες του βιβλίου;

α. Θεάματα
- Ο κινηματογράφος / το σινεμά, το θέατρο, η όπερα, η συναυλία, το ρεσιτάλ, το μπαλέτο

Κινηματογράφος
- Μια ταινία οικογενειακή / παιδική / δραματική / πολεμική / κοινωνική / αισθηματική / τρόμου / δράσης / περιπέτειας / εποχής / επιστημονικής φαντασίας / για σινεφίλ / κινουμένων σχεδίων
- ένα γουέστερν, ένα θρίλερ, ένα ντοκιμαντέρ

Κινηματογράφος & Θέατρο
- Μια κομεντί, μια κωμωδία, μια τραγωδία (κυρίως για θέατρο), ένα δράμα, ένα μιούζικαλ, ένα κοινωνικό έργο, μια παιδική παράσταση (για θέατρο)
- Η προβολή μιας ταινίας / ενός φιλμ / ενός έργου
- Η παράσταση (θέατρο / μπαλέτο / όπερα)
- Το σενάριο & η υπόθεση μιας ταινίας
- Η υπόθεση ενός θεατρικού έργου

β. Εκδηλώσεις - Μουσεία
- Μια έκθεση ζωγραφικής / γλυπτικής / φωτογραφίας / κοσμήματος...
- Μια εγκατάσταση τέχνης
- Μια παρουσίαση βιβλίου
- Μια διάλεξη για το περιβάλλον / την τέχνη...
- Μια ξενάγηση σ' ένα μουσείο / έναν αρχαιολογικό χώρο...
- Μια εκδήλωση για ένα φιλανθρωπικό σκοπό...
- Τα εγκαίνια μιας έκθεσης
- Μια συγκέντρωση για ένα πολιτικό θέμα...

γ. Βιβλία
- Λογοτεχνία: ποίηση & πεζογραφία
- Πεζογραφία: μυθιστορήματα, διηγήματα, βιογραφίες, θεατρικά έργα, παραμύθια.
- Βιβλία τέχνης / οικονομίας / φιλοσοφίας / πολιτικής / μαγειρικής / μυθολογίας / οικολογίας / παιδικά / αστυνομικά κ.ά.
- Άλλα: κόμιξ, ταξιδιωτικοί οδηγοί, χάρτες, λεξικά, εκπαιδευτικά & σχολικά βιβλία, κ.ά.
- Βιβλία σε ψηφιακή έκδοση
- Ξένες εκδόσεις σε μετάφραση

2. Κλείνω θέση / εισιτήρια		
Ο ταμίας ρωτάει		
1. - Τι θα θέλατε, παρακαλώ;	*2. - Για ποια παράσταση ενδιαφέρεστε;* *- Για ποιο έργο;*	*3. - Για πότε ενδιαφέρεστε;*
- Θα ήθελα, παρακαλώ, να κλείσω / να κρατήσω / να μου κρατήσετε / να αγοράσω.. - Μου δίνετε, παρακαλώ... - Έχετε, παρακαλώ, εισιτήρια για...	- Με ενδιαφέρει το μιούζικαλ... - Ενδιαφέρομαι για την Ηλέκτρα / την Κάρμεν...	- Ενδιαφέρομαι για - την Τρίτη... - την πρώτη / τις δύο Μαρτίου.. - το άλλο / επόμενο / ερχόμενο Σάββατο
4. - Για ποια ώρα; Τι ώρα;	*5. - Για ποια παράσταση; Την πρωινή, την απογευματινή ή τη βραδινή;*	*6. - Πού προτιμάτε, πλατεία, θεωρείο, εξώστη;* *- Ποια θέση προτιμάτε; Τι θέση θέλετε;* *- Πού θέλετε να καθίσετε;*
- Θα ήθελα εισιτήρια - για τις δύο, τις τρεις... - για την παράσταση των εννέα... - Στις δύο, στις τρεις...	- Ενδιαφέρομαι για τη βραδινή παράσταση	- Θα ήθελα / Προτιμώ - πλατεία / θεωρείο / εξώστη / όρθιους / τέταρτη σειρά / μετά τη δέκατη σειρά / μπροστά / όχι πολύ πίσω
Ο πελάτης ρωτάει		
7. - Πόσο κάνει / κοστίζει ...; *- Τι τιμή έχει; Ποια είναι η τιμή / το κόστος;*	*8. - Έχετε / Κάνετε έκπτωση για...;*	*9. - Υπάρχει πιο φθηνό εισιτήριο για...;*
- Κάνει / Κοστίζει... - Η τιμή του / Το κόστος, είναι...	- Ναι, υπάρχει έκπτωση για άτομα άνω των 65 ετών.	- Ναι, υπάρχει το παιδικό και το φοιτητικό. - Όχι, δεν υπάρχει.
10. - Δέχεστε (πιστωτικές) κάρτες;	*11. - Τι ώρα αρχίζει και τι ώρα τελειώνει;*	*12. - Πόσο κρατάει / διαρκεί;*
- Βεβαίως! Φυσικά!	- Αρχίζει στη μία και τελειώνει στις τρεις.	- Δύο ώρες. Από τη μία έως / μέχρι τις τρεις.

3. Πώς θα πάω / θα έρθω;		
1. - Πώς θα έρθω / θα πάω; Με τι μέσον;	*2. - Από πού θα το πάρω και πού θα κατεβώ; Από ποια στάση θα το πάρω και σε ποια στάση θα κατεβώ;*	*3. - Πώς θα έρθω στο θέατρο / μουσείο / σπίτι σου...;*
- Θα έρθεις με το τρόλεϊ / το μετρό / το λεωφορείο / το τραμ / το τρένο / τον προαστιακό / τον ηλεκτρικό / ταξί / τα πόδια.	- Θα πάρεις το μετρό / λεωφορείο από το σταθμό / τη στάση *Ομόνοια* και θα κατεβείς στο σταθμό / στη στάση *Ακρόπολη*. - Θα το πάρεις από την αφετηρία. - Θα κατεβείς στο τέρμα.	- Θα πας / προχωρήσεις ευθεία - Θα στρίψεις δεξιά / αριστερά / στο δεύτερο δρόμο / στενό - Θα περάσεις απέναντι / μπροστά από... - Θα διασχίσεις τη λεωφόρο / την πλατεία... - Θα βρεις / Θα συναντήσεις / Θα φτάσεις...

9.23.α. **Κάντε διαλόγους ανά ζεύγη με βάση τον πίνακα 9.23. (1)**
Make the dialogue in pairs based on table 9.23. (1)

- για μια εκδήλωση, ένα μουσείο.
- για μια παράσταση όπερας ή μπαλέτου.
- για μια διάλεξη / συγκέντρωση.

9.23.β. **Κάντε διαλόγους ανά ζεύγη με βάση τον πίνακα 9.23. (1 & 2)**
Make the dialogue in pairs based on table 9.23. (1 & 2)

Οργανώνετε μια βραδινή έξοδο με ένα φίλο / μια φίλη σας. Επιλέξτε μια παράσταση και συζητήστε για τα εισιτήρια, τις θέσεις, τη μέρα, την ώρα κ.λπ.

γραπτός λόγος

9.24. ΑΛΛΗΛΟΓΡΑΦΙΑ: Απαντώ σε γράμμα: Ζητάω συγγνώμη - Δικαιολογούμαι

CORRESPONDENCE: I reply to a letter: I apologise - I excuse myself

189 **Το μέιλ που έλαβε ο Αλέξης από τη Μαρίνα**

From:

Subject:

Τι έγινες; Είχαμε ραντεβού μπροστά στον κινηματογράφο *Χλόη* στις 18:00. Σε περίμενα μέχρι τις 18:45. Σου τηλεφώνησα τέσσερις φορές αλλά δεν απάντησες. Ανησυχώ. Στείλε μου μήνυμα, σε παρακαλώ, ή πάρε με τηλέφωνο.
Μαρίνα

Η απάντηση

Είδος απάντησης

Τι είδους απάντηση θα στείλει ο Αλέξης;

- ✓ Θα προτείνει κάτι ______
- ✓ Θα καλέσει κάποιον ______
- ✓ **Θα δικαιολογηθεί** __+__
- ✓ Θα ζητήσει συγγνώμη __+__
- ✓ Θα δώσει πληροφορίες ______
- ✓ Θα ρωτήσει τα νέα της ______

Βοηθητικό λεξιλόγιο

έλαβα / πήρα το μήνυμα
σου ζητώ (**χίλια**) **συγγνώμη** / με συγχωρείς / σου ζητώ να με συγχωρέσεις
είμαι εντάξει

Χρήσιμες λέξεις

που, γιατί, για να

Λεξιλόγιο 9.24.

δικαιολογούμαι	I excuse myself
είμαι εντάξει (στα ραντεβού μου)	I am punctual
χίλια συγγνώμη!	A thousand times sorry!
[για έμφαση όταν ζητάμε συγγνώμη]	*[for emphasis when we apologise]*

189 **Θέμα:** Η απάντηση του Αλέξη στη Μαρίνα

[1] Ημερομηνία	28.6.2016
[2] Προσφώνηση	Αγαπημένη μου Μαρίνα,
[3] Το κυρίως γράμμα [3.α] Η αρχή [3.β] Το βασικό θέμα [3.γ] Το τέλος	[3.α] Έλαβα το μήνυμά σου σήμερα το βράδυ και πραγματικά είμαι πολύ στενοχωρημένος γι' αυτό **που** έγινε. Δεν μπορώ να το πιστέψω. [3.β] Σου ζητώ χίλια συγγνώμη! Φύγαμε με τους γονείς μου ξαφνικά για το Σαββατοκύριακο και ξέχασα εντελώς το ραντεβού μας. Το κινητό μου επίσης έμεινε από μπαταρία. Ανησύχησες και είχες δίκιο, **γιατί** συνήθως είμαι εντάξει στα ραντεβού μου. [3.γ] Αύριο το πρωί θα σου τηλεφωνήσω **για να** δώσουμε ένα νέο ραντεβού και να τα πούμε από κοντά. Αυτή τη φορά σίγουρα δε θα ξεχάσω να έρθω!!
[4] Πρόταση τέλους [5] Επιφώνηση [6] Υπογραφή	Σου ζητώ και πάλι συγγνώμη. Πολλά φιλιά, Αλέξης

9.24.α. Γράψτε ένα μήνυμα. (80 - 120 λέξεις) Write a message. (80 -120 words)

Το μήνυμα που λάβατε από τον Πάνο.

Μάκη, τι έγινε; Βρήκες εισιτήρια για το θέατρο αύριο; Δε μου έστειλες μήνυμα και η Ευγενία με ρωτάει αν θα πάμε. Περιμένω απάντησή σου γιατί θέλουμε να ξέρουμε το αυριανό μας πρόγραμμα. Μην ξεχνάς ότι πρέπει να κανονίσουμε ποιος θα κρατήσει τα παιδιά.
Πάνος

Απαντήστε στο μήνυμα που λάβατε από τον Πάνο.

Δεν μπορέσατε να κρατήσετε θέσεις στο θέατρο μέσω διαδικτύου γιατί χάσατε την πιστωτική σας κάρτα. Απαντάτε με μέιλ στον Πάνο, του εξηγείτε τι έγινε και του ζητάτε συγγνώμη γιατί δεν υπάρχουν πια εισιτήρια για αύριο. Τον παρακαλείτε να κρατήσει εκείνος τέσσερα εισιτήρια για μια άλλη παράσταση. Του λέτε για ποια παράσταση, για ποια μέρα, την ώρα έναρξης, το κόστος των εισιτηρίων, τις θέσεις (πλατεία, εξώστης, θεωρείο, σειρά κ.λπ.). Στο τέλος τον ευχαριστείτε, του ζητάτε άλλη μια φορά συγγνώμη και του λέτε ότι περιμένετε τα νέα του.

αξιολόγηση - οι τέσσερις δεξιότητες (___ / 20)

ΚΑΤΑΝΟΗΣΗ ΠΡΟΦΟΡΙΚΟΥ ΛΟΓΟΥ (___ / 5)

9.25. 190 Έχετε μπροστά σας διάφορες φωτογραφίες. Ποια από τις εκδηλώσεις που θα ακούσετε ταιριάζει στις πέντε φωτογραφίες; Θ' ακούσετε τις εκδηλώσεις δύο (2) φορές. Σημειώστε το γράμμα της εκδήλωσης κάτω από τη σωστή φωτογραφία. ΠΡΟΣΕΞΤΕ! Θα ακούσετε 7 εκδηλώσεις. **Πρέπει να σημειώσετε τους αριθμούς ΠΕΝΤΕ** εκδηλώσεων στις πέντε (5) φωτογραφίες. Υπάρχουν δύο εκδηλώσεις που θα ακούσετε αλλά δεν ταιριάζουν σε καμιά φωτογραφία.

1.	2.	3.	4.	5.

ΚΑΤΑΝΟΗΣΗ ΓΡΑΠΤΟΥ ΛΟΓΟΥ (___ / 5)

9.26. Διαβάστε την πρόσκληση και σημειώστε το σωστό.

191

ΠΡΟΣΚΛΗΣΗ

Το **Προξενείο** της Ακτής Ελεφαντοστού σάς προσκαλεί σε φιλανθρωπική εκδήλωση την Τετάρτη 30 Νοεμβρίου στις 19:00 στο ξενοδοχείο Ηλέκτρα (Πλατεία Αριστοτέλους 9, Θεσσαλονίκη)

Στην εκδήλωση θα ακούσετε μουσική και τραγούδια από συγκροτήματα της Ακτής Ελεφαντοστού. Βοηθήστε το έργο μας με την **παρουσία** σας στην εκδήλωσή μας.

Το προξενείο, με τα **έσοδα** αυτής της βραδιάς, θα αγοράσει υπολογιστές και βιβλία για τη βιβλιοθήκη του σχολείου ΕΛΛΑΣ - ΜΕΓΑΣ ΑΛΕΞΑΝΔΡΟΣ στο **Μάλι** της Αφρικής όπου τα παιδιά μαθαίνουν ελληνικά.

Η Γενική **Πρόξενος** της **Ακτής Ελεφαντοστού**
Μ. Κεσεσίογλου

Τιμή: 10 ευρώ

Λεξιλόγιο 9.26.

ο/η πρόξενος	consular
η παρουσία	presence
το προξενείο	consulate
τα έσοδα	revenues
η Ακτή του Ελεφαντοστού	Ivory Coast
το Μάλι	Mali

1.	Η εκδήλωση αυτή γίνεται για		
	α. φιλανθρωπικό σκοπό	β. για διασκέδαση	γ. για μια επέτειο
2.	Την εκδήλωση οργανώνει		
	α. το προξενείο του Μάλι	β. η Ακτή Ελεφαντοστού	γ. το προξενείο της Ακτής Ελεφαντοστού
3.	Στην εκδήλωση θα παίξουν μουσικά συγκροτήματα		
	α. από την Ελλάδα	β. από το Μάλι	γ. από την Ακτή του Ελεφαντοστού
4.	Τα έσοδα της εκδήλωσης θα πάνε		
	α. σ' ένα νηπιαγωγείο στην Αφρική	β. σ' ένα σχολείο στην Ακτή του Ελεφαντοστού	γ. σ' ένα σχολείο στο Μάλι της Αφρικής
5.	Με τα έσοδα από την εκδήλωση θα αγοράσουν υπολογιστές		
	α. για κάθε παιδί	β. για τα παιδιά που δεν έχουν	γ. για το σχολείο

ΠΑΡΑΓΩΓΗ ΠΡΟΦΟΡΙΚΟΥ ΛΟΓΟΥ (___ / 5)

9.27.

Για ποια εκδήλωση έγινε η αφίσα; (θέατρο, κινηματογράφος, μπαλέτο, όπερα, συναυλία, αρχαία τραγωδία, κωμωδία κ.λπ.);
Ποιος είναι ο τίτλος του θεάματος; Πόσα άτομα υπάρχουν στην αφίσα και τι κάνουν; Από πότε μέχρι πότε παίζεται το έργο και πού;
Ποιες μέρες το παίζουν; Ποιες είναι οι τιμές; Τι ώρα αρχίζει η παράσταση; Πότε έχει πρεμιέρα;
Πού μπορεί κανείς να πάρει εισιτήρια, ποιες μέρες & ποιες ώρες;

Φεστιβάλ Αθηνών Ωδείο Ηρώδου Αττικού	ΠΡΕΜΙΕΡΑ 14 ΙΟΥΝΙΟΥ
Όπερα: **Τόσκα** του **Τζάκομο Πουτσίνι**	16, 17, 18 Ιουνίου
Στο ρόλο της Τόσκας η **Δήμητρα Θεοδοσίου** και η **Τσέλια Κωστέα**	Ώρα έναρξης: 21:00
Διευθυντής ορχήστρας: **Λουκάς Καρυτινός**	Εισιτήρια: Ταμεία Φεστιβάλ Αθηνών και μέσω διαδικτύου.
Σκηνοθεσία - σκηνικά - κοστούμια: **Ούγκο ντε Άνα**	Ώρες: 9:00 με 19:00 εκτός Σαβ. & Κυρ.
Διεύθυνση χορωδίας: **Αγαθάγγελος Γεωργακάτος**	Τιμές εισιτηρίων: 45€, 35€, 25€, 15€

ΠΑΡΑΓΩΓΗ ΓΡΑΠΤΟΥ ΛΟΓΟΥ (___ / 5)

9.28. Γράφετε ένα άρθρο για ένα περιοδικό σχετικά με κάτι που είδατε (φιλμ, θεατρική παράσταση, **μπαλέτο** κ.λπ.) και σας άρεσε πολύ. **Εισαγωγή:** Τίτλος, πότε το είδατε, με ποιον πήγατε. **Κυρίως θέμα:** Πώς ήταν ο χώρος, οι ηθοποιοί / οι μουσικοί κ.λπ. Κάνετε πολύ σύντομη περιγραφή της υπόθεσης του έργου, γράφετε αν άρεσε σ' εσάς και στους άλλους της παρέας σας. **Τέλος:** Τελειώνετε την περιγραφή σας με μια γενική κριτική γι' αυτό που είδατε.

το τραγούδι μας ♫

9.29. Κόκκινα γυαλιά (1989)

Μουσική, στίχοι, ερμηνεία: Σταμάτης Κραουνάκης

9.29.α. YouTube **Ακούστε το τραγούδι και συμπληρώστε τα κενά με λέξεις από το πλαίσιο.**
https://goo.gl/vQXObL

*αντιγράφω / βάσανο / **βγαίνει** / γελάω / **γυαλιά** / **γιαλό-γιαλό** / **γύρω** / δει / εκδρομή / επιβλέπω / ζωή / **ήλιος** / καρ**διά** / **Κι ούτε** / κόκκινα / όσοι / **Πιάνω** / πλη**γή** / πυρκα**γιάς** / πώς / πρωί / φανάρι / φαρ**διά** / φεγγάρι / φτερά / φωνάζει / **φωτιάς** / **χελιδονιού** / **χιονιού** / χρωστάω*

Πήρα κόκκινα ___________
κι όλα γύρω σινεμά τα βλέπω.
___________ ξέρω πώς να ζω
ούτε και ___________ ν' αγαπώ,
τη ζωή μου ___________.

Πήρα κόκκινο στυλό
και τραβάω ___________ και γράφω
τραγουδάκια της ___________,
της φωτιάς, της ___________,
τη ζωή μου ___________.

Πώς μ' αρέσει αυτός ο ___________ [δις]
όταν ___________ το πρωί.
Κι είναι βάσανο ο φίλος, [δις]
που ___________ "Εκδρομή".

Πώς μ' αρέσει το φεγγάρι [δις]
όταν βγαίνει να μας δει.
Και κρατάει το ___________ [δις]
στης αγάπης την ___________.

Πήρα κόκκινη ___________
και πουκάμισα ___________ φοράω.
Και ρωτάω να μου πουν,
___________ ξέρουν ν' αγαπούν,
σε ποιον έρωτα ___________.

Πήρα κόκκινα ___________
και περνάω μια χαρά, ___________.
___________ σώμα του ___________
και ουρά ___________,
στου Θεού τ' αυτί μιλάω.

Πώς μ' αρέσει αυτός ο ήλιος [δις]
όταν βγαίνει το ___________.
Κι είναι ___________ ο φίλος [δις]
που φωνάζει "___________".

Πώς μ' αρέσει το ___________ [δις]
όταν βγαίνει να μας ___________.
Και κρατάει το φανάρι [δις]
στης αγάπης την πληγή.

Πήρα ___________ γυαλιά
κι όλα ___________ σινεμά τα βλέπω.
Κι ούτε ξέρω πώς να ζω
ούτε και πώς ν' αγαπώ,
τη ___________ μου επιβλέπω.

Τι προσέχουμε;

ΠΡΟΦΟΡΑ
για, δια, νια, πια, τια, λιο, χιο, κιου, νιου,
γε, κε, χε, γι, κι

ΛΕΞΙΛΟΓΙΟ

Σταμάτης Κραουνάκης (1955)

9.29.β. **Ψάχνω στο λεξικό και γράφω τη μετάφραση στη γλώσσα μου**

η ουρά = ...
η πληγή = ...
ο γιαλός = ...
γιαλό-γιαλό = ...
το βάσανο = ...
το χελιδόνι = ...
το φανάρι = ...
χρωστάω (-ώ) = ...
αντιγράφω = ...
επιβλέπω = ...
τραβάω (-ώ) = πάω

Άλλοτε και τώρα

Επικοινωνία

✓ **Λέω τι κάνω στον ελεύθερο χρόνο μου (Β΄ μέρος)**
- Περιγράφω ασχολίες & πράξεις με διάρκεια στο παρελθόν
- Μιλάω για τα χόμπι και τις δραστηριότητές μου
- Κατανοώ το πρόγραμμα της τηλεόρασης & συζητώ σχετικά με αυτό
- Συζητώ για έναν αγώνα ποδοσφαίρου

Θεματικές ενότητες

Ελεύθερος χρόνος

✓ **Οι ασχολίες και τα χόμπι άλλοτε και τώρα**
- σπορ, μουσική, μαγειρική, χειροτεχνία κ.λπ.
- έξοδοι

Η καθημερινή ζωή

✓ **Οι καθημερινές ασχολίες άλλοτε και τώρα**

Λεξιλόγιο

- **Ασχολίες & χόμπι εκτός σπιτιού**
- **Ασχολίες & χόμπι στο σπίτι**
- **Η τηλεόραση & οι εκπομπές της**
- **Το ποδόσφαιρο**

Then and now

Communication

✓ **I say what I do during my free time (Part 2)**
- I describe activities & actions with duration in the past
- I talk about my hobbies and activities
- I understand the television programme & I talk about it
- I talk about a football game

Thematic units

Free / Leisure time

✓ **Activities and hobbies then and now**
- sports, music, cooking, crafting etc.
- outings

Everyday life

✓ **Everyday activities then and now**

Vocabulary

- **Activities & hobbies outside the house**
- **Activities & hobbies inside the house**
- **Television & programmes**
- **Football**

Γραμματική

1. **Ο παρατατικός**
2. **Χρήση του παρατατικού**
3. **Καταλήξεις ενεστώτα, παρατατικού & αορίστου**
4. **Ουδέτερα ονόματα σε *-σιμο (-ξιμο, -ψιμο)* που παράγονται από ρήματα** *το τρέξιμο, το ράψιμο*
5. **Δευτερεύουσες χρονικές προτάσεις που εισάγονται με *ενώ***
6. **Το γενικό ή αόριστο υποκείμενο**
7. **Πίνακας νέων ρημάτων**

Grammar

1. **Imperfect tense**
2. **Use of imperfect**
3. **Endings of present, imperfect & past tense**
4. **Neuter nouns in *-σιμο (-ξιμο, -ψιμο)* that derive from verbs** *το τρέξιμο, το ράψιμο*
5. **Subordinate time clauses that start with *ενώ***
6. **The general or indefinite subject**
7. **Table of new verbs**

Βήμα 10 Άλλοτε και τώρα

*Ένας δημοσιογράφος, ξάδελφος της Δανάης Λούρη, κάνει μια σειρά εκπομπών στην τηλεόραση με θέμα τη ζωή και τις **συνήθειες** των ανθρώπων άλλοτε και τώρα. Σ' αυτή την εκπομπή συμμετέχουν άνθρωποι όλων των ηλικιών. Ανάμεσα σ' αυτούς βρίσκονται τα ανίψια του δημοσιογράφου, Αντιγόνη και Φίλιππος και οι θείοι του, Σταμάτης, πατέρας της Δανάης, και Νίκος.*

10.1. 193 *Στο στούντιο*

Τώρα

Φίλιππος (17) & Αντιγόνη (16)

Πώς περνάτε τον ελεύθερο χρόνο σας;

Α: **Παίζουμε** με τους φίλους μας ηλεκτρονικά παιχνίδια στο διαδίκτυο.

Φ: **Φτιάχνουμε** επίσης μπλογκ μόνοι μας, **κατεβάζουμε** νέα παιχνίδια στον υπολογιστή ή στο κινητό και **ψάχνουμε** για νέες **εφαρμογές**. **Μιλάμε** με τους φίλους μας στο Facebook, στο Twitter, και σε διάφορα άλλα **κοινωνικά δίκτυα**.

Α: **Έχουμε** κι άλλα παιχνίδια όμως. Οι γονείς μας μας **αγοράζουν** δώρα αρκετά συχνά και όχι μόνο στα γενέθλιά μας ή την Πρωτοχρονιά.

Κάνετε αθλητισμό;

Φ: Εγώ **παίζω** βόλεϊ στην ομάδα εφήβων του δήμου μας. Είμαι **οπαδός** του Παναθηναϊκού. **Πάω** στο γήπεδο πολύ συχνά και **παρακολουθώ** σχεδόν όλους τους αγώνες.

Α: Εγώ **είμαι** σε μια **ποδοσφαιρική** ομάδα και **κάνουμε** προπόνηση κάθε Κυριακή πρωί. Μια φορά το μήνα **οργανώνουμε** αγώνες με ομάδες από άλλες περιοχές.

Περπατάτε καθόλου ή παίρνετε μέσα συγκοινωνίας;

Α: Εμείς δεν **περπατάμε** πολύ. **Μένουμε** στην Πλάκα και το σχολείο μας είναι πολύ κοντά στο σπίτι. Ο αδερφός του Φίλιππου όμως, που **σπουδάζει** στο Πολυτεχνείο, **περπατάει** πολύ κάθε μέρα. **Πάει** με τα πόδια και **κάνει** περίπου μισή ώρα για να πάει και μισή ώρα για να γυρίσει.

Άλλοτε

Σταμάτης (66) & Παναγιώτης (67)

Πώς περνούσατε τον ελεύθερο χρόνο σας;

Σ: **Παίζαμε** διάφορα παιχνίδια στο δρόμο με όλα τα παιδιά της γειτονιάς. **Παίζαμε κρυφτό, κυνηγητό**...

Π: **Φτιάχναμε** παιχνίδια μόνοι μας από απλά πράγματα, πέτρες, ξύλα, άδεια κουτιά. Συνεχώς **ψάχναμε** για κάτι καινούργιο. **Μιλούσαμε** συνεχώς με φίλους και γνωστούς στο δρόμο, στο μανάβη, στον **μπακάλη** και στα καφενεία της γειτονιάς.

Σ: Δεν **είχαμε** πολλά παιχνίδια. Οι γονείς μας μας **αγόραζαν** δώρα μόνο την Πρωτοχρονιά, γιατί ήταν πολύ ακριβά.

Κάνατε αθλητισμό;

Π: Σπορ δεν κάναμε πολλά. **Παίζαμε** μόνο ποδόσφαιρο σε άδεια οικόπεδα στη γειτονιά μας. Στο γήπεδο **πηγαίναμε** σπάνια και **παρακολουθούσαμε** μόνο τους σημαντικούς αγώνες.

Σ: Εγώ **ήμουν** σε μια ποδοσφαιρική ομάδα και **κάναμε** προπόνηση μια φορά την εβδομάδα. Τα καλοκαίρια **οργανώναμε** αγώνες με ομάδες από άλλες γειτονιές.

Περπατούσατε πολύ τότε ή παίρνατε τη συγκοινωνία;

Π: **Περπατούσαμε** πολύ. Εγώ για παράδειγμα, **έμενα** στο Χαλάνδρι. **Σπούδαζα** πολιτικός μηχανικός και **πήγαινα** στο Πολυτεχνείο στο κέντρο, κάθε μέρα με τα πόδια. **Έκανα** μία ώρα για να πάω και μία ώρα για να γυρίσω. Αυτό ήταν το σπορ μου εκείνα τα χρόνια.

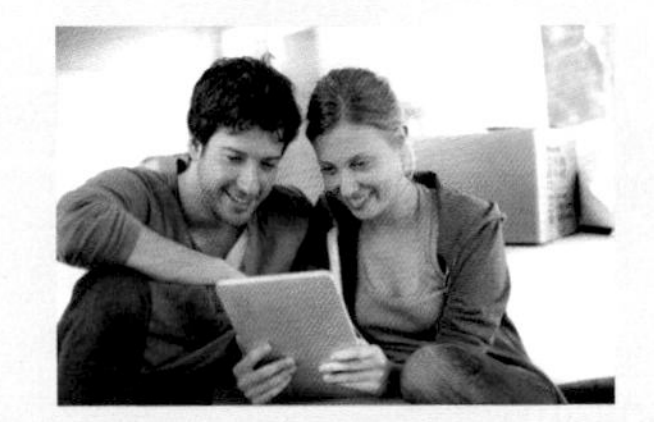

Μαριάννα (27) & Δαμιανός (30)

Μιλάτε συχνά με τους φίλους σας;

Δ: Δεν **έχω** καιρό κι έτσι δε **μιλώ** πολύ με τους φίλους μου στο τηλέφωνο. Τους **στέλνω** μηνύματα, φωτογραφίες, **βίντεο**... και **περιμένω** με αγωνία την απάντησή τους στο Facebook ή με μέιλ, ιδιαίτερα από φίλους που **μένουν** στην Ελλάδα ή **μένουν** στο εξωτερικό.

Διαβάζετε πολύ;

Μ: Δε **διαβάζω** πάρα πολύ, γιατί δεν **έχω** χρόνο. **Διαβάζω** κυρίως ψηφιακά βιβλία γιατί **είναι** φτηνά. Τα περισσότερα βιβλία τώρα **κυκλοφορούν** και σε ψηφιακή έκδοση.

Ματίλντα (70) & Αρμάνδος (74)

Μιλούσατε συχνά με τους φίλους σας;

Μ: **Άλλοτε είχαμε** πολύ χρόνο για τους φίλους μας και **μιλούσαμε** στο τηλέφωνο **με τις ώρες**. Η **κοινωνία** ήταν διαφορετική. **Στέλναμε** κάρτες ο ένας στον άλλον και **περιμέναμε** με αγωνία την απάντησή τους, ειδικά από τους φίλους μας που **έμεναν** στο εξωτερικό.

Διαβάζατε πολύ;

Α: Τότε **διαβάζαμε** πολύ γιατί **είχαμε** χρόνο. **Διαβάζαμε** ελληνικά και ξένα μυθιστορήματα, **διαβάζαμε** ποίηση. Τότε τα βιβλία **ήταν** ακριβά. Γι' αυτό **κυκλοφορούσαν από χέρι σε χέρι**.

Ναταλία (64) & Δάφνη (65)

Τι κάνετε στον ελεύθερο χρόνο σας;

Ν: Από τότε που είμαι συνταξιούχος, δε **δουλεύω** κι **έχω** πολύ περισσότερο χρόνο για εμένα. **Κάνω** γυμναστική δύο φορές την εβδομάδα, **παρακολουθώ** μαθήματα φωτογραφίας και μια φορά το μήνα μαθήματα μαγειρικής και **πλεξίματος**. Τώρα ξέρω όχι μόνο να **ράβω** και να **κεντάω**, αλλά και να **πλέκω** υπέροχα κασκόλ! **Μαθαίνω** και ισπανικά - τα ισπανικά **είναι** πολύ της μόδας τελευταία!

Δ: Τα βράδια **βγαίνω** με τις φίλες μου αλλά **πηγαίνουμε** και με τον άντρα μου σε ταβερνάκια, σινεμά ή στο θέατρο. Ευτυχώς **υπάρχουν** πολλά και καλά θέατρα στην Αθήνα.

Οι αδελφές Αριστέα (87) & Βέρα (88)

Τι κάνατε στον ελεύθερο χρόνο σας;

Α: Άλλοτε **δουλεύαμε** ακόμη και τα Σάββατα αλλά **είχαμε** περισσότερο ελεύθερο χρόνο για την οικογένεια και τους φίλους. Δεν **κάναμε** πολλά πράγματα έξω από το σπίτι. Ούτε γυμναστική σε γυμναστήρια **κάναμε** ούτε μαθήματα τέχνης **παρακολουθούσαμε** ούτε ξένες γλώσσες **μαθαίναμε**, όπως κάνουν τώρα οι γυναίκες· δεν **ήταν** της μόδας. Τα απογεύματα εγώ συνήθως **κεντούσα** **ενώ** η Βέρα **έπλεκε** πουλόβερ και **έραβε** τα ρούχα των παιδιών.

Β: Τα βράδια δε **βγαίναμε** μόνες μας έξω. Συνήθως **πηγαίναμε** με τους άντρες μας για φαγητό, σινεμά ή θέατρο. Θέατρα **υπήρχαν** αρκετά στην Αθήνα.

Μάριος (40)

Βλέπετε τηλεόραση; Ακούτε ραδιόφωνο;

Μ: Ο κόσμος σήμερα **βλέπει** πολλές ώρες τηλεόραση - όλοι **έχουν** τηλεόραση. Τα κανάλια **είναι** πάρα πολλά και οι εκπομπές που **υπάρχουν** πολλές και διάφορες. **Μπορεί** κανείς να δει **δελτία ειδήσεων**, αθλητικές εκπομπές, **τηλεοπτικές σειρές**, κινούμενα σχέδια ή ντοκιμαντέρ. Ραδιόφωνο **ακούει** κανείς συνήθως μέσα στο αυτοκίνητο.

Ισαβέλλα (60)

Βλέπατε τηλεόραση; Ακούγατε ραδιόφωνο;

Ι: Άλλοτε ο κόσμος δεν **έβλεπε** πολλή τηλεόραση - λίγα σπίτια **είχαν** τηλεόραση. Τα κανάλια **ήταν** μόνο δύο και οι εκπομπές που **υπήρχαν** ήταν λίγες κι αυτές. Ο κόσμος **άκουγε** πολύ ραδιόφωνο. **Μπορούσε** κανείς να ακούσει ειδήσεις, μουσική, παιδικές εκπομπές ακόμα και ολόκληρα θεατρικά έργα.

10.1.α. Σημειώστε: Σωστό ή Λάθος; Tick: True or False?

		Σωστό	Λάθος
1.	Τώρα τα παιδιά παίζουν ηλεκτρονικά παιχνίδια· άλλοτε παίζανε παιχνίδια στο δρόμο.		
2.	Άλλοτε οι γονείς αγόραζαν πολύ συχνά παιχνίδια στα παιδιά τους.		
3.	Άλλοτε τα παιδιά πήγαιναν πολύ συχνά στο γήπεδο.		
4.	Η Αντιγόνη πάει με τα πόδια κάθε μέρα στο σχολείο που είναι μακριά από το σπίτι της.		
5.	Η Ματίλντα έστελνε κάρτες στους φίλους της που έμεναν στο εξωτερικό.		
6.	Τώρα τα βιβλία είναι και **έντυπα** και ψηφιακά. Άλλοτε ήταν μόνο έντυπα.		
7.	Άλλοτε οι γυναίκες παρακολουθούσαν μαθήματα τέχνης, γλωσσών και άλλα.		
8.	Τώρα οι γυναίκες δε βγαίνουν έξω με τις φίλες τους· βγαίνουν μόνο με τους άντρες τους.		
9.	Ο κόσμος σήμερα βλέπει πολλή τηλεόραση γιατί υπάρχουν πολλά κανάλια.		
10.	Άλλοτε ο κόσμος έβλεπε πολλές εκπομπές στην τηλεόραση, όπως δελτία ειδήσεων, θεατρικά έργα και άλλα.		

10.2.  *Στα εξήντα μου θυμάμαι*

Στα εξήντα μου θυμάμαι όλο και πιο συχνά τα παιδικά μου χρόνια. Θυμάμαι τους γονείς μας τα Σάββατα που **έβγαιναν** πάντα έξω κι εμείς τους **κοιτούσαμε** με **θαυμασμό** γιατί **βάζανε τα καλά τους** ρούχα και **πηγαίνανε** σε εστιατόρια ή σε νυχτερινά κέντρα για χορό. Θυμάμαι όμως ότι **χόρευαν** και στο σπίτι. Κάθε φορά που **είχαμε** καλεσμένους, οι μεγάλοι μετά το φαγητό **αρχίζανε** το χορό και το τραγούδι... κι εμείς μαζί τους.

Πιο πολύ όμως θυμάμαι το σινεμά. **Πηγαίναμε** όλη η οικογένεια στον κινηματογράφο της γειτονιάς και **βλέπαμε** κωμωδίες, δράματα, γουέστερν, μιούζικαλ και πολεμικές ταινίες. Τότε ο κινηματογράφος **ήταν** μεγάλη έξοδος. Οι θεατές **παρακολουθούσαν** με αγωνία την υπόθεση και **ζούσαν** το έργο μαζί με τους ηθοποιούς. **Έκλαιγαν**, **γελούσαν** και **χτυπούσαν** τα πόδια τους στο πάτωμα στο ρυθμό της μουσικής. Και στο τέλος **χειροκροτούσαν**. Εγώ **λάτρευα** τα γουέστερν. **Κρατούσα** το **πιστόλι** σαν τον Τζον Γουέιν και **φώναζα** «Σταματήστε, αλλιώς...».

Τηλεόραση δεν **μπορούσε** να δει κανείς εύκολα γιατί μόνο λίγα σπίτια **είχαν**. Η θεία Μίνα, που αγόρασε την πρώτη τηλεόραση στην οικογένεια, μας **καλούσε** και **βλέπαμε** τις πιο ωραίες παιδικές εκπομπές. Η αγαπημένη μου ήταν ο *Λόουν Ρέιντζερ* - πάλι γουέστερν θα μου πείτε - αλλά πάντα μου **άρεσαν** τα άλογα και τα πιστόλια. Οι γονείς μου μαζί με τη θεία Μίνα και το θείο Χαράλαμπο **άκουγαν** βεβαίως τις ειδήσεις αλλά **προτιμούσαν** τα θεατρικά έργα και τις σειρές, όπως το *Πέιτον Πλέις*. Μα πιο πολύ απ' όλα θυμάμαι τη στιγμή που ο Άρμστρονγκ πάτησε το πόδι του στο φεγγάρι. **Νόμιζα** ότι **φορούσα** κι εγώ την περίεργη στολή και το **κράνος** και **περπατούσα** μαζί του πάνω στις στρογγυλές **τρύπες** της Σελήνης.

Οι γονείς μου **αγαπούσαν** πολύ το θέατρο αλλά δεν **πήγαιναν** συχνά. Εγώ κι ο αδερφός μου **λατρεύαμε** τον Καραγκιόζη. Μας **πήγαινε** ο πατέρας στο κέντρο και μετά την παράσταση **τρώγαμε λουκουμάδες** στο *Αιγαίον*, στην οδό Πανεπιστημίου. **Ύστερα** μας **αγόραζε** κόμικς· εγώ **διάλεγα** τον *Λούκι Λουκ* και ο αδερφός μου τον *Μίκυ Μάους*. **Διαβάζαμε** όμως και πολλά βιβλία. Τότε βέβαια **ήταν** μόνο χάρτινα, δεν υπήρχαν ψηφιακά και τα **δανείζαμε** ο ένας στον άλλο. Μετά **συζητούσαμε** γι' αυτά· άλλες φορές **συμφωνούσαμε** κι άλλες φορές **διαφωνούσαμε**, αλλά **περνούσαμε** καλά. **Μαθαίναμε** ο ένας από τον άλλον.

Στο τηλέφωνο δε **μιλούσαμε** πολύ. Εγώ, όταν **ήθελα** να δω το φίλο μου τον Πέτρο, που **έμενε** κοντά μου, **χτυπούσα** το κουδούνι του, μου **άνοιγε** την πόρτα, **έτρεχα** στο δωμάτιό του και **παίζαμε** με τις ώρες. Μετά **βγαίναμε** στο δρόμο και **παίζαμε** με τα παιδιά της γειτονιάς. Τότε **ήμασταν** όλοι πιο κοντά. Η γειτονιά **ήταν** γειτονιά.

Στέφανος Παλαιολόγος, ***ευρωβουλευτής***
Περιοδικό *Εποχές*

10.2.α. Σημειώστε το σωστό. Tick the correct answer.

1.	Όταν οι γονείς τους έβγαιναν έξω τα Σαββατοκύριακα, τα παιδιά	
	α. βάζανε τα καλά τους	β. τους κοιτούσαν και τους θαύμαζαν
	γ. έβγαιναν μαζί τους	δ. πήγαιναν για χορό
2.	Οι γονείς τους χόρευαν	
	α. σε νυχτερινά κέντρα	β. στο σπίτι
	γ. και στο σπίτι και σε νυχτερινά κέντρα	δ. όταν ήταν κάπου καλεσμένοι
3.	Τα παιδιά πήγαιναν με τους γονείς τους σινεμά για να δουν	
	α. γουέστερν	β. κωμωδίες και δράματα
	γ. μιούζικαλ και πολεμικά έργα	δ. όλα **τα παραπάνω**
4.	Στο σινεμά οι θεατές παρακολουθούσαν τις ταινίες	
	α. με αγωνία	β. και έκλαιγαν
	γ. και χτυπούσαν τα πόδια τους	δ. με αγωνία και ζούσαν την ταινία μαζί με τους ηθοποιούς
5.	Του Στέφανου τού άρεσαν	
	α. τα γουέστερν	β. τα έργα με τον Τζον Γουέιν
	γ. οι πολεμικές ταινίες	δ. οι ταινίες με πιστόλια
6.	Στη θεία Μίνα πήγαιναν	
	α. για να δουν στην τηλεόραση τα πιο ωραία γουέστερν	β. για να δουν δελτία ειδήσεων
	γ. γιατί μόνο η θεία Μίνα είχε τηλεόραση στην οικογένεια	δ. για να δουν θεατρικά έργα στην τηλεόραση
7.	Οι γονείς του και οι θείοι του	
	α. έβλεπαν οπωσδήποτε τις ειδήσεις και τα παιδιά έβλεπαν παιδικές εκπομπές	β. έβλεπαν το *Πέιτον Πλέις* και τα παιδιά έβλεπαν καραγκιόζη
	γ. έβλεπαν θεατρικά έργα και τα παιδιά έβλεπαν τηλεοπτικές σειρές	δ. έβλεπαν μόνο ειδήσεις και τα παιδιά έβλεπαν τον *Λόουν Ρέιντζερ*
8.	Στο Στέφανο άρεσε πολύ	
	α. το θέατρο	β. ο Καραγκιόζης
	γ. οι κωμωδίες	δ. ο *Μίκυ Μάους*
9.	Μετά την παράσταση του Καραγκιόζη, ο πατέρας τους	
	α. τους πήγαινε στο κέντρο της πόλης	β. τους αγόραζε τον *Λούκυ Λουκ* και τον *Μίκυ Μάους*
	γ. τους πήγαινε πρώτα για λουκουμάδες και μετά τους αγόραζε κόμικς	δ. τους πήγαινε για λουκουμάδες και τους αγόραζε βιβλία
10.	Εκείνο τον καιρό τα παιδιά	
	α. διάβαζαν πολύ και μάθαιναν πολλά από τα βιβλία που διάβαζαν	β. διάβαζαν πολύ αλλά κι έπαιζαν με τους φίλους και τους γείτονές τους
	γ. διάβαζαν πολύ, μιλούσαν πολύ στο τηλέφωνο και έπαιζαν με τους φίλους τους	δ. διάβαζαν πολύ και έπαιζαν πολύ με τους φίλους τους στο σπίτι

10.3. 198 *Ένας Ντεγκά έκανε φτερά*

Την περασμένη Πέμπτη ο ιδιοκτήτης της μονοκατοικίας στην οδό Ερμού έλειπε σε ταξίδι. Η **βοηθός** του σπιτιού **ήταν** έξω για ψώνια. Στο σπίτι δεν **υπήρχε** κανένας άλλος εκτός από ένα ηλικιωμένο μαύρο λαμπραντόρ.

Στις τρεις το μεσημέρι περίπου, **κακοποιοί** **έσπασαν** την πόρτα ασφαλείας, **μπήκαν** στην κατοικία του επιχειρηματία Τεύκρου Κωνσταντινίδη, γνωστού **συλλέκτη** έργων τέχνης, κι **έδωσαν** μπιφτέκια στο σκύλο για να μη **γαβγίσει**. **Ενώ** αυτός **έτρωγε**, **έκλεψαν** έναν από τους πιο ακριβούς πίνακες της **συλλογής** του επιχειρηματία, που κοστίζει τουλάχιστον έξι εκατομμύρια ευρώ. Ήταν μία από τις χορεύτριες του γάλλου ζωγράφου Εντγκάρ Ντεγκά, ένα έργο με διαστάσεις εξήντα ένα επί σαράντα επτά εκατοστά. Η αστυνομία **έπιασε** δύο άντρες και η έρευνα συνεχίζεται.

Από τον Τύπο

10.3.α. Ταιριάξτε τις στήλες. Match the columns.

1.	Από το σπίτι έλειπαν	____	α.	ο Κωνσταντινίδης είχε μεγάλη συλλογή έργων τέχνης.
2.	Στο σπίτι υπήρχε μόνο	____	β.	γιατί έτρωγε το φαγητό που του έδωσαν οι κακοποιοί.
3.	Οι κακοποιοί γνώριζαν ότι	____	γ.	που ίσως είναι οι κλέφτες του πίνακα.
4.	Ο σκύλος δε γαύγισε	____	δ.	ο ιδιοκτήτης και η βοηθός του σπιτιού.
5.	Οι κακοποιοί έκλεψαν	____	ε.	ένας ηλικιωμένος σκύλος.
6.	Η αστυνομία έπιασε δύο άτομα	____	ζ.	ένα μικρό σε διαστάσεις αλλά πολύ ακριβό έργο.

ανάπτυξη

10.4. Οι ασχολίες μας

Αύριο θα πάω για **ορειβασία** στις οκτώ το πρωί, και το απόγευμα πρέπει να γράψω ένα άρθρο για το περιοδικό *Οικολογία και ανακύκλωση*. Εσύ τι θα κάνεις;

Θα πάω το πρωί για κολύμπι και στη συνέχεια έχω μάθημα **ζαχαροπλαστικής**. Πρέπει **να φροντίσω** και τα φυτά μου. Έχω και τις δουλειές του σπιτιού που τις **σιχαίνομαι**, όπως ξέρεις. Δεν ξέρω τι **θα προφτάσω** να κάνω.

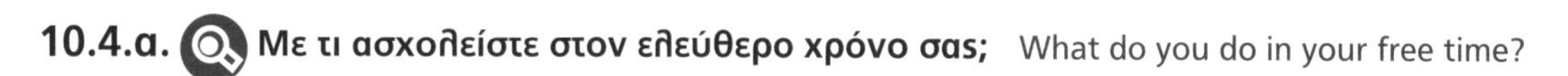

10.4.α. Με τι ασχολείστε στον ελεύθερο χρόνο σας; What do you do in your free time?

Α.*	Β.*	Γ.*	
ασχολούμαι με τον αθλητισμό **ενδιαφέρομαι για την** οικολογία **με ενδιαφέρει η** τεχνολογία **μου αρέσει ο** χορός **λατρεύω το** θέατρο **τρελαίνομαι για το** χορό **μισώ την** τηλεόραση **σιχαίνομαι τις** δουλειές του σπιτιού	**κάνω** σκι / ιππασία / ορειβασία... **παίζω** τένις / πιάνο / μπάσκετ / τάβλι / σκάκι / χαρτιά **μαθαίνω** μπουζούκι / γαλλικά... **παρακολουθώ** μαθήματα ζωγραφικής / φωτογραφίας... **ξεκινάω (-ώ)** μαθήματα ελληνικών **αρχίζω** γυμναστική	**Μου αρέσει...**	να ζωγραφίζω, να μαγειρεύω, να διαβάζω, να τραγουδάω (-ώ), να κεντάω (-ώ), να χορεύω, να ψωνίζω, να ψαρεύω, να κολυμπάω (-ώ), να πηγαίνω ταξίδια, να φτιάχνω κοσμήματα, να φροντίζω τα ζώα, να φυτεύω λουλούδια, να ποτίζω τον κήπο μου, να ψάχνω για παλιά αντικείμενα, να κάνω συλλογή γραμματοσήμων...
		Θέλω... **Θα ήθελα...**	να αρχίσω..., να ξεκινήσω..., να κάνω..., να μάθω..., να παρακολουθήσω...

** Α: Με άρθρο, Β: Χωρίς άρθρο, Γ: Με υποτακτική*

10.4.β. *Έχετε ελεύθερο χρόνο; Κάντε κάτι!*

	Βρήκατε επιτέλους λίγο ελεύθερο χρόνο; Μην καθίσετε μπροστά στην τηλεόραση! Ξεκινήστε καινούργιες ευχάριστες ασχολίες!	Διάλογοι α	β	γ	δ	ε
1.	Γίνετε **μέλος** σε κάποια **φιλοζωική** εταιρεία γιατί τα ζώα χρειάζονται την αγάπη σας.					
2.	Ξεκινήστε μαθήματα **χειροτεχνίας**. Μάθετε να φτιάχνετε κοσμήματα, **ψεύτικα** λουλούδια και άλλα.					
3.	Αρχίστε μαθήματα πιάνου, βιολιού, κιθάρας ή κάποιου άλλου μουσικού οργάνου.					
4.	Αρχίστε μαθήματα φωτογραφίας. **Βγάλτε φωτογραφίες** από τα ωραία μέρη που επισκέπτεστε!					
5.	Κάντε κάποιο άθλημα, όπως σκι, θαλάσσιο σκι, τένις, βόλεϊ, ιππασία, ιστιοπλοΐα, ορειβασία, πεζοπορία, τρέξιμο, κολύμπι, ποδήλατο, ράφτινγκ, μπάσκετ, ποδόσφαιρο ή ψάρεμα.					
6.	Μάθετε να πλέκετε, να ράβετε ή να κεντάτε. Φτιάξτε **κεντήματα** για το σπίτι σας!					
7.	Μάθετε μια ξένη γλώσσα γιατί είναι απαραίτητη στην εποχή μας.					
8.	Γνωρίστε το μαγικό κόσμο του θεάτρου! Μπείτε σε κάποια θεατρική ομάδα.					
9.	Μάθετε τα μυστικά της **κηπουρικής** και αλλάξτε τον κήπο σας. Καλλιεργήστε λαχανικά. Βάλτε στο μπαλκόνι σας βότανα και **αρωματικά** φυτά για την κουζίνα σας. Τα φαγητά σας θα **μυρίζουν** υπέροχα.					
10.	Φτιάξτε έπιπλα μόνος σας! **Κατασκευάστε** μια βιβλιοθήκη, ένα τραπέζι για το τζάκι σας και πολλά άλλα. Οι κατασκευές είναι της μόδας!					
11.	Ξεκινήστε μαθήματα χορού. Επιλέξτε κλασικό μπαλέτο, μοντέρνο χορό, χιπ-χοπ ή κάτι άλλο.					

		Διάλογοι				
		α	β	γ	δ	ε
12.	Διαβάστε τα βιβλία που πάντα θέλατε να διαβάσετε. Γίνετε μέλος σε κάποια **λέσχη** βιβλίου.	✓				
13.	Δείτε τις ταινίες που πάντα θέλατε να δείτε. Γίνετε μέλος σε κάποια λέσχη κινηματογράφου.					
14.	Παρακολουθήστε μαθήματα από απόσταση στο Ανοικτό Πανεπιστήμιο.					
15.	Μπείτε σε κάποια φιλανθρωπική οργάνωση και προσφέρετε την εργασία σας. Δείξτε την αγάπη σας σε ανθρώπους που σας έχουν **ανάγκη**, που σας χρειάζονται.					
16.	Μάθετε τα μυστικά της τεχνολογίας. Μπείτε σ' ένα κοινωνικό δίκτυο και φτιάξτε το προφίλ σας. Δημιουργήστε το μπλογκ σας.					
17.	Γίνετε μέλος μιας **οικολογικής** ομάδας που ασχολείται, για παράδειγμα, με την ανακύκλωση.					
18.	Βάλτε στο καθημερινό σας πρόγραμμα τη γυμναστική. Διαλέξτε το είδος της γυμναστικής που σας αρέσει και σας πάει.					
19.	Μάθετε να φτιάχνετε γλυκά και φαγητά. Η ζαχαροπλαστική και η μαγειρική είναι χρήσιμα χόμπι. Μπορεί να γίνουν και το νέο σας επάγγελμα!					
20.	Παρακολουθήστε μαθήματα ζωγραφικής, **γλυπτικής**, κεραμικής ή διακόσμησης.					

10.4.γ. Ταιριάξτε τις στήλες. Match the columns.

1.	η φιλοζωική εταιρεία	___	α.	Ασχολείται με το περιβάλλον.
2.	έχω ανάγκη από κάτι	___	β.	Φτιάχνω κάτι από μια ιδέα που έχω.
3.	η οικολογική οργάνωση	___	γ.	Φτιάχνω αντικείμενα, για παράδειγμα κοσμήματα ή κεραμικά, με τα χέρια μου.
4.	η φιλανθρωπική οργάνωση	___	δ.	Χρειάζομαι κάτι.
5.	η χειροτεχνία	___	ε.	Ασχολείται με ανθρώπους που έχουν προβλήματα.
6.	δημιουργώ	___	ζ.	Ανεβαίνω στο βουνό.
7.	η ορειβασία	___	η.	Ασχολείται με τα ζώα.
8.	σερφάρω	___	θ.	Φτιάχνω κάτι από την αρχή με υλικά όπως το ξύλο, το μέταλλο... Π.χ. φτιάχνω ένα έπιπλο.
9.	ράβω	___	ι.	Φτιάχνω σε ύφασμα σχέδια με **βελόνα** και **κλωστές**.
10.	κεντάω (-ώ)	___	κ.	Μέσω αυτών μιλάω με γνωστούς μου, κάνω νέους φίλους, ανεβάζω φωτογραφίες, βίντεο κ.λπ.
11.	πλέκω	___	λ.	Ψάχνω διάφορες ιστοσελίδες στο διαδίκτυο.
12.	σιχαίνομαι, μισώ	___	μ.	Φτιάχνω ένα ρούχο, μια κουρτίνα ή κάτι άλλο.
13.	κατασκευάζω	___	ν.	Κάνω με μαλλί ή βαμβάκι ένα πουλόβερ, ένα κασκόλ, ένα σκούφο.
14.	τα κοινωνικά δίκτυα	___	ξ.	Δε μου αρέσει καθόλου.

10.4.δ. Ακούστε πέντε διαλόγους (α έως ε) από άτομα που διάβασαν το άρθρο «*Έχετε ελεύθερο χρόνο; Κάντε κάτι!*» και αποφάσισαν να επιλέξουν κάποιες από τις παραπάνω είκοσι ασχολίες του 10.4.β. Σημειώστε στα κουτάκια α έως ε του 10.4.β ποιος διάλογος αντιστοιχεί σε κάθε ασχολία. Σε κάθε διάλογο αντιστοιχούν τέσσερις (4) ασχολίες.

201

Παράδειγμα: Ακούτε την αρχή του διαλόγου α: «- *Είμαστε μια παρέα και αποφασίσαμε στον ελεύθερο χρόνο μας να διαβάζουμε κάθε μήνα ένα βιβλίο και να το συζητάμε.*» Σημειώνετε (✓) στο κουτί α του αριθμού 12.

Listen to five dialogues (α to ε) by people who read the article «*Έχετε ελεύθερο χρόνο; Κάντε κάτι!*» and decided to choose some of the above twenty activities (10.4.β.). Note in the boxes α to ε of 10.4.β. which dialogue corresponds to each activity. To each dialogue correspond four (4) activities.
Example: You listen to the beginning of dialogue α: «*- Είμαστε μια παρέα και αποφασίσαμε στον ελεύθερο χρόνο μας να διαβάζουμε κάθε μήνα ένα βιβλίο και να το συζητάμε.*» You tick (✓) in the box α of number 12.

10.4.ε. Δουλέψτε ανά ζεύγη. Work in pairs.

Στην άσκηση 10.4.β σημειώστε με **μπλε** μολύβι τον αριθμό με τα χόμπι που κάνετε και με **κόκκινο** αυτά που θα θέλατε να αρχίσετε. Συζητήστε για αυτά που ήδη κάνετε. (*Από πότε; Κάθε πότε; Με ποιον; Πού;*) και για αυτά που θα θέλατε να κάνετε. Πείτε γιατί δεν τα κάνατε μέχρι τώρα.

10.4.ζ. Ράψτε ένα κουμπί μόνοι σας! Τι θα χρειαστείτε;

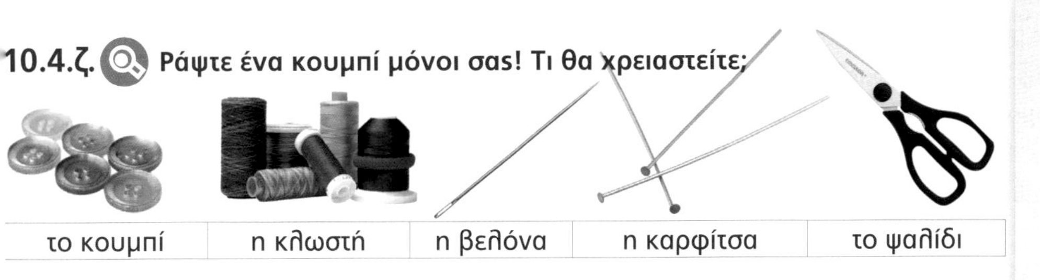

το κουμπί	η κλωστή	η βελόνα	η καρφίτσα	το ψαλίδι

ΡΑΨΙΜΟ	SEWING
η βελόνα του ραψίματος	needle for sewing
η βελόνα του πλεξίματος	needle for knitting
η καρφίτσα	pin
η κλωστή	thread
το κουμπί	button
το ψαλίδι	scissors

10.4.η. Ακούστε το κείμενο: *Όλοι μαζί για την πόλη μας!*

10.4.θ.  Σημειώστε: Σωστό ή Λάθος; Tick: True or False?

		Σωστό	Λάθος
1.	Αυτοί που μιλούν είναι φοιτητές.		
2.	Ανήκουν σε κάποιο σύλλογο της πόλης τους που ασχολείται με την οικολογία.		
3.	Η οργάνωση ασχολείται με τα προβλήματα της μετακίνησης μέσα στην πόλη.		
4.	Οι μαθητές ενημερώνουν τους κατοίκους της πόλης τους για τις *Πράσινες Μετακινήσεις*.		
5.	Οι μαθητές κάνουν **εργασίες** όλοι μαζί για να βρουν λύσεις στα προβλήματα της μετακίνησης στην πόλη τους.		
6.	Πάνω από εκατό παιδιά πήγαν στην κατασκήνωση.		
7.	Στην κατασκήνωση μόνο ζωγράφιζαν **αφίσες**, χόρευαν, τραγουδούσαν και γελούσαν.		
8.	Στην κατασκήνωση δεν ασχολήθηκαν καθόλου με αθλήματα.		
9.	Τα παιδιά παράλληλα με τη διασκέδαση συζητούσαν και δούλευαν για τα προγράμματα του χειμώνα.		
10.	Όταν τέλειωσε η κατασκήνωση, τα παιδιά χώρισαν με πολλά **κλάματα**.		
11.	Μετά το τέλος της κατασκήνωσης δεν επικοινώνησαν ούτε μία φορά ο ένας με τον άλλον.		
12.	**Κανόνισαν** να ξαναπάνε σ' αυτή την κατασκήνωση και το επόμενο καλοκαίρι.		

10.5. Πώς περνούσατε το καλοκαίρι στο νησί;

Πήγαινα για μπάνιο κάθε πρωί.

Έτρωγα το μεσημέρι πάντα στο ίδιο ταβερνάκι με τον Παύλο.

Το βράδυ **βλέπαμε** ελληνικές ταινίες στον υπαίθριο κινηματογράφο του νησιού.

10.5.α. Σημειώστε το σωστό. Tick the correct answer.

1.	Άλλοτε τα καλοκαίρια ***πάω / πήγαινα*** στη Σαντορίνη. Τώρα όμως ***πάω / πήγαινα*** στην Ύδρα.
2.	Πέρσι ***παίζω / έπαιζα*** σχεδόν κάθε μέρα τένις. Φέτος ***παίζω / έπαιζα*** μόνο μια φορά την εβδομάδα.
3.	Άλλοτε ***τρώω / έτρωγα*** μόνο κρέας. Από τον περασμένο μήνα ***τρώω / έτρωγα*** μόνο λαχανικά.
4.	Τώρα ***διαβάζω / διάβαζα*** δύο εφημερίδες την ημέρα. Άλλοτε ***διαβάζω / διάβαζα*** μόνο περιοδικά.
5.	Άλλοτε ***τρέχω / έτρεχα*** μόνο ένα χιλιόμετρο κάθε πρωί. Τώρα ***τρέχω / έτρεχα*** πέντε.
6.	Πέρσι ***ξυπνάω (-ώ) / ξυπνούσα*** κάθε πρωί στις επτά για τη δουλειά. Φέτος ***ξυπνάω (-ώ) / ξυπνούσα*** μια ώρα πιο νωρίς.

Και τώρα εσείς!

10.5.β. *Μιλήστε για τις καλοκαιρινές σας διακοπές. Τι ώρα ξυπνούσατε; Τι κάνατε κάθε μέρα; Πού τρώγατε; Τι διαβάζατε; Τι σπορ κάνατε; Τι παιχνίδια παίζατε; Με ποιους κάνατε παρέα;*

10.5.γ. **Περιγράψτε πώς περνούσατε την ημέρα σας στις διακοπές σας όταν ήσασταν παιδί. (80-100 λέξεις)**
Describe how you spent your day when you were a child. (80-100 words)

10.6. 204 Ενώ κολυμπούσα, ο ήλιος έδυε...

α.	Το πρωί στην παραλία **έκανα** ηλιοθεραπεία και ο γιος μου **έφτιαχνε** κάστρα με την άμμο.	Τα απογεύματα ο Αντρέας κι εγώ **πίναμε** το ουζάκι μας και η κόρη μας **μάθαινε** ποδήλατο.	Κάθε βράδυ **έκανα** περίπατο στην παραλία και ο άντρας μου **διάβαζε** το βιβλίο του στη βεράντα του ξενοδοχείου.
β.	Το πρωί στην παραλία, **ενώ έκανα** ηλιοθεραπεία, ο γιος μου **έφτιαχνε** κάστρα με την άμμο.	Τα απογεύματα, **ενώ** ο Αντρέας κι εγώ **πίναμε** το ουζάκι μας, η κόρη μας **μάθαινε** ποδήλατο.	Κάθε βράδυ, **ενώ έκανα** περίπατο στην παραλία, ο άντρας μου **διάβαζε** το βιβλίο του στη βεράντα του ξενοδοχείου.
γ.	Το πρωί στην παραλία, **την ώρα που έκανα** ηλιοθεραπεία, ο γιος μου **έφτιαχνε** κάστρα με την άμμο.	Τα απογεύματα, **την ώρα που** ο Αντρέας κι εγώ **πίναμε** το ουζάκι μας, η κόρη μας **μάθαινε** ποδήλατο.	Κάθε βράδυ, **την ώρα που έκανα** περίπατο στην παραλία, ο άντρας μου **διάβαζε** το βιβλίο του στη βεράντα του ξενοδοχείου.

10.6.α. **Ταιριάξτε τις στήλες.** Match the columns.

1.	Ενώ εγώ τακτοποιούσα το σπίτι εσύ	____	α.	γύριζαν από το μπάνιο τους.
2.	Την ώρα που πίναμε το κρασάκι μας, οι ψαράδες	____	β.	έκαναν φασαρία.
3.	Την ώρα που εγώ πήγαινα στην παραλία, οι φίλοι μου	____	γ.	έβλεπες τηλεόραση.
4.	Ενώ η δασκάλα εξηγούσε το μάθημα, τα παιδιά	____	δ.	έστρωνε το τραπέζι για να φάμε.
5.	Ενώ έψηνα τα σουβλάκια, η γυναίκα μου	____	ε.	έπαιζε μια υπέροχη μουσική.
6.	Την ώρα που οδηγούσα, το ραδιόφωνο	____	ζ.	ετοίμαζαν τις βάρκες τους για το ψάρεμα.

Και τώρα εσείς!

10.6.β. *Ενώ κάνατε κάτι (π.χ. μαγειρεύατε, διαβάζατε εφημερίδα, τακτοποιούσατε το σπίτι, βλέπατε τηλεόραση κ.λπ.), κάποιος άλλος έκανε κάτι διαφορετικό. Δώστε τουλάχιστον τέσσερα παραδείγματα.*

10.7. 205 Ενώ κολυμπούσα, άρχισε να βρέχει

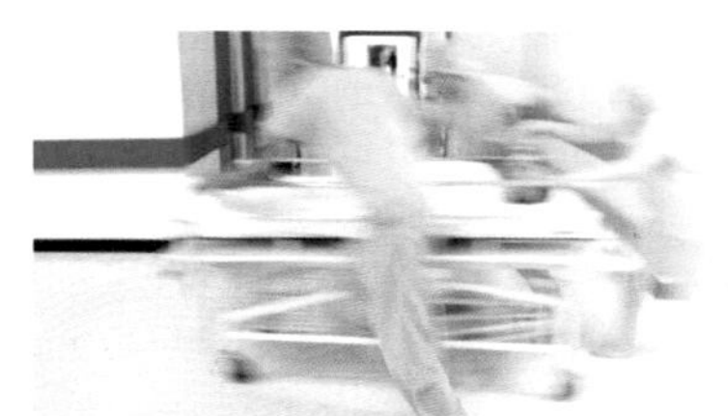

α.	Κολυμπούσα. Ξαφνικά **άρχισε** να βρέχει.	Έτρωγα σ' ένα ταβερνάκι. Με **φώναξαν** στα επείγοντα.
β.	**Ενώ κολυμπούσα**, ξαφνικά **άρχισε** να βρέχει.	**Ενώ έτρωγα** σ' ένα ταβερνάκι στην παραλία, με **φώναξαν** στα επείγοντα.
γ.	**Την ώρα που κολυμπούσα**, ξαφνικά **άρχισε** να βρέχει.	**Την ώρα που έτρωγα** σ' ένα ταβερνάκι, με **φώναξαν** στα επείγοντα.
δ.	Κολυμπούσα, **όταν** ξαφνικά **άρχισε** να βρέχει.	Έτρωγα σ' ένα ταβερνάκι στην παραλία, **όταν** με **φώναξαν** στα επείγοντα.

10.7.α. Σημειώστε το σωστό. Tick the correct answer.

1.	Την ώρα που ***μιλούσα / μίλησα*** στο τηλέφωνο με το φίλο μου, ***μπήκε / έμπαινε*** ξαφνικά στο δωμάτιο η μητέρα μου.
2.	***Μίλησα / Μιλούσα*** στο τηλέφωνο με το φίλο μου, όταν ***μπήκε / έμπαινε*** ξαφνικά στο δωμάτιο η μητέρα μου.
3.	Την ώρα που ***έτρεχα / έτρεξα*** με 150 χιλιόμετρα, με ***σταμάτησε / σταματούσε*** ένας τροχονόμος και μου έδωσε κλήση.
4.	***Έτρεχα / Έτρεξα*** με 150 χιλιόμετρα, όταν με ***σταμάτησε / σταματούσε*** ο τροχονόμος και μου έδωσε κλήση.
5.	Χτες το πρωί, την ώρα που ***διέσχιζα / διέσχισα*** την κεντρική πλατεία του νησιού, με ***χτύπησε / χτυπούσε*** ένα μηχανάκι και με ***έριχνε / έριξε*** κάτω.
6.	Χτες το πρωί ***διέσχιζα / διέσχισα*** την κεντρική πλατεία του νησιού, όταν με ***χτύπησε / χτυπούσε*** ένα μηχανάκι και με ***έριχνε / έριξε*** κάτω.
7.	Την ώρα που ***έμπαινα / μπήκα*** στο ξενοδοχείο, ***γλίστρησα / γλιστρούσα*** κι ***έπεσα / έπεφτα*** κάτω.
8.	***Έμπαινα / Μπήκα*** στο ξενοδοχείο, όταν ***γλίστρησα / γλιστρούσα*** κι ***έπεσα / έπεφτα*** κάτω.

Και τώρα εσείς!

10.7.β.

Ενώ κάνατε κάτι (π.χ. οδηγούσατε, δουλεύατε, ψωνίζατε, περπατούσατε στο δρόμο κ.λπ.), έγινε κάτι άλλο. Δώστε τουλάχιστον τέσσερα παραδείγματα.

10.8. Άλλοτε... όλη μέρα & κάθε μέρα

- άλλοτε - κάθε μέρα / πρωί / μεσημέρι / βράδυ / εβδομάδα / μήνα / χρόνο - (όλα) τα Σάββατα / τα Σαββατοκύριακα / τα καλοκαίρια - τα πρωινά / τα μεσημέρια / τα απογεύματα / τα βράδια - όλη μέρα / νύχτα, όλο το βράδυ / το πρωί - πάντα, συνεχώς, όλη την ώρα	ταξίδευα, έφευγα, περνούσα, πήγαινα... έβγαινα, παρακολουθούσα, άκουγα, έβλεπα, συζητούσα... κολυμπούσα, περπατούσα, έτρεχα, έπαιζα... έτρωγα, έπινα, μαγείρευα, έφτιαχνα... ζωγράφιζα, έγραφα, χόρευα, τραγουδούσα, διάβαζα, μελετούσα... ψώνιζα, αγόραζα, έψαχνα, έβρισκα... είχα, ήμουν, έκανα...

10.8.α. Κάντε μικρούς διαλόγους ανά ζεύγη χρησιμοποιώντας λέξεις από τον πίνακα 10.8, σύμφωνα με το παράδειγμα.

Make small dialogues in pairs using words from table 10.8., following the example.

Π.χ.: - Τι κάνατε χθες όλο το βράδυ; - Ακούγαμε μουσική, βλέπαμε τηλεόραση, συζητούσαμε...
- Πώς περνούσες τα καλοκαίρια, όταν ήσουν παιδί; - Περνούσα υπέροχα. Κολυμπούσα όλο το πρωί, έπαιζα με τους φίλους μου, έκανα ποδήλατο...

10.8.β. Συμπληρώστε τα κενά με ρήματα από το πλαίσιο, πρώτα προφορικά και μετά γραπτά, σύμφωνα με το παράδειγμα. Μετά ακούστε τα κείμενα και ελέγξτε τις απαντήσεις σας.

Fill in the gaps with verbs from the box, first orally and then in writing, following the example. Then listen to the texts and check your answers.

206

έφευγα / έφυγα έτρεχα / έτρεξα έπαιζα / έπαιξα	περνούσα / πέρασα καλούσα / κάλεσα περνούσα / πέρασα	έτρωγα / έφαγα έπινα / ήπια έβλεπα / είδα	πήγαινα / πήγα (3) έμπαινα / μπήκα έβγαινα / βγήκα	ξεχνούσα / ξέχασα κολυμπούσα / κολύμπησα

0.	**Τα καλοκαίρια**, τα *περνούσα* **πάντα** με την οικογένειά μου.	**Φέτος** όμως *πέρασα* τις διακοπές μου με δύο φίλες μου.
1.	Κάθε καλοκαίρι ________________ να πάρω τη φωτογραφική μηχανή μαζί μου στις διακοπές.	**Φέτος** όμως δεν την ________________. Μου τη θύμισε ο Αχιλλέας.
2.	**Άλλοτε** ________________ **κάθε** Σαββατοκύριακο από την Αθήνα για το εξοχικό μου.	**Αυτή τη χρονιά** όμως δεν ________________ κανένα Σαββατοκύριακο.
3.	**Κάθε πρωί** τα παιδιά κι εγώ ________________ στη θάλασσα.	**Την Πέμπτη το πρωί** όμως δεν ________________ γιατί είχε πολύ κύμα.
4.	Στις διακοπές μας, **τα μεσημέρια** ________________ πρώτα το ουζάκι μας στην παραλία και μετά ________________ στο εστιατόριο του ξενοδοχείου.	**Την τελευταία** όμως **μέρα** των διακοπών μας ________________ φρέσκα ψάρια σ' ένα ταβερνάκι και ________________ ένα υπέροχο ντόπιο κρασί.
5.	**Κάθε πρωί** τα παιδιά ________________ στη θάλασσα κι ________________ μετά από ώρες.	**Χτες** όμως τα παιδιά ________________ στη θάλασσα και ________________ αμέσως γιατί είχε πολύ κύμα.
6.	**Τα βράδια** η παρέα μου κι εγώ ________________ στο θερινό σινεμά και ________________ **συνήθως** κοινωνικές ή αστυνομικές ταινίες.	**Χτες το βράδυ** όμως ________________ στο καλοκαιρινό φεστιβάλ του νησιού και ________________ μια υπαίθρια θεατρική παράσταση.
7.	Στα γενέθλιά μου **πάντα** ________________ πολύ κόσμο στο εξοχικό μου. Οι καλεσμένοι μου ________________ θαύμα!	**Φέτος** ________________ λίγους φίλους μου σ' ένα εστιατόριο. Κανείς όμως δεν ________________ καλά γιατί είχε πολλή φασαρία.

Και τώρα εσείς!

10.8.γ. *Μιλήστε για κάτι που κάνατε άλλοτε (διακοπές, σπουδές, δουλειά, ασχολίες, χόμπι). Μετά μιλήστε για αυτά που κάνετε τώρα. Χρησιμοποιήστε λέξεις από το 10.8 & 10.8.β.*

10.9. 207 Τον ρώτησε αν... Απάντησε ότι...

- Κύριε Λούρη, **κάνατε** σπορ στο σχολείο; - Βεβαίως, **έπαιζα** ποδόσφαιρο.	Ο δημοσιογράφος ρωτάει / ρώτησε τον κύριο Λούρη αν **έκανε** σπορ στο σχολείο. Ο κύριος Λούρης του απαντάει / απάντησε ότι **έπαιζε** ποδόσφαιρο.
- Κάθε πότε **πηγαίνατε** στο γήπεδο; - Στο γήπεδο **πήγαινα** σπάνια και μόνο για τους σημαντικούς αγώνες.	Ο δημοσιογράφος ρωτάει / ρώτησε τον κύριο Λούρη κάθε πότε **πήγαινε** στο γήπεδο. Ο κύριος Λούρης του απαντάει / απάντησε ότι **πήγαινε** σπάνια στο γήπεδο και μόνο για τους σημαντικούς αγώνες.

10.9.α. 207 Συμπληρώστε τα κενά σύμφωνα με το παράδειγμα. Fill in the gaps following the example.

	Η δημοσιογράφος ρωτάει.		Ποιον ρώτησε η δημοσιογράφος; Τι ρώτησε;
1.	- Κύριε Σταμάτη, κύριε Νίκο, άλλοτε *[κάνω]* ***κάνατε*** αθλητισμό; - Βεβαίως και *[κάνω]* ___________. Όλη μέρα *[είμαι]* ___________ στα γήπεδα.	2.	Η δημοσιογράφος ρώτησε τον κύριο Σταμάτη και τον κύριο Νίκο αν άλλοτε ***έκαναν*** αθλητισμό. Και οι δύο τής είπαν ότι ___________ αθλητισμό και ότι όλη μέρα ___________ στα γήπεδα.
3.	- Κύριε Σταμάτη, άλλοτε *[περπατάω/-ώ]* ___________ πολύ; - Ναι, πάντα *[περπατάω/-ώ]* ___________ πολλές ώρες.	4.	Η δημοσιογράφος ρώτησε τον κύριο Σταμάτη αν άλλοτε ___________ πολύ. Ο κύριος Σταμάτης τής απάντησε ότι ___________ πάντα πολλές ώρες.
5.	- Κυρία Νικολούδη, κάθε πότε *[βγαίνω]* ___________ με φίλους στα τριάντα σας; - *[Βγαίνω]* ___________ σπάνια γιατί *[δουλεύω]* ___________ πολύ.	6.	Η δημοσιογράφος ρώτησε την κυρία Νικολούδη κάθε πότε ___________ με φίλους στα τριάντα της. Η κυρία Νικολούδη τής απάντησε ότι ___________ σπάνια γιατί ___________ πολύ.
7.	- Ισαβέλλα, όταν *[είμαι]* ___________ μικρή, *[βλέπω]* ___________ τηλεόραση; *[Ακούω]* ___________ ραδιόφωνο; - Ραδιόφωνο *[ακούω]* ___________ αλλά τηλεόραση δεν *[βλέπω]* ___________ συχνά.	8.	Η δημοσιογράφος ρώτησε την Ισαβέλλα αν ___________ τηλεόραση και αν ___________ ραδιόφωνο, όταν ___________ μικρή. Η Ισαβέλλα τής απάντησε ότι ραδιόφωνο ___________ αλλά τηλεόραση δεν ___________ συχνά.
9.	- Παιδιά, χτες *[ακούω]* ___________ κάποιο θόρυβο την ώρα που *[περνώ]* ___________ το λεωφορείο; - Όχι, δεν *[ακούω]* ___________ τίποτα.	10.	Η δημοσιογράφος ρώτησε τα παιδιά αν χτες ___________ κάποιο θόρυβο, την ώρα που ___________ το λεωφορείο. Τα παιδιά τής απάντησαν ότι δεν ___________ τίποτα.

Με την ταμπλέτα ΖΕΝΙΘ 57Ρ

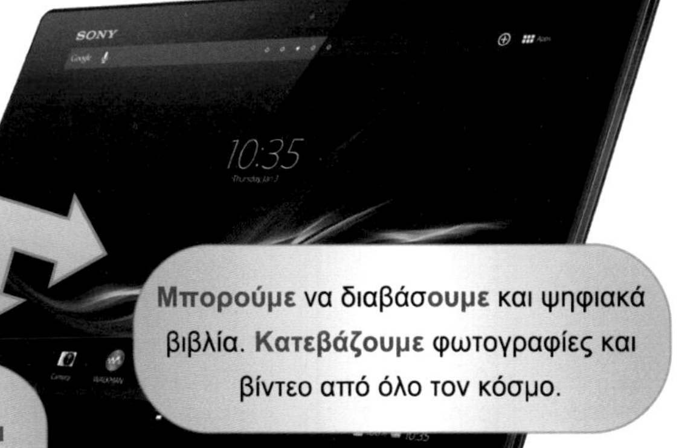

Μπορείς να διαβάσεις τα νέα της ημέρας. **Κατεβάζεις** εφαρμογές γρήγορα και εύκολα.

Μπορούμε να διαβάσουμε και ψηφιακά βιβλία. **Κατεβάζουμε** φωτογραφίες και βίντεο από όλο τον κόσμο.

Μπορεί κανείς να διαβάσει εφημερίδες και περιοδικά. **Κατεβάζει κανείς** την αγαπημένη του μουσική.

Πώς

--->χρησιμοποιείς
--->χρησιμοποιεί κανείς
--->χρησιμοποιούμε

την ταμπλέτα;

10.10.α. Συμπληρώστε τα κενά σύμφωνα με το παράδειγμα. Fill in the gaps following the example.

0.	*Μπορείς* να *πας* γρήγορα στο κέντρο από την Κηφισιά;	3.	___ δίαιτα για να ___ βάρος.
	Μπορεί κανείς να **πάει** γρήγορα στο κέντρο από την Κηφισιά;		___ δίαιτα για να ___ βάρος
	Μπορούμε να *πάμε* γρήγορα στο κέντρο από την Κηφισιά;		**Κάνουμε** δίαιτα **για να χάσουμε** βάρος.
1.	Αν **πάρεις** το τρένο, **μπορείς** να **πας** γρήγορα.	4.	Πώς **παίζεις** σκάκι; Είναι εύκολο;
	Αν ___ το τρένο, ___ να ___ γρήγορα.		Πώς ___ σκάκι; Είναι εύκολο;
	Αν ___ το τρένο, ___ να ___ γρήγορα.		Πώς ___ σκάκι; Είναι εύκολο;
2.	Τι ___ όταν ___ να ___ βάρος;	5.	___ να ___ τον καιρό στο διαδίκτυο.
	Τι **κάνει κανείς** όταν **θέλει** να **χάσει** βάρος;		___ να ___ τον καιρό στο διαδίκτυο
	Τι ___ όταν ___ να ___ βάρος;		**Μπορούμε** να **δούμε** τον καιρό στο διαδίκτυο.

10.10.β. Πείτε το αλλιώς. Στη συνέχεια ακούστε τα κείμενα και ελέγξτε τις απαντήσεις σας.
Say it in another way. Then listen to the texts and check your answers.

1.	**Μία συνταγή: Τζατζίκι** ***Ανακατεύεις*** το γιαούρτι με το αγγούρι. ***Προσθέτεις*** το λάδι και το σκόρδο. ***Ρίχνεις*** λίγο αλάτι. Τα ***ανακατεύεις*** όλα μαζί. Τα ***σερβίρεις*** σ' ένα μπολ με λίγο άνηθο. ***Ανακατεύει κανείς*** το γιαούρτι με το αγγούρι... ***Ανακατεύουμε*** το γιαούρτι με το αγγούρι...
2.	**Πώς πάει κανείς στο Αρχαιολογικό μουσείο;** Για ***να πάει κανείς*** στο Αρχαιολογικό Μουσείο από την πλατεία Ομονοίας, ***στρίβει*** αριστερά στην οδό Πατησίων και ***προχωρεί*** ευθεία. ***Περνάει*** μπροστά από το Πολυτεχνείο και ***φτάνει*** στο Αρχαιολογικό Μουσείο. ***Για να πας*** στο Αρχαιολογικό μουσείο... ***Για να πάμε*** στο Αρχαιολογικό μουσείο...
3.	**Συμβουλές για καλή υγεία.** Για ***να έχουμε*** καλή υγεία, ***περπατάμε*** μία ώρα την ημέρα, ***κάνουμε*** γυμναστική, ***τρώμε*** πολλά φρούτα και λαχανικά, ***πίνουμε*** πολύ νερό και ***ξεχνάμε*** τα πολλά γλυκά. ***Για να έχεις*** καλή υγεία,... ***Για να έχει κανείς*** καλή υγεία,...

10.10.γ. Μιλήστε ανά ζεύγη με βάση το 10.10. Discuss in pairs based on 10.10.

Ο διπλανός / Η διπλανή σας θέλει να διαφημίσει ένα προϊόν. Αρχίζει να σας το περιγράφει. Εσείς τον/τη ρωτάτε **τι μπορείς να κάνεις / τι μπορεί να κάνει κανείς / τι μπορούμε να κάνουμε** με αυτό.

10.11. 210 Σας αρέσει το τρέξιμο;

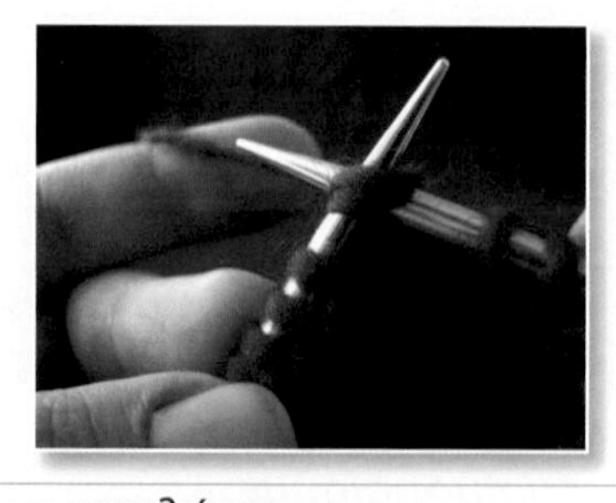

- Σου αρέσει το **ράψιμο**; - Ναι, τώρα **ράβω*** ένα μακρύ φόρεμα για το γάμο της Αλέκας.	- **Τρέχεις** κάθε μέρα 5 χιλιόμετρα; - Ναι, ο γιατρός μού είπε ότι το **τρέξιμο** κάνει πολύ καλό στην υγεία.	- **Ντύνεσαι** πολύ ωραία! - Ναι, ασχολούμαι αρκετά με το **ντύσιμό** μου.	- Με τι ασχολείστε; - Ασχολούμαι με το **γράψιμο**. - Α! Είστε συγγραφέας! - Εεε... Όχι ακριβώς. **Γράφω** σ' ένα περιοδικό για το **πλέξιμο**. - Ξέρετε να **πλέκετε**; - Εεε... Όχι ακριβώς.

* *κάποιος άλλος ράβει κάτι για μένα*

10.11.α. Ταιριάξτε τις στήλες.
Match the columns.

1.	βάφω	___	α.	**το πλύσιμο**	washing
2.	γράφω	___	β.	**το λούσιμο**	shampooing
3.	τρέχω	___	γ.	**το ντύσιμο**	dressing
4.	κλείνω	___	δ.	**το παίξιμο**	playing
5.	λούζω	___	ε.	το πλέξιμο	knitting
6.	ντύνω	___	ζ.	**το δέσιμο**	tying
7.	παίζω	___	η.	**το κλείσιμο**	closing
8.	πλέκω	___	θ.	**το στρώσιμο**	laying, setting
9.	πλένω	___	ι.	**το ψάξιμο**	searching
10.	ράβω	___	κ.	**το γράψιμο**	writing
11.	ψήνω	___	λ.	**το βάψιμο**	painting
12.	**δένω**	___	μ.	**το ψήσιμο**	baking
13.	στρώνω	___	ν.	**το χάσιμο**	loosing
14.	ψάχνω	___	ξ.	το τρέξιμο	running
15.	χάνω	___	ο.	**το ράψιμο**	sewing

10.11.β. Συμπληρώστε τα κενά με ονόματα από το 10.11.α.
Fill in the gaps with nouns from 10.11.a.

1. Η δουλειά που δε μου αρέσει είναι το _______________ των κρεβατιών.
2. Οι χοιρινές μπριζόλες χρειάζονται καλό _______________.
3. Το _______________ κιλών είναι πολύ δύσκολο πράγμα.
4. Το _______________ εισιτηρίων γίνεται πια μέσω διαδικτύου.
5. Παίρνω μαθήματα _______________ για να ράβω τα ρούχα μου μόνη μου.
6. Οι τοίχοι του σαλονιού μας χρειάζονται _______________.
7. Η κόρη μου ασχολείται με το _______________. Μόλις τελείωσε ένα βιβλίο.
8. Χτες παρακολούθησα ένα ρεσιτάλ πιάνου με την Ντόρα Μπακοπούλου σε έργα Chopin. Το _______________ της ήταν καταπληκτικό.
9. Το _______________ ενός μαντηλιού γύρω από το λαιμό χρειάζεται τέχνη.
10. Για να βρεις ένα καλό παλιό έπιπλο χρειάζεται αρκετό _______________.

10.12. Οικογένειες λέξεων: κοινός-ή-ό

κοινός-ή-ό
το **κοιν**ό
η **κοιν**ωνία
κοινωνικός-ή-ό
τα **κοιν**ωνικά δίκτυα
τα **κοιν**ωνικά (της εφημερίδας)
επι**κοιν**ωνώ
η επι**κοιν**ωνία
κοινόχρηστος-η-ο
τα **κοιν**όχρηστα

10.12.α. Συμπληρώστε τα κενά.
Fill in the gaps.

1.	Ξέχασα να πληρώσω τα _______________ της πολυκατοικίας.
2.	Τα _______________ είναι ο νέος τρόπος επικοινωνίας.
3.	_______________ κάθε μέρα με τους γονείς μου μέσω Skype.
4.	Διάβασα στα _______________ την αναγγελία του γάμου της Αλέκας με το Φοίβο.
5.	Το _______________ ενθουσιάστηκε με το ρεσιτάλ βιολιού του Λεωνίδα Καβάκου.
6.	Η πισίνα της πολυκατοικίας μας είναι _______________ για όλα τα διαμερίσματα.
7.	Η ελληνική _______________ είναι ιδιαίτερα φιλόξενη.
8.	Μετά το θάνατο του Μεγάλου Αλεξάνδρου η _______________ γλώσσα _______________ ήταν τα ελληνικά.
9.	Αυτός ο δημοσιογράφος ασχολείται κυρίως με _______________ θέματα.

10.13. Σημαίνει πολλά

κρατάω (-ώ)	✓ Έχω στα χέρια μου κάτι
	✓ Κάνω κράτηση σε εστιατόριο ή ξενοδοχείο
	✓ Κλείνω εισιτήρια
	✓ Φυλάω μια θέση για κάποιον σε εκδήλωση
	✓ Φροντίζω κάποιον
	✓ Έχω χρήματα μαζί μου
	✓ Ακολουθώ τα έθιμα

10.13.α. 211 Ακούστε το κείμενο και συμπληρώστε τα κενά.
Listen to the text and fill in the gaps.

1.	_______________ καλά το δίσκο για να μην πέσουν κάτω τα ποτήρια.
2.	_______________ ένα τραπέζι για πέντε άτομα στο Μαριδάκι.
3.	_______________ δύο εισιτήρια στην πρωινή πτήση για Κέρκυρα;
4.	_______________ μια θέση δίπλα σου στη διάλεξη του καθηγητή μας.
5.	Η μητέρα της _______________ τα παιδιά γιατί η Άννα εργάζεται.
6.	_______________ καθόλου λεφτά επάνω σου;
7.	Οι Ελληνοαμερικανοί _______________ τα ελληνικά έθιμα, όπως τα έθιμα του Πάσχα, της Καθαρής Δευτέρας και άλλα.

10.14. Ταιριάξτε τις λέξεις και γράψτε τα ζευγάρια λέξεων.
Match the words and write the pairs of words.

1.	Μέγαρο	α.	Πανεπιστήμιο	_ _ _ _ _ _ _ _ _ _ _ _ _ _ _
2.	Φεστιβάλ	β.	σειρά	_ _ _ _ _ _ _ _ _ _ _ _ _ _ _
3.	Ανοικτό	γ.	ανάγκες	_ _ _ _ _ _ _ _ _ _ _ _ _ _ _
4.	τηλεοπτική	δ.	Αθηνών	_ _ _ _ _ _ _ _ _ _ _ _ _ _ _
5.	ειδικές	ε.	δίκτυα	_ _ _ _ _ _ _ _ _ _ _ _ _ _ _
6.	βιβλίο	ζ.	ειδήσεων	_ _ _ _ _ _ _ _ _ _ _ _ _ _ _
7.	δελτίο	η.	Μουσικής	_ _ _ _ _ _ _ _ _ _ _ _ _ _ _
8.	κοινωνικά	θ.	τσέπης	_ _ _ _ _ _ _ _ _ _ _ _ _ _ _

ΦΕΣΤΙΒΑΛ ΑΘΗΝΩΝ & ΕΠΙΔΑΥΡΟΥ 2013
1.06 - 31.08

γραμματική

1. Ο παρατατικός ενεργητικής φωνής Imperfect of active voice

Ο παρατατικός σχηματίζεται από το ενεστωτικό θέμα.
The imperfect tense is formed by the stem of the present tense.

■ Α΄ συζυγία Conjugation A

Ο παρατατικός όπως και ο αόριστος σχηματίζονται με τις ίδιες καταλήξεις. (Ο παρατατικός με το θέμα του ενεστώτα και ο αόριστος με το θέμα του αορίστου.)
The imperfect, as well as the simple past, use the same endings (the imperfect with the stem of present tense and the past with the stem of the past tense).

Στον παρατατικό, όπως και στον αόριστο, ο τόνος πρέπει να είναι στην τρίτη συλλαβή από το τέλος. Γι' αυτό στα δισύλλαβα ρήματα προσθέτουμε την αύξηση *έ-*. In the imperfect, as well as in the simple past, the accent is put on the third syllable from the end. This is why in the verbs with two syllables we add the augment *έ-*.

Π.χ.: παίζω - έπαιζα, γράφω - έγραφα, βλέπω - έβλεπα, παίρνω - έπαιρνα, βρίσκω - έβρισκα, πίνω - έπινα, μπαίνω - έμπαινα, βγαίνω - έβγαινα.

Ενεστώτας	Αόριστος	Παρατατικός
διαβάζω	διάβασα	**διάβαζα**
διαβάζεις	διάβασες	**διάβαζες**
διαβάζει	διάβασε	**διάβαζε**
διαβάζουμε	διαβάσαμε	**διαβάζαμε**
διαβάζετε	διαβάσατε	**διαβάζατε**
διαβάζουν & διαβάζουνε	διάβασαν & διαβάσανε	**διάβαζαν** & **διαβάζανε**
Ενεστώτας	**Αόριστος**	**Παρατατικός**
τρέχω	έτρεξα	**έτρεχα**
τρέχεις	έτρεξες	**έτρεχες**
τρέχει	έτρεξε	**έτρεχε**
τρέχουμε	τρέξαμε	**τρέχαμε**
τρέχετε	τρέξατε	**τρέχατε**
τρέχουν & **τρέχουνε**	έτρεξαν & τρέξανε	**έτρεχαν** & **τρέχανε**

⚠ Προσοχή!
Στον παρατατικό των ρημάτων *λέω, τρώω, ακούω, κλαίω, καίω* προσθέτουμε ένα **γ** ανάμεσα στο θέμα και στην κατάληξη: *έτρω**γ**α, έλε**γ**α, άκου**γ**α, έκλαι**γ**α, έκαι**γ**α.*
In the imperfect of the verbs *λέω, τρώω, ακούω, κλαίω, καίω* we add a **γ** between the stem and the ending: *έτρωγα, έλεγα, άκουγα, έκλαιγα, έκαιγα.*

Παρατατικός Imperfect

έτρωγα	άκουγα	έλεγα	έκλαιγα	έκαιγα
έτρωγες	άκουγες	έλεγες	έκλαιγες	έκαιγες
έτρωγε	άκουγε	έλεγε	έκλαιγε	έκαιγε
τρώγαμε	ακούγαμε	λέγαμε	κλαίγαμε	καίγαμε
τρώγατε	ακούγατε	λέγατε	κλαίγατε	καίγατε
έτρωγαν & τρώγανε	άκουγαν & ακούγανε	έλεγαν & λέγανε	έκλαιγαν & κλαίγανε	έκαιγαν & καίγανε

■ Β΄ συζυγία Conjugation B

Τα ρήματα της Β΄ συζυγίας (τάξη Α΄ & Β΄) σχηματίζουν τον παρατατικό σε **-ούσα**. *[Θέμα ενεστώτα + **-ουσ-** + τις καταλήξεις του παρατατικού όμοιες με αυτές του αορίστου].* Τα ρήματα της Α΄ τάξης σχηματίζουν τον παρατατικό και σε **-αγα**. *[Θέμα ενεστώτα + **-αγ-** + καταλήξεις αορίστου].*
The verbs of conjugation B (class A & B) form the imperfect in **-ούσα.** *[Stem of present tense + **-ουσ-** + endings of the imperfect tense that are the same as the endings of the past tense].* The verbs of class A form the imperfect in **-αγα.** *[Stem of present tense + **-αγ-** + endings of past tense].*

Λεξιλόγιο / Glossary

Λεξιλόγιο	Glossary
ΟΝΟΜΑΤΑ	NOUNS
αθλητισμός, ο	athletics, sports
θαυμασμός, ο	admiration
κακοποιός, ο	criminal
λουκουμάς, ο	beignet with honey
μπακάλης, ο	grocer (masc.)
συλλέκτης, ο	collector (masc.)
βοηθός (του σπιτιού), ο/η	assistant (housekeeper
ευρωβουλευτής, ο/η	Member of the Europe Parliament
οπαδός, ο/η	sports fan
ανάγκη, η	need
έχω ανάγκη κάποιον	I need somebody
έχω ανάγκη (από) κάτι	I need something
ανακύκλωση, η	recycling
αφίσα, η	poster
γλυπτική, η	sculpture
εργασία, η	work
εφαρμογή, η	application
ζαχαροπλαστική, η	pastry making
κηπουρική, η	gardening
κοινωνία, η	society
λέσχη, η	club
μπακάλισσα, η	grocer (fem.)
ορειβασία, η	mount climbing
συλλέκτρια, η	collector (fem.)
συλλογή, η	collection
συνήθεια, η	habit
τηλεοπτική σειρά, η	television series
τρύπα, η	hole
χειροτεχνία, η	crafting (n.)
βίντεο, το	video
δελτίο ειδήσεων, το	news report
δίκτυο, το	network
κοινωνικό δίκτυο, το	social network
κέντημα, το	embroidery
κλάμα, το	crying (n.)
κράνος, το	helmet
κρυφτό, το	hide and seek
κυνηγητό, το	chase
μέλος, το	member
πιστόλι, το	pistol
πλέξιμο, το	knitting (n.)
καλά (ρούχα), τα	(my) nice clothes
βάζω τα καλά μου	I put on my nice clothe
παραπάνω, τα	the above
ΕΠΙΘΕΤΑ	ADJECTIVES - PARTICIP
αρωματικός-ή-ό	aromatic
έντυπος-η-ο	printed
κοινός-ή-ό	common
οικολογικός-ή-ό	ecological
ποδοσφαιρικός-ή-ό	football
τηλεοπτικός-ή-ό	television
φιλοζωικός-ή-ό	animal protection (adj.)
ψεύτικος-η-ο	fake
ΡΗΜΑΤΑ	VERBS
βγάζω φωτογραφίες	I take pictures
γαβγίζω	I bark
δανείζω	I lend
δένω	I tie
κανονίζω	I arrange
κατασκευάζω	I construct
κεντάω (-ώ)	I embroider
μισώ	I hate
μυρίζω	I smell
πλέκω	I knit
προφταίνω	I have time
ράβω	I sew
σιχαίνομαι	I detest
φροντίζω	I take care
χειροκροτώ	I applaud
ΕΠΙΡΡΗΜΑΤΑ	ADVERBS
άλλοτε	then, in the past
ύστερα	later
ΕΚΦΡΑΣΕΙΣ	EXPRESSIONS
από χέρι σε χέρι	from hand to hand
κάτι κάνει φτερά	something is gone
με τις ώρες	by the hours
στα εξήντα μου	in my sixties

Παρατατικός

Τάξη Α΄ περνάω (-ώ)		Τάξη Β΄ μπορώ
περνούσα	πέρναγα	μπορούσα
περνούσες	πέρναγες	μπορούσες
περνούσε	πέρναγε	μπορούσε
περνούσαμε	περνάγαμε	μπορούσαμε
περνούσατε	περνάγατε	μπορούσατε
περνούσαν(ε)	πέρναγαν & περνάγανε	μπορούσαν(ε)

Ρήματα με ιδιαιτερότητες* Verbs with particularities

Τα ρήματα ***είμαι, έχω, κάνω, ξέρω*** & ***περιμένω*** έχουν έναν τύπο και για τον παρατατικό και για τον αόριστο (***ήμουν, είχα, έκανα, ήξερα*** & ***περίμενα***).
Ο παρατατικός του ρήματος ***θέλω*** (***ήθελα***) χρησιμοποιείται πολύ συχνά ως αόριστος (αντί του ***θέλησα***).

The imperfect and the past tense of the verbs ***είμαι, έχω, κάνω, ξέρω*** & ***περιμένω*** is the same (***ήμουν, είχα, έκανα, ήξερα & περίμενα***). The imperfect of the verb ***θέλω (ήθελα)*** is often used in the place of the past (instead of ***θέλησα***).

* *Βλέπε **Ελ. για σας Α1**, Παράρτημα 1, Συν. Γραμ 5.7, σ. 249.*

2. Χρήση του παρατατικού Use of imperfect

Ο παρατατικός δείχνει: The imperfect tense shows:

✓ **α. Επανάληψη, συνήθεια και διάρκεια στο παρελθόν. Περιγραφές στο παρελθόν.**
Repetition, habit and duration in the past. Descriptions in the past.

Το καλοκαίρι **πήγαινα** για μπάνιο κάθε πρωί. **Έμενα** στην παραλία μέχρι αργά το μεσημέρι. **Έτρωγα** πάντα στο ίδιο ταβερνάκι με τους φίλους μου. *[Επανάληψη ή συνήθεια. Περιγραφές στο παρελθόν]* Χτες **έβρεχε** όλο το βράδυ. *[Διάρκεια]*

✓ **β. Παράλληλες πράξεις ή καταστάσεις με διάρκεια στο παρελθόν.** Parallel actions or situations with duration in the past.

Την ώρα που / Ενώ ο καθηγητής **έγραφε** στον πίνακα, η Μαρία **έστελνε** μηνύματα με το κινητό της.

✓ **γ. Παρατατικός + αόριστος** Imperfect + past

Πράξη ή κατάσταση με διάρκεια στο παρελθόν (παρατατικός) που διακόπτεται κάποια συγκεκριμένη χρονική στιγμή από μια άλλη πράξη (αόριστος). Action or situation with duration in the past (imperfect) that is interrupted at a specific point in time by another action (past tense).

Ενώ / Την ώρα που μελετούσα
<------------------------|------------------------>
χτύπησε το τηλέφωνο.

Ήταν Κυριακή, έξι η ώρα το πρωί. Όλα **ήταν** ήρεμα. Δεν **άκουγες** τίποτα. Στο δρόμο δεν **περνούσε** κανένα αυτοκίνητο. Μια μεσήλικη γυναίκα **περπατούσε** στο δρόμο. Ξαφνικά **ακούσαμε** ένα μεγάλο θόρυβο. Ένα φορτηγό **πέρασε** μπροστά μας με μεγάλη ταχύτητα και **χτύπησε** τη γυναίκα.

✓ **δ. Χρονικοί προσδιορισμοί με παρατατικό** Time expressions with imperfect

- άλλοτε	**πήγαινα, έβγαινα, ταξίδευα...**
- κάθε μέρα / πρωί / μεσημέρι / βράδυ / εβδομάδα / μήνα / χρόνο	**κολυμπούσα, έτρεχα...**
- (όλα) τα Σάββατα / τα Σαββατοκύριακα, (όλες) τις Κυριακές, τα καλοκαίρια	**έφευγα, άκουγα, περπατούσα...**
- τα πρωινά, τα μεσημέρια, τα απογεύματα, τα βράδια	**έτρωγα, έπινα...**
- όλη μέρα / νύχτα, όλο το βράδυ / το πρωί	**μελετούσα, ζωγράφιζα, έγραφα...**
- πάντα, συνεχώς, όλη την ώρα	**έκανα...**

3. Καταλήξεις ενεστώτα, παρατατικού & αορίστου Endings of present, imperfect & past

Α΄ συζυγία		
Ενεστώτας	**Παρατατικός**	**Αόριστος**
-ω, -εις, -ει, -ουμε, -ετε, -ουν(ε)	-α, -ες, -ε, -αμε, -ατε, - αν(ε)	-α, -ες, -ε, -αμε, -ατε, - αν(ε)
παίζω	έπαιζα	έπαιξα
δένω	έδενα	έδεσα
ταξιδεύω	ταξίδευα	ταξίδεψα
μπαίνω	έμπαινα	μπήκα
βγαίνω	έβγαινα	βγήκα
πίνω	έπινα	ήπια
βλέπω	έβλεπα	είδα
παίρνω	έπαιρνα	πήρα
-ω, -ς, -ει, -με, -τε, -νε		
τρώω	έτρωγα	έφαγα
λέω	έλεγα	είπα
ακούω	άκουγα	άκουσα
κλαίω	έκλαιγα	έκλαψα
καίω	έκαιγα	έκαψα
πάω (& πηγαίνω)	πήγαινα	πήγα

Β΄ συζυγία - Α΄ τάξη		
Ενεστώτας	**Παρατατικός**	**Αόριστος**
-άω/-ώ, -άς, -άει/-ά, -άμε/-ούμε, -άτε, -άνε/-ούν(ε)	-α, -ες, -ε, -αμε-ατε-αν(ε)	-α, -ες, -ε, -αμε-ατε-αν(ε)
περνάω (-ώ)	περν**ούσα** & πέρν**αγα**	πέρ**ασα**
μιλάω (-ώ)	μιλ**ούσα** & μίλ**αγα**	μίλ**ησα**
χτυπάω (-ώ)	χτυπ**ούσα** & χτύπ**αγα**	χτύπ**ησα**
σταματάω (-ώ)	σταματ**ούσα** & σταμάτ**αγα**	σταμάτ**ησα**
Β΄ συζυγία - Β΄ τάξη		
-ώ, -είς, -εί, -ούμε,- είτε, -ούν(ε)		
καλώ	καλ**ούσα**	κάλ**εσα**
αργώ	αργ**ούσα**	άργ**ησα**

4. Ουδέτερα ονόματα σε *-σιμο (-ξιμο, -ψιμο)* που παράγονται από ρήματα

Neuter nouns in *-σιμο (-ξιμο, -ψιμο)* that derive from verbs

Τα ουδέτερα ονόματα που λήγουν σε ***-σιμο (-ξιμο, -ψιμο*)*** παράγονται από ρήματα (από το θέμα αορίστου). Π.χ.: *τρέχω / έτρεξα --->το **τρέξ**ιμο.* Δηλώνουν την ενέργεια ή το αποτέλεσμα της ενέργειας του ρήματος. The neuter nouns that end in ***-σιμο (-ξιμο, -ψιμο*)*** derive from verbs (from the past tense stem). E.g.: ***τρέχω / έτρεξα --->το τρέξιμο***. They express the action or the result of the action of the verb.

Ενικός	Πληθυντικός
το ντύ**σιμο**	τα ντυ**σίματα**
του ντυ**σίματος**	των ντυ**σιμάτων**
το ντύ**σιμο**	τα ντυ**σίματα**
- ντύ**σιμο**	- ντυ**σίματα**

βάφω / έ**βαψ**α	το **βάψ**ιμο	ντύνω / έ**ντυσ**α	το **ντύσ**ιμο	στρώνω / έ**στρωσ**α	το **στρώσ**ιμο
γράφω / έ**γραψ**α	το **γράψ**ιμο	παίζω / έ**παιξ**α	το **παίξ**ιμο	τρέχω / έ**τρεξ**α	το **τρέξ**ιμο
δένω / έ**δεσ**α	το **δέσ**ιμο	πλέκω / έ**πλεξ**α	το **πλέξ**ιμο	χάνω / έ**χασ**α	το **χάσ**ιμο
κλείνω / έ**κλεισ**α	το **κλείσ**ιμο	πλένω / έ**πλυν**α	το **πλύσ**ιμο	ψάχνω / έ**ψαξ**α	το **ψάξ**ιμο
λούζω / έ**λουσ**α	το **λούσ**ιμο	ράβω / έ**ραψ**α	το **ράψ**ιμο	ψήνω / έ**ψησ**α	το **ψήσ**ιμο

** ξ = κ + σ, ψ = π + σ*

5. Δευτερεύουσες χρονικές προτάσεις που εισάγονται με *ενώ*

Subordinate time clauses that start with *ενώ*

Η δευτερεύουσα χρονική πρόταση που εισάγεται με το σύνδεσμο ***ενώ*** και η κύρια πρόταση από την οποία εξαρτάται δηλώνουν πράξεις ταυτόχρονες. Αντί για το σύνδεσμο ***ενώ*** χρησιμοποιούμε και εκφράσεις όπως ***την ώρα που.***

The subordinate time clause that starts with the conjunction ***ενώ*** and the main clause (to which it refers) express same time actions. Instead of the conjunction ***ενώ*** we use also expressions such as ***την ώρα που***.

Ενώ τρώω, βλέπω τηλεόραση. [Την ώρα που **τρώω, βλέπω** και τηλεόραση.]
Ενώ έτρωγα, έβλεπα και τηλεόραση. [Την ώρα που **έτρωγα, έβλεπα** και τηλεόραση.]
Ενώ έτρωγα, χτύπησε το τηλέφωνο. [Την ώρα που **έτρωγα, χτύπησε** το τηλέφωνο.]

Ενώ διαβάζω, ακούω μουσική.
Ενώ μιλούσες στο τηλέφωνο, εγώ **έστειλα** δύο μέιλ.
Ενώ ανέβαινα με το ασανσέρ στο διαμέρισμά μου, το ασανσέρ **σταμάτησε** ανάμεσα σε δύο ορόφους.

Ας θυμηθούμε τις δευτερεύουσες χρονικές προτάσεις!
Βλέπε ***Ελληνικά για σας Α1,*** *Βιβλίο, ΒΗΜΑ 17, ΓΡΑΜΜΑΤΙΚΗ 5, σελ.161, Χρονικές προτάσεις που εισάγονται με* ***όταν, μόλις*** *&* ***Ελληνικά για σας Α2,*** *Βιβλίο, ΒΗΜΑ 4, ΓΡΑΜΜΑΤΙΚΗ 5, Χρονικές προτάσεις που εισάγονται με* ***πριν, όταν, μόλις.***

6. Το γενικό ή αόριστο υποκείμενο The general or indefinite subject

Για να δηλώσουμε το γενικό ή αόριστο υποκείμενο, ένα υποκείμενο δηλαδή που αναφέρεται σε «όλους τους ανθρώπους» ή σε έναν οποιονδήποτε άνθρωπο χρησιμοποιούμε ή το β΄ πρόσωπο ενικού ή το γ΄ πρόσωπο ενικού + κανείς ή το α΄ πρόσωπο πληθυντικού. Π.χ. Από αυτή τη βεράντα ***βλέπεις / βλέπει κανείς / βλέπουμε*** την Ακρόπολη. (= όλοι βλέπουν / ο καθένας βλέπει...).

In order to declare the general or indefinite subject, a subject that refers to "all the people" or to no one in particular, we use either the 2nd person or the 3rd person singular + κανείς or the 1st person plural. E.g.: Από αυτή τη βεράντα ***βλέπεις / βλέπει κανείς / βλέπουμε*** την Ακρόπολη. (=they can all see / everyone sees).

β΄ πρόσωπο ενικού	**γ΄ πρόσωπο ενικού + κανείς**	**α΄ πρόσωπο πληθυντικού**
Αν **τρως** συχνά φρούτα και λαχανικά, έχεις καλύτερη υγεία.	Αν **τρώει κανείς** φρούτα και λαχανικά, έχει καλύτερη υγεία.	Αν **τρώμε** φρούτα και λαχανικά, έχουμε καλύτερη υγεία.
Από πού **πας** στο υπόγειο;	Από πού **πάει κανείς** στο υπόγειο;	Από πού **πάμε** στο υπόγειο;
Από αυτή τη βεράντα **βλέπεις** την Ακρόπολη.	Από αυτή τη βεράντα **βλέπει κανείς** την Ακρόπολη.	Από αυτή τη βεράντα **βλέπουμε** την Ακρόπολη.

7. Πίνακας νέων ρημάτων Table of new verbs

	Θέμα ενεστώτα				**Θέμα αορίστου**	
Ενεστώτας	Παρατατικός	Ατ. Υποτακτική	Αόριστος	Τ. Μέλλοντας	Τ. Υποτακτική	Τ. Προστακτική
γαβγίζω	γάβγιζα	να γαβγίζω	γάβγισα	θα γαβγίσω	να γαβγίσω	γάβγισε - γαβγίστε
δανείζω	δάνειζα	να δανείζω	δάνεισα	θα δανείσω	να δανείσω	δάνεισε - δανείστε
δένω	έδενα	να δένω	έδεσα	θα δέσω	να δέσω	δέσε - δέστε
κανονίζω	κανόνιζα	να κανονίζω	κανόνισα	θα κανονίσω	να κανονίσω	κανόνισε - κανονίστε
κατασκευάζω	κατασκεύαζα	να κατασκευάζω	κατασκεύασα	θα κατασκευάσω	να κατασκευάσω	κατασκεύασε - κατασκευάστε
μυρίζω	μύριζα	να μυρίζω	μύρισα	θα μυρίσω	να μυρίσω	μύρισε - μυρίστε
πλέκω	έπλεκα	να πλέκω	έπλεξα	θα πλέξω	να πλέξω	πλέξε - πλέξτε
προφταίνω	πρόφταινα	να προφταίνω	πρόφτασα	θα προφτάσω	να προφτάσω	πρόφτασε - προφτάστε
ράβω	έραβα	να ράβω	έραψα	θα ράψω	να ράψω	ράψε - ράψτε
φροντίζω	φρόντιζα	να φροντίζω	φρόντισα	θα φροντίσω	να φροντίσω	φρόντισε - φροντίστε
δημιουργώ	δημιουργούσα	να δημιουργώ	δημιούργησα	θα δημιουργήσω	να δημιουργήσω	δημιούργησε - δημιουργήστε
κεντάω (-ώ)	κεντούσα	να κεντάω (-ώ)	κέντησα	θα κεντήσω	να κεντήσω	κέντησε - κεντήστε
μισώ	μισούσα	να μισώ	μίσησα	θα μισήσω	να μισήσω	μίσησε - μισήστε
χειροκροτώ	χειροκροτούσα	να χειροκροτώ	χειροκρότησα	θα χειροκροτήσω	να χειροκροτήσω	χειροκρότησε - χειροκροτήστε
σιχαίνομαι	-	να σιχαίνομαι	σιχάθηκα	θα σιχαθώ	να σιχαθώ	-

10.15. 212 Έχει τίποτα η τηλεόραση σήμερα;

Πρόγραμμα τηλεόρασης

	Κανάλι 1: *Κεραία*
8:15	Ντοκιμαντέρ: Ανταρκτική - Η λευκή ήπειρος
9:00	Κεντρικό δελτίο ειδήσεων **Ζωντανή σύνδεση** με τη **Βουλή**
9:50	Δελτίο καιρού
20:00	Ποδόσφαιρο: **Τελικός Κυπέλλου** Ελλάδας *Παναθηναϊκός - Ολυμπιακός*
22:00	Ελληνική ταινία: *Ο δικαστής*
23:30	Πριν από τα μεσάνυχτα - **Υπουργοί** και **βουλευτές** απαντούν στο κοινό
00:30	Νυχτερινές ειδήσεις
1:30	Βραδιά όπερας

	Κανάλι 2: *Άστρο*
18:00	Μόδα για την τσέπη σας
18:45	Φεύγουμε; Ιδέες για ταξίδια
19:30	Ελληνική κουζίνα... αλλιώς
20:00	Ελληνική τηλεοπτική σειρά: *Αντίο αγάπη!* (**Επεισόδιο** 93)
21:00	Οικολογία: Ανακύκλωση και **ενέργεια**
21:30	Κεντρικό δελτίο ειδήσεων
22:30	Αθλητική **ενημέρωση**
23:30	**Τηλεπαιχνίδι**: Κερδίζεις ή χάνεις;
24:00	Κοινωνία και οικονομία - Οι πολίτες ρωτούν, οι πολιτικοί απαντούν.
1:00	Ξένη σειρά: *Πόλεμος & Ειρήνη* (Β' μέρος)

10.15.α. Σημειώστε, σύμφωνα με το παράδειγμα, σε ποιο κανάλι και ποια ώρα παίζονται οι εκπομπές με τα παρακάτω θέματα. Following the example, note in which channel and what time are showing the shows with the following topics.

		Κεραία	*Ώρα*	**Άστρο**	*Ώρα*
1.	αθλητισμός				
2.	πολιτική				
3.	οικολογία			✓	**21:00**
4.	όπερα				
5.	ταξίδια				
6.	νυχτερινό δελτίο ειδήσεων				
7.	κοινωνία και οικονομία				
8.	καιρός				
9.	μαγειρική				
10.	ελληνικές τηλεοπτικές σειρές				
11.	ξένες τηλεοπτικές σειρές				
12.	μόδα				
13.	τηλεπαιχνίδια				
14.	ελληνικές ταινίες				
15.	ντοκιμαντέρ				
16.	νέα της Βουλής				
17.	κεντρικό δελτίο ειδήσεων				

Λεξιλόγιο 10.15.

ο τελικός	final (game)
ο/η βουλευτής	Member of the Parliament
ο/η υπουργός	minister
η ενέργεια	energy
η ενημέρωση	update, information
η Βουλή	Parliament
η κεραία	antenna
η σύνδεση	connection
η ζωντανή σύνδεση	live connection
το επεισόδιο	episode
το κύπελλο	cup (in sports)
το τηλεπαιχνίδι	quiz show
ζωντανός-ή-ό	live
τελικός-ή-ό	final

ΤΗΛΕΟΡΑΣΗ	TELEVISION
ο τηλεοπτικός σταθμός	television station
ο τηλεθεατής - η τηλεθεάτρια	television audience
ο τηλεπαρουσιαστής - η τηλεπαρουσιάστρια	television presenter, broadcaster
η τηλεοπτική σειρά	television series
το επεισόδιο	episode
το σίριαλ	serial, sitcom
τηλεοπτικός-ή-ό	television (adj.)
ΤΗΛΕΟΡΑΣΗ - ΡΑΔΙΟΦΩΝΟ	TELEVISION - RADIO
ο εκφωνητής - η εκφωνήτρια	broadcaster
ο παρουσιαστής - η παρουσιάστρια	presenter
η εκπομπή	show
το κανάλι	channel
το πρόγραμμα	programme
ανάβω & ανοίγω την τηλεόραση / το ραδιόφωνο*	turn on the television / the radio*
σβήνω & κλείνω την τηλεόραση / το ραδιόφωνο	turn off the television / the radio
ΡΑΔΙΟΦΩΝΟ	RADIO
ο ακροατής - η ακροάτρια	listener
ο ραδιοφωνικός σταθμός	radio station
ραδιοφωνικός-ή-ό	radio (adj.)

* *ανάβω - σβήνω & ανοίγω - κλείνω (το φούρνο, το καλοριφέρ, το φως, τη λάμπα κ.λπ.)*
turn on - turn off (the oven, the radiator, the light, the lamp etc.)

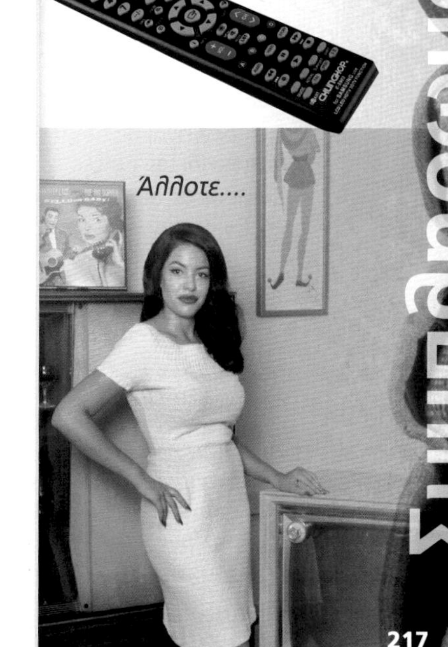
Άλλοτε....

10.15.β. Τι θα δούμε σήμερα;

10.15.γ. **Ακούστε το κείμενο και συμπληρώστε τα κενά με λέξεις από το πλαίσιο.** Listen to the text and fill in the gaps with words from the box.

*σίριαλ / **τηλεκοντρόλ** / πολιτικά / **πρωθυπουργός / τηλεχειριστήριο** / υπουργοί / αντέχω / κανάλι / **Πού ξέρεις / Δεν είμαστε καλά** / τελικός / τηλεπαιχνίδι / να κερδίσω / πολιτικό / **ζωντανά** / διαφημίσεις*

Ζωή: Τι βλέπεις, αγάπη μου; Έχει κάτι καλό;

Σταύρος: Βλέπω τις ειδήσεις. Τελειώνουν τώρα. Ακούω τον καιρό. Λένε ότι θα βρέξει αύριο.

Ζωή: Δώσε μου το [1] ____________ ν' αλλάξω [2] ____________! Αρχίζει το [3] ____________. Δεν ξέρεις ότι το βλέπω κάθε μέρα;

Σταύρος: Πρώτα απ' όλα λέμε [4] ____________ και όχι τηλεκοντρόλ! Και μετά, ξέρεις πολύ καλά ότι στις οκτώ αρχίζει ο [5] ____________ του Κυπέλλου Ελλάδας! Όλη η Ελλάδα θα τον δει.

Ζωή: Γιατί δεν τον βλέπεις αργότερα από το ίντερνετ; Δε θα έχει και [6] ____________.

Σταύρος: [7] ____________! Να μη δω [8] ____________ τον τελικό Κυπέλλου Ελλάδας; Τρελάθηκες; Καταλαβαίνεις τι λες;

Ζωή: Εντάξει, βρε Σταύρο, θα μου πει η Τασία τι έγινε στο σημερινό επεισόδιο. Λοιπόν, πάω να μαγειρέψω κάτι να φάμε αλλά στις εντεκάμισι μη μου πεις ότι θέλεις ν' ακούσεις κανένα [9] ____________ να μιλάει. Δεν [10] ____________ ούτε τα οικονομικά, ούτε τα [11] ____________. Είναι σειρά μου να διαλέξω. Θα δω το [12] ____________ μου και... ίσως παίξω κι εγώ.

Σταύρος: Μα σήμερα στο «Μετά τα μεσάνυχτα» δε μιλάνε μόνο [13] ____________. Θα μιλήσει ο ίδιος ο [14] ____________! Είναι ειδική εκπομπή σού λέω. Κι εσύ θέλεις να δεις το τηλεπαιχνίδι και να παίξεις κιόλας;

Ζωή: Και γιατί όχι; [15] ____________; Μπορεί [16] ____________ τις πέντε χιλιάδες ευρώ και «*να σε πάρω να φύγουμε σ' άλλη γη, σ' άλλα μέρη που κανένα δεν ξέρουμε και κανείς δε μας ξέρει*», όπως λέει και το τραγούδι.

Σταύρος: Να φύγουμε, Ζωίτσα μου, να φύγουμε! Μαζί σου πάω παντού.

10.15.δ. **Σημειώστε: Σωστό ή Λάθος;** Tick: True or False?

		Σ.	Λ.
1.	Ο Σταύρος και η Ζωή βλέπουν μαζί τηλεόραση.		
2.	Η Ζωή βλέπει κάθε μέρα τη σειρά *Αντίο αγάπη.*		
3.	Ο Σταύρος **διορθώνει** μια λέξη που είπε η Ζωή.		
4.	Ο τελικός Κυπέλλου Ελλάδας είναι την ίδια ώρα με τη σειρά που βλέπει η Ζωή.		
5.	Η Ζωή λέει στο Σταύρο να δει αργότερα τον τελικό.		
6.	Ο Σταύρος συμφωνεί με τη Ζωή.		
7.	Η Ζωή θέλει να δει μαζί με το Σταύρο την εκπομπή *Μετά τα μεσάνυχτα.*		
8.	Η Ζωή θέλει οπωσδήποτε να παίξει στο τηλεπαιχνίδι.		
9.	Η Ζωή δεν είναι σίγουρη ότι θα κερδίσει στο τηλεπαιχνίδι, αν παίξει.		
10.	Ο Σταύρος δε συμφωνεί πάντα με τη Ζωή αλλά φαίνεται ότι την αγαπάει.		

Λεξιλόγιο 10.15.γ.

ο/η πρωθυπουργός	prime minister
η διαφήμιση	advertisement
το τηλεκοντρόλ	tele control
το τηλεχειριστήριο	tele control
διορθώνω	I correct
ζωντανά	live (adj.)
δεν είμαστε καλά!	you are not in your right mind!
πού ξέρεις;	who knows?

Και τώρα εσείς!

10.15.ε. ***Τηλεόραση:*** *Βλέπετε τηλεόραση; Πόσες ώρες την ημέρα βλέπετε τηλεόραση; Ποιες ώρες βλέπετε συνήθως τηλεόραση; Ποιο είναι το αγαπημένο σας κανάλι; Ποιες είναι οι αγαπημένες σας εκπομπές; Παρακολουθείτε σίριαλ; Ποιο παρακολουθείτε τώρα τελευταία; Βλέπετε τηλεπαιχνίδια; Βλέπετε ταινίες στην τηλεόραση; Τι είδους ταινίες βλέπετε; Ποια ταινία είδατε τώρα τελευταία; Παρακολουθείτε κάθε μέρα τις ειδήσεις; Βλέπετε το δελτίο καιρού; Ποιος τηλεπαρουσιαστής σάς αρέσει πιο πολύ και γιατί; Όταν έχει διαφημίσεις, τις βλέπετε ή αλλάζετε κανάλι; Βλέπετε εκπομπές μαγειρικής; Φτιάχνετε τις συνταγές που σας αρέσουν;*

Ραδιόφωνο*: Ακούτε ραδιόφωνο; Συνήθως ποιες ώρες; Ποιες εκπομπές προτιμάτε να ακούτε; Ποιος είναι ο αγαπημένος σας ραδιοφωνικός σταθμός; Προτιμάτε τα μουσικά προγράμματα ή τις ειδήσεις; Ακούτε αγώνες ποδοσφαίρου στο ραδιόφωνο;*

10.16. Πόσο ήρθαν Παναθηναϊκός - Ολυμπιακός;

214

Η Αντιγόνη, η κόρη της Δανάης, είναι στην ποδοσφαιρική ομάδα κοριτσιών της περιοχής της. Συζητάει με τον ξάδελφό της, το Φίλιππο, για το αποτέλεσμα του τελικού για το Κύπελλο Ελλάδας ανάμεσα στον Παναθηναϊκό, την ομάδα της Αθήνας, και τον Ολυμπιακό, την ομάδα του Πειραιά.

Αντιγόνη: Είδες το **ματς**;

Φίλιππος: Και βέβαια το είδα.

Αντιγόνη: Ο Παναθηναϊκός ήταν καταπληκτικός, δε συμφωνείς;

Φίλιππος: Όχι, Αντιγόνη, δε συμφωνώ! Ένα **αποτέλεσμα** 2 - 1, μέσα στο γήπεδό του, δεν είναι και σπουδαίο!

Αντιγόνη: Δεν είδες, φαίνεται, πώς μπήκε το δεύτερο **γκολ***. Ήταν φοβερό γκολ! Απίστευτο! Και το έβαλε ο **αρχηγός** της ομάδας, που φέτος παίζει καταπληκτικά!

Φίλιππος: Εντάξει, έβαλε κι αυτός ένα γκολ! **Και τι έγινε**;

Αντιγόνη: Τι έγινε; Καλά, δεν είδες τον **τερματοφύλακα** του Ολυμπιακού που, μόλις μπήκε το γκολ, έπεσε κάτω κι **έβαλε τα κλάματα**;

Φίλιππος: Όχι, δεν τον είδα.

Αντιγόνη: Τότε δεν είδες τίποτα. Ο Παναθηναϊκός, πρέπει να ξέρεις, έχει τον καλύτερο **προπονητή**: ένα Σέρβο, παλιό ποδοσφαιριστή. Γι' αυτό κερδίζει συνεχώς.

Φίλιππος: Δε μ' ενδιαφέρει ο προπονητής αλλά ο σημερινός **διαιτητής**, που δεν ήταν καθόλου **δίκαιος**. **Ακύρωσε** χωρίς **λόγο** ένα γκολ του Ολυμπιακού στην αρχή του δεύτερου **ημιχρόνου**. Τώρα θα είχανε **ισοπαλία**. Ήταν σωστό αυτό;

Αντιγόνη: Εντάξει, έχεις δίκιο. Αυτό το παρατήρησα κι εγώ. Είδες όμως και τους **οπαδούς** του Ολυμπιακού; **Χάλασαν τον κόσμο** μόλις κατάλαβαν ότι χάνουν. Ούτε αυτό ήταν σωστό. Έτσι δεν είναι;

Φίλιππος: Έτσι είναι, **δε λέω**, αλλά **για να πούμε την αλήθεια** δεν είναι η πρώτη φορά που γίνεται.

Αντιγόνη: Πάντως αυτοί οι **φανατικοί** οπαδοί δεν ξέρουν τι κάνουν. Μόνο φίλαθλοι δεν είναι. Βέβαια εσύ δεν είσαι από αυτούς!

Φίλιππος: Σ' ευχαριστώ πάρα πολύ, ξαδερφούλα, για τα καλά σου λόγια!

* *γκολ (στα ελληνικά: το τέρμα)*

10.16.α.  Ταιριάξτε τις στήλες. Match the columns.

1.	Η Αντιγόνη και ο Φίλιππος ενδιαφέρονται	____	α.	ήταν ο Παναθηναϊκός και ο Ολυμπιακός.
2.	Συζητούν για ένα πολύ σημαντικό αγώνα,	____	β.	ο αρχηγός της ομάδας του Παναθηναϊκού.
3.	Οι δύο ομάδες που έπαιξαν στον τελικό	____	γ.	τον κόσμο, γιατί έχασε η ομάδα τους.
4.	Το αποτέλεσμα ήταν 2-1	____	δ.	και οι δύο για το ποδόσφαιρο.
5.	Το δεύτερο γκολ, το έβαλε	____	ε.	ήταν άλλοτε ποδοσφαιριστής.
6.	Ο τερματοφύλακας έβαλε τα κλάματα,	____	ζ.	δεν είναι σωστοί φίλαθλοι.
7.	Ο προπονητής του Παναθηναϊκού	____	η.	τον τελικό του Κυπέλλου Ελλάδας.
8.	Ο διαιτητής έκανε λάθος,	____	θ.	μόλις μπήκε το δεύτερο γκολ.
9.	Οι οπαδοί του Ολυμπιακού χάλασαν	____	ι.	υπέρ του Παναθηναϊκού.
10.	Πάντως οι φανατικοί οπαδοί	____	κ.	όταν ακύρωσε ένα γκολ του Ολυμπιακού.

Λεξιλόγιο 10.16.

ο λόγος	reason
ο προπονητής	trainer (masc.)
ο/η τερματοφύλακας	goalkeeper
ο/η αρχηγός	captain
ο/η διαιτητής	referee
η αλήθεια	truth
η ισοπαλία	tie, draw
η προπονήτρια	trainer (fem.)
το αποτέλεσμα	result
το γκολ	goal
το ημίχρονο	half term
το ματς	match, game
το τέρμα	goal
δίκαιος-α-ο	fair
φανατικός-ή-ό	fanatic
ακυρώνω	cancel
παρατηρώ	I observe
βάζω γκολ / τέρμα	I score
βάζω τα κλάματα	I burst into tears
για να πούμε την αλήθεια	to tell the truth
δε λέω	I can't say
και τι έγινε;	so what?
πόσο ήρθαν;	what was the result?
χαλάω (-ώ) τον κόσμο	I make a lot of noise
χωρίς λόγο	for no reason

10.17. 215 Ο ελεύθερος χρόνος των εφήβων

***Πανελλήνια** έρευνα στους μαθητές*

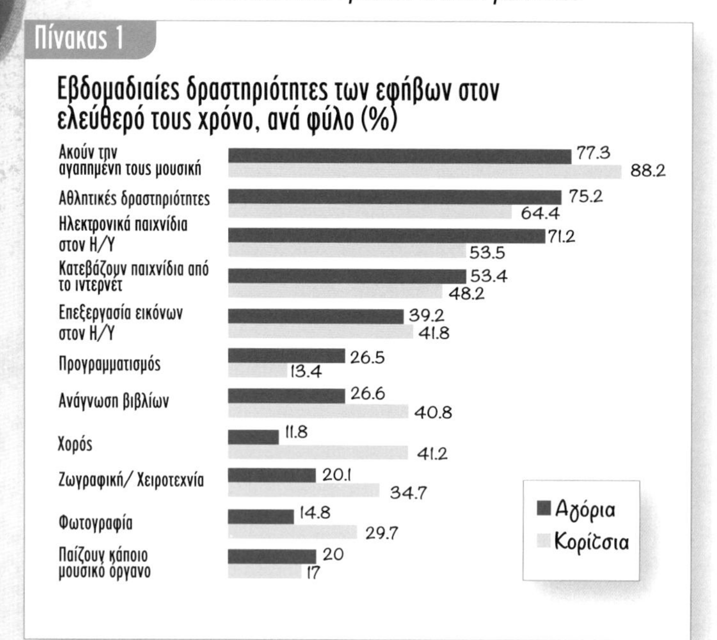

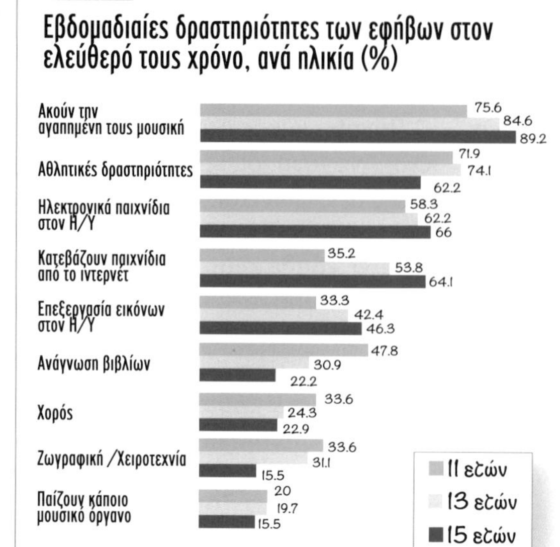

Οι έφηβοι στον ελεύθερό τους χρόνο ασχολούνται κυρίως με τους ηλεκτρονικούς υπολογιστές, με αθλητικέ δραστηριότητες ή ακούνε μουσική. Οι πιο μεγάλοι σε ηλικία έφηβοι ασχολούνται περισσότερο με **καθιστικές δραστηριότητε** (π.χ. ηλεκτρονικός υπολογιστής). Τα κορίτσια ενδιαφέρονται για περισσότερα πράγματα από τα αγόρια (π.χ. για ανάγνωσ **εξωσχολικών** βιβλίων, για ζωγραφική, χορό, φωτογραφία).

α. Αθλητικές δραστηριότητες

- Ένας στους πέντε μαθητές (18,7%*) **ασκείται** καθημερινά.
- Ένα στα οκτώ κορίτσια 15 ετών (12,2%) δεν ασκείται καθόλου. Από τα αγόρια της ίδιας ηλικίας μόνο ένα στα είκοσ (5,4%) δεν ασκείται καθόλου.

β. Τηλεόραση & DVD

- Σχεδόν 2 στους 5 μαθητές (38,3%) παρακολουθούν τηλεόραση/DVD τουλάχιστον τρεις ώρες κάθε μέρα.
- Οι έφηβοι βλέπουν περισσότερες ώρες τηλεόραση/DVD τα Σαββατοκύριακα.
- Το 12% των εφήβων που βλέπουν τηλεόραση/DVD τουλάχιστον τρεις ώρες κάθε μέρα δεν τρώνε **υγιεινά**, δηλαδ τρώνε συχνά γλυκά και πίνουν πολλά αναψυκτικά ενώ σπάνια τρώνε φρούτα ή λαχανικά.
- Ένας στους πέντε εφήβους που παρακολουθούν τηλεόραση/DVD τουλάχιστον τρεις ώρες κάθε μέρα είναι **υπέρβαρος** κυρίως τα κορίτσια.

γ. Χρόνος μπροστά σε μία οθόνη

- Το 16,4% των εφήβων, κυρίως τα αγόρια και οι μαθητές ηλικίας 13-15 ετών, βρίσκονται τουλάχιστον 6 ώρες κάθ μέρα μπροστά σε μια οθόνη τηλεόρασης ή ηλεκτρονικού υπολογιστή.
- Τα τέσσερα τελευταία χρόνια είναι τρεις φορές πιο μεγάλος ο αριθμός των μαθητών που κάθονται τουλάχιστον 6 ώρε κάθε μέρα μπροστά σε μια οθόνη. Βλέπουν όμως πολύ λιγότερες ώρες τηλεόραση από άλλοτε. Επομένως φαίνετα ότι στη θέση της τηλεόρασης μπήκε ο ηλεκτρονικός υπολογιστής.

Σύμφωνα λοιπόν με τις απαντήσεις των μαθητών, οι αθλητικές δραστηριότητες, οι ηλεκτρονικοί υπολογιστές και η μουσική είναι οι πιο συχνές ασχολίες των εφήβων έντεκα έως δεκαπέντε χρόνων.

** 18,7%: δεκαοκτώ **κόμμα** επτά τοις εκατό*

Από την έρευνα «Ο ελεύθερος χρόνος των εφήβων» του ΕΠΙΨΥ (Ερευνητικό Πανεπιστημιακό Ινστιτούτο Ψυχικής Υγιεινής)
From the research "Adolescents' free time" of the University Research Institute of Mental Health

Λεξιλόγιο 10.17.

ο πίνακας	table
η δραστηριότητα	activity
η επεξεργασία	processing
το κόμμα	comma
εξωσχολικός-ή-ό	extra-curricular
καθιστικός-ή-ό	sitting
πανελλήνιος-α-ο	Panhellenic
υπέρβαρος-η-ο	overweight
ασκούμαι	I exercise
υγιεινά	healthy
ανά	per

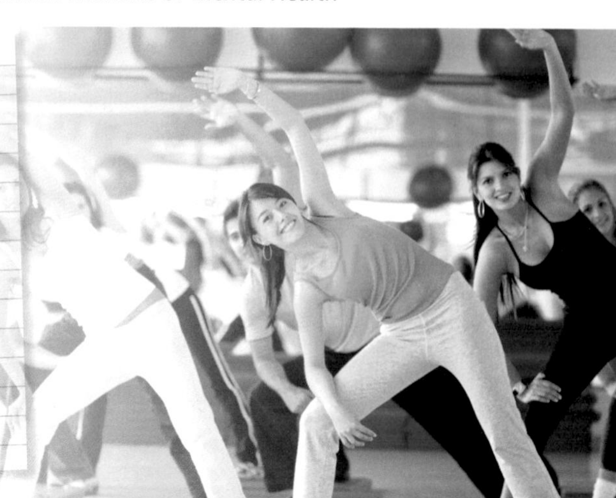

0.17.α. **Συζητήστε στην τάξη για τους δύο πίνακες.** Discuss the two tables in the classroom.

Ί.χ.: **Ποιας ηλικίας παιδιά** διαβάζουν περισσότερο εξωσχολικά βιβλία; **Ποιου φύλου παιδιά** ασχολούνται περισσότερο ιε τη φωτογραφία; **Τα αγόρια ή τα κορίτσια** παίζουν περισσότερα ηλεκτρονικά παιχνίδια; **Σε ποια ηλικία οι έφηβοι** κατεβάζουν πιο συχνά μουσική από το διαδίκτυο;

Και τώρα εσείς!

10.17.β. *Γνωρίζετε πώς περνούν τον ελεύθερο χρόνο τους οι έφηβοι στη χώρα σας; Βλέπουν πολλές ώρες τηλεόραση; Ασχολούνται πολλές ώρες με τον υπολογιστή ή την ταμπλέτα τους; Διαβάζουν βιβλία; Ασχολούνται με τον αθλητισμό; Ασκούνται καθημερινά ή κάνουν περισσότερο καθιστική ζωή; Οι έφηβοι στη χώρα σας κάνουν κάτι διαφορετικό από αυτά που διαβάσατε στους δύο πίνακες; Εσείς ασκείστε καθημερινά; Γενικά κάνετε καθιστική ζωή; Πόσες ώρες ασχολείστε με τον υπολογιστή σας; Τον χρησιμοποιείτε για το επάγγελμά σας ή για διασκέδαση;*

10.18. 216 Ο Περίπατος

Τα σπίτια του Τσίλερ στον Πειραιά από το Γιάννη Τσαρούχη

10.18.α. **Ακούστε το κείμενο και συμπληρώστε τα κενά.** Listen to the text and fill in the gaps.

Αντώνης Μπενάκης, ο «Τρελαντώνης»

Οι γονείς του Αντώνη δεν [1] ________________ να ταξιδέψουν εκείνο το καλοκαίρι γιατί [2] ________________ να μείνουν στην Αίγυπτο. Έτσι κι εκείνος και τ' αδέλφια του ήρθαν στον Πειραιά με το θείο Ζωρζή και τη θεία Μαριέττα που δεν [3] ________________ παιδιά κι [4] ________________ σ' ένα από τα σπίτια του Τσίλερ.

Επτά [5] ________________ τα σπίτια του Τσίλερ, όλα στη σειρά· το πρώτο, στην άκρη [6] ________________ το πιο μεγάλο, τ' άλλα όλα [7] ________________ ίδια, με μια βεραντούλα προς τη θάλασσα και μιαν αυλή στο πίσω μέρος, προς το λόφο. Στο πρώτο, το μεγάλο σπίτι, [8] ________________ ο βασιλιάς· στο τρίτο ο Αντώνης με τ' αδέλφια του, το θείο του και τη θεία του, και στ' άλλα διάφοροι άλλοι που, σαν το βασιλιά, [9] ________________ τους ζεστούς μήνες του καλοκαιριού στον Πειραιά, κοντά στη θάλασσα.

Κάθε μέρα ο Αντώνης και τ' αδέλφια του [10] ________________ περίπατο με την αγγλίδα δασκάλα τους και [11] ________________ μπροστά από το μεγάλο σπίτι του βασιλιά, που είχε μεγάλα σκυλιά του **κυνηγιού**. Τα [12] ________________ ο Αντώνης που [13] ________________, **κλεισμένα** στην αυλή τους.

Και τα τέσσερα αδέλφια [14] ________________ καλά τα σκυλιά αυτά και ιδιαίτερα ένα, τον Ντον. Τα [15] ________________ συχνά με το βασιλιά, που τα [16] ________________ μαζί του, ελεύθερα, όταν [17] ________________ περίπατο μόνος του. Κάθε φορά που ο Αντώνης [18] ________________ μπροστά από το σπίτι του βασιλιά, [19] ________________ πίσω για να δει τον Ντον, το μεγάλο καφέ σκύλο με τα διαφορετικά μάτια, το ένα γαλάζιο και το άλλο πράσινο.

Αλλά η αγγλίδα δασκάλα [20] ________________ το κεφάλι της, τον [21] ________________ **αυστηρά** και αμέσως ο Αντώνης [22] ________________ κοντά της. «Είναι κακιά, πολύ κακιά» [23] ________________ ο Αντώνης στα αδέλφια του **θυμωμένος**. «Σπικ Ίνγκλις!» [24] ________________ ακόμη πιο αυστηρά η αγγλίδα δασκάλα, που δεν [25] ________________ τα ελληνικά.

Κι έτσι τα τέσσερα αδέλφια την [26] ________________ και χωρίς να μιλούν [27] ________________ το γύρο του βράχου και [28] ________________ στο λόφο της Καστέλας. Κι εκεί, στις πέτρες και στα **ξερά** κλαδιά, **καθισμένα** όλα τ' αδέλφια στη σειρά [29] ________________ από ψηλά τις βαρκούλες που [30] ________________ στο πέλαγος.

Από τον «Τρελαντώνη» (1932) της Πηνελόπης Δέλτα
(διασκευή)

Λεξιλόγιο 10.18.α.

το κράτος	state (n.)
το κυνήγι	hunt (n.)
θυμωμένος-η-ο	angry
καθισμένος-η-ο	seated
κλεισμένος-η-ο	locked
ξερός-ή-ό	dry
αρμενίζω	I float
γυρίζω (το κεφάλι μου)	I turn (my head)
αυστηρά	severely

Η Πηνελόπη Δέλτα, (Αλεξάνδρεια Αιγύπτου, 1874 - Αθήνα, 1941) ήταν ελληνίδα συγγραφέας, γνωστή κυρίως για τα ιστορικά της μυθιστορήματα για παιδιά. Πατέρας της ήταν ο Εμμανουήλ Μπενάκης, ένας πολύ σημαντικός πολιτικός της εποχής.

Αντώνης Μπενάκης (Αλεξάνδρεια 1873 - Αθήνα 1954)

Ο Τρελαντώνης (1932), είναι η ιστορία του Αντώνη Μπενάκη (Αλεξάνδρεια Αιγύπτου, 1873 - Αθήνα, 1954), αδελφού της Πηνελόπης Δέλτα.

Στο βιβλίο αυτό η συγγραφέας περιγράφει τις περιπέτειες του αδερφού της, όταν όλα τα αδέρφια ήρθαν από την Αίγυπτο να περάσουν το καλοκαίρι με το θείο και τη θεία τους στον Πειραιά.

Το σημερινό Μουσείο Μπενάκη, στο κέντρο της Αθήνας, ήταν η πατρική κατοικία του Αντώνη Μπενάκη, μεγάλου συλλέκτη, που έκανε το σπίτι του μουσείο και το χάρισε στο **κράτος.**

Ο Ερνέστος Τσίλερ (1837 - 1923), γερμανός αρχιτέκτονας, σχεδίασε το Μουσείο Μπενάκη αλλά και πολλά από τα πιο ωραία νεοκλασικά κτήρια της Αθήνας, του Πειραιά και άλλων πόλεων.

10.18.β.  Ταιριάξτε τις στήλες. Match the columns.

1.	Η οικογένεια του Αντώνη	___	α.	τις βάρκες στη θάλασσα, καθισμένα το ένα δίπλα στο άλλο.
2.	Τα τέσσερα αδέλφια ήρθαν στον Πειραιά	___	β.	άκουγαν τα σκυλιά του που γάβγιζαν.
3.	Ο βασιλιάς περνούσε τα καλοκαίρια στον Πειραιά	___	γ.	ο βασιλιάς, όταν πήγαινε περίπατο, τα έπαιρνε πάντα μαζί του.
4.	Ο Αντώνης και τα αδέλφια του κάθε μέρα πήγαιναν	___	δ.	γιατί ήθελε να δει τον Ντον, τον καφέ σκύλο με τα διαφορετικά μάτια.
5.	Όταν περνούσαν μπροστά από το σπίτι του βασιλιά,	___	ε.	κι έμενε κοντά στο σπίτι του θείου Ζωρζή και της θείας Μαριέττας.
6.	Τα αδέλφια γνώριζαν καλά τα σκυλιά γιατί	___	ζ.	περίπατο με την αγγλίδα δασκάλα τους.
7.	Ο Αντώνης σταματούσε μπροστά στο σπίτι του βασιλιά	___	η.	ζούσε στην Αίγυπτο.
8.	Τότε η αγγλίδα δασκάλα κοίταζε αυστηρά τον Αντώνη,	___	θ.	και χωρίς να μιλάνε καθόλου συνέχιζαν τον περίπατό τους.
9.	Τα τέσσερα αδέλφια την ακολουθούσαν	___	ι.	κι εκείνος έτρεχε να τους προλάβει θυμωμένος.
10.	Ανέβαιναν στο λόφο και κοίταζαν από ψηλά	___	κ.	με τους θείους τους αλλά χωρίς τους γονείς τους.

10.19. 217 Η Σμαραγδή

«Μη φοβάσαι, Σμαραγδή» της είπε η διευθύντρια του **ορφανοτροφείου**. «Σου έχω έτοιμο ένα σπίτι. Θα πας σ' αυτό Είναι μια πολύ καλή οικογένεια. Θα τους κάνεις τις δουλειές. Η κυρία Πεταλά έχει δύο **αγγελούδια**, τον Άρη, τριών χρόνων, και τον Πάρι, πέντε χρόνων. Ο άντρας της είναι **χρηματιστής**». [...]

Το δωμάτιο της Σμαραγδής **ήταν** [1] μια αποθήκη δίπλα στην κουζίνα και δεν **έβγαινε** [2] από εκεί, **παρά** μόνο ότα τη φώναζαν. **Έτρωγε** [3] μόνη στην κουζίνα. Δεν **είχε** [4] σχέσεις και παρέες. Αυτά δεν τα **ήθελε** [5] η κυρία Πεταλά και τ μισθό της Σμαραγδής τον **έβαζε** [6] όλο στην τράπεζα. Η κυρία Πεταλά **ήταν** [7] αυστηρή αλλά δεν **ήταν** [8] **τσιγκούνα**. Κάθ Πρωτοχρονιά **αγόραζε** [9] ένα **λαχείο**, το **έδινε** [10] στη Σμαραγδή και της **έλεγε** [11]: «Προτιμώ να σου χαρίζω τύχη. Ν πιστεύεις στην τύχη. Αν έχεις τύχη, τα έχεις όλα. Αν δεν έχεις τύχη, δεν έχεις τίποτα. Όταν θα 'ρθεις κι εσύ στην ηλικία μου θα καταλάβεις πως την ευτυχία τη δίνει η τύχη.»

Και **η τύχη χαμογέλασε** στη Σμαραγδή. Μετά από δέκα χρόνια που την **είχε** [12] **υπηρέτρια** η κυρία Πεταλά, κέρδισ το πρώτο λαχείο: τετρακόσιες χιλιάδες **δραχμές**. Με τις εκατόν πενήντα χιλιάδες αγόρασε ένα οικοπεδάκι κοντά στη Αγία Φωτεινή* και τα **υπόλοιπα** τα κατέθεσε στην τράπεζα. Στη μέση του οικοπέδου έφτιαξε ένα μικρό ξύλινο σπίτι κα μετακόμισε εκεί. Είπε στην κυρία Πεταλά ότι δε θα μείνει πια στο σπίτι τους.

Έτσι κάθε πρωί **έβγαινε** [13] από το σπιτάκι της, καθαρή, ωραία **ντυμένη** και **χτενισμένη** και, πριν ξυπνήσουν τ' **αφεντικά** **έφτανε** [14] στο σπίτι τους κι **έκανε** [15] τις δουλειές τους. **Έμπαινε** [16] σιγά σιγά στην κουζίνα, **έβρισκε** [17] τα πιάτα κα τις κατσαρόλες, τα **έπλενε** [18] με ζεστό νερό, όπως **ήθελε** [19] η κυρία, τα **σκούπιζε** [20], τα **έβαζε** [21] στα ράφια και στ ντουλάπια, **τέλειωνε** [22] με την κουζίνα κι **άρχιζε** [23] τις υπόλοιπες δουλειές. **Έπλενε** [24] τα ρούχα και τα **άπλωνε** [25] **καθάριζε** [26] και **τακτοποιούσε** [27] το σπίτι, **σκούπιζε** [28], **ξεσκόνιζε** [29], **σφουγγάριζε** [30], **σιδέρωνε** [31], δώδεκα κα δεκατρείς ώρες, καμιά φορά και δεκατέσσερις ώρες την ημέρα, αλλά **έτρωγε** [32] και το φαγητό της κι **έπαιρνε** [33] και γι το σπίτι της, αν **ήθελε**. [34] Και το μεροκάματο ολόκληρο, **στο χέρι**. Κάθε Σάββατο η πρώτη της δουλειά **ήταν** [35] να πάρε βιβλιάριο και να πάει στην τράπεζα να καταθέσει τις **οικονομίες** όλης της εβδομάδας, εκτός από πενήντα δραχμές, που ρατούσε [36] για ν' αγοράσει ένα λαχείο, και κάτι ψιλά για τις ανάγκες της. Πολλές φορές **δούλευε** [37] και τις Κυριακές σε λλα σπίτια. **Ήταν** [38] μερικές κυρίες που **μαθαίνανε** [39] η μία από την άλλη πόσο καλά **δούλευε** [40] η Σμαραγδή και την θελαν [41], ακόμα και την Κυριακή και της **έδιναν** [42] πιο μεγάλο **μεροκάματο**. Κι η Σμαραγδή το **προτιμούσε** [43] αυτό. σι **μπορούσε** [44] κι **έκανε** [45] το Σάββατο τις δουλειές της, που **ήταν** [46] και οι τράπεζες ανοιχτές.

* *Εκκλησία του Δήμου Νέας Σμύρνης στο νότιο τμήμα της Αθήνας*

Λεξιλόγιο 10.19.

ο χρηματιστής	stockbroker (masc.)
ο υπηρέτης	servant (masc.)
η δραχμή	drachma
η υπηρέτρια	servant (fem.)
η χρηματίστρια	stockbroker (fem.)
το αγγελούδι	little angel
το αφεντικό	boss
το λαχείο	lottery
το μεροκάματο	daily pay
το ορφανοτροφείο	orphanage
οι οικονομίες	savings
ντυμένος-η-ο	dressed
τσιγκούνης-α-ικο*	stingy
υπόλοιπος-η-ο	remaining, rest
χτενισμένος-η-ο	combed
σκουπίζω	I sweep
παρά	only
η τύχη χαμογελάει (-ά) σε κάποιον	fortune smiles to somebody
δίνω χρήματα στο χέρι (μετρητά)	I pay cash

* *& τσιγγούνης-α-ικο*

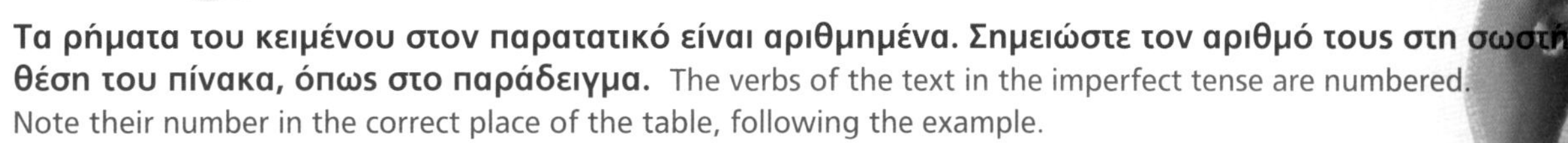

0.19.α. **Τα ρήματα του κειμένου στον παρατατικό είναι αριθμημένα. Σημειώστε τον αριθμό τους στη σωστή θέση του πίνακα, όπως στο παράδειγμα.** The verbs of the text in the imperfect tense are numbered. Note their number in the correct place of the table, following the example.

αγοράζω	______	θέλω	______	πλένω	______
απλώνω	______	καθαρίζω	______	προτιμώ	______
αρχίζω	______	κάνω	______	σιδερώνω	______
βάζω	______	κρατάω (-ώ)	______	σκουπίζω	______
βγαίνω	______	λέω	______	σφουγγαρίζω	______
βρίσκω	______	μαθαίνω	______	τακτοποιώ	______
δίνω	______	μπαίνω	______	τελειώνω	______
δουλεύω	______	μπορώ	______	τρώω	______
είμαι	1	ξεσκονίζω	______	φτάνω	______
έχω	______	παίρνω	______		

10.19.β. **Σημειώστε: Σωστό ή Λάθος;** Tick: True or False?

		Σωστό	Λάθος
1.	Η Σμαραγδή έφυγε από τους γονείς της και πήγε στην οικογένεια Πεταλά.		
2.	Τα παιδιά της οικογένειας Πεταλά ήταν πέντε και επτά ετών.		
3.	Η Σμαραγδή έμενε στην κουζίνα κι εκεί έτρωγε.		
4.	Κάθε χρόνο η κυρία Πεταλά αγόραζε στη Σμαραγδή ένα λαχείο.		
5.	Τελικά κέρδισε το λαχείο και με μερικά από τα χρήματα αγόρασε ένα οικόπεδο.		
6.	Με τα υπόλοιπα χρήματα αγόρασε ένα σπίτι.		
7.	Η Σμαραγδή δούλευε στην οικογένεια Πεταλά έως δώδεκα ώρες την ημέρα και μετά πήγαινε σπίτι της.		
8.	Σιδέρωνε, σκούπιζε, σφουγγάριζε, ξεσκόνιζε, τακτοποιούσε και καθάριζε.		
9.	Με τις οικονομίες της αγόραζε λαχείο κάθε εβδομάδα.		
10.	Κάποιες Κυριακές δούλευε και σε άλλα σπίτια αλλά το Σάββατο πήγαινε πάντα στην τράπεζα.		

10.20. 218 Ο Ροζ Ναύτης

Ένα πρωί μπήκα σ' ένα κατάστημα **οπτικών** ειδών στο κέντρο της Αθήνας, στη γωνία Διδότου και Χαριλάου Τρικούπη. Όπως μπήκα, είδα στον τοίχο το *Ροζ* ***Ναύτη*** του Γιάννη Τσαρούχη, ένα από τα αγαπημένα μου έργα. Ο καταστηματάρχης είδε την έκπληξή μου και μου είπε: «Εγώ είμαι ο *Ροζ Ναύτης*».

«Σοβαρά;» του είπα. «Λατρεύω το Γιάννη Τσαρούχη και θα ήθελα να μάθω την ιστορία σα Πώς έγινε;»

«Γνώρισα το Γιάννη Τσαρούχη το 1954. Ήμουν δέκα επτά χρόνων και **πήγαινα** στην τελευταία τάξη του σχολείου και παράλληλα **δούλευα** και στο θέατρο. **Ήθελα** να γίνω ηθοποιός αλλά ο πατέρας μου δε **συμφωνούσε**. Τα σκηνικά στο θέατρο τα **έφτιαχνε** ο Τσαρούχης. Με διάλεξε, λοιπόν, ανάμεσα σε είκοσι παιδιά. Όταν μου είπε ότι **ήθελε** να με ζωγραφίσει με τα ρούχα του ναύτη, χάρηκα πάρα πολύ και του απάντησα: *Γιατί όχι;*

Δεν ξέρω γιατί διάλεξε εμένα. Ίσως γιατί πάντα **χαμογελούσα**. Θυμάμαι ότι από μικρό με **φώναζαν** το **χαμογελαστό** παιδί. Στον Τσαρούχη **άρεσαν** πολύ και τα χέρια μου. **Είχα** ωραί χέρια και μάλιστα τα ζωγράφισε και σε ένα άλλο μικρό έργο του».

«Πώς νιώσατε όταν είδατε αυτόν τον πίνακα;» του είπα.

«Χάρηκα πάρα πολύ και ρώτησα τον Τσαρούχη: *Εγώ είμαι αυτός;* Χάρηκα πολύ τότε... και γι' αυτό έβαλα τον πίνακα στο κατάστημά μου. Είναι βέβαια **αντίγραφο**, το καταλαβαίνετε, ε; Το **πρωτότυπο**... ούτε ξέρω πόσο κάνει».

«Τι άνθρωπος **ήταν** ο Γιάννης Τσαρούχης;» τον ρώτησα.

«Ο Γιάννης Τσαρούχης **ήταν** ένας πολύ έξυπνος και ήσυχος άνθρωπος. **Αγαπούσε** την ελληνική γλώσσα και **μιλούσε** πολύ ωραία. Τα πράγματα που **έλεγε ήταν** γεμάτα **σοφία**. **Ήταν** εξαιρετικός. Θυμάμαι ότι **ήταν** πάντα με το χαμόγελο στ χείλη. **Άκουγα** στα αυτιά μου για πολύ καιρό τη φωνή του. Δε θα τον ξεχάσω ποτέ».

Από τον Τύπ

Γιάννης Τσαρούχης (1910-1989) - Έλληνας ζωγράφος.

Ο Τσαρούχης υπήρξε σταθμός για την ελληνική ζωγραφική. Της έδωσε ελληνικό χαρακτήρα με στοιχεία από την ελληνική παράδοση, τη βυζαντινή τέχνη και τη νεοκλασική αρχιτεκτονική. Ασχολήθηκε επίσης με το θέατρο. **Σχεδίασε** σκηνικά και κοστούμια για πολλά έργα του Εθνικού θεάτρου και άλλων θεάτρων. Ήταν ένας πολύ έξυπνος και **δημιουργικός** άνθρωπος. Είναι γνωστά τα γνωμικά του και οι **σκέψεις** του που υπάρχουν σε βιβλία του, όπως στο «Ανάμεσα σε Ανατολή και Δύση».

10.20.α.  Σημειώστε το σωστό (1 ή 2 σωστά). Tick the correct answer. (1 or 2 correct)

		α.	β.	γ.
1.	Το κείμενο μιλάει	για ένα άτομο	για δύο άτομα	για τρία άτομα
2.	Ο πελάτης που μπήκε στο κατάστημα οπτικών	ήξερε τον πίνακα	δεν ήξερε τον πίνακα	ίσως ήξερε τον πίνακα
3.	Το *Ροζ Ναύτη* τον ζωγράφισε	ο Τσαρούχης	ο καταστηματάρχης	ο πελάτης
4.	Ο *Ροζ Ναύτης* ήταν	ο Τσαρούχης	ο καταστηματάρχης	ο πελάτης
5.	Ο Τσαρούχης γνώρισε τον καταστηματάρχη	στο δρόμο	στο κατάστημα οπτικών	στο θέατρο
6.	Ο Τσαρούχης έφτιαχνε στο θέατρο	πίνακες	σκηνικά	γλυπτά
7.	Όταν ο Τσαρούχης τού πρότεινε να τον ζωγραφίσει ο καταστηματάρχης	δέχτηκε	αρνήθηκε	δεν απάντησε
8.	Ο Τσαρούχης διάλεξε τον καταστηματάρχη	γιατί ήταν όμορφος	γιατί είχε ωραία χέρια	γιατί ήταν χαμογελαστός
9.	Όταν ο καταστηματάρχης είδε τον πίνακα	ούτε χάρηκε ούτε λυπήθηκε	λυπήθηκε	χάρηκε
10.	Ο Γιάννης Τσαρούχης ήταν ένας άνθρωπος	νευρικός	χαμογελαστός	έξυπνος και ήσυχος

Δύο πίνακες του Τσαρούχη βρίσκονται στην Εθνική Πινακοθήκη της Αθήνας: «Το καφενείο "NEON" - ημέρα» (1956-66) και «Το καφενείο "NEON" - βράδυ» (1965-66). Το Καφενείο "NEON" ήταν στην πλατεία Ομονοίας στην Αθήνα από το 1920.

Λεξιλόγιο 10.20.

ο ναύτης	sailor
η σκέψη	thought
η σοφία	wisdom
το αντίγραφο	copy (n.)
το πρωτότυπο	original (n.)
δημιουργικός-ή-ό	creative
οπτικός-ή-ό	optical
τα οπτικά είδη	optical items
χαμογελαστός-ή-ό	smiley
σχεδιάζω	I design

10.21. Ελεύθερος χρόνος (Β΄μέρος) Ασχολίες - Χόμπι

- *Πώς περνάτε τον ελεύθερο χρόνο σας;* - *Τι κάνετε στον ελεύθερο χρόνο σας;* - *Με τι ασχολείστε στον ελεύθερο χρόνο σας;*	- *Ποια είναι τα χόμπι σας;* - *Ποιες είναι οι αγαπημένες σας ασχολίες;*
Ασχολούμαι με τον αθλητισμό Παίζω ποδόσφαιρο / μπάσκετ / τένις / βόλεϊ... Κάνω σερφ / ιστιοπλοΐα / σκι / θαλάσσιο σκι / ποδήλατο / μοτοκρός / ιππασία / καγιάκ / ράφτινγκ / γυμναστική / κολύμπι / ορειβασία / πεζοπορία / προπόνηση... Ασκούμαι καθημερινά, περπατάω (-ώ), τρέχω, κολυμπώ... Πάω στο γήπεδο & παρακολουθώ αγώνες μπάσκετ / ποδοσφαίρου / τένις...	**Ασχολούμαι με τη μουσική, το τραγούδι, το χορό & άλλα** Παίζω πιάνο / κιθάρα / βιολί / κλαρινέτο / μπουζούκι... Χορεύω ελληνικούς & ξένους χορούς Ακούω κλασική / μοντέρνα / λαϊκή μουσική / τζαζ / ροκ / όπερα Τραγουδώ δημοτικά / ξένα / λαϊκά / ρεμπέτικα τραγούδια Λατρεύω το θέατρο, ανήκω σε μια θεατρική ομάδα Πάω συχνά σινεμά, γυρίζω βίντεο και τα ανεβάζω στο διαδίκτυο Τρελαίνομαι για το διάβασμα, ανήκω σε μια λέσχη βιβλίου
Ασχολούμαι με τις τέχνες Ασχολούμαι με τη ζωγραφική / τη γλυπτική / την κεραμική / την (ψηφιακή) φωτογραφία... Πάω σε εκθέσεις ζωγραφικής / γλυπτικής / φωτογραφίας... **Ασχολούμαι με τις κατασκευές** Κατασκευάζω / Φτιάχνω ξύλινα έπιπλα κ.λπ.	**Ασχολούμαι με τις νέες τεχνολογίες** Ασχολούμαι με τα κοινωνικά δίκτυα / το διαδίκτυο / τον υπολογιστή μου / την ταμπλέτα μου / το κινητό μου / το μπλογκ μου Ανεβάζω φωτογραφίες / κατεβάζω νέες εφαρμογές / στέλνω μηνύματα / στέλνω μέιλ / μιλώ μέσω Skype / κατεβάζω ψηφιακά βιβλία Σερφάρω / Ψάχνω στο διαδίκτυο / ίντερνετ Παίζω παιχνίδια στον υπολογιστή μου / στο διαδίκτυο
Ασχολούμαι με τη χειροτεχνία Φτιάχνω κοσμήματα & αντικείμενα από ασήμι / χρυσό / πηλό / χαρτί / πλαστικό / μέταλλο / ξύλο... Φτιάχνω κεραμικά / μικρά πήλινα αντικείμενα / αγαλματάκια...	**Ασχολούμαι με το πλέξιμο, το ράψιμο & το κέντημα** Πλέκω πουλόβερ / σκούφους / γάντια / κασκόλ / φορέματα... Ράβω φορέματα / φούστες / μπλούζες / ζακέτες... Κεντώ τραπεζομάντιλα / σεντόνια / πετσέτες...
Ασχολούμαι με τη μαγειρική και τη ζαχαροπλαστική Μαγειρεύω Κάνω / Φτιάχνω γλυκά, τούρτες, μαρμελάδες, κουλουράκια, κουραμπιέδες, μελομακάρονα... Παρακολουθώ εκπομπές μαγειρικής / ζαχαροπλαστικής... **Κάνω μαθήματα** Μαθαίνω ελληνικά / ρωσικά / γαλλικά / αγγλικά... Παρακολουθώ μαθήματα ιστορίας από απόσταση... Κάνω μαθήματα στο Ανοικτό Πανεπιστήμιο για να γίνω δημοσιογράφος / γραμματέας...	**Μου αρέσει να βλέπω τηλεόραση και να ακούω ραδιόφωνο** Βλέπω τα δελτία ειδήσεων / τις ειδήσεις γιατί ενδιαφέρομαι για την πολιτική / την κοινωνία / την οικονομία / τα νέα από όλο τον κόσμο / την οικολογία / τον καιρό... Παρακολουθώ τηλεοπτικές σειρές (σίριαλ) / συνεντεύξεις / αθλητικές εκπομπές / τηλεπαιχνίδια / ταινίες... Παρακολουθώ έναν αγώνα / τη Βουλή σε ζωντανή σύνδεση Ακούω στο ραδιόφωνο ξένη & ελληνική μουσική / τραγούδια / θεατρικά έργα / αγώνες ποδοσφαίρου...
Ασχολούμαι με συλλόγους / οργανώσεις... Ανήκω σε μια ομάδα σ' έναν οργανισμό σ' ένα σύλλογο που ασχολείται με το(ν)/τη(ν)/το... σε μια εταιρεία σε μια οργάνωση	**Είμαι μέλος** σε μία φιλοζωική εταιρεία σ' ένα σύλλογο για τις πράσινες μετακινήσεις σ' έναν οργανισμό για τα άγρια ζώα σε μια λέσχη βιβλίου σε μια θεατρική ομάδα σε μια ομάδα μπάσκετ / σκακιού σε μια φιλανθρωπική οργάνωση για παιδιά με ειδικές ανάγκες

10.21.α. **Γράψτε ένα κείμενο με θέμα : Πώς περνάω τον ελεύθερο χρόνο μου. (80-100 λέξεις)**
Write a text with the following topic: How do I spend my free time. (80-100 words)

γραπτός λόγος

10.22. Περιγράφω μια περίοδο της ζωής μου στο παρελθόν

Χρήσιμες λέξεις: άλλοτε, τα πρωινά / τα μεσημέρια / τα απογεύματα / τα βράδια, κάθε μέρα / πρωί / μεσημέρι / βράδυ / εβδομάδα/ μήνα χρόνο, (όλα) τα Σάββατα / τα Σαββατοκύριακα / τα καλοκαίρια, όλη μέρα / νύχτα, όλο το βράδυ / το πρωί, πάντα / συνεχώς / όλη την ώ

10.22.α. 219 Θυμάμαι κάποιες διακοπές με την οικογένειά μου. I remember a vacation with my family.

Όταν **ήμουν** μαθήτρια, κάθε Πάσχα **πηγαίναμε** με την οικογένειά μου στην Αίγινα, οι γονείς μου, ο αδερφός μου, η αδερφή μου κι εγ **Φεύγαμε** πάντα τη **Μεγάλη Πέμπτη** με το βραδινό πλοίο και **φτάναμε** στο νησί κατά τις εννέα.

Το ξενοδοχείο, όπου **μέναμε**, ήταν ένα παλιό αλλά συμπαθητικό κτήριο με έναν υπέροχο κήπο, ακριβώς μετά το αρχαιολογικό μουσείο, δέ λεπτά περίπου από το λιμάνι. **Κατεβαίναμε** από το αυτοκίνητο, **παίρναμε** τις βαλίτσες και **ανεβαίναμε** σιγά σιγά την **ανηφόρα** προς τη ρεσεψι όπου μας **περίμενε** η κυρία Νεκταρία, όπως κάθε χρόνο, για να μας δείξει τα δωμάτιά μας. Δεν **είχαμε** καμία αγωνία να τα δούμε, γιατί κάθε χρό μάς **έδινε** ακριβώς τα ίδια. Το δικό μας δωμάτιο **ήταν** στο δεύτερο όροφο και από εκεί **βλέπαμε** τη θάλασσα και τα πλοία που **περνούσαν** **πήγαιναν** στον Πόρο*.

Τη **Μεγάλη Παρασκευή** **ξυπνούσαμε** πάντα νωρίς, **τρέχαμε** στη θάλασσα, **βρέχαμε** τα πόδια μας και **παίζαμε** με την **άμμο**. Όταν έκα ψύχρα, **κάναμε** βόλτα στην πόλη. Το βραδάκι **πηγαίναμε** στον Άγιο Νικόλαο κι εκεί **συναντούσαμε** την οικογένεια Ανδρέου, που **έμεναν** στ Αίγινα. Ο κύριος και η κυρία Ανδρέου **ήταν** φίλοι των γονιών μας και τα παιδιά τους **ήταν** στην ηλικία μας. **Ακολουθούσαμε** όλοι μαζί τ **Επιτάφιο** που **ξεκινούσε** από την εκκλησία και **έκανε** το γύρο της γειτονιάς. Μετά **πηγαίναμε** για φαγητό στο *Μαριδάκι* και **οργανώναμε** πρόγραμμα της επόμενης μέρας.

Το Σάββατο **ήταν** πάντα η καλύτερή μας μέρα. **Αρχίζαμε** νωρίς το παιχνίδι. **Παίρναμε** όλα τα παιχνίδια που **είχαμε** μαζί μας, **περπατούσα** μέχρι το σπίτι των φίλων μας και **παίζαμε** με τις ώρες. Το βράδυ γύρω στις έντεκα **πηγαίναμε** όλοι μαζί στην εκκλησία για την **Ανάσταση** και με **γυρίζαμε** στο σπίτι τους για την παραδοσιακή σούπα, τη **μαγειρίτσα**. Την **Κυριακή του Πάσχα** **τρώγαμε** πάντα στο ίδιο εστιατόριο το αγαπημέ μου φαγητό: αρνάκι με πατάτες στο φούρνο.

Αυτές οι λίγες μέρες του Πάσχα **περνούσαν** ήρεμα, με παιχνίδι, βόλτες και **ανεμελιά**.

* *Νησί στο Σαρωνικό Κόλπ*

10.22.β. Περιγράψτε κάποιες διακοπές σας. Describe a vacation you had.

Λεξιλόγιο 10.22. & 10.22.α.

ο Επιτάφιος	Epitaph
η άμμος	sand
η Ανάσταση	Resurrection
η ανεμελιά	carefreeness
η ανηφόρα	uphill
η Κυριακή του Πάσχα	Easter Sunday
η μαγειρίτσα	special soup Greeks eat on Great Saturday night after Resurrection
η Μεγάλη Παρασκευή	Great Friday
η Μεγάλη Πέμπτη	Great Thursday
το παρελθόν	past (n.)

10.23. Περιγράφω κάτι που έγινε*

Τι έγινε ενώ **έκανα** κάτι άλλο;

- Ενώ **κολυμπούσα, έτρεχα, μαγείρευα, σιδέρωνα...** - Την ώρα που **έφτιαχνα, έτρωγα, πήγαινα...**	**είδα, άκουσα** ένα θόρυβο, **χτύπησε** το τηλέφωνο, **γλίστρησα** και **χτύπησα...** η κόρη μου **φώναξε, έπεσε, πέρασε...**
- **Περπατούσα, έκανα** βόλτα, **οδηγούσα...**	όταν **άρχισε** να βρέχει / να ρίχνει χαλάζι / να αστράφτει...

* *Βλέπε Βήμα 2 Το θέμα μας (ΕΔΩ συνέχεια του θέματος: Περιγραφή γεγονότος).*
* *See Step 2 Our topic (HERE continuation of our topic: Description of an event).*

10.23.α.  Συμπληρώστε τα κενά, βάζοντας τα ρήματα στο σωστό τύπο. Μετά ακούστε το κείμενο και ελέγξτε τις απαντήσεις σας.

Fill in the gaps, putting the verbs in the correct form. Then listen to the text and check your answers.

220 Τι έγινε την ώρα που περπατούσες στην πόλη;

1. Χτες, την ώρα που ______________ *[περπατάω/-ώ]* με το σκύλο μου στην οδό Σκουφά, ______________ *[γίνομαι]* κάτι που με τρόμαξε. ______________ *[είμαι]* αργά το βράδυ και δεν ______________ *[έχω]* πολλή κίνηση.

2. ______________ *[προχωράω/-ώ]* αργά και ______________ *[κοιτάω/-ώ]* τις βιτρίνες των καταστημάτων. ______________ *[είναι]* καλοκαίρι και όλες ______________ *[έχω]* ωραία καλοκαιρινά ρούχα. Ενώ ______________ *[περνάω/-ώ]* μπροστά από ένα κατάστημα με παπούτσια, ______________ *[ακούω]* ένα φοβερό θόρυβο. ______________ *[γυρνάω/-ώ]* και ______________ *[βλέπω]* ότι ______________ *[γίνομαι]* μια σύγκρουση.

3. Την ώρα που ένα μαύρο τζιπ ______________ *[περνάω/-ώ]* το φανάρι στη διασταύρωση Σκουφά και Βουκουρεστίου **κανονικά** με πράσινο, ένα κόκκινο σπορ αυτοκίνητο, που ______________ *[κατεβαίνω]* την οδό Βουκουρεστίου, ______________ *[περνάω/-ώ]* τη διασταύρωση με κόκκινο κι ______________ *[πέφτω]* επάνω στο τζιπ.

4. Οι οδηγοί ______________ *[βγαίνω]* από τα αυτοκίνητά τους και ______________ *[αρχίζω]* να μαλώνουν. Ο οδηγός του τζιπ ______________ *[λέω]*: «Μα τι ______________ *[κάνω]*, άνθρωπέ μου; Δεν ______________ *[βλέπω]* το κόκκινο;». Ο οδηγός του σπορ αυτοκινήτου ______________ *[απαντάω/-ώ]*: «Τι λες; Δεν ______________ *[είναι]* κόκκινο. Πορτοκαλί ______________ *[είναι]*. Εσύ ______________ *[βιάζομαι]* να ξεκινήσεις!».

10.23.β. Γράψτε ένα παρόμοιο περιστατικό. Write a similar incident.

Λεξιλόγιο 10.23.α.

κανονικά	normally, in the right way

ΚΑΤΑΝΟΗΣΗ ΠΡΟΦΟΡΙΚΟΥ ΛΟΓΟΥ (___ / 5)

10.24. (221) **Έχετε μπροστά σας πέντε (5) φωτογραφίες. Ποια από τις δραστηριότητες (α έως η) της οικολογικής κατασκήνωσης EcoCamp* που θα ακούσετε ταιριάζει στις φωτογραφίες; Θ' ακούσετε τις δραστηριότητες δύο (2) φορές. Σημειώστε το γράμμα της δραστηριότητας κάτω από τη σωστή φωτογραφία.**
ΠΡΟΣΕΞΤΕ! Θα ακούσετε επτά (7) δραστηριότητες. Πρέπει να σημειώσετε τα γράμματα ΠΕΝΤΕ δραστηριοτήτων στις πέντε (5) φωτογραφίες. Δύο (2) από τις δραστηριότητες που θα ακούσετε δεν ταιριάζουν σε καμιά φωτογραφία.

* (http://www.ecocamp.gr/ecocamp/)

1. _____

2. _____

3. _____

4. _____

5. _____

ΚΑΤΑΝΟΗΣΗ ΓΡΑΠΤΟΥ ΛΟΓΟΥ (___ / 5)

10.25. (222) **Διαβάστε το κείμενο *Η οικογένεια* και επιλέξτε το σωστό.**

Η οικογένεια

Στη γειτονιά μας ήρθε και κατοίκησε μια οικογένεια. Για λίγο διάστημα έμεινε στης Βασίλενας*, τρεις τέσσερις πόρτες πιο **πέρα** από κεί πού μέναμε εμείς. Είχε δύο κοριτσάκια, το ένα, η Κούλα, μόλις άρχιζε να περπατάει, και το άλλο, η Κατίνα, έξι-εφτά χρονών, **συνομήλική** μου. Ήταν λεπτή στο πρόσωπο, ξανθιά, με μεγάλα γαλανά μάτια που μοιάζανε με λουλούδια, όπως τα **κυκλώνανε** οι ζωηρές βλεφαρίδες της. Φόραγε πάντα παπούτσια και καθαρό φόρεμα. Έκανε πολλή εντύπωση η εμφάνισή της ανάμεσα σ' εμάς τους **ξυπόλητους**.

Στα παιχνίδια μας, όταν παίζαμε «σχολείο», την Κατίνα τη βάζαμε δασκάλα. Η θέση αυτή της άρεσε, ήθελε να μας κάνει καλύτερους. Αφού τέλειωναν τα τραγουδάκια και τα ποιήματα που λέγαμε τα μεγαλύτερα παιδιά - που τα μαθαίναμε στο πραγματικό σχολείο - η δασκάλα μας, η Κατίνα, μάς έλεγε «Να πλένετε τα **μούτρα** σας, τ' αφτιά σας, τα χέρια σας, τα πόδια σας.»

* *στο σπίτι της Βασίλενας*

Απόσπασμα από το «Κερατοχώρι» (1973) του Τάκη Τρανούλη (διασκευή)

Λεξιλόγιο 10.25.

τα μούτρα	face (slang)
ξυπόλητος-η-ο	barefoot
συνομήλικος-η-ο	peer
κυκλώνω	I circle, I surround
πέρα	farther

1. Στη γειτονιά μας ήρθε
   α. μια οικογένεια, συγγενείς της Βασίλενας
   β. δύο κοριτσάκια, η Κούλα και η Κατίνα
   γ. μια οικογένεια που είχε δύο κοριτσάκια
2. Η Κατίνα ήταν
   α. λεπτή και ξανθιά με ζωηρά μάτια που μοιάζανε με λουλούδια
   β. έξι-επτά μηνών, με λεπτό πρόσωπο και μεγάλα ζωηρά μάτια
   γ. μια συνομήλική μου με ζωηρές βλεφαρίδες γύρω από τα γαλανά μάτια της
3. Η Κατίνα έκανε καλή εντύπωση
   α. γιατί φορούσε πάντα καθαρά παπούτσια
   β. γιατί ήταν πάντα ξυπόλητη
   γ. γιατί φορούσε πάντα παπούτσια και καθαρά ρούχα
4. Τα παιδιά έπαιζαν «σχολείο» και η Κατίνα
   α. έκανε τη δασκάλα
   β. έκανε τη μαθήτρια
   γ. έλεγε τραγούδια
5. Η Κατίνα έλεγε στα παιδιά:
   α. να ακούνε τη δασκάλα τους
   β. να πλένονται για να είναι πάντα καθαρά
   γ. να πλένουν το λαιμό τους, το πρόσωπο και τα χέρια τους

ΠΑΡΑΓΩΓΗ ΠΡΟΦΟΡΙΚΟΥ ΛΟΓΟΥ (___ / 5)

10.26. Κάντε διαλόγους ανά ζεύγη. Στη συνέχεια αλλάξτε ρόλους.

Ρόλος Α: *Μιλάτε με ένα φίλο / μια φίλη σας και τον ρωτάτε πώς πέρασε στο ταξίδι που πήγε τον περασμένο μήνα στο εξωτερικό. Τον / Τη ρωτάτε τι έκανε κάθε μέρα (κάθε πρωί / βράδυ...) κ.λπ.*

Ρόλος Β: *Μιλάτε με ένα φίλο / μια φίλη σας που σας ρωτάει πώς περάσατε στο ταξίδι που πήγατε τον περασμένο μήνα στο εξωτερικό. Απαντάτε τι κάνατε κάθε μέρα (κάθε πρωί / βράδυ...) κ.λπ.*

ΠΑΡΑΓΩΓΗ ΓΡΑΠΤΟΥ ΛΟΓΟΥ (___ / 5)

10.27. Περιγράψτε ένα καλοκαίρι των παιδικών σας χρόνων.

10.28. 223 Οδός Αριστοτέλους (1974)

Μουσική: Γιάννης Σπανός, στίχοι: Λευτέρης Παπαδόπουλος, ερμηνεία: Χάρις Αλεξίου

10.28.α. YouTube **Ακούστε το τραγούδι και συμπληρώστε τα κενά με λέξεις από το πλαίσιο.**

https://goo.gl/orMrJP

φαντάροι / φλούδες / απόβραδο / αρχηγός / μικρότεροι / θαρρώ / γερνάς / μαχαιρώνει
γέμιζε / ανάβανε / Παίζαν / έβγαζα / 'ριχνα / Βγάζανε / 'τανε

Σάββατο κι ____________ και ασετιλίνη
στην Αριστοτέλους που ____________,
____________ απ' τις τσέπες μου ____________ μανταρίνι,
σου (έ)' ____________ στα μάτια να πονάς.

____________(ε) οι ____________ κλέφτες κι αστυνόμους
κι ήταν ____________ η Αργυρώ.
Και φωτιές ____________ στους απάνω δρόμους,
τ' Άι-Γιάννη θα(ή)'____________, ____________.

____________ τα δίκοχα οι παλιοί ____________,
____________ η πλατεία από παιδιά
κι ήταν ένα πράσινο, πράσινο φεγγάρι
να σου ____________ την καρδιά.

R

Τι προσέχουμε;

ΓΡΑΜΜΑΤΙΚΗ:
Ρήματα στον Παρατατικό
ΛΕΞΙΛΟΓΙΟ

Λευτέρης Παπαδόπουλος (1935)
Στιχουργός - Δημοσιογράφος

Γιάννης Σπανός (1943)
Συνθέτης

Χαρούλα Αλεξίου (1950)
Συνθέτης - Τραγουδίστρια

10.28.β. Ψάχνω στο λεξικό και γράφω τη μετάφραση στη γλώσσα μου

ο χωματόδρομος = ...
ο/η αρχηγός = ...
η ασετιλίνη = ...
Δεν υπήρχε τότε ηλεκτρικό και οι υπάλληλοι του Δήμου περνούσαν σε κάθε γειτονιά πριν νυχτώσει και άναβαν τα φανάρια που έκαιγαν με ασετιλίνη.
ο φαντάρος = ο στρατιώτης
η φλούδα = ...
το απόβραδο = λίγο πριν νυχτώσει
το δίκοχο (καπέλο) = ...
μικρότερος-η-ο = πιο μικρός-ή-ό
γερνάω (-ώ) = γίνομαι γέρος/γριά
θαρρώ = νομίζω
μαχαιρώνω = σκοτώνω με μαχαίρι

224 Οδός Αριστοτέλους

Στο βιβλίο του "Τα τραγούδια γράφουν την ιστορία τους" ο Λευτέρης Παπαδόπουλος γράφει για την "Οδό Αριστοτέλους": *"...Το 'γραψα για τη γειτονιά μου. Την αγαπούσα πολύ και τ περισσότερα τραγούδια που έγραψα γι αυτήν έγιναν πολύ γνωστ όπως «Το άγαλμα», το «Σπίτι παλιό», «Η Οδός Αριστοτέλους» κ άλλα. Η οδός Αριστοτέλους ήταν τότε χωματόδρομος όπως και ο γύρω δρόμοι. Εκεί ήταν το σχολείο μου, το γήπεδο της παρέας, τ σπίτια των φίλων μου, τα μικρά μαγαζάκια. Η Αριστοτέλους ήτα η λεωφόρος για το τρέξιμο και τα παιδικά παιχνίδια. Αγαπημέν παιχνίδι εκείνης της εποχής ήταν το "Κλέφτες και αστυνόμοι" κ βεβαίως το ποδόσφαιρο. Αρχηγός της παρέας μας ήταν η Αργυρώ.*

Η Αργυρώ ήταν ένα κορίτσι, πολύ μελαχρινό και άσχημο. Δ φορούσε παπούτσια, μιλούσε άσχημα, γύριζε στους δρόμους κ έπαιζε συνεχώς μπάλα με τ' αγόρια... [...] Στις 23 Ιουνίου, παραμον της γιορτής τ' Άι Γιάννη, οι δρόμοι γέμιζαν από μεγάλους και μικρού που άναβαν και πήδαγαν φωτιές σ' όλες τις γειτονιές, σύμφωνα μ το έθιμο.»*

** Βλέπε ΠΟΛΙΤΙΣΜΟΣ 2: Η Πρωτομαγιά & οι φωτιές τ' Άι-Γιάννη. (Άι-Γιαννιού)*

Τα έθιμα της Άνοιξης & οι εορτές της χρονιάς

225 1. Το Πάσχα (Η Λαμπρή)

Το ορθόδοξο Πάσχα το γιορτάζουν πάντα την Κυριακή μετά την πανσέληνο του Μαρτίου. Είναι η πιο μεγάλη **θρησκευτική** γιορτή της άνοιξης. Το Πάσχα ονομάζεται και **Λαμπρή**, ημέρα που λάμπει και είναι γεμάτη φως. Οι διακοπές του Πάσχα διαρκούν 15 μέρες για τα σχολεία. Από τη Μεγάλη Πέμπτη οι περισσότεροι Έλληνες φεύγουν από τις πόλεις και πηγαίνουν στην εξοχή για να γιορτάσουν με συγγενείς και φίλους τη μεγάλη αυτή γιορτή.

Στην Ελλάδα, σύμφωνα με την παράδοση, ο νονός και η νονά προσφέρουν στα βαφτιστήρια τους για το Πάσχα μια στολισμένη λαμπάδα για το βράδυ της Ανάστασης, ένα αβγό από σοκολάτα κι ένα ζευγάρι καινούργια παπούτσια.

Όλη τη **Μεγάλη Εβδομάδα** οι εκκλησίες γεμίζουν κάθε βράδυ από **πιστούς** που πηγαίνουν για να ακούσουν τις υπέροχες βυζαντινές μελωδίες αυτών των ημερών.

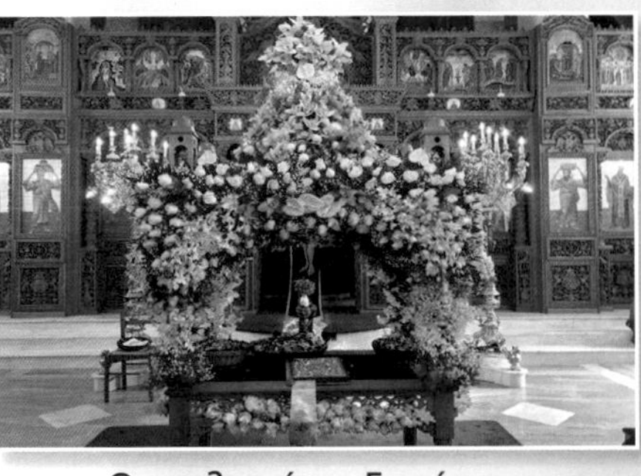
Ο στολισμένος Επιτάφιος

Τη Μεγάλη Παρασκευή νωρίς το πρωί τα κορίτσια στολίζουν σε κάθε εκκλησία τον Επιτάφιο με φρέσκα λουλούδια. Όλη την ημέρα οι καμπάνες χτυπούν **πένθιμα**. Το βράδυ γίνεται η **περιφορά** του Επιταφίου γύρω από κάθε εκκλησία. Όλος ο κόσμος ακολουθεί τον Επιτάφιο με ένα αναμμένο κίτρινο κερί στο χέρι. Το κίτρινο χρώμα του κεριού δείχνει το **πένθος** για το θάνατο του Χριστού.

Όλοι **ψέλνουν** το γνωστό ψαλμό: *Αι γενεαί πάσαι.. Ω, γλυκύ μου έαρ...**, Υπάρχουν πολλές **εκτελέσεις** αυτής της υπέροχης μελωδίας από γνωστούς μουσικούς και τραγουδιστές.

Η περιφορά του Επιταφίου

Το Μεγάλο Σάββατο, αργά τη νύχτα, πηγαίνουν όλοι στην εκκλησία και εύχονται ο ένας στον άλλο: *Καλή **Ανάσταση**!* Ο παπάς διαβάζει το Ευαγγέλιο έξω από το ναό και στις 12 τα μεσάνυχτα, όταν πει το «Χριστός Ανέστη», ο ουρανός **φωτίζεται** από τα **βεγγαλικά**. Οι πιστοί ανάβουν τις λευκές λαμπάδες με το Άγιο Φως, δίνουν το φιλί της Αγάπης και τσουγκρίζουν κόκκινα αβγά. Παντού ακούει κανείς τις ευχές του Πάσχα: *Χριστός Ανέστη! Αληθώς ανέστη! Καλό Πάσχα!* Μετά την Ανάσταση γυρίζουν στο σπίτι και τρώνε τη **μαγειρίτσα**, μια σούπα που γίνεται με **ζουμί** από βραστό αρνάκι.

Την Κυριακή του Πάσχα όλη η Ελλάδα γιορτάζει. Παντού γίνεται γλέντι με κρασί, φαγητό, τσούγκρισμα αβγών, αρνί στη **σούβλα**, **κοκορέτσι** και ελληνικούς χορούς. Επάνω στο τραπέζι κάθε σπιτιού βρίσκονται από το πρωί τα τσουρέκια, τα **πασχαλινά** κουλούρια και το γαλακτομπούρεκο, παραδοσιακά γλυκά του Πάσχα.

Το ελληνικό Πάσχα είναι πολύ ξεχωριστό και πολλοί ξένοι επισκέπτονται αυτή την εποχή την Ελλάδα για να ζήσουν αυτές τις μοναδικές μέρες στον ελληνικό χώρο.

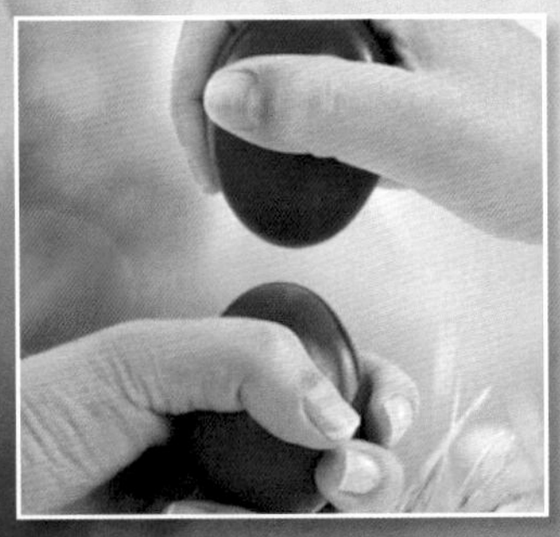
Το τσούγκρισμα των αβγών

Το πασχαλινό τσουρέκι

Το αρνί στη σούβλα και το κοκορέτσι

Ω, γλυκύ μου έαρ (Θρήνος της Παναγίας)

226

Αι γενεαί πάσαι ύμνον τη ταφή σου
προσφέρουσι, Χριστέ μου.[...]

Ω, γλυκύ μου έαρ, γλυκύτατον μου τέκνον,
πού έδυ σου το κάλλος;

Ω, γλυκιά μου άνοιξη

Όλες οι γενιές προσφέρουν ύμνο
στην ταφή σου, Χριστέ μου. [...]

Ω, γλυκιά μου άνοιξη,
πολύ γλυκό μου παιδί,
πού έδυσε / χάθηκε η ομορφιά σου;

Oh my sweet spring (Virgin's mourning)

All generations offer an hymn
to your interment, my Christ.

Oh my sweet spring,
my sweetest child,
where does your beauty fade?

https://www.youtube.com/watch?v=556yZ16KXG4

Λεξιλόγιο Π.2.1.

ο θρήνος	mourning
ο πιστός	believer (masc.)
η εκτέλεση (μουσικού έργου)	performance (musical piece)
η Λαμπρή (το Πάσχα)	Easter day
η Μεγάλη Εβδομάδα	Passion Week
η περιφορά	Epitaph procession
η πιστή	believer (fem.)
η σούβλα	skewer
το Άγιο Φως	Holy Light
το βεγγαλικό	firework
το ζουμί	juice
το κοκορέτσι	delicacy made from animal liver and intestines
το πένθος	mourning
τα ήθη κι έθιμα	habits and customs
θρησκευτικός-ή-ό	religious
πασχαλινός-ή-ό	Easter (adj.)
φωτίζομαι	I enlighten
ψέλνω	I chant
πένθιμα	mournful

Λεξιλόγιο Π.2.2.

ο Ιούδας	Judas
η Ενετοκρατία	Venetocracy
η κορδέλα	ribbon
η στάχτη	ash
το αερόστατο	hot air balloon
το κανάτι	jug
το κάψιμο	burning
το μνήμα	grave, tomb
το ομοίωμα	model, manikin
το σπάσιμο	breaking (n.)
πασχαλιάτικος-η-ο	Easter (adj.)

227 2. Μερικά πασχαλιάτικα ήθη κι έθιμα

Το κάψιμο του Ιούδα στη Θράκη

Ένα άλλο έθιμο είναι το **κάψιμο** του **Ιούδα** στη Θράκη. Τη Μεγάλη Πέμπτη τα παιδιά κατασκευάζουν ένα **ομοίωμα** του Ιούδα, το πάνε από σπίτι σε σπίτι και ζητάνε από τους κατοίκους να δώσουν κλαδιά για το κάψιμο. Τη Μεγάλη Παρασκευή καίνε τον Ιούδα σε μια τεράστια φωτιά αμέσως μετά την περιφορά του Επιταφίου. Τη **στάχτη** από το κάψιμο τη δίνουν στους κατοίκους για να τη ρίξουν επάνω στα **μνήματα** των αγαπημένων τους προσώπων.

Το σπάσιμο της κανάτας στην Κέρκυρα

Στην Κέρκυρα κάθε Μεγάλο Σάββατο υπάρχει το έθιμο της **κανάτας***. Οι άνθρωποι πετάνε τεράστια **κανάτια** γεμάτα με νερό από τα μπαλκόνια τους μετά την πρώτη Ανάσταση (περίπου στις 12 το μεσημέρι). Τα μπαλκόνια είναι στολισμένα και οι κάτοικοι δένουν στις κανάτες κόκκινες **κορδέλες** (το κόκκινο είναι το χρώμα της Κέρκυρας). Κάποιοι λένε πως το έθιμο προέρχεται από την **Ενετοκρατία.** Στην αρχή κάθε χρόνου πέταγαν παλιά πράγματα για να μπει καλά η νέα χρονιά.

Τα αερόστατα στο Λεωνίδιο

Στο όμορφο Λεωνίδιο της Πελοποννήσου το βράδυ της Ανάστασης, παιδιά και μεγάλοι από τις 5 εκκλησίες του Λεωνιδίου, φτιάχνουν πολύχρωμα **αερόστατα** και τα αφήνουν αμέσως μετά την Ανάσταση να πετάξουν στον ουρανό. Όλοι προσπαθούν να κάνουν το πιο ωραίο αερόστατο.

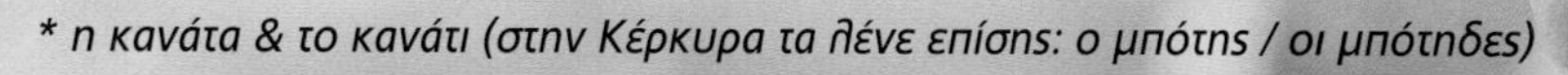

** η κανάτα & το κανάτι (στην Κέρκυρα τα λένε επίσης: ο μπότης / οι μπότηδες)*

228 3. Φτιάξτε κι εσείς τα παραδοσιακά πασχαλινά κουλουράκια της γιαγιάς!

Συνταγή
Για περίπου 120 κουλούρια
Προετοιμασία: 50΄ Ψήσιμο: 20΄-30΄

Υλικά
- 1,5 κιλό αλεύρι
- 20 γρ. **μπέικιν πάουντερ**
- 500 γρ. φρέσκο βούτυρο
- 500 γρ. ζάχαρη
- 2 κρόκοι για τη ζύμη
- 9 κρόκοι για να **αλείψουμε** τα κουλούρια
- 2 **βανίλιες**
- 110 γρ. κονιάκ
- 280 γρ. φρέσκος χυμός πορτοκαλιού

Εκτέλεση
- Σε μια λεκάνη ρίχνουμε το βούτυρο και το ανακατεύουμε με το χέρι μέχρι να μην υπάρχουν κομμάτια.
- Προσθέτουμε τη ζάχαρη και συνεχίζουμε να ανακατεύουμε.
- Προσθέτουμε έναν-έναν τους κρόκους και έπειτα το χυμό, τις βανίλιες και το κονιάκ.
- Προσθέτουμε το 1 κιλό αλεύρι όλο μαζί και το μπέικιν πάουντερ.
- Ζυμώνουμε με το χέρι. Αν δούμε ότι η ζύμη κολλάει στο χέρι, ρίχνουμε και το υπόλοιπο αλεύρι (δηλαδή μπορεί να μην το «πάρει» όλο).

Η ζύμη είναι έτοιμη όταν δεν κολλάει στο χέρι.
- Δοκιμάζουμε **να πλάσουμε** ένα κουλούρι και βλέπουμε αν χρειάζεται περισσότερο ή λιγότερο αλεύρι.
- Πλάθουμε μικρά κουλουράκια.
- Βάζουμε τα κουλούρια σε ταψιά.
- Χτυπάμε μερικούς κρόκους και αλείφουμε τα κουλούρια για να **γυαλίσουν**.
- Ψήνουμε σε **προθερμασμένο** φούρνο στους 180°C για 25-30 λεπτά, μέχρι να **ροδίσουν** καλά.

Ένα παιδικό τραγούδι
Πλάθω κουλουράκια
με τα δυο χεράκια,
ο φούρνος θα τα ψήσει
το σπίτι θα μυρίσει.

Λεξιλόγιο Π.2.3.

η βανίλια	vanilla
η προετοιμασία	preparation
το μπέικιν πάουντερ	baking powder
προθερμασμένος-η-ο	pre-heated
αλείφω	I smear
γυαλίζω	I polish
μυρίζω κάτι	I smell something
μυρίζει κάτι	something smells
πλάθω	I knead (the dough)
ροδίζω	I become golden

4. Οι Εορτές της χρονιάς

Μήνες	Γιορτές / Εορτές	Ημερομηνία
Ιανουάριος / Γενάρης	- Πρωτοχρονιά - Τα Άγια Θεοφάνεια / Τα Φώτα	1 6
Φεβρουάριος / Φλεβάρης	- Αποκριά*	
Μάρτιος / Μάρτης	- Εθνική εορτή: η Εικοστή πέμπτη Μαρτίου - Θρησκευτική εορτή: Του Ευαγγελισμού	25
Απρίλιος / Απρίλης	- Καθαρά Δευτέρα*: πρώτη μέρα Σαρακοστής - Πάσχα*	
Μάιος / Μάης	- Πρωτομαγιά	1
Ιούνιος / Ιούνης	- Πεντηκοστή*	
Ιούλιος/ Ιούλης		
Αύγουστος	- Δεκαπενταύγουστος (Της Παναγίας)	15
Σεπτέμβριος / Σεπτέμβρης		
Οκτώβριος / Οκτώβρης	- Εθνική εορτή: η επέτειος του «ΟΧΙ»	28
Νοέμβριος / Νοέμβρης	- Η επέτειος του Πολυτεχνείου	17
Δεκέμβριος / Δεκέμβρης	- Χριστούγεννα	25

Λεξιλόγιο Π.2.4.

ο δικτάτορας	dictator
ο Ευαγγελισμός	Annunciation
η Αποκριά	Carnival
η εξέγερση	revolt (n.)
η επανάσταση	revolution
η Πεντηκοστή	Pentecostal
η σκλαβιά	slavery
η Χούντα	Junta
το όπλο	arm, gun
παραδίδω (τα όπλα)	I give up (the arms)
κατά	against

* *Κινητές εορτές: Δεν έχουν σταθερή ημερομηνία.*
** *Εξέγερση των φοιτητών του Πολυτεχνείου κατά της Χούντας το Νοέμβριο του 1973.*

Οι εθνικές εορτές

229 Η Εικοστή πέμπτη (25η) Μαρτίου

Η Εικοστή πέμπτη (25η) Μαρτίου είναι διπλή γιορτή. Γιορτάζουμε τον **Ευαγγελισμό** της Παναγίας, τη μέρα που ο Άγγελος της είπε ότι θα γίνει μητέρα του Χριστού. Γιορτάζουμε επίσης την αρχή της **επανάστασης,** το 1821, **κατά** των Τούρκων μετά από τετρακόσια χρόνια **σκλαβιάς**. Στις 25 Μαρτίου γιορτάζουν όσοι λέγονται Ευάγγελος και Ευαγγελία.
Η Εικοστή πέμπτη (25η) Μαρτίου είναι ημέρα αργίας.

Η Εικοστή ογδόη (28η) Οκτωβρίου - Η επέτειος του «ΟΧΙ»

Στις 28 Οκτωβρίου του 1940 (Β' παγκόσμιος πόλεμος) ο **δικτάτορας** της Ιταλίας Μπενίτο Μουσολίνι ζήτησε από την Ελλάδα **να παραδώσει τα όπλα**. Η Ελλάδα απάντησε μ' ένα «ΟΧΙ», που έμεινε στην ιστορία.
Η Εικοστή ογδόη (28η) Οκτωβρίου είναι ημέρα αργίας.

230 5. Η Πρωτομαγιά & οι φωτιές του Άι-Γιάννη

Καλή Πρωτομαγιά!

Λεξιλόγιο Π.2.5.

ο Μάης (το στεφάνι)	May (wreath)
ο κορμός (δέντρου)	trunk
η παρέλαση	parade
το άρμα	chariot
το στεφάνι	wreath
εργαζόμενος-η-ο	working
εργατικός-ή-ό	labour (adj.)
η Εργατική Πρωτομαγιά	Labour day, Mayday
ξαναγεννιέμαι	I am reborn

Το πήδημα της φωτιάς

Ο Μάιος ή Μάης είναι ο μήνας των λουλουδιών. Όλη η φύση γιορτάζει και οι άνθρωποι αισθάνονται ότι **ξαναγεννιούνται.**

Στην Ελλάδα, την παραμονή το βράδυ και ανήμερα, όλοι πάνε στην εξοχή για ***να πιάσουν το Μάη***, δηλαδή να κόψουν λουλούδια και μ' αυτά να φτιάξουν **στεφάνια** για να τα κρεμάσουν στα μπαλκόνια τους ή έξω από την πόρτα τους.

Στους δρόμους οι ανθοπώλες πουλούν έτοιμα στεφάνια και μπουκέτα από λουλούδια.

*Ο **Μάης***, δηλαδή το στεφάνι, θα μείνει στις πόρτες και στα μπαλκόνια των σπιτιών μέχρι τις 24 Ιουνίου, τη γιορτή τ' Άι-Γιαννιού (του Αγίου Ιωάννη). Την παραμονή της γιορτής του ανάβουν φωτιές στους δρόμους και στις πλατείες, καίνε το *Μάη* και οι κάτοικοι της γειτονιάς ή του χωριού πηδούν πάνω από τις φωτιές. Σύμφωνα με την παράδοση, η φωτιά διώχνει το κακό από τους ανθρώπους. Το έθιμο αυτό του καλοκαιριού κρατάει από την αρχαιότητα.*

Την παραμονή της Πρωτομαγιάς όλοι βγαίνουν έξω, οι ταβέρνες είναι γεμάτες κόσμο, ανοίγουν εκθέσεις λουλουδιών σ' όλη τη χώρα με μουσική, χορούς και τραγούδια. Στους δρόμους γίνονται **παρελάσεις** με **άρματα** γεμάτα λουλούδια. Η άνοιξη που μπαίνει, αφήνει πίσω της το χειμώνα, το κρύο, τις βροχές και τα χιόνια.

Την Πρωτομαγιά γιορτάζουν όλοι οι **εργαζόμενοι**. Είναι ημέρα αργίας. Στις μεγάλες πόλεις γίνονται συγκεντρώσεις και πορείες των εργαζομένων για τη λύση των προβλημάτων τους (**Εργατική** Πρωτομαγιά).

Σε πολλά μέρη της Ελλάδος τα παιδιά ντύνονται *Μαγιόπουλα* ή *Μάηδες* και στολισμένα από πάνω μέχρι κάτω με λουλούδια γυρίζουν τα σπίτια, τραγουδούν και χορεύουν με κιθάρες και βιολιά. Στην Κέρκυρα παρέες από νέους και νέες γυρίζουν και τραγουδούν το Μάη από γειτονιά σε γειτονιά. Κρατούν στο χέρι τους *το μαγιόξυλο*, τον **κορμό** ενός μικρού κυπαρισσιού, στολισμένο με κίτρινες μαργαρίτες κι άλλα λουλούδια. Από τα κλαριά του κρέμονται κορδέλες και μεταξωτά μαντίλια. Από πάνω συνήθως κρεμάνε κι ένα στεφάνι από λουλούδια και φρούτα.

* *(Αναλυτικά για Το Έθιμο του Κλήδονα στο επίπεδο Β1)*

Απόψε την κιθάρα μου
(Καντάδα της Επτανήσου)
goo.gl/VQKXvR

Απόψε την κιθάρα μου,
τη στόλισα κορδέλες
και στα **καντούνια** περπατώ
για τσ'* όμορφες κοπέλες.

Απόψε να μην κοιμηθείς
παρά να καρτερέψεις.
Ν' ακούσεις την κιθάρα μου
και έπειτα **να πέσεις**.

Για σε** τα **γιούλια** μάζεψα
για σε και τ' άλλα τ' άνθη.
Απόψε σ' **ονειρεύτηκα**
κι ο ύπνος μου **εχάθη**.

* *τις (όμορφες κοπέλες)*
** *για εσένα*

«Πρωτομαγιά στην Κέρκυρα»
Χαράλαμπος Παχής (1844-1891)

Λεξιλόγιο Π.2.6.

η καντάδα = τραγούδι που τραγουδούν στα Επτάνησα με κιθάρες νέοι με παρέα φίλων τους για την αγαπημένη τους, συνήθως κάτω από το παράθυρό της	serenade
η Πρωτομαγιά = η πρώτη μέρα του Μαΐου	May day
το άνθος (του άνθους - τα άνθη, των ανθέων) = το λουλούδι	flower
το γιούλι = λουλούδι που μυρίζει πολύ ωραία	a kind of violet
το καντούνι = στενό δρομάκι της πόλης της Κέρκυρας	small alley
πέφτω (για ύπνο) = πάω για ύπνο	I go to bed
παρά = (εδώ: αλλά)	but
καρτερώ (& καρτερεύω) = περιμένω	I wait
ονειρεύομαι = βλέπω στο όνειρό μου	I dream
εχάθη = χάθηκε (παλιός τύπος αορίστου του *χάνομαι*)	it was lost

Καθημερινή ζωή

Ενότητα 3

Βήματα 11 - 13

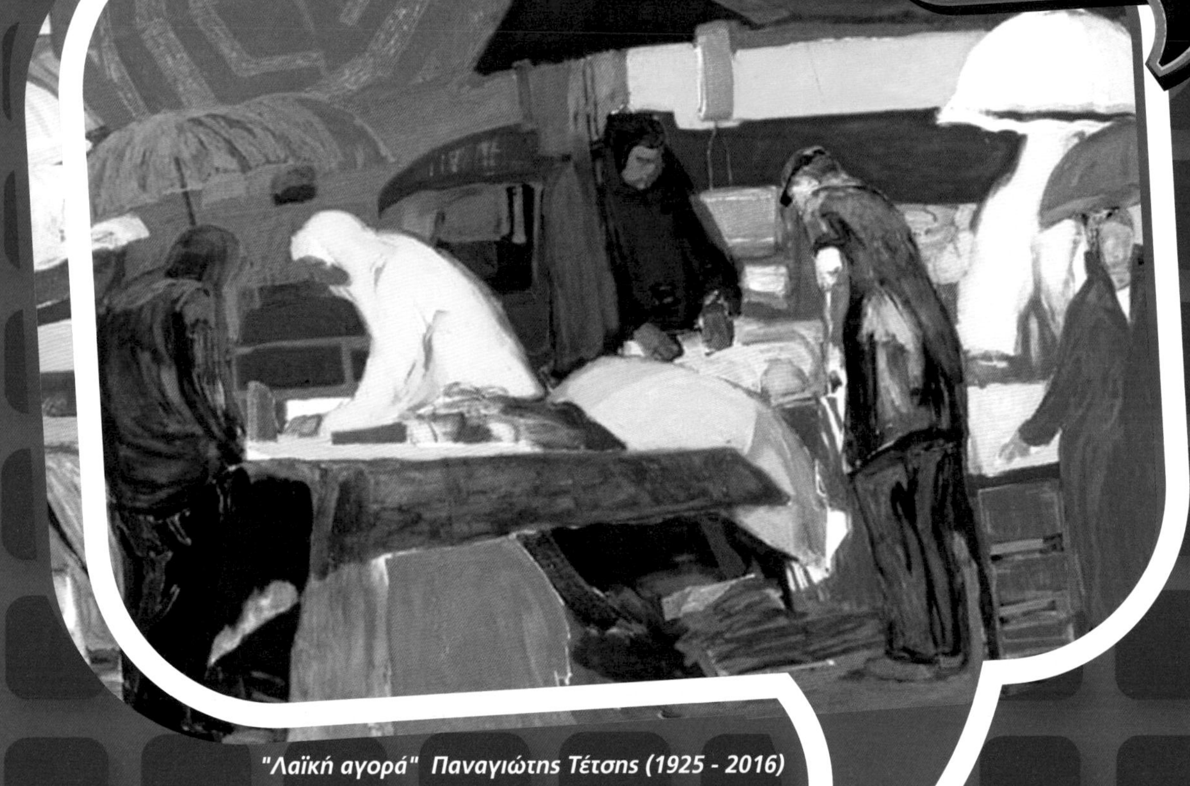

"Λαϊκή αγορά" Παναγιώτης Τέτσης (1925 - 2016)

ΕΠΙΚΟΙΝΩΝΙΑΚΟΙ ΣΤΟΧΟΙ

- ✓ Ο κόσμος της αγοράς
- ✓ Υγεία και Διατροφή
- ✓ Εκπαίδευση
- ✓ Επαγγέλματα
- ✓ Εργασιακός χώρος
- ✓ Δημόσιες υπηρεσίες

COMMUNICATION TARGETS

- ✓ The world of the market
- ✓ Health and Nutrition
- ✓ Education
- ✓ Professions
- ✓ Workplace
- ✓ Public services

Περιεχόμενα της τρίτης ενότητας

Καθημερινή ζωή

Σύνθεση με αντικείμενα, 1935

Νίκος Χατζηκυριάκος-Γκίκας (1906 - 1994)

Τι θα αγοράσετε;

Επικοινωνία

✓ **Συναλλάσσομαι σε ένα κατάστημα**
- Εξηγώ τι θέλω να αγοράσω (είδος, διαστάσεις, υλικό κ.λπ.)
- Ρωτάω για την τιμή και τον τρόπο πληρωμής
- Καταλαβαίνω τις οδηγίες χρήσης κάποιας συσκευής
- Κατανοώ διαφημίσεις και επιλέγω προϊόντα
- Ζητάω να επισκευαστεί κάτι
- Διατυπώνω παράπονα

✓ **Λέω από τι υλικό είναι κάτι**

Θεματικές ενότητες

Ο κόσμος της αγοράς
Καθημερινή ζωή

Λεξιλόγιο

- **Λευκά είδη**
- **Υλικά (Β' μέρος)**
- **Ηλεκτρονικά & ηλεκτρικά είδη**
- **Επισκευές**
- **Τρόπος χρήσης ηλεκτρικών συσκευών**

Γραμματική

1. Ουδέτερα αρχαιόκλιτα ονόματα σε ***-ον***
   το προϊόν, το περιβάλλον, το ενδιαφέρον, το μέλλον, το παρελθόν, το παρόν
2. Θηλυκά ονόματα σε ***-ού / -ούδες***
   η μαϊμού, η αλεπού, η περιπτερού
3. Η κτητική αντωνυμία
   δικός-ή/ιά-ό (μου, σου, του...)
4. Οι αντωνυμίες ***τόσος-η-ο*** & ***όσος-η-ο***
5. Απόλυτα αριθμητικά
6. Πλάγιος λόγος (μέρος 4: προστακτική)
   Κάνε / Μου είπε να κάνω
7. Πίνακας νέων ρημάτων

What are you going to buy?

Communication

✓ **I make transactions in a shop**
- I explain what I want to buy (type of good, dimensions, material etc.)
- I ask the price and the method of payment
- I understand the instructions of usage of any garget
- I understand advertisements and I select products
- I ask something to be repaired
- I complain about something

✓ **I say from what material something is made**

Thematic units

The world of the market
Everyday life

Vocabulary

- **Linens**
- **Material (part 2)**
- **Electronic & electric appliances**
- **Repairs**
- **Method of usage of electric appliances**

Grammar

1. **Neuter nouns in *-ον***
   το προϊόν, το περιβάλλον, το ενδιαφέρον, το μέλλον, το παρελθόν, το παρόν
2. **Feminine nouns in *-ού / -ούδες***
   η μαϊμού, η αλεπού, η περιπτερού
3. **The possessive pronoun**
   δικός-ή/ιά-ό (μου, σου, του...)
4. **The pronouns *τόσος-η-ο* & *όσος-η-ο***
5. **Cardinal numerals**
6. **Indirect speech (part 4: imperative)**
   Κάνε / Μου είπε να κάνω
7. **Table of new verbs**

11.1. 232 Η Δανάη αγοράζει καναπέ για τον ξενώνα της

Π.: Πωλητής Δ.: Δανάη

Π.: Χαίρετε! Πώς μπορώ να σας εξυπηρετήσω;
Δ.: Χάλασε ο **καναπές-κρεβάτι** που είχα στον ξενώνα μου και θα ήθελα να πάρω έναν καινούργιο.
Π.: Ελάτε, πάμε στον επάνω όροφο να τους δείτε.
Δ.: Πω, πω έχετε **τόσους** καναπέδες! Πώς να διαλέξω; Α, στην ιστοσελίδα σας, μου άρεσε πολύ ένας καναπές μπεζ που γίνεται διπλό κρεβάτι. Μπορώ να τον δω; Θέλω να μάθω τις διαστάσεις του γιατί το δωμάτιο που θα τον βάλω είναι αρκετά μικρό.
Π.: Ναι, κατάλαβα ποιον λέτε. Ελάτε μαζί μου! Αυτός εδώ είναι. Κλειστός, έχει ένα μέτρο ογδόντα μήκος και εβδομήντα εκατοστά πλάτος. Ανοιχτός, είναι ένα κανονικό διπλό κρεβάτι, ένα ενενήντα επί ένα πενήντα. Και το στρώμα του είναι εκατό τοις εκατό από φυσικά υλικά. Είναι ένα οικολογικό στρώμα εξαιρετικής ποιότητας και έχει πέντε χρόνια εγγύηση.
Δ.: Και πόσο **στοιχίζει**;
Π.: Η αρχική τιμή είναι εννιακόσια ευρώ αλλά θα σας κάνω **όσο** μεγαλύτερη έκπτωση μπορώ, δηλαδή τριάντα τοις εκατό. Λοιπόν, εννιακόσια **μείον** διακόσια εβδομήντα ευρώ ίσον εξακόσια τριάντα ευρώ, τελική τιμή. Τα **μεταφορικά** βεβαίως είναι δωρεάν.
Δ.: Βγαίνει και σε άλλα χρώματα εκτός από το μπεζ;
Π.: Τον έχουμε και σ' άλλα δύο χρώματα, σε καφέ σκούρο και σε πράσινο ανοιχτό.
Δ.: Να πάρω τον μπεζ ή τον καφέ; Τι λέτε;
Π.: Τι να σας πω; Για το **δικό μου** σπίτι πάντως πήρα τον μπεζ. Τώρα στο **δικό σας** σπίτι, εσείς ξέρετε τι πάει περισσότερο
Δ.: Μάλλον ο μπεζ. Να ρωτήσω κάτι ακόμα; Το ύφασμα είναι **βαμβακερό** ή **συνθετικό**;
Π.: Είναι εκατό τοις εκατό βαμβακερό. Βγαίνει και πλένεται στο πλυντήριο στους 40^0 βαθμούς. Δεν παθαίνει τίποτα!
Δ.: Πολύ ωραία. Θα τον πάρω.
Π.: Κάνετε μια πολύ καλή αγορά! Να είστε σίγουρη! Πάμε στο ταμείο να μου δώσετε τα στοιχεία σας για την αποστολή.
Δ.: Και σε πόσες μέρες **θα** τον **παραλάβω**;
Π.: Σε τρεις εργάσιμες μέρες. Θα πληρώσετε με μετρητά ή με κάρτα; **Σας συμφέρει** με κάρτα γιατί κάνουμε έξι **άτοκες δόσεις**.
Δ.: Με κάρτα λοιπόν. Α, ένα λεπτό! Η κόρη μου **μού ζήτησε να δω** τις κουρτίνες σας. Θέλει ν' αλλάξουμε κουρτίνες και στη **δική της** κρεβατοκάμαρα και στη **δική μου**. Δεν αντέχει αυτές που έχουμε. Της φαίνονται πολύ κλασικές. Ξέρετε τώρα τα κορίτσια…
Π.: Τα ξέρω και πολύ καλά μάλιστα! Έτσι είναι και οι **δικές μου** κόρες. Ελάτε να σας δείξω τις κουρτίνες μας. **Τόσα** σχέδια δε θα βρείτε πουθενά αλλού! Και η κόρη σας, ας δει πρώτα τη νέα μας συλλογή στην ιστοσελίδα μας κι ας έρθει μαζί σας μια άλλη μέρα για τις κουρτίνες.

11.1.α. Σημειώστε: Σωστό ή Λάθος; Tick: True or False?

		Σωστό	Λάθος
1.	Η Δανάη θέλει έναν καινούργιο καναπέ-κρεβάτι γιατί ο παλιός δεν της αρέσει.		
2.	Η Δανάη θέλει να δει όλους τους καναπέδες πριν αποφασίσει.		
3.	Η Δανάη πρώτα έψαξε στο ίντερνετ και μετά πήγε στο κατάστημα.		
4.	Το έπιπλο που θέλει η Δανάη πρέπει να χωράει σε ένα μάλλον μικρό δωμάτιο.		
5.	Με την έκπτωση το έπιπλο κοστίζει 630 ευρώ χωρίς τα μεταφορικά.		

		Σωστό	Λάθος
6.	Η Δανάη επιλέγει τελικά το χρώμα του καναπέ που είδε στο διαδίκτυο.		
7.	Ένα μειονέκτημα του επίπλου είναι ότι το ύφασμά του δεν πλένεται.		
8.	Η πωλήτρια προτείνει στη Δανάη να πληρώσει με μετρητά.		
9.	Η κόρη της Δανάης θέλει καινούργιες κουρτίνες για δύο υπνοδωμάτια.		
10.	Τελικά η Δανάη δε θ' αγοράσει κουρτίνες σήμερα.		

1.1.β. Κάντε διαλόγους ανά ζεύγη με βάση το 11.1.

Make dialogues in pairs based on 11.1.

Μόλις μετακομίσατε και χρειάζεστε κάποια έπιπλα για το νέο σας σπίτι. Πηγαίνετε σε ένα κατάστημα επίπλων και συζητάτε με τον πωλητή την πωλήτρια.

11.2.  Κολλάει το λάπτοπ μου

Το λάπτοπ του Τόμας δε λειτουργεί καλά. Παίρνει τηλέφωνο το Μανόλη, τον αδελφό της Δανάης, που έχει μια εταιρεία που επισκευάζει υπολογιστές.

iΕπισκευή

- Βρέξατε το λάπτοπ σας;
- Έσπασε η οθόνη του;
- **Κολλάει** ενώ δουλεύετε;
- Κλείνει μόνο του;
- Μην το πετάξετε στα σκουπίδια!
- Εμείς μπορούμε **να** το **επισκευάσουμε**!

Φέρτε μας το λάπτοπ σας και οι τεχνικοί μας θα το επισκευάσουν γρήγορα, σωστά και οικονομικά.

✓ **Ανταλλακτικά** για όλα τα **μοντέλα**.
✓ Εξυπηρέτηση όλο το 24ωρο!
✓ **Επισκευή** και στο δικό σας χώρο!

Για να μας γνωρίσετε καλύτερα, επισκεφτείτε την ιστοσελίδα μας www.iepiskevi.gr

Τ.: Χαίρετε! Λέγομαι Τόμας Μόρτον και θα ήθελα να μιλήσω με τον κύριο Μανόλη Λούρη.
Μ.: Ο ίδιος. Γεια σας, κύριε Μόρτον! Μου μίλησε ήδη η αδελφή μου. Πώς μπορώ να σας βοηθήσω;
Τ.: Κοιτάξτε, έχω προβλήματα με το λάπτοπ μου. Το αγόρασα για τη δουλειά μου και είναι ένα πολύ καλό μηχάνημα.
Μ.: Και ποιο είναι ακριβώς το πρόβλημα;
Τ.: Ανοίγω ένα αρχείο, δουλεύω για κανένα τέταρτο και μετά **ο υπολογιστής κολλάει**. Ούτε μπορώ να συνεχίσω τη δουλειά μου ούτε **να σώσω το αρχείο** και να το κλείσω. Πατάω Ctrl+Alt+Delete, τίποτα δε γίνεται! Και μετά πρέπει να το κλείσω από το κεντρικό **πλήκτρο**.
Μ.: Αυτό είναι πολύ επικίνδυνο. Και από πότε παρουσίασε αυτό το πρόβλημα;
Τ.: Από χτες το βράδυ.
Μ.: Δε σας **καλύπτει η εγγύηση**;
Τ.: Δυστυχώς όχι. Η εγγύηση έληξε πριν από έξι μήνες.
Μ.: Μάλιστα. Λυπάμαι αλλά δεν μπορώ να σας πω από το τηλέφωνο γιατί παρουσιάζει αυτό το πρόβλημα. Ίσως **να φταίει** και κάποιος **ιός**. Μην ανησυχείτε όμως! Δεν υπάρχει πρόβλημα που δεν μπορούμε **να λύσουμε**! Θα το επισκευάσουμε αμέσως! Μπορείτε να μας το φέρετε;
Τ.: Είναι λίγο δύσκολο γιατί δουλεύω.
Μ.: Δεν πειράζει. Ένας **συνεργάτης** μας θα περάσει να το πάρει από το σπίτι ή το χώρο εργασίας σας.
Τ.: Και πόσες μέρες θα το κρατήσετε;
Μ.: Μέρες; Όχι και μέρες! **Στη χειρότερη περίπτωση** θα το κρατήσουμε πέντε έξι ώρες. **Στην καλύτερη περίπτωση** θα χρειαστούμε μόνο μισή ώρα. Και βεβαίως θα το επιστρέψουμε στο χώρο σας.
Τ.: Αλήθεια; Απίστευτο! Και ποιο είναι το **κόστος** για την επισκευή;
Μ.: Δεν μπορώ να σας πω από τώρα. Αλλά, αν η επισκευή κοστίζει πάνω από 30 ευρώ, ενημερώνουμε πάντα τον πελάτη. Εκείνος αποφασίζει αν θα συνεχίσουμε ή όχι.
Τ.: Ωραία! Σας ευχαριστώ πολύ! Λοιπόν, να σας δώσω τη διεύθυνσή μου;
Μ.: Βεβαίως. Θα ήθελα κι ένα τηλέφωνο και μάλιστα καλύτερα να μου δώσετε το κινητό σας.

11.2.α.  Σημειώστε το σωστό. Tick the correct answer.

1.	Ο Τόμας θέλει	α.	να αλλάξει το λάπτοπ του	β.	να επισκευάσει το λάπτοπ του
2.	Ο Τόμας χρησιμοποιεί	α.	το λάπτοπ για την εργασία του	β.	το λάπτοπ για την διασκέδασή του
3.	Ο Τόμας δεν μπορεί	α.	να ανοίξει τα αρχεία του	β.	να σώσει τα αρχεία του
4.	Είναι πολύ επικίνδυνο	α.	να μην κλείνεις κανονικά το κομπιούτερ σου	β.	να πατάς Ctrl+Alt+Delete
5.	Τα προβλήματα του λάπτοπ	α.	άρχισαν εδώ και έξι μήνες	β.	άρχισαν μια μέρα πριν
6.	Η εγγύηση	α.	καλύπτει την επισκευή	β.	δεν καλύπτει την επισκευή
7.	Ο Μανόλης λέει	α.	ότι δεν ξέρει γιατί δε λειτουργεί καλά το λάπτοπ	β.	ότι το λάπτοπ έχει ιό
8.	Ο Τόμας	α.	θα πάει το λάπτοπ στην εταιρεία του Μανόλη	β.	θα δώσει το λάπτοπ σε συνεργάτη του Μανόλη
9.	Η επισκευή του λάπτοπ	α.	θα γίνει σε λίγες μέρες	β.	θα γίνει σε λίγες ώρες
10.	Αν η επισκευή είναι ακριβή,	α.	αποφασίζει ο πελάτης αν θα γίνει	β.	αποφασίζει η εταιρεία αν θα γίνει

11.3. Διαφημίσεις

Προϊόντα του **παρόντος** και του **μέλλοντος**

α

ΗΛΕΚΤΡΟΠΟΛΗ
σε όλη την Ελλάδα
ΕΚΠΤΩΣΕΙΣ!
Έως **50%** & Έως **24 άτοκες δόσεις**

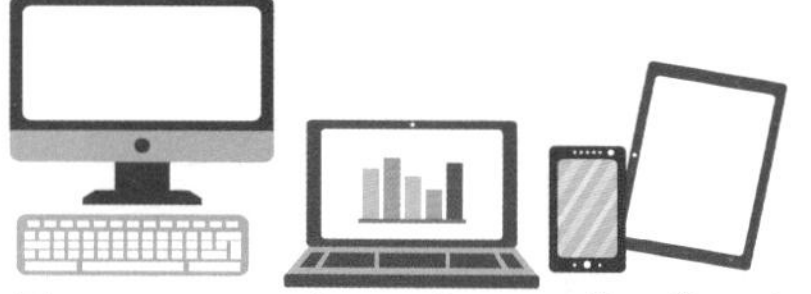

Στα καταστήματά μας θα βρείτε:
- **Φορητούς & σταθερούς** υπολογιστές
- Πληκτρολόγια και ποντίκια
- Οθόνες
- Ταμπλέτες
- Κινητά τελευταίας τεχνολογίας
- Τηλεοράσεις
- Εκτυπωτές
- Πολυμηχανήματα

β

ΤηλΕλλάς
Όλα για την επικοινωνία σας!
Στα καταστήματά μας θα βρείτε όλα όσα θέλετε για την **κινητή** και σταθερή **τηλεφωνία**

Μην ψάχνετε αλλού
Ελάτε στους **ειδικούς** της τηλεφωνίας όπως κάνουν εκατομμύρια πελάτες μας

- ✓ **Έξυπνα τηλέφωνα**
- ✓ Προγράμματα **συμβολαίου**
- ✓ **Καρτοκινητά**
- ✓ **Ειδικά** προγράμματα για **επαγγελματίες**
- ✓ Πακέτα κινητής / σταθερής τηλεφωνίας & ίντερνετ

Τώρα και ΝΕΟ κατάστημα στου Πειραιά!

γ

Στο νέο ανακαινισμένο κατάστημά μας θα βρείτε:
- ✓ **Επώνυμα** ρούχα & αξεσουάρ σε μοναδικές τιμές!
- ✓ Παπούτσια & τσάντες **εισαγωγής**

Κάντε τις αγορές σας σ' ένα κατάστημα με παράδοση στην ποιότητα!

δ

κάππος
Ηλεκτρικές συσκευές
Μόλις ανοίξαμε και σας περιμένουμε!

Όλα όσα χρειάζεστε για το σπίτι σας, σε τιμές έκπληξη!

ε

Νικολόπουλος
ΕΠΙΣΚΕΥΕΣ ΗΛΕΚΤΡΙΚΩΝ ΕΙΔΩΝ

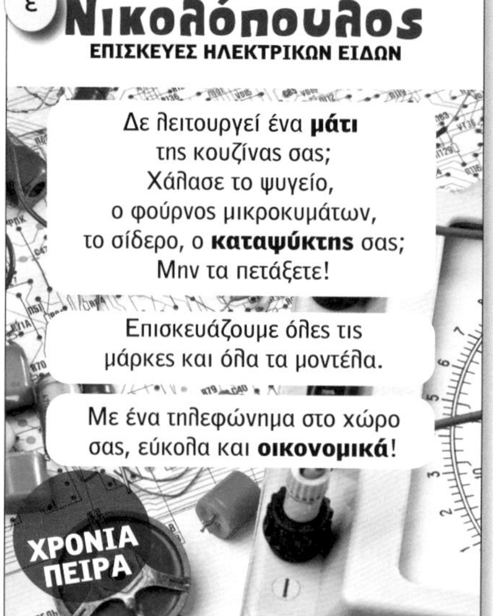

ζ

Οι συνεργάτες μας θα σας βοηθήσουν να βρείτε τα κατάλληλα γυαλιά όρασης και ηλίου
- ✓ Γυαλιά όρασης
- ✓ **Φακοί επαφής** (Εκπτώσεις από την 1η Αυγούστου)
- ✓ Έγχρωμοι φακοί επαφής για ξεχωριστές εμφανίσεις
- ✓ Επώνυμα γυαλιά ηλίου
- ✓ **Θήκες** γυαλιών και άλλα αξεσουάρ

Το πρώτο ζευγάρι φακών επαφής ΔΩΡΕΑΝ για **όσους** έρθουν την πρώτη μέρα των εκπτώσεων στο κατάστημά μας!

Σε λίγο και στην Πάτρα

η

θ

e-shop – Ηλεκτρονικό κατάστημα

Μόδα για όλους
www.unifashion.gr
Ένα κατάστημα στην οθόνη σας με ένα κλικ

Μην **«πληρώνετε ακριβά»** την αγάπη σας για τη μόδα! Στην ιστοσελίδα μας θα βρείτε ανδρικά και γυναικεία παπούτσια σε μεγάλη **ποικιλία** και σούπερ τιμές!

Μόνο ελληνικά προϊόντα

- **Γόβες** για όλες τις ώρες
- **Ανδρικά** και γυναικεία **μποτάκια**
- **Πέδιλα** με ψηλά ή χαμηλά **τακούνια**
- **Γαλότσες** για τη βροχή

Εμείς φροντίζουμε **τόσο** τα πόδια σας **όσο** και το πορτοφόλι σας!
Παράδοση σε όλη την Ελλάδα σε 3 εργάσιμες μέρες.

Καθαρίζουμε και τους πιο δύσκολους **λεκέδες** με ταχύτητα και ασφάλεια!

Αφήστε τα αγαπημένα σας ρούχα στα χέρια μας και μην ανησυχείτε!

Καθαρίζουμε επίσης: δερμάτινα, **γούνες** και **νυφικά**.

Παραλαβή & παράδοση στο σπίτι σας!

1.3.α. **Σε ποια από τα καταστήματα του 11.3. θα πάτε και τι θα επιλέξετε αν θέλετε:**
In which of the shops of 11.3. will you go and what are you going to choose if you want:

1.	να πληρώνετε το λογαριασμό του κινητού σας κάθε μήνα	β
2.	να έχετε εγγύηση για/έως 5 χρόνια γι' αυτό που θα αγοράσετε	
3.	ν' αλλάξετε χρώμα ματιών για μια βραδινή σας έξοδο	
4.	να γίνει η παράδοση στο σπίτι σας	
5.	να δίνετε ένα μικρό **ποσό** κάθε μήνα για την αγορά σας	
6.	να αγοράσετε ιταλικά παπούτσια	
7.	να καθαρίσετε τη συνθετική γούνα σας	
8.	να αγοράζετε για το κινητό σας μόνο όσο χρόνο χρειάζεστε	
9.	να σας χαρίσουν φακούς επαφής	
10.	να αγοράσετε ρούχα γνωστών εταιρειών και με ποιότητα	
11.	να αγοράσετε γυαλιά ηλίου	
12.	να καθαρίσετε ολόκληρο το σπίτι σας οικονομικά	
13.	να βρείτε μια οθόνη για το σταθερό σας κομπιούτερ κι ένα λάπτοπ	
14.	να βρείτε ελληνικά καλοκαιρινά παπούτσια	
15.	να αγοράσετε ένα κινητό με πολλές εφαρμογές	
16.	να έχετε ίντερνετ, κινητή & σταθερή τηλεφωνία από μία μόνο εταιρεία	
17.	η εταιρεία που θα επιλέξετε να έχει πείρα και πολλούς πελάτες	
18.	να αγοράσετε είδη μπάνιου με 50% έκπτωση	
19.	να βρείτε φτηνά απορρυπαντικά που δεν κάνουν κακό στο περιβάλλον	
20.	να έρθει ένας ηλεκτρολόγος στο σπίτι για να φτιάξει την ηλεκτρική κουζίνα σας	
21.	να βρείτε οικονομικά παπούτσια για τις μέρες **που βρέχει**	

1.3.β.  **Κάντε ανά ζεύγη 2 διαφημίσεις με βάση το 11.3 και παρουσιάστε τες στην τάξη.**
Create advertisements in pairs based on 11.3. and present them in the classroom.

11.4. 236 Ακούστε το κείμενο: ***Συμβουλές προς τους καταναλωτές πριν από τις εκπτώσεις***

11.4.α. **Σημειώστε: Σωστό ή Λάθος;** Tick: True or False?

		Σωστό	Λάθος
1.	Εκπτώσεις γίνονται μια φορά το χρόνο. Την υπόλοιπη χρονιά τα καταστήματα δεν επιτρέπεται να κάνουν εκπτώσεις στα προϊόντα τους.		
2.	Αυτή τη χρονιά υπάρχουν τρεις επίσημες περίοδοι εκπτώσεων.		
3.	Στις εκπτώσεις αγοράστε μόνο τα πράγματα που έχετε ανάγκη!		
4.	Προσέξτε μόνο την τελική τιμή του προϊόντος γιατί αυτή θα πληρώσετε.		
5.	Αγοράστε μόνο τα προϊόντα που είναι σε προσφορά!		
6.	Μη φύγετε χωρίς να πάρετε απόδειξη από το κατάστημα!		
7.	Συγκρίνετε πάντα το ποσό που θα πληρώσετε με δόσεις με το ποσό που θα πληρώσετε με μετρητά.		
8.	Αν δεν είστε ευχαριστημένοι με κάτι σ' ένα κατάστημα, μην ξαναπάτε!		

11.4.β. *Πότε γίνονται οι εκπτώσεις στη χώρα σας; Προτιμάτε να κάνετε τα ψώνια σας στις εκπτώσεις ή όχι; Γιατί; Τι προσέχετε όταν αγοράζετε κάτι στις εκπτώσεις; Πώς προτιμάτε να πληρώνετε; (Με μετρητά; Με πιστωτική κάρτα; Με δόσεις;)*

11.5. (ο) δικός μου - (η) δική/ιά μου - (το) δικό μου

Κάντε **δική σας** την υπέροχη αυτή ζώνη με 50% έκπτωση!	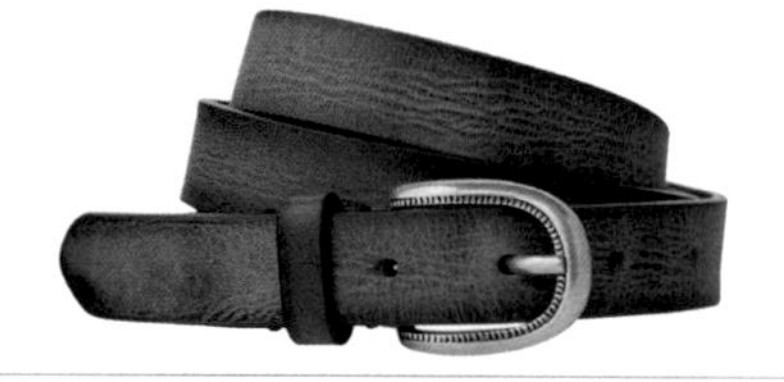	✓ Η ζώνη **του κομψού άνδρα.** ✓ Η ζώνη **του.** ✓ **Η δική του** ζώνη.
Κάντε **δικές σας** τις φανταστικές αυτές γόβες! Τιμή έκπληξη!		✓ Οι γόβες **της κομψής γυναίκας.** ✓ Οι γόβες **της.** ✓ **Οι δικές της** γόβες.
Φτιάξτε **τους δικούς σας** σκούφους και **τα δικά σας** κασκόλ! Σεμινάρια πλεξίματος στο Δήμο Χαλανδρίου.		✓ Τα πλεκτά **των μαθητών μας.** ✓ Τα πλεκτά **τους.** ✓ **Τα δικά τους** πλεκτά.

Η κούκλα είναι **δική μου**!

Γεια σας, **δικό σας** είναι αυτό το αυτοκίνητο;

Όχι, δεν είναι **δικό μας**. Είναι του παππού μου. Το **δικό μας** είναι στο πάρκινγκ.

11.5.α. **Σημειώστε το σωστό.** Tick the correct answer.

1.	Συγγνώμη! Πήρατε το κινητό μου! ***Το δικό μου / Το δικό μας / Το δικό σας*** είναι επάνω στο τραπέζι.
2.	Η κόρη μου δεν έχει ***δικό του / δικό της / δικό μου*** υπολογιστή ούτε ***δικιά του / δικιά της / δικιά μου*** ταμπλέτα.
3.	Οι πελάτες μας διαλέγουν πού θα μείνουν και πώς θα ταξιδέψουν. Φτιάχνουν δηλαδή ***το δικό μας / το δικό σας / το δικό τους*** πακέτο διακοπών.
4.	Στην εταιρεία μας φτιάχνουμε λάπτοπ και επισκευάζουμε μόνο ***τα δικά μας / τα δικά σας / τα δικά τους*** μοντέλα.
5.	Οι περισσότεροι φίλοι μου μένουν στην Αθήνα. Κι εσείς; Πού μένουν ***οι δικοί μας / οι δικοί σας / οι δικοί τους*** φίλοι;
6.	Ελένη, αυτά τα κέρματα είναι ***δικές σου / δικά σου / δικούς σου***;
7.	Μίνα, ποιες πετσέτες έβαλες στο πλυντήριο; ***Τους δικούς σου / Τις δικές σου / Τα δικά σου*** ή της κόρης σου;
8.	Εγώ δε θυμάμαι ***το δικό μου / τη δική μου / τον δικό μου*** τηλέφωνο και θέλεις να θυμηθώ ***το δικό σου / τη δική σου / τον δικό σου***;
9.	Ποιανού είναι ο φορτιστής; ***Δικός σου / Δική σου / Δικό σου*** ή της Φοίβης;
10.	Ο Μάκης θέλει να βρει δουλειά. Θέλει να κερδίσει ***δικούς του / δικές του / δικά του*** χρήματα.

1.5.β. **Συμπληρώστε τα κενά. Ακούστε το κείμενο και διορθώστε τις απαντήσεις σας.**
Fill in the gaps. Listen to the text and correct your answers.

Η ιστορία του Μπαγιάν

Έφυγα από τη χώρα μου γιατί έχουμε πόλεμο. Ευτυχώς δεν είχα ακόμη [1] δικ___ _____ οικογένεια γιατί το ταξίδι στην Ευρώπη ήταν αρκετά δύσκολο. Στη χώρα μου είχα [2] δικ___ _____ δουλειά. Είχα [3] δικ___ _____ κατάστημα με χαλιά στην πόλη Χαλέπι. Τώρα βρίσκομαι στο Μόναχο με την αδερφή μου, το γαμπρό μου και τα παιδιά τους. Ήρθαν εδώ πριν δύο χρόνια. Ο γαμπρός μου, που είναι οδοντίατρος, άνοιξε [4] δικ___ _____ ιατρείο και **απέκτησε** σύντομα τους [5] δικ___ _____ πελάτες. Η αδερφή μου δεν έχει [6] δικ___ _____ δουλειά. Δουλεύει σ' ένα κατάστημα κινητής τηλεφωνίας κι έχει έναν καλό μισθό. Με το [7] δικ___ _____ μισθό πληρώνουν το νοίκι και με τα χρήματα που βγάζει ο γαμπρός μου πληρώνουν όλα τα υπόλοιπα.

Αισθάνομαι τυχερός που είχα [8] δικ___ _____ ανθρώπους στην Ευρώπη. Δεν είναι εύκολο να ξαναφτιάξει κανείς τη ζωή του από το μηδέν. Ελπίζω σύντομα να αποκτήσω το [9] δικ___ _____ σπίτι, τη [10] δικ___ _____ δουλειά και τη [11] δικ___ _____ οικογένεια. Κάνω κι εγώ τα [12] δικ___ _____ όνειρα για το μέλλον.

1.6. Ποιανού / Τίνος / Ποιανής είναι;

- **Ποιανού / Τίνος** είναι αυτός ο σκύλος; Του γιου σου ή της κόρης σου;	- **Ποιανής*** είναι αυτή η γάτα, Έλενα; Δική σου ή της Μάνιας;	- **Ποιανών / Τίνων** είναι αυτά τα άλογα;
- Είναι του γιου μου.	- Είναι της Μάνιας. Η δικιά μου είναι μαύρη. ** Όταν ρωτάμε μόνο γυναίκες.*	- Είναι των γονιών μου.

1.6.α. **Επιλέξτε διάφορα αντικείμενα και ρωτήστε σε ποιον ανήκουν.**
Choose various objects and ask to whom they belong.

Π.χ.: - Ποιανού / Τίνος είναι αυτό το στυλό; - Είναι του/της… - Ποιανών / Τίνων είναι αυτές οι δύο τσάντες; - Είναι του/της… και του/της…

1.7. Τόσος-η-ο & όσος-η-ο

Κάνει **τόση** ζέστη σήμερα!	**Όσοι** μαθητές τελείωσαν, μπορούν να φύγουν. **Όσοι** δεν τελείωσαν, έχουν δέκα λεπτά ακόμα.	Σήμερα είχε **τόση** κίνηση στο δρόμο, **όση** και χτες.

Μην οδηγείς **τόσο** γρήγορα! Είναι επικίνδυνο.	- Πόσο να φάω; - Φάε **όσο** θέλεις!	Τόσο φθηνά **όσο** πουθενά!

Παροιμίες - Γνωμικά

Στη ζωή, όσα δίνεις, τόσα παίρνεις.

Proverbs – Sayings
In life, you get what you give.

11.7.α. Σημειώστε το σωστό. Tick the correct answer.

1.	Είχε ***όσο*** / ***τόσο*** κόσμο στο σούπερ μάρκετ σήμερα! Περίμενα μια ώρα στο ταμείο.
2.	***Όσοι*** / ***Τόσοι*** μελετήσουν, θα γράψουν καλά στο τεστ.
3.	Αγοράστε μόνο ***όσα*** / ***τόσα*** απορρυπαντικά είναι σε προσφορά!
4.	Κάνει ***όσο*** / ***τόσο*** κρύο σήμερα! Θα μείνουμε σπίτι.
5.	Βάλε στο φαγητό σου μόνο ***όσο*** / ***τόσο*** αλάτι σού είπε ο γιατρός.
6.	Βάλε στο φαγητό σου μόνο ***όσο*** / ***τόσο*** αλάτι, ***όσο*** / ***τόσο*** σου είπε ο γιατρός.
7.	***Όσες*** / ***Τόσες*** πελάτισσες αγοράσουν βιολογικά καλλυντικά, θα έχουν έκπτωση 50%.
8.	Βάλε στο πλυντήριο ***όσα*** / ***τόσα*** κιλά ρούχων, ***όσα*** / ***τόσα*** γράφουν οι οδηγίες.
9.	Μη μιλάτε ***όσο*** / ***τόσο*** γρήγορα! Δε σας καταλαβαίνω.
10.	Δεν ήξερα ότι μένεις ***όσο*** / ***τόσο*** μακριά από το κέντρο.
11.	Τρέξε ***όσο*** / ***τόσο*** πιο γρήγορα μπορείς!
12.	Μελέτησε ***όσο*** / ***τόσο*** αντέχεις.
13.	Η Μαρία είναι ***όσο*** / ***τόσο*** όμορφη, ***όσο*** / ***τόσο*** και η μητέρα της.
14.	Έφαγα ***όσο*** / ***τόσο***, ***όσο*** / ***τόσο*** ήθελα.

11.8. Τι μου είπε να κάνω;

1.8.α. **Συμπληρώστε πρώτα προφορικά και μετά γραπτά τις προτάσεις σύμφωνα με το παράδειγμα.**
Fill in first orally and then in writing the sentences following the example.

0.	Φτιάξτε το δικό σας κρασί!	Μας προτείνουν *να φτιάξουμε το δικό μας κρασί.*	
1.	Δείτε την ιστοσελίδα μας!	Μας προτείνουν	_____________________
2.	Μην αγοράζετε προϊόντα-μαϊμού!	Μας ζητούν	_____________________
3.	Αγόρασε καινούργιες κουρτίνες!	Μου είπε	_____________________
4.	Συγκρίνετε τις τιμές μας!	Μας προτείνουν	_____________________
5.	Προτιμήστε αυτό το μοντέλο!	Μας λέει	_____________________
6.	Μην ψάξετε αλλού!	Μας ζητάνε	_____________________
7.	Αγοράστε μόνο όσα χρειάζεστε!	Μας προτείνουν	_____________________
8.	Πλύντε το ύφασμα στους 40^0 βαθμούς!	Μας ζητούν	_____________________
9.	Πήγαινε το παλτό στο καθαριστήριο!	Με παρακάλεσε	_____________________
10.	Στείλτε το λάπτοπ σας στην εταιρεία μας!	Μου λέει	_____________________
11.	Πάρτε αμέσως ένα αντιβιοτικό!	Μου είπε	_____________________
12.	Μιλήστε πιο δυνατά!	Μου ζήτησε	_____________________

11.9.  Από τι υλικό είναι;

ΛΙΚΑ	MATERIALS	ΕΠΙΘΕΤΑ ΥΛΙΚΩΝ	ADJ. OF MATERIALS
ο βαμβάκι	cotton	**βαμβακερός-ή-ό**	cotton
ο δέρμα	leather	**δερμάτινος-η-ο**	leather
ο λινάρι	linen	**λινός-ή-ό**	linen
ο μαλλί	wool	**μάλλινος-η-ο**	wool
ο μετάξι	silk	**μεταξωτός-ή-ό**	silk
ο συνθετικό	synthetic	**συνθετικός-ή-ό**	synthetic

Τα υφάσματα:

βαμβακερό	μάλλινο
από βαμβάκι	από μαλλί
λινό	μεταξωτό
από λινάρι	από μετάξι

1.9.α. **Πείτε από τι υλικό είναι τα παρακάτω πράγματα.** Say from what material the following things are made of.
Π.χ. Είναι από δέρμα. Είναι δερμάτινο.

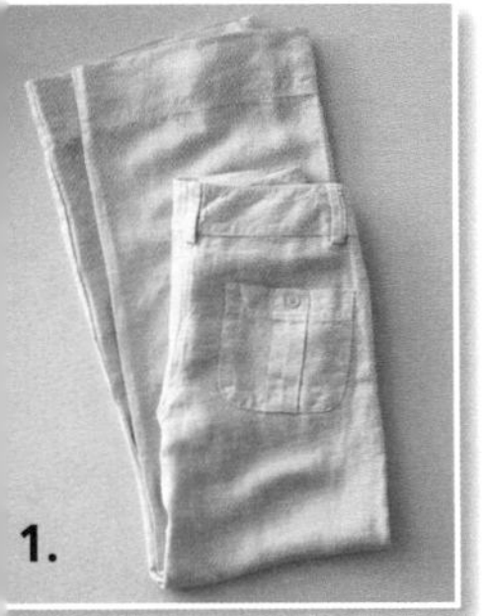
1.

2.

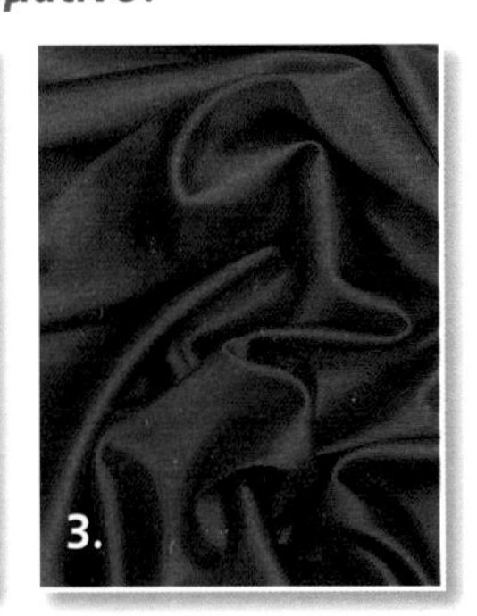
3.

4.

5.

Και τώρα εσείς!

1.9.β. *Από τι υλικά προτιμάτε να είναι τα ρούχα σας; Υπάρχει κάποιο υλικό που δε φοράτε ποτέ; Φοράτε δερμάτινα παπούτσια;*

11.10. Λευκά είδη

ΕΚΠΤΩΣΕΙΣ! *Λευκόσπιτι*

ΕΒΔΟΜΑΔΑ ΕΚΠΤΩΣΕΩΝ ΣΤΑ ΚΑΤΑΣΤΗΜΑΤΑ

Ποιότητα στα λευκά είδη σπιτιού

Τα λευκά μας είδη είναι από φυσικά υλικά όπως βαμβάκι, μαλλί ή μετάξι.

Πετσέτες μπάνιου σετ τριών μεγεθών:
Η μεγάλη από 8€, η μεσαία από 6€, η μικρή από 4€
-Ένα χαλάκι μπάνιου δωρεάν με την αγορά ενός σετ!

Τραπεζομάντιλο λινό 130 x 170 εκ. με έξι μεγάλες πετσέτες φαγητού σε τρία χρώματα: λευκό, ροζ, πράσινο ανοικτό - 15€ το ένα, τα δύο 20€

Παπλώματα μονά από 30€, διπλά από 45€

Κουβέρτες μάλλινες από 30€

Μαξιλάρι & δύο λευκές λινές μαξιλαροθήκες 15€

Σετ σεντόνια και μαξιλαροθήκες (βαμβακερά λινά & μεταξωτά) από 25€

Θα τα βρείτε με έκπτωση έως 20%

ΠΡΟΣΦΟΡΑ! Μην τη χάσετε!
Τόσο φτηνά δε θα βρείτε πουθενά αλλού!

ΛΕΥΚΑ ΕΙΔΗ	LINENS
η κουβέρτα	blanket
η κουρτίνα	curtain
η μαξιλαροθήκη	pillow case
η πετσέτα μπάνιου	bath towel
η πετσέτα φαγητού	napkin
η πετσέτα θάλασσας	beach towel
το μαξιλάρι	pillow
το πάπλωμα	duvet
το σεντόνι	bed sheet
το στρώμα	mattress
το τραπεζομάντιλο	tablecloth
το χαλάκι του μπάνιου	bath mat

11.10.α. Ακούστε το κείμενο: *Πάμε για ψώνια;*

11.10.β. Σημειώστε: Σωστό ή Λάθος; Tick: True or False?

		Σωστό	Λάθος
1.	Η Δανάη και οι γονείς της ανησύχησαν γιατί ο Μανόλης δεν απαντούσε χτες στο τηλέφωνό του.		
2.	Η Δανάη τώρα πρέπει να ειδοποιήσει τους γονείς της ότι ο Μανόλης είναι καλά.		
3.	Ο Μανόλης έκανε κάποιο λάθος όταν έβαλε πλυντήριο και τα ρούχα άλλαξαν χρώμα.		
4.	Η Δανάη τού προτείνει να πάνε μαζί για ψώνια.		
5.	Ο Μανόλης χρειάζεται ένα καινούργιο πάπλωμα.		
6.	Χρειάζεται κι ένα **μπουρνούζι** γιατί το παλιό του το πήρε μαζί της η πρώην σύζυγός του.		
7.	Χρειάζεται και τραπεζομάντιλο γιατί όλα τα παλιά έγιναν κι αυτά ροζ στο πλυντήριο.		
8.	Τις καθημερινές το πρωί η Δανάη δεν μπορεί να πάει για ψώνια γιατί δουλεύει.		
9.	Ο Μανόλης δε θέλει να πάει για ψώνια το Σάββατο το πρωί γιατί δουλεύει.		
10.	Την Τρίτη το απόγευμα και τα δύο αδέλφια είναι ελεύθερα.		
11.	Ο Μανόλης θυμάται ότι χρειάζεται κι ένα χαλάκι για το μπάνιο.		
12.	Μετά τα ψώνια τα δύο αδέλφια θα πάνε να πιούνε έναν καφέ και να συζητήσουν.		

11.11. Οι τέσσερις πράξεις

ΣΥΜΒΟΛΑ SYMBOLS		ΠΡΑΞΕΙΣ FUNCTIONS	ΡΗΜΑΤΑ VERBS		
+	συν / και plus / and	η πρόσθεση addition	προσθέτω I add	- Πόσο κάνει ένα **συν** / **και** δύο; - Ένα **συν** / **και** δύο ίσον τρία.	1 + 2 = 3
-	μείον / πλην minus/take out	η αφαίρεση subtraction	αφαιρώ I subtract	- Πόσο κάνει τρία **μείον** / **πλην** δύο; - Τρία **μείον** / **πλην** δύο κάνει ένα.	3 - 2 = 1
x	επί by / times	ο πολλαπλασιασμός multiplication	πολλαπλασιάζω I multiply	- Πόσο κάνει δύο **επί** δύο; - Δύο **επί** δύο κάνει τέσσερα.	2 x 2 = 4
:	διά divided by	η διαίρεση division	διαιρώ I divide	- Πόσο κάνει τέσσερα **διά** δύο; - Τέσσερα **διά** δύο ίσον δύο.	4 : 2 = 2
=	ίσον equals			- Ένα συν ένα **ίσον** / **κάνει** δύο.	1 + 1 = 2

1.11.α. Συμπληρώστε τα κενά σύμφωνα με το παράδειγμα. Fill in the gaps following the example.

0.	Ένα *συν* ένα ίσον δύο.		
1.	Δεκαπέντε ______ δεκαπέντε ίσον τριάντα.	6.	Σαράντα ______ σαράντα κάνει χίλια εξακόσια.
2.	Τριάντα ______ δύο ίσον είκοσι οκτώ.	7.	Χίλια εξακόσια ______ δύο ίσον χίλια πεντακόσια ενενήντα οκτώ.
3.	Πέντε ______ δέκα κάνει πενήντα.	8.	Δύο χιλιάδες οκτώ δια δύο ______ χίλια τέσσερα.
4.	Σαράντα ______ τέσσερα ίσον δέκα.	9.	Τριακόσια πενήντα δύο ______ εκατόν τέσσερα ίσον τετρακόσια πενήντα έξι.
5.	Τέσσερα και τέσσερα ______ οκτώ.	10.	Πέντε χιλιάδες εξακόσια ______ τέσσερα κάνει χίλια τετρακόσια.

1.12. Σημαίνει πολλά: χαλάω (-ώ)

χαλάω (-ώ) κάτι	*1. [κάνω ζημιά / βλάβη σε κάτι]*
χαλάει / χάλασε	*2. [ένα μηχάνημα δε λειτουργεί / παθαίνει μια βλάβη]*
χαλάω (-ώ) χρήματα	*3. [κάνω π.χ. ένα χαρτονόμισμα ψιλά]*
ο καιρός χαλάει	*4. [ο καιρός γίνεται χειρότερος]*
τα χαλάω (-ώ) με κάποιον	*5. [τελειώνει μια σχέση μου με κάποιον]*

1.12.α. Συμπληρώστε τα κενά. Ακούστε τα κείμενα και διορθώστε τις απαντήσεις σας.

Fill in the gaps. Listen to the texts and correct your answers.

1. Η κόρη μου __________ συνέχεια τα παιχνίδια της και μετά θέλει καινούργια.	2. Ο θερμοσίφωνας ______________ πάλι. Θα φωνάξω τον υδραυλικό.	3. Μου ______________, παρακαλώ, ένα πεννντάρικο; Δεν έχω ψιλά.	4. Από χτες ο καιρός ______________ αλλά εμένα δε με νοιάζει.	5. Ο Μάκης; Ο Μάκης τέλος! ______________ πριν ένα μήνα!

1.13. Σημαίνει πολλά: φτιάχνω

φτιάχνω κάτι	*1. [κατασκευάζω / δημιουργώ κάτι]*	φτιάχνω	*4. [τακτοποιώ]*
	2. [ετοιμάζω κάτι]	ο καιρός φτιάχνει	*5. [ο καιρός γίνεται καλύτερος]*
	3. [επισκευάζω κάτι]	τα φτιάχνω με κάποιον	*6. [αρχίζω μια σχέση με κάποιον]*

1.13.α. Συμπληρώστε τα κενά. Ακούστε τα κείμενα και διορθώστε τις απαντήσεις σας.

Fill in the gaps. Listen to the texts and correct your answers.

1. Πέρσι ο Παύλος __________ μόνος του μια ξύλινη βιβλιοθήκη.	2. __________ μου έναν καφέ ελληνικό χωρίς ζάχαρη, παρακαλώ!	3. Μην ανησυχείτε! __________ αμέσως το αυτοκίνητό σας!	4. Πρώτα __________ το δωμάτιό σου και μετά θα δεις τηλεόραση!	5. Ο καιρός __________! Έβαλα τα καλοκαιρινά μου ρούχα.	6. Έχω φοβερά νέα! Η κόρη της Κικής __________ με έναν ηθοποιό!

γραμματική

1. Ουδέτερα αρχαιόκλιτα ονόματα σε *-ον*

Neuter nouns in *-ον* with archaic endings

Ενικός	Πληθυντικός
το προϊόν	τα προϊόντα
του προϊόντος	των προϊόντων
το προϊόν	τα προϊόντα
- προϊόν	- προϊόντα

2. Θηλυκά ονόματα σε *-ού / -ούδες*

Feminine nouns in *-ού / -ούδες*

Ενικός	Πληθυντικός
η μαϊμού	οι μαϊμούδες
της μαϊμούς	των μαϊμούδων
τη μαϊμού	τις μαϊμούδες
- μαϊμού	- μαϊμούδες

Όπως το προϊόν: το παρόν. Αλλά: το περιβάλλον - των περιβαλλόντων, το ενδιαφέρον-όντων, το μέλλον-όντων, το παρελθόν-όντων

Όπως η μαϊμού: η περιπτερού, η αλεπού.

3. Η κτητική αντωνυμία *δικός-ή/ιά-ό (μου, σου, του...)*

The possessive pronoun *δικός-ή/ιά-ό (μου, σου, του...)*

Η αντωνυμία αυτή κλίνεται όπως τα επίθετα σε *-ος-η/-ιά-ο.*
This pronoun is declined like the adjectives in *-ος-η/-ιά-ο.*

Οι κτητικές αντωνυμίες φανερώνουν σε ποιο πρόσωπο ανήκει κάτι και έχουν δυνατούς και αδύνατους τύπους.
The possessive pronouns show to whom something belongs; they have strong and weak types.

Παίρνουν και άρθρο, κυρίως όταν έχουν επιθετική χρήση.
When they are used as adjectives, they can be used with an article.
Π.χ. Αυτό είναι **το δικό** μου βιβλίο.

Ένας κτήτορας One owner

	Ένα κτήμα One possession		Πολλά κτήματα Many possessions	
1ο		μου		μου
2ο	δικός - δική/ιά - δικό	σου	δικοί - δικές - δικά	σου
3ο		του/της/του		του/της/του

Πολλοί κτήτορες Many owners

	Ένα κτήμα One possession		Πολλά κτήματα Many possessions	
1ο		μας		μας
2ο	δικός - δική/ιά - δικό	σας	δικοί - δικές - δικά	σας
3ο		τους		τους

ΑΔΥΝΑΤΟΙ ΤΥΠΟΙ* WEAK TYPES	**μου σου του/της/του μας σας τους****	Δείχνουν απλώς σε ποιον ανήκει κάτι. They simply show to whom something belongs. Π.χ.: Αυτό είναι το βιβλίο **μου**. Αυτή είναι η γυναίκα **του**. Το σπίτι **σου** είναι ωραίο.
ΔΥΝΑΤΟΙ ΤΥΠΟΙ STRONG TYPES	δικός μου δική μου δικό μου	Χρησιμοποιούνται για έμφαση ή για αντίθεση. They are used for emphasis or antithesis. Π.χ.: **Το δικό μου** σπίτι είναι το πιο παλιό της γειτονιάς. Αυτό το βιβλίο είναι **δικό μου**! Θέλει **το δικό σου** βιβλίο, όχι **το δικό του**.

* *Βλέπε **Ελληνικά για σας**, Βιβλίο Α1, Βήμα 13, Γραμματική 3, σελ.117.*
** *Για τους αδύνατους τύπους χρησιμοποιούμε τη γενική των αδύνατων τύπων της προσωπικής αντωνυμίας (Βλέπε **Ελληνικά για σας**, Βιβλίο Α1, Παράρτημα 1, Γραμματική 4.1, σελ.240). For the weak types we use the genitive of the weak types of the personal pronoun (see **Greek for you**, Textbook A1, Annex 1, Gram. 4.1, p. 240.)*

⚠ **Προσοχή!** Για να καταλάβουμε αν μια αντωνυμία σε αδύνατο τύπο είναι προσωπική ή κτητική, την αντικαθιστούμε με τον αντίστοιχο δυνατό τύπο.
Attention! In order to understand if a pronoun in the weak type is personal or possessive, we replace it with the relevant strong type.

Π.χ.: Το αυτοκίνητό **μου** είναι κόκκινο. → **Το δικό μου** αυτοκίνητο είναι κόκκινο. → *κτητική αντωνυμία*
Μου τηλεφώνησε. → Τηλεφώνησε (σ') **εμένα**. → *προσωπική αντωνυμία*

Λεξιλόγιο Glossary

Λεξιλόγιο	Glossary
ΟΝΟΜΑΤΑ	NOUNS
επαγγελματίας, ο/η	professional
ιός, ο	virus
καναπές-κρεβάτι, ο	sofa-bed
καταναλωτής, ο	consumer (masc.)
καταψύκτης, ο	freezer
λεκές, ο	stain
φακός επαφής, ο	contact lens
συνεργάτης, ο	collaborator, co-worker (r
τεχνικός, ο/η	technician
γαλότσα, η	wellington, rubber boot
γούνα, η	fur
δόση, η	installment
εισαγωγή, η	import
προϊόν εισαγωγής, το	imported good
επισκευή, η	repair
θήκη, η	case
καταναλώτρια, η	consumer (fem.)
μαϊμού, η	monkey
προϊόν-μαϊμού, το	forfeited / fake good
όραση, η	vision
πείρα, η	experience
ποικιλία, η	variety
συνεργάτιδα, η (συνεργάτρια, η)	collaborator, co-worker (fem.)
συσκευή, η	appliance
τηλεφωνία, η	telephony
ανταλλακτικό, το	spare part
έξυπνο τηλέφωνο, το	smartphone
καθαριστικό, το	cleaning material
καρτοκινητό, το	card phone, no-contract phone
κλικ, το	click
κόστος, το	cost
μάτι της κουζίνας, το	stove burner
μέλλον, το	future
μοντέλο, το	model
μποτάκι, το	ankle bootie
μπουρνούζι, το	bathrobe
νυφικό, το	wedding dress
παρόν, το	present (time)
πλήκτρο, το	key (in a keyboard)
ποσό, το	amount
σετ, το	set
σιδέρωμα, το	ironing (n.)
στρώμα, το	mattress
συμβόλαιο, το	contract
τακούνι, το	heel
τσιγάρο, το	cigarette
λευκά είδη, τα	linens
μεταφορικά (έξοδα), τα	transportation / shipping (cost)
ΕΠΙΘΕΤΑ - ΜΕΤΟΧΕΣ	ADJ. - PARTICIPLES
άτοκος-η-ο	interest free
βαμβακερός-ή-ό	cotton
ειδικός-ή-ο	expert, specialist
επώνυμος-η-ο	labelled
κινητός-ή-ό	mobile
σταθερός-ή-ό	wired, landline (telephone
στεγνός-ή-ό	dry
στεγνό καθάρισμα, το	dry cleaning
συνθετικός-ή-ό	synthetic
φορητός-ή-ό	mobile, wireless
ΡΗΜΑΤΑ	VERBS
αποκτάω-ώ	have, get
επισκευάζω	I repair
καλύπτω	I cover
με καλύπτει η εγγύηση	a product is covered by warranty
λύνω	I resolve
παραλαμβάνω (& παραλαβαίνω)	I receive, I pick up
στοιχίζω	I cost
συγκρίνω	I compare
συμφέρει	it's a better deal
με συμφέρει (κάτι)	it's a better deal for me
φταίω	I am responsible, it's my fault
ΑΝΤΩΝΥΜΙΕΣ	PRONOUNS
δικός-ιά/ή-ό (μου/σου...)	mine
τόσος-η-ο	this much, so much
ΕΠΙΡΡΗΜΑΤΑ	ADVERBS
όσο	as much, same as
τόσο	so, as
τόσο... όσο	as much as
οικονομικά	economically, inexpensivel
πουθενά	nowhere
ΕΚΦΡΑΣΕΙΣ	EXPRESSIONS
πληρώνω κάτι ακριβά	I pay a lot for something
στη στιγμή	at once
στη χειρότερη περίπτωση	worst case scenario
στην καλύτερη περίπτωση	at best
κολλάει ο υπολογιστής	the computer is hung
σώζω (ένα αρχείο)	I save a document

. Οι αντωνυμίες *τόσος-η-ο* & *όσος-η-ο* The pronouns *τόσος-η-ο* & *όσος-η-ο*

Η δεικτική αντωνυμία ***τόσος-η-ο*** και η αναφορική αντωνυμία ***όσος-η-ο*** δηλώνουν ποσότητα.
The indicative pronoun ***τόσος-η-ο*** and the relative pronoun ***όσος-η-ο*** indicate quantity.

	Ενικός αριθμός			Πληθυντικός αριθμός		
Ον.	τόσος	τόση	τόσο	τόσοι	τόσες	τόσα
Γεν.	τόσου	τόσης	τόσου	τόσων	τόσων	τόσων
Αιτ.	τόσο(ν)	τόση	τόσο	τόσους	τόσες	τόσα

Ενικός αριθμός			Πληθυντικός αριθμός		
όσος	όση	όσο	όσοι	όσες	όσα
όσου	όσης	όσου	όσων	όσων	όσων
όσο(ν)	όση	όσο	όσους	όσες	όσα

Π.χ.: - Κάνει ζέστη σήμερα! - Όχι και **τόση**! Κάνει **τόση** ζέστη σήμερα!
Όσοι πληρώνουν με κάρτα, να πάνε στο ταμείο 2! **Όσοι** πελάτες πληρώσουν με κάρτα, θα έχουν έκπτωση 10 %.
Σήμερα κάνει **τόση** ζέστη **όση** και χτες. Η εταιρεία μας έκανε φέτος **τόσες** πωλήσεις **όσες** και πέρσι.

Προσοχή! Τα επιρρήματα *τόσο* & *όσο* **Attention!** The adverbs ***τόσο* & *όσο***

Π.χ.: Μην τρέχεις **τόσο** πολύ, ο δρόμος γλιστράει.
Να ταξιδεύετε **όσο** πιο συχνά μπορείτε!
Είναι **τόσο** ψηλός **όσο** και ο πατέρας του.
Γιατί ήρθες **τόσο** αργά; Τα μαγαζιά κλείνουν σε δέκα λεπτά.
Πιες **όσο** θέλεις! Αυτό το αναψυκτικό δεν έχει ζάχαρη.
Στο κατάστημά μας θα βρείτε αυτά που θέλετε **τόσο** φθηνά **όσο** πουθενά αλλού!

. Απόλυτα αριθμητικά Cardinal Numbers

Ποια αριθμητικά κλίνονται; Which numerals are declined?

		Αρσενικά	Θηλυκά	Ουδέτερα	Τι παρατηρούμε;
Α.	Τα αριθμητικά 1, 3, 4	Τα ονόματα **των τεσσάρων** (4) **ηθοποιών** του έργου είναι πολύ γνωστά.	Σε **τρεις** (3) **εβδομάδες** έρχεται η κόρη μου από το Παρίσι.	Το μωρό του αδερφού μου είναι **ενός** (1) **έτους**.	Συμφωνούν ως προς το γένος, τον αριθμό και την πτώση με το όνομα που προσδιορίζουν. They follow the gender, number, and case of the noun that they determine.
Β.	Αριθμητικά που τελειώνουν σε 1, 3, 4 (π.χ.: 13, 54, 1091, 901.003)	Θα πάρω το πτυχίο μου σε **δεκατρείς** (13) **μήνες**.	Η ανιψιά μου είναι **δεκατεσσάρων** (14) **ημερών**.	Η ταινία άρεσε και στα **τετρακόσια τριάντα τρία** (433) **άτομα** που την είδαν.	
Γ.	Οι **εκατοντάδες** Hundreds 200 - 900	**Διακόσιοι έντεκα** (211) **εργάτες** δούλεψαν για την κατασκευή αυτής της πολυκατοικίας.	Λάβαμε **εννιακόσιες** (900) **αιτήσεις** για είκοσι θέσεις εργασίας στην εταιρεία μας.	Για την τούρτα σοκολάτας θα χρειαστείτε **διακόσια** (200) **γραμμάρια** αλεύρι.	
Δ.	Το αριθμητικό 1000	Στο Μαραθώνιο της Αθήνας θα τρέξουν φέτος τουλάχιστον **χίλιοι αθλητές**.	Για να σπουδάσεις σε αυτό το πανεπιστήμιο θα χρειαστείς τουλάχιστον **χίλιες λίρες** Αγγλίας το μήνα.	Η Αθήνα απέχει από το Βελιγράδι πάνω από **χίλια χιλιόμετρα**.	
Ε.	Οι **χιλιάδες** Thousands 2000 - 999.000	Φέτος περιμένουμε στην Ελλάδα πάνω από **είκοσι μία χιλιάδες** (21.000) τουρίστες. ΟΧΙ: ...πάνω από ~~είκοσι έναν χιλιάδες τουρίστες~~.	**Τρεις χιλιάδες** (3000) **μαθήτριες** απ' όλη την Ευρώπη έγραψαν στο φετινό διαγωνισμό μαθηματικών.	**Τις διακόσιες χιλιάδες** (200.000) **ευρώ** φτάνει ο μισθός μερικών διευθυντών στην εταιρεία μας. ΟΧΙ: ~~Τα διακόσια χιλιάδες ευρώ~~ φτάνει...	Συμφωνούν ως προς το γένος, τον αριθμό και την πτώση με τις λέξεις **χιλιάδες** και **εκατομμύρια ΚΑΙ ΟΧΙ** με τα ονόματα που προσδιορίζουν. They follow the gender, number and case of the words **χιλιάδες & εκατομμύρια AND NOT** of the nouns that they determine
Ζ.	Τα **εκατομμύρια** 1.000.000 -999.000.000 Millions	Τα καταστήματά μας εξυπηρετούν πάνω από **τέσσερα εκατομμύρια** (4.000.000) **πελάτες**. ΟΧΙ: ...πάνω από ~~τέσσερις εκατομμύρια πελάτες~~.	**Δεκατρία εκατομμύρια** (13.000.000) νέες **θέσεις** εργασίας θα υπάρξουν τον επόμενο χρόνο στην Ευρωπαϊκή Ένωση. ΟΧΙ: ~~Δεκατρείς εκατομμύρια νέες θέσεις~~ εργασίας...	Το μεγαλύτερο μέρος **των τριάντα τεσσάρων εκατομμυρίων** (34.000.000) δολαρίων θα δώσει ο νικητής του λαχείου για φιλανθρωπικούς σκοπούς.	

Προσοχή! Τα αριθμητικά από το 1 έως το 20 γράφονται με μία λέξη ενώ από το 21 και μετά γράφονται με ξεχωριστές λέξεις.
Attention! The numerals 1 to 20 are written in one word, whereas numbers 21 and above are written in two words.

Π.χ.: δεκατρία (13), διακόσια είκοσι δύο (222), ενενήντα οκτώ (98), χίλια ογδόντα τρία (1083), είκοσι οκτώ (28), δεκαέξι (16), ένα εκατομμύριο διακόσιες χιλιάδες δεκατρία (1.200.013)

Προσοχή! Το αριθμητικό **εκατό** (100) δεν κλίνεται. Όταν ακολουθείται από άλλο αριθμητικό παίρνει στο τέλος ένα **ν**, π.χ. εκατό**ν** ένα, εκατό**ν** δύο κ.ο.κ. **Attention!** The numeral **εκατό** (100) is not declined. When **εκατό** is followed by another numeral, we put a **ν** at the end, i.e. εκατό**ν** ένα, εκατό**ν** δύο etc.

Προσοχή! Όλα τα αριθμητικά που κλίνονται, κλίνονται και όταν αποτελούν μέρος άλλου μεγαλύτερου αριθμού.
Attention! All the numerals that are declined, they do so even if they are part of a larger number.

Παραδείγματα

1104 γιατροί: **χίλιοι** εκατόν **τέσσερις** γιατροί *(Κλίνονται τα: χίλιοι, τέσσερις)*	421 γυναίκες: **τετρακόσιες** είκοσι **μία** γυναίκες *(Κλίνονται τα: τετρακόσιες, μία)*	781 ευρώ: **επτακόσια** ογδόντα **ένα** δολάρια *(Κλίνονται τα: επτακόσια, ένα)*
οι **χίλιοι** εκατόν **τέσσερις** γιατροί	οι **τετρακόσιες** είκοσι **μία** γυναίκες	τα **επτακόσια** ογδόντα **ένα** δολάρια
των **χιλίων** εκατόν **τεσσάρων** γιατρών	των **τετρακοσίων** είκοσι **μίας** γυναικών	των **επτακοσίων** ογδόντα **ενός** δολαρίων
τους **χίλιους** εκατόν **τέσσερις** γιατρούς	τις **τετρακόσιες** είκοσι **μία** γυναίκες	τα **επτακόσια** ογδόντα **ένα** δολάρια
- **χίλιοι** εκατόν **τέσσερις** γιατροί	- **τετρακόσιες** είκοσι **μία** γυναίκες	- **επτακόσια** ογδόντα **ένα** δολάρια

Διαβάστε:

4243 τουρίστες, 1.083.333 λίρες Αγγλίας, 21.984.601.274 γιεν

ΛΥΣΗ: τέσσερις χιλιάδες διακόσιοι σαράντα τρεις τουρίστες, ένα εκατομμύριο ογδόντα τρεις χιλιάδες τριακόσιες τριάντα τρεις λίρες Αγγλίας, είκοσι ένα δισεκατομμύρια εννιακόσια ογδόντα τέσσερα εκατομμύρια εξακόσιες μία χιλιάδες διακόσια εβδομήντα τέσσερα γιεν

	Αρσενικά		Θηλυκά		Ουδέτερα	
Ον.	διακόσιοι	χίλιοι	διακόσιες	χίλιες	διακόσια	χίλια
Γεν.	διακοσίων	χιλίων	διακοσίων	χιλίων	διακοσίων	χιλίων
Αιτ.	διακόσιους	χίλιους	διακόσιες	χίλιες	διακόσια	χίλια
Κλητ.	διακόσιοι	χίλιοι	διακόσιες	χίλιες	διακόσια	χίλια

	Ενικός	Πληθυντικός	Ενικός	Πληθυντικός
Ον.	η χιλιάδα	οι χιλιάδες	το εκατομμύριο	τα εκατομμύρια
Γεν.	της χιλιάδας	των χιλιάδων	του εκατομμυρίου	των εκατομμυρίων
Αιτ.	τη χιλιάδα	τις χιλιάδες	το εκατομμύριο	τα εκατομμύρια
Κλητ.	- χιλιάδα	- χιλιάδες	- εκατομμύριο	- εκατομμύρια

η μονάδα	unit
η δεκάδα	ten
η εκατοντάδα	hundred
η χιλιάδα	thousand
το εκατομμύριο	million
το δισεκατομμύριο	billion
το τρισεκατομμύριο	trillion

6. Πλάγιος λόγος (4) Indirect speech (4)

Ευθύς λόγος [Τέλεια προστακτική]	Πλάγιος λόγος [Ρήμα + τέλεια υποτακτική]	
Φύγε αμέσως!	Με διατάζει / Μού ζητά **να φύγω** αμέσως.	Με διέταξε / Μού ζήτησε **να φύγω** αμέσως
Άνοιξε την πόρτα, σε παρακαλώ!	Με παρακαλεί **να ανοίξω** την πόρτα.	Με παρακάλεσε **να ανοίξω** την πόρτα.
Πλύνε τα ρούχα!	Μου ζητά **να πλύνω** τα ρούχα.	Μου ζήτησε **να πλύνω** τα ρούχα.
Αγοράστε ένα καινούργιο τραπέζι!	Μας προτείνει **να αγοράσουμε** ένα καινούργιο τραπέζι.	Μας πρότεινε **να αγοράσουμε** ένα τραπέζι
Μην πληρώσετε με κάρτα!	Μας λέει **να μην πληρώσουμε** με κάρτα.	Μας είπε **να μην πληρώσουμε** με κάρτα.
Μην μπείτε στο αυτοκίνητο!	Μας λέει **να μην μπούμε** στο αυτοκίνητο.	Μας είπε **να μην μπούμε** στο αυτοκίνητο.

7. Πίνακας νέων ρημάτων Table of new verbs

	Θέμα ενεστώτα			Θέμα αορίστου			
ΠΡΟΘΕΣΕΙΣ	Ενεστώτας	Παρατατικός	Ατελής υποτακτική	Αόριστος	Τέλ. μέλλοντας	Τέλ. υποτακτική	Τέλ. προστακτική
επί	**επι**σκευάζω	**επι**σκεύαζα	να **επι**σκευάζω	**επι**σκεύασα	θα **επι**σκευάσω	να **επι**σκευάσω	**επι**σκεύασε - **επι**σκευάστε
	καλύπτω	κάλυπτα	να καλύπτω	κάλυψα	θα καλύψω	να καλύψω	κάλυψε - καλύψτε
	λύνω	έλυνα	να λύνω	έλυσα	θα λύσω	να λύσω	λύσε - λύστε
παρά	**παρα**λαμβάνω (& παραλαβαίνω)	**παρε**λάμβανα (& παραλάβαινα)	να **παρα**λαμβάνω	παρέλαβα	θα **παρα**λάβω	να **παρα**λάβω	**παρά**λαβε - **παρα**λάβετε
	στοιχίζω	στοίχιζα	να στοιχίζω	στοίχισα	θα στοιχίσω	να στοιχίσω	στοίχισε - στοιχίστε
συν+κρίνω	**συγ**κρίνω	**σύγ**κρινα & **συν**έκρινα	να **συγ**κρίνω	**σύγ**κρινα & συνέκρινα	θα **συγ**κρίνω	να **συγ**κρίνω	**σύγ**κρινε - **συγ**κρίνετε
συν+φέρω	**συμ**φέρει	**συν**έφερε	να **συμ**φέρει	**συν**έφερε	θα **συμ**φέρει	να **συμ**φέρει	-
	φταίω*	έφταιγα	να φταίω	έφταιξα	θα φταίξω	να φταίξω	φταίξε - φταίξτε
εξ / εκ	**εξ**υπηρετώ	**εξ**υπηρετούσα	να **εξ**υπηρετώ	**εξ**υπηρέτησα	θα **εξ**υπηρετήσω	να **εξ**υπηρετήσω	**εξ**υπηρέτησε - **εξ**υπηρετήστε

* *Για την κλίση του ρήματος **φταίω**, βλέπε Βήμα 3, Γραμματική 4.*

11.14. Τι προτιμούν να αγοράζουν οι Έλληνες στο διαδίκτυο;

247

Οι καταναλωτές στην Ελλάδα χρησιμοποιούν πιο συχνά από άλλοτε το διαδίκτυο για τις αγορές τους. **Αναζητούν** ευκαιρίες, προσφορές και έξυπνες λύσεις, χωρίς όμως να κάνουν «εκπτώσεις» στην ποιότητα.

Άλλα ψάχνουν στο ίντερνετ οι γυναίκες και άλλα οι άντρες;

Σύμφωνα με μια έρευνα οι άντρες ψάχνουν πιο συχνά «έξυπνα» τηλέφωνα, υπολογιστές και άλλα ηλεκτρονικά είδη ενώ οι γυναίκες ρούχα, παπούτσια, παιδικά είδη, κοσμήματα, καλλυντικά και ρολόγια. Και τα δύο φύλα ψάχνουν στο ίντερνετ **οικιακές** συσκευές και έπιπλα. Επίσης και τα δύο φύλα προτιμούν τα **μεταχειρισμένα** προϊόντα από τα καινούργια.

Λεξιλόγιο 11.14.

αναζητώ	I look for
μεταχειρισμένος-η-ο	used, second hand
οικιακός-ή-ό	household, home (adj.)
η οικιακή συσκευή	home appliance

11.14.α. 248 **Ακούστε τα κείμενα:** Αγορές στο ίντερνετ, άλλοι τις προτιμούν και άλλοι όχι

11.14.β. Σημειώστε το γράμμα των κειμένων που ακούτε (κείμενα α έως θ) στον τίτλο (1 έως 8) που ταιριάζει.
Note the letter of the texts that you hear (texts *α* to *θ*) in the title (1 to 8) that is relevant.

1.	Βρίσκω καλύτερες τιμές, αλλά γίνονται και λάθη.	α
2.	Δεν έχω χρόνο να ψάχνω στα μαγαζιά.	____
3.	Βρίσκω προσφορές όλο το χρόνο.	____
4.	Είναι επικίνδυνο.	____
5.	Ψώνισα αλλά ήταν κακής ποιότητας.	____
6.	Συγκρίνω τιμές καταστημάτων.	____
7.	Πριν αγοράσω κάτι, προτιμώ να το δοκιμάσω.	____
8.	Δεν ασχολούμαι με το ίντερνετ.	____

Και τώρα εσείς!

11.14.γ. *Κάνετε ή όχι αγορές στο διαδίκτυο; Γιατί; Αν κάνετε, ποια είδη προτιμάτε να αγοράζετε από το ίντερνετ και ποια όχι;*

11.15. Η γλώσσα των ρούχων

249

Πριν ακόμα μιλήσουμε με κάποιον, **σχηματίζουμε** την πρώτη μας **εντύπωση** για αυτόν μόνο από την εμφάνισή του και μέσα σε τριάντα μόλις δευτερόλεπτα. Το χτένισμα, τα κοσμήματα, τα αξεσουάρ και κυρίως τα ρούχα του μας δίνουν σημαντικές πληροφορίες (αληθινές ή όχι) γύρω από τη δουλειά, την καταγωγή, το χαρακτήρα, τις ασχολίες και την οικονομική του κατάσταση. Το ντύσιμο είναι ένα είδος επικοινωνίας, μια **σιωπηλή** γλώσσα που **φανερώνει** πολλά.

Στο παρελθόν τα ρούχα έδειχναν την κοινωνική τάξη ενός ανθρώπου, το φύλο του, την ηλικία του (θυμάστε τα κοντά παντελόνια που φορούσαν παλιά μόνο τα μικρά αγόρια;) και καμιά φορά και την οικογενειακή του κατάσταση ακόμα. Για παράδειγμα, στο παρελθόν, σε διάφορες κοινωνίες, οι παντρεμένες γυναίκες κάλυπταν τα μαλλιά τους με **μαντήλι**, οι ανύπαντρες όμως κυκλοφορούσαν χωρίς μαντίλι. Στην εποχή μας, τα ρούχα φανερώνουν συχνά το επάγγελμα ενός ατόμου (παραδείγματος χάριν η στολή των αστυνομικών) αλλά και την εθνικότητα, τη θρησκεία ή την **ιδεολογία** του.

Το ντύσιμό μας όμως λέει αρκετά και για εμάς τους ίδιους, το χαρακτήρα και τα **συναισθήματά** μας. Με τον τρόπο που ντυνόμαστε θέλουμε κάτι να πούμε, κάτι να δείξουμε και -καμιά φορά- κάτι να κρύψουμε. Τα ρούχα είναι η «στολή» μας για να βγαίνουμε στον κόσμο. Για παράδειγμα ένα αυστηρό κοστούμι λέει «Είμαι ένας σοβαρός άνθρωπος και καλός στη δουλειά μου. Μπορείτε να μου έχετε εμπιστοσύνη». Τα ρούχα ενός εφήβου φωνάζουν «Δεν είμαι σαν κι εσάς! Δεν είμαι σαν τους γονείς μου!». Ένα ντύσιμο πάλι που ακολουθεί την **τελευταία λέξη της μόδας** λέει: «Αγαπώ τα ωραία πράγματα. Είμαι ένα μοντέρνο άτομο». Άλλα ρούχα λένε: «Είμαι πλούσιος», «Είμαι ένας απλός άνθρωπος σαν κι εσάς», «Δεν είμαι ένα συνηθισμένο άτομο», «Έχω φαντασία και χιούμορ», «Μου αρέσουν τα σπορ» και πολλά άλλα.

Τα ρούχα, λοιπόν, φανερώνουν αρκετά για εκείνους που τα φορούν. Προσοχή όμως! Τα ρούχα λένε και ψέματα. Πόσες φορές δε νιώσατε έκπληξη όταν γνωρίσατε καλύτερα έναν άνθρωπο και καταλάβατε ότι η πρώτη σας εντύπωση για αυτόν ήταν εντελώς λάθος;

11.15.α. Τι νομίζετε ότι θέλουν να δείξουν με την εμφάνισή τους τα παρακάτω άτομα; What do you think that the following people want to show with their appearance?

Λεξιλόγιο 11.15.

η ιδεολογία	ideology
το μαντήλι (μαντίλι)	scarf
το συναίσθημα	emotion
σιωπηλός-ή-ό	silent
σχηματίζω	I form
σχηματίζω μία εντύπωση	I form an opinion / I get an impression
φανερώνω	I show
η τελευταία λέξη της μόδας	latest fashion trend

11.15.β. 250 **Ακούστε το κείμενο:** Δύο τηλεφωνήματα στη σειρά

11.15.γ. Ταιριάξτε τις στήλες ακολουθώντας τη σειρά του κειμένου. Match the columns following the sequence of the text.

1.	Η Αντιγόνη δε μιλάει δυνατά	___	α.	γιατί εκείνη ευχήθηκε να φύγει γρήγορα η γιαγιά από το σπίτι τους.
2.	Στην Αντιγόνη δεν αρέσει το φόρεμα που δοκιμάζει	___	β.	ότι ζήτησε βοήθεια από τη μητέρα της.
3.	Η Δανάη και η Αντιγόνη φιλοξενούν	___	γ.	γιατί είναι ροζ και την κάνει να μοιάζει με την κούκλα Μπάρμπι.
4.	Η Δανάη λέει «Ντροπή!» στην κόρη της	___	δ.	για να μην την ακούσει η γιαγιά της.
5.	Η Αντιγόνη δε θέλει να καταλάβει η γιαγιά της	___	ε.	για λίγες μέρες την κυρία Αρετή στην Αθήνα.
6.	Η κυρία Αρετή νόμιζε	___	ζ.	ότι η Αντιγόνη είναι ένα άτομο με τα δικά του γούστα.
7.	Η κυρια Αρετή πιστεύει	___	η.	να ντύνεται όπως θέλει η ίδια.
8.	Θέλει να αλλάξει όλη την εμφάνιση της εγγονής της	___	θ.	με την κυρία Αρετή. / με τον τρόπο που σκέφτεται η κυρία Αρετή.
9.	Προτιμάει το ντύσιμο	___	ι.	ότι η Δανάη θα είναι ακόμα στη δουλειά της.
10.	Η Δανάη δε συμφωνεί	___	κ.	γιατί δεν της αρέσει καθόλου το ντύσιμό της.
11.	Η Δανάη θυμίζει στη μητέρα της	___	λ.	της εγγονής μιας φίλης της, που ντύνεται σα γυναίκα.
12.	Της ζητάει να αφήσει την Αντιγόνη	___	μ.	ότι το ροζ φόρεμα πάει τέλεια στην Αντιγόνη.

11.16. 251 Χρειάζομαι ένα καινούργιο κοστούμι!

Ο Τόμας θα δώσει μια διάλεξη με θέμα «Ανακαίνιση παραδοσιακής οικίας στην Αίγινα». Χρειάζεται ένα καλό κοστούμι για η διάλεξη γιατί τα περισσότερα καλά κοστούμια του είναι στο σπίτι του στο Λονδίνο. Ένας συνάδελφός του του πρότεινε ένα ατάστημα με ανδρικά είδη, γνωστό για την ποιότητά του.

Τ.: Τόμας Υ.: Υπάλληλος

Πάω ν' αγοράσω ένα κοστούμι.

Υ.: Πώς μπορώ να σας εξυπηρετήσω, κύριε;
Τ.: Θα ήθελα ένα σοβαρό, επίσημο κοστούμι.
Υ.: Προτιμάτε κάποιο **συγκεκριμένο** στιλ ή χρώμα;
Τ.: Μπα, όχι. Θέλω μόνο το χρώμα του να είναι σκούρο.
Υ.: Τι μέγεθος φοράτε, παρακαλώ;
Τ.: Συνήθως το 50.
Υ.: Επιστρέφω αμέσως.
Σε λίγο
Υ.: Σας έφερα αυτά τα τρία κοστούμια. Πώς σας φαίνονται; Θέλετε να τα δοκιμάσετε;
Τ.: Ναι, αλλά μόνο αυτό το μπλε με τις λεπτές **ρίγες**. Το **καρό** δε μου αρέσει καθόλου και το άλλο είναι πολύ σκούρο, σχεδόν μαύρο.
Υ.: Πολύ ωραία. Τα **ριγέ** υφάσματα είναι φέτος **της μόδας**. Περάστε, παρακαλώ, στο δοκιμαστήριο.
Σε λίγο
Υ.: Πώς σας φαίνεται;
Τ.: Καλά μού πάει. Τα **μανίκια** μόνο μου είναι λίγο κοντά και το παντελόνι κάπως φαρδύ στη μέση.
Υ.: Αυτά μπορούμε να τα **διορθώσουμε** εμείς. Είναι πολύ εύκολο.
Τ.: Και πότε θα είναι έτοιμο;
Υ.: Αύριο το απόγευμα. Υπάρχει, βέβαια, και μια άλλη, καλύτερη λύση. Μπορούμε να σας ράψουμε ένα κοστούμι **επί παραγγελία**, ακριβώς **στα μέτρα σας** και με το ύφασμα που θα διαλέξετε εσείς ο ίδιος. Έχουμε πολύ ωραία δικά μας αγγλικά υφάσματα.
Τ.: Αν κάνω παραγγελία, πότε μπορώ να παραλάβω το κοστούμι;
Υ.: Περίπου σε επτά με δέκα μέρες. Θα πρέπει όμως να κάνουμε τουλάχιστον μία **πρόβα**.
Τ.: Δυστυχώς δε γίνεται. Το χρειάζομαι για αυτό το Σάββατο.
Υ.: Τότε θα διορθώσουμε αυτό που δοκιμάσατε. Σας πάει μια χαρά! Η τιμή του είναι τετρακόσια πενήντα ευρώ και επειδή είναι **τέλος εποχής** θα σας κάνουμε είκοσι τοις εκατό έκπτωση.
Τ.: Εντάξει, θα το πάρω! Πρέπει να αφήσω κάποια προκαταβολή;
Υ.: Ναι, διακόσια ευρώ. Το υπόλοιπο ποσό θα το **εξοφλήσετε** την ημέρα της παραλαβής.

11.16.α.  Σημειώστε: Σωστό ή Λάθος;

Tick: True or False?

		Σ.	Λ.
1.	Ο Τόμας δεν έχει καθόλου επίσημα κοστούμια.		
2.	Ο Τόμας πάει για πρώτη φορά σε αυτό το κατάστημα.		
3.	Ο Τόμας προτιμάει τα ρούχα με **ζωπρά** ανοιχτά χρώματα.		
4.	Στον Τόμας μάλλον δεν αρέσουν τα καρό υφάσματα.		
5.	Ο Τόμας δοκιμάζει το ένα από τα τρία κοστούμια.		
6.	Το κοστούμι ταιριάζει τέλεια στον Τόμας.		
7.	Είναι εύκολο να διορθώσουν το κοστούμι για να πηγαίνει καλύτερα στον Τόμας.		
8.	Ο Τόμας δε θέλει να του ράψουν κοστούμι στα μέτρα του γιατί σιχαίνεται τις πρόβες.		
9.	Τελικά δε χρειάζεται να ξαναπάει ο Τόμας στο κατάστημα.		
10.	Ο Τόμας δε θα πληρώσει όλο το ποσό την ημέρα της παραλαβής.		

Λεξιλόγιο 11.16.

η μόδα	fashion
της μόδας	in fashion
η πρόβα	fitting
η ρίγα	stripe
το μανίκι	sleeve
το τέλος εποχής	end of season
τα ανδρικά είδη	men's clothes
ζωηρός-ή-ό	vibrant
ζωηρό χρώμα	vibrant colour
καρό	checkered
ριγέ	striped
συγκεκριμένος-η-ο	specific
διορθώνω	I alter
εξοφλώ	I pay off
επί παραγγελία	custom made
στα μέτρα μου	tailored

 **Και τώρα εσείς!**

11.16.β.

Μιλήστε μας για το ντύσιμό σας, για το στιλ των ρούχων που προτιμάτε. Αγοράζετε έτοιμα ρούχα ή τα ράβετε στα μέτρα σας; Προτιμάτε να αγοράζετε λίγα ρούχα αλλά ακριβά ή περισσότερα και φτηνά; Τι είδους ρούχα προτιμάτε; Τι είδους υφάσματα; Ποια είναι τα αγαπημένα σας χρώματα; Φοράτε επώνυμα ρούχα; Ποια αξεσουάρ προτιμάτε; Τι είδους παπούτσια προτιμάτε; Στη δουλειά σας τι είδους ρούχα φοράτε;
***Για άνδρες**: Σας αρέσουν οι γραβάτες; Φοράτε συχνά γραβάτα; Προτιμάτε τα μονόχρωμα πουκάμισα ή τα ριγέ;*

11.16.γ. 252 Ακούστε το κείμενο: Θέλω να μου αλλάξετε το σακάκι!

11.16.δ. Ταιριάξτε τις στήλες. Match the columns.

1.	Ο Τόμας τηλεφωνεί στο κατάστημα	____	α.	ότι θα το κρατήσει για εκείνον.
2.	Τον **συνδέουν** με τον **προϊστάμενο** του τμήματος ανδρικών ειδών	____	β.	ρωτάει τον προϊστάμενο αν έχουν κι άλλο.
3.	Ο Τόμας εξηγεί στον προϊστάμενο ότι το ριγέ κοστούμι	____	γ.	στο κατάστημα το κοστούμι και την απόδειξη.
4.	**Συγκεκριμένα** στη δεξιά τσέπη του σακακιού	____	δ.	γιατί θέλει να μιλήσει στο διευθυντή.
5.	Ο προϊστάμενος του ζητά να φέρει το κοστούμι στο κατάστημα	____	ε.	για την **ταλαιπωρία**.
6.	Ο Τόμας διαφωνεί. Προτιμά να του αλλάξουν το κοστούμι	____	ζ.	που μόλις αγόρασε έχει ένα **ελάττωμα**.
7.	Ο προϊστάμενος συμφωνεί και του ζητά να φέρει την άλλη μέρα	____	η.	υπάρχει ένα **σχίσιμο**.
8.	Ο Τόμας φοβάται ότι δε θα υπάρχει άλλο ίδιο σακάκι και	____	θ.	γιατί ο διευθυντής λείπει.
9.	Ο προϊστάμενος τού λέει ότι υπάρχει ένα ακόμη σακάκι και	____	ι.	γιατί πιστεύει ότι το ράψιμο θα φαίνεται.
10.	Στο τέλος του ζητά συγγνώμη	____	κ.	γιατί πιθανόν μπορούν να ράψουν το σχίσιμο. Ίσως του **επιστρέψουν** κάποια χρήματα.

Λεξιλόγιο 11.16.γ.

ο προϊστάμενος	supervisor (masc.)	**το σχίσιμο (& σκίσιμο)**	cut (n.)
η προϊσταμένη	supervisor (fem.)	**συνδέω**	I connect
η ταλαιπωρία	misery, discomfort	**επιστρέφω κάτι**	I return something
το ελάττωμα	flaw	**συγκεκριμένα**	specifically

11.17. 253 Μεταχειρισμένα προϊόντα; Γιατί όχι;

Θέλεις **να ανταλλάξουμε** χωρίς κόστος;

*Μικρές αγγελίες - **Ανταλλαγές***
Δίνω σταθερό **κομπιούτερ** 2 ετών με οθόνη 21 **ιντσών**. Ζητώ λάπτοπ.
Δίνω παιδικό κρεβατάκι και **καροτσάκι**. Ζητώ παιδικό γραφείο και καρέκλα.
Δίνω καινούργιο πλυντήριο ρούχων. Ζητώ καταψύκτη.
Δίνω 2 κινητά τηλέφωνα τελευταίας τεχνολογίας με τους φορτιστές τους. Ζητώ τηλεόραση 32 ιντσών.
Δίνω τροχόσπιτο σε εξαιρετική κατάσταση. Ζητώ οικογενειακό αυτοκίνητο.
Προσφέρω παραδοσιακό μπουφέ σε νησιώτικο στιλ. Ζητώ βιβλιοθήκη και έπιπλο τηλεόρασης.
Δίνω επαγγελματική **φωτογραφική μηχανή** και ζητώ οθόνη υπολογιστή 27 ιντσών.

Λεξιλόγιο 11.17.

η ανταλλαγή	exchange
η ίντσα	inch
το καροτσάκι	cart
το κομπιούτερ	computer
φωτογραφικός-ή-ό	photographic
η φωτογραφική μηχανή	photo camera
ανταλλάσσω (& ανταλλάζω)	I exchange

11.17.α. Γράψτε πέντε μικρές αγγελίες - ανταλλαγές.

Write five ads – exchanges.

11.18. Ψάχνω δώρα!

Ψάχνετε δώρα για τους αγαπημένους σας; Κάναμε μια έρευνα στην αγορά και σας προτείνουμε κάποια ιδιαίτερα ελληνικά προϊόντα.

254 Δώρα ποιότητας από το Μουσείο Μπενάκη

*Από την **αρχαιότητα** στο σύγχρονο ντιζάιν*

Ασημένιο βραχιόλι (Θράκη - 19ος αι.) *140,00 €*

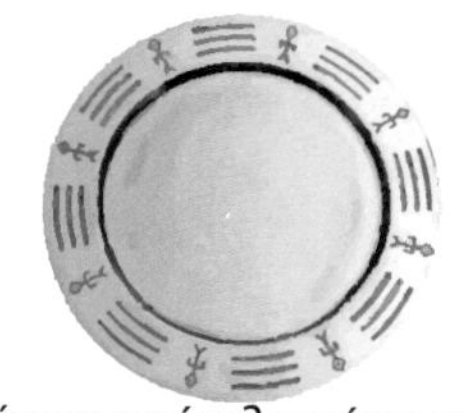

Δίσκος από αλουμίνιο με κυκλαδικά σχέδια *135,00 €*

Κούπα από **πορσελάνη** *«**Πανσέδες** και **πεταλούδες**»* Σχέδιο του Γιάννη Τσαρούχη *25,00 €*

Πιατέλα με σχέδιο από ύφασμα της Προύσας* (16ος αιώνας) *255,00 €*

Πιάτο. Από τον πίνακα *«Τοπίο στον Πόρο»* του Νίκου Χατζηκυριάκου-Γκίκα *220,00 €*

Αφίσα του Γιάννη Μόραλη *12,00 €*

Κανάτα με σχέδιο από διακόσμηση ξύλινου επίπλου (Μυτιλήνης) *75,00 €*

Σετ πήλινων παιχνιδιών *142,00 €*

** πόλη της Βορειο-Δυτικής Μικράς Ασίας*

Απιβίτα (APIVITA)

Μία ελληνική εταιρεία με φιλοσοφία
Από το 1972

ΑΠΙΒΙΤΑ σημαίνει η ζωή της μέλισσας. Τα πρώτα καλλυντικά της εταιρείας μας ήταν από μέλι και βότανα. Μέχρι σήμερα όλα τα προϊόντα μας (πάνω από 300 είδη) γίνονται μόνο από φυσικά υλικά.

- **κρέμες** προσώπου, χεριών, σώματος
- **αντηλιακά**
- **μάσκες** μαλλιών
- **αφρόλουτρα**

Μια εταιρεία που ενδιαφέρεται για την κοινωνία και για το φυσικό περιβάλλον.

Όταν η ελληνική μυθολογία γίνεται μόδα και ταξιδεύει σ' όλο τον κόσμο.

Ζευς + Διώνη

Μόδα ελληνική

Ο Δίας και η Διώνη ήταν στη μυθολογία οι γονείς της θεάς Αφροδίτης, της θεάς του έρωτα και της ομορφιάς. Αυτό το όνομα επέλεξαν δύο Ελληνίδες για τα ρούχα που δημιουργούν με σχέδια από την πλούσια ελληνική παράδοση. Όλα τους τα ρούχα είναι από φυσικά υλικά (μετάξι, λινό, μαλλί και βαμβάκι) που αγοράζουν μόνο από έλληνες παραγωγούς.

- Παραγγείλτε τη λευκή **πουκαμίσα** της νύφης από την Αστυπάλαια ή το μακρύ λινό φόρεμα από την Κρήτη.
- Νιώστε το καλοκαίρι με τις φαρδιές βαμβακερές φούστες ή τα λινά παντελόνια μας και το χειμώνα με τις ζεστές μακριές ζακέτες και τα μάλλινα παλτά μας.
- Επιλέξτε τσάντες από δέρμα ή ύφασμα με παραδοσιακά κεντήματα.
- Αγοράστε τα **σανδάλια** που φορούσαν οι αρχαίες Ελληνίδες.

Η πληρωμή γίνεται με πιστωτική κάρτα και τα ρούχα έρχονται με το ταχυδρομείο στο σπίτι σας.

Λεξιλόγιο 11.18.

ο πανσές	pansy
η αρχαιότητα	antiquity
η κανάτα	jar, jug
η κρέμα	cream
η μάσκα	mask
η μάσκα προσώπου	face mask
η μέλισσα	bee
η πεταλούδα	butterfly
η πορσελάνη	porcelain
η πουκαμίσα	tunic
το αντηλιακό	sun block cream
το αφρόλουτρο	bath foam
το ντιζάιν	design
το σανδάλι	sandal

11.18.α.  **Ακούστε το κείμενο:** Τι δώρο να πάρω;

Λεξιλόγιο 11.18.α.

κάτω των οκτώ ετών	below 8 years

11.18.β.  **Σημειώστε: Σωστό ή Λάθος;** Tick: True or False?

		Σωστό	Λάθος
1.	Ο Μανόλης θέλει να μιλήσει στην αδελφή του γιατί έχει προβλήματα με την εταιρεία του.		
2.	Ο Μανόλης πρέπει να πάρει δώρο για το βαφτιστήρι του, την Αμαλία, και τη μητέρα της.		
3.	Πριν χωρίσει ο Μανόλης, δώρα αγόραζε η πρώην γυναίκα του, η Κατερίνα.		
4.	Το δώρο που ζήτησε η Αμαλία δεν είναι κατάλληλο για παιδιά **κάτω των οκτώ ετών**.		
5.	Η Αμαλία πιστεύει ότι είναι πολύ μεγάλη πλέον για να παίζει με κούκλες.		
6.	Ο Μανόλης δε θέλει να πάρει κάποιο βιβλίο για την Αμαλία γιατί δεν της αρέσει να διαβάζει.		✓
7.	Οι γονείς της Αμαλίας θέλουν να περνά η κόρη τους λιγότερες ώρες μπροστά στην τηλεόραση.		
8.	Η Αμαλία είναι μικρή αλλά διαλέγει η ίδια τα ρούχα της.		
9.	Το ποδήλατο δεν είναι κατάλληλο δώρο για την Αμαλία.		
10.	Ο Μανόλης δε συμφωνεί με το δώρο που πρότεινε η αδελφή του για την Αμαλία.		
11.	Η γιορτή της κουμπάρας του Μανόλη είναι επίσης το Σάββατο.		
12.	Ένα άρωμα είναι ένα καλό δώρο γιατί μπορεί κανείς να το αλλάξει πολύ εύκολα.		

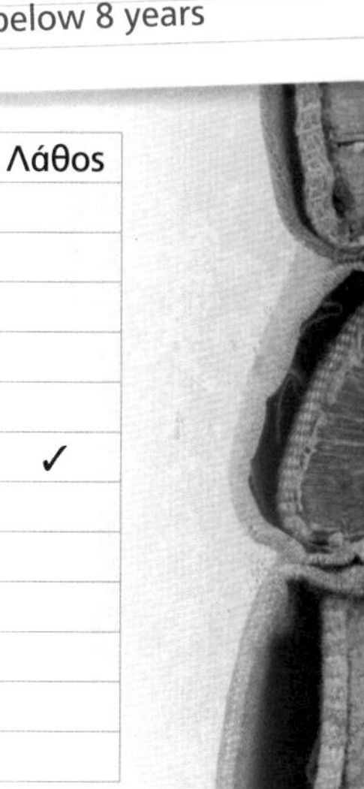

11.18.γ. ✓ **Ταιριάξτε τις εικόνες με τις λέξεις. Ποια από τα παρακάτω είδη δώρων ακούσατε στο κείμενο 11.18.α.; Ποια δεν ακούσατε;** Match the pictures with the words. Which of the following presents did you hear in text 11.18.α? Which ones you did not hear?

ΕΙΔΗ ΔΩΡΩΝ

1.	___	κοσμήματα	6.	___	λουλούδια	11.	___	ηλεκτρονικές συσκευές
2.	___	τσάντες & σακίδια	7.	___	παιχνίδια	12.	___	ρούχα
3.	___	βιβλία	8.	___	αρώματα	13.	___	κατοικίδια ζώα
4.	___	καλλυντικά	9.	___	επιτραπέζια παιχνίδια	14.	___	ποδήλατα
5.	___	αξεσουάρ	10.	___	αντικείμενα για το σπίτι	15.	___	cd μουσικής

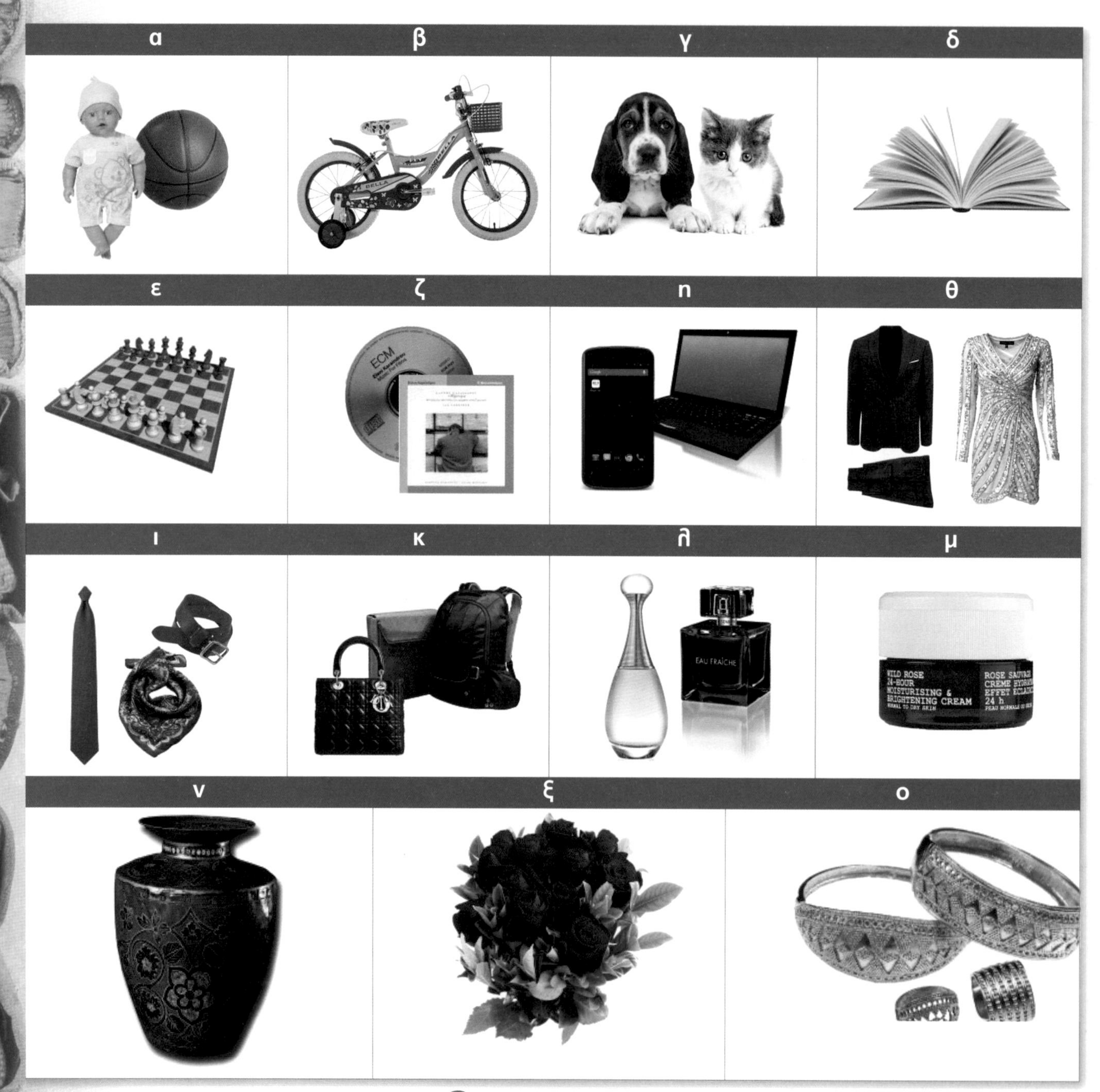

☺ **Και τώρα εσείς!**

11.18.δ. *Τι δώρα σας αρέσει να σας κάνουν; Εσείς τι δώρα κάνετε συνήθως στους φίλους σας; Τα δώρα που διαλέγετε, είναι δώρα που θα ευχαριστήσουν τους φίλους σας ή αρέσουν μόνο σ' εσάς ; Τι πιστεύετε; Το δώρο δείχνει το χαρακτήρα του ατόμου που το διαλέγει; Γενικά σας αρέσει να σας κάνουν και να κάνετε δώρα;*

11.19. 258 Πρέπει ν' αλλάξω πλυντήριο!

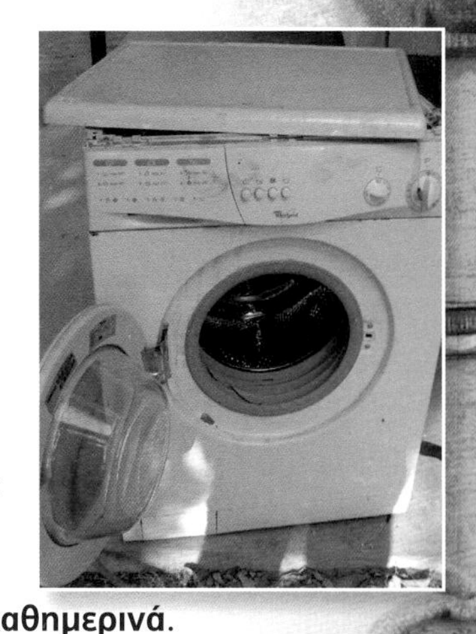

Π.: κα Παπίδου, Υ.: Υπάλληλος

Στο κατάστημα «Ηλεκτρικές συσκευές Κάππος Α.Ε.»

Υ.: Καλημέρα σας! Πώς μπορώ να σας εξυπηρετήσω;

Π.: Χαίρετε! Παρακαλώ, ενδιαφέρομαι για ένα πλυντήριο ρούχων. Το παλιό μας πλυντήριο χάλασε και πρέπει να βρούμε πολύ γρήγορα ένα άλλο.

Υ.: Πολύ ωραία! Έχουμε πολλά μοντέλα. Ενδιαφέρεστε για κάποια συγκεκριμένη μάρκα;

Π.: Όχι. Δείξτε μου απλώς ένα πολύ καλό πλυντήριο. Αυτό που μ' ενδιαφέρει είναι να μην παρουσιάσει προβλήματα. Έχουμε ένα μικρό ξενοδοχείο και, όπως καταλαβαίνετε, χρησιμοποιούμε πλυντήριο **καθημερινά**.

Υ.: Α, είναι για επαγγελματική **χρήση**! Κυρία μου, έχω ακριβώς αυτό που χρειάζεστε. Αυτό εδώ το μοντέλο είναι το πιο κατάλληλο για εσάς. Χωράει περισσότερα **άπλυτα** απ' όλα τα άλλα πλυντήρια, κάνει μεγάλη οικονομία και στο ρεύμα και στο νερό και βεβαίως καθαρίζει τέλεια. Και μπορείτε να το χρησιμοποιείτε όσες φορές την ημέρα θέλετε. Αντέχει! Και για το δικό μου σπίτι αυτό πήρα. Είναι το καλύτερο πλυντήριο του καταστήματός μας!

Π.: Και το πιο ακριβό, νομίζω.

Υ.: Έχετε δίκιο, είναι κάπως ακριβό αλλά **αξίζει τα λεφτά του**. Προσέξτε πόσα **προγράμματα** έχει! Προγράμματα για κάθε είδους ύφασμα, για περισσότερο ή λιγότερο βρόμικα ρούχα, για δύσκολους λεκέδες και πολλά άλλα. Κανένα άλλο μοντέλο δεν έχει τόσα πολλά προγράμματα. Καταπληκτική τεχνολογία! Μην ψάξετε άλλο γιατί καλύτερο δε θα βρείτε! Ακούστε με και θα μείνετε σίγουρα ευχαριστημένη!

Π.: Και είναι εύκολο στη χρήση;

Υ.: Πολύ εύκολο! Και φτιάξαμε ένα καταπληκτικό βιβλιαράκι με **οδηγίες χρήσης** για τους πελάτες μας. Είναι όλα μέσα: οδηγίες, συμβουλές, συχνές βλάβες κ.λπ. Αν χρειαστείτε κάτι άλλο, εδώ είμαστε!

Π.: Θα μου κάνετε κάποια έκπτωση;

Υ.: Δυστυχώς για αυτό το μοντέλο δεν μπορούμε να κάνουμε έκπτωση πάνω από τρία τοις εκατό. Μπορείτε όμως να το αγοράσετε με την κάρτα σας με δέκα άτοκες δόσεις. Και βεβαίως θα το μεταφέρουμε στο χώρο σας εντελώς δωρεάν!

Π.: Εντάξει, λοιπόν. Ας πάρω το σούπερ πλυντήριο!

Υ.: Συγχαρητήρια! Κάνατε μια εξαιρετική αγορά!

Λεξιλόγιο 11.19.

η οδηγία	instruction	**άπλυτος-η-ο**	unwashed
οι οδηγίες χρήσης	user manual	**τα άπλυτα (ρούχα)**	dirty laundry
η χρήση	usage	**αξίζω**	I worth
το πρόγραμμα (πλυντηρίου)	programme (of the washing machine)	**(κάτι) αξίζει τα λεφτά του**	it is worth the money
		καθημερινά	daily

11.19.α.   Ταιριάξτε τις στήλες ακολουθώντας τη σειρά του διαλόγου.

Match the columns following the sequence of the dialogue.

1.	Η κα Παπίδου πρέπει	___	α.	ότι αυτό το μοντέλο αξίζει τα λεφτά του.
2.	Εξηγεί στον υπάλληλο	___	β.	ότι είναι το καλύτερο πλυντήριο του καταστήματος.
3.	Ο υπάλληλος τη ρωτάει	___	γ.	ότι το παλιό δε λειτουργεί πια.
4.	Η κα Παπίδου του ζητάει	___	δ.	ότι έχει το πιο κατάλληλο πλυντήριο για αυτήν.
5.	Ο υπάλληλος της λέει	___	ε.	ότι είναι επίσης το πιο ακριβό πλυντήριο στο κατάστημα.
6.	Προσθέτει	___	ζ.	αν θέλει κάποια συγκεκριμένη μάρκα.
7.	Η κα Παπίδου νομίζει	___	η.	να της δείξει ένα πολύ καλό πλυντήριο.
8.	Ο υπάλληλος συμφωνεί αλλά προσθέτει	___	θ.	να αγοράσει ένα καινούργιο πλυντήριο.
9.	Της ζητάει	___	ι.	αν μπορεί κανείς να το χρησιμοποιήσει εύκολα.
10.	Της λέει επίσης	___	κ.	να μην ψάξει άλλο γιατί δε θα βρει καλύτερο πλυντήριο.
11.	Η κα Παπίδου ρωτάει	___	λ.	να προσέξει πόσα πολλά προγράμματα έχει.
12.	Ο υπάλληλος της απαντά	___	μ.	να πάρει αυτό το πλυντήριο.
13.	Η κα Παπίδου ρωτάει	___	ν.	να το αγοράσει με άτοκες δόσεις.
14.	Ο υπάλληλος λέει	___	ξ.	ότι είναι πολύ εύκολο στη χρήση του.
15.	Της προτείνει όμως	___	ο.	ότι δυστυχώς δεν μπορούν να της κάνουν μεγάλη έκπτωση.
16.	Η κα Παπίδου τελικά αποφασίζει	___	π.	αν θα της κάνουν κάποια έκπτωση.

11.19.β. 259 Γνωρίστε τη συσκευή σας!

Οδηγίες για το νέο σας πλυντήριο

Γνωρίστε το καινούργιο σας πλυντήριο εύκολα & γρήγορα με τις Οδηγίες Χρήσης που φτιάξαμε για εσάς!

Μέσα στο βιβλιαράκι θα βρείτε χρήσιμες οδηγίες και συμβουλές για τη σωστή του λειτουργία. Και αν χρειάζεστε οποιαδήποτε άλλη πληροφορία, κλείστε ένα ραντεβού κι ένας συνεργάτης μας θα έρθει στο χώρο σας δωρεάν για να σας δείξει από κοντά πώς λειτουργεί το νέο σας πλυντήριο.

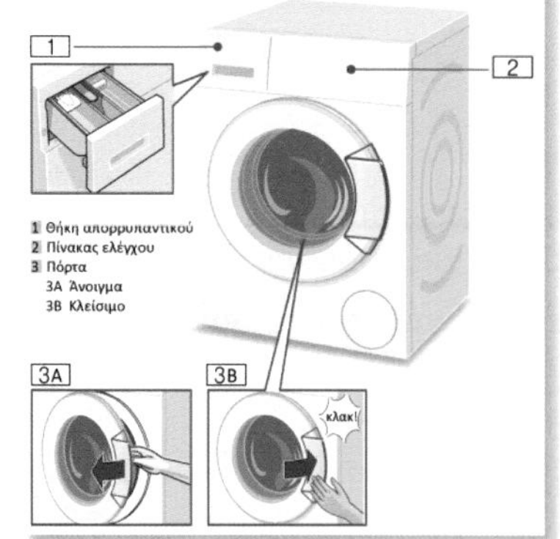

1. Θήκη απορρυπαντικού
2. Πίνακας ελέγχου
3. Πόρτα
   3A: **Άνοιγμα**, 3B: Κλείσιμο

Πίνακας ελέγχου
Διακόπτης για την επιλογή ενός προγράμματος

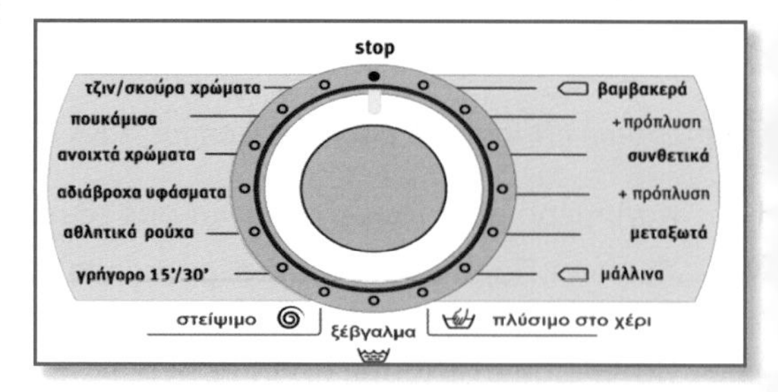

Λεξιλόγιο 11.19.β.- 11.19.γ.

ο διακόπτης	switch (n.)
ο πίνακας ελέγχου	control panel
η πρόπλυση	pre-wash (n.)
το άνοιγμα	opening (n.)
το ξέβγαλμα	rinsing (n.)
το στείψιμο	spinning (n.)
ξεχωρίζω	I separate

11.19.γ. 260 **Ταιριάξτε τις στήλες και βάλτε τις οδηγίες χρήσης στη σωστή σειρά. Ακούστε το κείμενο «Οδηγίες χρήσης» και ελέγξτε τις απαντήσεις σας.** Match the columns and put the instructions in the right order. Listen to the text «Οδηγίες χρήσης» and check your answers.

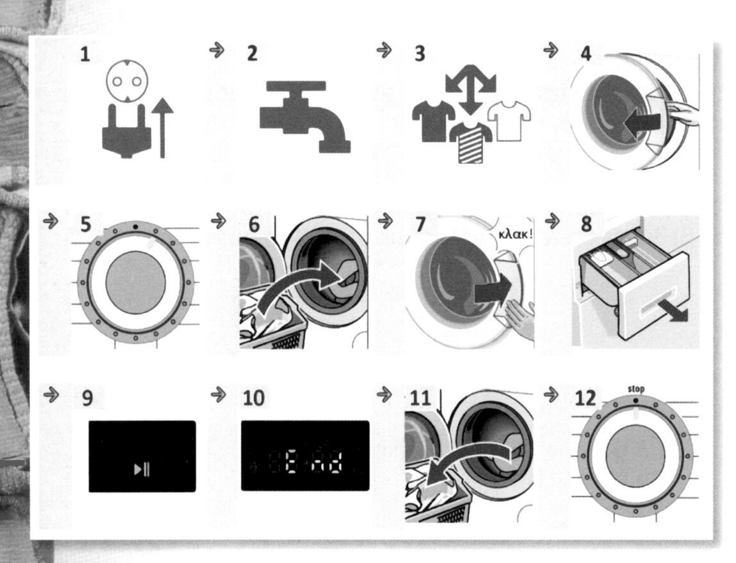

Οδηγίες χρήσης			
1.	___	α.	Κλείστε προσεχτικά την πόρτα.
2.	___	β.	Ανοίξτε το νερό.
3.	___	γ.	Περιμένετε να τελειώσει το πρόγραμμα.
4.	___	δ.	**Ξεχωρίστε** τα ρούχα.
5.	___	ε.	Επιλέξτε πρόγραμμα.
6.	___	ζ.	Βγάλτε τα ρούχα.
7.	___	η.	Βάλτε το πλυντήριο στην πρίζα.
8.	___	θ.	Βάλτε το διακόπτη στη θέση στοπ.
9.	___	ι.	Βάλτε τα άπλυτα στο πλυντήριο.
10.	___	κ.	Πατήστε το κουμπί έναρξης.
11.	___	λ.	Ανοίξτε την πόρτα.
12.	___	μ.	Βάλτε απορρυπαντικό στη θήκη.

11.19.δ. 261 Ακούστε το κείμενο: Το πλυντήριο τρέχει νερά!

11.19.ε. **Σημειώστε: Σωστό ή Λάθος;**
Tick: True or False?

		Σωστό	Λάθος
1.	Το καινούργιο πλυντήριο της κας Παπίδου δε λειτουργεί σωστά.		
2.	Το πλυντήριο έχει κάποιο πρόβλημα και τρέχει νερά.		
3.	Το πλυντήριο πήρε μπρος κι άρχισε το πλύσιμο.		
4.	Στην αρχή του προγράμματος το πλυντήριο άρχισε να **τρέχει νερά**.		
5.	Τελικά το πλυντήριο δεν έκλεισε μόνο του.		
6.	Η κα Παπίδου επέλεξε ένα γρήγορο πρόγραμμα για μάλλινα ρούχα.		
7.	Οι οδηγίες χρήσης δε βοήθησαν καθόλου την κα Παπίδου.		
8.	Η εγγύηση του πλυντηρίου καλύπτει ακόμα την κα Παπίδου.		
9.	Ο υδραυλικός τής λέει να βρει άλλον υδραυλικό.		
10.	Η κα Παπίδου δεν μπορεί να περιμένει μέχρι τη Δευτέρα για να φτιάξει το πλυντήριο.		
11.	Τελικά ο υδραυλικός δε θα πάει σινεμά με τη γυναίκα του.		
12.	Πρέπει να βγάλουν το πλυντήριο από το ρεύμα για να μην πάθει κανείς **ηλεκτροπληξία**.		

Λεξιλόγιο 11.19.ε.

η ηλεκτροπληξία	electrocution
τρέχει νερά / υγρά	there is a water leak

1.20. Γράμμα παραπόνων

	Το κυρίως γράμμα Θέμα: Γράμμα παραπόνων προς ένα κατάστημα
Η αρχή	[1] Λέω το όνομά μου και γιατί γράφω αυτό το γράμμα (για να **εκφράσω** κάποια **παράπονα**)
Το βασικό θέμα	[2] Περιγραφή προβλήματος [πότε, πού, μάρκα, μοντέλο, πρόβλημα] [3] Λέω τι ζητάω / τι προτείνω
Το τέλος	[4] Παρακαλώ για τη λύση του προβλήματος. Πρόταση τέλους.

62 Το καινούργιο πλυντήριο δε λειτουργεί καλά!

Προς το διευθυντή του καταστήματος «Ηλεκτρικές συσκευές Κάππος Α.Ε.» 6 Ιουλίου 2016

Κύριε,

[1] Λέγομαι Έρση Παπίδου κι έχω ένα μικρό ξενοδοχείο στο Χαλάνδρι. Θα ήθελα να εκφράσω τα παράπονά μου για μια αγορά που έκανα στο κατάστημά σας.

[2] Συγκεκριμένα, την περασμένη εβδομάδα αγόρασα ένα πλυντήριο μάρκας Elbe (το μοντέλο 56K37). Το πλυντήριο παρουσίασε προβλήματα από την πρώτη φορά που το έβαλα σε λειτουργία. Σταμάτησε στη μέση του προγράμματος και άρχισε να τρέχει νερά από κάτω. Το αποτέλεσμα είναι ότι το ξενοδοχείο είναι αυτή τη στιγμή χωρίς πλυντήριο. Σήμερα το πρωί τηλεφώνησα στο κατάστημά σας και ένας συνεργάτης σας μου είπε να πάρω τηλέφωνο την **αντιπροσωπεία** της ELBE. Κατά τη γνώμη μου αυτό δεν ήταν σωστό. Εγώ από εσάς πήρα το πλυντήριο και δεν έχω καμία σχέση με την αντιπροσωπεία.

[3] Σας ζητώ να μου αλλάξετε τη συσκευή αυτή με κάποια άλλη ίδιου μοντέλου. Δε θέλω επισκευή αλλά αλλαγή. Η εγγύηση που έχω με καλύπτει για δύο χρόνια και το γνωρίζετε πολύ καλά.

[4] Είμαι πελάτισσά σας εδώ και δεκαπέντε χρόνια κι ελπίζω να λύσετε αυτό το πρόβλημα όσο πιο γρήγορα γίνεται. Περιμένω την απάντησή σας.

Με εκτίμηση,
Έρση Παπίδου

Λεξιλόγιο 11.20. & 11.20.α.

η αντιπροσωπεία	dealership
εκφράζω	I express
εκφράζω παράπονο	I make a complaint
κατά λάθος	by accident

1.20.α. Συμπληρώστε τα κενά με λέξεις από το πλαίσιο. Μετά ακούστε το κείμενο και ελέγξτε τις απαντήσεις σας.

Fill in the gaps with words from the box.
Then listen to the text and check your answers.

Με τιμή / Ελπίζω / Συγκεκριμένα / τα χρήματά μου / άλλο πελάτη / στο μέγεθός μου / σχίσιμο / ελάττωμα / τη δική μου / τόσα / εξήγησα το πρόβλημα / να σας εκφράσω / να επιστρέφετε / αλλαγή / πιστεύω / Σας γράφω

63 Δεν είμαι καθόλου ευχαριστημένος!

Προς το διευθυντή του καταστήματος *Αλεξιάδης* Δευτέρα 13 Ιουλίου 2016

Κύριε διευθυντά,

Θα ήθελα [1] _______________ τα παράπονά μου για ένα κοστούμι που αγόρασα από το κατάστημά σας.
[2] _______________ την Τετάρτη 9 Ιουλίου αγόρασα ένα κοστούμι από το κατάστημά σας στην οδό Ερμού. Στο σπίτι μου είδα ότι το σακάκι είχε ένα [3] _______________ στη δεξιά του τσέπη. Τηλεφώνησα αμέσως στον προϊστάμενο του τμήματος και [4] _______________. Μου είπε ότι υπάρχει ίδιο σακάκι [5] _______________ και ότι θα κάνουν την [6] _______________. Όταν όμως επέστρεψα στο κατάστημα την Παρασκευή, μου είπαν ότι, δυστυχώς, κάποιος υπάλληλος το πούλησε σε [7] _______________ **κατά λάθος**. Άρχισα να ψάχνω για άλλο κοστούμι. Δε βρήκα κανένα που ΚΑΙ να μου κάνει ΚΑΙ να μου αρέσει. Τότε ζήτησα να μου επιστρέψουν [8] _______________. Μου είπαν ότι αυτό δε γίνεται.
[9] _______________ αυτό το γράμμα γιατί [10] _______________ ότι πρέπει [11] _______________ τα χρήματα σε περιπτώσεις σαν [12] _______________.
Σας θυμίζω ότι ΚΑΙ μου δώσατε κοστούμι με [13] _______________ ΚΑΙ δε μου κρατήσατε το σακάκι που υπήρχε όταν τηλεφώνησα.
[14] _______________ να είναι η τελευταία φορά που γίνονται [15] _______________ λάθη στο κατάστημά σας.
[16] _______________,

Τόμας Μόρτον

11.20.β. Γράψτε δύο γράμματα. Write two letters.

✓ Παραγγείλατε από το κατάστημα επίπλων *Σακερίδης* μια βιβλιοθήκη για το γραφείο σας. Η βιβλιοθήκη που σας έφεραν όμως έχει διαφορετικές διαστάσεις από αυτές που ζητήσατε και δε χωράει στο χώρο σας. Γράφετε ένα επίσημο γράμμα στο διευθυντή του καταστήματος, του εξηγείτε το πρόβλημα και ζητάτε να σας την αλλάξει με μια άλλη στις σωστές διαστάσεις.

✓ Η οθόνη του υπολογιστή σας άρχισε να μη λειτουργεί σωστά (ανοίγει μετά από μισή ώρα, κλείνει ξαφνικά μόνη της κ.λπ.). Την αγοράσατε πριν από ένα χρόνο από το κατάστημα *«Όλα για το PC σας»* και έχει εγγύηση δύο ετών. Γράφετε ένα μέιλ στο κατάστημα, εξηγείτε το πρόβλημα και ζητάτε μια λύση γρήγορα.

11.21. Ο ΚΟΣΜΟΣ ΤΗΣ ΑΓΟΡΑΣ - Στα καταστήματα

Πωλητής / πωλήτρια	Πελάτης / πελάτισσα
Τι θέλετε; / Τι θα θέλατε, παρακαλώ; Πώς μπορώ να σας εξυπηρετήσω; Χρειάζεστε βοήθεια; / Πώς μπορώ να σας βοηθήσω; Ενδιαφέρεστε για...; Γύρω σε ποια τιμή; Έχουμε εκπτώσεις / προσφορές στα είδη...	Θέλω... / Θα ήθελα... Χρειάζομαι... Ενδιαφέρομαι για... / Ψάχνω για... Έχετε...; Πότε έχετε εκπτώσεις; Σε ποια είδη έχετε εκπτώσεις;
Σε κατάστημα ρούχων, παπουτσιών ή αξεσουάρ	
Τι μέγεθος / νούμερο φοράτε; Ποιο είναι το μέγεθός / το νούμερό σας;	Θέλω το μικρό / μεσαίο / μεγάλο μέγεθος. Φορώ 42 νούμερο.
Θέλετε / Προτιμάτε κάποιο συγκεκριμένο χρώμα; Αυτό το χρώμα / το σχέδιο είναι της μόδας φέτος. Προτιμάτε κάποιο συγκεκριμένο στιλ;	Προτιμώ / Μ' αρέσουν τα ανοιχτά / σκούρα χρώματα. Δε μου αρέσει αυτό το χρώμα. Υπάρχει και σε κάποιο άλλο; Έχετε αυτή τη φούστα / την τσάντα και σε κόκκινο χρώμα; Προτιμώ κάτι σε πιο μοντέρνο / κλασικό στιλ.
Προτιμάτε κάποιο συγκεκριμένο ύφασμα; Θέλετε να σας δείξω κάτι σε βαμβακερό ή σε λινό; Προτιμάτε κάποιο συγκεκριμένο υλικό;	Προτιμώ τα βαμβακερά / λινά / μεταξωτά / μάλλινα / συνθετικά υφάσματα. Φοράω μόνο δερμάτινα παπούτσια. Θα ήθελα να μου δείξετε μεταξωτά μαντίλια. Θα ήθελα να δω ένα χρυσό κολιέ.
Θέλετε να δοκιμάσετε / να φορέσετε / να βάλετε αυτό το ρούχο; Περάστε στο δοκιμαστήριο. Δοκιμάστε αυτό το ζευγάρι μπότες, παρακαλώ! Έχουμε πολλά επώνυμα ρούχα και παπούτσια εισαγωγής.	Μού φέρνετε, παρακαλώ, και το πιο μεγάλο μέγεθος; Μήπως έχετε κάτι άλλο να μου δείξετε; Θα ήθελα να δοκιμάσω το σχέδιο που έχετε στη βιτρίνα.
Πώς το βλέπετε; / Πώς σας φαίνεται; Πώς σας είναι; Είναι άνετο; Σας κάνει; Είναι το μέγεθός σας / το νούμερό σας;	Μου φαίνεται πολύ ωραίο. Νομίζω ότι μου πάει τέλεια. Δε μου πάει καθόλου. Δε μου κάνει. Μου είναι φαρδύ / στενό / κοντό / μακρύ / μεγάλο / μικρό. Θα ήθελα πιο μεγάλο / πιο μικρό μέγεθος.
Σε κατάστημα επίπλων ή λευκών ειδών	
Τι διαστάσεις θέλετε να έχει...; Χωράει στο χώρο σας αυτό το έπιπλο; Προτιμάτε κάποιο συγκεκριμένο υλικό; Κάνει για το τραπέζι σας αυτό το τραπεζομάντιλο;	Πρέπει να είναι ένα μέτρο και σαράντα εκατοστά μήκος επί ένα μέτρο πλάτος. Πρέπει να έχει ύψος εβδομήντα πέντε εκατοστά. Θα ήθελα να είναι σιδερένιο / μεταλλικό / ξύλινο / δερμάτινο / γυάλινο / πλαστικό. Προτιμώ το ύφασμα να είναι λινό / βαμβακερό...
Ηλεκτρονικά και ηλεκτρικά είδη	
Σας ενδιαφέρει κάποια συγκεκριμένη μάρκα; Ενδιαφέρεστε για κάποιο συγκεκριμένο μοντέλο; Θα βρείτε οδηγίες χρήσης στο διαδίκτυο. Η εγγύηση σας καλύπτει για τρία χρόνια. Έχει πέντε χρόνια εγγύηση.	Θα ήθελα / Προτιμώ / Με ενδιαφέρει αυτή η μάρκα. Ενδιαφέρομαι για το μοντέλο Χ που έχει... Υπάρχουν οδηγίες χρήσης; Είναι εύκολο στη χρήση του; Θα ήθελα να ξέρω για πόσα χρόνια με καλύπτει η εγγύηση.
Επισκευές ηλεκτρονικών και ηλεκτρικών ειδών	
Επισκευάζουμε όλες τις μάρκες. Οι τεχνικοί μας επισκευάζουν όλα τα μοντέλα. Έχουμε ανταλλακτικά για τις περισσότερες μάρκες. Η επισκευή μπορεί να γίνει στο χώρο σας ή στο κατάστημά μας. Ένας συνεργάτης μας θα έρθει στο χώρο σας. Το κόστος της επισκευής είναι...	Επισκευάζετε την συγκεκριμένη μάρκα / το συγκεκριμένο μοντέλο; Έχετε ανταλλακτικά για τη συγκεκριμένη συσκευή; Μπορεί να γίνει η επισκευή στο χώρο μας; Πόσο θα είναι το κόστος της επισκευής; Πόσο θα μου κοστίσει η επισκευή;
Στο ταμείο	
Στοιχίζει / Κοστίζει / Αξίζει... Η τιμή είναι... Θα σας κάνουμε έκπτωση 40 τοις εκατό. Η αρχική τιμή ήταν... και η τελική τιμή είναι...	Τι / Πόσο στοιχίζει; Τι / Πόσο κοστίζει; Πόσο αξίζει; Ποια είναι η τιμή του; Θα μου κάνετε κάποια έκπτωση; Μπορείτε να μου κάνετε μια καλύτερη τιμή;
Θα πληρώσετε με κάρτα ή μετρητά; Σας συμφέρει να πληρώσετε μετρητά / με κάρτα. Θα σας κάνουμε δέκα άτοκες δόσεις. Θα πρέπει να μας δώσετε μια προκαταβολή και τα υπόλοιπα στην παραλαβή. Τα μεταφορικά είναι δωρεάν. / Η αποστολή θα σας στοιχίσει...	Πώς με συμφέρει να πληρώσω; Προτιμώ να πληρώσω μετρητά / με κάρτα. Έχετε / Κάνετε άτοκες δόσεις; Χρειάζεται να σας αφήσω / δώσω κάποια προκαταβολή; Πόσο θα κοστίσουν τα μεταφορικά; / Πόσα είναι τα έξοδα αποστολής;
Μπορείτε να το αλλάξετε μέσα σε δεκαπέντε μέρες με την κάρτα αλλαγής. Μην ξεχάσετε την απόδειξή σας και τα ρέστα σας!	Μέχρι πότε μπορώ να το αλλάξω; Θα μου δώσετε κάρτα αλλαγής; Για την αλλαγή χρειάζεται και η απόδειξη;

11.21.α.  **Με βάση τον πίνακα 11.21. κάντε πέντε διαλόγους ανάμεσα σε πωλητή και πελάτη. Γράψτε τον ένα διάλογο.** Based on table 11.21. make five dialogues between a salesperson and a customer. Write down one of the dialogues.

αξιολόγηση - οι τέσσερις δεξιότητες (___ / 20)

ΚΑΤΑΝΟΗΣΗ ΠΡΟΦΟΡΙΚΟΥ ΛΟΓΟΥ (___ / 5)

11.22. 264 Έχετε μπροστά σας πέντε (5) φωτογραφίες.
οια από τις διαφημίσεις (α έως η) που θα ακούσετε ταιριάζει στις φωτογραφίες; Θ' ακούσετε τις διαφημίσεις δύο (2) φορές. Σημειώστε γράμμα της διαφήμισης κάτω από τη σωστή φωτογραφία. ΠΡΟΣΕΞΤΕ! Θα ακούσετε επτά (7) διαφημίσεις. Πρέπει να σημειώσετε γράμματα ΠΕΝΤΕ διαφημίσεων στις πέντε (5) φωτογραφίες. Δύο (2) από τις διαφημίσεις που θα ακούσετε δεν ταιριάζουν σε καμιά ωτογραφία.

1. ______ 2. ______ 3. ______ 4. ______ 5. ______

ΚΑΤΑΝΟΗΣΗ ΓΡΑΠΤΟΥ ΛΟΓΟΥ (___ / 5)

Λεξιλόγιο 11.22.

η γεύση	taste
οι γεύσεις	tastes, flavours (n. pl.)
τα θέλω όλα δικά μου	I want everything

1.23. 265 **Διαβάστε το κείμενο & σημειώστε: Σωστό ή Λάθος;**

Έλεν πάει για ψώνια *Ε.: Έλεν, Υ.: Υπάλληλος, Π.: Πωλητής, Τ.: Ταμίας*

*Έλεν πάει σ' ένα πολυκατάστημα για ψώνια. Ανεβαίνει στον **ημιώροφο** από τις **κυλιόμενες κάλες** όπου βρίσκονται **γυναικεία είδη** (εσώρουχα, παλτά, σακάκια, ταγιέρ, φορέματα...)*

.: Τι θα θέλατε, παρακαλώ;
.: Θα ήθελα ένα σακάκι λινό, σε μπεζ ή κάποιο άλλο ανοιχτό χρώμα για το γραφείο μου.
Φορώ το 42 και καμιά φορά το 44. Εξαρτάται από το μοντέλο. Φέρτε μου το 42 και βλέπουμε.
.: Ένα λεπτό να δω τι έχουμε, γιατί τώρα με τις εκπτώσεις μάς ***έμειναν*** λίγα σχέδια.
Βρήκα ένα σακάκι πολύ καλής ποιότητας αλλά δυστυχώς το έχω μόνο σε γκρι χρώμα. Θέλετε να το δοκιμάσετε;
.: Ναι, καλό φαίνεται. Είναι ωραίο γκρι, ούτε σκούρο ούτε πολύ ανοιχτό.
Στους ώμους το αισθάνομαι λίγο φαρδύ, αλλά δεν πειράζει, μου αρέσουν τα φαρδιά ρούχα. Δε ρώτησα όμως πόσο κάνει.
.: Η αρχική του τιμή ήταν διακόσια πενήντα ευρώ αλλά με την έκπτωση θα το πάρετε γύρω στα εκατόν πενήντα.
.: Εντάξει. Ας το πάρω λοιπόν.
.: Με γεια σας!

το ταμείο
.: Θα πληρώσετε με κάρτα ή με μετρητά;
.: Με κάρτα. Η κάρτα μου όμως είναι από ξένη τράπεζα. Τη ***δέχεστε***;
.: Βεβαίως. Υπογράψτε εδώ και είστε έτοιμη. Ορίστε και η απόδειξή σας.
Περάστε στην παραλαβή να πάρετε το πακέτο σας.

Λεξιλόγιο 11.23.

ο ημιώροφος	mezzanine
η κυλιόμενη σκάλα	escalator
τα γυναικεία είδη	women's clothes
μένει / μένουν	it still remains / remain
δέχομαι μια πιστωτική κάρτα	I accept a credit card

		Σ.	Λ.
1.	Η Έλεν χρειάζεται ένα επίσημο μάλλινο σακάκι.		
2.	Ο πωλητής δεν είναι σίγουρος ότι έχουν το κατάλληλο σακάκι για την Έλεν.		
3.	Το σακάκι που προτείνει ο πωλητής στην Έλεν υπάρχει μόνο σε γκρίζο χρώμα.		
4.	Η Έλεν πιστεύει ότι χρειάζεται ένα σακάκι σε πιο μεγάλο μέγεθος.		
5.	Η Έλεν παίρνει το σακάκι από το ταμείο.		

ΠΑΡΑΓΩΓΗ ΠΡΟΦΟΡΙΚΟΥ ΛΟΓΟΥ (___ / 5)

1.24. **Κάντε διαλόγους ανά ζεύγη. Στη συνέχεια αλλάξτε ρόλους.**

όλος Α: *Θέλετε μια ηλεκτρική συσκευή για την κουζίνα σας. Πηγαίνετε σ' ένα μεγάλο κατάστημα με ηλεκτρικά είδη και εξηγείτε στον/ την υπάλληλο τι ακριβώς χρειάζεστε. Κάνετε ερωτήσεις για τον τρόπο χρήσης, την εγγύηση, την τιμή (υπάρχει έκπτωση;), τον τρόπο πληρωμής κ.λπ.*

όλος Β: *Είσαστε υπάλληλος σε ένα κατάστημα ηλεκτρικών ειδών. Ένας πελάτης / Μια πελάτισσα σας ζητάει μια ηλεκτρική συσκευή για την κουζίνα του/της. Κάνετε ερωτήσεις για να καταλάβετε τι ακριβώς χρειάζεται ο πελάτης / η πελάτισσα και μετά του/της προτείνετε την πιο κατάλληλη συσκευή. Απαντάτε στις ερωτήσεις του/της σχετικά με τη συσκευή, την εγγύηση, την τιμή, τον τρόπο πληρωμής κ.λπ.*

ΠΑΡΑΓΩΓΗ ΓΡΑΠΤΟΥ ΛΟΓΟΥ (___ / 5)

11.25. **Γράψτε ένα μέιλ σε ένα φίλο / μια φίλη σας.**

Ανακαινίσατε το μπάνιο του σπιτιού σας. Από το παλιό μπάνιο κρατήσατε μόνο τα ντουλάπια και τα πλακάκια. Παραγγείλατε από να κατάστημα τα υπόλοιπα (νιπτήρα, μπανιέρα, λεκάνη & καζανάκι). Περιγράφετε στο φίλο / στη φίλη σας τι έγινε στο κατάστημα, τι ητήσατε από τον υπάλληλο, τι σας πρότεινε εκείνος και τι έγινε στη συνέχεια (το κατάστημα δε σας έστειλε όλα τα είδη υγιεινής ή σας φερε κάποιο με προβλήματα ή με διαφορετικές διαστάσεις από αυτές που θέλετε).

το τραγούδι μας ♫

11.26.  Σ' το 'πα και σ' το ξαναλέω

Μουσική, στίχοι: παραδοσιακό, ερμηνεία: Αρετή Κετιμέ

11.26.α.  **Ακούστε το τραγούδι και συμπληρώστε τα κενά με λέξεις από το πλαίσιο.**

https://goo.gl/pkUmbq

κορμί / με πιάνουν κλάματα / γιαλό / βαθιά / φουρτούνα / κουπιά / Στο 'πα / στεριά / γράμματα / διαβείς / μαντήλι

__________ και σ' το ξαναλέω
στο __________ μην κατεβείς] δις
κι ο γιαλός κάνει __________
και σε πάρει και __________.] δις

Κι αν με πάρει που με πάει
κάτω στα __________ νερά,
κάνω το __________ μου βάρκα,
τα χεράκια μου __________,
το __________ μου πανάκι,
μπαινοβγαίνω στη __________.

Σ' το 'πα και σ' το ξαναλέω
μη μου γράφεις __________] δις
γιατί γράμματα δεν ξέρω
και __________.] δις

 Το τραγούδι αυτό είναι από τα πιο παλιά παραδοσιακά τραγούδια της Ελλάδας. Ανήκει στα τραγούδια της «ξενιτιάς» και μιλάει για τους Έλληνες που αναγκάστηκαν ν' αφήσουν τον τόπο τους για να βρουν δουλειά στις μεγάλες πόλεις της Ελλάδας ή του εξωτερικού.

Τι προσέχουμε;

ΛΕΞΙΛΟΓΙΟ

Αρετή Κετιμέ (1989-)

Η Αρετή Κετιμέ παίζει σαντούρι

11.26.β. **Ψάχνω στο λεξικό και γράφω τη μετάφραση στη γλώσσα μου**

ο γιαλός = η παραλία
ο ναυτικός = ...
η στεριά = ...
η φουρτούνα = ...
το κλάμα = ...
το κορμί = ...
το κουπί = ...
το πανί = ...
ταραγμένος-η-ο = ...
αποχαιρετάω (-ώ) = ...
διαβαίνω = περνάω
μπαινοβγαίνω = μπαίνω και βγαίνω συνεχώς
στενοχωρώ (κάποιον) = ...
το κλάμα = ...
με πιάνουν κλάματα = αρχίζω να κλαίω
δεν ξέρω γράμματα = δεν ξέρω να διαβάζω
που = όπου

Βήμα 12

Υγεία και διατροφή

Επικοινωνία

✓ **Συζητώ για την υγεία και τη διατροφή**
- Συζητώ με το γιατρό
- Συζητώ με το φαρμακοποιό
- Επιλέγω είδη διατροφής
- Εξηγώ / Ακολουθώ συνταγές μαγειρικής
- Μιλάω για τις ιδιότητες των τροφίμων
- Παραγγέλνω στο εστιατόριο

Θεματικές ενότητες

Υγεία - Στο γιατρό
✓ **Στον παθολόγο**
✓ **Στο φαρμακείο**
Ο κόσμος της αγοράς
✓ **Είδη διατροφής**
✓ **Σε καταστήματα ειδών διατροφής**
Ελεύθερος χρόνος
✓ **Εκτός σπιτιού**
- Φαγητό σε εστιατόριο

Λεξιλόγιο

- **Φάρμακα**
- **Τρόφιμα**
- **Είδη φαγητών**
- **Διατροφή**

Health and nutrition

Communication

✓ **I talk about health and nutrition issues**
- I talk with the doctor
- I talk with the pharmacist
- I select different types of food
- I explain / follow cooking recipes
- I talk about the qualities of food
- I order at the restaurant

Thematic units

Health - At the doctor's
✓ **At the general practitioner**
✓ **At the pharmacy**
The world of the market
✓ **Kinds of food**
✓ **At the food stores**
Free / Leisure time
✓ **Outside the house**
- Food at the restaurant

Vocabulary

- **Medicine**
- **Food**
- **Types of food**
- **Nutrition**

Γραμματική

1. **Ατελής μέλλοντας**
   θα τρώω, θα πίνω, θα κοιμάμαι
2. **Απρόσωπες εκφράσεις με *ότι***
   το καλό είναι ότι, το ευχάριστο είναι ότι
3. **Ο διαχωριστικός σύνδεσμος *είτε... είτε***
4. **Προτάσεις ερωτηματικές ή επιφωνηματικές που εισάγονται με *τι***
   Τι κάνεις; Τι; Αύριο έχουμε μάθημα;
   Τι ωραία! Τι ωραίος που είσαι!
5. **Ο τονισμός των μονοσύλλαβων λέξεων *πως/πώς, που/πού & η/ή***
6. **Τονισμός ονομάτων**
   ο άντρας - των αντρών
7. **Μεσοπαθητικά ρήματα Β΄συζυγίας, Α΄τάξης**
   αναρωτιέμαι, βαριέμαι
8. **Ελλειπτικές προτάσεις**
   Όχι όλα τα δημητριακά.
9. **Πίνακας νέων ρημάτων**

Grammar

1. **Imperfect future**
   θα τρώω, θα πίνω, θα κοιμάμαι
2. **The impersonal expressions with *ότι***
   το καλό είναι ότι, το ευχάριστο είναι ότι
3. **The correlative conjunction *είτε... είτε***
4. **Interrogative or exclamative sentences introduced by *τι***
   Τι κάνεις; Τι; Αύριο έχουμε μάθημα;
   Τι ωραία! Τι ωραίος που είσαι!
5. **Accentuation of the monosyllables *πως/πώς, που/πού & η/ή***
6. **Accentuation of nouns**
   ο άντρας - των αντρών
7. **Middle disposition verbs, conjugation B, class A**
   αναρωτιέμαι, βαριέμαι
8. **Fragments / Elliptical sentences**
   Όχι όλα τα δημητριακά.
9. **Table of new verbs**

Βήμα 12 *Υγεία και διατροφή*

Η Μαριλένα είναι έγκυος. Βρίσκεται στο στούντιο ενός τηλεοπτικού σταθμού και παρακολουθεί τη ζωντανή εκπομπή «Πρώτα απ' όλα η υγεία».

12.1. 268 Στην εκπομπή **Πρώτα απ' όλα η υγεία**

Παρουσιαστής: Καλώς ήρθατε στην εκπομπή μας *Πρώτα απ' όλα η υγεία*. Το σημερινό μας θέμα είναι *«Εγκυμοσύνη και διατροφή»*. **Το ευχάριστο είναι ότι** σήμερα είναι μαζί μας ο γυναικολόγος κύριος Καραλής, ειδικός στη διατροφή των εγκύων, για να λύσει όλες τις **απορίες** σας. Λοιπόν, σας ακούμε. Ποια κυρία θα κάνει την πρώτη ερώτηση;

Μαριλένα: Γιατρέ, καλησπέρα σας! Είμαι **τριών μηνών έγκυος** και θα ήθελα να ξέρω τι πρέπει να προσέχω κατά τη διάρκεια της εγκυμοσύνης μου.

Γιατρός: Λοιπόν, αγαπητή μου κυρία, θα πρέπει να ξέρετε ότι, **πρώτον**, απαγορεύεται το κάπνισμα! Αν καπνίζετε λοιπόν, κόψτε το κάπνισμα σήμερα! **Δεύτερον**, προσοχή στο **αλκοόλ**! Τις πρώτες εβδομάδες **θα** το **αποφεύγετε**. Μετά την εικοστή εβδομάδα, **θα μπορείτε** να πίνετε λίγο κρασί, αλλά όχι συχνά. Και **τρίτον**, **θα πρέπει να μειώσετε** τον καφέ και να προσέχετε πολύ τη διατροφή σας. Η σωστή διατροφή είναι πολύ σημαντική και για εσάς και για το **έμβρυο**.

Τίνα: Γιατρέ, εγώ έχω πρόβλημα με το στομάχι μου και κάποια φαγητά με πειράζουν. Τι πρέπει να τρώω;

Γιατρός: Κοιτάξτε στο φυλλάδιο που κρατάτε τη διατροφή που σας προτείνω. Το κρέας, για παράδειγμα, είναι απαραίτητο για τις **πρωτεΐνες** και το **σίδηρο** που **περιέχει**. Κρέας λοιπόν θα πρέπει να τρώτε. Όχι όμως **λιπαρό**. Αντιθέτως, από τα ψάρια **θα προτιμάτε τα** λιπαρά, όπως ο **σολομός**. Τώρα, αν κάτι από όλα αυτά σας πειράζει, **θα το αποφεύγετε**.

Ηλέκτρα: Βλέπω στο φυλλάδιο υπάρχουν και αβγά. Δεν είναι επικίνδυνα;

Γιατρός: Τα αβγά είναι εξαιρετική τροφή αλλά πρέπει να είναι πολύ καλά **βρασμένα**. **Ωμά** αβγά σε σάλτσες ή σε γλυκά καθώς και **μισοψημένα** ή ωμά κρέατα και ψάρια όπως το σούσι, **θα** τα **αποφεύγετε** σε όλη τη διάρκεια της εγκυμοσύνης σας.

Μαριλένα: Στο φυλλάδιο βλέπω γιαούρτι αλλά όχι γάλα. Γιατί, γιατρέ;

Γιατρός: **Θα πίνετε** γάλα, αλλά ξέρετε ότι το γιαούρτι έχει περισσότερο **ασβέστιο**; Ένα από τα πιο **υγιεινά σνακ** είναι γιαούρτι με φρούτα. Πετάξτε από την τσάντα σας μπισκότα, σοκολάτες, **πατατάκια** κ.λπ.

Τίνα: Μας προτείνετε φρούτα και λαχανικά. Όλα τα λαχανικά; Ποια είναι τα πιο **ωφέλιμα**;

Γιατρός: Αυτά που έχουν μεγάλα φύλλα σε σκούρο πράσινο χρώμα, όπως το **σπανάκι** και το μαρούλι. Ωφέλιμα επίσης είναι και το **μπρόκολο** και το λάχανο. **Θα έχετε καθημερινά** στο τραπέζι σας μια μεγάλη πράσινη σαλάτα. Και δε **θα ξεχνάτε** να τρώτε οπωσδήποτε φρούτα και **ξηρούς καρπούς**: αμύγδαλα, **φουντούκια**, **καρύδια**... Έχουν πολλές βιταμίνες. Επίσης **θα τρώτε** συχνά και όσπρια: **ρεβίθια**, φασόλια, φακές και **φάβα** Είναι πολύ **θρεπτικά**.

Παρουσιαστής: Κάτι ξέρανε **οι παλιοί** που τρώγανε κάθε βδομάδα όσπρια! Η επόμενη ερώτηση, παρακαλώ. Ορίστε! Εσείς, κυρία μου!

Ηλέκτρα: **Αναρωτιέμαι** αν τα δημητριακά με γάλα, που τρώω κάθε πρωί, είναι ένα σωστό πρωινό. **Τι νομίζετε**;

Γιατρός: Όχι όλα τα δημητριακά. Τα περισσότερα που κυκλοφορούν στην αγορά έχουν πολλή ζάχαρη. **Ιδανική** για το πρωινό σας είναι η **βρόμη**. Περιέχει βιταμίνη Β που σας δίνει ενέργεια.

Μαριλένα: Το πρωί νιώθω πάντα κουρασμένη και έχω συνέχεια άγχος. **Τι να κάνω**;

Γιατρός: Ίσως χρειάζεται να πάρετε χάπια σιδήρου ή **ασβεστίου**. Ίσως και κάποιες βιταμίνες. Πρώτα όμως θα κάνετε εξετάσεις αίματος. Επίσης θα σας βοηθήσει πολύ και η γυμναστική.

Ηλέκτρα: **Τι είδους** γυμναστική επιτρέπεται, γιατρέ; Εγώ είμαι έξι μηνών.

Γιατρός: Απλές ασκήσεις, περπάτημα και φυσικά κολύμπι.

Παρουσιαστής: Η εκπομπή μας φτάνει στο τέλος της. Μια τελευταία συμβουλή για τις φίλες μας, γιατρέ;

ιατρός:	Λοιπόν, τους εννέα αυτούς μήνες **θα φροντίζετε** πολύ την υγεία σας. Προσέξτε να μην **κολλήσετε** καμιά γρίπη γιατί απαγορεύονται τα πολλά φάρμακα στις εγκύους και ιδιαίτερα τα αντιβιοτικά. Και δε **θα κάνετε** δίαιτα για **να αδυνατίσετε**! Αν ακολουθήσετε τις συμβουλές μου, δε θα πάρετε βάρος.
Παρου-σιαστής:	Σας ευχαριστούμε πολύ, γιατρέ, για τις **πολύτιμες** συμβουλές σας. Ευχαριστώ κι εσάς, κυρίες μου, για τη συμμετοχή σας, καθώς κι εσάς, αγαπητοί τηλεθεατές, που μας παρακολουθήσατε. Μη χάσετε την επόμενη εκπομπή μας με θέμα *Η υγεία της καρδιάς: **εγχείρηση** ή θεραπεία;* Μαζί μας θα είναι ο γνωστός **χειρουργός** Θάνος Ναξιώτης. Καλό σας βράδυ και μην ξεχνάτε: *Πρώτα απ΄ όλα η υγεία!*

2.1.α. Σημειώστε το σωστό. Tick: True or False?

1.	Θέμα εκπομπής	α.	η εγκυμοσύνη	β.	η υγεία της εγκύου	γ.	η διατροφή της εγκύου
2.	Οι κυρίες είναι όλες	α.	έγκυοι / έγκυες	β.	τεσσάρων μηνών έγκυοι/-ες	γ.	τριών μηνών έγκυοι/-ες
3.	Ο γυναικολόγος είπε ότι	α.	μπορούν να πίνουν όσο καφέ θέλουν	β.	δεν μπορούν ούτε να πίνουν ούτε να καπνίζουν	γ.	μπορούν να τρώνε αυτά που τους αρέσουν
4.	Το κρέας είναι ωφέλιμο	α.	γιατί έχει σίδηρο	β.	γιατί έχει πρωτεΐνες και σίδηρο	γ.	γιατί είναι λιπαρό
5.	Το γάλα έχει	α.	περισσότερο ασβέστιο από το γιαούρτι	β.	λιγότερο ασβέστιο από το γιαούρτι	γ.	την ίδια ποσότητα σε ασβέστιο με το γιαούρτι
6.	Τα αβγά, το κρέας και το ψάρι	α.	πρέπει να είναι καλά ψημένα ή βρασμένα	β.	δε χρειάζεται να είναι καλά ψημένα ή βρασμένα	γ.	πρέπει να είναι ωμά
7.	Ένα υγιεινό σνακ είναι	α.	το γιαούρτι με φρούτα	β.	σοκολάτες & μπισκότα	γ.	τα πατατάκια
8.	Ωφέλιμα λαχανικά	α.	σπανάκι και ντομάτες	β.	αγγούρι και μαρούλι	γ.	τα σκούρα πράσινα λαχανικά
9.	Θρεπτικές τροφές είναι	α.	οι σαλάτες	β.	λαχανικά, ξηροί καρποί & όσπρια	γ.	τα φρούτα
10.	Τα δημητριακά	α.	ποτέ δεν περιέχουν ζάχαρη	β.	πάντα περιέχουν ζάχαρη	γ.	συνήθως περιέχουν ζάχαρη
11.	Ο γιατρός προτείνει στις έγκυες να κάνουν	α.	πολλή γυμναστική	β.	δίαιτα	γ.	απλή γυμναστική, περπάτημα και κολύμπι
12.	Η επόμενη εκπομπή	α.	η υγεία της καρδιάς	β.	τα προβλήματα της καρδιάς	γ.	τα φάρμακα καρδιάς

2.1.β. Διαβάστε το κείμενο 12.1. και συμπληρώστε τον πίνακα, σύμφωνα με το παράδειγμα.

Read the text 12.1. and fill in the table, following the example.

		Επιτρέπεται;			
	Τροφές - Ποτά	Ναι	Ναι, αλλά λιγότερο	Ναι, και περισσότερο	Όχι
1.	Καφές		✓		
2.	Αλκοόλ				
3.	Κρέας λιπαρό				
4.	Κρέας όχι λιπαρό				
5.	Κρέας ωμό ή μισοψημένο				
6.	Σούσι				
7.	Σολομός				
8.	Αβγά πολύ καλά βρασμένα				
9.	Αβγά ωμά				
10.	Γιαούρτι με φρούτα				
11.	Γάλα				
12.	Μπισκότα				
13.	Πατατάκια				
14.	Σοκολάτες				
15.	Λαχανικά				
16.	Σπανάκι				
17.	Μπρόκολο				
18.	Μαρούλι				
19.	Λάχανο				
20.	Όσπρια				
21.	Ξηροί καρποί				
22.	Φρούτα				
23.	Δημητριακά με ζάχαρη				
24.	Δημητριακά χωρίς ζάχαρη				
25.	Βρόμη				
26.	Κάθε είδους γυμναστική				
27.	Απλές ασκήσεις γυμναστικής				
28.	Περπάτημα				
29.	Κολύμπι				
30.	Δίαιτα				
31.	Φάρμακα				
32.	Αντιβιοτικά				
33.	Κάπνισμα				

12.2. 269 Για την ίωση φταίει ακόμη και... η καφετιέρα

Ξέρετε ότι ένας ιός μπορεί **να μολύνει** σε δύο μόνο ώρες ένα μεγάλο κτήριο γραφείων, ένα ξενοδοχείο, ένα σχολείο ή ένα νοσοκομείο; Και μη νομίζετε ότι θα κολλήσετε μια **ίωση** μόνο από το διπλανό σας που **φτερνίζεται** ή βήχει. Από πού αλλού μπορείτε να κολλήσετε; Μπορείτε να κολλήσετε και από την καφετιέρα ή το τηλέφωνό σας!

Όλα αυτά τα αντικείμενα που πιάνουμε εκατό φορές την ημέρα γίνονται δρόμοι απ' όπου οι ιοί κυκλοφορούν ελεύθερα και «χωρίς διόδια».

Και ποια είναι τα πιο επικίνδυνα αντικείμενα;

Το **χερούλι** της πόρτας ή της καφετιέρας, το κουμπί του ασανσέρ, οι διακόπτες, το **ακουστικό** του τηλεφώνου, το πληκτρολόγιο, το ποντίκι του υπολογιστή σας και άλλα πολλά.

Τι πρέπει να κάνετε για να μην κολλήσετε;
- Δε θα πλησιάζετε άτομα που είτε βήχουν είτε έχουν **συνάχι**.
- Δε θα πιάνετε το πρόσωπό σας με τα χέρια σας.
- Θα φοράτε ζεστά ρούχα.
- Θα τρώτε πολλά φρούτα και λαχανικά που έχουν βιταμίνη C.
- Θα ανοίγετε συχνά τα παράθυρα για να μπαίνει καθαρός αέρας.
- Θα πλένετε συχνά τα χέρια σας και ιδιαίτερα πριν από το φαγητό.
- Θα κάνετε το εμβόλιο της γρίπης, αν συμφωνεί βέβαια και ο γιατρός σας.

Τι πρέπει να κάνετε αν αρρωστήσετε;

Αν έχετε ένα απλό **κρυολόγημα**, πάρτε **παυσίπονο** για τον πονοκέφαλο, σιρόπι για το βήχα, καραμέλες για τον **πονόλαιμο** και σταγόνες για τη **βουλωμένη** μύτη σας. Αν έχετε πυρετό, πάρτε ένα **αντιπυρετικό** χάπι.

Αν τα **συμπτώματα** δεν περνάνε, δηλαδή ο βήχας δε σταματάει, δεν αναπνέετε καλά, δεν κατεβαίνει ο πυρετός και **μέρα με τη μέρα** αισθάνεστε χειρότερα, επισκεφθείτε αμέσως έναν παθολόγο. Προσοχή! Μην πάρετε **αντιβίωση** χωρίς συνταγή γιατρού.

Γενικά η **ξεκούραση** είναι το καλύτερο φάρμακο. Επίσης πρέπει να πίνετε πολλά υγρά και να τρώτε σωστά. Αν ακολουθήσετε αυτές τις απλές συμβουλές, να είστε σίγουροι ότι θα γίνετε γρήγορα καλά.

12.2.α. Σημειώστε: Σωστό ή Λάθος; Tick: True or False?

		Σωστό	Λάθος
1.	Μπορεί κανείς να κολλήσει ίωση μόνο από κάποιον που βήχει.		
2.	Μπορεί κανείς να κολλήσει έναν ιό και από τα αντικείμενα που πιάνει κάθε μέρα.		
3.	Δεν είναι όλα τα αντικείμενα το ίδιο επικίνδυνα για να κολλήσει κανείς ίωση.		
4.	Δεν είναι ανάγκη να φοράτε ζεστά ρούχα όταν κάνει κρύο.		
5.	Δε θα αρρωστήσετε, αν έχετε συνεχώς τα παράθυρα κλειστά.		
6.	Το πλύσιμο των χεριών είναι απαραίτητο πριν από το φαγητό.		
7.	Αν έχετε ένα απλό κρυολόγημα, πρέπει να πάρετε τα κατάλληλα φάρμακα για τα συμπτώματά σας.		
8.	Μπορείτε να πάρετε αντιβίωση χωρίς τη συνταγή γιατρού.		
9.	Όταν είστε άρρωστος, καλό είναι να ξεκουράζεστε.		
10.	Για να περάσει η ίωση, πρέπει να τρώτε σωστά και να πίνετε πολλά υγρά.		

Και τώρα εσείς!

12.2.β.

Προσέχετε για να μην κολλήσετε κάποια ίωση; Τι κάνετε ακριβώς; Τι κάνετε όταν έχετε ίωση; Πηγαίνετε στο γιατρό ή παίρνετε μόνος/μόνη σας φάρμακα;

12.2.γ.

Μια φίλη σας είναι έγκυος. Εσείς παρακολουθήσατε την εκπομπή *Πρώτα απ' όλα η υγεία* και διαβάσατε το άρθρο 12.2. Της στέλνετε ένα μέιλ με συμβουλές που, κατά τη γνώμη σας, είναι οι πιο σημαντικές για μια έγκυο. (80-100 λέξεις)

A friend of yours is pregnant. You watched the programme *Πρώτα απ' όλα η υγεία* and you read the article 12.2. You send her an e-mail with pieces of advice that you think are important for a pregnant woman. (80-100 words)

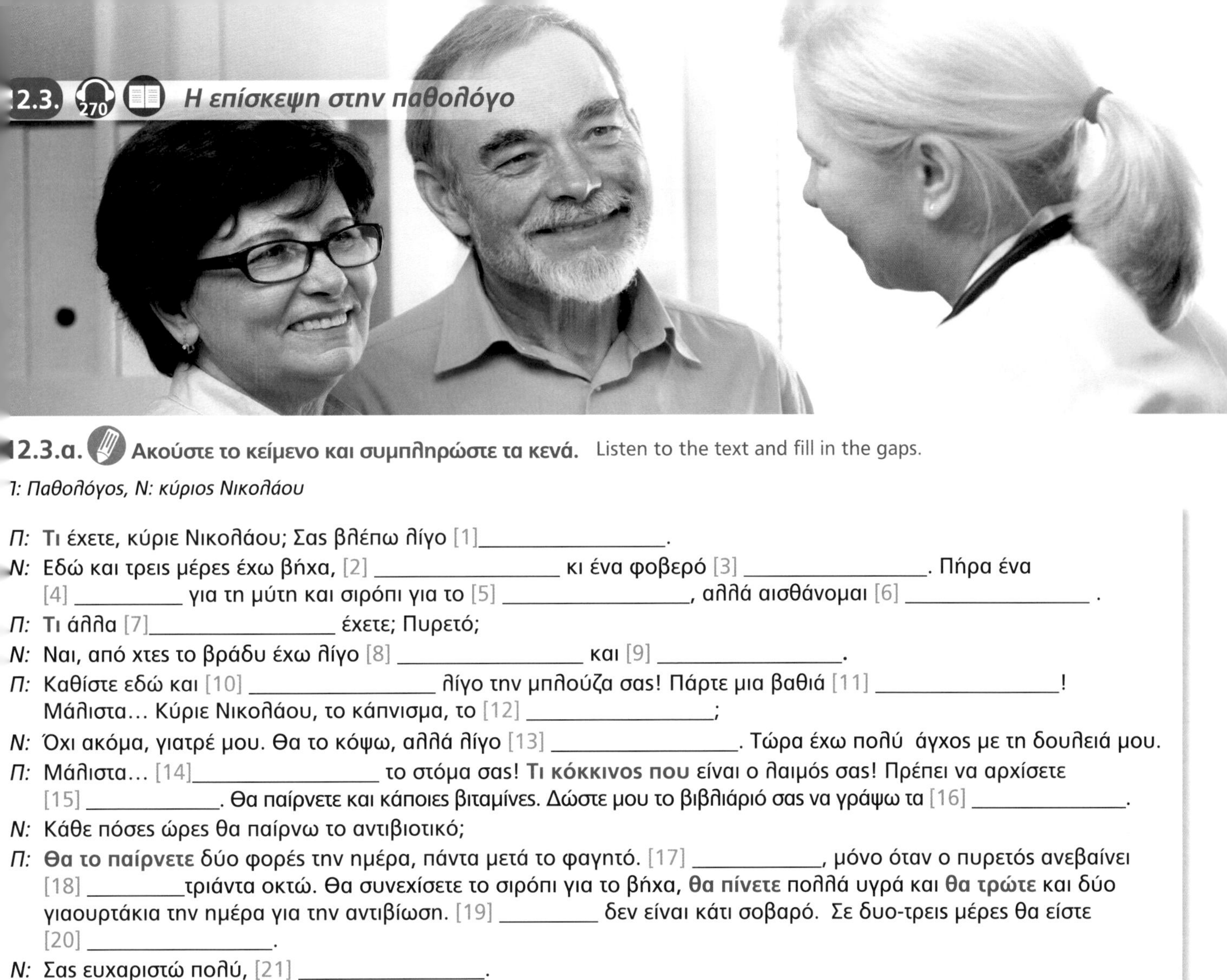

12.3. Η επίσκεψη στην παθολόγο

12.3.α. Ακούστε το κείμενο και συμπληρώστε τα κενά. Listen to the text and fill in the gaps.

Π: Παθολόγος, Ν: κύριος Νικολάου

Π: Τι έχετε, κύριε Νικολάου; Σας βλέπω λίγο [1]________________.

Ν: Εδώ και τρεις μέρες έχω βήχα, [2] ________________ κι ένα φοβερό [3] ________________. Πήρα ένα [4] __________ για τη μύτη και σιρόπι για το [5] ________________, αλλά αισθάνομαι [6] ________________ .

Π: Τι άλλα [7]________________ έχετε; Πυρετό;

Ν: Ναι, από χτες το βράδυ έχω λίγο [8] ________________ και [9] ________________.

Π: Καθίστε εδώ και [10] ________________ λίγο την μπλούζα σας! Πάρτε μια βαθιά [11] ________________! Μάλιστα… Κύριε Νικολάου, το κάπνισμα, το [12] ________________;

Ν: Όχι ακόμα, γιατρέ μου. Θα το κόψω, αλλά λίγο [13] ________________. Τώρα έχω πολύ άγχος με τη δουλειά μου.

Π: Μάλιστα… [14]________________ το στόμα σας! **Τι κόκκινος που** είναι ο λαιμός σας! Πρέπει να αρχίσετε [15] ____________. Θα παίρνετε και κάποιες βιταμίνες. Δώστε μου το βιβλιάριό σας να γράψω τα [16] ______________.

Ν: Κάθε πόσες ώρες θα παίρνω το αντιβιοτικό;

Π: **Θα το παίρνετε** δύο φορές την ημέρα, πάντα μετά το φαγητό. [17] ____________, μόνο όταν ο πυρετός ανεβαίνει [18] _________τριάντα οκτώ. Θα συνεχίσετε το σιρόπι για το βήχα, **θα πίνετε** πολλά υγρά και **θα τρώτε** και δύο γιαουρτάκια την ημέρα για την αντιβίωση. [19] _________ δεν είναι κάτι σοβαρό. Σε δυο-τρεις μέρες θα είστε [20] ______________.

Ν: Σας ευχαριστώ πολύ, [21] ______________.

Π: Τίποτα, κύριε Νικολάου! Να πίνετε και πολλά [22] ________________ για το [23] ___________ σας!

12.3.β. Ταιριάξτε τις στήλες. Match the columns.

1.	Έχω πονοκέφαλο	—	α.	ότι σταμάτησα να καπνίζω.
2.	Έχω συνάχι	—	β.	είναι άσπρος και χωρίς χρώμα υγείας στα μάγουλα.
3.	Τα συμπτώματα	—	γ.	σημαίνει ότι πονάει το κεφάλι μου.
4.	Έκοψα το κάπνισμα θα πει	—	δ.	κατεβάζει τον υψηλό πυρετό.
5.	Αντιπυρετικό είναι το φάρμακο που	—	ε.	σημαίνει ότι τρέχει η μύτη μου συνεχώς.
6.	**Χλωμός** είναι κάποιος που	—	ζ.	ήρεμος και έχει συνεχώς αγωνία με κάθε πρόβλημα, μικρό ή μεγάλο.
7.	Όταν ζαλίζομαι αισθάνομαι	—	η.	δείχνουν ότι είμαι άρρωστος.
8.	Έχει άγχος κάποιος που δεν είναι	—	θ.	ότι θα πέσω κάτω και ότι όλα γυρίζουν γύρω μου.

12.3.γ. Κάντε ένα διάλογο ανά ζεύγη με βάση το κείμενο 12.3. Χρησιμοποιήστε τις λέξεις και εκφράσεις του κειμένου.

Make the dialogue in pairs based on text 12.3. Use the words and expressions of the text.

12.4. Ακούστε το κείμενο: *Στο φαρμακείο της γειτονιάς μου*

12.4.α. Ταιριάξτε τις στήλες. Match the columns.

1.	Ο φαρμακοποιός εξυπηρετεί	—	α.	ένα σιρόπι από βότανα.
2.	Η κυρία έχει μια συνταγή	—	β.	οινόπνευμα και βαμβάκι.
3.	Ο φαρμακοποιός έχει το παυσίπονο και τις καραμέλες	—	γ.	μια κυρία στο φαρμακείο.
4.	Το παιδικό σιρόπι δεν το έχει. **Είτε** θα το παραγγείλει	—	δ.	τι θα πει η λέξη «βότανα».
5.	Ο φαρμακοποιός προτείνει	—	ε.	από έναν παιδίατρο.
6.	Η πελάτισσα δεν καταλαβαίνει	—	ζ.	αλλά είχε **πεννντάρικο**.
7.	Η κυρία ζητάει μια **αλοιφή** για **κουνούπια**,	—	η.	αλλά όχι το σιρόπι για το βήχα.
8.	Η κυρία έχει **είτε αλλεργία**	—	θ.	**είτε** γρίπη.
9.	Η κυρία νόμιζε ότι είχε **πεντακοσάρικο**	—	ι.	**είτε** θα δώσει στην πελάτισσα ένα σιρόπι από βότανα.

12.5. Θα παίρνεις ή θα πάρεις;

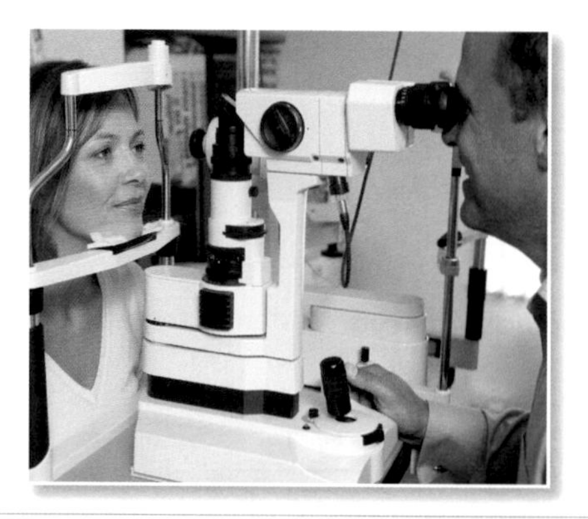

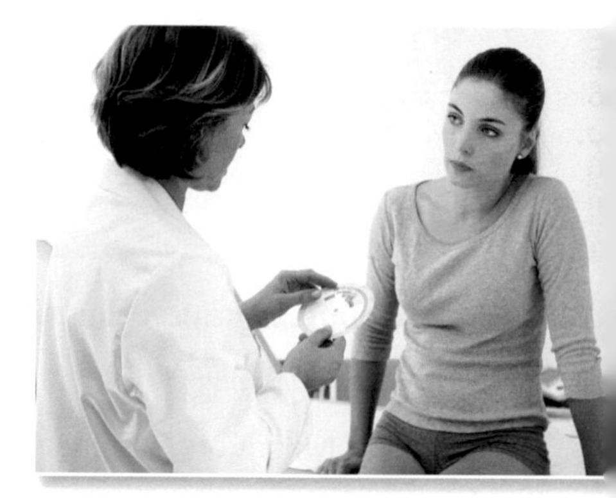

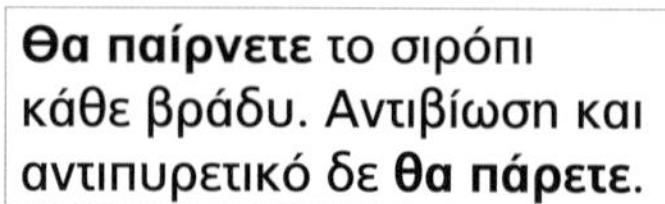

Θα παίρνετε το σιρόπι κάθε βράδυ. Αντιβίωση και αντιπυρετικό δε **θα πάρετε**.

Σήμερα το βράδυ **θα βάλετε** δύο **σταγόνες** στο μάτι σας. Από αύριο όμως **θα βάζετε** από μία σταγόνα πρωί και βράδυ.

Θα τρώτε τρία καλά γεύματα την ημέρα. Αύριο το πρωί όμως δε **θα φάτ**
τίποτα για να κάνετε εξετάσεις αίματος.

12.5.α.  Σημειώστε το σωστό. Tick the correct answer.

1.	Δε ***θα μπορέσω / θα μπορώ*** να πάω στο γιατρό σήμερα.
2.	Όταν γίνετε καλά, ***θα μπορέσετε / θα μπορείτε*** να πηγαίνετε κάθε μέρα για περπάτημα.
3.	Φέτος το καλοκαίρι ***θα πάω / θα πηγαίνω*** κάθε μέρα για κολύμπι.
4.	***Θα πας / Θα πηγαίνεις*** να κάνεις τις εξετάσεις σου σήμερα;
5.	Για μια εβδομάδα ***θα πάρετε / θα παίρνετε*** δύο χάπια την ημέρα.
6.	Αν αισθανθείς χειρότερα, ***θα πάρεις / θα παίρνεις*** αμέσως τηλέφωνο το γιατρό.
7.	***Θα πίνετε / θα πιείτε*** ένα φρέσκο χυμό πορτοκάλι κάθε πρωί.
8.	Τι ***θα πίνεις / θα πιεις*** σήμερα;
9.	***Θα*** σας ***δίνω*** / ***θα*** σας ***δώσω*** ένα παυσίπονο κι ένα σιρόπι για το βήχα.
10.	Κάθε πρωί ***θα δίνετε / θα δώσετε*** στον πατέρα σας το χαπάκι για την πίεση.

12.6.  Εφημερεύοντα νοσοκομεία / φαρμακεία

Στην Ελλάδα τα φαρμακεία δεν είναι ανοικτά όλο το εικοσιτετράωρο. Σε κάθε περιοχή όμως τουλάχιστον ένα φαρμακείο εφημερεύει. Στις μεγάλες πόλεις εφημερεύουν κάθε μέρα διαφορετικά νοσοκομεία για τα επείγοντα **περιστατικά**.

- *Πώς θα βρείτε ποιο φαρμακείο είναι ανοιχτό κοντά σας ή ποιο νοσοκομείο εφημερεύει στην Αθήνα μια συγκεκριμένη μέρα;*

✓ Ψάξτε στην εφημερίδα τα **εφημερεύοντα** φαρμακεία ή νοσοκομεία.
✓ Τηλεφωνήστε στις Πληροφορίες Τηλεφωνικού Καταλόγου.
✓ Ψάξτε στο ίντερνετ τα εφημερεύοντα φαρμακεία ή νοσοκομεία.

ΣΤΟ ΦΑΡΜΑΚΕΙΟ	AT THE PHARMACY
ο επίδεσμος	bandage
η αλοιφή	ointment
η γάζα	gauze
η σύριγγα	syringe
το αντιβιοτικό	antibiotic
το αντιπυρετικό	fever reducer
το βαμβάκι	cotton
το θερμόμετρο	thermometer
το οινόπνευμα	alcohol
το παυσίπονο	painkiller
το σιρόπι	syrup
το σπρέι	spray
το τσιρότο	band aid
το χάπι	pill

από **Παρασκευή 3 Μαΐου** **ώρα 08:00**
έως **Σάββατο 4 Μαΐου** **ώρα 08:00**

Νοσοκομείο	ΕΥΑΓΓΕΛΙΣΜΟΣ
Διεύθυνση	Υψηλάντου 45 - 47
Τηλέφωνο	213 2041000
Νοσοκομείο	ΙΠΠΟΚΡΑΤΕΙΟ
Διεύθυνση	Βασ. Σοφίας 114
Τηλέφωνο	**213 2088000**

Και τώρα εσείς!

12.6.α. *Στη χώρα σας τι κάνετε όταν χρειάζεστε ένα φάρμακο αργά τη νύχτα; Αν χρειαστείτε ξαφνικά νοσοκομείο, τι κάνετε; Πώς επιλέγετε σε ποιο νοσοκομείο θα πάτε;*

12.7. Είτε θέλεις είτε δε θέλεις...

Είτε συμφωνείς **είτε** διαφωνείς, εγώ θα πάω στο **δερματολόγο** μου και θα κάνω τη θεραπεία γιατί θέλω να φαίνομαι πιο νέα.

Δεν το πιστεύω! Χίλια ευρώ για να φαίνεσαι λίγο πιο νέα;

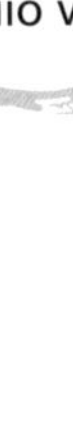

Θα πιεις ένα ποτό, αγάπη μου;

Ξέρεις ότι δεν πίνω ποτέ αλκοόλ! Θα πιω **είτε** μια πορτοκαλάδα με παγάκια **είτε** ένα κρύο νεράκι!

Με πονάνε τα πόδια μου, η μέση μου και ο λαιμός μου. Δεν αντέχω άλλο! Πρέπει να πάω οπωσδήποτε στο γιατρό **είτε** σήμερα **είτε** αύριο!

12.7.β. **Ταιριάξτε τις στήλες.** Match the columns.

1.	Είτε θα πας στο γιατρό	—	α.	είτε **φυσικοθεραπεία**.
2.	Για τα κουνούπια θέλω είτε ένα σπρέι	—	β.	είτε βραστά λαχανικά.
3.	Ο ορθοπαιδικός είπε να κάνω είτε εγχείρηση	—	γ.	είτε μια αλοιφή.
4.	Κάθε μέρα θα τρως είτε φρέσκια σαλάτα	—	δ.	είτε το *Ιπποκράτειο*.
5.	Πρέπει να κάνεις εξετάσεις είτε αύριο	—	ε.	είτε θα είσαι συνέχεια άρρωστος.
6.	Σήμερα εφημερεύει είτε το νοσοκομείο *Ευαγγελισμός*	—	ζ.	είτε μεθαύριο.

12.8. Το καλό είναι ότι...

Το καλό είναι ότι χάνω βάρος εύκολα!

Το κακό είναι ότι εγώ **παίρνω βάρος** εύκολα! Και δεν τρώω τίποτα!

Το ευχάριστο είναι ότι η ασφάλειά μου καλύπτει τη φυσικοθεραπεία.

το ωραίο το σπουδαίο το σημαντικό το καλό το ευχάριστο το αστείο το άσχημο το κακό	είναι ότι	δε χρειάζεται να κάνω εξετάσεις αίματος και **ούρων**. δεν έχω ανάγκη από **ψυχίατρο**. η ασφάλειά μου καλύπτει το **υπερηχογράφημα.** υπάρχουν πολλά εφημερεύοντα νοσοκομεία στην Αθήνα. δε χρειάζεται να κάνω φυσικοθεραπεία. πήγα το σκύλο στην **κτηνίατρο** κι αυτή εξέτασε κι εμένα! τα αποτελέσματα των εξετάσεων δε θα είναι έτοιμα αύριο. έχω πρόβλημα με την καρδιά μου και πρέπει να κάνω **καρδιογράφημα**.
το καλύτερο το χειρότερο	είναι ότι...	Με το φάρμακο που πήρα μου πέρασε αμέσως ο βήχας και **το καλύτερο είναι ότι** μου έπεσε κι ο πυρετός. **Το κακό είναι ότι** με τόση αντιβίωση δε μου πέρασε ο βήχας και **το χειρότερο είναι ότι** ανέβηκε κι ο πυρετός.

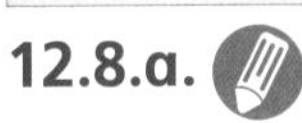

12.8.α. **Κάντε προτάσεις στο τετράδιό σας σύμφωνα με τον πίνακα 12.8. Διορθώστε ανά ζεύγη ο ένας τις προτάσεις του άλλου.** Make sentences in your notebook following table 12.8. In pairs correct each other's sentences.

12.9. Σημαίνει πολλά: χάνω

χάνω ένα πράγμα	*[δε βρίσκω κάτι]*	**Έχασα** τη συνταγή του γιατρού. Μήπως την είδες;
χάνω ένα μεταφορικό μέσο	*[δεν προλαβαίνω]*	**Έχασες** το αεροπλάνο γιατί δεν ξύπνησες νωρίς.
χάνω βάρος	*[αδυνατίζω]*	Μετά από μια πολύ αυστηρή δίαιτα **έχασα** δέκα κιλά.
χάνω ένα αγώνα ή ένα παιχνίδι	*[δεν κερδίζω]*	**Χάσαμε** τον αγώνα με την ΑΕΚ. Πρέπει οπωσδήποτε να κερδίσουμε αύριο.
χάνω κάτι καλό / ωραίο	*[δεν κάνω κάτι που αξίζει]*	**Μη χάσετε** αυτή την προσφορά! **Μη χάσεις** αυτή την υπέροχη ταινία!
χάνομαι	*[δε βρίσκω το δρόμο]*	**Χάθηκα** στα στενά δρομάκια της παλιάς πόλης.

12.9.α. Ταιριάξτε τα αντίθετα. Match the opposites.

1.	Έχασα πέντε κιλά.	___	α.	Κέρδισα.
2.	Σήμερα ξύπνησα αργά κι έχασα το τρένο.	___	β.	Τα βρήκα.
3.	Έπαιξα σκάκι με τον πατέρα μου κι έχασα.	___	γ.	Ευτυχώς το πρόλαβα.
4.	Ήμουν άρρωστη χτες κι έχασα το πάρτι του Νίκου.	___	δ.	Βρήκα εύκολα το δρόμο.
5.	Έχασα τα κλειδιά μου.	___	ε.	Ευτυχώς τα κατάφερα και πήγα.
6.	Χάθηκα στα δρομάκια κι άργησα.	___	ζ.	Πήρα πολύ βάρος τελευταία.

12.10. 276 Πως & πώς; Που & πού; η & ή

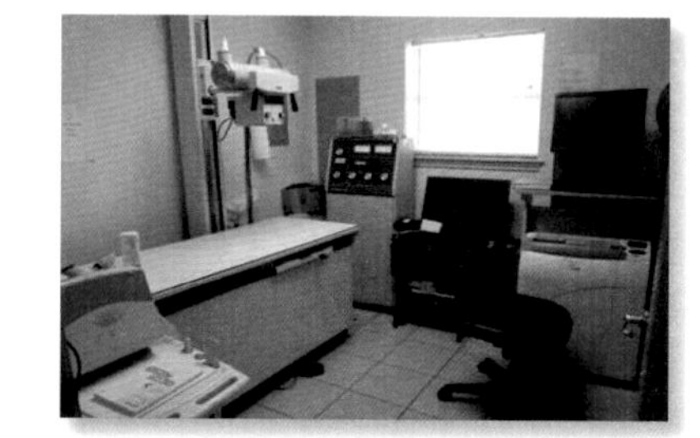

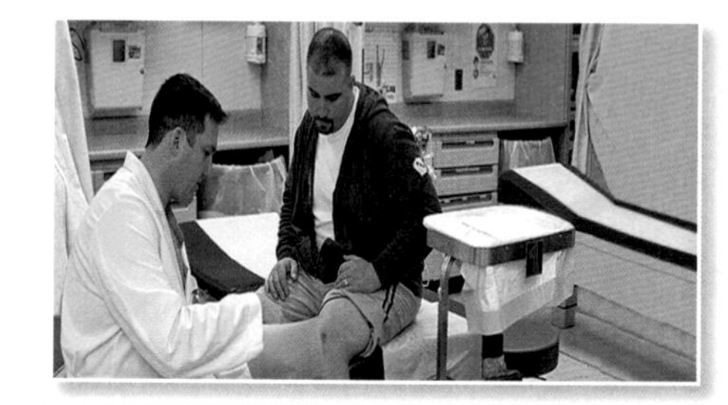

- **Πώς** αισθάνεσαι, είσαι καλά; - Όχι, νομίζω **πως** έχω πυρετό.	- **Πού** είναι το γραφείο του **ακτινολόγου**; - Απέχει 10 λεπτά από εκεί **που** (όπου) μένω.	Οι ασκήσεις **που** πρέπει να κάνω είναι πολύ δύσκολες **ή** πολύ εύκολες;

12.10.α. Σημειώστε το σωστό. Tick the correct phrase.

1. ***Πώς / Πως*** νιώθεις; Είσαι καλύτερα;
2. Από ***πού / που*** πάει κανείς στα Επείγοντα;
3. Πάρτε αυτό το σιρόπι, ***πού / που*** είναι για παιδιά.
4. ***Πού / που*** βρίσκεσαι; Εκεί ***πού / που*** έγινε το ατύχημα;
5. Δεν ξέρω ***πώς / πως*** κολλάει κανείς μια ίωση.
6. Θα κάνεις το εμβόλιο της γρίπης ***πού / που*** σου πρότεινε ο γιατρός;

12.11. 277 Τι; Τι ωραία που είσαι!

12.11.α. Συμπληρώστε τα κενά με λέξεις από το πλαίσιο. Fill in the gaps with words from the box.

τι έχω / Τι / Τι πλήρωσες / Από τι / Τι είδους / Τι καλός που / Τι ωραία / Για τι πράγμα / Τι παίζει / Τι θα πει / Τι χάλια που / Με τι / τι θέλω	
1.	Δε άκουσα την αρχή της διάλεξης. ________________ μιλάει ο καθηγητής;
2.	________________ «επίδεσμος»; Δεν ξέρω τι σημαίνει αυτή η λέξη.
3.	__________; Αύριο θα χιονίσει; Δεν το ήξερα. Δεν άκουσα χτες το δελτίο καιρού.
4.	________________! Ο άντρας μου μαγείρεψε το αγαπημένο μου φαγητό.
5.	________________ αισθάνομαι! Μάλλον κόλλησα ίωση από την κόρη μου.
6.	________________ για τα φάρμακά σου; Πόσο κόστισαν όλα μαζί;
7.	________________ εξετάσεις σου είπε να κάνεις ο παθολόγος;
8.	Με ρώτησε ________________ και του είπα «Τίποτα!»
9.	________________ ο κινηματογράφος στη γειτονιά σου;
10.	________________ ύφασμα είναι αυτό το τραπεζομάντιλο;
11.	________________ είναι ο γιατρός σου! Κατάλαβε αμέσως ________________.
12.	____________ _______ ασχολείσαι;

12.11.β. Ταιριάξτε τις στήλες. Match the columns.

1.	Τι κάνεις; Πώς είσαι;	-----	α.	Σημαίνει ότι δεν είναι εδώ.
2.	Τι μισθό παίρνεις;	-----	β.	Μιλάω για τη σωστή διατροφή.
3.	Τι θα πει «ο γιατρός λείπει;»	-----	γ.	Μόνο πέντε ευρώ.
4.	Για τι πράγμα μιλάς;	-----	δ.	Παίρνω το βασικό μισθό.
5.	Τι χάλια που αισθάνομαι!	-----	ε.	Θα φορέσω ένα μαύρο φόρεμα.
6.	Τι; Αύριο έχουμε μάθημα;	-----	ζ.	Ναι, δε φαίνεσαι πολύ καλά.
7.	Τι ωραία! Τι καλά!	-----	η.	Ναι, μας το είπε η δασκάλα χτες.
8.	Τι πλήρωσες;	-----	θ.	Έτσι κι έτσι.
9.	Τι ρούχα θα βάλεις;	-----	ι.	Πονάει ο λαιμός μου.
10.	Τι αισθάνεσαι;	-----	κ.	Γιατί χαίρεσαι; Τι έγινε;

12.12. Οικογένειες λέξεων

η θεραπεία θεραπεύω / -ομαι ο φυσικοθεραπευτής η φυσικοθεραπεύτρια το φυσικοθεραπευτήριο	ο/η ιατρός & ο/η γιατρός το ιατρείο η ιατρική ιατρικός-ή-ό το ιατρικό κέντρο	η νόσος ο νοσοκόμος η νοσοκόμα το νοσοκομείο	η **ασθένεια** ο/η ασθενής το ασθενοφόρο	η αρρώστια ο άρρωστος η άρρωστη αρρωσταίνω

12.12.α. Συμπληρώστε τα κενά με λέξεις από το 12.12. στο σωστό τύπο. Μετά ακούστε το κείμενο και διορθώστε τα λάθη σας.
278
Fill in the gaps with words from 12.12. in the correct form.
Then listen to the text and correct your mistakes.

Θεραπείες, φυσικοθεραπείες και άλλα

Α: Άγης, Β: Βάνα

Α: Η [1] θ___________ που μου έκανε η [2] γ___________ ήταν πολύ καλή.

Β: Πού είναι το [3] ι___________ της; Είναι κοντά στο [4] ν___________ ΚΑΤ;

Α: Είναι πολύ κοντά. Πολύ κοντά είναι επίσης και το [5] φ_______________ του συζύγου της.

Β: Με τι ασχολείται ο σύζυγός της;

Α: Μα είναι [6] φ___________!

Β: Και η κόρη μου θέλει να γίνει [7] φ___________.

Α: Η δική μου κόρη θέλει να δώσει εξετάσεις για την [8] ι___________ και ο γιος μου θέλει να γίνει [9] ν___________. Η κόρη μου ενδιαφέρεται για τις [10] ασ___________ της Αφρικής, όπως ο κίτρινος πυρετός. Το κακό είναι ότι οι περισσότεροι [11] ά___________ δε γίνονται εύκολα καλά γιατί οι ιοί είναι πολύ «έξυπνοι» και είναι δύσκολο να [12] θ___________.

Β: Το ξέρω! Επειδή εγώ [13] α___________ εύκολα, κάνω κάθε χρόνο το εμβόλιο της γρίπης.

Α: Πολύ καλά κάνεις. Κι εγώ πέρυσι δεν έκανα εμβόλιο και ήμουν συνέχεια [14] ά___________!

12.13. Το λέμε κι αλλιώς

279

Ακούστε το κείμενο «Πέρσι στο νησί» και συμπληρώστε τα κενά.
Listen to the text «Πέρσι στο νησί» and fill in the gaps.

άλλοτε... άλλοτε	Μπάνιο κάναμε [1] ___________ μπροστά στο ξενοδοχείο [2] ___________ σε κάποια άλλη παραλία.
πότε... πότε	Μετά το μπάνιο [3] ___________ γυρίζαμε στο ξενοδοχείο [4] ___________ τρώγαμε σε κάποιο ταβερνάκι.
άλλες φορές... άλλες φορές	Τα βράδια στο νησί [5] ___________ πηγαίναμε σινεμά [6] ___________ κάναμε περίπατο στο λιμάνι.
κάποτε... κάποτε	Τις Κυριακές το πρωί παίρναμε το πρωινό μας [7] ___________ στο ξενοδοχείο [8] ___________ στην πόλη.

12.13.α. Γράψτε τέσσερις προτάσεις χρησιμοποιώντας τις εκφράσεις του 12.13. και διαβάστε τες στην τάξη.
Write four sentences using the expressions of 12.13. and read them in the classroom.

12.14. Τι τρως; Σαλάτα!

280

12.14.α. Διαβάστε τη Γραμματική 8 και υπογραμμίστε τις ελλειπτικές προτάσεις στο κείμενο 12.1.
Read Grammar 8 and underline the fragments / elliptical sentences in text 12.1.

γραμματική

1. Ατελής μέλλοντας Imperfect future

Ο ατελής μέλλοντας φανερώνει κάτι που γίνεται στο μέλλον με διάρκεια ή με επανάληψη. The imperfect future declares something that is happening in the future and has a duration or repetition.

Π.χ.: **Θα παίρνετε** αντιπυρετικό τρεις φορές τη μέρα. **Θα προσέχετε** τη διατροφή σας και τους εννέα μήνες της εγκυμοσύνης. Κάθε πρωί **θα κολυμπάτε** μία ώρα και τα μεσημέρια **θα ξεκουράζεστε** οπωσδήποτε.

Πώς χρησιμοποιούμε τον τέλειο και τον ατελή μέλλοντα;
How do we use the perfect and the imperfect future?

Ατελής μέλλοντας	Τέλειος μέλλοντας
Το Μάιο **θα φεύγω** κάθε Σαββατοκύριακο.	Το δεύτερο όμως Σαββατοκύριακο του Μαΐου **δε θα φύγω.**
Τώρα που μπήκε η άνοιξη **θα πηγαίνω** συχνά εκδρομές.	Το Σάββατο όμως **δε θα πάω** εκδρομή, γιατί θα βρέξει.
Τώρα που άρχισα δουλειά, **θα κοιμάμαι** νωρίς κάθε βράδυ.	Το Σάββατο όμως **θα κοιμηθώ** πολύ αργά γιατί θα πάω σ' ένα πάρτι.
Από σήμερα **δε θα βλέπω** τηλεόραση κάθε μέρα.	**Θα δω** μόνο τους αγώνες ποδοσφαίρου του Μουντιάλ την άλλη εβδομάδα.
Δε θα βγαίνω έξω κάθε βράδυ.	Σήμερα το βράδυ όμως **θα βγω** γιατί θα πάω στο θέατρο.
Τα μεσημέρια **θα τρώω** μόνο σαλάτες και φρούτα.	Αύριο όμως **θα φάω** κρέας με ρύζι γιατί κάλεσα φίλους για φαγητό.
Από σήμερα **θα μελετάω** πέντε ώρες την ημέρα.	Αύριο **δε θα μελετήσω** καθόλου γιατί έχω τα γενέθλιά μου.

Ας θυμηθούμε! Πώς χρησιμοποιούμε την τέλεια και την ατελή υποτακτική;
Let's remember! How do we use the perfect and the imperfect subjunctive?

Αποφάσισα...	
...**να φεύγω** το Μάιο κάθε Σαββατοκύριακο.	Το δεύτερο όμως Σαββατοκύριακο του Μαΐου δεν μπορώ **να φύγω.**
...**να πηγαίνω** συχνά εκδρομές τώρα που μπήκε η άνοιξη.	Αύριο δε θέλω **να πάω** εκδρομή γιατί θα βρέξει.
...**να κοιμάμαι** νωρίς κάθε βράδυ τώρα που άρχισα δουλειά.	Το Σάββατο όμως δεν μπορώ **να κοιμηθώ** νωρίς γιατί θα πάω σ' ένα πάρτι.
...**να μη βλέπω** τηλεόραση κάθε βράδυ.	Θέλω **να δω** μόνο τους αγώνες ποδοσφαίρου του Μουντιάλ την άλλη εβδομάδα.
...**να μη βγαίνω** κάθε βράδυ.	Σήμερα όμως θέλω **να βγω** για φαγητό.
...**να τρώω** τα μεσημέρια μόνο σαλάτες και φρούτα.	Αύριο πρέπει **να φάω** κανονικό φαγητό γιατί έχω τραπέζι.
...**να μελετάω** πέντε ώρες την ημέρα.	Αύριο δεν είναι δυνατόν **να μελετήσω**, γιατί έχω τα γενέθλιά μου.

2. Απρόσωπες εκφράσεις με *ότι* The impersonal expressions + *ότι*

το ωραίο **το σπουδαίο** **το σημαντικό**	**το καλό** **το καλύτερο** **το ευχάριστο**	**το κακό** **το άσχημο** **το χειρότερο**	**είναι ότι...**

Π.χ.: **Το σπουδαίο είναι ότι** είμαι καλά. **Το κακό είναι ότι** αύριο θα βρέξει.

3. Ο διαχωριστικός σύνδεσμος *είτε*
The correlative conjunction *είτε...*

Ο σύνδεσμος *είτε* συνδέει προτάσεις ή ίδιους όρους της ίδιας πρότασης. The conjunction *είτε* connects sentences or similar terms of the same sentence.

Π.χ.: **Είτε** κερδίσεις **είτε** χάσεις, δε με νοιάζει. Θα αγοράσω **είτε** κρέας, **είτε** ψάρι. Θα συζητήσουν **είτε** πριν **είτε** μετά το μάθημα.

4. Προτάσεις ερωτηματικές ή επιφωνηματικές που εισάγονται με *τι*
Interrogative or exclamative sentences introduced by *τι*

Το *τι* μπορεί να δηλώσει: *Τι* can declare:

Λεξιλόγιο — Glossary

Λεξιλόγιο	Glossary
ΟΝΟΜΑΤΑ	NOUNS
ακτινολόγος, ο/η	radiologist
γύψος, ο	(plaster) cast
δερματολόγος, ο/η	dermatologist
καρπός, ο	fruit, nut
ξηρός καρπός, ο	nut
κτηνίατρος, ο/η	veterinarian
παλιός, ο	old
πονόδοντος, ο	toothache
πονόλαιμος, ο	sore throat
σολομός, ο	salmon
χειρουργός, ο/η	surgeon
ψυχίατρος, ο/η	psychiatrist
αλλεργία, η	allergy
αλοιφή, η	ointment
αντιβίωση, η	antibiotic
απορία, η	query
ασθένεια, η	disease
βρόμη, η	oat
εγκυμοσύνη, η	pregnancy
εγχείρηση, η	surgery, operation
ίωση, η	viral disease
ξεκούραση, η	rest (n.)
πρωτεΐνη, η	protein
σταγόνα, η	drop (n.)
φάβα, η	fava bean
φυσικοθεραπεία, η	physiotherapy
ακουστικό, το	receiver
αλκοόλ, το	alcohol
ασβέστιο, το	calcium
βάρος, το	weight
παίρνω / χάνω βάρος	I put / I lose weight
έμβρυο, το	embryo
ζεστό (ρόφημα), το	hot beverage
καρδιογράφημα, το	electrocardiogram
καρύδι, το	walnut
κουμπί, το	button, switch
κουνούπι, το	mosquito
κρυολόγημα, το	cold (n.)
μπρόκολο, το	broccoli
οινόπνευμα, το	alcohol
πατατάκι, το	potato chip
παυσίπονο, το	painkiller
πενηντάρικο, το	fifty euro bill
πεντακοσάρικο, το	five hundred euro bill
περιστατικό, το	incident
ρεβίθι, το	chick pea
σίδηρο, το	iron (element)
σνακ, το	snack
σπανάκι, το	spinach
σπρέι, το	spray
συνάχι, το	running nose, sinus
υπερηχογράφημα, το	ultrasound
φουντούκι, το	hazelnut
χερούλι, το	handle
ούρα, τα	urine
ΕΠΙΘΕΤΑ - ΜΕΤΟΧΕΣ	ADJECTIVES - PARTICIPL
αντιπυρετικός-ή-ό	fever reducing
βουλωμένος-η-ο	congested
βρασμένος-η-ο	boiled
θρεπτικός-ή-ό	nutritional
ιδανικός-ή-ό	ideal
λιπαρός-ή-ό	fatty
μισοψημένος-η-ο	medium rare
χλωμός-ή-ό	pale
ωμός-ή-ό	raw, uncooked
ωφέλιμος-η-ο	useful, beneficial
ΡΗΜΑΤΑ	VERBS
αδυνατίζω	I lose weight
αποφεύγω	I avoid
εξετάζω (γιατρός)	I examine
εφημερεύω	I am on call / duty
εφημερεύοντα φαρμακεία, τα	pharmacies on duty
κολλάω	I am infected
κολλάω μια αρρώστια	I catch a disease
(κρυώνω)	(I am cold)
κρύωσα,	I caught a cold,
θα κρυώσω	I will catch a cold
μειώνω	I reduce
μολύνω	I infect
περιέχω	I include
σημαίνω	I mean
τι σημαίνει;	what does it mean?
φτερνίζομαι	I sneeze
ΕΠΙΡΡΗΜΑΤΑ	ADVERBS
δεύτερον	secondly
πρώτον	firstly
ΣΥΝΔΕΣΜΟΙ	CONJUNCTIONS
είτε	either
ΕΚΦΡΑΣΕΙΣ	EXPRESSIONS
είτε... είτε...	either... or
ο πυρετός ανεβαίνει / κατεβαίνει	fever goes up / down
μου περνάει μια αρρώστια	a disease is healed
μέρα με τη μέρα	day by day
έγκυος, η	pregnant
τριών μηνών έγκυος	three months pregnan

ι. απορία query

Π.χ.: Τι κάνεις; Τι θα πει αυτό; Τι σημαίνει αυτό; Με τι ασχολείσαι; Για τι πράγμα μιλάς; Για τι (πράγμα) μιλάς; Τι ώρα είναι; Τι είδους αυτοκίνητο θέλετε; Με τι μεταφορικό μέσο ήρθες; Τι (=Πόσο) κοστίζει;

β. έκπληξη surprise

Π.χ.: Τι; Αύριο έχουμε μάθημα;

γ. επιδοκιμασία ή αποδοκιμασία approval or disapproval

Π.χ.: Τι ωραία! Τι καλά! Τι κρίμα! *Εκφράσεις:* Τι χάλια που αισθάνομαι! Τι ωραίος που είσαι! Τι έξυπνη που είσαι!

. Ο τονισμός των μονοσύλλαβων λέξεων *πως/πώς, που/πού* & *η/ή*

Accentuation of the monosyllable words *πως/πώς, που/πού* & *η/ή*

Στα ελληνικά οι μονοσύλλαβες λέξεις δεν τονίζονται. Μία μονοσύλλαβη λέξη παίρνει τόνο μόνο σε περίπτωση ομωνυμίας. Π.χ. ***πού*** (τοπικό ερωτηματικό επίρρημα) και ***που*** (αναφορική αντωνυμία), ***που*** (=όπου, αναφορικό τοπικό επίρρημα). ***Πώς*** (ερωτηματικό επίρρημα) και ***πως*** (ειδικός σύνδεσμος), ***η*** (οριστικό άρθρο) και ***ή*** (διαζευκτικός σύνδεσμος).

In Greek the monosyllable words do not take an accent. A monosyllable word takes an accent in case there is another word that sounds the same. E.g. ***πού*** (interrogative adverb of place) and ***που*** (relative pronoun), ***πώς*** (interogative adverb) & ***πως*** (subordinating conjunction), ***η*** (definite article) ***ή*** (correlative conjunction).

. Τονισμός ονομάτων Accentuation of nouns

Η θέση του τόνου στα περισσότερα ονόματα που τονίζονται στην ονομαστική ενικού στην παραλήγουσα ή στην προπαραλήγουσα, δεν είναι πάντα σταθερή στις άλλες πτώσεις. The position of the accent on most of the nouns that are accentuated in the nominative singular on the penultimate syllable or on the antepenultimate syllable, is not always steady in the other cases.

	Ενικός		Πληθυντικός		
Αρσενικά σε:	**Ονομαστική**	**Γενική**	**Ονομαστική**	**Γενική**	**Αιτιατική**
-ης	ο πελάτης			των πελατών	
-ας	ο πίνακας			των πινάκων	
-ος	ο άνθρωπος	του ανθρώπου		των ανθρώπων*	τους ανθρώπους
-ης / -ηδες	ο φούρναρης		οι φουρνάρηδες	των φουρνάρηδων	τους φουρνάρηδες
Θηλυκά σε:					
-α	η θεραπεία			των θεραπειών	
-η	η βιταμίνη			των βιταμινών	
-η / -εις	η εγχείρηση		οι εγχειρήσεις	των εγχειρήσεων	τις εγχειρήσεις
-ος	η έξοδος	της εξόδου		των εξόδων	τις εξόδους
Ουδέτερα σε:					
-ο	το πρόσωπο	του προσώπου		των προσώπων**	
-ι	το χάπι	του χαπιού		των χαπιών	
-μα	το καρδιογράφημα	του καρδιογραφήματος	τα καρδιογραφήματα	των καρδιογραφημάτων	τα καρδιογραφήματα
-ος	το βάρος			των βαρών	
	το μέγεθος	του μεγέθους	τα μεγέθη	των μεγεθών	τα μεγέθη
-ον	το ενδιαφέρον			των ενδιαφερόντων	
-ας	το κρέας			των κρεάτων	
-ως	το φως	του φωτός			
-ιμο	το πλύσιμο	του πλυσίματος	τα πλυσίματα	των πλυσιμάτων	τα πλυσίματα

*Όμως: * ο πονόλαιμος - των πονόλαιμων, ο **πονόδοντος** - των πονόδοντων, ** το τριαντάφυλλο - του τριαντάφυλλου - των τριαντάφυλλων*

7. Μεσοπαθητικά ρήματα Β΄ συζυγίας Α τάξης

Middle disposition verbs, conjugation B, class A

Ενεστώτας	Αόριστος	Ατελής Μέλλοντας Ατελής Υποτακτική
αναρωτιέμαι	αναρωτήθηκα	θα/να αναρωτιέμαι
αναρωτιέσαι	αναρωτήθηκες	θα/να αναρωτιέσαι
αναρωτιέται	αναρωτήθηκε	θα/να αναρωτιέται
αναρωτιόμαστε	αναρωτηθήκαμε	θα/να αναρωτιόμαστε
αναρωτιόσαστε	αναρωτηθήκατε	θα/να αναρωτιόσαστε
& αναρωτιέστε	αναρωτήθηκαν	& θα/να αναρωτιέστε
αναρωτιούνται	& αναρωτηθήκανε	θα/να αναρωτιούνται

Όπως το *αναρωτιέμαι: βαριέμαι, κρατιέμαι, αγαπιέμαι, ξεχνιέμαι, πετιέμαι.*

8. Ελλειπτικές προτάσεις

Fragments / Elliptical sentences

Ελλειπτική είναι η πρόταση, από την οποία ένας ή περισσότεροι βασικοί όροι (π.χ.υποκείμενο, ρήμα κ.λπ.) που εννοούνται εύκολα, παραλείπονται. A fragment / Elliptical sentence is the sentence that is missing one of its basic terms (e.g. subject, verb) for the reason that this term is easily understood.

	Λείπει:	
Πού πας;		
Στον Πειραιά.	***εγώ*** & ***πάω***	**Εγώ πάω** στον Πειραιά.
Εσύ;	***πού*** & ***πας***	Εσύ **πού πας**;

9. Πίνακας νέων ρημάτων Table of new verbs

Θέμα ενεστώτα				Θέμα αορίστου			
Ενεστώτας	Παρατατικός	Ατ. μέλλοντας	Ατ. υποτακτική	Αόριστος	Τ. μέλλοντας	Τ. υποτακτική	Τ. προστακτική
αδυνατίζω	αδυνάτιζα	θα αδυνατίζω	να αδυνατίζω	αδυνάτισα	θα αδυνατίσω	να αδυνατίσω	αδυνάτισε - αδυνατίστε
αποφεύγω	**απέφευγα**	θα **αποφεύγω**	να **αποφεύγω**	**απέφυγα**	θα **αποφύγω**	να **αποφύγω**	**απόφυγε** - **αποφύγετε**
εξετάζω	εξέταζα	θα εξετάζω	να εξετάζω	εξέτασα	θα εξετάσω	να εξετάσω	εξέτασε - εξετάστε
επιτρέπω	**επέτρεπα**	θα **επιτρέπω**	να **επιτρέπω**	**επέτρεψα**	θα **επιτρέψω**	να **επιτρέψω**	**επίτρεψε** - επιτρέψτε
εφημερεύω	εφημέρευα	θα εφημερεύω	να εφημερεύω	εφημέρευσα	θα εφημερεύσω	να εφημερεύσω	εφημέρευσε- εφημερεύστε
μειώνω	μείωνα	θα μειώνω	να μειώνω	μείωσα	θα μειώσω	να μειώσω	μείωσε - μειώστε
μολύνω	μόλυνα	θα μολύνω	να μολύνω	μόλυνα	θα μολύνω	να μολύνω	μόλυνε - μολύνετε
περιέχω	περιείχα	θα περιέχω	να περιέχω	περιείχα	θα περιέχω	να περιέχω	-
σημαίνω	σήμαινα	θα σημαίνω	να σημαίνω	σήμανα	θα σημάνω	να σημάνω	σήμανε - σημάνετε
φτερνίζομαι	-	θα φτερνίζομαι	να φτερνίζομαι	φτερνίστηκα	θα φτερνιστώ	να φτερνιστώ	-

12.15. 281 Είναι Καθαρά Δευτέρα!

Η **Καθαρά Δευτέρα** είναι η πρώτη μέρα της **Σαρακοστής**. Η Σαρακοστή είναι για τους ορθόδοξους χριστιανούς η περίοδος **νηστείας** πριν από το **Πάσχα**. Διαρκεί σαράντα ημέρες, περίπου επτά εβδομάδες.

Την Καθαρά Δευτέρα το **έθιμο** είναι να κάνουμε **πικνίκ** με **νηστίσιμα** φαγητά στην **εξοχή** και να πετάμε χαρταετούς. Παραδοσιακά φαγητά της Καθαράς Δευτέρας είναι: **ταραμοσαλάτα**, χταπόδι, **καλαμαράκια**, **ντολμαδάκια**, όσπρια, **χαλβάς** και βέβαια η **λαγάνα** (είδος ψωμιού με **σουσάμι** που τρώμε ιδιαίτερα την Καθαρά Δευτέρα).

Λεξιλόγιο 12.15.

ο χαλβάς	halvas
η Καθαρά Δευτέρα (Καθαρή)	Clean Monday (1st day of Great lent)
η λαγάνα	lagana bread
η νηστεία	lent
η Σαρακοστή	Great lent
η ταραμοσαλάτα	taramosalata, fish roe salad
το καλαμαράκι	small squid
το ντολμαδάκι	wine leaves stuffed with rice (and ground meat)
το πικνίκ	picnic
το σουσάμι	sesame
νηστίσιμος-η-ο	lenten food

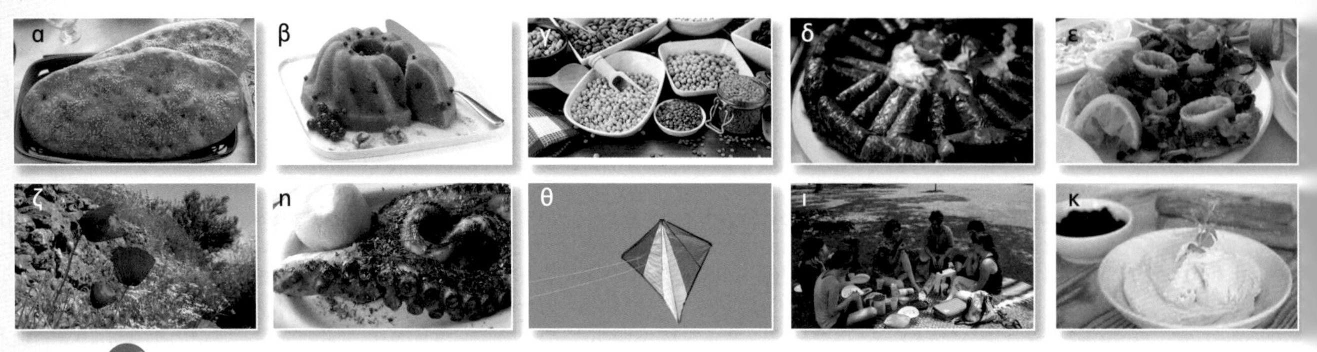

12.15.α. Ταιριάξτε τις εικόνες με τις φράσεις. Match the pictures with the phrases.

1.	Τα βασικά υλικά για τα ντολμαδάκια είναι φύλλα αμπελιού και ρύζι.	____
2.	Η ταραμοσαλάτα είχε πολύ λεμόνι και μου άρεσε πολύ.	____
3.	Η λαγάνα έχει πολύ σουσάμι και την τρώμε κυρίως την πρώτη μέρα της Σαρακοστής.	____
4.	Τα καλαμαράκια γίνονται συνήθως τηγανητά.	____
5.	Η Σαρακοστή και το Πάσχα είναι την άνοιξη αλλά όχι πάντα την ίδια ημερομηνία.	____
6.	Όσπρια είναι οι φακές, τα φασόλια, η φάβα κ.ά.	____
7.	Κάθε Καθαρά Δευτέρα πάμε για πικνίκ με την οικογένειά μας.	____
8.	Την Καθαρά Δευτέρα πετάμε χαρταετό.	____
9.	Το χταπόδι είναι ένας αγαπημένος μεζές της Σαρακοστής.	____
10.	Τη συνταγή του χαλβά την έφεραν στην Ελλάδα οι Έλληνες της Κωνσταντινούπολης.	____

12.16. 282 Ακούστε το κείμενο: Κάνουμε ένα χαλβά;

12.16.α. Σημειώστε: Σωστό ή Λάθος; Tick: True or False?

		Σ.	Λ.
1.	Ο Νίκος και η Κορίνα δε θα μείνουν την Καθαρά Δευτέρα σπίτι τους.		
2.	Αποφασίζουν να φτιάξουν μια **σπανακόπιτα** και ένα γλυκό. Γι' αυτό τρέχουν να προλάβουν το σουπερμάρκετ ανοικτό.		
3.	Δεν ξέρουν τι υλικά χρειάζονται για να μαγειρέψουν.		
4.	Η Κορίνα ξέρει τη συνταγή του χαλβά **απέξω**.		
5.	Για να φτιάξουν το χαλβά χρειάζεται ν' αγοράσουν μόνο **σιμιγδάλι** & αμύγδαλα.		
6.	Για τη σπανακόπιτα χρειάζονται **πράσα**.		

Λεξιλόγιο 12.16.

η κανέλα	cinnamon
η λίστα	list
η σπανακόπιτα	spinach pie
το πράσο	leek
το σιμιγδάλι	semolina
το φύλλο (πίτας)	filo (pie dough)
απέξω	by heart
στο δρόμο	on the road

12.17. 283 Χαλβάς, το «γλυκό του φτωχού»

Χαλβάς **πολίτικος**

Υλικά

- 1 ποτήρι λάδι
- 2 ποτήρια ζάχαρη ή 1 ½ (ενάμισι) ποτήρι ζάχαρη και ½ (μισό) ποτήρι μέλι
- 3 ποτήρια σιμιγδάλι
- 4 ποτήρια νερό
- 1 κουταλάκι κανέλα
- αρκετά αμύγδαλα

- Ετοιμάζουμε πρώτα το σιρόπι. Βράζουμε το νερό, τη ζάχαρη και το μέλι για 2-3 λεπτά και το αφήνουμε στην άκρη.
- Βάζουμε σε μια πιο μεγάλη κατσαρόλα το λάδι μέχρι να κάψει.
- Ρίχνουμε λίγο-λίγο το σιμιγδάλι και ανακατεύουμε συνέχεια με ξύλινο κουτάλι.
- Ρίχνουμε τα αμύγδαλα και την κανέλα. Συνεχίζουμε να ανακατεύουμε με το ξύλινο κουτάλι με πολλή προσοχή. Ρίχνουμε λίγο λίγο το σιρόπι στο σιμιγδάλι και όταν το σιμιγδάλι γίνει σκούρο, βγάζουμε την κατσαρόλα από τη **φωτιά**.
- Ανακατεύουμε και **σκεπάζουμε** την κατσαρόλα με μια πετσέτα για 5 λεπτά. Βάζουμε το χαλβά σε μια μεγάλη **φόρμα**.
- Όταν κρυώσει, τον **σερβίρουμε** σε μια πιατέλα, ρίχνουμε κανέλα και ο χαλβάς μας είναι έτοιμος!

Λεξιλόγιο 12.17.

η φόρμα	mold
η φωτιά	stove
πολίτικος-η-ο	from Constantinop
σερβίρω	I serve
σκεπάζω	I cover

2.17.α. Βάλτε τις προτάσεις στη σωστή σειρά, σύμφωνα με το παράδειγμα.

Put the sentences in the correct order, following the example.

1.	ϑ	α.	Ρίχνουμε τα αμύγδαλα και ανακατεύουμε πάλι.
2.	—	β.	Ρίχνουμε ζάχαρη και κανέλα.
3.	—	γ.	Βάζουμε σε κατσαρόλα το λάδι μέχρι να κάψει.
4.	—	δ.	Βάζουμε το χαλβά σε μια μεγάλη φόρμα.
5.	—	ε.	Ανακατεύουμε και σκεπάζουμε την κατσαρόλα με μια πετσέτα για 5 λεπτά.
6.	—	ζ.	Σερβίρουμε το χαλβά από τη φόρμα σε μια πιατέλα όταν κρυώσει.
7.	—	η.	Όταν το σιμιγδάλι γίνει σκούρο, βγάζουμε την κατσαρόλα από τη φωτιά.
8.	—	θ.	Ετοιμάζουμε το σιρόπι. Βράζουμε το νερό, τη ζάχαρη, το μέλι για 2-3 λεπτά.
9.	—	ι.	Ρίχνουμε λίγο-λίγο το σιμιγδάλι. Ανακατεύουμε συνέχεια με ξύλινο κουτάλι.
10.	—	κ.	Αρχίζουμε να ρίχνουμε λίγο λίγο το σιρόπι στο σιμιγδάλι.

2.17.β. Τα μυρωδικά Herbs

ο άνηθος	ο βασιλικός	ο δυόσμος	ο μαϊντανός	το θυμάρι	η ρίγανη	η δάφνη	το σέλινο
dill	basil	spearmint	parsley	thyme	oregano	bay laurel	celery

12.18. Τυριά, αγάπες μου!

Λεξιλόγιο 12.18.

η Κύπρος	Cyprus
το ανθότυρο	white low fat cheese
το λαδοτύρι	oil based cheese
το κασέρι	yellow cheese
το κατίκι	white low fat cheese
το κεφαλοτύρι	yellow cheese similar to parmesan cheese
το μανούρι	white cheese
το μετσοβόνε	Mezzovone cheese
τα χαμηλά λιπαρά	low fat
τρίβω	I grate (with the grater)

12.18.α. Συμπληρώστε τα κενά. Μετά ακούστε ξανά το κείμενο και ελέγξτε τις απαντήσεις σας.

Fill in the gaps. Then listen to the text again and check your answers.

A: Τι θα θέλατε, κυρία μου;

B: Θα ήθελα μισό κιλό [1] ____________, σκληρό για μακαρόνια. Τι μου προτείνετε;

A: Το [2] ____________ που έχουμε είναι από γάλα αγελάδας, είναι [3] ____________ και καθόλου [4] ____________. Η γραβιέρα Κρήτης είναι επίσης ένα πολύ ωραίο και νόστιμο τυρί.

B: Ωραία. Θέλω [5] ____________ και τα δύο τυριά. [6] ____________ μισό κιλό από το ένα και μισό κιλό από το άλλο.

A: Θέλετε να τα [7] ____________;

B: Ναι, [8] ____________ από το κάθε τυρί 250 γραμμάρια.

A: Θέλετε κάτι [9] ____________;

B: Ναι, θα ήθελα το [10] ____________ τυρί από το Μέτσοβο. Ξέχασα όμως πώς το λένε.

A: Είναι το μετσοβόνε, εκείνο το [11] ____________ τυρί. Έχω πολύ ωραία [12] ____________ τυριά, **μανούρι**, **κασέρι**, **λαδοτύρι** από τη Μυτιλήνη, **χαλούμι** από την [13] ____________.

B: Α, το χαλούμι είναι το [14] ____________ μου. Αλλά θα προτιμούσα ένα μαλακό τυρί με [15] ____________

A: Έχω **κατίκι** και **ανθότυρο** από την [16] ____________.

B: Βάλτε μου μισό κιλό ανθότυρο.

A: Είστε [17] ____________!

12.19. 285 Στο χασάπη από την Ήπειρο

12.19.α. Ακούστε το κείμενο και συμπληρώστε τα κενά. Μετά ακούστε ξανά το κείμενο και ελέγξτε τις απαντήσεις σας. Listen to the text and fill in the gaps. Then listen to the text again and check your answers.

Σ.: Κ. Σταματίου, Β.: Βαγγέλης

Σ.: [1] ______________, Βαγγέλη μου τι κάνεις;
Β.: Τι να κάνω, κυρία Σταματίου μου; Εδώ στη δουλειά. Λοιπόν, τι [2] ______________ σήμερα;
Σ.: Θα ήθελα ένα πολύ καλό κομμάτι [3] ______________, μέχρι τρία κιλά. Έχω τα πεθερικά μου αύριο τραπέζι και λέω να το κάνω στο φούρνο με [4] ______________.
Β.: [5] ______________, δηλαδή!
Σ.: Ναι, με το [6] ______________ του, τη ντοματούλα του, το [7] ______________ τυράκι του, θα γίνει **λουκούμι**. Θα [8] ______________ όλοι τα [9] ______________ τους.
Β.: Θα σας δώσω ένα ωραίο κομμάτι από αυτό το [10] ______________ που είναι πολύ μαλακό.
Σ.: Εσύ ξέρεις καλύτερα. Θα ήθελα επίσης [11] ______________ για τη σχάρα, αυτές με το μικρό [12] ______________
Β.: Ναι, ξέρω, πόσες να [13] ______________;
Σ.: Τέσσερις πέντε. Βάλε κι ένα κιλό κιμά, μισό [14] ______________ και μισό χοιρινό για **κεφτεδάκια**.
Β.: Είστε [15] ______________ για σήμερα;
Σ.: Ναι, για την άλλη εβδομάδα θα ήθελα να μου κρατήσεις ένα κιλό [16] ______________ **αρνίσια** και 7-8 [17] ______________, αυτά τα σπιτικά που φέρνεις από την Ήπειρο, είναι καταπληκτικά. Και κάτι άλλο: πέντε [18] ______________ και δύο κοτόπουλα.
Β.: Θα έχετε [19] ______________ και την άλλη εβδομάδα;
Σ.: Ναι, θα έχω τραπέζι [20] ______________ φίλους μας από την Ιταλία.
Β.: Ένα λεπτό να τα [21] ______________ γιατί θα τα ξεχάσω.

12.19.β. Σημειώστε: Σωστό ή Λάθος;
Tick: True or False?

		Σ.	Λ.
1.	Ο Βαγγέλης είναι κρεοπώλης από την Ήπειρο.		
2.	Το **γιουβέτσι** γίνεται από **μπούτι** μοσχαριού με **κριθαράκι**, ντομάτα, κρεμμύδι και τυρί.		
3.	Τα **πεθερικά** της κ. Σταματίου θα ενθουσιαστούν με το γιουβέτσι και **θα γλείφουν τα δαχτυλά τους**.		
4.	Η κυρία Σταματίου δεν είναι σίγουρη ότι ο χασάπης θα της δώσει καλό κρέας.		
5.	Η κ. Σταματίου θέλει επίσης 4-5 μπριζόλες χωρίς μικρά **κόκκαλα** και μοσχαρίσιο κιμά.		
6.	Για την επόμενη εβδομάδα η κ. Σταματίου θέλει **παϊδάκια** χοιρινά και **σπιτικά** λουκάνικα.		
7.	Επίσης θέλει δύο-τρία κοτόπουλα και τέσσερα-πέντε φιλέτα.		
8.	Η κυρία Σταματίου θα έχει πάλι καλεσμένους.		

Λεξιλόγιο 12.19.

το γιουβέτσι	casserole dish with beef and orzo
το κεφτεδάκι	meatball
το κόκκαλο (κόκαλο)	bone
το κριθαράκι	orzo
το μπούτι	thigh
το παϊδάκι	rib
τα πεθερικά (ο πεθερός & η πεθερά)	in laws (father in law & mother in
αρνίσιος-α-ο	lamb (adj.)
λιωμένος-η-ο	mashed, melted
είναι λουκούμι	it is delicious
γλείφω	I lick
γλείφω τα δάχτυλά μου	I lick my fingers (because something is delicious)

Λεξιλόγιο 12.20.

η κάπαρη	caper
το φλούδι	skin (fruit)
δόξα τω θεώ	thank God

12.20. 286 Φακές αγαπημένες!

12.20.α. Ακούστε το κείμενο και υπογραμμίστε τις λέξεις που σημαίνουν τροφή.
Listen to the text and underline the words that are food.

Μ.: Μαριάνθη, Α.: Αγησίλαος

Μ.: Αγησίλαε, τι θέλεις να φάμε σήμερα, φακές, φασόλια, ρεβίθια ή φάβα;
Α.: Μαριάνθη μου, αυτό που λαχταράω είναι μια ζεστή φασολάδα με καρότα, σέλινο, κρεμμυδάκι, λάδι της ελιάς και αρκετό κόκκινο πιπέρι.
Μ.: Μα... φασολάδα φάγαμε την περασμένη εβδομάδα.
Α.: Τότε να φάμε φάβα Σαντορίνης με ρίγανη, λεμόνι, ελαιόλαδο, **κάπαρη** και κρεμμύδι ψιλοκομμένο.
Μ.: Όχι, όχι, δεν αντέχω άλλη φάβα, Αγησίλαε! Όλο το καλοκαίρι στη Σαντορίνη φάβα τρώγαμε. Γιατί να μη βάλω σήμερα ρεβίθια; Αγόρασα προχτές ρεβίθια χωρίς **φλούδια** που βράζουν εύκολα. Θα σου κάνω μια υπέροχη σούπα με κρεμμύδι, λεμόνι και φρέσκο λάδι.
Α.: Ξέρεις πολύ καλά ότι τα ρεβίθια με πειράζουν στο στομάχι. Γιατί δεν κάνουμε φακές με το ξιδάκι τους, το σκορδάκι τους, το κρεμμυδάκι τους, το λαδάκι τους και... φύλλα δάφνης για άρωμα.
Μ.: Αυτές, μάλιστα, Αγησίλαε! Φακές, οι αγαπημένες μου και μάλιστα πολύ ωφέλιμες!
Α.: **Δόξα τω Θεώ**, αποφάσισες, Μαριάνθη μου!
Μ.: Αγησίλαε, Αγησίλαε, φακές δεν έχουμε!

2.20.β. Ταιριάξτε τις στήλες. Match the columns.

.	Ο Αγησίλαος θέλει να φάει	_____	α.	τρώγανε φασολάδα όλη την προηγούμενη εβδομάδα.
.	Η Μαριάνθη λέει ότι	_____	β.	τρώγανε όλο το καλοκαίρι.
.	Η δεύτερη πρόταση του Αγησίλαου είναι να	_____	γ.	φακές, που όμως δεν έχουν.
.	Η Μαριάνθη λέει ότι φάβα	_____	δ.	να φάνε ρεβίθια χωρίς φλούδια.
.	Η Μαριάνθη προτείνει	_____	ε.	τον Αγησίλαο στο στομάχι.
.	Τα ρεβίθια όμως πειράζουν	_____	ζ.	φασολάδα με καρότα.
.	Τελικά αποφάσισαν να φάνε	_____	η.	φάνε φάβα με κρεμμύδι.

2.20.γ. Σημειώστε ποια υλικά χρειάζονται για κάθε όσπριο.

Note which ingredients are needed for each legume.

ΌΣΠΡΙΑ	κρεμμύδι	σκόρδο	καρότο	δάφνη	σέλινο	λεμόνι	ξίδι	λάδι	ρίγανη	πιπέρι	κάπαρη
φάβα											
φασολάδα											
φακές											
ρεβίθια											

Λεξιλόγιο 12.20.γ.

η φασολάδα bean soup

2.21. 287 Το κουλούρι Θεσσαλονίκης

Αυτό είναι το ***κουλούρι Θεσσαλονίκης***, αυτό που αγοράζουμε το πρωί πριν πάμε στη δουλειά, που προτιμάμε το απόγευμα για να μας **κόψει την πείνα** μέχρι το βράδυ ή που τρώμε το ξημέρωμα για να **«βάλουμε κάτι στο στόμα μας»**.

Ένα **γιγαντιαίο** *κουλούρι Θεσσαλονίκης*, έφτιαξαν οι **αρτοποιοί** της Θεσσαλονίκης από επτακόσια κιλά αλεύρι και άλλα τόσα κιλά σουσάμι, που «αγκάλιασε» το Λευκό Πύργο. Το αγαπημένο αυτό κουλούρι είχε **διάμετρο** εκατόν πενήντα μέτρα και λένε ότι είναι το μεγαλύτερο του κόσμου.

«Οι αρτοποιοί άρχισαν να δουλεύουν το Σάββατο και τα ξημερώματα της Κυριακής άρχισαν να ψήνουν τα κουλούρια. Μετά το ψήσιμο ένωσαν τα 250 κομμάτια του **«παζλ»** και σχημάτισαν το τεράστιο κουλούρι που **περικύκλωσε** το Λευκό Πύργο.

Λεξιλόγιο 12.21.

ο αρτοποιός	baker
η διάμετρος	diameter
το κουλούρι	round sesame bread
το παζλ	puzzle
γιγαντιαίος-α-ο	gigantic
περικυκλώνω	I circle something
βάζω κάτι στο στόμα μου	I have a bite
κόβω την πείνα	I satisfy my hunger

2.21.α. Σημειώστε: Σωστό ή Λάθος; Tick: True or False?

		Σωστό	Λάθος
1.	Το κουλούρι της Θεσσαλονίκης μπορεί να μας κόψει την πείνα.		
2.	Οι φουρνάρηδες χρησιμοποίησαν 700 κιλά αλεύρι & 700 κιλά σουσάμι.		
3.	Το κουλούρι είχε μήκος εκατόν πενήντα μέτρα.		
4.	Η διάμετρος του Λευκού Πύργου είναι 700 μέτρα.		
5.	Οι αρτοποιοί ετοίμασαν το κουλούρι μέσα σ' ένα Σαββατοκύριακο.		
6.	Το παζλ από κουλούρι, που έφτασε τα διακόσια πενήντα κομμάτια, αγκάλιασε το Λευκό Πύργο.		

12.22. 288 Στο μεζεδοπωλείο

Υ: Υβόννη, Σ: Σερβιτόρος

Σ: Σήμερα έχουμε πολύ νόστιμες **πίτες**, φρέσκα **καλαμαράκια** και υπέροχα **ντολμαδάκια**. Το πιάτο της ημέρας είναι το **παστίτσιο** μας που το έφτιαξε ο ίδιος ο **σεφ**. Αν το παραγγείλετε, θα γλείφετε τα δάχτυλά σας.
Υ: Καλά… Φέρτε μου καλύτερα τον κατάλογο και τα λέμε σε λίγο.

Σε λίγο

Σ: Μόνο αυτά έχετε για **χορτοφάγους**;
Υ: Μα τι λέτε; Έχουμε υπέροχες σαλάτες και **λαδερά**. Τι άλλο θα θέλατε;
Σ: Εντάξει! Φέρτε μου μια σαλάτα με **σπανάκι** και **ρόκα** και μια μερίδα **αγκινάρες**.
Υ: Η **χορτόπιτα** μόλις βγήκε από το φούρνο και δεν έχει ούτε αβγά ούτε τυριά. Περιέχει διάφορα **χόρτα** του βουνού. **Δοκιμάστε** τη και **θα με θυμηθείτε**.
Σ: Καλά, φέρτε μου και μια χορτόπιτα κι ένα ποτήρι λευκό κρασί με παγάκια.

Μετά το φαγητό

Υ: Είχατε δίκιο. Όλα ήταν πολύ νόστιμα.
Σ: Χαίρομαι! **Επιδόρπιο** θα πάρετε; Ο σεφ έφτιαξε για σήμερα μια **τάρτα** με φράουλες και **γαλακτομπούρεκο**.
Υ: Αδύνατον να φάω κάτι άλλο. Φέρτε μου μόνο έναν **καφέ ελληνικό**, **σκέτο**, και το λογαριασμό.

Λεξιλόγιο 12.22.

ο/η σεφ	chef	**δοκιμάζω (ένα φαγητό)**	I taste (food)
ο σκέτος (καφές)	coffee without sugar	**θα με θυμηθείτε**	mark my words
ο/η χορτοφάγος	vegetarian		

12.22.α. **Συμπληρώστε τον πίνακα με τη μετάφραση στη γλώσσα σας των λέξεων που ήδη ξέρετε. Η μετάφρασή τους υπάρχει στα αλφαβητικά λεξιλόγια *Ελληνικά για σας Α1 & Α2*.**
Fill in the table with the translation in your language of the words that you already know. Their translation can be found in the alphabetical vocabularies *Greek for you A1 & A2*.

12.22.β. **Παίξτε το διάλογο 12.20. ανά ζεύγη αλλάζοντας όλα τα είδη διατροφής με άλλα από τους παρακάτω πίνακες.**
In pairs, dramatise dialogue 12.20., changing all the food items with other items from the following tables.

12.22.γ. **Κάντε διαλόγους ανά ζεύγη επιλέγοντας είδη διατροφής από τους παρακάτω πίνακες.**
Make dialogues in pairs choosing nutritional items from the following tables.

12.22.δ. Στο μεζεδοπωλείο *Τα 3 αδέρφια*

Ορεκτικά	----------------------
(η) μελιτζανοσαλάτα	----------------------
(η) ταραμοσαλάτα	----------------------
(το) τζατζίκι	----------------------
(η) φάβα	----------------------
(το) **σαγανάκι** *(τυρί)*	*fried cheese*
(τα) μανιτάρια	----------------------
(τα) κεφτεδάκια	----------------------
(οι) πατάτες τηγανητές	----------------------
(τα) καλαμαράκια	*small squids*
(το) χταπόδι	----------------------
(οι) γαρίδες σαγανάκι	----------------------
(τα) **τυροπιτάκια**	*small cheese pies*
Για **χορτοφάγους**	*For vegetarians*
Λαδερά	*Food cooked with oil (non-meat food)*
(τα) **φασολάκια**	*green beans*
(οι) μελιτζάνες στο φούρνο	----------------------
(οι) **αγκινάρες**	*artichokes*
(ο) **αρακάς**	*pea*
(τα) **γεμιστά**	*stuffed vegetables*
Μαγειρευτά	----------------------
(τα) **σουτζουκάκια**	*Smyrna meatballs*
(τα) κολοκυθάκια γεμιστά	----------------------
(οι) **λαχανοντολμάδες**	*stuffed cabbage rolls*
(τα) ντολμαδάκια	*wine leave rolls stuffed with rice (and ground meat)*
(το) κρέας **κοκκινιστό**	*beef in tomato sauce*
(το) **ψητό της κατσαρόλας**	*casserole roast*
(το) αρνάκι με πατάτες	----------------------
(το) **κατσικάκι στη γάστρα**	*goat meat cooked in a slow cooker*
(το) **παστίτσιο**	*baked dish with pasta, meat, and cream*
(τα) μακαρόνια με κιμά	----------------------
Της ώρας - Στα κάρβουνα	----------------------
(η) μπριζόλα χοιρινή	----------------------
(η) μπριζόλα μοσχαρίσια	----------------------
(το) φιλέτο μοσχαρίσιο	----------------------
(τα) μπιφτέκια	----------------------
(τα) παϊδάκια	----------------------
(το) κοτόπουλο	----------------------

Πίτες	*Pies*
(η) τυρόπιτα	----------------------
(η) σπανακόπιτα	----------------------
(η) **χορτόπιτα**	*potherb pie*
Σαλάτες	----------------------
(η) χωριάτικη	----------------------
(το) σπανάκι & **ρόκα** *με τυρί*	*spinach & arugula with cheese*
(το) λάχανο & καρότο	----------------------
(τα) ψητά / Βραστά λαχανικά	----------------------
(τα) **χόρτα**	*potherbs*
(τα) **παντζάρια**	*beetroot*
(η) **πατατοσαλάτα**	*potato salad*
Επιδόρπια	*Deserts*
Γλυκά του ταψιού	*Baked deserts with syrup*
Γλυκά του κουταλιού	*Fruit preserves*
Διάφορα γλυκά	----------------------
(ο) χαλβάς	----------------------
(οι) λουκουμάδες με μέλι & **κανέλα**	*beignets with honey and cinnamon*
(το) γιαούρτι με μέλι	----------------------
(η) **μηλόπιτα**	*apple pie*
(η) **τάρτα** *με φράουλες*	*strawberry tarte*
(η) τούρτα σοκολάτα	----------------------
Παγωτά *(διάφορες γεύσεις)*	----------------------
(η) βανίλια	*vanilla*
(η) φράουλα	----------------------
(η) σοκολάτα	----------------------
(η) καραμέλα	----------------------
(το) φιστίκι	----------------------
Κρασιά	----------------------
Χύμα	*House (wine)*
(το) τέταρτο, μισό κιλό	----------------------
Μπουκάλι	----------------------
(το) λευκό	----------------------
(το) κόκκινο	----------------------
(το) **ροζέ**	*rosé (pink wine)*

2.22.ε. Διαλέξτε και πάρτε!

Στην ψαροταβέρνα. Τι ψάρι θα διαλέξετε;

ο σολομός
salmon

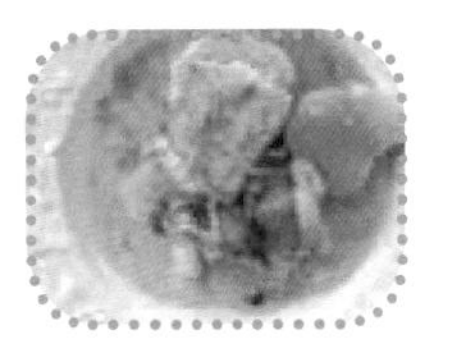
ο μπακαλιάρος
cod

η σφυρίδα
grouper

η τσιπούρα
bream

ο γαύρος
anchovy

ο ξιφίας
swordfish

το λυθρίνι
red snapper

το μπαρμπούνι
striped red mullet

το λαβράκι
sea bass

η γλώσσα
sole fish

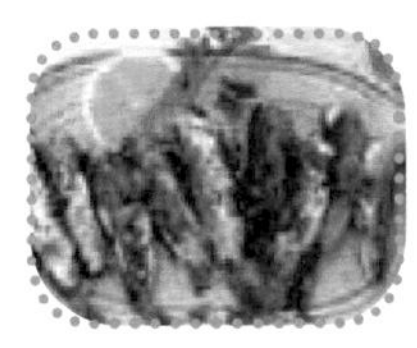
η σαρδέλα
sardine

η μαρίδα
picarel

ι παγωτό προτιμάτε;

το ξυλάκι
ice cream stick

το χωνάκι / ο πύραυλος
ice cream cone

το κυπελάκι
ice cream cup

το παγωτίνι
ice cream bite

ι καφέ θα πιείτε;

ο ελληνικός
Greek coffee

ο φραπέ
frappé cold coffee

ο καπουτσίνο
cappuccino coffee

ο καφές φίλτρου
ο γαλλικός
French coffee

ο εσπρέσο
espresso coffee

ο φρέντο
freddo coffee

λυκά του ταψιού

τα ψήνουμε στο φούρνο
ιέσα σε ταψί)

το γαλακτομπούρεκο
baked milk cream desert

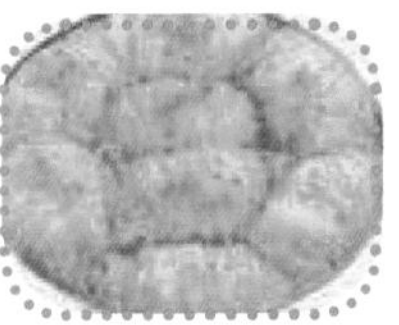
το κανταΐφι
kadaifi desert

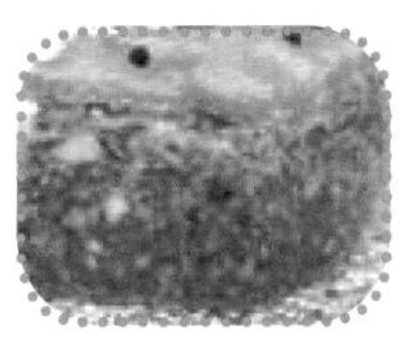
ο μπακλαβάς
baklava desert

η καρυδόπιτα
walnut pie

λυκά του κουταλιού *(φρούτα που βράζουμε σε σιρόπι)*

το νεράντζι
bitter orange

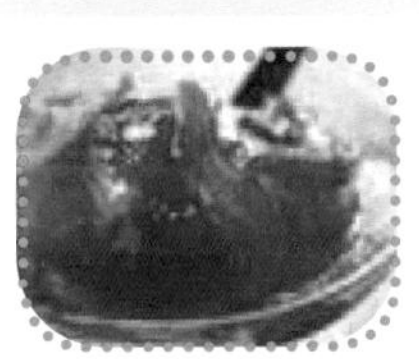
το κυδώνι
quince

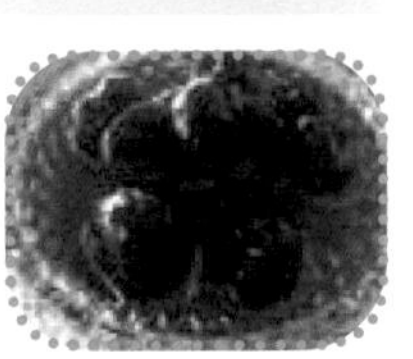
το βύσσινο
sour cherry

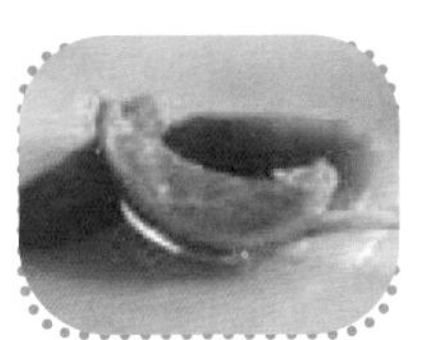
το πορτοκάλι
orange

το σταφύλι
grape

το σύκο
fig

Και τώρα εσείς!

12.22.ζ. *Ποιο είναι το αγαπημένο σας φαγητό; Σας αρέσουν τα ψάρια; Ποιο είναι το αγαπημένο σας ψάρι; Πώς το τρώτε; Δοκιμάσατε γλυκά του ταψιού / του κουταλιού; Σας αρέσουν; Ποιο είναι το αγαπημένο σας γλυκό; Τα παγωτά σάς αρέσουν; Ποια είναι η αγαπημένη σας γεύση;*

Ποια είναι η αγαπημένη σας κουζίνα; Στη χώρα σας έχετε εστιατόρια με ξένη κουζίνα; Πάτε συχνά για φαγητό σε εστιατόριο; Πώς βρίσκετε την ελληνική κουζίνα;

Καλείτε φίλους στο σπίτι σας για φαγητό; Τι τους μαγειρεύετε συνήθως; Παραγγέλνετε συχνά έτοιμο φαγητό; Τι είδους; (π.χ. πίτσα, σουβλάκι, σούσι, κινέζικο...)

2.22.η.  **Γράψτε στο τετράδιό σας μια συνταγή που κάνετε συνήθως στο σπίτι σας, φέρτε τη και διαβάστε τη στην τάξη.** Write in your notebook a recipe that you usually cook at home, bring it and read it in the classroom.

12.23. 289 Μηνύματα - Σημειώματα

Χρήστο,

Πάρε ψωμί κι εφημερίδα.

Το παιδί φτάνει στις 2.

Να είσαι στη στάση 10 λεπτά πιο νωρίς.

Εγώ θ' αργήσω. Βγάλε και τρεις μπριζόλες από την κατάψυξη για το βράδυ.

Νάντια

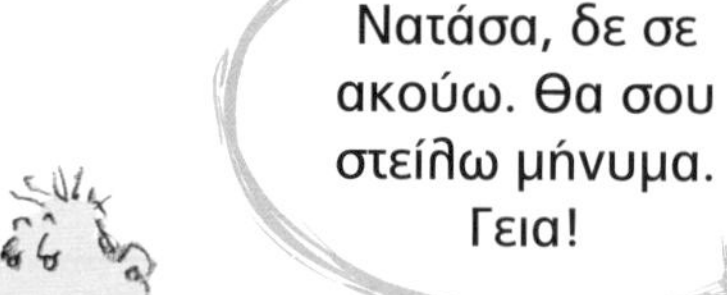

Μήνυμα

Νατάσα,
κλείσε μου μια θέση για Ρώμη, Δευτέρα 6 Μαρτίου. Αν δεν υπάρχει θέση, κλείσε μου για Τρίτη 7, με την πρωινή πτήση.
Θα είμαι στο γραφείο σε μια ώρα περίπου. Αν ο κύριος Χαρίτος φτάσει πιο νωρίς, ας περιμένει λίγο. Πες του ότι είχα κά[...] επείγον.

12.23.α.

Ακούστε μια φορά τα κείμενα *Σημειώματα & μηνύματα* (1-10). Μετά διαβάστε τα και ταιριάξτε τα με τα κείμενα (α-κ). Σημειώστε το σωστό γράμμα δίπλα στους αριθμούς (1-10).
Listen to the texts ***Σημειώματα & μηνύματα*** (1-10) once. Then read them and match them with texts **(α-κ)**. Note the correct letter next to the numbers (1-10).

Σημειώματα & μηνύματα

1.	__	Γεια σας. Λέγομαι Αντρέας Πάγκαλος κι έχω ραντεβού με το γιατρό, τον κύριο Τρικούπη, στις έξι και τέταρτο. Θα ήθελα να το αλλάξω για μετά τις επτά. Πάρτε με, παρακαλώ, να μου πείτε αν γίνεται.
2.	__	Κώστα, ρώτησε τον παππού τι θέλει από το σουπερμάρκετ και πάρε με να μου πεις. Τέλειωσα γραφείο και πάω για ψώνια. Πηνελόπη
3.	__	Λιάνα μου, μην ξεχάσεις να βγάλεις βόλτα το σκύλο. Έφυγα βιαστικά από το σπίτι και δεν πρόφτασα να τον βγάλω. Μαμά
4.	__	Νίκο, δε θα προλάβω να είμαι σπίτι στις 2:00 που έρχεται το παιδί. Πήγαινε στη στάση να την πάρεις. Να είσαι εκεί 1:50 γιατί πολλές φορές **το σχολικό** φτάνει πιο νωρίς. Μάνια
5.	__	Μαμά, βγάλε το κρέας από την κατάψυξη γιατί ξέχασα να το βγάλω και δεν έχουμε άλλο φαγητό για το μεσημέρι. Κωστής
6.	__	Ειρήνη μου, στη μία δώσε το φάρμακο για την πίεση στη γιαγιά. Το μωρό πρέπει να φάει στις δύο. Το απόγευμα μπορείς να βγεις. Μαριέττα
7.	__	Εύα, δεν πήρα ψωμί για το πάρτι. Πάρε, σε παρακαλώ δυο φρατζόλες **σταρένιο**, ένα **πολύσπορο**, δύο **μπαγκέτες** μαύρο ψωμί και ένα κιλό **παξιμάδια κριθαρένια**. Φιλάκια, Σωτήρης
8.	__	Αλέξη, έφυγα πολύ νωρίς γιατί είχα ένα επείγον ραντεβού στο ιατρείο μου. Μόλις ξυπνήσεις πάρε με. Η Αλίκη περιμένει τηλεφώνημα αν θα πάμε το βράδυ για φαγητό. Ο Άγγελος και η Πέρσα θα πάνε. Άντα
9.	__	Ασπασία, πρέπει να είμαι στη Θεσσαλονίκη την Τετάρτη το πρωί γιατί έχω δικαστήριο. Πάω με τον πελάτη μου. Κλείσε δύο εισιτήρια με την Ολυμπιακή. Αναχώρηση με την πρώτη πρωινή πτήση και επιστροφή με το τελευταίο βραδινό αεροπλάνο. Πάρε με να μου πεις τι έκανες. Μηνάς
10.	__	Άγη μου, μην αγοράσεις ούτε μήλα ούτε πορτοκάλια γιατί πήρα εγώ. Αν θέλεις, πάρε κανένα λαχανικό γιατί δεν έχουμε τίποτα. Η Άννα θα πάρει ψωμί. Ευχαριστώ. Μερόπη

Ποιος αφήνει μήνυμα σε ποιον;

α.	Η σύζυγος αφήνει μήνυμα στο σύζυγό της και του λέει τι να αγοράσει και τι να μην αγοράσει.
β.	Η σύζυγος αφήνει μήνυμα στο σύζυγό της σχετικά με ένα ραντεβού και ένα δείπνο.
γ.	Ο γιός αφήνει μήνυμα στη μητέρα του σχετικά με το μεσημεριανό φαγητό.
δ.	Η αδερφή αφήνει μήνυμα στον αδερφό της για τα ψώνια του παππού τους.
ε.	Ένας δικηγόρος αφήνει μήνυμα στη γραμματέα του για να κάνει κρατήσεις.
ζ.	Ο ασθενής αφήνει μήνυμα στο ιατρείο για αλλαγή ραντεβού.
η.	Η μητέρα αφήνει μήνυμα στην κόρη της σχετικά με το κατοικίδιό τους.
θ.	Ο σύζυγος αφήνει μήνυμα στη σύζυγο σχετικά με το παιδί τους.
ι.	Η σύζυγος αφήνει μήνυμα στο σύζυγό της για να πάει στο φούρνο.
κ.	Μία κυρία αφήνει οδηγίες στην κοπέλα που δουλεύει στο σπίτι της.

Λεξιλόγιο 12.23.α.

η μπαγκέτα	baguette loaf
το πολύσπορο	multigrain bread
το σχολικό	school bus
κριθαρένιος-α-ο	barley (adj.)
σταρένιος-α-ο	wheat (adj.)

12.23.β.

Γράψτε ένα σημείωμα κι ένα μήνυμα σε κάποιο δικό σας πρόσωπο.
Write a note and a message to a person close to you.

2.24. Στο γιατρό - Στο φαρμακείο - Στην αγορά - Στο εστιατόριο

. Στο γιατρό

Ο άρρωστος		Ο γιατρός
Αρρώστησα Δεν αισθάνομαι / νιώθω καλά Ζαλίζομαι Πονάω στον / στην / στο… Κρύωσα Είμαι κρυωμένος-η Κόλλησα συνάχι / μια ίωση Βήχω Τρέχει η μύτη μου Έχω ναυτία Κάνω εμετό	Με πονάει ο λαιμός μου η κοιλιά μου η μέση μου η πλάτη μου το αυτί μου το δόντι μου το κεφάλι μου το πόδι μου το στήθος μου το στομάχι μου το χέρι μου	Θα σας πάρω την πίεση. Θα σας κάνω μία ένεση. Θα σας δέσω το τραύμα. Μήπως είστε αλλεργικός; έχετε αλλεργία σε κάτι; Ανοίξτε το στόμα σας. Βήξτε. Αναπνεύστε. Βάλτε θερμόμετρο.
Έχω γρίπη συνάχι ίωση πυρετό πονοκέφαλο πονόλαιμο πονόδοντο βήχα συνάχι πίεση	Έχω 38° και μισό Βάζω θερμόμετρο Ο πυρετός ανέβηκε κατέβηκε / έπεσε	Πόσο πυρετό έχεις / έχετε; Πρέπει να κάνετε: μία ακτινογραφία θώρακος έναν υπέρηχο μία σειρά ενέσεων εξετάσεις αίματος εξετάσεις ούρων εμβόλιο για τη γρίπη για την πνευμονία
Έπεσα κάτω Χτύπησα Έσπασα το χέρι μου **Στραμπούληξα** το πόδι μου	Είμαι ασφαλισμένος στο ΙΚΑ / στο ΤΕΒΕ / στον ΟΓΑ Θέλω να πάρω τα αποτελέσματα των εξετάσεων Τι σας οφείλω;	Έχετε ιδιωτική ασφάλιση; Σε ποιο ταμείο είστε; Έχετε βιβλιάριο υγείας; Πρέπει να φωνάξετε το ασθενοφόρο. Καλέστε το 166. Πρέπει να πάτε / να **κάνετε εισαγωγή** στο νοσοκομείο. Ποιο νοσοκομείο εφημερεύει; Ορίστε η απόδειξη και η συνταγή.

2. Στο φαρμακείο

Θα ήθελα
- ένα αντιβιοτικό
- ένα παυσίπονο
- ένα αντιπυρετικό
- ένα σιρόπι για το βήχα
- ένα σπρέι για το συνάχι
- ένα πακέτο μπαμπάκι/βαμβάκι
- ένα πακέτο **γάζες**
- ένα **λευκοπλάστη**
- ένα κουτί ασπιρίνες.

Θα ήθελα
- ένα εμβόλιο αντιγριπικό
- ένα μπουκάλι οινόπνευμα
- μια αλοιφή για τα κουνούπια
- μία αντηλιακή κρέμα
- καραμέλες για το βήχα

3. Στην αγορά

Υπάλληλος	Πελάτης
Α	Β
Παρακαλώ…	Θα ήθελα…
Πείτε μου, τι θα θέλατε;	Μου βάζετε / Βάλτε μου, παρακαλώ…
Θα θέλατε κάτι;	Μου δίνετε / Δώστε μου, παρακαλώ…
Σε τι μπορώ να σας εξυπηρετήσω;	Μου ζυγίζετε / Ζυγίστε μου, παρακαλώ...
Πόσα βάζω; Πόσο να βάλω;	Βάλε μου / Βάλτε μου…
Φτάνουν τόσα; (μήλα)	Ναι, φτάνουν / αρκετά είναι. Πολλά είναι, βγάλε / βγάλτε μερικά / δύο τρία. Βάλε / Βάλτε λίγα ακόμη. Κάν' τα / Κάντε τα δύο κιλά.
Φτάνει τόση; (φέτα)	Βάλε λίγη / μισό κιλό ακόμη. Κάν' τη / Κάντε την ένα κιλό.

Στην αγορά (συνέχεια)

Υπάλληλος	Πελάτης
Β Δυστυχώς μου τελείωσαν… Αύριο θα έχω.	Α Θα ήθελα ένα κιλό / μισό κιλό / ένα τέταρτο, 250 γραμμάρια / τρία τέταρτα, 750 γρμ. / (φέτα) ένα κουτί / κουτάκι (**σπίρτα** / καραμέλες / τσίχλες…) ένα πακέτο (ρύζι / βούτυρο / μακαρόνια / φρυγανιές…) ένα μπουκάλι / μπουκαλάκι (νερό / κρασί / γάλα…) ένα κομμάτι / κομματάκι (τυρί / γλυκό / τούρτα…) μια φέτα / φετούλα (ψωμί / ζαμπόν / σαλάμι / καρπούζι / πεπόνι…) μια φρατζόλα ψωμί. μια σακούλα (πατάτες / κρεμμύδια…) μια σακουλίτσα / ένα σακουλάκι (καραμέλες / ξηρούς καρπούς…) ένα **μάτσο** / **ματσάκι** (άνηθο / μαϊντανό / σέλινο / βασιλικό / ρίγανη…)
Α Τίποτ' άλλο; Κάτι άλλο;	Β Τίποτε άλλο. Όχι, ευχαριστώ. Είμαστε εντάξει. Ναι, θα ήθελα / μου δίνετε / μου βάζετε και… / ακόμη… Ναι, δώστε μου / βάλτε μου και… / ακόμη…
Β Κάνει / Έχει / Πάει τρία ευρώ το κιλό. Κάνουν / Έχουν / Πάνε… ευρώ το κιλό. Κάνουν / Έχουν… Το σύνολο είναι… ευρώ. Όλα μαζί κάνουν / έχουν / πάνε… Αμέσως!	Α Πόσο κάνει / έχει / πάει **το κιλό**; Πόσο κάν**ουν** / έχ**ουν** / πάν**ε το κιλό οι (ανανάδες)** / **οι** (φράουλες) / **τα** (μήλα); Πόσο κάνουν / έχουν οι φράουλες; Πόσο έχ**εις** / **έχετε τους** (ανανάδες) / **τις** (φράουλες) / **τα** (μήλα); Πόσο πάνε όλα μαζί; Πόσο θέλεις / θέλετε για όλα; Μου κάνεις / Κάνε μου το λογαριασμό, παρακαλώ!
Β Δυστυχώς, δεν έχω. Πάω να χαλάσω, αν δεν έχετε ψιλά.	Α Έχω πενηντάρικο / κατοστάρικο. Δεν έχω ψιλά. Έχεις να μου χαλάσεις; / Έχετε να μου χαλάσετε; / Χαλάστε μου, παρακαλώ…

4. Στην ταβέρνα / Στο εστιατόριο

Πελάτης	Σερβιτόρος (Γκαρσόνι)
Θα ήθελα έναν κατάλογο, παρακαλώ! Θα ήθελα να παραγγείλω… Θα ήθελα μια μερίδα καλαμαράκια… Θα ήθελα τρεις μερίδες… Η παραγγελία μας αργεί, παρακαλώ; Τι έχετε να μας προτείνετε; ορεκτικά / σαλάτες / λαδερά / Από κρέατα / ψάρια / μαγειρευτά / της ώρας } τι έχετε; Τι έχετε για χορτοφάγους; Ποια είναι η σπεσιαλιτέ σας;	Έφτασε! Έρχεται σε δυο λεπτά! … Έχω πολύ ωραία πιάτα ημέρας, μαγειρευτά… Από ορεκτικά έχω κεφτεδάκια… Έχω πολύ νόστιμα μεζεδάκια / νόστιμους μεζέδες… Έχω φρέσκες σαλάτες από τον κήπο μας, μαρούλι… Τα λαδερά μας είναι όλα με ελαιόλαδο, σας προτείνω… Τα ψάρια μας είναι **ολόφρεσκα**, πρωινά… Όλα τα κρέατά μας είναι βιολογικά. Σας προτείνω… Από μαγειρευτά έχω μόνο… Δυστυχώς μας τελείωσαν τα… Της ώρας έχω απ' όλα και όλα στα κάρβουνα. Θέλετε…; Πολλά και διάφορα: Χόρτα, σαλάτες, πίτες, λαδερά… Η σπεσιαλιτέ μας είναι τα ντολμαδάκια…
Τι κρασί έχετε; Έχετε δικό σας / χύμα / μπουκάλι / ποτήρι;	Έχουμε δικό μας… Θέλετε τέταρτο ή…; Έχουμε και ποτήρι κρασί. Δεν είναι ανάγκη να πάρετε μπουκάλι.
Από γλυκά, τι έχετε;	Έχουμε γιαούρτι με γλυκά του κουταλιού: … Έχουμε επίσης γλυκά του ταψιού: … Έχουμε και πολλών ειδών παγωτά: ξυλάκι… Έχουμε το δικό μας παγωτό σε διάφορες γεύσεις: βανίλια… Έχουμε κι άλλα γλυκά: …
Θα ήθελα έναν καφέ / τσάι. Τι έχετε; Σκέτο…, παρακαλώ! Θα ήθελα τσάι με / χωρίς γάλα / ζάχαρη.	Έχουμε ελληνικό… Έχουμε πολλών ειδών τσάγια:… Πώς πίνετε τον καφέ σας; Σκέτο, μέτριο ή γλυκό; Πώς θέλετε το τσάι σας;
Το λογαριασμό, παρακαλώ!	Αμέσως, κύριε! Θα πληρώσετε με μετρητά ή με κάρτα;

Λεξιλόγιο 12.24.

ο ανανάς
pineapple
ο λευκοπλάστης
bandage, gauze
το μάτσο
bunch
το σπίρτο
match (a box of matc
ολόφρεσκος-η/ια-ο
all fresh
στραμπουλάω (-ώ)
I sprain, I twist
κάνω εισαγωγή (στο νοσοκομείο)
I am admitted at the hospital

γραπτός λόγος

12.25. Περιγράφω ένα προβλήμα υγείας

	Το κυρίως γράμμα Θέμα: Περιγράφω μια αρρώστια και την επίσκεψη στο γιατρό
Η αρχή	[1] Λέω γιατί γράφω αυτό το γράμμα. (Δικαιολογούμαι επειδή άργησα να απαντήσω σ' ένα γράμμα) Ζητώ συγγνώμη.
Το βασικό θέμα	[2] Εξηγώ γιατί και πώς έγινε αυτό. (αρρώστια). [3] Περιγράφω τα συμπτώματα που είχα και πώς ήμουνα. [4] Μιλώ για την επίσκεψή μου στο γιατρό και γι' αυτά που μου είπε να κάνω.
Το τέλος	[5] Λέω τις συνέπειες που θα έχει η ασθένειά μου στην καθημερινή μου ζωή. Στέλνω χαιρετισμούς σε άλλους.
Φράση τέλους	[6] Ζητώ πάλι συγγνώμη.
Υ.Γ.	

12.25.α. Συμπληρώστε τα κενά με λέξεις από το πλαίσιο. Μετά ακούστε το κείμενο και ελέγξτε τις απαντήσεις σας.
Fill in the gaps with words from the box. Then listen to the text and check your answers.

Το ίδιο βράδυ / Και σε λίγο καιρό / Από τη Δευτέρα / Την Πέμπτη όμως / Όλη τη νύχτα / Ιδιαίτερα εδώ / Εν τω μεταξύ / Έχεις δίκιο / Φοβάμαι ότι / Άκουσε πώς / Έτσι αποφάσισα / για να γυρίσω / Επειδή όμως / ενώ περίμενα / Όταν του είπα / σου ζητάω ένα μεγάλο «συγγνώμη» / Δεν είχα βέβαια / Και πάλι συγγνώμη / Όπως καταλαβαίνεις / Και το χειρότερο / Τέλος πάντων / Άσ' τα

291 **Συγγνώμη αλλά ήμουν χάλια!**

Λένα μου,
[1] Τι κάνεις; Πώς είναι ο μπαμπάς και η μαμά; ________________ να ανησυχείς για τη σιωπή μου και ________________ αλλά δεν ξέρεις τι πέρασα. Ήμουν χάλια και με πολύ πυρετό όλη την περασμένη εβδομάδα. ________________ άρπαξα την ίωση «της μόδας».
[2] ________________ ο καιρός, όπως ξέρεις, χάλασε σ' όλη την Ελλάδα. ________________ στη Θεσσαλονίκη ήταν απαίσιος, έβρεχε τρεις μέρες συνέχεια και είχε πολύ κρύο και υγρασία. ________________ το πρωί ήταν **χαρά θεού**! Είχε μια ωραία λιακάδα και δεν έκανε καθόλου κρύο. ________________ να πάω στο πανεπιστήμιο χωρίς μπουφάν, με το πουκαμισάκι μου κι ένα λεπτό πουλοβεράκι στους ώμους. Το απόγευμα όμως, ________________ στη στάση ________________ σπίτι, άλλαξε ξαφνικά ο καιρός, συννέφιασε και άρχισε να φυσάει και να βρέχει. ________________ ομπρέλα κι έγινα μούσκεμα! Πάγωσα, σου λέω. Αυτό ήταν...
[3] ________________ άρχισε να τρέχει η μύτη μου και να με πονάει τρομερά ο λαιμός μου. ________________ δεν κοιμήθηκα από τον πονόλαιμο. Το πρωί ήμουν χειρότερα. Είχα βήχα, ναυτία και πυρετό. Τηλεφώνησα αμέσως στο γιατρό. ________________ τα συμπτώματα που είχα, μου έκλεισε ραντεβού για την ίδια μέρα. Φοβήθηκε ο άνθρωπος!
[4] Στο ιατρείο του μ' εξέτασε πολύ προσεκτικά και μου είπε ότι άρπαξα την καινούργια ίωση που κυκλοφορεί αυτό τον καιρό. ________________ τον ανησύχησε ο βήχας μου, μ' έστειλε να κάνω εξετάσεις αίματος και μία ακτινογραφία θώρακος. ________________ μου είπε ν' αρχίσω αμέσως αντιβίωση, να πίνω πολλά υγρά, να ξεκουράζομαι, να κοιμάμαι οπωσδήποτε οκτώ ώρες κάθε βράδυ και να τρώω σωστά και υγιεινά. ________________ τέλος οι πίτσες, οι σοκολάτες και τα σνακ ________________... Μου είπε να κάτσω στο σπίτι τουλάχιστον πέντε έξι μέρες.
[5] ________________! Μεγάλη ταλαιπωρία! ________________ θα χάσω πολλά μαθήματα στο πανεπιστήμιο. ________________ αρχίζουν κι οι εξετάσεις.
________________, αυτά ήταν τα νέα μου! Φίλησέ μου τον μπαμπά και τη μαμά και πες τους να κάνουν το εμβόλιο γρίπης οπωσδήποτε! Κι εσύ!
[6] ________________, Λενάκι μου!
Φιλάκια,
Αντρέας

Υ.Γ. Ίσως έρθω Αθήνα το επόμενο Σαββατοκύριακο. Θα τα πούμε.

Λεξιλόγιο 12.25.
είναι χαρά Θεού the weather is lovely

12.25.β.  **Απαντάτε αργοπορημένα στο μέιλ κάποιου φίλου σας. Δικαιολογήστε την αργοπορία σας και περιγράψτε μια περιπέτεια υγείας που είχατε. Κάνετε ένα πλάνο με βάση το 12.25. Χρησιμοποιήστε και εκφράσεις από το πλαίσιο 12.25.α. (100 - 150 λέξεις)**
You answer late to an e-mail of a friend of yours. You excuse yourself for the delay and you describe a health problem that you encountered. Make a plan based on 12.25. Use also expressions from the table 12.25.α. (100 - 150 words)

αξιολόγηση - οι τέσσερις δεξιότητες (___ / 20

ΚΑΤΑΝΟΗΣΗ ΠΡΟΦΟΡΙΚΟΥ ΛΟΓΟΥ (___ / 5)

12.26. 292 **Ακούστε το κείμενο *«Μην πετάτε τις φλούδες λεμονιού»* και σημειώστε: Σωστό ή Λάθος;**

		Σωστό	Λάθος
1.	Ολόκληρο το λεμόνι κάνει καλό στην υγεία μας.		
2.	Για να χρησιμοποιήσουμε το λεμόνι το παγώνουμε πρώτα στον καταψύκτη.		
3.	Για να δώσουμε γεύση στα φαγητά τρίβουμε και ρίχνουμε επάνω τους την παγωμένη φλούδα του λεμονιού.		
4.	Ο χυμός του λεμονιού έχει περισσότερες βιταμίνες από τη φλούδα του.		
5.	Το λεμόνι είναι κατά του καρκίνου και κάνει καλό σε όσους έχουν άγχος.		

Λεξιλόγιο 12.26.

ο καρκίνος	cancer
η βιταμίνη	vitamin
η κατάψυξη	freezer
τοξικός-ή-ό	toxic

ΚΑΤΑΝΟΗΣΗ ΓΡΑΠΤΟΥ ΛΟΓΟΥ (___ / 5)

12.27. 293 **Η μαγειρική αρχίζει από τα ψώνια.**

Σάββατο πάλι και πολλοί από σας φέρατε στο σπίτι την εφημερίδα και μαζί αρκετές σακούλες γεμάτες με ψώνια για την εβδομάδα που έρχεται. Αν μάλιστα είχατε στη γειτονιά και λαϊκή... έρχεται και το καροτσάκι γεμάτο φρέσκα φρούτα και λαχανικά. Δεν είναι βέβαια η πρώτη φορά που γυρίζετε έτσι φορτωμένοι, κουρασμένοι αλλά χαμογελαστοί γιατί είστε σίγουροι ότι τα έχετε όλα για την επόμενη εβδομάδα.

Μετά από δύο μέρες όμως η ερώτηση *Τι θα φάμε σήμερα;* δείχνει ότι λείπουν βασικά υλικά από τα ντουλάπια και το ψυγείο σας για το φαγητό που θέλετε να φάτε. Πήρατε, για παράδειγμα, ενάμισι κιλό φέτα, αρκετή δηλαδή. Φάγατε το μισό κιλό την πρώτη μέρα, ένα κομμάτι τη δεύτερη και την τρίτη μέρα την ξεχάσατε στο ψυγείο. Όταν μετά 15 μέρες θελήσατε να βάλετε ένα κομμάτι στη χωριάτικη σαλάτα σας, τη βρήκατε κίτρινη και χαλασμένη, έτοιμη για τα σκουπίδια σας. Και τα δύο κιλά σπανάκι που αγοράσατε για σπανακόπιτα τι έγιναν; Δεν τα καθαρίσατε αμέσως και τη Δευτέρα τα βρήκατε χαλασμένα στην πλαστική σακούλα τους.

Αν αυτά που περιγράφω, δε συμβαίνουν στο σπίτι σας, ζητώ συγγνώμη και... μπράβο σας! Επειδή όμως αυτά συμβαίνουν στους πιο πολλούς ανθρώπους, όπως και σ' εμένα, θα ήθελα να σας δώσω μερικές συμβουλές γύρω από αυτό το θέμα.

Πάρτε μολύβι και χαρτί και γράψτε τι πετάξατε από τα ψώνια μιας εβδομάδας αλλά και τι σας έλειψε. Και κάτι άλλο: όταν βγαίνετε για ψώνια να μην πεινάτε. Όταν η ώρα είναι μία το μεσημέρι κι εσείς είστε ακόμα με τον πρωινό καφέ σας, όλα όσα βλέπετε στο σουπερμάρκετ ή στη λαϊκή, σάς φαίνονται απαραίτητα, όμως πολλά από αυτά δεν είναι. Αν αυτά είναι ρύζι, μακαρόνια, λάδι, όσπρια και ξηροί καρποί, δεν υπάρχει πρόβλημα. Όμως τα τυριά, τα γιαούρτια, τα αλλαντικά, το κρέας, τα λαχανικά, τα φρούτα... χαλάνε. Προσοχή λοιπόν! Προσέχετε για να έχετε

12.27.α. Σημειώστε: Σωστό ή Λάθος;

1.	**Τα Σάββατα συνήθως όλοι φέρνουμε στο σπίτι**		
	α. όλα τα ψώνια της εβδομάδας	β. εφημερίδες και όλα τα ψώνια	γ. μόνο φρούτα και λαχανικά
2.	**Φτάνουμε στο σπίτι χαμογελαστοί γιατί για την εβδομάδα που έρχεται**		
	α. αγοράσαμε πολλών ειδών λαχανικά	β. πήραμε φρέσκα φρούτα	γ. πήραμε όλα όσα μας χρειάζονται
3.	**Όταν πάμε για ψώνια αυτά που αγοράζουμε είναι συνήθως**		
	α. λιγότερα από όσα χρειαζόμαστε	β. περισσότερα από όσα χρειαζόμαστε	γ. όσα χρειαζόμαστε
4.	**Ψωνίζουμε περισσότερα από όσα χρειαζόμαστε, όταν πάμε για ψώνια**		
	α. μετά το φαγητό	β. όταν δεν πεινάμε	γ. μετά ένα καλό πρωινό
5.	**Όταν πεινάμε και πάμε για ψώνια, δεν πειράζει αν αγοράσουμε**		
	α. περισσότερα όσπρια και ζυμαρικά	β. περισσότερα τυριά και αλλαντικά	γ. περισσότερα φρούτα

ΠΑΡΑΓΩΓΗ ΠΡΟΦΟΡΙΚΟΥ ΛΟΓΟΥ (___ / 5)

12.28. Κάντε διαλόγους ανά ζεύγη. Στη συνέχεια αλλάξτε ρόλους.

Ρόλος Α: *Μιλάτε με το γιατρό σας και του εξηγείτε πώς αισθάνεστε. Είστε άρρωστος, έχετε πονοκέφαλο, ζαλάδες, σας πονάει ο λαιμός σας και βήχετε. Σας εξετάζει και τον ρωτάτε τι πρέπει να κάνετε.*

Ρόλος Β: *Ένας άρρωστος σας λέει ότι δεν αισθάνεται καλά, έχει πονοκέφαλο, ζαλάδες, τον πονάει ο λαιμός του και βήχει. Τον εξετάζετε και του δίνετε συνταγή για φάρμακα και οδηγίες.*

ΠΑΡΑΓΩΓΗ ΓΡΑΠΤΟΥ ΛΟΓΟΥ (___ / 5)

12.29. Γράψτε ένα μέιλ σε ένα φίλο / μια φίλη σας.

Έχετε πρόβλημα υγείας και ο γιατρός σάς συμβούλεψε να κάνετε μια δίαιτα. Περιγράψτε τη δίαιτα και γιατί πρέπει να την κάνετε.

12.30. Εικόνα - Συζήτηση

το τραγούδι μας ♫

12.31. 294 Το δίχτυ (1983)

Στίχοι: Νίκος Γκάτσος, μουσική: Σταύρος Ξαρχάκος, ερμηνεία: Βίκυ Μοσχολιού (πρώτη ερμηνεία: Τάκης Μπίνης)

12.31.α. YouTube **Ακούστε το τραγούδι και συμπληρώστε τα κενά με λέξεις από το πλαίσιο.**

https://goo.gl/Jw9Qhv

πρώτης / βρει / μάτια / δίχτυ / Αν / μπορέσει / βγάλει / κλωστής / ζωή / βράδυ πρωί / μονάχος / τυχερός / κάτω κόσμου / ονόματα / πιαστείς / κλεισμένα / αγάπη

Κάθε φορά που ανοίγεις δρόμο στη ______
μην περιμένεις να σε ________ το μεσονύχτι,
έχε τα _______ σου ανοιχτά ______ ______
γιατί μπροστά σου πάντα απλώνεται ένα _______.] δις

____ κάποτε στα βρόχια του _______
κανείς δε θα _______ να σε ________,
________ βρες την άκρη της _______
κι αν είσαι _________, ξεκίνα πάλι.] δις

Αυτό το δίχτυ έχει __________ βαριά
που' ναι ___________ σ' εφτασφράγιστο κιτάπι.
Άλλοι το λεν του _______ ________ πονηριά
κι άλλοι το λεν της _______ άνοιξης _______.] δις

R

12.31.β. **Ψάχνω στο λεξικό και γράφω τη μετάφραση στη γλώσσα μου**

ο κάτω κόσμος (ο Άδης) = ...
ο υπερρεαλισμός = ...
ο υπότιτλος = ...
η πονηριά = ...
η συνεργασία = ...
το κιτάπι = βιβλίο ή τετράδιο
το βρόχι = ...
το εξώφυλλο = ...
το ρεμπέτικο = είδος λαϊκών τραγουδιών των πόλεων (αναλυτικά στο Β1)
το μεσονύχτι = η μέση της νύχτας
βαριά (ονόματα) = σπουδαία
επτασφράγιστος-η-ο = ...
ανοίγω δρόμο = ...
απλώνομαι = ...
μελοποιώ = ...
ξεκίνα! (ατελής προστακτική) = ξεκίνησε!
πιάνομαι (στο δίχτυ) = ...
συνεργάζομαι = ...

295

Νίκος Γκάτσος (1911 - 1992)

Ο Νίκος Γκάτσος, ποιητής, στιχουργός και μεταφραστής, **συνεργάστηκε** με πολλούς έλληνες συνθέτες που **μελοποίησαν** τους υπέροχους στίχους του όπως ο Μίκης Θεοδωράκης, ο Μάνος Λοΐζος και άλλοι.

Ιδιαίτερη συνεργασία είχε με το Μάνο Χατζιδάκι. Ο Χατζιδάκις τού έστελνε μελωδίες και ο Γκάτσος έγραφε στίχους. Πρώτο τραγούδι τους ήταν το *Χάρτινο το φεγγαράκι*.

Σταύρος Ξαρχάκος (1939 -)

Τι προσέχουμε; ΛΕΞΙΛΟΓΙΟ

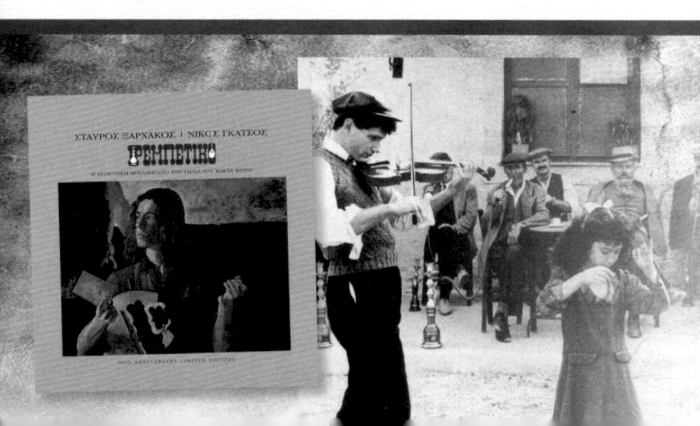

Το δίχτυ

Το δίχτυ είναι ένα από τα τραγούδια που έγραψε ο Νίκος Γκάτσος για την ταινία *Ρεμπέτικο* (1983) με σκηνοθέτη τον Κώστα Φέρρη σε μουσική του Σταύρου Ξαρχάκου.

Το θέμα της ταινίας είναι η ιστορία του ρεμπέτικου ελληνικού τραγουδιού μέσα από τη ζωή της τραγουδίστριας, Μαρίκας Νίνου.

Το εξώφυλλο του δίσκου είναι του Γιάννη Τσαρούχη.

Στην ταινία, το *Δίχτυ* το τραγουδάει ο Τάκης Μπίνης.

Ταινία: *Ρεμπέτικο*, με αγγλικούς υποτίτλους.
goo.gl/jgBzzb

Βήμα 13

Σπουδές & Επαγγέλματα

Επικοινωνία

✓ Ζητάω και δίνω πληροφορίες σχετικά με τον τρόπο λειτουργίας ενός εκπαιδευτικού ιδρύματος (υποχρεώσεις, δικαιώματα, εγγραφές, δίδακτρα, εξετάσεις κ.λπ.)
✓ Ζητάω και δίνω πληροφορίες σχετικά με το χώρο και τις συνθήκες εργασίας
✓ Δίνω απλές οδηγίες ή ακολουθώ οδηγίες που μου δίνουν στη δουλειά μου

Θεματικές ενότητες

Χαρακτηρισμοί
✓ Εκπαίδευση
✓ Επάγγελμα
Καθημερινή ζωή
✓ Δημόσιες υπηρεσίες
✓ Τηλεφωνήματα

Λεξιλόγιο

- **Σχολείο / Σπουδές / Σχέδια για το μέλλον**
- **Είδος επαγγέλματος / απασχόλησης**
- **Τόπος εργασίας / συνθήκες / αποδοχές**
- **Δημόσιες υπηρεσίες**

Studies and professions

Communication

✓ I ask and give information regarding the operation of an educational institution (obligations, rights, registrations, tuition fees, exams etc.)
✓ I ask and give information regarding the environment and conditions of employment
✓ I give simple instructions or I follow instructions that I receive at my work

Thematic units

Characterisations
✓ Education
✓ Profession
Everyday life
✓ Public services
✓ Phone calls

Vocabulary

- **School / Studies / Plans for the future**
- **Types of professions / employment**
- **Place of employment / conditions / salary**
- **Public services**

Γραμματική

1. **Υποκείμενο, κατηγορούμενο, αντικείμενο**
2. **Η χρήση των πτώσεων (ονόματα)**
3. **Οι προθέσεις *με, σε, για, από* + αιτιατική (επανάληψη)**
4. **Δευτερεύουσες προτάσεις (επανάληψη)**
5. **Η υποτακτική (επανάληψη)**
6. **Ρήματα που συντάσσονται με *ότι* και *να* (επανάληψη)**

Grammar

1. **Subject, predicate, object**
2. **Use of cases (nouns)**
3. **The prepositions *με, σε, για, από* + accusative (review)**
4. **Subordinate clauses (review)**
5. **The subjunctive (review)**
6. **Verbs that follow *ότι* and *να* (review)**

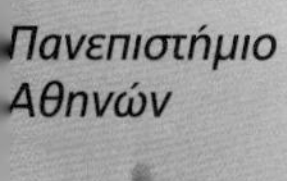
Πανεπιστήμιο Αθηνών

13.1. 296 Η πρώτη μέρα στο Διδασκαλείο

Τ.: Ταμάρα, Γ.: Γραμματέας

Τ.: Καλημέρα σας! Ονομάζομαι Ταμάρα Ιβανόβα και είμαι από το Κρατικό Πανεπιστήμιο της Μαριούπολης στην Ουκρανία. **Πήρα υποτροφία** για να παρακολουθήσω τα μαθήματα ελληνικής γλώσσας στο **Διδασκαλείο**.

Γ.: Καλώς όρισες, Ταμάρα, και συγχαρητήρια για την υποτροφία.

Τ.: Σας ευχαριστώ πάρα πολύ.

Γ.: Ένα λεπτό να βρω το όνομά σου... Σε βρήκα. Εδώ είσαι. Βλέπω κι εδώ στον κατάλογο ότι αρκετά παιδιά από το πανεπιστήμιο της Μαριούπολης πήραν υποτροφία. Μπράβο σας! Ήρθατε όλοι μαζί στην Ελλάδα;

Τ.: Όχι, εγώ ήρθα πριν από τρεις μήνες περίπου, οι περισσότεροι **συμφοιτητές** μου ήρθαν την προηγούμενη εβδομάδα και κάποιοι άλλοι θα έρθουν μεθαύριο. Μόνο μια **συμφοιτήτριά** μας θα έρθει την άλλη εβδομάδα γιατί είχε κάποιο πρόβλημα με τη βίζα της.

Γ.: Ωραία! Ας πούμε λίγα πράγματα για την **εγγραφή** σου. Έλα να καθίσουμε εδώ στο τραπέζι.

Τ.: Να σας δείξω και τα χαρτιά που έχω από το πανεπιστήμιο;

Γ.: Όχι, αυτή τη στιγμή δε χρειάζεται.

Τ.: Χτες βράδυ είδα στην ιστοσελίδα του Διδασκαλείου την αίτηση που πρέπει να συμπληρώσω.

Γ.: Ωραία! Όταν τη συμπληρώσεις, να τη στείλεις ηλεκτρονικά στη γραμματεία.

Τ.: Χρειάζεται τίποτε άλλο;

Γ.: Ναι, να μου φέρεις μία φωτοτυπία του διαβατηρίου σου και μία πρόσφατη φωτογραφία σου. Δε χρειάζεται να πληρώσεις **δίδακτρα** γιατί έχεις υποτροφία.

Τ.: Τέλεια! Και πότε αρχίζουν τα μαθήματα;

Γ.: Τα μαθήματα αυτού του **εξαμήνου** αρχίζουν στις δεκαέξι του μηνός, δηλαδή σε δύο ακριβώς εβδομάδες από σήμερα. Το πρόγραμμα θα το βρεις στην ιστοσελίδα μας. Τώρα **σχετικά με** τις εξετάσεις για το δίπλωμα **Ελληνομάθειας**...

Τ.: Αλήθεια, πότε μπορώ **να δώσω εξετάσεις**;

Γ.: Ή το Μάιο ή το Σεπτέμβριο.

Τ.: Ίσως δώσω το Μάιο. Ναι, ναι, προτιμώ το Μάιο.

Γ.: Τότε πρέπει να μπεις στο **εντατικό τμήμα** που διαρκεί έως τις 20 Μαΐου.

Τ.: Συγγνώμη... να κάνω μια ερώτηση; Αν δεν **περάσω τις εξετάσεις** του Μαΐου, τι θα κάνω; Μπορώ να δώσω ξανά το Σεπτέμβριο;

Γ.: Βεβαίως! Μπορείς να ξαναδώσεις το Σεπτέμβριο.

Τ.: Αχ, ευτυχώς! Σας ευχαριστώ πολύ για όλες τις πληροφορίες. Μακάρι να περάσω το Μάιο να 'χω το καλοκαιράκι μου ελεύθερο!

Γ.: **Καλή αρχή** λοιπόν, Ταμάρα, κι ας ευχηθούμε να πάνε όλα καλά! Αν θελήσεις κάτι άλλο, έλα πάλι ή πάρε τηλέφωνο τη γραμματεία. Αν δεν απαντήσω εγώ η ίδια, θα μιλήσεις με τη συνάδελφό μου.

> i *Το Διδασκαλείο της Νέας Ελληνικής ως Δεύτερης/Ξένης γλώσσας του Εθνικού και Καποδιστριακού Πανεπιστημίου Αθηνών λειτουργεί από το 1950. Το Διδασκαλείο είναι το πιο μεγάλο κέντρο* ***διδασκαλίας*** *της ελληνικής γλώσσας στον κόσμο. Πολλοί από τους* ***αποφοίτους*** *του Διδασκαλείου είναι σήμερα καθηγητές Νέας Ελληνικής Γλώσσας και Φιλολογίας σε πανεπιστήμια σε όλο τον κόσμο.*

3.1.α. Σημειώστε: Σωστό ή Λάθος; Tick: True or False?

		Σωστό	Λάθος
1.	Η Ταμάρα ήρθε στην Ελλάδα για τα μαθήματα ελληνικής γλώσσας.		
2.	Ζητάει πληροφορίες από τη γραμματέα του Διδασκαλείου.		
3.	Πήραν υποτροφία δύο ακόμη συμφοιτητές της.		
4.	Η Ταμάρα έφτασε στην Ελλάδα πριν από τρεις μήνες.		
5.	Σε δύο μέρες φτάνουν στην Ελλάδα κι άλλοι συμφοιτητές της.		
6.	Μία συμφοιτήτριά της θα έρθει την επόμενη εβδομάδα.		
7.	Όταν η Ταμάρα συμπληρώσει την αίτηση εγγραφής, πρέπει να τη φέρει η ίδια στη γραμματεία.		
8.	Η γραμματέας τής λέει να φέρει επίσης στη γραμματεία το διαβατήριό της και μια παλιά φωτογραφία της.		
9.	Για την εγγραφή της χρειάζεται να πληρώσει και τα δίδακτρα.		
10.	Η γραμματέας τής δίνει σε φωτοτυπία το πρόγραμμα των μαθημάτων.		
11.	Η Ταμάρα δεν ξέρει πότε δίνουν εξετάσεις για το δίπλωμα Ελληνομάθειας.		
12.	Η γραμματέας τής λέει ότι μπορεί να δώσει εξετάσεις δύο φορές το χρόνο.		
13.	Η Ταμάρα πρέπει να πάει στο εντατικό τμήμα, αν θέλει να δώσει εξετάσεις την άνοιξη.		
14.	Αν η Ταμάρα δεν περάσει τις εξετάσεις το Μάιο, δε θα μπορέσει να συνεχίσει τις σπουδές της την επόμενη χρονιά.		

3.1.β. Κάντε ερωτήσεις και δώστε απαντήσεις επάνω στα κείμενα ανά ζεύγη. Στη συνέχεια γράψτε τες στο τετράδιό σας.

In pairs, make questions and give answers based on the texts. Then write them in your notebook.

Π.χ. Από πού είναι η Ταμάρα; Η Ταμάρα είναι από το Κρατικό Πανεπιστήμιο της Μαριούπολης στην Ουκρανία.

3.1.γ. Γράψτε την περίληψη του κειμένου. (80-100 λέξεις) Write the summary of the text. (80-100 words)

3.2. 297 Δουλεύω και σπουδάζω

Μ.: Μαξίμ, Τ.: Ταμάρα

Μ.: Ταμάρα! Ταμάρα! Δε με θυμάσαι; Ήμασταν μαζί στο συνέδριο που έγινε στη Μαριούπολη πριν από τρία χρόνια.

Τ.: Α, ναι! Μαξίμ, τι κάνεις; Είσαι κι εσύ στο Διδασκαλείο;

Μ.: Ναι, πήρα πέρσι το πτυχίο μου κι αρχίζω φέτος ένα μεταπτυχιακό στη διδασκαλία των ελληνικών. Έχω να σου πω πολλά για τις σπουδές και τη ζωή εδώ. Τι λες; Πάμε για καφέ;

Τ.: Να πάμε! Γιατί όχι;

Μ.: Μπορείς να με περιμένεις όμως για λίγο; Πρέπει να πάρω από τη γραμματεία μια **συστατική επιστολή.**

Τ.: Έγινε! Σε περιμένω. Πες μου όμως ένα λεπτό: γιατί χρειάζεσαι συστατική επιστολή;

Μ.: Αποφάσισα ν' αλλάξω δουλειά και τη χρειάζομαι για το βιογραφικό μου. Πέρσι δούλεψα σε μια καφετέρια, με **μειωμένο ωράριο** βέβαια, όχι **πλήρες** γιατί είχα και το πανεπιστήμιο. Και φέτος θέλω να δουλέψω, αλλά κάπου αλλού.

Τ.: Γιατί; Δεν ήσουν ευχαριστημένος;

Μ.: Όχι, καθόλου. Μ' ενδιαφέρει να βρω μια δουλειά με πιο καλό **ημερομίσθιο** και πιο κοντά στις σπουδές μου. Μ' ενδιαφέρει η μετάφραση, η διδασκαλία... αλλά οπωσδήποτε με **μερική απασχόληση** και ασφάλεια. Πιθανόν όμως να μη βρω αυτό που **επιθυμώ** και να γυρίσω στην παλιά μου δουλειά. Πάντως πρέπει να δουλέψω είτε είναι κάτι που μ' αρέσει είτε δεν είναι. Θα δούμε.

Τ.: Μακάρι να βρεις μια καλή δουλειά! Να προσέξεις μόνο τη **συμφωνία** που θα κάνεις με τον **εργοδότη** για τις ώρες. Έχεις και διάβασμα για το μεταπτυχιακό σου!
Λοιπόν σε περιμένω. Μην αργήσεις πολύ!

13.2.α. Ταιριάξτε τις στήλες. Match the columns.

1.	Η Ταμάρα συναντάει	__	α.	σ' ένα συνέδριο στη Μαριούπολη πριν από 3 χρόνια.
2.	Θυμάται ότι τον γνώρισε	__	β.	γιατί τον περασμένο χρόνο δεν ήταν καθόλου ευχαριστημένος με τη δουλειά που είχε σε μια καφετέρια.
3.	Ο Μαξίμ κάνει τώρα	__	γ.	για να της πει μερικά πράγματα για τις σπουδές και τη ζωή στο πανεπιστήμιο.
4.	Η Ταμάρα πήρε υποτροφία	__	δ.	που να έχει σχέση με αυτά που σπούδασε και τον ενδιαφέρουν.
5.	Ο Μαξίμ προτείνει στην Ταμάρα να πάνε για καφέ	__	ε.	τον Μαξίμ στο Πανεπιστήμιο Αθηνών.
6.	Ο Μαξίμ της λέει ότι θέλει να αλλάξει δουλειά,	__	ζ.	το μεταπτυχιακό του στη διδασκαλία των ελληνικών.
7.	Της λέει επίσης ότι θέλει να βρει μια δουλειά με μειωμένο ωράριο	__	η.	για να κάνει μαθήματα ελληνικής γλώσσας.
8.	Ο Μαξίμ θέλει επίσης να έχει πιο καλό	__	θ.	που θα κάνει με τον εργοδότη του σχετικά με το μειωμένο ωράριο, γιατί έχει και διάβασμα για το μεταπτυχιακό του.
9.	Αν δε βρει όμως τη δουλειά που επιθυμεί	__	ι.	είτε δεν του αρέσει, πρέπει να δουλέψει.
10.	Προσθέτει επίσης ότι είτε του αρέσει η δουλειά	__	κ.	πιθανόν να γυρίσει στην παλιά του δουλειά.
11.	Η Ταμάρα του εύχεται να βρει τη δουλειά που θέλει αλλά του λέει να προσέξει τη συμφωνία	__	λ.	ημερομίσθιο, ασφάλεια και οπωσδήποτε μερική απασχόληση.

13.2.β. **Γράψτε στο τετράδιό σας ολόκληρες τις προτάσεις της άσκησης 13.2.α. έτσι ώστε να φτιάξετε την περίληψη του διαλόγου 13.2.**

Write in your notebook the full sentences of exercise 13.2.α. in order to create the summary of dialogue 13.2.

13.3. *Στο χώρο της δουλειάς*

Τηλεφωνήματα

α. Πόσα βγάζεις;

Φοίβη: Γεια σου, Κώστα. Τελικά τι μισθό θα σου δίνουν στην καινούργια δουλειά σου; Τι θα παίρνεις **καθαρά**, χωρίς **κρατήσεις**;

Κώστας: Λοιπόν, **μεικτά** θα μου δίνουν 1200 ευρώ το μήνα και **στο χέρι** θα παίρνω 800 ευρώ. Οι κρατήσεις είναι περίπου τετρακόσια ευρώ.

Φοίβη: Να σου πω, μέχρι τώρα ήσουν με μεροκάματο. Για πρώτο μισθό δεν είναι κι άσχημα...

Κώστας: Κι εγώ έτσι νομίζω. Μου είπαν, επίσης, ότι σε ένα χρόνο, αν όλα πάνε καλά, θα μου κάνουν αύξηση. Να σκεφθείς ότι δεν έχω καθόλου προϋπηρεσία.

Φοίβη: Μια χαρά είναι, Κώστα μου. Κι εγώ **πόσα** νομίζεις ότι **βγάζω** το μήνα; Χίλια πεντακόσια ευρώ. Και είμαι στην εταιρεία πέντε χρόνια τώρα.

Κώστας: Τι λες, πάμε το βράδυ κανένα σινεμά να τα πούμε κι από κοντά;

Φοίβη: Τι ωραία ιδέα!

Κώστας: Θα περάσω, λοιπόν, να σε πάρω κατά τις οκτώμισι!

*β. Ο κύριος Μιχαηλίδης **απουσιάζει**.*

- Παρακαλώ! Σας ακούω.
- Μπορώ να μιλήσω στον κύριο Μίλτο Μιχαηλίδη;
- Απουσιάζει αυτή τη στιγμή. Θέλετε να του αφήσετε κάποιο μήνυμα;
- Του λέτε ότι τηλεφώνησε η Μαρία Φραγκοπούλου;
- Έχει το τηλέφωνό σας;
- Δεν ξέρω. Σημειώστε το, παρακαλώ. Είναι 6935 327854. Πείτε του να με πάρει οπωσδήποτε. Είναι κάτι επείγον.

Μικρές αγγελίες

α. **Διαφημιστική** εταιρεία ζητάει **λογιστή** με πείρα για καθημερινή απασχόληση. Απαραίτητη γνώση Η/Υ και αγγλικών. Βασικός μισθός και ασφάλεια. Ευχάριστο περιβάλλον για τους εργαζόμενους. Στείλτε μέιλ στο logistic@yahoo.com ή τηλεφωνήστε στο 290 7854321 (ώρες γραφείου).

β. Ζητείται νοσοκόμα από **ιδιωτική κλινική** για απασχόληση τα Σαββατοκύριακα με ημερομίσθιο. Προϋπηρεσία απαραίτητη. Τηλεφωνήστε στο 2096 438082 (καθημερινά: 8 π.μ.- 8 μ.μ.)

3.3.α. ✓ Ταιριάξτε τις στήλες. Match the columns.

1.	η διαφημιστική εταιρεία	__	α.	Αυτός που εργάζεται.
2.	ο λογιστής	__	β.	Το ποσό του μισθού μου που κρατάει ο εργοδότης για την πληρωμή της ασφάλειας.
3.	η πείρα	__	γ.	Το ποσό του μισθού που μου μένει μετά την πληρωμή της ασφάλειας.
4.	το ευχάριστο περιβάλλον	__	δ.	Λείπω από το σπίτι μου ή από τη δουλειά μου.
5.	ο εργαζόμενος	__	ε.	Οι γνώσεις που έχει κάποιος μετά από πολλά χρόνια εργασίας.
6.	η ιδιωτική κλινική	__	ζ.	Παρουσιάζει και κάνει γνωστό ένα προϊόν, έξυπνα και ευχάριστα, στην τηλεόραση, στο ραδιόφωνο, στο δρόμο με αφίσες κ.λπ.
7.	το μεροκάματο	__	η.	Γράφω σ' ένα χαρτί αυτά που θέλω να θυμάμαι.
8.	καθαρά	__	θ.	Η δουλειά του είναι να παρακολουθεί τα οικονομικά κάποιας εταιρείας ή κάποιου ατόμου.
9.	μεικτά	__	ι.	Ο χώρος έχει φως, είναι μεγάλος με ωραία έπιπλα, πίνακες κ.λπ. Οι συνάδελφοι είναι επίσης πολύ συμπαθητικοί.
10.	οι κρατήσεις	__	κ.	Το ποσό που **κερδίζω** κάθε ημέρα από τη δουλειά μου.
11.	σημειώνω	__	λ.	Το ποσό του μισθού μου πριν από την πληρωμή της ασφάλειας.
12.	απουσιάζω	__	μ.	Ένα μικρό νοσοκομείο που ανήκει σε κάποιον επιχειρηματία και δεν είναι δημόσιο όπως τα μεγάλα νοσοκομεία.

3.4.  Ακούστε το κείμενο: *Μια συνέντευξη για δουλειά*

3.4.α. Σημειώστε το σωστό. Tick the correct answer.

1.	Ψάχνει για δουλειά		
	α. ο κύριος Μπαλίκιν	β. η κυρία Παπαδάτου	γ. η Χριστίνα Μακρίδη
2.	Η Ορχήστρα Σύγχρονης Μουσικής έχει τα γραφεία της		
	α. στην Αθήνα	β. στον Πειραιά	γ. στο Νέο Φάληρο
3.	Ο Πάβελ Μπαλίκιν θα πάει στο ραντεβού		
	α. στις 10 / 10 & ώρα 11:00	β. στις 11 / 10 & ώρα 10:00	γ. στις 11 / 11 & ώρα 11:00
4.	Το γραφείο της διευθύντριας είναι		
	α. μακριά από το ασανσέρ	β. δίπλα στο ασανσέρ	γ. απέναντι από το ασανσέρ
5.	Ο Πάβελ Μπαλίκιν		
	α. δε δούλεψε πριν	β. δούλεψε σε μία δουλειά	γ. δούλεψε σε περισσότερες δουλειές
6.	Ο Πάβελ Μπαλίκιν παίζει		
	α. μόνο πιάνο	β. μονο βιολί	γ. και πιάνο και βιολί
7.	Ο Πάβελ Μπαλίκιν θα έχει		
	α. πλήρες ωράριο	β. μειωμένο ωράριο	γ. κάθε μέρα υπερωρίες
8.	Ο Πάβελ Μπαλίκιν για τις υπερωρίες που θα κάνει		
	α. δε θα πληρώνεται	β. θα έχει κάποια **αμοιβή**	γ. θα πληρώνεται για τις μισές υπερωρίες
9.	Ο Πάβελ Μπαλίκιν δε θα δουλεύει		
	α. δύο φορές την εβδομάδα	β. τα πρωινά	γ. μία φορά την εβδομάδα
10.	Ο Πάβελ Μπαλίκιν θα έχει για αμοιβή		
	α. το βασικό μισθό και την ασφάλεια	β. μόνο το βασικό μισθό	γ. το βασικό μισθό, την ασφάλεια και τις υπερωρίες
11.	Ο Πάβελ Μπαλίκιν θα αρχίσει τη νέα του δουλειά		
	α. την άλλη μέρα το απόγευμα	β. τον επόμενο μήνα	γ. την άλλη εβδομάδα
12.	Ο Πάβελ Μπαλίκιν για τη **σύμβαση** που θα υπογράψει πρέπει να φέρει		
	α. διαβατήριο και άδεια εργασίας	β. διαβατήριο, άδεια εργασίας και μια παλιά φωτογραφία	γ. διαβατήριο, άδεια εργασίας και μια τελευταία φωτογραφία
13.	Τις πρόβες των συναυλιών θα τις κάνουν		
	α. σε μια αίθουσα συναυλιών στο ισόγειο ενός άλλου κτηρίου	β. στον πρώτο όροφο αυτού του κτηρίου	γ. σε μια αίθουσα συναυλιών στο ισόγειο αυτού του κτηρίου

ανάπτυξη

13.5. **1. Έχω να... Έλα να... Πάω να... Λέω να... Δεν είναι εύκολο να... Είναι αδύνατον να...**

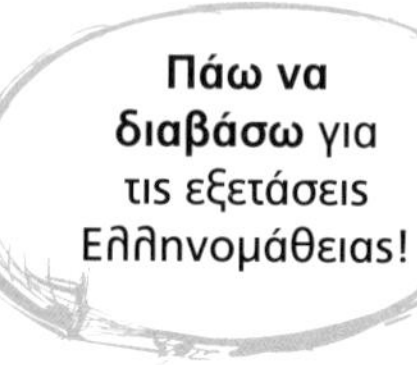

2. Να κάνω...; Να κάνεις! Τι / Πώς να κάνω...; Ας κάνω... Μακάρι να κάνω... Πιθανόν να κάνω...

- Ο διευθυντής μου είναι πολύ αυστηρός. **Τι να κάνω,** Ευτέρπη μου; [1]
- **Ν΄ αλλάξεις** δουλειά! [2]

- Σε πόσες μέρες **να** σας **τηλεφωνήσω** για τη συνέντευξη, κύριε Καστοριάδη; [3]
- **Να** μου **τηλεφωνήσεις** σε τρεις μέρες! [4]

- **Να** σας **κάνω** μια ερώτηση; [5] **Πώς να έρθω** στο γραφείο σας, κυρία Στεργίου; [6]
- **Να πάρετε** το μετρό [7] και **να κατεβείτε** [8] στον *Ευαγγελισμό*!

- **Μακάρι να φτάσει** [9] στην ώρα του το πλοίο! Μετά **ίσως προλάβω** [10] την τράπεζα ανοιχτή!

- Μπαμπά, θα κλείσεις εισιτήρια για τη συναυλία του Ρουβά; [11]
- Όχι, **να μελετήσεις** γαλλικά! [12]

- **Μακάρι να μπω** στο εντατικό τμήμα! [13]
- **Πιθανόν να περάσεις.** Μελέτησες πολύ! [14]

- **Ας γράψω** καλά αύριο! [15]

3.5.α. Τι σημαίνουν; Γράψτε σε ποιες από τις 5 στήλες ανήκουν οι φράσεις 1 έως 15, σύμφωνα με τα παραδείγματα.
What do they mean? Write in which of the 5 columns belong the phrases 1 to 15, following the examples.

Η υποτακτική μπορεί να εκφράσει δυνατότητα, απορία, διαταγή, ευχή, αμφιβολία ή πιθανότητα.
The subjunctive can express possibility, query, order, wish, doubt or probability.

Δυνατότητα*	Απορία	Διαταγή	Ευχή	Αμφιβολία - Πιθανότητα
5], ______	[3], ______	[2], ______	[9], ______	[10], ______

* *Εννοείται το ρήμα μπορώ ή επιτρέπεται. Π.χ.: (Μπορώ/επιτρέπεται) να μπω;*

3.5.β. Ταιριάξτε τις στήλες. Match the columns.

0.	*Θα ήθελα να σας ρωτήσω κάτι.*	0.	0.	*Να σας ρωτήσω κάτι;*
1.	Μπορώ να ανοίξω την πόρτα;	____	α.	Αχ, να φτάσω στην ώρα μου!
2.	Απαγορεύεται να μπείτε σ' αυτή την τάξη!	____	β.	Τι να σου πω;
3.	Θέλω να φτάσω πριν από τις πέντε.	____	γ.	Μακάρι να γράψεις καλά!
4.	Δεν ξέρω τι να σου πω για αυτό το θέμα.	____	δ.	Να μη βγεις έξω!
5.	Μπορώ να έρθω αύριο στο γραφείο σου;	____	ε.	Πού να τη στείλω;
6.	Σου εύχομαι να γράψεις καλά στο διαγώνισμα.	____	ζ.	Να τη συμπληρώσεις!
7.	Δεν ξέρω πού να στείλω την αίτηση.	____	η.	Ας πάμε νωρίς για να βρούμε καλή θέση!
8.	Δεν πρέπει να βγεις στο μπαλκόνι!	____	θ.	Να την ανοίξω;
9.	Συμπλήρωσε την αίτηση!	____	ι.	Επιτέλους! Ας φύγουμε!
10.	Μπορώ να πάρω κι άλλο ένα γλυκό;	____	κ.	Να μην μπείτε!
11.	Δεν ξέρω ακόμη αν θα έρθω στα γενέθλιά σου.	____	λ.	Πιθανόν να γραφτώ στο εντατικό τμήμα.
12.	Μπορεί να γραφτώ στο εντατικό τμήμα.	____	μ.	Μακάρι να πετύχεις στις εξετάσεις.
13.	Εύχομαι να πετύχεις στις εξετάσεις!	____	ν.	Να έρθω αύριο;
14.	Εγώ θέλω να φύγουμε αλλά εσύ δε θέλεις.	____	ξ.	Ίσως έρθω αλλά δεν είναι σίγουρο.
15.	Νομίζω ότι πρέπει να πάμε αρκετά νωρίς στο θέατρο.	____	ο.	Να πάρω κι άλλο ένα;

3.5.γ. Βρείτε τις ερωτήσεις. Πείτε τες με τη σειρά στην τάξη και μετά γράψτε τες!
Find the questions. Tell them in order in the classroom and then write them down!

	Πώς θα ρωτήσετε όταν θέλετε να φύγετε;
1.	Πώς θα ρωτήσετε όταν δεν ξέρετε τι να κάνετε; ______;
2.	Πώς θα ρωτήσετε όταν δεν ξέρετε τι ώρα να περάσετε από τη γραμματεία; ______;
3.	Πώς θα ρωτήσετε όταν δεν ξέρετε πού να πάτε; ______;
4.	Πώς θα ρωτήσετε όταν δεν ξέρετε από πού να στρίψετε; ______;
5.	Πώς θα ρωτήσετε όταν δεν ξέρετε σε ποιον να δώσετε το πακέτο; ______;
6.	Πώς θα δώσετε μια ευχή για να γράψετε καλά στο τεστ; ______!
7.	Πώς θα ρωτήσετε όταν θέλετε να κάνετε μια ερώτηση; ______;
8.	Πώς θα ρωτήσετε όταν θέλετε να ανοίξετε την πόρτα; ______;
9.	Πώς θα δώσετε μια ευχή σ' ένα ζευγάρι για το γάμο τους; ______;
10.	Πώς θα ρωτήσετε όταν δεν ξέρετε πώς να πάτε στην τράπεζα; ______;
11.	Πώς θα ρωτήσετε όταν θέλετε να τηλεφωνήσετε; ______;
12.	Πώς θα ρωτήσετε όταν θέλετε να παρακολουθήσετε το εντατικό τμήμα; ______;
13.	Πώς θα δώσετε μια ευχή για να περάσετε στις εξετάσεις; ______;
14.	Τι θα πείτε όταν δεν ξέρετε ακόμα αν θα πάτε στο πάρτι; ______;

13.6. 301 αν, αν δεν, μόλις, όταν, για να, να, πριν

Τι θα κάνω αν δεν **περάσω** [1] τις εξετάσεις το Μάιο;

Αν δεν **περάσεις,** [2] δώσε ξανά το Σεπτέμβριο.

Μόλις **συμπληρώσεις** [3] την αίτηση, έλα στη βιβλιοθήκη για να σου **πω** [4] τα νέα της Σχολής μας!

Δεν μπορώ γιατί πρέπει να **περάσω** [5] από τη γραμματεία πριν **κλείσει**. [6] Θα σου στείλω μήνυμα όταν **τελειώσω**. [7]

13.6.α. Σημειώστε το σωστό. Tick the correct answer.

1.	Αν ***έρθεις / ήρθες / έρχεσαι*** στο γραφείο μου, φέρε μαζί σου και τα χαρτιά που σου είπα.
2.	Αν ***δεν περνάς / δεν πέρασες / δεν περάσεις*** τις εξετάσεις το Μάιο, θα δώσεις πάλι το Σεπτέμβριο.
3.	Όταν ***έγραψες / γράψεις / γράφεις*** την άσκηση, διόρθωσε τα λάθη σου από τις λύσεις στο διαδίκτυο.
4.	Μόλις ***τελείωσες / τελειώσεις / τελειώνεις*** το διάβασμα στη βιβλιοθήκη, θα πάμε στο γραφείο του καθηγητή γιατί μας περιμένει.
5.	Όταν ***δίνεις / έδωσες / δώσεις*** την αγγελία στην εφημερίδα, στείλε ένα μήνυμα στο Γιάννη.
6.	Μόλις ***βρήκες / βρίσκεις / βρεις*** δουλειά, θα αγοράσεις και καινούργιο αυτοκίνητο.

13.6.β. Συμπληρώστε τα κενά σύμφωνα με το παράδειγμα.
Fill in the gaps following the example.

0. Αν ψάχνεις για δουλειά, βάλε / *να ~~βάλεις~~* αγγελία στο διαδίκτυο. *Να μη ~~βάλεις~~* μόνο στις εφημερίδες.
Αν δεν έχεις δουλειά,...

1.	στείλε / _______________ μια αγγελία στην εφημερίδα. _____________________ μόνο σε περιοδικά.
2.	ψάξε / _______________ στις μικρές αγγελίες. _____________________ μόνο στο διαδίκτυο.
3.	αγόρασε / _______________ πολλές εφημερίδες με αγγελίες. _____________________ μόνο τη *Χρυσή Ευκαιρία*.

13.6.γ. Σημειώστε το σωστό. Tick the correct answer.

ότι ή **πως** **γιατί** **αν** **όταν** **μόλις** **ενώ** **πριν** **για να** **να** **να** **που**	1.	Βλέπω ***μόλις / ότι / γιατί*** αρκετά παιδιά είναι από τη Μαριούπολη.
	2.	Δε χρειάζεται ***πως / να / για να*** πληρώσεις δίδακτρα ***γιατί / ότι / που*** έχεις υποτροφία.
	3.	***Αν / Μόλις / Γιατί*** δεν περάσω τις εξετάσεις το Μάιο, θα δώσω ξανά το Σεπτέμβριο.
	4.	***Ότι / Όταν / Πώς*** συμπληρώσεις το βιογραφικό σου, θα το στείλεις στη γραμματεία.
	5.	Πήρα υποτροφία ***γιατί / για να / όταν*** παρακολουθήσω τα μαθήματα.
	6.	Θέλω ***να / για να / αν*** μελετήσω πολύ, ***για να / για να μη / γιατί*** μείνω στην ίδια τάξη.
	7.	Είδα στην ιστοσελίδα την αίτηση ***για να / που / πως*** πρέπει να συμπληρώσω.
	8.	***Μόλις / Αν / Για να*** μελετήσεις, σίγουρα θα γράψεις καλά.
	9.	***Ενώ / Μόλις / Για να*** μελετούσα, άκουγα και την αγαπημένη μου μουσική.
	10.	Θέλω να πάρω υποτροφία ***γιατί / για να / που*** πάω για μεταπτυχιακό στην Αμερική.
	11.	Θέλω να επισκεφθώ τη γιαγιά μου ***πριν / ενώ / μόλις*** φύγω για το εξωτερικό.
γιατί **τι** **πού** **πώς** **πότε** **πόσος ποιος** **αν**	12.	Τον ρώτησε ***πότε / πού / τι*** θα φύγει.
	13.	Τον ρώτησε ***ποιος / πόσος / όταν*** συμμαθητής του είναι από τη Μαριούπολη.
	14.	Τον ρώτησε ***γιατί / πού / τι*** έφυγε.
	15.	Τον ρώτησε ***τι / πώς / πού*** βρίσκεται η γραμματεία.
	16.	Τον ρώτησε ***τι / πώς / πού*** καιρό κάνει στην Ουκρανία.
	17.	Τον ρώτησε ***πόσοι / ποιους / πότε*** μαθητές είναι στο τμήμα ελληνικών.
	18.	Τον ρώτησε ***πόσο / πώς / τι*** κάνει κανείς μια αίτηση.
	19.	Τον ρώτησε ***πού / αν / τι*** / θα παρακολουθήσει το εντατικό πρόγραμμα.

13.6.δ. Ταιριάξτε τις στήλες. Match the columns.

1.	Πήρα τηλέφωνο μια ιδιωτική κλινική	___	α.	**που** διαρκεί έως τις 20 Μαΐου.
2.	Θα παρακολουθήσω το εντατικό τμήμα	___	β.	**γιατί** είχε μεγάλη πείρα.
3.	Η Ταμάρα πήγε στη γραμματεία του Διδασκαλείου	___	γ.	**αν** πήρες υποτροφία.
4.	Θα αλλάξω δουλειά	___	δ.	**ότι** γίνονται κάθε Μάιο.
5.	Βρήκε δουλειά σ' αυτή τη διαφημιστική εταιρεία	___	ε.	**όταν** μάζεψε όλα τα χαρτιά για την εγγραφή.
6.	Σχετικά με τις εξετάσεις Ελληνομάθειας έμαθα	___	ζ.	**αν** βρω μια άλλη με μερική απασχόληση.
7.	Δε θα πληρώσεις δίδακτρα,	___	η.	**για να** κάνω εξετάσεις αίματος.
8.	Η Ταμάρα ρώτησε τη γραμματέα	___	θ.	**να** παρακολουθήσω μαθήματα ελληνικών.
9.	Αποφάσισα	___	ι.	**μόλις** τη συμπληρώσω.
10.	Θα στείλω την αίτηση ηλεκτρονικά	___	κ.	**ποιοι** θα είναι στην τάξη της.

3.7. 302 Να ή Ότι;

3.7.α. Ταιριάξτε τις στήλες. Match the columns.

1.	Δεν πρόλαβα	___	α.	να δώσεις τη συστατική επιστολή;
2.	Νομίζεις	___	β.	να βγεις έξω με τόσο χιόνι;
3.	Γιατί ξέχασες	___	γ.	να συμπληρώσω την αίτηση.
4.	Πού θέλεις	___	δ.	ότι δε θα βρω δουλειά.
5.	Από πότε άρχισες	___	ε.	ότι έχεις δίκιο; Κάνεις λάθος.
6.	Δε φοβάσαι	___	ζ.	να με ενημερώσεις για την ακύρωση του ραντεβού;
7.	Φοβάμαι	___	η.	ότι δε θα έρθει στο συνέδριο γιατί είναι άρρωστος.
8.	Κατάλαβα	___	θ.	να μαθαίνεις πιάνο;

3.8. 303 Ποιος; Ποιον; Ποιανού / Τίνος;

- **Ποιανού** έστειλες δώρο;
- Έστειλα δώρο **του αδελφού μου / στον αδερφό μου** που γιορτάζει.

- **Ποιος** μου έστειλε αυτά τα δώρα;

- **Ποιανού / Τίνος / Σε ποιον** τηλεφωνείς;
- Τηλεφωνώ **στους πελάτες** της εταιρείας μας.

3.8.α. Ταιριάξτε τις 4 στήλες για να φτιάξετε προτάσεις, σύμφωνα με το παράδειγμα.
Match the 4 columns to make sentences, following the example.

	Ποιος;		Τι κάνει;		Τι;		Σε ποιον;	1.γ.Ε.VI.
1.	Ο καθηγητής	α.	σερβίρει	Α.	ένα δαχτυλίδι	I.	της συζύγου του/στη σύζυγό του.	
2.	Ο γιατρός	β.	προσέφερε	Β.	ένα ούζο	II.	στον άρρωστο.	
3.	Οι τουρίστες	γ.	διδάσκει	Γ.	ένα αντιβιοτικό	III.	στην επιχειρηματία, κυρία Χ.	
4.	Ο μεσίτης	δ.	θύμισε	Δ.	ένα πολύ ωραίο γραφείο	IV.	στον πελάτη του εστιατορίου.	
5.	Η κόρη	ε.	νοίκιασαν	Ε.	μαθηματικά	V.	στο διευθυντή της.	
6.	Ο σερβιτόρος	ζ.	έδωσε	Ζ.	το ραντεβού	VI.	τους μαθητές του.	
7.	Ο σύζυγος	η.	χάρισε	Η.	λουλούδια	VII.	-	
8.	Η γραμματέας	θ.	έδειξε	Θ.	ένα αυτοκίνητο.	VIII.	της μητέρας της/στη μητέρα της.	

13.8.β.  Ταιριάξτε τις δύο στήλες και κάντε ερωτήσεις σύμφωνα με το παράδειγμα.

Match the 2 columns to make sentences, following the example.

1.	Έστειλα μέιλ **στο γιο μου.**	η	α.	**Ποιανών...;**
2.	Μίλησα στο τηλέφωνο **με τη Μαρία.**	___	β.	**Ποιανής...;**
3.	Τηλεφώνησα **της μητέρας μου.**	___	γ.	**Ποιος...;**
4.	Βρήκα στην τάξη μια ζακέτα. Είναι **ή της Μαρίας ή της Λίνας;**	___	δ.	**Ποια...;**
5.	Τα δύο κινητά που βρέθηκαν στην αίθουσα γυμναστικής είναι το ένα **του Γιάννη** και το άλλο **του Πέτρου.**	___	ε.	**Ποιανής...;**
6.	Το μέιλ το έστειλε **ο Χάρης** ή **η Ελένη;** Δεν ξέρω.	___	ζ.	**Ποιοι...;**
7.	Μου τηλεφώνησε **η Μαρίνα** ή **η Χριστίνα.** Καμία δεν άφησε όνομα.	___	η.	**Σε ποιον έστειλες μέιλ;**
8.	Η συνάδελφός μας μας μίλησε **για το νέο διευθυντή** της εταιρείας.	___	θ.	**Ποιανού...;**
9.	Αυτή η αίτηση δεν είναι **δική μου.**	___	ι.	**Για ποιον...;**
10.	Περιμένω στο γραφείο μου **τη νέα γραμματέα.**	___	κ.	**Με ποια...;**
11.	Η αδελφή μου μοιάζει πάρα πολύ **του πατέρα μας.**	___	λ.	**Ποια...;**
12.	**Ο Γιώργος και ο Μανόλης** μιλούν στο σκάιπ.	___	μ.	**Τίνος...;**

13.9.  με, σε, για ή από;

- **Από** πότε κάνεις μαθήματα πιάνου; - **Από** πέρυσι το φθινόπωρο.	- **Με** τι ασχολείσαι; - **Με** τη διδασκαλία της ελληνικής γλώσσας **στο** πανεπιστήμιο.	- **Από** πότε έχεις αυτή την καταπληκτική γραμματέα; - **Από** την αρχή Μαρτίου. Δυστυχώς θα την έχω **για** έξι μήνες μόνο.	- **Σε** πόση ώρα θα είμαι έτοιμη, Τρύφωνα; - **Σε** μισή ωρίτσα, κυρία Μαίρη μου! Και λούσιμο και κόψιμο και χτένισμα.

13.9.α.  Συμπληρώστε τα κενά με τις προθέσεις *με, σε (στον, στην), για, από.*

Fill in the gaps with the prepositions *με, σε (στον, στην), για, από.*

1. Ο κλέφτης **πήδηξε** _____ το παράθυρο. 2. **Διαφωνώ** _____ τη γνώμη σου. 3. **Σημείωσα** _____ **ατζέντα** μου ένα τηλέφωνο. 4. **Ενθουσιάστηκα** _____ τη Σαντορίνη. 5. **Τραυματίστηκα** _____ πόδι. 6. **Χαίρομαι** _____ την επιτυχία σου. 7. **Θα απουσιάσω** _____ τη δουλειά μου _____ τις πέντε έως τις δώδεκα Ιουλίου. 8. **Ανησυχώ** _____ την υγεία σου. 9. Ο καναπές **δε χωράει** _____ σαλόνι. 10. Το τρένο **θα αναχωρήσει** _____ τρία λεπτά. 11. **Αρραβωνιάστηκα** _____ το Μίλτο. 12. **Τρελαίνομαι** _____ την ελληνική μουσική. 13. Το τρένο **θα αναχωρήσει** _____ την Αθήνα _____ την Πάτρα το πρωί. 15. **Συμφωνώ** _____ σένα. 16. **Χώρισα** _____ τον Χρήστο το καλοκαίρι. 17. **Δάνεισα** _____ ένα φίλο μου εκατό ευρώ. 18. **Ενδιαφέρομαι** _____ την τέχνη. 19. **Ασχολούμαι** _____ το διαδίκτυο.

13.10. Σημαίνει πολλά: περνάω, βγαίνω, βγάζω, μπαίνω, βγάζω, εξετάσεις

1. περνάω	2. βγαίνω	4. βγάζω
α. Χτες **πέρασα από το γραφείο** σου αλλά έλειπες.	**α.** Χτες **βγήκα στον κήπο** για να κόψω λουλούδια.	**α.** Χτες το βράδυ **έβγαλα τη ζακέτα** μου και κρύωσα.
β. Μόλις **περάσετε την οδό Στουρνάρα,** θα δείτε στα δεξιά σας το Πολυτεχνείο, **θα** το **περάσετε** και αμέσως μετά θα δείτε το Μουσείο.	**β. Βγες** λίγο με την παρέα σου. Συνέχεια μένεις στο σπίτι.	**β. Βγάλε βόλτα** το μωρό στο πάρκο. **γ. Έβγαλα ωραίες φωτογραφίες.**
γ. Περάστε μέσα, παρακαλώ!	**3. μπαίνω**	**δ. Πόσα βγάζεις** το μήνα;
δ. Δεν πέρασα στο μάθημα της ιστορίας.	**α. Μπήκα στο σπίτι** από την πίσω πόρτα.	**5. εξετάσεις**
ε. Πρόσεχε όταν **περνάς το δρόμο!** Τα αυτοκίνητα τρέχουν με μεγάλη ταχύτητα.	**β.** Διάβασα πάρα πολύ και **μπήκα στο πανεπιστήμιο,** στην Ιατρική Σχολή.	**α. Θα δώσω εξετάσεις** για να μπω στην Νομική Σχολή.
ζ. - Πώς πέρασες στο πάρτι; - Τέλεια!	**γ. Δε μου μπαίνει η φούστα.** Είναι στενή.	**β. Θα κάνω εξετάσεις αίματος** γιατί δεν αισθάνομαι καλά.
η. Η ώρα πέρασε γρήγορα.		

3.10.α. Σημειώστε το σωστό. Tick the correct answer.

1.	Γιατί ***βγαίνεις / βγάζεις*** τη ζακέτα σου; Κάνει κρύο.
2.	Πότε θα ***κάνεις / δώσεις*** εξετάσεις για να μπεις στο πανεπιστήμιο;
3.	Πώς πέρασες ***στο δρόμο / το δρόμο;*** Με κόκκινο ή με πράσινο;
4.	Για να φτάσετε στο μουσείο πρέπει να περάσετε ***στο / το*** Πολυτεχνείο.
5.	***Μπήκα / βγήκα*** στο Πανεπιστήμιο γιατί έγραψα τέλεια!
6.	Ο πατέρας σου πόσα ***βγαίνει / βγάζει*** το μήνα;
7.	Κάνει καλό καιρό και θα ***βγάλω / βγαίνω*** βόλτα το μωρό.
8.	***Βγείτε / Βγάλτε*** έξω! Το σπίτι έπιασε φωτιά!
9.	Πότε θα περάσεις ***από το / το*** γραφείο μου;
10.	***Έκανα / Έδωσα*** εξετάσεις αίματος και ελπίζω να είναι καλές.
11.	***Έβγαλα / Έβαλα*** πολύ ωραίες φωτογραφίες στην εκδρομή.
12.	Πήρα δύο κιλά και το παντελόνι δε μου ***βγάζει / μπαίνει.***

Μπήκα στη Σχολή που ήθελα. Έγραψα τέλεια!

3.11. Το λέμε και αλλιώς: Πόσα βγάζεις;

Πόσα παίρνεις;
Πόσα **βγάζεις;**
Πόσα κερδίζεις;
Ποια είναι η **αμοιβή** σου;

Ποιος είναι ο μισθός σου;
Τι **εισόδημα** έχεις;
Τι **ημερομίσθιο** παίρνεις;
Τι μεροκάματο παίρνεις;

3.11.α. Βρείτε την ερώτηση. Πείτε τη πρώτα προφορικά και στη συνέχεια γράψτε τη.

Find the question. Say it first orally and then write it down.

1.	Κερδίζω 1000 ευρώ το μήνα. ______________________
2.	Όχι, ο πατέρας μου, δυστυχώς, δεν έχει εισοδήματα. ______________________
3.	Ο γιος μου παίρνει μεροκάματο, 60 ευρώ την ημέρα. ______________________
4.	Εγώ παίρνω 750 ευρώ το μήνα, καθαρά. ______________________
5.	Η αμοιβή του καθηγητή είναι 30 ευρώ την ώρα. ______________________
6.	Ο μισθός της κόρης μου είναι 2.000 ευρώ το μήνα.______________________
7.	Ναι, το ημερομίσθιο του Πέτρου είναι πολύ χαμηλό.______________________
8.	Η αδερφή μου βγάζει πάρα πολλά από τη δουλειά της.______________________

 **Και τώρα εσείς!**

13.11.β. *Πόσα κερδίζει ο καλύτερός σας φίλος, το μήνα, από τη δουλειά του; Πόσα βγάζει καθαρά και ποιος είναι ο μισθός του μεικτά; Εσείς πού δουλεύετε; Είστε με μισθό ή με ημερομίσθιο; Έχετε πολλές κρατήσεις; Ποιος είναι ο πιο χαμηλός μισθός στη χώρα σας; Τι μισθό παίρνει ένας υπάλληλος σε σούπερ μάρκετ στη χώρα σας; Τι μεροκάματο παίρνει ένας εργάτης; Ποια είναι η αμοιβή ενός καθηγητή ξένης γλώσσας, την ώρα, στη χώρα σας;*

13.12. Ο αδερφός μου ο Αριστείδης

13.12.α. Ακούστε το κείμενο και συμπληρώστε τα κενά με λέξεις από το πλαίσιο.
Listen to the text and fill in the gaps with words from the box.

*εργοδότης / άνεργος / **απεργούν** / εργασίας / εργαζόμενοι / **ασφαλισμένοι** / ασφάλεια / εισόδημα / **επίδομα ανεργίας** / συνεργάτες / εργατικό δυναμικό / εργοστάσιο / χρώματα*

Ο αδερφός μου, ο Αριστείδης ήταν [1] _____________ για πέντε μήνες. Δεν είχε κανένα [2] _____________. Έπαιρνε μόνο το [3] _______________ από τον ΟΑΕΔ.*
Ευτυχώς πριν από ένα μήνα βρήκε δουλειά στο [4] _____________ *Χρωμέξ*, στο Κορωπί Αττικής, που φτιάχνει [5] _____________.
Οι ώρες [6] _____________ είναι 7:00 με 15:30 από Δευτέρα έως Παρασκευή.
Ο [7] _____________ και οι [8] _________________ του είναι πολύ συμπαθητικοί κι εργατικοί άνθρωποι. Όλοι οι [9] _____________ τους αγαπούν πολύ και δεν [10] _____________. Το [11] ______________________ στη *Χρωμέξ* είναι περίπου εξήντα, Έλληνες και ξένοι. Είναι όλοι [12] _____________ στο ΙΚΑ.* Ένα είκοσι τοις εκατό (20%) έχουν και ιδιωτική [13] _____________.

** ΙΚΑ: Ίδρυμα Κοινωνικών Ασφαλίσεων* ** ΟΑΕΔ: Οργανισμός απασχόλησης Εργατικού Δυναμικού*
ΙΚΑ : Social Security *ΟΑΕΔ: State Unemployment Agency*

13.13. Τα νέα της ημέρας

13.13.α. Ακούστε το κείμενο και συμπληρώστε τα κενά με λέξεις από το πλαίσιο.
Listen to the text and fill in the gaps with words from the box.

*συνταξιούχοι / θα απεργήσουν / **συνεργασία** / **Παιδείας** / **παίκτες** / συντάξεις / σε **απεργία** / συγκέντρωση / ειδικές ανάγκες / **κυβέρνηση***

Από αύριο κατεβαίνουν [1] _____________ οι εργαζόμενοι στα μέσα μαζικής μεταφοράς για δύο εικοσιτετράωρα. Δε [2] _____________ οι εργαζόμενοι στο Αττικό μετρό.
Το Υπουργείο [3] _____________ ανακοίνωσε ότι σε [4] _____________ με το Υπουργείο Εργασίας θα δημιουργήσουν νέες θέσεις εργασίες για άτομα με [5] _________________.
Στο φιλικό αγώνα Παναθηναϊκού - Ολυμπιακού, ο Παναθηναϊκός στο δεύτερο ημίχρονο έπαιζε με δέκα μόνο [6] _____________. Τελικά ο νικητής του φιλικού αγώνα ήταν ο Παναθηναϊκός με **σκορ** 2-1.
Η [7] _____________ θα κόψει το 10% στις [8] _____________. Οι [9] _____________ θα κάνουν [10] _____________ αύριο το πρωί στις 10:00 στην πλατεία Ομονοίας.

13.13.β. Κάντε ερωτήσεις και δώστε απαντήσεις επάνω στα κείμενα ανά ζεύγη. Στη συνέχεια γράψτε τες στο τετράδιό σας. In pairs, ask questions and give answers regarding the texts. Then write them in your notebook.

Π.χ. Για πόσο καιρό ήταν άνεργος ο αδερφός σου; Ήταν άνεργος για πέντε μήνες. Ποιοι κατεβαίνουν σε απεργία αύριο; Κατεβαίνουν σε απεργία οι εργαζόμενοι στα μέσα μαζικής μεταφοράς.

13.13.γ. Οικογένεια λέξεων: παιδί, εργάζομαι

το παιδί
- το **παιδί**-θαύμα

παιδικός-ή-ό
- ο **παιδ**ικός σταθμός
- η **παιδ**ική χαρά
- τα **παιδ**ικά είδη

ο/η **παιδ**ίατρος
ο/η ορθο**παιδ**ικός
η **παιδ**εία
- το Υπουργείο **Παιδ**είας

η εκ**παίδ**ευση
ο/η εκ**παιδ**ευτικός
παίζω
το **παιχ**νίδι
ο **παίκτ**ης - η **παίκτρ**ια
η εγκυκλο**παίδ**εια

εργάζομαι
το **εργ**οστάσιο
η **εργ**ασία
η συν**εργ**ασία
ο **εργ**άτης, η **εργ**άτρια
ο συν**εργ**άτης
- η συν**εργ**άτιδα (-τρια)

εργαζόμενος-η-ο
εργατικός-ή-ό
- η **εργ**ατική Πρωτομαγιά

το **έργ**ο
το **εργ**αστήριο
ο **εργ**οδότης
- η **εργ**οδότρια

ο άν**εργ**ος, η άν**εργ**η
η αν**εργ**ία
- το επίδομα αν**εργ**ίας

η απ**εργ**ία
απ**εργ**ώ

13.13.δ. Ταιριάξτε τις στήλες. Match the columns.

1.	ο **εργο**δότης	___	α.	ο μισθός της **ημέρας**
2.	η **ελληνο**μάθεια	___	β.	(σπουδές) **μετά** το πτυχίο
3.	το **ημερο**μίσθιο	___	γ.	δίνω **εργασία**
4.	το **μετα**πτυχιακό	___	δ.	μαθαίνω **ελληνικά**

13.13.ε. Ταιριάξτε τις στήλες. Match the columns.

1.	Εξετάσεις	___	α.	εργασίας
2.	Υπουργείο	___	β.	Κοινωνικών Ασφαλίσεων
3.	Επίδομα	___	γ.	αίματος
4.	Ώρες	___	δ.	Απασχόλησης Εργατικού Δυναμικού
5.	Ίδρυμα	___	ε.	Παιδείας
6.	Οργανισμός	___	ζ.	ανεργίας

3.13.ζ. ✓ Ταιριάξτε τις στήλες. Match the columns.

1.	το παιδί	____	α.	εκεί αφήνουν οι γονείς τα παιδιά τους (1-3 ετών)
2.	η παιδική χαρά	____	β.	αυτά που μαθαίνει κανείς από την οικογένειά του και το σχολείο
3.	ο/η παιδίατρος	____	γ.	αν σπάσει κανείς το πόδι του, πάει σ' αυτό το γιατρό
4.	η παιδεία	____	δ.	είδη (ρούχα, παπούτσια, αντικείμενα...) που είναι για παιδιά
5.	η **εκπαίδευση** στην Ελλάδα	____	ε.	ο ειδικός γιατρός για την παιδική ηλικία
6.	η **εγκυκλοπαίδεια**	____	ζ.	αυτός που παίζει σε παιχνίδι αθλητικό ή άλλο παιχνίδι
7.	παίζω	____	η.	αυτοί που διδάσκουν στο Δημοτικό σχολείο, στο Γυμνάσιο και στο Λύκειο
8.	το παιχνίδι	____	θ.	σειρά βιβλίων που περιλαμβάνει σε **αλφαβητική** σειρά τις γνώσεις των ανθρώπων για πολλά και διάφορα θέματα
9.	οι εκπαιδευτικοί	____	ι.	ασχολούμαι με παιχνίδια, σπορ, με μουσικά όργανα, κ.λπ.
10.	ο/η ορθοπαιδικός	____	κ.	τα σχολεία και τα πανεπιστήμια της χώρας
11.	παιδικά είδη	____	λ.	ο άνθρωπος σε νεαρή ηλικία
12.	ο παιδικός σταθμός	____	μ.	εκεί παίζουν τα μικρά παιδιά
13.	ο παίκτης	____	ν.	μια ασχολία που μπορεί να είναι άθλημα, αντικείμενο, διασκέδαση, κ.λπ.

3.13.η. ✓ Ταιριάξτε τις στήλες. Match the columns.

1.	Το Υπουργείο Παιδείας φροντίζει όλα	__	α.	βρίσκει κανείς πολλά και όμορφα ρούχα για παιδιά.
2.	Η εκπαίδευση είναι **υποχρεωτική**	__	β.	παιδικές χαρές για να παίζουν τα παιδιά.
3.	Όλα τα παιδιά παίζουν	__	γ.	να πάνε στον παιδικό σταθμό.
4.	Σε πολλά πάρκα υπάρχουν	__	δ.	τα θέματα της χώρας σχετικά με την εκπαίδευση.
5.	Στα παιδικά είδη αυτού του καταστήματος	__	ε.	έναν πολύ καλό ορθοπαιδικό στη γειτονιά μας.
6.	Πριν πάνε στο νηπιαγωγείο τα παιδιά πρέπει	__	ζ.	έχουν πολύ καλή συνεργασία.
7.	Έσπασα το πόδι μου και αμέσως πήγα σε	__	η.	θαύμα. Έπαιζε πιάνο μπροστά σε κοινό από 4-5 ετών.
8.	Ο μικρός Λεωνίδας ήταν παιδί -	__	θ.	είναι όλοι ξένοι.
9.	Τον έδιωξαν από τη δουλειά του και παίρνει	__	ι.	με παιχνίδια.
10.	Οι εργαζόμενοι στο εργοστάσιο	__	κ.	επίδομα ανεργίας.
11.	Οι εργοδότες και οι εργαζόμενοι πρέπει να	__	λ.	για όλα τα παιδιά.

Λεξιλόγιο — *Glossary*

ΟΝΟΜΑΤΑ	NOUNS
βαθμός, ο	grade
εργοδότης, ο	employer (masc.)
λογιστής, ο	accountant (masc.)
παιδικός σταθμός, ο	nursery
παίκτης, ο	player (masc.)
συμφοιτητής, ο	fellow student (masc.)
απόφοιτος, ο/η	graduate
αμοιβή, η	reimbursement
απασχόληση, η	employment
μερική απασχόληση, η	part time employment
απεργία, η	strike
κατεβαίνω σε απεργία	I go on strike
ατζέντα, η	agenda, calendar
διδασκαλία, η	teaching
εγγραφή, η	registration
εγκυκλοπαίδεια, η	encyclopedia
εκπαίδευση, η	education
ελληνομάθεια, η	Greek language learning
εξετάσεις, οι	exams
επιστολή, η	letter
συστατική επιστολή, η	recommendation letter
εργοδότρια, η	employer (fem.)
κλινική, η	clinic
κρατήσεις, οι	withholdings
κυβέρνηση, η	government
λογίστρια, η	accountant (fem.)
παιδεία, η	education
Υπουργείο Παιδείας, το	Ministry of Education
παίκτρια, η	player (fem.)
σύμβαση, η	contract
συμφοιτήτρια, η	fellow student (fem.)
συμφωνία, η	agreement, deal
συνεργασία, η	cooperation
υποτροφία, η	scholarship
δίδακτρα, τα	tuition fees
διδασκαλείο, το	teaching institution
δίπλωμα, το	diploma
δίπλωμα Ελληνομάθειας, το	diploma of Greek language
εισόδημα, το	income
εξάμηνο, το	semester
επίδομα ανεργίας, το	unemployment benefit
ημερομίσθιο, το	daily wage
σκορ, το	score
ωράριο (μειωμένο), το	part time employment
ωράριο (πλήρες), το	full time employment
ΕΠΙΘΕΤΑ - ΜΕΤΟΧΕΣ	ADJECTIVES - PARTICIPLES
αλφαβητικός-ή-ό	alphabetical
αλφαβητική σειρά, η	alphabetical order
ασφαλισμένος-η-ο	insured
διαφημιστικός-ή-ό	advertising
εντατικός-ή-ό	intensive
εντατικό τμήμα, το	intensive course
ιδιωτικός-ή-ό	private
καθαρά, τα	net (adj.)
μεικτός-ή-ό	gross (adj.)
μεικτά, τα	gross income
υποχρεωτικός-ή-ό	mandatory
ΡΗΜΑΤΑ	VERBS
απεργώ	I go on strike
απουσιάζω	I am absent / away
επιθυμώ	I want
κερδίζω	I earn
παίρνω (υποτροφία)	I get (a scholarship)
δίνω (εξετάσεις)	I take (exams)
περνάω (-ώ) (τις εξετάσεις)	I pass (exams)
ΕΠΙΡΡΗΜΑΤΑ	ADVERBS
σχετικά με	in regard to
ΕΚΦΡΑΣΕΙΣ	EXPRESSIONS
καλή αρχή!	have a nice start!
πόσα βγάζεις ...;	how much do you make?
στο χέρι (μετρητά)	cash
ΙΚΑ (Ίδρυμα Κοινωνικών Ασφαλίσεων)	Social Security

γραμματική

1. Υποκείμενο, κατηγορούμενο, αντικείμενο
Subject, predicate, object

ΥΠΟΚΕΙΜΕΝΟ & ΚΑΤΗΓΟΡΟΥΜΕΝΟ
- Το υποκείμενο είναι ο όρος της πρότασης που αναφέρεται σε αυτόν ή αυτό που ενεργεί, υφίσταται την ρηματική ενέργεια ή βρίσκεται σε μια κατάσταση. The subject is the part of the sentence that refers to the person or the thing that makes the action, that is the subject of the action, or is in a specific state.
  Π.χ. **Τα παιδιά** παίζουν. **Η γάτα** κοιμάται. **Το δωμάτιο** είναι μικρό.
- Το κατηγορούμενο δίνει μια ιδιότητα ή κάποιο γνώρισμα στο υποκείμενο, κυρίως με το ρήμα ***είμαι***. The predicate awards a quality or a certain trait to the subject, mainly with the verb ***είμαι***.
  Π.χ. Το δωμάτιο είναι **μικρό**. Η Άννα είναι **έξυπνη**.
- Το υποκείμενο και το κατηγορούμενο είναι πάντα σε ονομαστική. The subject and the predicate are always in the nominative case.

1.1. Ονομαστική Nominative

α. (υποκείμενο) (subject)	Υποκείμενο	Ρήμα	Αντικείμενο	**Απαντάει στην ερώτηση**: **ποιος;**
	Η Ελένη	έγραψε	το γράμμα.	Ποιος έγραψε το γράμμα; Η Ελένη.
β. (κατηγορούμενο) (predicate)	Υποκείμενο	Ρήμα	**Κατηγορούμενο**	**Απαντάει στην ερώτηση**: **τι (είναι);**
	Η Ελένη	είναι	**δασκάλα.**	Τι είναι η Ελένη; Είναι **δασκάλα**.

ΑΝΤΙΚΕΙΜΕΝΟ (ΑΜΕΣΟ ή ΕΜΜΕΣΟ) OBJECT (DIRECT or INDIRECT)
- Μερικά ρήματα, που λέγονται **μεταβατικά**, χρειάζονται συμπλήρωμα. Το συμπλήρωμα, στο οποίο πηγαίνει η ενέργεια του ρήματος, λέγεται αντικείμενο. Some verbs, that are called **transitive**, need a complement. The complement to which the action of the verb is directed, is called object.
- Τα αντικείμενα είναι δύο ειδών: 1. Το άμεσο αντικείμενο (αιτιατική). Π.χ. Κάνω **την άσκηση**. Τρώω **το φαγητό** μου.
  2. Το έμμεσο αντικείμενο (γενική ή ***σε*** + αιτιατική). Π.χ. Γράφω **του παππού μου**. Τηλεφωνώ **στη φίλη μου**. Στέλνω μήνυμα **στη Λίνα**.
  There are two kinds of objects: 1. the direct object (accusative).
  2. the indirect object (genitive or ***σε*** + accusative).
- Μερικά ρήματα, τα αμετάβατα, δε χρειάζονται συμπλήρωμα (αντικείμενο). Π.χ. **Τρέχω. Κοιμάμαι.**
  Some verbs, the intransitive, do not need a complement (object).

1.2. Αιτιατική (άμεσο αντικείμενο) Accusative (direct object)

Αιτιατική	Υποκείμενο	Ρήμα	**Αντικείμενο 1**	**Απαντάει στην ερώτηση**: **ποιον; τι;** (Αιτιατική)
	Η Ελένη	έγραψε	**το γράμμα**.	Τι έγραψε η Ελένη; Έγραψε **το γράμμα**.
	Η Ελένη	χτενίζει	**την κούκλα**	Ποιον χτενίζει η Ελένη; Χτενίζει **την κούκλα**.

1.3. Γενική ή *σε* + αιτιατική (έμμεσο αντικείμενο) Genitive or *σε* + accusative (indirect object)

Γενική	Υποκείμενο	Ρήμα	**Αντικείμενο 2**	**Απαντάει στην ερώτηση**: **ποιανού/τίνος;**
	Η Ελένη	έγραψε	**της γιαγιάς** της.	Ποιανού/τίνος έγραψε η Ελένη; **Της γιαγιάς** της.
Σε + αιτιατική	Υποκείμενο	Ρήμα	**Αντικείμενο 2**	**Απαντάει στην ερώτηση**: **σε ποιον;**
	Η Ελένη	έγραψε	**στη γιαγιά** της.	Σε ποιον έγραψε η Ελένη; **Στη γιαγιά** της.

ΔΥΟ ΑΝΤΙΚΕΙΜΕΝΑ (ΑΜΕΣΟ + ΕΜΜΕΣΟ) TWO OBJECTS (DIRECT + INDIRECT)
Ορισμένα ρήματα όπως: *γράφω, δίνω, στέλνω*, μπορούν να πάρουν δύο αντικείμενα: Certain verbs, such as: *γράφω, δίνω, στέλνω* can take two objects:
Αντικείμενο 1 -> Άμεσο (αιτιατική) Object 1 -> Direct (accusative)
Αντικείμενο 2 -> Έμμεσο (γενική ή *σε* + αιτιατική) Object 2 -> Indirect (genitive or ***σε*** + accusative)

Υποκείμενο	Ρήμα	**Αντικείμενο 1** (αιτιατική)	**Αντικείμενο 2** (γενική ή ***σε*** + αιτιατική)
Η Ελένη	έστειλε	**κουλουράκια**	**της γιαγιάς** της / **στη γιαγιά** της

1.4. Κλητική Vocative

Η κλητική δεν έχει συντακτικό ρόλο. Χρησιμοποιείται σε προσφωνήσεις, κλήσεις κ.λπ
Vocative does not play a connecting role in the sentence. It is used in salutations, callings etc.
Π.χ. **Πέτρο**, μπες μέσα! **Απόστολε**, τι κάνεις; **Γιατρέ**, πώς είμαι; **Κύριε καθηγητά**, έρχομαι σε δύο λεπτά.

2. Η χρήση των πτώσεων (ονόματα) Use of cases (nouns)
Η ονομαστική, η αιτιατική και η γενική έχουν συντακτικό ρόλο στην πρόταση.
The nominative, the accusative and the genitive have a connecting role in the sentence.

2.1. Ονομαστική Nominative

Είναι η πτώση του υποκειμένου και του κατηγορουμένου. It is the case of the subject and the predicate.

Ο Μιχάλης παίζει. Η οδός Πανεπιστημίου βρίσκεται στο κέντρο της Αθήνας. Το μωρό κοιμάται.
Ο τουρίστας είναι αρχιτέκτονας. Η Ελένη είναι καθηγήτρια.

Επιγραφές - Τίτλοι - Υπογραφές Inscriptions - Titles - Signatures

Ξενοδοχείο *Η Μεγάλη Βρετανία*, Το μυθιστόρημα «Αλέξης Ζορμπάς», Φιλικά, *Γιώργος Μπαλτατζής*

2.2. Αιτιατική Accusative

Είναι κυρίως η πτώση του αντικειμένου (άμεσου ή έμμεσου). It is primarily the case of the object (direct or indirect).

Διδάσκω στους μαθητές μου την ελληνική γλώσσα. Έστειλα ένα γράμμα στη γιαγιά μου.

Σε χρονικές εκφράσεις χωρίς πρόθεση. In time expressions without preposition.

Θα επιστρέψω το βράδυ. Το Φεβρουάριο θα φύγω. Γεννήθηκε το 2005. Την Τρίτη αρχίζω ελληνικά. Δουλεύει οκτώ ώρες την ημέρα.

Με πρόθεση + άρθρο στην αιτιατική (ώρα, ημερομηνία). With preposition + article in the accusative (time, date).

Στη 1:00, στις 2:00, στις 3 Ιανουαρίου, την πρώτη Οκτωβρίου αρχίζουν τα μαθήματα.

2.3. Γενική Genitive

Η γενική είναι η χαρακτηριστική πτώση εξάρτησης ονόματος από όνομα.
Genitive is the case where a noun is dependent upon another noun.

Ο Δήμος Γλυφάδας, το πανεπιστήμιο Αθηνών, η οδός Πανεπιστημίου, η κυρία Παπαδοπούλου, το δελτίο ταυτότητας, το δελτίο καιρού, η ποιότητα ζωής, η τιμή ευκαιρίας.

- **Η γενική κτητική** Genitive possessive

- Σε ποιον ανήκει κάτι To whom it belongs

Ο Μίλτος μένει στο σπίτι της γιαγιάς του. Η τσάντα είναι της Μαρίας.

- Συγγενική σχέση Family relationship

Η γυναίκα του Παύλου. Το μωρό της αδελφής μου.

- Δημιουργός έργου Creator of something

Τα ποιήματα του Καβάφη. Τα έργα του Θεοδωράκη. Ο σκηνοθέτης της έβδομης τέχνης.

- Χρήση Usage

Χρειάζομαι έξι ποτήρια του νερού. Το κουταλάκι του γλυκού. Το κουτάλι της σούπας.

- Χρόνος - Ηλικία Time - Age

Την παραμονή των Χριστουγέννων, την Κυριακή του Πάσχα, της Παναγίας.
Στις δέκα Οκτωβρίου, την πρώτη του μήνα / μηνός, η πτήση των οκτώ, είναι τριών χρόνων, είναι ενός έτους, ώρα έναρξης.

- **Η γενική της ιδιότητας** Genitive of quality

Το γλυκό του κουταλιού. Είναι καλής ποιότητας. Ταινία μεγάλου μήκους. Το Μέγαρο Μουσικής.

- **Η γενική επιρρηματική** *(Πότε; Πώς; Πού;)* Genitive as an adverb *(Πότε; Πώς; Πού;)*

(Πότε;) Του χρόνου, Ευχή: Και του χρόνου!
Με γενική ονομάτων / εορτών: *(Πότε;)* Θα φύγω του Αγίου Νικολάου. Θα γυρίσω της Παναγίας στο νησί.
(Πώς;) Είναι της μόδας. *(Πώς;)* Θα πάω στη Νέα Υόρκη μέσω Λονδίνου.
(Πού;) Το πάρτι θα γίνει στης Ελένης.

- **Η γενική ως έμμεσο αντικείμενο** Genitive as indirect object

Ο Νίκος μοιάζει του μπαμπά του. Γράφω της γιαγιάς μου μια φορά την εβδομάδα.
Στέλνω μέιλ της φίλης μου κάθε πρωί.

2.4. Κλητική Vocative

Η κλητική δεν έχει συντακτικό ρόλο στην πρόταση. The vocative case doesn' t have connecting role in the sentence.

Χρησιμοποιείται σε προσφωνήσεις, κλήσεις κ.λπ. It is used mainly in salutations, callings etc.

Γιατρέ, πώς είμαι; Κύριε διευθυντά, έρχομαι σε δύο λεπτά. Αγαπητέ κύριε Παπαδόπουλε...
Αλέξανδρε, έλα εδώ! Να σου πω, φίλε μου, πρέπει να καταλάβεις αυτά που σου λέω.
Αξιότιμε κύριε καθηγητά... Πέτρο, τι κάνεις; Απόστολε, πότε θα έρθεις;

3. Οι προθέσεις *με, σε, για, από* + αιτιατική *(Ρήματα Βιβλίου Α2)*

The prepositions ***με, σε, για, από*** + accusative *(Verbs of A2 textbook)*

(Οι αριθμοί π.χ. (2) δείχνουν το Βήμα στο οποίο εμφανίζεται το ρήμα για πρώτη φορά)

The numbers i.e. (2) show the Step in which the verb appears for the first time)

Σε	Με	Για
Επέστρεψα στην Αθήνα χτες. (2)	**Αρραβωνιάστηκα με** το Μίλτο. (6)	**Τρελαίνομαι για** το χορό.(3)
Τραυματίστηκα στο πόδι. (6)	**Παντρεύτηκα με** τη Στέλλα χτες. (6)	**Ενδιαφέρομαι για** την τέχνη. (5)
Ξαναπήγα στην Πάρο φέτος. (9)	**Τα έφτιαξα με** τη Νόρα. (6)	**Χαίρομαι για** την επιτυχία σου. (5)
Ο καναπές **δε χωράει στο** σαλόνι. (4)	**Γνωρίστηκα με** τη Μίνα πέρσι. (6)	**Ανησυχώ για** την υγεία σου. (5)
Σκόνταψα σε μία πέτρα κι έπεσα. (2)	**Ασχολούμαι με** το διαδίκτυο. (1)	**Από**
Σέρφαρα στο ίντερνετ τρεις ώρες. (9)	**Διαφωνώ με** τη γνώμη σου. (6)	**Ξεκινάω από** το σπίτι μου στις έξι. (2)
Εδώ και χρόνια **κατοικώ σε** χωριό. (1)	**Συμφωνώ με** σένα. (6)	**Εξαρτάται από** τον καιρό αν θα φύγουμε. (7)
Η εταιρεία **προσφέρει στους** πελάτες της πολλές υπηρεσίες. (6)	**Ενθουσιάστηκα με** τη Σαντορίνη. (9)	Το τρένο **θα αναχωρήσει από** την Αθήνα για Πάτρα το πρωί. (7)
Δάνεισα σε ένα φίλο μου εκατό ευρώ. (10)	**Χώρισα με** το Χρήστο πέρυσι. (6)	Ο κλέφτης **πήδηξε απ'** το παράθυρο. (2)
Σημείωσα στο κινητό ένα τηλέφωνο. (2)	**Ζω με** τη σύντροφό μου εδώ και δύο μήνες. (A1)	**Θα απουσιάσω από** τη δουλειά μου **από τις** 5 έως τις 12 Ιουλίου. (10)
Σύστησα στον πατέρα μου τη Μαρία. (6)		**Έφυγα από** το γραφείο στις επτά. (A1)
Το τρένο **θα αναχωρήσει σε** τρία λεπτά. (7)		**Κατάγομαι από** την Κρήτη. (7)
Θύμισα στην κόρη μου το ραντεβού της. (4)		
Κατέθεσα στην τράπεζα χίλια ευρώ. (1)		
Έδειξα σ' έναν τουρίστα το δρομολόγιο. (1)		
Η Ελένη **μοιάζει στον** πατέρα της. (3)		
Χαμογέλασα στην κόρη μου. (10)		
Φάνηκε στον ουρανό το ουράνιο τόξο. (3)		
Οι δύο τενόροι **εμφανίζονται στην** τηλεόραση πολύ συχνά. (3)		

4. Δευτερεύουσες προτάσεις Subordinate clauses

1.	**Συμπληρωματικές (Ειδικές)** Complementising	**ότι, πως**	Βλέπω **ότι / πως αρκετά παιδιά είναι από τη Μαριούπολη.** Νομίζω **ότι/πως αύριο θα βρέξει.** Μου φαίνεται **ότι/πως έχω πυρετό.**
2.	**Αιτιολογικές** Causal	**γιατί, διότι, επειδή**	Δε χρειάζεται να πληρώσεις δίδακτρα **γιατί/διότι έχεις υποτροφία. Επειδή άργησα να ξυπνήσω**, έχασα το αεροπλάνο.
3.	**Υποθετικές** Conditional	**αν**	**Αν δεν περάσω τις εξετάσεις το Μάιο,** θα δώσω ξανά το Σεπτέμβριο.
4.	**Χρονικές** Temporal	**όταν, μόλις, πριν, ενώ**	**Μόλις / Όταν συμπληρώσει το βιογραφικό του,** θα το πάει στη γραμματεία. **Ενώ μελετάει,** ακούει και μουσική. **Πριν φύγεις**, βάλε το συναγερμό.
5.	**Τελικές** Final	**για να, να**	Πήρα υποτροφία **για να παρακολουθήσω τα μαθήματα.** Θα περάσω από το ταμείο **να μου δώσετε την απόδειξη.**
6.	**Συμπληρωματικές** (Βουλητικές) Complementising	**να**	Θέλω **να διαβάσω.** Αποφάσισα **να μη φύγω.**
7.	**Αναφορικές** Relative	**που, όπου**	Είδα στην ιστοσελίδα την αίτηση **που πρέπει να συμπληρώσω.** Πήγαινε **όπου** (εκεί που) **θέλεις.**
8.	**Πλάγιες ερωτηματικές** Indirect questioning	**γιατί, τι, πού, πώς, πότε, αν, ποιος, πόσοι...**	Τον ρώτησε **γιατί έφυγε / πότε θα φύγει / πού θα πάει / πώς θα πάει / τι έκανε / από πού είναι / αν ήρθαν / ποιος ήρθε / πόσοι ήρθαν.**

. Η υποτακτική The subjunctive

. Ρήματα, απρόσωπα ρήματα & εκφράσεις + υποτακτική Verbs, impersonal verbs & expressions + subjunctive

1.	**Θέλω να...** **Έχω να...** **Πάω να...** **Λέω να...** **Μπορώ να...**	- Τι **θέλεις να συμπληρώσεις**; - **Θέλω να συμπληρώσω** την αίτηση. - Τι **έχεις να κάνεις** σήμερα; - **Έχω να πάω** στη γραμματεία για την εγγραφή μου. **Πάω να συναντήσω** τον καθηγητή μου για το μεταπτυχιακό. - Πού **λες να πας** σήμερα; - **Λέω να πάω** πρώτα στο Διδασκαλείο και μετά στη γραμματεία. - **Μπορείς να** με **περιμένεις**; - Ναι, **μπορώ να** σε περιμένω.
2.	**Έλα να...** **Κάτσε / Κάθισε να...**	**Έλα να συμπληρώσουμε** μαζί την αίτηση. **Κάτσε / Κάθισε να πούμε** κάποια πράγματα για την εγγραφή σου.
3.	**Χρειάζεται να...** **Επιτρέπεται να...** **Απαγορεύεται να...** **Πρέπει να...**	**Δε χρειάζεται να πληρώσεις** δίδακτρα γιατί έχεις υποτροφία. **Επιτρέπεται να δώσει** κανείς εξετάσεις και το Μάιο και το Σεπτέμβριο. **Απαγορεύεται να δώσεις** παλιά φωτογραφία για την εγγραφή σου. **Πρέπει να δώσεις** μια πρόσφατη.
4.	**Είναι αδύνατον να...** **Είναι δυνατόν να...** **Είναι εύκολο να...** **Είναι δύσκολο να...**	**Είναι αδύνατον να βρεις** δουλειά χωρίς συστατική επιστολή. **Είναι δυνατόν να στείλω** ηλεκτρονικά την αίτηση; **Είναι εύκολο να παρακολουθήσω** τα μαθήματα; **Είναι δύσκολο να περάσω** τις εξετάσεις για το δίπλωμα ελληνομάθειας το Μάιο;
5.	**Με ενδιαφέρει να...**	**Με ενδιαφέρει να βρω** δουλειά με πιο καλή αμοιβή.
6.	**Μακάρι να...**	**Μακάρι να βρω** δουλειά με μειωμένο ωράριο!
7.	**Καλύτερα να...**	**Καλύτερα να πάμε** στο θέατρο σήμερα το βράδυ!

. Χρησιμοποιούμε την υποτακτική επίσης: We use the subjunctive also:

1.	Όταν ζητούμε ή δίνουμε συγκατάθεση/δικαίωμα* When we ask or give approval/right*	**Να ανοίξω** το παράθυρο; **Να** το **ανοίξεις**. **Να φάει** το παιδί παγωτό; **Να φάει**.
2.	Όταν προστάζουμε ή συμβουλεύουμε When we order or give advice *(η υποτακτική στη θέση της προστακτικής)*	**Να έρθεις** αμέσως στο σπίτι! **Να πάτε** αμέσως στο νοσοκομείο! Ο Νίκος **να πάει** αμέσως στη ρεσεψιόν, γιατί κάποιος τον ζητάει.
3.	Όταν εκφράζουμε ευχή When we express a wish	**Να ζήσεις**! Χρόνια πολλά! **Να είστε** καλά! **Να σε χαιρόμαστε**! **Να ζήσετε**! **Ας κάνει** καλό καιρό! **Μακάρι να μη** βρέξει!
4.	Όταν εκφράζουμε απορία ή ζητούμε πληροφορίες When we express query or ask for information *(μετά από ερωτηματικά επιρρήματα)*	**Τι να κάνω** τώρα; **Πού να πάω**; **Πώς να έρθω** στο θέατρο; **Πότε να φύγω**; **Τι να πω**; **Να κάνει**, άραγε, καλό καιρό αύριο;
5.	Όταν εκφράζουμε αμφιβολία, πιθανότητα When we express doubt, possibility	**Ίσως φύγω** το Σαββατοκύριακο. **Πιθανόν να επιστρέψω** την Κυριακή το βράδυ.
6.	Όταν προτρέπουμε When we incite	**Ας καθίσουμε**! **Να καθίσουμε**! Αρκετά μείναμε, **ας φύγουμε** πια! Αρκετά μείναμε, **να φύγουμε** πια!
7.	Όταν δηλώνουμε συγκατάβαση ή υποχώρηση When we express agreement or concession	- Θέλετε να πάμε σινεμά ή θέατρο; - Προτιμώ σινεμά! - Εγώ θέλω θέατρο αλλά δεν πειράζει, **ας πάμε** / **να πάμε** σινεμά.

* *Εννοείται το ρήμα μπορώ ή επιτρέπεται. Π.χ.: (Μπορώ / επιτρέπεται) να ανοίξω το παράθυρο;*

. Ρήματα που συντάσσονται με *να* & ρήματα που συντάσσονται με *ότι*

Verbs that are followed by *να* and verbs that are followed by *ότι*

να **Κανόνισα να** φύγω αύριο. **Δεν πρόλαβα να** τελειώσω τις δουλειές μου. **Φρόντισα να** αγοράσω νωρίς εισιτήρια. **Με ενδιαφέρει να** μάθω γρήγορα ελληνικά. **Αποκλείεται να** έρθω. **Αποφάσισα να** ζήσω στο χωριό.

Αγαπάω, απαγορεύω, απαγορεύεται (απρ.), αποκλείεται (απρ.), αποφασίζω, αρχίζω, επιλέγω, επιτρέπεται (απρ.), επιτρέπω, εύχομαι, ζητάω, θέλω / θα ήθελα, καλώ, κανονίζω, λατρεύω, λέω να, με ενδιαφέρει, με συμφέρει, μπορώ, παραγγέλνω, παρακαλώ, περιμένω, πρέπει, προλαβαίνω, προσκαλώ, προσπαθώ, προτείνω, προφταίνω, σταματάω, συμφωνώ, συνεχίζω, φοβάμαι, φροντίζω, χρειάζομαι.

ότι **Νομίζω ότι** δεν έχεις δίκιο. **Δήλωσα ότι** δε γνωρίζω λεπτομέρειες για το ατύχημα. **Φαίνεται ότι** δε θα βρέξει. **Βρίσκω ότι** δεν έχετε δίκιο. **Κατάλαβα ότι** δε θα έρθεις στο συνέδριο.

Ακούω, αναγνωρίζω, βρίσκω, γράφω, δηλώνω, καταλαβαίνω, καταθέτω, νιώθω, νομίζω, φωνάζω, παρατηρώ, πιστεύω, προσθέτω, φαίνεται.

να & ότι **Έμαθα να** τρώω υγιεινά / **Έμαθα ότι** έφυγες χτες. **Δίδαξα** τους μαθητές μου **να** λύνουν με έξυπνο τρόπο τις ασκήσεις μαθηματικών. Τους **δίδαξα** επίσης **ότι** υπάρχουν πολλοί τρόποι να μαθαίνει κανείς. **Ξέχασα ότι** αύριο είναι αργία. **Ξέχασα να** σου πω ότι αύριο θα λείπω. **Θύμισα** στον άνδρα μου **ότι** αύριο φεύγουμε. **Θύμισα** στην κόρη μου **να** βγάλει βόλτα το σκύλο. Δε **θυμήθηκα να** σε πάρω τηλέφωνο στα γενέθλιά σου, **θυμήθηκα** όμως **ότι** αύριο έχεις την επέτειο του γάμου σου. **Δέχομαι να** δουλέψω εννέα ώρες την ημέρα αλλά δε **δέχομαι ότι** είναι σωστό.

Δέχομαι, διδάσκω μαθαίνω, ξεχνάω, ξέρω, θυμάμαι, θυμίζω, σκέφτομαι.

13.14. 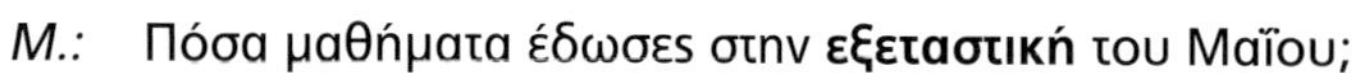

Μ.: Μερόπη, Ν.: Νεφέλη

Μ.: Πόσα μαθήματα έδωσες στην **εξεταστική** του Μαΐου;
Ν.: Έδωσα τρία.
Μ.: Και **πώς πήγες**; Είδα ότι βγήκαν τα αποτελέσματα.
Ν.: Στα δύο πέρασα αλλά στη Γλωσσολογία **κόπηκα**, πήρα κάτω από τη **βάση**.
Μ.: Παρακολούθησες όλες τις **παραδόσεις** του εξαμήνου;
Ν.: Ναι, δεν έχασα καμία αλλά στο τέλος, η αλήθεια είναι ότι δε διάβασα πολύ. **Τα φόρτωσα στον κόκορα.**
Μ.: Και τι γίνεται τώρα;
Ν.: Εντάξει, θα διαβάσω καλά και θα το ξαναδώσω την επόμενη **εξεταστική** περίοδο, το Σεπτέμβριο. Αλλά, για να πω την αλήθεια, φοβάμαι λίγο. Η Γλωσσολογία δεν είναι και τόσο εύκολο μάθημα. Μακάρι να πάρω τη **βάση**.
Μ.: Κοίταξε, αν διαβάσεις, όχι μόνο θα πάρεις τη βάση αλλά θα πάρεις και πολύ καλό βαθμό. Δε μου λες, θα κάνεις αίτηση στο ΙΚΥ* για να πάρεις υποτροφία για το μεταπτυχιακό σου;
Ν.: Και βέβαια θα κάνω αίτηση και μάλιστα στις 16 του μηνός **λήγει η προθεσμία**.
Μ.: Λοιπόν, ξέχασε τα **μπαράκια**, τα σινεμά και τις παρέες και κάτσε κάτω να διαβάσεις. Για να πάρεις υποτροφία παίζουν ρόλο οι βαθμοί όλων των ετών.
Ν.: Το ξέρω πολύ καλά.
Μ.: Άντε **κουράγιο** και όλα θα πάνε καλά.
Ν.: Το ελπίζω και το εύχομαι!

**Ίδρυμα Κρατικών Υποτροφιών*

Λεξιλόγιο 13.14.

η βάση	passing grade	**λήγω**	I expire
η εξεταστική	examination period	**λήγει η προθεσμία**	the deadline expires...
η παράδοση	lecture	**ξαναδίνω**	I re-take
οι παραδόσεις	lectures	**τα φόρτωσα στον κόκορα**	I did not work at all
η προθεσμία	deadline	**πώς πας;**	how is it going?
το κουράγιο	courage		
το μπαράκι	bar		
κόβομαι	I fail a course		
κόπηκα	I failed a course		

  13.14.α. Σημειώστε το σωστό. Tick the correct answer.

1.	**Η Νεφέλη**	
	α. έδωσε στην εξεταστική του Μαΐου μόνο δύο μαθήματα	β. έδωσε όλα τα μαθήματα που έπρεπε να δώσει
2.	**Η Νεφέλη**	
	α. πέρασε τα δύο από τα τρία μαθήματα	β. πέρασε μόνο τη Γλωσσολογία
3.	**Δεν πέρασε το ένα μάθημα**	
	α. γιατί πήρε τη βάση	β. γιατί πήρε κάτω από τη βάση
4.	**Η Νεφέλη παρακολούθησε**	
	α. τις παραδόσεις και των τριών μαθημάτων του εξαμήνου	β. τις παραδόσεις του ενός μαθήματος
5.	**Η Νεφέλη τα φόρτωσε στον κόκορα**	
	α. δε μελέτησε καθόλου τον τελευταίο καιρό	β. μελέτησε λίγο τον τελευταίο καιρό
6.	**Η Νεφέλη**	
	α. είναι σίγουρη ότι θα περάσει τη γλωσσολογία το Σεπτέμβριο	β. δεν είναι σίγουρη ότι θα περάσει τη Γλωσσολογία το Σεπτέμβριο
7.	**Η Νεφέλη**	
	α. θέλει οπωσδήποτε να πάει για μεταπτυχιακό	β. δεν ξέρει αν θα κάνει αίτηση για μεταπτυχιακό
8.	**Η προθεσμία για την αίτηση**	
	α. λήγει μετά τις 16 του μηνός	β. λήγει ακριβώς στις 16 του μηνός
9.	**Για να πάρει η Νεφέλη υποτροφία**	
	α. παίζει ρόλο ο βαθμός των τελευταίων εξετάσεων	β. παίζουν ρόλο οι βαθμοί όλων των ετών
10.	**Η Μερόπη τής λέει ότι**	
	α. χρειάζεται ν' αφήσει τις διασκεδάσεις και να διαβάσει	β. μπορεί να βγαίνει έξω και παράλληλα να μελετάει

13.15. 309 Τι τάξη πας, Κωστάκη;

Α: Σε ποια τάξη πας, Κωστάκη;
Β: Πάω στην Τετάρτη δημοτικού.
Α: Σε ποιο σχολείο πας;
Β: Στο 4ο δημόσιο Κηφισιάς.
Α: Έχεις δάσκαλο ή δασκάλα;
Β: Έχω δάσκαλο και τον λένε Χάρη.
Α: Ποιο είναι το αγαπημένο σου μάθημα, Κωστάκη;
Β: Είναι η γυμναστική.
Α: Πέρσι με τι βαθμό πήρες το **ενδεικτικό** σου;
Β: Το πήρα με ***Άριστα***.
Α: Και η αδερφή σου;
Β: Χμ, μ, μ... το πήρε με ***Καλώς***. Βέβαια στο χορό είναι πρώτη.
Α: **Έμεινε** κανένας συμμαθητής σου **στην ίδια τάξη**;
Β: Όχι, ευτυχώς δεν έμεινε κανένας. **Πέρασαν** όλοι.
Α: Από τα 18 παιδιά πόσα πήραν *άριστα*;
Β: *Άριστα* πήραμε οκτώ παιδιά και εννέα πήραν ***Λίαν καλώς***.
Α: Στον **έλεγχο** του τρίτου **τριμήνου** ποιος ήταν ο χειρότερος βαθμός σου;
Β: Ήταν το οκτώ, στα **καλλιτεχνικά**. Δε ζωγραφίζω καθόλου καλά.
Α: Και μία τελευταία ερώτηση. Τι θα γίνεις όταν μεγαλώσεις;
Β: Θα γίνω γιατρός.
Α: Και η αδερφή σου;
Β: Λέει ότι θέλει να γίνει δασκάλα αλλά εγώ αμφιβάλλω... Χορεύτρια... μάλιστα!

Λεξιλόγιο 13.15.

ο έλεγχος	report card
το ενδεικτικό	end of year report card
τα καλλιτεχνικά	art (school subject)
το τρίμηνο	trimester
καλώς	good
λίαν καλώς	very good
άριστα	excellent
μένω στην ίδια τάξη	I repeat a grade in school
περνάω (την τάξη ή στην άλλη τάξη)	I am promoted (to the next grade)

13.15.α.  Σημειώστε το σωστό. Tick the correct answer.

1.	Ο Κωστάκης είναι	α.	από 6 έως 12 χρόνων	β.	από 13 έως 15 χρόνων
2.	Ο Κωστάκης είναι	α.	χειρότερος μαθητής από την αδερφή του	β.	καλύτερος μαθητής από την αδερφή του
3.	Στο τέλος του χρόνου	α.	πέρασαν όλοι οι μαθητές την τάξη	β.	έμεινε ένας στην ίδια τάξη
4.	Τα περισσότερα παιδιά πήραν	α.	Άριστα	β.	Λίαν καλώς
5.	Οι βαθμοί του στο τρίτο τρίμηνο	α.	ήταν 9 και 10	β.	ήταν 8, 9 και 10
6.	Μετά το σχολείο ο Κωστάκης	α.	θέλει να σπουδάσει	β.	δε θέλει να σπουδάσει

13.16. 310 Ακούστε το κείμενο: Μαθήματα κιθάρας

Λεξιλόγιο 13.16.

αρχάριος-α-ο	beginner
μεσαίος-α-ο	intermediate
προχωρημένος-η-ο	advanced

13.16.α. Ακούστε το κείμενο και κρατήστε σημειώσεις.
Listen to the text and keep notes.

0.	Όνομα Ωδείου:	*Ωδείο Αθηνών*
1.	Μουσικό όργανο:	
2.	Ημέρες και Ώρες μαθημάτων:	
3.	Τιμή / Κόστος διδάκτρων το χρόνο:	
4.	Τρόπος πληρωμής: - Με την εγγραφή - Τα υπόλοιπα	
5.	Επίπεδο: **Αρχάριοι** **Μεσαίοι** **Προχωρημένοι**	
6.	Έκπτωση:	
7.	Καθηγητής / καθηγήτρια:	
8.	Για την έκπτωση χρειάζεται:	

 **Και τώρα εσείς!**

13.16.β. *Παρακολουθείτε κάποιο μάθημα; Πόσες φορές την εβδομάδα; Από πότε μέχρι πότε διαρκεί (από ποιο μήνα μέχρι ποιο μήνα); Σε ποιο επίπεδο είστε; Πόσοι είστε στην τάξη; Πόσο έχουν τα δίδακτρα το χρόνο; Τα πληρώνετε όλα μαζί; Με το μήνα; Με δόσεις; Σε πόσες δόσεις; Σας κάνουν κάποια έκπτωση;*

13.17. Δομή του ελληνικού εκπαιδευτικού συστήματος

Υπουργείο Παιδείας, **Δια Βίου Μάθησης** & Θρησκευμάτων. **Ελληνικό εκπαιδευτικό σύστημα.**

			Διπλώματα
Προσχολική εκπαίδευση	Παιδικός σταθμός **Νηπιαγωγείο**	1 - 3 ετών 4 - 5 ετών	
Πρωτοβάθμια εκπαίδευση (6 χρόνια)	Δημοτικό σχολείο	6 - 11 ετών	**Ενδεικτικό** (μετά από κάθε τάξη) **Απολυτήριο** (τέλος Δημοτικού)
Δευτεροβάθμια εκπαίδευση ή **Μέση** εκπαίδευση (6 χρόνια)	Γυμνάσιο (3 χρόνια) Λύκειο (3 χρόνια)	12 - 15 ετών 16 - 18 ετών	Απολυτήριο Γυμνασίου Απολυτήριο Λυκείου
Τριτοβάθμια εκπαίδευση	**Ανώτατα** Εκπαιδευτικά Ιδρύματα Πανεπιστήμιο (Α.Ε.Ι.)* Πολυτεχνείο (Α.Ε.Ι.)* Άλλα Ιδρύματα - Ινστιτούτα Τεχνολογικά Εκπαιδευτικά Ιδρύματα ** Ινστιτούτα Εκπαίδευσης & Κατάρτισης ***		Πτυχίο
Μεταπτυχιακές σπουδές			Μεταπτυχιακό (μάστερ) **Διδακτορικό**

**Α.Ε.Ι. = Ανώτατα Εκπαιδευτικά Ιδρύματα   Higher Educational Institutions*
*** Τ.Ε.Ι.= Τεχνολογικά Εκπαιδευτικά Ιδρύματα   Technological Educational Institutions*
**** Ι.Ε.Κ. = Ινστιτούτα Εκπαίδευσης & Κατάρτισης   Institutes of Professional & Vocational Training*

Λεξιλόγιο 13.17.

το απολυτήριο	elementary / high school diploma
το διδακτορικό	PhD, doctorate
το νηπιαγωγείο	nursery school
ανώτατος-η-ο	higher
δευτεροβάθμιος-α-ο	secondary
η δευτεροβάθμια εκπαίδευση	secondary education
μέσος-η-ο	middle
μεταπτυχιακός-ή-ό	graduate
πρωτοβάθμιος-α-ο	elementary
η πρωτοβάθμια εκπαίδευση	elementary education
τριτοβάθμιος-α-ο	tertiary
η τριτοβάθμια εκπαίδευση	tertiary education
η δια βίου μάθηση	adult education

13.17.α. Κάντε ένα πλάνο με το εκπαιδευτικό σύστημα της χώρας σας και παρουσιάστε το στην τάξη.
Make a plan with the educational system of your country and present it in the classroom.

13.18. Πρόγραμμα Γυμνασίου

Δευτέρα	Τρίτη	Τετάρτη	Πέμπτη	Παρασκευή
Μαθηματικά	**Αρχαία ελληνικά**	Νεοελληνική γλώσσα	Λογοτεχνία	Αρχαία ελληνικά
Μαθηματικά	Αρχαία ελληνικά	Χημεία	Φυσική	Αρχαία ελληνικά
Νεοελληνική γλώσσα	Φυσική	Αρχαία ελληνικά	Ιστορία	Ιστορία
Αγγλικά	Ιστορία	Μαθηματικά	Αγγλικά	Νεοελληνική γλώσσα
Λογοτεχνία	**Βιολογία**	Μαθηματικά	Αγγλικά	Νεοελληνική γλώσσα
Θρησκευτικά	Γαλλικά ή Γερμανικά	Πληροφορική	Μουσική	Γεωγραφία
Φυσική αγωγή (Γυμναστική)	**Κοινωνική πολιτική αγωγή**	**Μελέτη περιβάλλοντος**	**Οικιακή οικονομία**	Γαλλικά ή Γερμανικά
Φυσική αγωγή	Καλλιτεχνικά	Φυσική αγωγή	Φυσική αγωγή	Θρησκευτικά

13.18.α. Συμπληρώστε τα κενά (στα ελληνικά) με μαθήματα που κάνουν στη χώρα σας μαθητές ηλικίας περίπου 14 - 15 ετών. Fill in the gaps (in Greek) with subjects that students at the age of 14 -15 study in your country.

Λεξιλόγιο 13.18.

- **η μελέτη περιβάλλοντος** environmental studies
- **η κοινωνική / πολιτική αγωγή** social / political studies
- **η νεοελληνική γλώσσα** Modern Greek
- **η οικιακή οικονομία** household economics
- **η φυσική αγωγή** physical education
- **τα αρχαία ελληνικά** Ancient Greek
- **τα θρησκευτικά** religious studies

Πρόγραμμα Γυμνασίου
High school programme

Δευτέρα	Τρίτη	Τετάρτη	Πέμπτη	Παρασκευή

3.19. 311 Η χορωδία μας

Λεξιλόγιο 13.19.

ο/η νηπιαγωγός	nursery teacher
το πιστοποιητικό	diploma
το πιστοποιητικό ελληνομάθειας	Greek language diploma

...τη χορωδία του τμήματος Μουσικών σπουδών του Πανεπιστημίου Αθηνών μέλη μπορεί να είναι φοιτητές ...πό διάφορα τμήματα και Σχολές. Την πρώτη μέρα της συνάντησής τους γίνεται και η γνωριμία μεταξύ τους.

Καλημέρα σας. Λέγομαι Διονύσης και είμαι ο διευθυντής της χορωδίας αυτή τη χρονιά. Βλέπω πολλά παλιά μέλη αλλά θα ήθελα να γνωρίσουμε και τα νέα μας μέλη.
Παιδιά, καλώς ήρθατε στη χορωδία μας. Θέλετε να μας πείτε ποιοι είστε και τι κάνετε;
Με λένε Φερνάντο, είμαι από την Ισπανία και πάω στο τελευταίο έτος της Νομικής. Παίζω και κλασική κιθάρα.
Εμένα με λένε Αλεξάνδρα, είμαι από την Κύπρο. Σπούδασα πολιτικός μηχανικός και κάνω το μεταπτυχιακό μου στην πληροφορική. Παίζω και πιάνο.
Εγώ είμαι από τη Σερβία, με λένε Βόικαν, πήρα το πτυχίο μου στη φιλολογία και κάνω το διδακτορικό μου στην ιστορία. Ασχολούμαι και με τη βυζαντινή μουσική.
Ονομάζομαι Γκασάν, είμαι από την Αίγυπτο, είμαι γεωπόνος και τώρα σπουδάζω βιολογία. Ασχολούμαι με τα βιολογικά προϊόντα. Παρακολουθώ και μαθήματα ελληνικών γιατί θέλω να πάρω το **Πιστοποιητικό Ελληνομάθειας** Γ2.
Λέγομαι Μαρίνα, είμαι Ελληνίδα και σπουδάζω μαθηματικός. Ασχολούμαι με το τραγούδι και πάω στο Ωδείο Αθηνών.
Το όνομά μου είναι Βλαντίμιρ, είμαι από τη Ρωσία, είμαι πτυχιούχος ιατρικής και κάνω την ειδικότητά μου στην παιδιατρική. Μαθαίνω και βιολί.
Με λένε Ευσταθία αλλά με φωνάζουν Έφη και είμαι από την Κόρινθο. Σπούδασα οικονομικά και τώρα κάνω ένα μεταπτυχιακό.
Εμένα με λένε Συλβάνα, η καταγωγή μου είναι από τη Σικελία και σπουδάζω **νηπιαγωγός**. Είμαι εδώ με το πρόγραμμα Erasmus+. Ασχολούμαι και με το χορό.
Λοιπόν, παιδιά, καλή μας αρχή!

3.19.α.  **Συμπληρώστε τον πίνακα και μιλήστε για τον καθένα.**
Fill in the table and talk about each of them.

Όνομα	Χώρα καταγωγής	Σπουδάζει ή είναι πτυχιούχος	Ειδικότητα / Μεταπτυχιακό / Διδακτορικό	Άλλα
Διονύσης	*Ελλάδα*	*Διευθυντής χορωδίας*		
Φερνάντο				
Αλεξάνδρα				
Βόικαν				
Γκασάν				
Μαρίνα				
Βλαντίμιρ				
Ευσταθία				
Συλβάνα				

13.20. Τηλεφωνήματα

312 1. Αυτή τη στιγμή απουσιάζει

- *Ωμέγα*, λέγετε, παρακαλώ!
- Γεια σας! Εδώ Μαρία Πέτρου. Θα ήθελα τον κύριο Μακρή, είναι εκεί;
- Ένα λεπτό, παρακαλώ, να δω αν είναι στο γραφείο του. Αυτή τη στιγμή δυστυχώς **απουσιάζει**. Θέλετε να τον πάρετε αργότερα;
- Σε πόση ώρα να τον πάρω;
- Ε, σε κανένα **μισάωρο** περίπου.
- Εντάξει, δεσποινίς!

2. Σας συνδέω αμέσως

- Βιβλιοπωλείο *Ευριπίδης*! Λέγετε!
- Με **συνδέετε** με το **λογιστήριο**, παρακαλώ;
- Αυτή τη στιγμή η γραμμή του είναι **κατειλημμένη**.
- Εντάξει, θα πάρω αργότερα.
- Ένα λεπτό, μην **κλείνετε.** Σας συνδέω αμέσως.
- Ευχαριστώ!

313 3. Ποιος τη ζητεί;

- Ορίστε!
- Γεια σας! Η Λήδα είναι εκεί;
- Όχι, δεν είναι εδώ. Ποιος τη **ζητεί**, παρακαλώ;
- Είμαι η φίλη της, η Κάρμεν από την Ισπανία. Θ΄ αργήσει να γυρίσει;
- Δε νομίζω. Βγήκε εδώ γύρω για ψώνια. Θέλετε να μου αφήσετε κάποιο τηλέφωνο να σας πάρει μόλις έρθει;
- Όχι, δεν πειράζει, γιατί δεν είμαι σπίτι. Θα την πάρω αργότερα.
- Εντάξει! Θα της πω ότι πήρατε. Γεια σας!

314 4. Τι αριθμό πήρατε;

- Χαίρετε! Μου δίνετε την κυρία Κυπραίου, παρακαλώ;
- Δεν υπάρχει εδώ αυτό το όνομα. Τι αριθμό πήρατε;
- 210 61 23 9 86
- **Λάθος αριθμό** πήρατε.
- Συγγνώμη για την **ενόχληση**.

5. Μου δώσανε λάθος αριθμό

- Εμπρός!
- Μήπως είναι εκεί ο κύριος Άρης Μιχαηλίδης;
- Δεν υπάρχει κανένας Άρης Μιχαηλίδης εδώ.
- Πώς; Δεν είναι η εταιρεία *Μηχανική* εκεί;
- Όχι, **κάνετε λάθος**, κυρία μου, εδώ είναι ο δήμος Χολαργού.
- Με συγχωρείτε, μου δώσανε λάθος αριθμό.

6. Έκανα λάθος

- Εμπρός!
- Τι είναι εκεί, παρακαλώ;
- Γραφείο μεταφορών. Εσείς τι θέλετε;
- Μάλλον **έκανα λάθος**. Με συγχωρείτε.
- Τίποτα.

315 7. 11888 Πληροφορίες καταλόγου

- Α.Τ: Μήνυμα χωρίς **χρέωση**. Έντεκα, οκτώ, οκτώ, οκτώ από τον ΟΤΕ. Η χρέωση είναι μηδέν κόμμα ενενήντα έξι ευρώ το λεπτό. Καλώς ήρθατε στο έντεκα. οκτώ, οκτώ, οκτώ του ΟΤΕ. Σας **συνδέουμε** αμέσως.
- Καλημέρα σας. **Θέση** δεκατρία. Ονομάζομαι Μακρής. Σε τι μπορώ να σας εξυπηρετήσω;
- Παρακαλώ θα ήθελα το τηλέφωνο του Κεντρικού **Λιμεναρχείου** Πατρών, τις αναχωρήσεις πλοίων για Ιταλία.
- Είναι το 2610316400 και δεύτερη **γραμμή** 401. Μήπως θέλετε να σας συνδέσω;
- Όχι, ευχαριστώ.

8. Αυτόματος τηλεφωνητής

- **Οδοντιατρείο** Μιχαήλ Σχινά. Αυτή τη στιγμή ο γιατρός είναι **απασχολημένος**. Αφήστε όνομα και τηλέφωνο και θα επικοινωνήσει πολύ σύντομα μαζί σας.
- Γιατρέ, καλημέρα σας. Εδώ Αλίκη Πρωτοψάλτη. Έχω σήμερα ραντεβού στο ιατρείο σας. Δε θυμάμαι ακριβώς την ώρα. Νομίζω πως είναι οκτώ το βράδυ. Μπορείτε να με πάρετε για να μου το **επιβεβαιώσετε**; Ευχαριστώ.

Λεξιλόγιο 13.20.

η γραμμή (τηλέφωνο)	line (telephone)
η ενόχληση	disturbance
η θέση	position
η χρέωση	charge
το λιμεναρχείο	coast guard office
το λογιστήριο	accounting dept.
το μισάωρο	half hour
το οδοντιατρείο	dentist's office
απασχολημένος-η-ο	busy
κατειλημμένος-η-ο	busy (telephone line)
επιβεβαιώνω	I confirm
κλείνω τη γραμμή	I hang up (phone)
πήρατε λάθος αριθμό	you dialed the wrong number
μου δώσατε λάθος αριθμό	I got the wrong number

3.20.α. **Συμπληρώστε τα κενά με φράσεις και λέξεις από τα πλαίσια.**
Fill in the gaps with phrases and words from the box.

Αυτή τη στιγμή / κανένα μισάωρο περίπου / απασχολημένος

Μου δίνετε, παρακαλώ, τον κύριο Μιχαηλίδη;
____________________ δεν μπορεί να σας μιλήσει.
Είναι ________________________.
Τι ώρα θα επιστρέψει;
Σε ____________________________________.

δώσανε λάθος αριθμό / εδώ αυτό το όνομα / συγχωρείτε

Ο Μάριος είναι εκεί, παρακαλώ;
Δεν υπάρχει ______________________________.
Με __________________,
μου _____________________________.

Ένα λεπτό / σας συνδέω / τη ζητεί, παρακαλώ;

Η κυρία Προκοπίου είναι εκεί, παρακαλώ;
Ποιος __________________________________;
Ελένη Μακρή, συνάδελφος από τη Θεσσαλονίκη.
______________, να δω αν είναι στο γραφείο της.
Εδώ είναι, ______________________ αμέσως!

αργότερα / η γραμμή του είναι κατειλημμένη / Με συνδέετε

___________, παρακαλώ, με τον κύριο Βουρλούμη;
Δυστυχώς, ___________________________.
Πάρτε λίγο ______________.

5. *ενόχληση / λάθος αριθμό / Λέγετε / Δεν υπάρχει εδώ αυτό το όνομα*

- _______________, παρακαλώ! Τι θα θέλατε;
- Χαίρετε! Θα ήθελα να μιλήσω στην κυρία Παπαδάκη. Είναι εκεί;
- ______________________________.
  Τι αριθμό πήρατε;
- 210 63 32 955
- Πήρατε _________________.
- Συγγνώμη για την ______________.

6. *συνδέσω / χρέωση / εξυπηρετήσω / γραμμή / συνδέουμε / Θέση*

- Α.Τ: Μήνυμα χωρίς _________. Έντεκα, οκτώ, οκτώ, οκτώ από τον ΟΤΕ. Η χρέωση είναι μηδέν κόμμα ενενήντα έξι ευρώ το λεπτό. Καλώς ήρθατε στο έντεκα, οκτώ, οκτώ, οκτώ του ΟΤΕ. Σας ____________________ αμέσως.
- Καλημέρα σας. ____________ έντεκα. Ονομάζομαι Πετρόπουλος. Σε τι μπορώ να σας ________________;
- Παρακαλώ θα ήθελα το τηλέφωνο του αεροδρομίου Κέρκυρας.
- Είναι το 2610316400 και δεύτερη ____________ 401. Μήπως θέλετε να σας ________________;
- Όχι, ευχαριστώ.

ΣΤΙΣ ΔΗΜΟΣΙΕΣ ΥΠΗΡΕΣΙΕΣ / ΣΤΗΝ ΤΡΑΠΕΖΑ

3.21. Στο Κέντρο Εξυπηρέτησης Πολιτών (Κ.Ε.Π.)

316

3.21.α. **Ακούστε το κείμενο και συμπληρώστε τα κενά με λέξεις από το πλαίσιο.**
Listen to the text and fill in the gaps with words from the box.

υπεύθυνη δήλωση** / **γνήσιο** / **έντυπο** / **φωτοαντίγραφα** / να παραλάβω / δήλωσης / **Το πολύ** / πρωτότυπο / **σφραγίζω** / να ανανεώσω / **να θεωρήσω** / φωτοτυπία / **ένσημα** / **επικύρωση

Π: Πελάτισσα, Υ: Υπάλληλος

Π: Θα ήθελα, παρακαλώ, [1] ________________ το [2] __________ της υπογραφής μου σ' αυτή την [3] ____________________.
Υ: Χρειάζομαι την ταυτότητά σας ή το διαβατήριό σας.
Π: Ορίστε! Έχω επίσης δύο [4] ____________________ της **φορολογικής** μου [5] ______________ για [6] ________________. Εδώ είναι και το [7] ______________.
Υ: Ωραία! Τα [8] __________________ και είστε έτοιμη.
Π: Και κάτι ακόμα: Μπορώ να κάνω σ' εσάς αίτηση για [9] __________________ το βιβλιάριο υγείας μου;
Υ: Βεβαίως. Σας δίνω το [10] ______________ της αίτησης. Θα το συμπληρώσετε και θα μου φέρετε μαζί με τη συμπληρωμένη αίτηση το βιβλιάριο υγείας σας που έληξε, τα [11] ______________ του ταμείου σας του τελευταίου χρόνου και μια [12] ______________ της ταυτότητάς σας.
Π: Εντάξει! Θα τα φέρω αύριο. Και πότε μπορώ [13] ________________ το νέο βιβλιάριο;
Υ: [14] ____________ σε μια εβδομάδα.
Π: Σας ευχαριστώ πολύ.

13.21.β. Ταιριάξτε τις στήλες. Match the columns.

1.	Το γνήσιο της υπογραφής	___	α.	Το ΚΕΠ ελέγχει ένα έγγραφο αν είναι γνήσιο και βάζει την επίσημη σφραγίδα του.
2.	Το φωτοαντίγραφο	___	β.	Επίσημο έγγραφο που καταθέτει κάθε πολίτης στην εφορία με τα εισοδήματά του.
3.	Η φορολογική δήλωση	___	γ.	Βάζω σφραγίδα.
4.	Η **επικύρωση εγγράφου**	___	δ.	Το αργότερο.
5.	Σφραγίζω	___	ε.	Το δίνω για έλεγχο για να ισχύει ένα χρόνο ακόμη.
6.	Ανανεώνω το βιβλιάριο υγείας	___	ζ.	Το παίρνω.
7.	Παραλαμβάνω το νέο βιβλιάριο	___	η.	Η αληθινή υπογραφή του ατόμου που έχει αυτό το όνομα.
8.	Το πολύ	___	θ.	Ένα ίδιο έγγραφο με το πρωτότυπο. Μία φωτοτυπία.

Λεξιλόγιο 13.21.

η επικύρωση	validation
το έγγραφο	document
το ένσημο	social security stamps
το έντυπο	hard copy
το φωτοαντίγραφο	photocopy
γνήσιος-α-ο	authentic
το γνήσιο της υπογραφής	authentication of signature
υπεύθυνος-η-ο	truthful, responsible
η υπεύθυνη δήλωση	affidavit of truth
φορολογικός-ή-ό	tax (adj.)
η φορολογική δήλωση	tax declaration
θεωρώ	I certify
σφραγίζω	I stamp
το πολύ (το αργότερο)	at the latest

13.22. 317 Στο ΙΚΑ: Έφερα τα δικαιολογητικά!

Λεξιλόγιο 13.22.

η βεβαίωση	certification
το εκκαθαριστικό	tax return
ακουμπάω (-ώ)	I put
έναν κόσμο (χαρτιά)	a pile (of papers)

13.22.α. Ακούστε το κείμενο και συμπληρώστε τα κενά με λέξεις από το πλαίσιο.
Listen to the text and fill in the gaps with words from the box.

*επικυρωμένη / τα δικαιολογητικά / χαρτιά / **έναν κόσμο** / επιχείρηση / λογαριασμό / **βεβαίωση** / **ακούμπησα** / ταυτότητας / έγγραφο / **Εκκαθαριστικό** / μέγεθος*

Π: Περσεφόνη, Υ: Υπάλληλος

Π: Καλημέρα σας! Έφερα [1] ____________ που μου ζητήσατε.
Υ: Δε θυμάμαι, για τι πράγμα μιλάμε;
Π: Δεν ήρθα προχτές και μου είπατε να φέρω [2] ____________ χαρτιά για να βγάλω βιβλιάριο υγείας ΙΚΑ;
Υ: Κυρία μου, περνάει τόσος κόσμος εδώ κάθε μέρα! Πώς θέλετε να θυμάμαι τι ακριβώς σας είπα; Τέλος πάντων, δώστε μου ν[α] δω τα [3] ____________ που φέρατε.
Π: Ορίστε! Εδώ είναι η [4] ____________ του εργοδότη μου, του αφεντικού μου ότι δουλεύω στην καφετέριά του πο[υ] βρίσκεται...
Υ: Κοιτάξτε, κυρία μου, δε με ενδιαφέρει σε ποια [5] ____________ δουλεύετε ούτε πού βρίσκεται. Εμένα μ' ενδιαφέρ[ει] να είναι η βεβαίωση [6] ____________ από το ΙΚΑ και βλέπω ότι είναι. Πάμε παρακάτω. Φέρατε κάποιο [7] ____________ που δείχνει τον τόπο κατοικίας σας;
Π: Βεβαίως, σας έφερα το [8] ____________ του ηλεκτρικού που είναι στο όνομά μου. Ξέρετε δεν το έβαλα στο όνομ[α] του συζύγου μου γιατί...
Υ: Είναι εντάξει, κυρία μου, δε χρειάζομαι καμιά άλλη πληροφορία γι' αυτό το χαρτί. [9] ____________ της **εφορία[ς]** φέρατε;
Π: Βεβαίως, δεν το βλέπετε; Το [10] ____________ πρώτο-πρώτο εδώ επάνω. Ήταν δυνατόν να το ξεχάσω;
Υ: Εντάξει, εντάξει, κυρία μου! Και το τελευταίο τώρα: Φωτογραφία [11] ____________ φέρατε;
Π: Όχι, δεν έβγαλα φωτογραφία την ταυτότητά μου. Δε μου το είπατε.
Υ: Κυρία μου, δε σας ζήτησα φωτογραφία της ταυτότητάς σας αλλά μια δική σας φωτογραφία που να είναι στο [12] ____________ και στην ποιότητα ίδια με αυτές τις φωτογραφίες που βάζουμε στο δελτίο ταυτότητας.
Π: Τώρα κατάλαβα. Εδώ την έχω τη φωτογραφία μου. Πάρτε τη! Ωραία δεν είναι;

13.22.β. *Στη χώρα σας πώς είναι το σύστημα υγείας; Υπάρχει δημόσιο σύστημα; Υπάρχουν ιδιωτικές ασφάλειες; Έχετε βιβλιάριο υγείας; Αν έχετε, τι χαρτιά χρειάζονται για να βγάλει κανείς βιβλιάριο υγείας; Αν έχετε δημόσια ασφάλεια, τι κόστος έχει το μήνα; Υπάρχουν προβλήματα στο σύστημα υγείας στη χώρα σας;*

13.23. (318) Θέλω να ανοίξω ηλεκτρονικό τραπεζικό λογαριασμό

Η Ελένη Γεωργίου είναι φοιτήτρια και θέλει να ανοίξει ένα λογαριασμό (E-BANKING) στο διαδίκτυο. Γράφει στο μπλογκ της και ρωτάει τι πρέπει να κάνει.

Η ερώτηση της Ελένης

Καλησπέρα!

*Επειδή χάνω πολύ χρόνο όταν πηγαίνω για **συναλλαγές** στην τράπεζα, σκέφτομαι να ανοίξω τραπεζικό λογαριασμό σε τράπεζα στο διαδίκτυο. Έχω στο μυαλό μου την τράπεζα..., όμως επειδή δεν ξέρω πολύ καλά τι πρέπει να κάνω, σας ρωτάω: σε ποια τράπεζα προτείνετε να ανοίξω λογαριασμό, και τι πρέπει να έχω μαζί μου (π.χ. ταυτότητα..., τι άλλο πρέπει να προσέξω; κ.λπ.).*

*Ευχαριστώ **εκ των προτέρων**.*

Οι απαντήσεις των μπλόγκερ

1. Χρειάζεται να έχεις ταυτότητα και οπωσδήποτε ΑΦΜ (**Αριθμός Φορολογικού Μητρώου**).
2. Για να ανοίξεις ηλεκτρονικό λογαριασμό να ξέρεις ότι πρέπει να έχεις ήδη κανονικό λογαριασμό και βιβλιάριο καταθέσεων σε μια τράπεζα.
3. Επίσης για να ανοίξεις λογαριασμό πρέπει να είσαι πάνω από 18 ετών.
4. Χρειάζεσαι κι ένα λογαριασμό ηλεκτρικού ή σταθερού τηλεφώνου. Δεν **είναι απαραίτητο** να **είναι στο όνομά σου**.
5. Να βρεις μία τράπεζα με μεγάλο δίκτυο ΑΤΜ, διαφορετικά, αν είσαι κάπου και δεν έχει ΑΤΜ της δικής σου τράπεζας, κάθε φορά που θα παίρνεις χρήματα από ΑΤΜ άλλης τράπεζας, θα πληρώνεις **προμήθεια**.

Η Ελένη ευχαριστεί για τις πληροφορίες

Σας ευχαριστώ όλους για τις απαντήσεις σας. Πήγα στην τράπεζα και κατάφερα να ανοίξω το λογαριασμό εύκολα και γρήγορα.

Λεξιλόγιο 13.23.

ο/η μπλόγκερ	blogger
η προμήθεια	commission
η συναλλαγή	transaction
απαραίτητος-η-ο	necessary
είναι απαραίτητο	it is necessary
στο όνομά μου	in my name
εκ των προτέρων	beforehand

13.23.α. *Έχετε ΑΦΜ (Αριθμό Φορολογικού Μητρώου) στη χώρα σας; Από ποια ηλικία μπορείτε να ανοίξετε λογαριασμό σε τράπεζα;Τι χαρτιά χρειάζονται; Όταν παίρνετε χρήματα από το ΑΤΜ άλλης τράπεζας, πληρώνετε προμήθεια στη χώρα σας; Εσείς τι κάνετε συνήθως; Πάτε στην τράπεζα ή κάνετε τις συναλλαγές σας ηλεκτρονικά;*

13.24. (319) ΕΛΤΑ (Ελληνικά Ταχυδρομεία)

13.24.α. **Ακούστε το κείμενο και ταιριάξτε τις στήλες.** Listen to the text and match the columns.

1.	Στα ΕΛΤΑ μπορεί κανείς να κάνει	___	α.	για πολύ γρήγορες αποστολές.
2.	Στα ΕΛΤΑ μπορεί κανείς να στείλει κάτι	___	β.	είναι το **κατεπείγον**.
3.	Ο πιο γρήγορος από τους τρεις τρόπους	___	γ.	κάνει **ταχυμεταφορές**.
4.	Στα ΕΛΤΑ υπάρχει μια ειδική υπηρεσία	___	δ.	σε όσους αγοράζουν είδη **συσκευασίας** από τα ΕΛΤΑ.
5.	Η υπηρεσία ΠΟΡΤΑ-ΠΟΡΤΑ	___	ε.	λαμβάνει με την υπηρεσία ΠΟΡΤΑ -ΠΟΡΤΑ την επιστολή ή το δέμα την επόμενη μέρα της αποστολής.
6.	Αν ο παραλήπτης μένει σε διαφορετική πόλη από τον αποστολέα,	___	ζ.	με τρεις τρόπους. Μπορεί επίσης να αγοράσει **ευχετήριες κάρτες** και **χαρτοκιβώτια συσκευασίας.**
7.	Μπορεί κανείς να αγοράσει τα είδη	___	η.	αποστολές, παραλαβές, πληρωμές, αγορές, να στείλει χρήματα με **ταχυδρομική επιταγή** και να αγοράσει **κάρτες τηλεφωνίας**.
8.	Τα έξοδα αποστολής είναι δωρεάν	___	θ.	συσκευασίας από το ταχυδρομείο.

Λεξιλόγιο 13.24.

η κάρτα	card
η ευχετήρια κάρτα	greeting card
η κάρτα τηλεφωνίας	calling card
η επιταγή	check (n.)
η ταχυδρομική επιταγή	postal check
η συσκευασία	packaging
η ταχυμεταφορά	courier
το τέλος	tax, fee
το τέλος κυκλοφορίας	vehicle registration fee
το χαρτοκιβώτιο	card box
το χαρτοκιβώτιο συσκευασίας	cardboard box
κατεπείγον	express

γραπτός λόγος

13.25. Γράφω ένα γράμμα σε μια εταιρεία (ζητώ μια θέση εργασίας, μια υποτροφία κ.λπ.)

Η εταιρεία ΣΤΑΡΤ-ΑΠ προσφέρει 10 υποτροφίες σε τελειοφοίτους, αποφοίτους πανεπιστημίων (των δύο τελευταίων ετών) ή μεταπτυχιακούς φοιτητές που επιθυμούν να παρακολουθήσουν το σεμινάριο «Αρχίστε τώρα την επιχείρησή σας» διαρκείας πέντε ημερών. Λεπτομέρειες του προγράμματος στην ιστοσελίδα της εταιρείας ΣΤΑΡΤ-ΑΠ. Το σεμινάριο θα γίνει στα γραφεία της Εταιρείας στο Μαρούσι Αττικής από 10/11 έως 15/11. Η υποτροφία καλύπτει τα μεταφορικά, τη διαμονή και διατροφή και τα δίδακτρα του σεμιναρίου. Όσοι ενδιαφέρονται, θα πρέπει να στείλουν ένα γράμμα (120 - 150 λέξεις) που θα περιλαμβάνει τα παρακάτω:
1. Στοιχεία του υποψηφίου 2. Σπουδές και πτυχία (μέχρι τώρα) 3. Άλλες σπουδές (στο μέλλον) 4. Ξένες γλώσσες
5. Εργασία (αν έχει κάποια πείρα από το χώρο της εργασίας) 6. Νέες ιδέες και σχέδια για το μέλλον. 7. Ασχολίες / Χόμπι
8. Κοινωνική προσφορά.
Παρακαλούμε να στείλετε το γράμμα σας μέχρι τις 10 Οκτωβρίου ηλεκτρονικά ή στα γραφεία μας.
Διεύθυνση: Εταιρεία ΣΤΑΡΤ-ΑΠ, Αγίου Κωνσταντίνου 40, Μαρούσι 15127 (**Υπόψη** κυρίας Ειρήνης Μπατή)
Ηλεκτρονική διεύθυνση: startuphellas@otenet.gr Τηλ.: +30 210 6198802 - 8 www.startuphellas.com

Το κυρίως γράμμα Θέμα: **Γράφω τι προσόντα έχω (σπουδές, ασχολίες κ.λπ.) για να πάρω μια υποτροφία.**	
Η αρχή	[1] Λέω γιατί γράφω αυτό το γράμμα (**επιθυμία** να παρακολουθήσω το σεμινάριο).
Το βασικό θέμα	[2] Γράφω τα βασικά μου στοιχεία (ονοματεπώνυμο, ηλικία, πανεπιστήμιο και έτος σπουδών). [3] Ποιες ξένες γλώσσες μιλώ. Ποιες μαθαίνω ή επιθυμώ να μάθω. [4] Γράφω ποιο πτυχίο θα πάρω και ποια άλλα πτυχία έχω (αν έχω). [5] Λέω πού εργάστηκα, πού εργάζομαι ή θα εργαστώ π.χ. το καλοκαίρι. [6] Λέω ποιες νέες ιδέες έχω και ποια είναι τα σχέδιά μου για το μέλλον. [7] Λέω ποιες είναι οι ασχολίες / τα χόμπι μου. [8] Λέω τι προσφέρω στην κοινωνία.
Το τέλος	[9] Ζητάω να μου δώσουν την υποτροφία γιατί νομίζω ότι το σεμινάριο αυτό θα με βοηθήσει **να πραγματοποιήσω** τους **στόχους** μου.

Λεξιλόγιο 13.25.

ο στόχος	goal, objective
ο τελειόφοιτος	senior student (masc.)
η τελειόφοιτη	senior student (fem.)
η επιθυμία	desire
το προσόν	qualification
πραγματοποιώ	I implement, I fulfill
υπόψη	attention (to)

13.25.α. Ακούστε το κείμενο και συμπληρώστε τα κενά με λέξεις από το πλαίσιο. Μετά ξανακούστε το κείμενο και ελέγξτε αυτά που γράψατε.

Listen to the text and fill in the gaps with words from the box. Then listen to the text again and check what you wrote.

να παρακολουθήσω / Με ενδιαφέρει / να πραγματοποιούν / Εργάστηκα / οικονομικού τμήματος / Από φέτος / Στο τέλος / σχέδιά μου / το πτυχίο / Λέγομαι / διδακτορικό / έξοδα / Ανήκω / κόστος / κοινωνία / ασχολούμαι με / ως σερβιτόρος / παράλληλα / εμπόρου / μερική απασχόληση / Τέλος / να δημιουργήσω / συλλογή γραμματοσήμων / ορισμένες / να σας ευχαριστήσω / εκτίμηση / νέες

Κύριοι,
[1] Θα ήθελα ______________ το σεμινάριο «Αρχίστε τώρα την επιχείρησή σας». ______________ πολύ να πάρω μία από τις υποτροφίες που προσφέρετε, διότι δεν μπορώ να πληρώσω το __________ του σεμιναρίου.
[2] ______________ Αντώνης Περάτης, είμαι είκοσι δύο ετών και είμαι φοιτητής στο τελευταίο έτος του ______________ του Πανεπιστημίου Αθηνών.
[3] Μιλώ τέσσερις ξένες γλώσσες (αγγλικά, γαλλικά, ισπανικά και ρωσικά). ______________ άρχισα και κινέζικα.
[4] ______________ του έτους θα πάρω ______________ μου από το Οικονομικό τμήμα. Σκέπτομαι να κάνω ένα μεταπτυχιακό και οπωσδήποτε θα συνεχίσω με ένα ______________.
[5] ______________ σε πολλές και διάφορες δουλειές για να βοηθήσω στα ______________ της οικογένειάς μου. Πέρσι το καλοκαίρι δούλεψα για ένα μήνα ______________ σε ένα εστιατόριο στην Κρήτη. Πρόπερσι για τρεις μήνες δούλεψα στο γραφείο ενός ____________ υφασμάτων στην Πάτρα. Φέτος από το Φεβρουάριο, ______________ με το πανεπιστήμιο, εργάζομαι με ______________ (δύο ώρες κάθε απόγευμα) στο λογιστήριο μιας τεχνικής εταιρείας.
[6] Τα ______________ για το μέλλον είναι ______________ με δύο άλλους συμφοιτητές μου μία εταιρεία που θα βοηθάει νέους ______________ τις ______________ ιδέες τους.
[7] Πιστεύω, ότι εκτός από τις σπουδές και τη δουλειά, πρέπει να έχουμε καιρό για την οικογένειά μας και για τα χόμπι μας. Έτσι λοιπόν, στον ελεύθερο χρόνο μου ασχολούμαι με τη ______________ και με την κολύμβηση. ______________ επίσης στην ομάδα μπάσκετ του Δήμου μας.
[8] Πιστεύω επίσης ότι πρέπει να προσφέρουμε αυτό που μπορούμε στην ____________. Γι' αυτό, ______________ ώρες την εβδομάδα, ______________ το ίδρυμα «Όλα για το παιδί» και βοηθώ παιδάκια του Δημοτικού σχολείου στα μαθήματά τους.
[9] __________ θα ήθελα ______________ για τις υποτροφίες που προσφέρετε στους νέους κι ελπίζω να είμαι κι εγώ ένας από αυτούς.
Με ______________
Αντώνης Περάτης

13.25.β. Διαβάσατε στο διαδίκτυο ότι ένα εκπαιδευτικό ίδρυμα του εξωτερικού δίνει υποτροφία για ένα χρόνο σε πτυχιούχους για μεταπτυχιακό. Γράψτε ένα γράμμα με βάση το γράμμα 13.25.α.
You read on the internet that an educational institution abroad gives scholarship for a year to university graduates for postgraduate studies. Write a letter based on letter 13.25.α.

3.26. Εκπαίδευση

Το σχολείο (Πρωτοβάθμια εκπαίδευση: Δημοτικό (6 χρόνια) / Δευτεροβάθμια εκπαίδευση: Γυμνάσιο (3 χρόνια) / Λύκειο (3 χρόνια)	
- *Σε τι σχολείο πας, δημόσιο ή ιδιωτικό;* - *Σε ποιο σχολείο πας;*	- Πάω σε ιδιωτικό... - Πάω στο *Αρσάκειο, στο Βαρβάκειο*, στο *Πρώτο Γυμνάσιο* στην Πλάκα...
- *Σε ποια τάξη πας;* - *Πότε τελειώνεις το Δημοτικό;* - *Πας στο Γυμνάσιο ή στο Λύκειο;*	- Πάω στην Πέμπτη τάξη... - Πάω στην Τρίτη Δημοτικού... - Του χρόνου / Σε δύο χρόνια... - Πάω στην Πρώτη Γυμνασίου... - Πάω στην Τρίτη Λυκείου...
- *Με τι βαθμό πήρες το απολυτήριό σου;*	- Το πήρα με Άριστα / Λίαν καλώς / Καλώς. - Έμεινα στην ίδια τάξη, δεν πέρασα...
Μαθήματα - Πρόγραμμα - Διάλειμμα	
- *Ποιος είναι ο δάσκαλός σου / η δασκάλα σου;* - *Τι μαθήματα έχει το πρόγραμμα την Τρίτη;* - *Τι σας διδάσκει η κυρία σας (η δασκάλα σας);* - *Ποιο είναι το αγαπημένο σου μάθημα;* - *Τι ώρα έχετε διάλειμμα;*	- Είναι ο κύριος / η κυρία... - Αριθμητική, γραμματική, γλώσσα, φυσική, χημεία, θρησκευτικά, γεωγραφία, γαλλικά και γυμναστική... - Είναι τα καλλιτεχνικά... - Το μεγάλο διάλειμμα είναι στις εντεκάμισι...
Τριτοβάθμια εκπαίδευση - Σπουδές - Διπλώματα, Πτυχία - Πιστοποιητικό Ελληνομάθειας - Πανεπιστήμια / Σχολές - ΤΕΙ	
- *Σε ποια Σχολή πας;* - *Τι σπουδάζεις;*	- Πάω στη Νομική Αθηνών, στην Ιατρική Σχολή / στο Οικονομικό Τμήμα, στη Σχολή Χημικών, στη Σχολή Καλών Τεχνών... - Πάω στα ΤΕΙ Αθηνών... - *Αλλά*: Σπουδάζω νομικά, σπουδάζω οικονομικά & σπουδάζω οικονομολόγος, αρχιτέκτονας... - Σπουδάζω ιατρική, βιολογία, αρχιτεκτονική... - Σπουδάζω γιατρός/οδοντίατρος, πολιτικός μηχανικός/μηχανολόγος... - Είμαι φοιτητής/-τρια... - Είμαι σπουδαστής/-στρια...
- *Σε ποιο έτος πας / είσαι;* - *Τι πτυχίο έχεις;* - *Ποια είναι η ειδικότητά σου; Τι ειδικότητα έχεις;*	- Είμαι στο πρώτο, δεύτερο έτος / στο τρίτο εξάμηνο.. - Είμαι πτυχιούχος / Έχω / Πήρα πτυχίο της Ιατρικής, της Νομικής... - Η ειδικότητά μου είναι...
Δίδακτρα - Εγγραφές	
- *Τι χαρτιά χρειάζονται για την εγγραφή μου;*	- Χρειάζεται η ταυτότητα ή το διαβατήριο, τέσσερις πρόσφατες φωτογραφίες, άδεια παραμονής, άδεια εργασίας κ.λπ. - Χρειάζεται να συμπληρώσεις μια αίτηση και να τη στείλεις ηλεκτρονικά στη γραμματεία.
Έτος / Εξάμηνο / Μαθήματα / Εξετάσεις / Διαγωνίσματα	
- *Τι μαθήματα κάνετε / επιλέξατε για το πρώτο εξάμηνο;* - *Ποια είναι τα υποχρεωτικά και ποια είναι επιλογής;* - *Έδωσες γραπτές ή προφορικές εξετάσεις;* - *Έδωσες εξετάσεις;* - *Πέρασες;* - *Έμεινες σε κανένα μάθημα;* - *Κόπηκες;* - *Ποια μαθήματα παρακολουθείς;*	- Επιλέξαμε μαθηματικά... (Επιλέγω) - Μαθήματα υποχρεωτικά / επιλογής είναι... - Έδωσα και γραπτές και προφορικές... - Έδωσα εξετάσεις στο μάθημα της Ιστορίας... (Δίνω) - Πέρασα στις εξετάσεις / το μάθημα... (Περνώ) - Έμεινα σ' ένα μάθημα... (Μένω) - Κόπηκα στην Ιστορία... (Κόβομαι) - Παρακολουθώ...
Σχέδια για το μέλλον	
- *Τι θα γίνεις όταν μεγαλώσεις;* - *Τι θα κάνεις μετά τις σπουδές σου; Θα συνεχίσεις τις σπουδές σου;* - *Πότε τελειώνεις τις σπουδές σου;* - *Θα κάνεις μεταπτυχιακό / διδακτορικό;*	- Θα γίνω... Σκέπτομαι να γίνω ... - Θα κάνω το μεταπτυχιακό μου στα οικονομικά... Θα συνεχίσω τις σπουδές μου στο εξωτερικό... - Του χρόνου, σε δύο χρόνια... - Θα κάνω το διδακτορικό μου στη φιλοσοφία...

13.27. Εργασία

Επαγγέλματα	
- Τι δουλειά κάνεις / κάνετε; *- Τι εργασία κάνεις / κάνετε;* *- Ποια είναι η εργασία σου / σας;* *- Ποιο είναι το επάγγελμά σου / σας;* *- Με τι ασχολείσαι / ασχολείστε;*	- Είμαι δικηγόρος / γιατρός / αρχιτέκτονας / επιχειρηματίας / φαρμακοποιός / λογιστής / φυσικός... - Είμαι ηλεκτρολόγος, υδραυλικός, εργάτης/εργάτρια / **κομμωτής - κομμώτρια**... - Είμαι ζωγράφος / χορεύτρια / μουσικός / βιολιστής / τραγουδιστής - τραγουδίστρια / ξεναγός / γυμναστής - γυμνάστρια... - Έχω κατάστημα, ταβέρνα, εστιατόριο, μαγαζί με γυναικεία - ανδρικά - παιδικά είδη... - Έχω μία τεχνική εταιρεία / ένα φαρμακείο / μία σχολή χορού / ένα γυμναστήριο... - Ασχολούμαι με τα οικονομικά, με τα μαθηματικά / με τη χημεία / τη φυσική... - Είμαι έμπορος υφασμάτων... - Είμαι βιομήχανος. Έχω μια βιομηχανία πλαστικών...
Τόπος / Μέρος / Χώρος εργασίας	
- Πού δουλεύεις / δουλεύετε; *- Πού εργάζεσαι / εργάζεστε;*	- Δουλεύω στο(ν)-στη-στο / σ' ένα(ν)-σε μία-σ'ένα... - Εργάζομαι σ' ένα εργοστάσιο, σ' ένα νοσοκομείο, σε μια καφετέρια, σ' ένα φαρμακείο, σε μια τράπεζα, σ' ένα ξενοδοχείο κ.λπ.
Μισθός	
- Ποιος είναι ο μισθός σου; *- Τι μισθό παίρνεις;* *- Πόσο είναι η αμοιβή σου;* *- Πόσα παίρνεις μεικτά / καθαρά;* *- Πόσα βγάζεις το μήνα;* *- Πόσα κερδίζεις την ημέρα;* *- Τι ημερομίσθιο / μεροκάματο παίρνεις;* *- Τι σύνταξη παίρνεις;* *- Πόση είναι η σύνταξή σου;* *- Πόσες είναι οι κρατήσεις κάθε μήνα;*	- Είναι ο βασικός. Παίρνω το βασικό... - Παίρνω 2.380 ευρώ... - Η αμοιβή μου είναι... - Παίρνω 1500 ευρώ το μήνα μεικτά / καθαρά... - Βγάζω 3.000 ευρώ... - Κερδίζω 50 ευρώ την ημέρα... - Παίρνω 30 ευρώ την ημέρα... - Παίρνω ολόκληρη / μειωμένη σύνταξη... - Είναι περίπου 1300 ευρώ... - Είναι 150 ευρώ...
Συνθήκες	
- Πόσες ώρες δουλεύεις την ημέρα; *- Τι ωράριο έχεις;* *- Ποιο είναι το ωράριο εργασίας;* *- Έχεις πλήρη ή μερική απασχόληση;* *- Κάνεις υπερωρίες;* *- Έχεις ασφάλεια;* *- Είσαι ασφαλισμένος / -η;* *- Πώς είναι το περιβάλλον;* *- Πώς είναι ο χώρος εργασίας;* *- Πώς είναι ο/η συνάδελφος, οι συνάδελφοι;* *- Πώς είναι ο διευθυντής / η διευθύντρια;*	- Δουλεύω / εργάζομαι οκτώ ώρες την ημέρα... (**οκτάωρο**) - Δουλεύω από τις οκτώ το πρωί έως / μέχρι τις τρεις το απόγευμα... - Έχω μειωμένο / πλήρες ωράριο... - Έχω πλήρη / μερική απασχόληση... - Κάνω υπερωρίες... - Έχω ασφάλεια... - Είμαι ασφαλισμένος/-η στο ΙΚΑ... - Είναι ευχάριστο... - Είναι συμπαθητικός/-ή, ευχάριστος/-η... - Είναι καλός/-ή, γελαστός/-ή, έξυπνος /-η, ευχάριστοι... - Είναι σοβαρός/-ή, έξυπνος/-η...
Υποχρεώσεις - Δικαιώματα	
- Τι ώρα πρέπει να είσαι στη δουλειά σου; *- Πότε έχεις ρεπό;* *- Ποιες είναι οι μέρες αργίας το χρόνο;* *- Πόσες μέρες το χρόνο έχεις άδεια;*	- Πρέπει να είμαι στη δουλειά μου στις 8 το πρωί... - Έχω ρεπό κάθε Δευτέρα / μία μέρα την εβδομάδα ... - Είναι τα Χριστούγεννα, η Πρωτοχρονιά, το Πάσχα, οι Εθνικές γιορτές κ.λπ. - Έχω είκοσι εργάσιμες μέρες ...
- Είσαι εργαζόμενος / εργοδότης / άνεργος;	- Είμαι άνεργος. Δεν εργάζομαι. Δεν έχω δουλειά.

Λεξιλόγιο 13.26. & 13.27.

ο κομμωτής	hairdresser (masc.)
η κομμώτρια	hairdresser (fem.)
η συνθήκη	condition
η υποχρέωση	obligation
το διαγώνισμα	exam
το δικαίωμα	right (n.)
το οκτάωρο	eight hour work day

αξιολόγηση - οι τέσσερις δεξιότητες (___ / 20)

ΚΑΤΑΝΟΗΣΗ ΠΡΟΦΟΡΙΚΟΥ ΛΟΓΟΥ (___ / 5)

13.28. 321 **Ακούστε το κείμενο «Η δημοσκόπηση» και κρατήστε σημειώσεις δίπλα στους 20 αριθμούς.**

	Ηλικία		Επάγγελμα		Τόπος εργασίας		Σπουδές/Ίδρυμα	
Νίκος Αλεξίου	1.		9.		14.			
Μελίνα Αλεξίου	2.		10.		15.			
Πατέρας Νίκου	3.		11.		16.			
Μητέρα Νίκου	4.		12.		17.			
Πεθερά του Νίκου	5.		13.					
Στέλιος Αλεξίου	6.						18.	
Άρης Αλεξίου	7.						19.	
Μίνα Αλεξίου	8.						20.	

ΚΑΤΑΝΟΗΣΗ ΓΡΑΠΤΟΥ ΛΟΓΟΥ (___ / 5)

13.29. 

Το παρακάτω κείμενο από το διαδίκτυο (ίντερνετ) δίνει πληροφορίες για μια ιδέα που είχε ο Ολλανδός πρεσβευτής για να βοηθήσει τους νέους έλληνες επιχειρηματίες. Από το κείμενο λείπουν μερικές λέξεις. Διαβάστε προσεκτικά το κείμενο και συμπληρώστε δίπλα σε κάθε λέξη του πίνακα τον αριθμό του κενού στο οποίο αυτή ταιριάζει, όπως στο παράδειγμα. Προσέξτε: οι αριθμοί που πρέπει να συμπληρώσετε είναι ΔΕΚΑ (10) χωρίς το παράδειγμα. Υπάρχουν ΔΥΟ λέξεις που δεν ταιριάζουν σε κανένα κενό.

πώς	σεμινάρια	οργανώσουν	εργασίας	
ημερών	όνομα	επιχείρηση	**σωστοί**	
καθηγητές	επιχειρηματίες	δωρεάν	δημιουργήσουν	*0*
ξεκινήσουν				

Λεξιλόγιο 13.29.

ο πορτοκαλεώνας	orange grove
ο πρεσβευτής	ambassador
η υπηρεσία	service
το σεμινάριο	seminar
επιτυχημένος-η-ο	successful
σωστός-ή-ό	proper (adj.)

Ένας «πορτοκαλεώνας» στην καρδιά της Αθήνας.

Η ολλανδική πρεσβεία στην Αθήνα αποφάσισε να κάνει στο ισόγειο της έναν κοινό χώρο εργασίας για νέους που έχουν νέες ιδέες, που θέλουν να μείνουν στην Ελλάδα και να _______1_______ την δική τους επιχείρηση. Σ' αυτό το χώρο ανθίζουν οι πορτοκαλιές και βγάζουν καρπούς. Γι' αυτό ο Ολλανδός πρεσβευτής έδωσε το _______2_______ ***Πορτοκαλεώνας*** σ' αυτό το χώρο _______3_______ και γενικά σ' αυτή την ιδέα που είχε. *Ο Πορτοκαλεώνας* συνδέει τους νέους _______4______ (έως 35 ετών) με ελληνικές και ολλανδικές εταιρείες, οργανισμούς και πανεπιστήμια. Έτσι λοιπόν, με γραφεία και ιντερνέτ _______5_______, με **υπηρεσίες** λογιστηρίου και νομικές, με εκπαιδευτικά _______6______, οι νέοι άνθρωποι με τις «καλές και νέες ιδέες» μπορούν μέσα από αυτό το πρόγραμμα να γίνουν _______7_______ και **επιτυχημένοι** επιχειρηματίες.

Τα εκπαιδευτικά **σεμινάρια** που οργανώνει *Ο Πορτοκαλεώνας* είναι: διαλέξεις μια φορά την εβδομάδα και εντατικά σεμινάρια πέντε _______8_______. Σ' αυτά ειδικοί καθηγητές από το Πανεπιστήμιο του Άμστερνταμ, το Πανεπιστήμιο του Ντελφτ και το Οικονομικό Πανεπιστήμιο Αθηνών, βοηθούν τους νέους επιχειρηματίες να μάθουν _______9______ θα πρέπει να _______10_______ένα πρόγραμμα π.χ. τριών / πέντε ετών για την επιχείρηση που θέλουν να _______*0*_______.

ΠΑΡΑΓΩΓΗ ΠΡΟΦΟΡΙΚΟΥ ΛΟΓΟΥ (___ / 5)

13.30. Κάντε διαλόγους ανά ζεύγη. Στη συνέχεια αλλάξτε ρόλους.

Ρόλος Α: *Είστε ξένος φοιτητής και κάνετε το μεταπτυχιακό σας στο τμήμα γλωσσολογίας στο Πανεπιστήμιο Αθηνών. Συζητάτε με μία συμφοιτήτριά σας για μια δουλειά που βρήκατε με μερική απασχόληση γιατί τα χρήματα που σας στέλνουν οι γονείς σας δε φτάνουν για τα έξοδά σας. Της λέτε τι χαρτιά σάς ζήτησαν για να σας πάρουν στη δουλειά, πόσο σας πληρώνουν την ώρα και κάθε πότε, αν σας πληρώνουν την ασφάλεια και πόσο κοστίζει. Στη συνέχεια της λέτε για τους συναδέλφους σας στη δουλειά, τι είδους άνθρωποι είναι κ.λπ. Τέλος λέτε ότι με τη δουλειά δεν έχετε πολύ χρόνο για διάβασμα και έχετε πρόβλημα με τις εξετάσεις. Αν δεν περάσετε τι θα κάνετε;*

Ρόλος Β: *Είστε μια ελληνίδα φοιτήτρια και κάνετε το μεταπτυχιακό σας στη γλωσσολογία στο Πανεπιστήμιο Αθηνών. Ευτυχώς δε δουλεύετε και έχετε καιρό για μελέτη. Ένας ξένος συμφοιτητής σας σας μιλάει για τη δουλειά που βρήκε με μερική απασχόληση γιατί τα χρήματα που του στέλνουν οι γονείς του δεν τον φτάνουν για τα έξοδά του. Τον ρωτάτε πόσες ώρες δουλεύει, πόσο τον πληρώνουν την ώρα, κάθε πότε, αν του πληρώνουν την ασφάλειά του και πόσο. Τον ρωτάτε επίσης πώς είναι οι συνάδελφοί του στο χώρο εργασίας του. Στο τέλος προτείνετε στο συμφοιτητή σας να τον βοηθήσετε στις εξετάσεις, να του δώσετε τις σημειώσεις σας και να του εξηγήσετε ορισμένα μαθήματα που ίσως δεν μπόρεσε να παρακολουθήσει.*

ΠΑΡΑΓΩΓΗ ΓΡΑΠΤΟΥ ΛΟΓΟΥ (___ / 5)

13.31. Γράψτε ένα γράμμα στη μητέρα σας για την υποτροφία που πήρατε (150-200 λέξεις).

Είστε φοιτητής οικονομικών στο πανεπιστήμιο Θεσσαλονίκης. Γράφετε ένα μέιλ στη μητέρα σας που μένει στην Αθήνα και της λέτε ότι πήρατε μια υποτροφία για ένα σεμινάριο μιας εβδομάδας που θα γίνει στην Αγγλία στο Πανεπιστήμιο LSE. Της λέτε τι περιλαμβάνει η υποτροφία, πότε θα φύγετε και πότε θα γυρίσετε. Της λέτε ότι θα διδάξουν πολύ καλοί καθηγητές και ότι τα μαθήματα σας ενδιαφέρουν πολύ. Προσθέτετε ότι χαίρεστε που θα πάτε σ' αυτό το Πανεπιστήμιο γιατί θέλετε να κάνετε το μεταπτυχιακό σας εκεί. Της λέτε επίσης ότι θα προσπαθήσετε να κλείσετε, πριν πάτε, ραντεβού με έναν καθηγητή που σας ενδιαφέρει για το μεταπτυχιακό σας.

13.32. Χρυσοπράσινο φύλλο (1964)

Στίχοι: Λεωνίδας Μαλένης, μουσική: Μίκης Θεοδωράκης, ερμηνεία: Γρηγόρης Μπιθικώτσης

13.32.α.   **Ακούστε το τραγούδι και συμπληρώστε τα κενά με λέξεις από το πλαίσιο.**

https://goo.gl/9lFy6E

βα / γιάς / γριου / διού / κου (2) / λιάς(2) / μού / νιάς / νης / νου / πης(2) / ράς / ριών(2) / ρου / ρού / θου / σσιού / σμού / στείων / τσιών

Γη της λεμο_____, της ε_____,
γη της αγκα_____, της χα_____,
γη του πεύ______, του κυπαρι______,
των παλικα______ και της αγά______.

Χρυσοπράσινο φύλλο
ριγμένο στο πέλαγο.

Γη του ξεραμέ______ λιβα______,
γη της πικραμέ______ Πανα______,
γη του λί______, τ' άδι______ χα______,
τ' ά______ και______, των ηφαι______.

Χρυσοπράσινο φύλλο
ριγμένο στο πέλαγο.

Γη των κορι______ που γελούν,
γη των αγο______ που μεθούν,
γη του μύ______, του χαιρετι______,
Κύπρος της αγά______ και του ονεί______.

Χρυσοπράσινο φύλλο
ριγμένο στο πέλαγο.

Τι προσέχουμε;
ΓΡΑΜΜΑΤΙΚΗ
Γενική ονομάτων & επιθέτων

Η Κύπρος

- Η Κύπρος είναι το τρίτο σε μέγεθος νησί της Μεσογείου, μετά τη Σικελία και τη Σαρδηνία της Ιταλίας.
- Το κλίμα της είναι μεσογειακό.
- Πρωτεύουσα είναι η Λευκωσία.
- Επίσημες γλώσσες είναι τα ελληνικά και τα τουρκικά.
- Η Κύπρος ανήκει στην Ευρωπαϊκή Ένωση από το 2004 και το νόμισμά της είναι το ευρώ.
- Έχει περίπου 1.000.000 κατοίκους. Το 80% των κατοίκων είναι **Ελληνοκύπριοι** και το 20% είναι **Τουρκοκύπριοι** και ξένοι.
- Η Κύπρος έχει πολύ στενές σχέσεις με την Ελλάδα και τον πολιτισμό της.

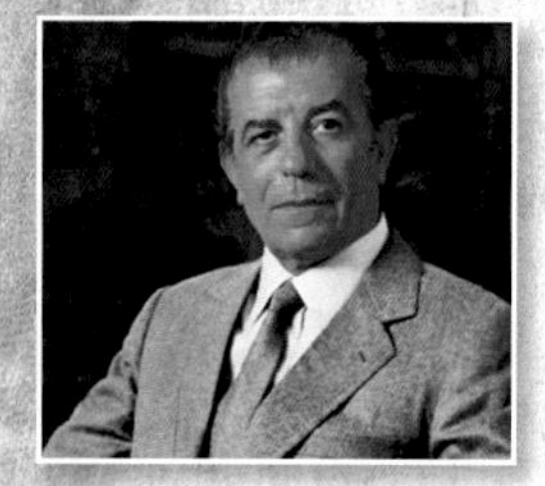

Γρηγόρης Μπιθικώτσης (1922-2005)
Τραγουδιστής και συνθέτης

Μίκης Θεοδωράκης (1925-2021)
Συνθέτης

Ο Μίκης Θεοδωράκης έδειξε τη βαθιά αγάπη του για την Κύπρο και τους ανθρώπους της με την υπέροχη μουσική που έγραψε και προσέφερε για την ταινία *Το νησί της Αφροδίτης* (1963). Η ταινία έγινε για την **προβολή** της Κύπρου στον ελληνικό χώρο αλλά και στο εξωτερικό.
Με το υπέροχο αυτό τραγούδι τελειώνει η παρουσίαση ενός από τα πιο ωραία έργα του Μίκη Θεοδωράκη.

Η ταινία: *Το Νησί της Αφροδίτης*
Τα αρχαία μνημεία, μια ιστορία κι ένας πολιτισμός ογδόντα αιώνων, ένας τόπος με σπάνια φύση –χρυσοπράσινο φύλλο ριγμένο στο πέλαγο– κι ένας λαός **βασανισμένος** αλλά και **περήφανος**, χάρισαν το θέμα της ταινίας.

13.32.β. Ψάχνω στο λεξικό και γράφω τη μετάφραση στη γλώσσα μου

ο λίβας = ...
ο χαμός = ...
η προβολή = ...
το ηφαίστειο = ...
το λιβάδι = ...
το μύρο = ...
άδικος-η-ο = ...
βασανισμένος-η-ο = ...
Ελληνοκύπριος-α-ο = ...
ξεραμένος-η-ο = ...
περήφανος-η-ο = ...
πικραμένος-η-ο = ...
ριγμένος-η-ο = ...
Τουρκοκύπριος-α-ο = ...
χρυσοπράσινος-η-ο = ...
μεθάω (-ώ) = ...

Πολιτισμός 3

Στην Κρήτη

1. (325) Κρητική διατροφή

Λεξιλόγιο Π.3.1.

ο λαός	people
ο ντάκος	salad/snack with barley rusk, tomatoes and white cheese
η καρδιοπάθεια	heart disease
η μυζήθρα	white cheese
η ξινομυζήθρα	sour white cheese
η πέψη	digestion
η ρακή	a kind of grapa
η τσικουδιά	a kind of grapa
η φήμη	reputation
το καλ(ι)τσούνι	a kind of sweet small pie
το παξιμάδι	dry bread
αντιπροσωπευτικός-ή-ό	representative
εξαιρετικός-ή-ό	excellent
ήπιος-α-ο	calm
θυμαρίσιος-α-ο	made of thyme
συμβάλλω	I contribute

Η Κρήτη βρίσκεται σε ιδανική γεωγραφική θέση. Το **ήπιο** κλίμα της, η θάλασσα και το δυνατό φως του ήλιου **συμβάλλουν** στην **εξαιρετική** ποιότητα των προϊόντων της. Τα άγρια χόρτα και τα αρωματικά φυτά και βότανα, τα γαλακτοκομικά όπως η κρητική γραβιέρα, το **θυμαρίσιο** μέλι, τα φρούτα και τα λαχανικά, τα δημητριακά, τα όσπρια, τα παξιμάδια και πολλά άλλα είναι τα βασικά προϊόντα για το θαύμα της κρητικής κουζίνας. Όμως το προϊόν, που έκανε γνωστό το νησί σ' όλο τον κόσμο, είναι το ελαιόλαδο, που χρησιμοποιούν οι Κρητικοί σε όλα σχεδόν τα φαγητά.

Επίσης, τα κρασιά της Κρήτης έχουν παγκόσμια **φήμη.** Η γνωστή **τσικουδιά** (ή **ρακή**), ποτό από σταφύλια, είναι το παραδοσιακό ποτό των Κρητικών. Ένα ποτηράκι κρασί την ημέρα, κυρίως κόκκινο, είναι απαραίτητο για την καλή λειτουργία της καρδιάς κι ένα-δυο ποτηράκια ρακή για την καλή **πέψη**.

Τέλος, το καθημερινό επιδόρπιο για τους Κρητικούς είναι τα φρέσκα φρούτα. Γλυκά τρώνε πολύ λίγες φορές μέσα στην εβδομάδα. Παραδοσιακά γλυκά της Κρήτης είναι τα **καλιτσούνια** με βάση τη γλυκιά **μηζύθρα** (μαλακό άσπρο τυρί) και το μέλι.

Γιατί όμως οι Κρητικοί ζουν πολλά χρόνια; Γιατί οι **καρδιοπάθειες** είναι λιγότερες στην Κρήτη;

Ήδη από τις πρώτες έρευνες που έγιναν, αμέσως μετά τον β' παγκόσμιο πόλεμο, οι ειδικοί βρήκαν ότι η διατροφή παίζει μεγάλο ρόλο στην καλή υγεία των Κρητικών.

Σε συνέδριο, που έγινε στα Χανιά της Κρήτης το Νοέμβριο του 2002 με θέμα τη Μεσογειακή διατροφή, όλοι συμφώνησαν ότι ανάμεσα στις μεσογειακές δίαιτες που ακολουθούν οι **λαοί** της Μεσογείου, η κρητική διατροφή είναι η πιο αντιπροσωπευτική μεσογειακή δίαιτα.

Μέλι θυμαρίσιο

Ελαιόλαδο & γραβιέρα Κρήτης

Βότανα & αρωματικά φυτά: δεντρολίβανο & χαμομήλι

Ρακή ή τσικουδιά & καλιτσούνια

Ντάκος: **παξιμάδια** κρητικά, **ξινομηζύθρα**, ντομάτα, ελιές, ρίγανη, κάπαρη & ελαιόλαδο

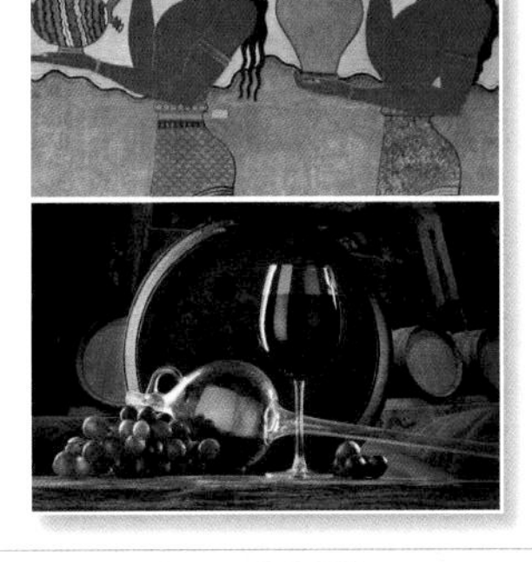

Κρασί

326 2. Δίπλα στα ρακοκάζανα

Από τον Οκτώβριο ως και τα τέλη Νοεμβρίου σε κάθε χωριό γίνονται τα παραδοσιακά «**καζάνια**» για την **απόσταξη** της ρακής. Είναι μία από τις πιο ωραίες περιόδους στην Κρήτη. Γύρω από τα ρακοκάζανα οι παρέες τρώνε πατάτες «οφτές», δηλαδή ψημένες στα κάρβουνα, ωμά λάχανα, καρότα, **κουνουπίδια** με πολύ λεμόνι, ντάκους και βεβαίως μπριζόλες, παϊδάκια και λουκάνικα, όλα ψημένα στα κάρβουνα.

Στις περισσότερες παρέες υπάρχουν και εκείνοι που παίζουν **λύρα**, **μαντολίνο** και τραγουδούν **μαντινάδες**. Οι κρητικές μαντινάδες, που κάνουν ακόμα πιο όμορφες τις ώρες της **απόσταξης** της ρακής, μιλούν για τον έρωτα, τη φιλία, την αγάπη για το νησί, το φεγγάρι, τη θάλασσα, τα πουλιά και γενικά την ομορφιά της φύσης...

Μερικοί Κρητικοί βγάζουν έξω τα παραδοσιακά ρακοκάζανα για να χαρούν μαζί με φίλους, κουμπάρους και συγγενείς την παραγωγή του παραδοσιακού προϊόντος της Κρήτης, μια παράδοση που κρατάει αιώνες.

Οι παρέες στην Κρήτη είναι πάντα ανοικτές όχι μόνο σε φίλους και γνωστούς, αλλά και στους ξένους ακόμα, που τους καλούν «για μια ρακή!». Όλοι μαζί περιμένουν **με τις ώρες** την απόσταξη. Η πρώτη ρακή, που τρέχει σε λίγο, είναι πολύ δυνατή! Τη μαζεύουν και τη χρησιμοποιούν ως οινόπνευμα. Όταν έχει 19 με 20 βαθμούς αλκοόλ, σταματούν τη λειτουργία του καζανιού γιατί μετά η ρακή θα γίνει αδύνατη. Την καλή ρακή τη δοκιμάζει κανείς επάνω στη φωτιά. Αν την πετάξεις στη φωτιά και η φωτιά **φουντώσει**, σημαίνει ότι η ρακή είναι καλή γιατί έχει αρκετό οινόπνευμα.

Λεξιλόγιο Π.3.2.

η απόσταξη	distillation
η λύρα	(lyra) string musical instrument
η μαντινάδα	Cretan songs with rhymed lyrics
το καζάνι	copper
το κουνουπίδι	cauliflower
το μαντολίνο	string musical instrument
το ρακοκάζανο	marmite where grapa is made
φουντώνω (η φωτιά)	I flare up
με τις ώρες (περιμένω)	(I wait) very long

327 3. Κρητικός γάμος & μαντινάδες

Ο γάμος στα χωριά της Κρήτης ήταν παλιά αλλά και σήμερα μια πολύ σημαντική μέρα για όλο το χωριό. Ο γάμος γίνεται πάντα Κυριακή. Οι **ετοιμασίες** αρχίζουν πολλές μέρες πριν. Τα κορίτσια του χωριού έρχονται στο σπίτι της νύφης την Παρασκευή και ετοιμάζουν τα **προικιά**. Συγχρόνως λένε και μαντινάδες.

Τα προικιά τα πηγαίνουν συγγενείς και φίλοι στο σπίτι του ζευγαριού με τη **συνοδεία** λύρας και τραγουδιών. Εκεί οι ανύπαντρες κοπέλες στρώνουν το **νυφικό** κρεβάτι και όλοι ρίχνουν επάνω ρύζι και χρήματα. Την ώρα που στρώνουν το κρεβάτι λένε και μαντινάδες. Το βράδυ πάνε οι συγγενείς της νύφης στο σπίτι της για να την **αποχαιρετήσουν** και τραγουδούν:

*Σήκω κι αποχαιρέτησε όλους **τους (ε)δικούς σου***
δώσε τα κλειδιά τση (της) μάνας σου και άντε να βρεις δικά σου.

Το απόγευμα της Κυριακής οι νέοι στολίζουν το γαμπρό και τα κορίτσια βοηθούν τη νύφη να φορέσει το νυφικό της. Όταν όλα είναι έτοιμα, ξεκινούν για το γάμο. Μπροστά πηγαίνουν οι μουσικοί και ακολουθεί ο γαμπρός που τον συνοδεύουν δύο φίλοι του. Όταν φτάσουν στο σπίτι της νύφης, οι καλεσμένοι του γαμπρού λένε:

Ανοίξετε την πόρτα σας να δείτε το γαμπρό μας,
τέτοιο σγουρό βασιλικό δεν έχει το χωριό μας.

Οι συγγενείς της νύφης απαντούν:

Σιγά-σιγά μη βιάζεστε κι η πόρτα μας θ' ανοίξει,
γιατί έχει αδέρφια και δικούς να αποχαιρετήσει.

Μετά μπαίνει ο γαμπρός μέσα στο σπίτι, χαιρετά και φιλά τους γονείς της νύφης, παίρνει την ευχή τους, προσφέρει λουλούδια και φιλάει τη νύφη. Ξεκινούν όλοι για την εκκλησία. Στην είσοδο της εκκλησίας και πριν μπουν μέσα ο **λυράρης** τραγουδάει:

Άνοιξε πόρτα τσ' (της) εκκλησιάς, πόρτα του ***παραδείσου***
να *κατεβούν οι* ***άγγελοι*** *τη νύφη να* ***βλογήσουν****. (=ευλογήσουν)*

Μετά το γάμο χορεύουν έξω από την εκκλησία το χορό της νύφης και όταν τελειώσει ο χορός, ο τελευταίος παίρνει το μαντήλι της, που φέρνει τύχη. Στη συνέχεια ξεκινούν όλοι για το σπίτι του γαμπρού και από όπου περνούν, τους πετούν ρύζι και άνθη. Μόλις φτάσουν στο σπίτι του γαμπρού τραγουδούν:

Πρόβαλε *μάνα του γαμπρού και πεθερά τση (της)νύφης*
να δεις τον όμορφό σου γιο μια κόρη που σου φέρνει.

Μπροστά στην πόρτα, η νύφη παίρνει μέλι από την πεθερά της και κάνει ένα σταυρό πάνω από την πόρτα για να είναι η ζωή τους γλυκιά. Ύστερα πετά ένα **ρόδι** με δύναμη μέσα στο σπίτι για να σκορπίσει, όπως το ρόδι, η ευτυχία παντού. Η νύφη μπαίνει μέσα πρώτη, ακολουθεί ο γαμπρός και συγχρόνως οι λυράρηδες λένε μαντινάδες.*

Μετά απ' όλα αυτά ακολουθεί το γαμήλιο τραπέζι με το **πιλάφι** (**γαμοπίλαφο**) και το βραστό κρέας της **γίδας**. Το κρητικό γλέντι κρατάει από τρεις μέρες μέχρι μία εβδομάδα. Το **δίσεκτο** χρόνο και το Μάιο δεν κάνουν γάμους. Επίσης την ίδια μέρα, στην ίδια εκκλησία δεν πρέπει να γίνονται δύο γάμοι, όπως δεν πρέπει να γίνονται στο ίδιο σπίτι δύο γάμοι τον ίδιο χρόνο. Το έχουν **για κακό** στην Κρήτη.

https://www.youtube.com/watch?v=A4uY6xNcdIA

* *Τραγούδια με δύο στίχους,* ***αυτοσχέδια****, που τα τραγουδούν στην Κρήτη με τη συνοδεία λύρας.*

Λεξιλόγιο Π.3.3.

ο άγγελος	angel
ο λυράρης	lyra player
ο παράδεισος	paradise
οι δικοί (μου)	my people / family
η γίδα	goat
η ετοιμασία	preparation
η συνοδεία	escort
το γαμοπίλαφο	special rice dish for weddings
το πιλάφι	pilaff
το ρόδι	pomegranate
τα προικιά	dowry
αυτοσχέδιος-α-ο	improvised
δίσεκτος-η-ο*	leap (year)
νυφικός-ή-ό	wedding (adj.)
αποχαιρετάω (-ώ)	I say goodbye
ευλογώ	I bless
προβάλλω	I come out
για κακό	bad luck

* ***Κάθε 4 χρόνια ο Φεβρουάριος έχει 29 ημέρες αντί για 28. Ο χρόνος αυτός λέγεται δίσεκτος.***

Χανιά

Από την ποίηση

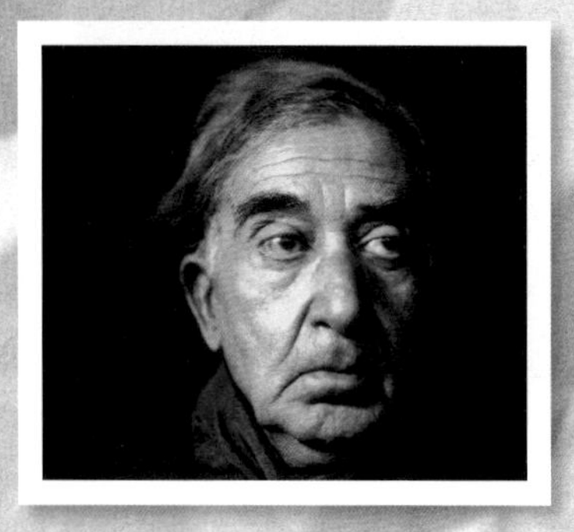

Λεξιλόγιο Π.3.4.

η εβδομάς (-μάδα)	week
η κάμαρη (α)	bedroom
γνώριμος-η-ο	known
εμπορικός-ή-ό	business
καημένος-η-ο	poor (thing)
παντοτινός-ή-ό	everlasting
πλαϊνός-ή-ό	adjacent
ψάθινος-η-ο	straw (adj.)
αγαπιέμαι	I am loved
χωρίζω (χωρίζομαι)	I am separated
είχαμε χωρισθεί (χωρίσαμε)	we were separated
αντικρύ	across
σιμά	close
αλλοίμονο(ν)	alas

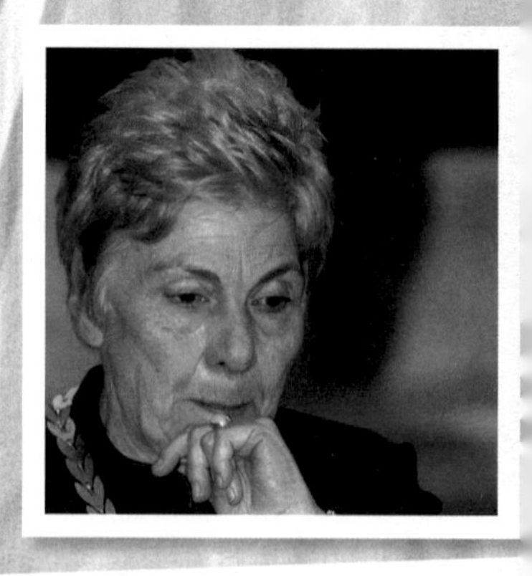

Λεξιλόγιο Π.3.5.

η θλίψη	sorrow
η μνήμη	memory
άκλιτος-η-ο	indeclinable
ανυπεράσπιστος-η-ο	defenseless
κύριος-α-ο	proper
το κύριο όνομα	proper noun

4. *Ο ήλιος του απογεύματος*

Κωνσταντίνος Καβάφης (1863-1933) https://goo.gl/5oPYBY

Την κάμαρην αυτή, πόσο καλά την ξέρω.
Τώρα νοικιάζονται κι αυτή κι η πλαϊνή
για εμπορικά γραφεία. Όλο το σπίτι έγινε
γραφεία μεσιτών κι εμπόρων κι εταιρείες.

Α η κάμαρη αυτή, τι γνώριμη που είναι.

Κοντά στην πόρτα εδώ ήταν ο καναπές,
κι εμπρός του ένα τουρκικό χαλί·
σιμά το ράφι με δυο βάζα κίτρινα.
Δεξιά· όχι, αντικρύ, ένα ντουλάπι με καθρέπτη.
Στη μέση το τραπέζι όπου έγραφε·
κι οι τρεις μεγάλες ψάθινες καρέκλες.
Πλάι στο παράθυρο ήταν το κρεβάτι
που αγαπηθήκαμε τόσες φορές.

Θα βρίσκονται ακόμη τα καημένα πουθενά.

Πλάι στο παράθυρο ήταν το κρεβάτι·
ο ήλιος του απογεύματος το 'φθανε ως τα μισά.

... Απόγευμα η ώρα τέσσερις, είχαμε χωρισθεί
για μια εβδομάδα μόνο ... Αλλοίμονον,
η εβδομάς εκείνη έγινε παντοτινή.

5. *Ο Πληθυντικός αριθμός*

Κική Δημουλά (1931-2020) https://goo.gl/qQcV2I

Ο έρωτας
όνομα ουσιαστικόν
πολύ ουσιαστικόν,
ενικού αριθμού,
γένους ούτε θηλυκού
ούτε αρσενικού,
γένους ανυπεράσπιστου.
Πληθυντικός αριθμός
οι ανυπεράσπιστοι
έρωτες.
Ο φόβος,
όνομα ουσιαστικόν,
στην αρχή ενικός
αριθμός
και μετά πληθυντικός:
οι φόβοι.
Οι φόβοι
για όλα από δω
και πέρα.

Η μνήμη,
κύριο όνομα των
θλίψεων,
ενικού αριθμού,
μόνον ενικού αριθμού
και άκλιτη.
Η μνήμη, η μνήμη,
η μνήμη.
Η νύχτα,
όνομα ουσιαστικόν,
γένους θηλυκού,
ενικός αριθμός.
Πληθυντικός αριθμός
οι νύχτες.
Οι νύχτες από δω
και πέρα.

6. *Ύμνος εις την ελευθερίαν*

Ο Εθνικός Ύμνος της Ελλάδας & της Κύπρου.

Διονύσιος Σολωμός (1798 - 1857)
https://goo.gl/ysNJ3S

Σε γνωρίζω από την κόψη
του σπαθιού την τρομερή,
σε γνωρίζω από την όψη
που με βία μετράει τη γη.

Απ' τα κόκαλα βγαλμένη
των Ελλήνων τα ιερά,
και σαν πρώτα ανδρειωμένη,
χαίρε, ω χαίρε, Ελευθεριά!

Ο Διονύσιος Σολωμός έγραψε το ποίημα *Ύμνος εις την Ελευθερίαν* το 1823 στη Ζάκυνθο. Το ποίημα έχει 158 στροφές και είναι ο πιο μεγάλος Εθνικός Ύμνος στον κόσμο. Τη μελωδία έγραψε ο Νικόλαος Μάντζαρος το 1828 στην Κέρκυρα.

Λεξιλόγιο Π.3.6.

ο ύμνος	hymn
ο εθνικός ύμνος	national anthem
η βία	violence, force
η ελευθερία	freedom
η κόψη	sharp edge
η όψη	appearance
η στροφή (ποίημα)	verse
το σπαθί	sword
ανδρειωμένος-η-ο	brave, courageous
βγαλμένος-η-ο	born from
ιερός-ή-ό	sacred
μετράω (-ώ)	count
χαίρε!	hail!
σαν (=όπως)	as, like

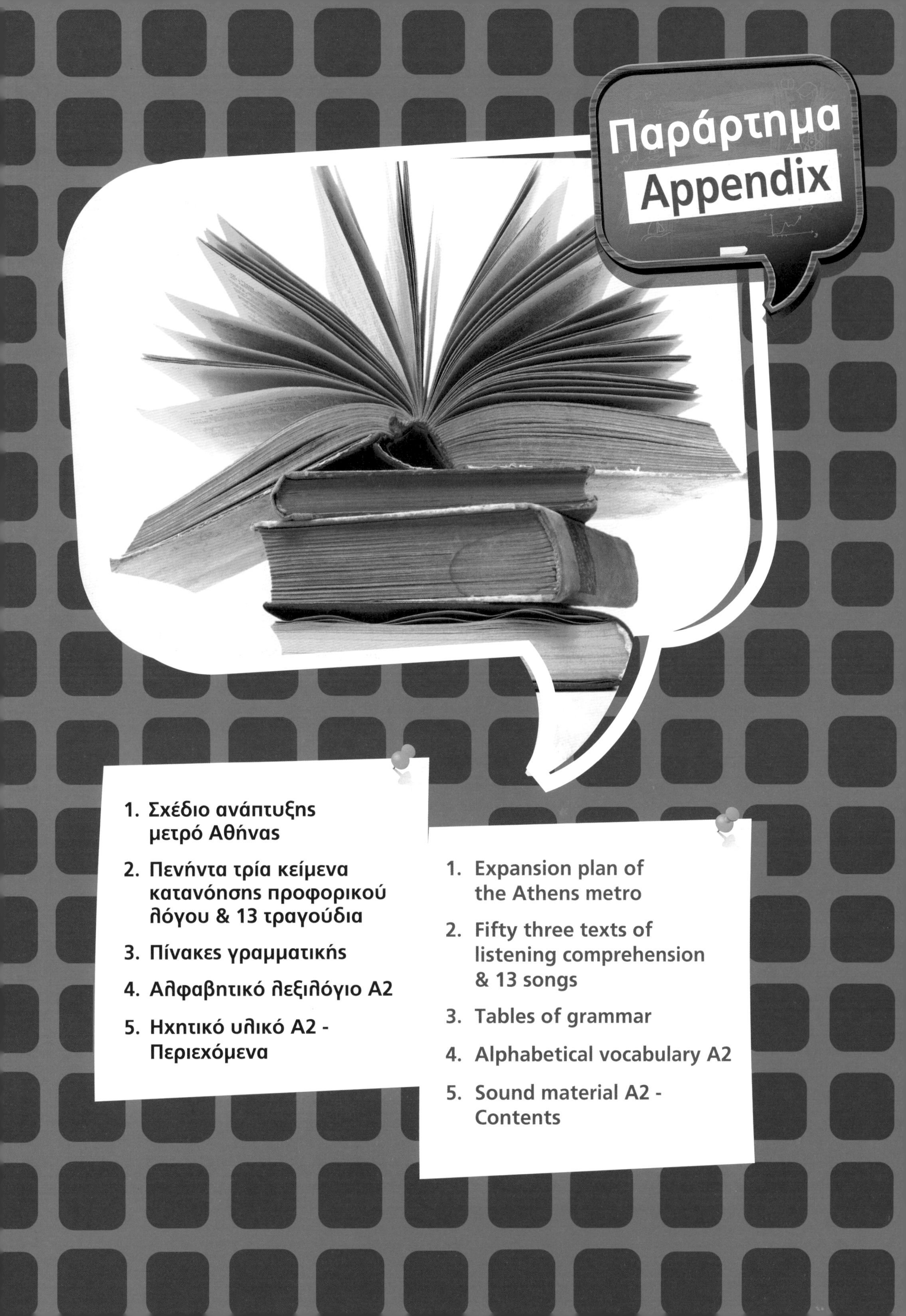
Παράρτημα
Appendix
1. Σχέδιο ανάπτυξης μετρό Αθήνας
2. Πενήντα τρία κείμενα κατανόησης προφορικού λόγου & 13 τραγούδια
3. Πίνακες γραμματικής
4. Αλφαβητικό λεξιλόγιο Α2
5. Ηχητικό υλικό Α2 - Περιεχόμενα
1. Expansion plan of the Athens metro
2. Fifty three texts of listening comprehension & 13 songs
3. Tables of grammar
4. Alphabetical vocabulary A2
5. Sound material A2 - Contents

1

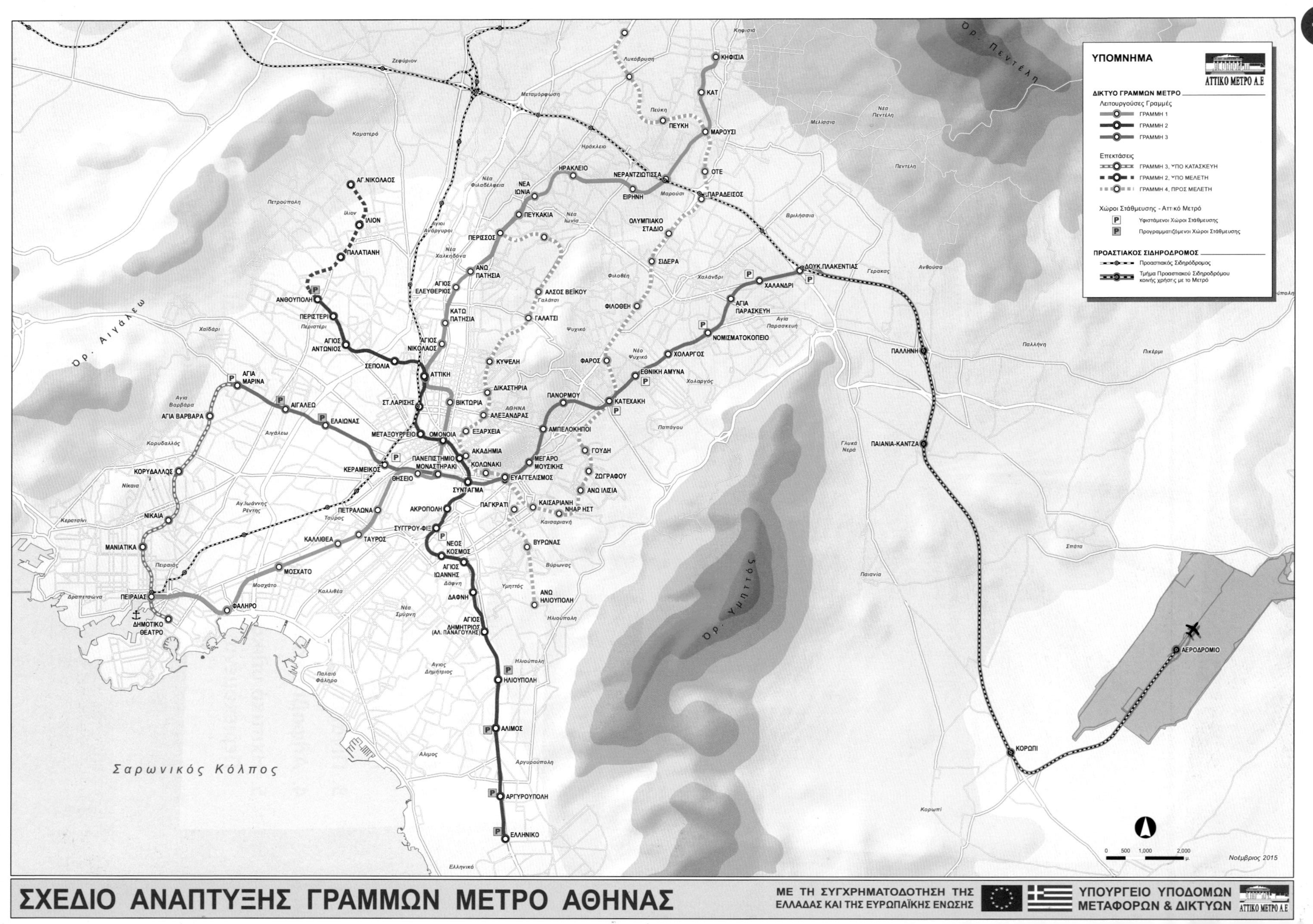
ΥΠΟΜΝΗΜΑ
ΑΤΤΙΚΟ ΜΕΤΡΟ Α.Ε
ΔΙΚΤΥΟ ΓΡΑΜΜΩΝ ΜΕΤΡΟ
Λειτουργούσες Γραμμές
ΓΡΑΜΜΗ 1
ΓΡΑΜΜΗ 2
ΓΡΑΜΜΗ 3
Επεκτάσεις
ΓΡΑΜΜΗ 3, ΥΠΟ ΚΑΤΑΣΚΕΥΗ
ΓΡΑΜΜΗ 2, ΥΠΟ ΜΕΛΕΤΗ
ΓΡΑΜΜΗ 4, ΠΡΟΣ ΜΕΛΕΤΗ
Χώροι Στάθμευσης - Αττικό Μετρό
Υφιστάμενοι Χώροι Στάθμευσης
Προγραμματιζόμενοι Χώροι Στάθμευσης
ΠΡΟΑΣΤΙΑΚΟΣ ΣΙΔΗΡΟΔΡΟΜΟΣ
Προαστιακός Σιδηρόδρομος
Τμήμα Προαστιακού Σιδηροδρόμου κοινής χρήσης με το Μετρό
ΚΗΦΙΣΙΑ
ΚΑΤ
ΜΑΡΟΥΣΙ
ΟΤΕ
ΠΕΥΚΗ
ΝΕΡΑΝΤΖΙΩΤΙΣΣΑ
ΕΙΡΗΝΗ
ΠΑΡΑΔΕΙΣΟΣ
ΗΡΑΚΛΕΙΟ
ΝΕΑ ΙΩΝΙΑ
ΠΕΥΚΑΚΙΑ
ΠΕΡΙΣΣΟΣ
ΑΝΩ ΠΑΤΗΣΙΑ
ΑΓΙΟΣ ΕΛΕΥΘΕΡΙΟΣ
ΚΑΤΩ ΠΑΤΗΣΙΑ
ΑΓΙΟΣ ΝΙΚΟΛΑΟΣ
ΑΤΤΙΚΗ
ΒΙΚΤΩΡΙΑ
ΟΜΟΝΟΙΑ
ΜΟΝΑΣΤΗΡΑΚΙ
ΘΗΣΕΙΟ
ΠΕΤΡΑΛΩΝΑ
ΤΑΥΡΟΣ
ΚΑΛΛΙΘΕΑ
ΜΟΣΧΑΤΟ
ΦΑΛΗΡΟ
ΠΕΙΡΑΙΑΣ
ΔΗΜΟΤΙΚΟ ΘΕΑΤΡΟ
ΜΑΝΙΑΤΙΚΑ
ΝΙΚΑΙΑ
ΚΟΡΥΔΑΛΛΟΣ
ΑΓΙΑ ΒΑΡΒΑΡΑ
ΑΓΙΑ ΜΑΡΙΝΑ
ΑΙΓΑΛΕΩ
ΕΛΑΙΩΝΑΣ
ΚΕΡΑΜΕΙΚΟΣ
ΜΕΤΑΞΟΥΡΓΕΙΟ
ΠΑΝΕΠΙΣΤΗΜΙΟ
ΣΥΝΤΑΓΜΑ
ΑΚΡΟΠΟΛΗ
ΣΥΓΓΡΟΥ-ΦΙΞ
ΝΕΟΣ ΚΟΣΜΟΣ
ΑΓΙΟΣ ΙΩΑΝΝΗΣ
ΔΑΦΝΗ
ΑΓΙΟΣ ΔΗΜΗΤΡΙΟΣ (ΑΛ. ΠΑΝΑΓΟΥΛΗΣ)
ΗΛΙΟΥΠΟΛΗ
ΑΛΙΜΟΣ
ΑΡΓΥΡΟΥΠΟΛΗ
ΕΛΛΗΝΙΚΟ
ΑΝΘΟΥΠΟΛΗ
ΠΕΡΙΣΤΕΡΙ
ΑΓΙΟΣ ΑΝΤΩΝΙΟΣ
ΣΕΠΟΛΙΑ
ΣΤ.ΛΑΡΙΣΗΣ
ΑΓ.ΝΙΚΟΛΑΟΣ
ΙΛΙΟΝ
ΠΑΛΑΤΙΑΝΗ
ΕΥΑΓΓΕΛΙΣΜΟΣ
ΜΕΓΑΡΟ ΜΟΥΣΙΚΗΣ
ΑΜΠΕΛΟΚΗΠΟΙ
ΠΑΝΟΡΜΟΥ
ΚΑΤΕΧΑΚΗ
ΕΘΝΙΚΗ ΑΜΥΝΑ
ΧΟΛΑΡΓΟΣ
ΝΟΜΙΣΜΑΤΟΚΟΠΕΙΟ
ΑΓΙΑ ΠΑΡΑΣΚΕΥΗ
ΧΑΛΑΝΔΡΙ
ΔΟΥΚ.ΠΛΑΚΕΝΤΙΑΣ
ΠΑΛΛΗΝΗ
ΠΑΙΑΝΙΑ-ΚΑΝΤΖΑ
ΚΟΡΩΠΙ
ΑΕΡΟΔΡΟΜΙΟ
ΟΛΥΜΠΙΑΚΟ ΣΤΑΔΙΟ
ΣΙΔΕΡΑ
ΦΙΛΟΘΕΗ
ΦΑΡΟΣ
ΑΛΣΟΣ ΒΕΙΚΟΥ
ΓΑΛΑΤΣΙ
ΚΥΨΕΛΗ
ΔΙΚΑΣΤΗΡΙΑ
ΑΛΕΞΑΝΔΡΑΣ
ΕΞΑΡΧΕΙΑ
ΑΚΑΔΗΜΙΑ
ΚΟΛΩΝΑΚΙ
ΠΑΓΚΡΑΤΙ
ΚΑΙΣΑΡΙΑΝΗ
ΝΗΑΡ ΗΣΤ
ΓΟΥΔΗ
ΖΩΓΡΑΦΟΥ
ΑΝΩ ΙΛΙΣΙΑ
ΒΥΡΩΝΑΣ
ΑΝΩ ΗΛΙΟΥΠΟΛΗ
Όρ. Πεντέλη
Όρ. Υμηττός
Όρ. Αιγάλεω
Σαρωνικός Κόλπος
0 500 1,000 2,000 μ.
Νοέμβριος 2015
ΣΧΕΔΙΟ ΑΝΑΠΤΥΞΗΣ ΓΡΑΜΜΩΝ ΜΕΤΡΟ ΑΘΗΝΑΣ
ΜΕ ΤΗ ΣΥΓΧΡΗΜΑΤΟΔΟΤΗΣΗ ΤΗΣ ΕΛΛΑΔΑΣ ΚΑΙ ΤΗΣ ΕΥΡΩΠΑΪΚΗΣ ΕΝΩΣΗΣ
ΥΠΟΥΡΓΕΙΟ ΥΠΟΔΟΜΩΝ ΜΕΤΑΦΟΡΩΝ & ΔΙΚΤΥΩΝ

ΕΝΟΤΗΤΑ 1: Το σπίτι μου κι εγώ (1 - 22)

Βήμα 1 Ποιος είναι;

Α. ΜΕΤΑΓΡΑΦΗ ΚΕΙΜΕΝΩΝ ΓΙΑ ΚΑΤΑΝΟΗΣΗ ΠΡΟΦΟΡΙΚΟΥ ΛΟΓΟΥ (1 - 5)

ΚΕΙΜΕΝΟ 1 **1.3. Στην αστυνομία για ταυτότητα** **TRACK 3**

Α.: Αστυνομικός, Η.: Ηλίας

Α.: Πώς λέγεστε;
Η.: Ηλίας Πέτρου.
Α.: Όνομα και επώνυμο πατέρα;
Η.: Παύλος Πέτρου.
Α.: Μητέρας;
Η.: Αναστασία Μαυράκη.
Α.: Πόσων ετών είστε;
Η.: Είκοσι έξι.
Α.: Επάγγελμα;
Η.: Είμαι υπάλληλος στο Δήμο Χολαργού.
Α.: Είστε έγγαμος;
Η.: Όχι, **ανύπαντρος** είμαι.
Α.: Τι ύψος έχετε;
Η.: Ένα ογδόντα.
Α.: Χρώμα ματιών;
Η.: Καστανά.
Α.: Χρώμα μαλλιών;
Η.: Ξανθά.
Α.: Υπηκοότητα;
Η.: Ελληνική.
Α.: Τόπος γέννησης;
Η.: Πάτρα.
Α.: **Χρονολογία** γέννησης;
Η.: 1984.
Α.: Πού μένετε;
Η.: Στη Γλυφάδα, Καραπάνου 8.
Α.: Εντάξει, βάλτε την υπογραφή σας εκεί αριστερά, παρακαλώ. Περάστε στο γραφείο δίπλα για να σας πάρουν δακτυλικά αποτυπώματα.
Η.: Χρειάζεται να φέρω τίποτε άλλο;
Α.: Ναι, τέσσερις **πρόσφατες** φωτογραφίες.
Η.: Τις φέρνω σε λίγο.

ΚΕΙΜΕΝΟ 2 **1.4. Ένας Ελληνοαμερικανός σκηνοθέτης** **TRACK 4**

Δ.: Δημοσιογράφος, Τ.: Τιμ Κάριτον

Δ.: Μαζί μας έχουμε τον Τιμ Κάριτον, σκηνοθέτη της ταινίας Άλφα - Θήτα. Κύριε Κάριτον, η ταινία σας ήταν από τις πιο καλές ταινίες του φεστιβάλ. **Άρεσε** πολύ στον κόσμο.
Τ.: Ευχαριστώ πολύ για τα καλά σας **λόγια**. Είμαι κι εγώ πολύ χαρούμενος για την **επιτυχία** της ταινίας. Ξέρετε, είναι η πρώτη μου ταινία.
Δ.: Συγχαρητήρια! Μιλάτε πολύ καλά ελληνικά, κύριε Κάριτον. Είστε όμως Αμερικανός, έτσι δεν είναι;
Τ.: Ναι, γεννήθηκα στο Σικάγο και έχω την αμερικανική ιθαγένεια αλλά οι γονείς μου έχουν ελληνική καταγωγή. Μιλάω ελληνικά από παιδί. Ο πατέρας μου είναι από το **Καστελλόριζο** και το επίθετό του είναι Χαριτόπουλος. Εμένα με **βάφτισαν** Τιμόθεο αλλά με φωνάζουν Τιμ.
Δ.: Δεν ήξερα ότι έχετε ελληνική καταγωγή. **Ελληνοαμερικανός** δηλαδή... Και ήρθατε στην Ελλάδα για το Φεστιβάλ Κινηματογράφου Θεσσαλονίκης;
Τ.: Όχι, εδώ και τρία χρόνια κατοικώ στην Ελλάδα.
Δ.: Αλήθεια; Πού μένετε;
Τ.: Μένω εδώ στη Θεσσαλονίκη. Εδώ **γύρισα** και την ταινία μου.
Δ.: Η ταινία σας ονομάζεται Άλφα - Θήτα. Περίεργος τίτλος...
Τ.: Άρρεν - Θήλυ. Είναι μία ταινία για τα δύο φύλα, για τους άντρες και τις γυναίκες της ηλικίας μου.

ΑΝΑΠΤΥΞΗ

ΚΕΙΜΕΝΟ 3 **1.5.α. Συνέντευξη στο Παναθηναϊκό Στάδιο** **TRACK 6**

Δ.: Δημοσιογράφος, Θ.: Θανάσης Ε.: Ελένη, Μ.: Μάνος

Δ.: Βρισκόμαστε στο Παναθηναϊκό Στάδιο. Ο τριακοστός δεύτερος **(32ος) Μαραθώνιος** Αθήνας μόλις τελείωσε. Μαζί μας είναι ο κύριος Μάνος Αλεξόπουλος που έτρεξε στο μαραθώνιο με όλη την οικογένειά του. Συγχαρητήρια!
Μ.: Ευχαριστούμε πολύ! Ήταν λίγο δύσκολο για εμάς, τους μεγάλους. Ο Θανάσης, ο γιος μου, σταμάτησε πέντε - έξι φορές και μας περίμενε αλλά τελικά φτάσαμε όλοι μαζί στο τέρμα.
Δ.: Συγχαρητήρια! Μπράβο σας! Με τι ασχολείστε, κύριε Αλεξόπουλε;
Μ.: Είμαι δικηγόρος.
Δ.: Και στον ελεύθερο χρόνο σας;
Μ.: Στο ελεύθερο χρόνο μου ασχολούμαι με **αθλήματα**. Λατρεύω τα σπορ. Κάνω κολύμπι και τρέχω.
Δ.: Και εσείς, κυρία Αλεξοπούλου, με τι ασχολείστε;
Ε.: Εγώ δε δουλεύω πια. Ασχολούμαι, όπως λένε, με τα οικιακά.
Δ.: Και στον ελεύθερο χρόνο σας; Αγαπάτε κι εσείς τα σπορ;
Ε.: Μπα! Πηγαίνω στο γυμναστήριο δύο φορές την εβδομάδα αλλά αυτό είναι... Τίποτα άλλο. Προτιμώ να ασχολούμαι με τον κήπο μου και τη ζωγραφική. Μαθαίνω ζωγραφική. **Κάλλιο αργά παρά ποτέ**, σωστά; Τώρα βέβαια με το μαραθώνιο άφησα λίγο τα χόμπι μου. Τους τελευταίους μήνες κάναμε σχεδόν κάθε απόγευμα **προπόνηση**. Και οι τρεις μαζί!
Δ.: Πόσα χιλιόμετρα περίπου την εβδομάδα;
Ε.: Τους τρεις τελευταίους μήνες εγώ έκανα περίπου σαράντα με πενήντα χιλιόμετρα την εβδομάδα, ο Μάνος και το παιδί πιο πολλά.
Δ.: Και τώρα πάμε στο παιδί που είναι, κυρίες και κύριοι, δύο μέτρα ύψος!
Θ.: Ένα και ενενήντα δύο.
Δ.: Και με τι ασχολείσαι, Θανάση;
Θ.: Σπουδάζω **οικονομικά**.
Δ.: Μπράβο! Κι εκτός από τις σπουδές, με τι άλλο ασχολείσαι;
Μ.: Με το διαδίκτυο! Πρωί - βράδυ **σερφάρει** στο ίντερνετ.
Θ.: Όχι, **βρε** μπαμπά! Κάνω κι άλλα πράγματα. Είμαι στην ομάδα μπάσκετ της γειτονιάς μου και κάνουμε συνέχεια προπονήσεις. Ασχολούμαι και με τη μουσική. Μαθαίνω κιθάρα.

Δ.: Και πώς αποφασίσατε να τρέξετε στο Μαραθώνιο όλοι μαζί;
Ε.: Ήταν μια ιδέα του Μάνου. Εγώ δεν ήθελα στην αρχή. Αλλά τώρα είμαι πολύ χαρούμενη! Τρέξαμε όλοι μαζί... και φτάσαμε και στο τέρμα. Ακόμα δεν το πιστεύω!

ΚΕΙΜΕΝΟ 4 **1.6. Η Ίντιρα από την Ινδία** **TRACK 7**

Η Ίντιρα Καλάν είναι μία όμορφη κοπέλα είκοσι τεσσάρων χρονών. Δεν είναι παντρεμένη και ζει στο Λονδίνο με τους γονείς της. Γεννήθηκε στο Νέο Δελχί και έχει ινδική υπηκοότητα. Σπούδασε φιλολογία και μουσική. Αγαπάει πολύ τα παιδιά και εργάζεται σ' ένα σχολείο στο Βόρειο Λονδίνο. Διδάσκει μουσική. Λατρεύει το τραγούδι και στον ελεύθερο χρόνο της ασχολείται με τη μουσική τεχνολογία και τη **σύνθεση**. Συνεχίζει τις σπουδές της από απόσταση στο Κολέγιο Ντονκάστερ στη Μεγάλη Βρετανία. Μιλάει δύο ξένες γλώσσες: αγγλικά και γαλλικά. Η μητρική της γλώσσα είναι τα χίντι. Η μητέρα της Ίντιρα είναι Αγγλίδα και προτεστάντισσα. Η Ίντιρα όμως, όπως και ο πατέρας της, είναι βουδίστρια και το αγαπημένο της πράγμα είναι ένας μικρός **Βούδας** που τον έχει πάντα στην τσάντα της.

ΑΞΙΟΛΟΓΗΣΗ - Κατανόηση προφορικού λόγου

ΚΕΙΜΕΝΟ 5 **1.18. Τα στοιχεία σας, κυρία Παπαδοπούλου!** **TRACK 16**

Α.: Αστυνομικός, Δ.: Δέσποινα Παπαδοπούλου

Α.: Γεια σας, τι θέλετε παρακαλώ;
Δ.: Ήρθα για να δώσω κατάθεση. Είδα το ατύχημα που έγινε το πρωί στην πλατεία Κυψέλης.
Α.: Βεβαίως. Περάστε στο συνάδελφο στο γραφείο πέντε, στον επάνω όροφο.
Δ.: Ευχαριστώ πολύ.
Στον επάνω όροφο
Α.: Καλημέρα σας. Λέγομαι Δέσποινα Παπαδοπούλου. Κοιτάξτε... σήμερα το πρωί ήμουν στην πλατεία Κυψέλης και είδα ένα φοβερό ατύχημα. Έγινε, κύριε αστυνομικέ μου, μπροστά στα μάτια μου. Ξέρετε ήταν **τρομερό**. Να σας πω;
Δ.: Ναι, σε λίγο. Καθίστε παρακαλώ. Πρώτα τα στοιχεία σας. Ονοματεπώνυμο; Α! Ναι μου είπατε. Δέ-σποι-να Πα-πα-δο-πού-λου. Το όνομα του πατέρα σας;
Α.: Γεώργιος.
Δ.: Και η χρονολογία γέννησής σας;
Α.: Τι να σας πω; 19....;
Δ.: Συγγνώμη, δεν σας άκουσα.
Α.: 19... Χίλια εννιακόσια... Τέλος πάντων... Γράψτε 1960.
Β.: Γράφω 1960. Με τι ασχολείστε;
Α.: **Παρακαλώ**;
Δ.: Το επάγγελμά σας, ποιο είναι;
Α.: Είμαι **νοικοκυρά.** Κόρη **στρατηγού**.
Δ.: Οικιακά, λοιπόν. Υπηκοότητα;
Α.: Ελληνική βεβαίως, γεννήθηκα όμως στην Αλεξάνδρεια, ξέρετε... στην Αίγυπτο.
Δ.: Σας ευχαριστώ, κυρία μου. Ξέρω πού είναι η Αλεξάνδρεια. Περάστε τώρα απέναντι στο γραφείο επτά για την κατάθεση.
Α.: Δεν θα τα πω σε σας; Κρίμα... Είστε τόσο συμπαθητικός...

Β. ΤΟ ΤΡΑΓΟΥΔΙ ΜΑΣ

1.22. Φραγκοσυριανή (1935) **TRACK 17**

Στίχοι & μουσική: Μάρκος Βαμβακάρης

Μία **φούντωση** μια **φλόγα**
έχω μέσα στην **καρδιά**,
(λες) και **μάγια** μου 'χεις κάνει
Φραγκοσυριανή **γλυκιά**.

Θα **'ρθω** να σε **ανταμώσω**
πάλι-στην **ακρογιαλιά**,
θα (ή)θελα να με **χορτάσεις**
όλο **χάδια** και **φιλιά**.

Θα σε πάρω να γυρίσω
Φοίνικα, Παρακοπή,
Γαλησσά και **Ντελαγκράτσια**
και ας μού 'ρθει **συγκοπή**.

Στο Πατέλι, στο Νυχώρι
φίνα στην Αληθινή
και στο **Πισκοπιό ρομάντζα**,
γλυκιά μου **Φραγκοσυριανή**.

Βήμα 2 Τι έγινε;

Α. ΜΕΤΑΓΡΑΦΗ ΚΕΙΜΕΝΩΝ ΓΙΑ ΚΑΤΑΝΟΗΣΗ ΠΡΟΦΟΡΙΚΟΥ ΛΟΓΟΥ (6 - 11)

ΚΕΙΜΕΝΟ 6 **2.3. Αθλητικά νέα** **TRACK 21**

Χτες το βράδυ, στον αγώνα ποδοσφαίρου Παναθηναϊκός - Ολυμπιακός, έγινε ένα ατύχημα. Ο Λούα Λούα γλίστρησε, έπεσε επάνω στον Λεοντίου και τον έριξε κάτω. Ο αγώνας σταμάτησε. Ο Λεοντίου χτύπησε πολύ άσχημα στο δεξί πόδι. Ο γιατρός έτρεξε αμέσως δίπλα του και του έδωσε τις πρώτες βοήθειες. Κάλεσαν αμέσως το ασθενοφόρο που τον **μετέφερε** στο νοσοκομείο της περιοχής. Τα τελευταία νέα είναι ότι έσπασε άσχημα το πόδι του και δε θα παίξει ποδόσφαιρο για πολύ καιρό. Του ευχόμαστε περαστικά!

ΑΝΑΠΤΥΞΗ

ΚΕΙΜΕΝΟ 7 **2.7. Η Αγγελική είδε μια σύγκρουση** **TRACK 25**

Την περασμένη Τρίτη το απόγευμα ήμουν με τη φίλη μου, τη Χριστίνα στο αυτοκίνητό μου στη λεωφόρο Αλεξάνδρας. Στη διασταύρωση της λεωφόρου Αλεξάνδρας με τη λεωφόρο Κηφισίας σταμάτησα στα φανάρια. Ένα μπλε αυτοκίνητο όμως, που ήταν αριστερά μου, δε σταμάτησε στο κόκκινο φανάρι και μπήκε με μεγάλη ταχύτητα στην Κηφισίας. Εκείνη τη στιγμή το φανάρι της Κηφισίας έγινε πράσινο και τα αυτοκίνητα ξεκίνησαν. Ένα από αυτά, ένα κόκκινο Βόλβο, ακριβώς στη διασταύρωση των δύο λεωφόρων, έπεσε επάνω στο μπλε αυτοκίνητο και το χτύπησε στην αριστερή πόρτα. Η **σύγκρουση** ήταν μεγάλη και, δυστυχώς, ο οδηγός του μπλε αυτοκινήτου χτύπησε το χέρι και το πόδι του. Ο άλλος οδηγός ευτυχώς δεν έπαθε τίποτα. Εγώ κάλεσα αμέσως το ασθενοφόρο και η Χριστίνα τηλεφώνησε στην αστυνομία. Οι αστυνομικοί ζήτησαν από τους δύο οδηγούς το δίπλωμα οδήγησης, την άδεια κυκλοφορίας και την ασφάλεια αυτοκινήτου. Ο οδηγός του μπλε αυτοκινήτου δεν είχε μαζί του τίποτα!

Η αστυνομία τον ακολούθησε στο νοσοκομείο. Εμείς φύγαμε όταν ήρθε η οδική βοήθεια και πήρε τα δύο αυτοκίνητα από τη μέση του δρόμου.

ΚΕΙΜΕΝΟ 8 **2.12.β. Συνέντευξη με ποδοσφαιριστές** **TRACK 27**

0. - **Έως πότε** ήσουν με την ΑΕΚ; - Ήμουν με την ΑΕΚ **έως** το 2007.	Ο δημοσιογράφος με ρωτάει έως πότε **ήμουν** με την ΑΕΚ. Του απαντάω ότι **ήμουν** με την ΑΕΚ έως το 2007.
1. - **Μέχρι πότε** έμεινες στον Παναθηναϊκό; - Έμεινα στον Παναθηναϊκό **μέχρι** το 2012.	Η δημοσιογράφος με ρωτάει **μέχρι πότε έμεινα** στον Παναθηναϊκό. **Της** απαντάω ότι **έμεινα** στον Παναθηναϊκό **μέχρι** το 2012.
2. - **Με τι** ασχολείσαι την Κυριακή; - Ασχολούμαι **με** το ποδόσφαιρο.	Ο δημοσιογράφος τον ρωτάει **με τι ασχολείται** την Κυριακή. **Του** απαντάει ότι **ασχολείται** με το ποδόσφαιρο.
3. - **Με ποια** ομάδα παίζετε; - Παίζουμε **με** τον ΠΑΟΚ.	Η δημοσιογράφος μάς ρωτάει **με ποια** ομάδα **παίζουμε**. **Της** απαντάμε ότι **παίζουμε** με τον ΠΑΟΚ.
4. - **Σε ποιον** αγώνα κερδίσατε; - Κερδίσαμε **στον** αγώνα ΑΕΚ - ΠΑΟΚ.	Ο δημοσιογράφος σάς ρωτάει **σε ποιον** αγώνα **κερδίσατε**. **Του** απαντάτε ότι **κερδίσατε στον** αγώνα Ολυμπιακός- ΠΑΟΚ.
5. - **Σε πόσον** καιρό θα παίξετε πάλι; - Θα παίξουμε **σε** δέκα μέρες.	Ο δημοσιογράφος **τούς** ρωτάει **σε πόσον** καιρό **θα παίξουν** πάλι. **Του** απαντάνε ότι **θα παίξουν** σε δέκα μέρες.

ΚΕΙΜΕΝΟ 9

2.12.γ. Συνέντευξη με τον ποδοσφαιριστή Λούα Λούα **TRACK 28**

Δ.: Δημοσιογράφος Λ.: Λούα Λούα

Δ.: **Από πού** είσαι Λούα Λούα;
Λ.: Είμαι **από** το Κονγκό.

Δ.: **Από πότε** παίζεις ποδόσφαιρο;
Λ.: Παίζω **από** παιδί.
Δ.: **Πότε** πήγες στην ομάδα Νιούκαστλ;
Λ.: Πήγα το 2000.
Δ.: **Μέχρι πότε** έμεινες εκεί;
Λ.: Έμεινα **μέχρι** το 2003.

Δ.: **Από πότε** έως πότε ήσουν με τον Ολυμπιακό;
Λ.: Ήμουν με τον Ολυμπιακό **από** το 2007 **έως** το καλοκαίρι του 2008.

Δ.: **Σε ποια** ομάδα είσαι τώρα;

Λ.: Είμαι στην τουρκική Ρίζεσπορ.

Δ.: **Με τι** ασχολείσαι τον τελευταίο καιρό;
Λ.: Ασχολούμαι κυρίως με την ομάδα μου. Κοιμάμαι νωρίς και πηγαίνω πολύ πρωί στο γήπεδο για προπόνηση.
Δ.: **Κάθε πότε** κάνεις προπόνηση;
Λ.: Κάνω προπόνηση κάθε μέρα.

Δ.: **Με ποια** ομάδα παίζετε την άλλη εβδομάδα;
Λ.: Παίζουμε με τον Παναθηναϊκό.
Δ.: Και **σε πόσον** καιρό φεύγετε για την Ολλανδία;
Λ.: **Σε** τρεις εβδομάδες.

ΚΕΙΜΕΝΟ 10

2.12.ε. Συνέντευξη με τον Λούα Λούα σε πλάγιο λόγο. **TRACK 29**

Η δημοσιογράφος ρωτάει το Λούα Λούα από πού είναι κι εκείνος της λέει ότι είναι από το Κονγκό.

Μετά τον ρωτάει από πότε παίζει ποδόσφαιρο, πότε πήγε στη Νιουκάστλ και μέχρι πότε έμεινε εκεί.
Ο Λούα Λούα τής λέει ότι παίζει ποδόσφαιρο από παιδί, ότι πήγε στη Νιούκαστλ το 2000 κι ότι έμεινε εκεί μέχρι το 2003.

Στη συνέχεια τον ρωτάει από πότε έως πότε ήταν με τον Ολυμπιακό.
Ο Λούα Λούα τής λέει ότι ήταν με τον Ολυμπιακό από το 2007 έως το καλοκαίρι του 2008.

Η δημοσιογράφος τον ρωτάει σε ποια ομάδα είναι τώρα.

Ο Λούα Λούα τής λέει ότι είναι στην τούρκικη Ρίζεσπορ.

Η δημοσιογράφος τον ρωτάει επίσης με τι ασχολείται τον τελευταίο καιρό.
Ο Λούα Λούα λέει ότι ασχολείται με τη νέα του ομάδα, ότι κοιμάται νωρίς το βράδυ και πάει πολύ πρωί στο γήπεδο για προπόνηση.

Τον ρωτάει επίσης κάθε πότε κάνει προπόνηση και ο Λούα Λούα της λέει ότι κάνει προπόνηση κάθε μέρα

Στο τέλος η δημοσιογράφος τον ρωτάει με ποια ομάδα παίζουν την άλλη εβδομάδα και σε πόσον καιρό φεύγουν για την Ολλανδία.
Ο Λούα Λούα τής λέει ότι την άλλη εβδομάδα παίζουν με τον Παναθηναϊκό και ότι φεύγουν για την Ολλανδία σε τρεις εβδομάδες.

ΑΞΙΟΛΟΓΗΣΗ - Κατανόηση προφορικού λόγου

ΚΕΙΜΕΝΟ 11 **2.25. Αχ, αυτή η Φωφώ!** **TRACK 39**

Προχτές το πρωί ήμουν έτοιμος να φύγω για τη δουλειά, όταν η Φωφώ, η γυναίκα μου, μου ζήτησε ν' αλλάξω μια **λάμπα** στο φωτιστικό του σαλονιού. «Χτες το βράδυ δεν την άλλαξες γιατί ήσουν κουρασμένος» μου είπε. «Το βράδυ θα είσαι πάλι κουρασμένος. Τι θα γίνει με το φωτιστικό, Πέτρο; Χωρίς φως θα μείνουμε;» Είχε δίκιο, δεν είπα λοιπόν τίποτα, έφερα τη σκάλα από την αποθήκη κι ανέβηκα. Ζήτησα από τη Φωφώ να κρατήσει τη σκάλα για να μην πέσω. Χτύπησε το τηλέφωνο, η Φωφώ έτρεξε να απαντήσει και βεβαίως η σκάλα γλίστρησε κι εγώ έπεσα κάτω. Ένιωσα ένα δυνατό πόνο στο δεξί μου χέρι. Η Φωφώ άρχισε να φωνάζει «Πω, πω! Μα πώς έπεσες; Δεν προσέχεις καθόλου;» Δεν είπα τίποτα. Έπιασα το κινητό και πήρα τον αδελφό μου. «Βαγγέλη, έλα, σε παρακαλώ. Νομίζω ότι έσπασα το χέρι μου» είπα. Η Φωφώ άρχισε να κλαίει. Πήρα τηλέφωνο στο γραφείο και είπα ότι θα αργήσω.

Β. ΤΟ ΤΡΑΓΟΥΔΙ ΜΑΣ

2.29. Το πεπρωμένο (1993) **TRACK 41**

Στίχοι & μουσική: Βασίλης Δημητρίου, ερμηνεία: Γιώργος Νταλάρας

Στο **πεπρωμένο** σου να δίνεις **σημασία**
και να προσέχεις πώς **βαδίζεις** στη ζωή.
Όταν κοιμάσαι άλλος γράφει ιστορία
και κάποιος παίζει τη **δική σου** τη ζωή.

*Όλοι έχουμε **γραμμένο** που το λένε πεπρωμένο*
*και κανένας δεν μπορεί να τ' **αποφύγει***
*Δεν υπάρχει **θεωρία** ούτε τρένα ούτε πλοία*
*κι ο **καθένας** το παλεύει όπως ξέρει και μπορεί.*
Από παιδί στον ύπνο μου έβλεπα φωτιές...

Για την αγάπη **όσα** κι αν δίνεις είναι λίγα
και να το ξέρεις πως δεν έχει **ανταμοιβή**.
Δώσ' τα και φύγε και μη χάνεις ευκαιρία,
στο **περιθώριο** μη βάζεις την **ψυχή**.
R

Α. ΜΕΤΑΓΡΑΦΗ ΚΕΙΜΕΝΩΝ ΓΙΑ ΚΑΤΑΝΟΗΣΗ ΠΡΟΦΟΡΙΚΟΥ ΛΟΓΟΥ (12 - 15)

ΚΕΙΜΕΝΟ 12 **3.3. Η Χλόη** **TRACK 50**

Η Χλόη έγινε εννέα μηνών και ήδη περπατάει. Είναι χαριτωμένη και πολύ έξυπνη. Έχει στρογγυλό πρόσωπο, καστανά, σγουρά μαλλιά και μεγάλα μάτια με μακριές βλεφαρίδες. Δε μοιάζει ούτε στον πατέρα της ούτε στη μητέρα της· μοιάζει στη γιαγιά της, την Αιμιλία. Είναι πάντα γελαστή και χαρούμενη. Είναι και **ήσυχο** μωρό. Δεν κλαίει ποτέ· μόνο όταν πεινάει. Τι κάνει όλη τη μέρα; Ή κοιμάται ή παίζει ή τρώει.

ΚΕΙΜΕΝΟ 13 **3.4. Ο Άγης** **TRACK 51**

Ο Άγης είναι δεκαπέντε χρόνων, αλλά φαίνεται δεκαοκτώ. Είναι ψηλός και αδύνατος με ίσια μακριά μαλλιά. Πριν μια βδομάδα άλλαξε χρώμα στα μαλλιά του και από μαύρα τα **έβαψε** κόκκινα. Έχει πολλά **τατουάζ** στην πλάτη και στα μπράτσα του. Στο αριστερό του αυτί φοράει ένα ασημένιο σκουλαρίκι και στα χέρια του μεγάλα δαχτυλίδια. Κυκλοφορεί πάντα με ένα ζευγάρι βρώμικα αθλητικά παπούτσια. Έχει υπέροχα πράσινα μάτια αλλά δε φαίνονται γιατί φοράει συνέχεια γυαλιά ηλίου. Μοιάζει πολύ με τον αμερικανό ηθοποιό Τζόνι Ντεπ.

ΑΝΑΠΤΥΞΗ

ΚΕΙΜΕΝΟ 14 **3.8. Έμαθα ότι βρήκες δουλειά** **TRACK 56**

Α.: Άννα Β.: Βλάσης

Α.: Βρήκες δουλειά, ε; Πολύ χαίρομαι, Βλάση μου! Και πότε αρχίζεις;
Β.: Πήγα πρώτη φορά σήμερα το πρωί.
Α.: Ναι; Μπράβο! Και πώς **σου φαίνεται** η καινούργια σου δουλειά;
Β.: Η δουλειά μού αρέσει πολύ και οι συνάδελφοι **φαίνονται** καλά παιδιά. Ο διευθυντής όμως... **φαίνεται** πολύ δύσκολος άνθρωπος.
Α.: Αλήθεια; Γιατί; Τι έγινε;
Β.: Δεν έγινε κάτι... αλλά είναι πολύ σοβαρός και αυστηρός. Μιλάει πολύ λίγο και δεν καταλαβαίνω τι ακριβώς θέλει. Και κάτι άλλο... πάει στο γραφείο πριν από τις επτά και φεύγει τελευταίος.
Α.: Αυτό είναι καλό. **Φαίνεται** πως αγαπάει πολύ τη δουλειά του.
Β.: Εγώ όμως συνήθως αργώ. Με ξέρεις...
Α.: Και πόσων χρόνων είναι; Μεγάλος;
Β.: Μπα! Μεσήλικας είναι αλλά **φαίνεται** πιο μεγάλος. Μέτριο ανάστημα, λεπτός, νευρικός, με πολύ αδύνατο πρόσωπο, αραιά μαλλιά, χοντρά γυαλιά... Και ντύνεται, ξέρεις, κοστούμι, γραβάτα, ακριβό ρολόι κ.λπ.
Α.: Κατάλαβα... Άντε, καλή αρχή! Όλα θα πάνε καλά... θα δεις. **Μου φαίνεται** ότι θα έχεις μεγάλη επιτυχία.
Β.: Δεν ξέρω, το εύχομαι. Σ' ευχαριστώ πάντως!

ΑΞΙΟΛΟΓΗΣΗ - Κατανόηση προφορικού λόγου

ΚΕΙΜΕΝΟ 15 **3.19. Οι φίλοι του Μάρκου** **TRACK 64**

1. Είμαι νέα, περίπου 35 χρονών. Έχω μέτριο ανάστημα και είμαι μάλλον παχουλή. Τα μαλλιά μου είναι ξανθά και μάλλον κοντά. Μου αρέσουν τα παντελόνια και νομίζω ότι μου πάνε πολύ.
2. Ο κόσμος λέει ότι είμαι άσχημος. Είμαι κοντός, φαλακρός κι έχω κάπως μακριά μύτη. Έχω όμως πολύ ωραία και μεγάλα γαλάζια μάτια.
3. Είμαι περίπου δώδεκα χρόνων αλλά φαίνομαι πιο μεγάλος. Είμαι αρκετά ψηλός για την ηλικία μου και αδύνατος. Τα μαλλιά μου είναι πολύ κοντά και ίσια.
4. Είμαι ηλικιωμένος. Το πρόσωπό μου έχει ρυτίδες, η μύτη μου είναι μεγάλη και τα μαλλιά μου άσπρα. Φορώ πάντα κοστούμι αλλά όχι γραβάτα. Δε μου αρέσουν οι άντρες που κυκλοφορούν συνέχεια με τζιν και φόρμες. Δε μου φαίνονται σοβαροί.
5. Είμαι έξι χρόνων και τριών μηνών. Είμαι λίγο κοντή και πάντα χαρούμενη και γελαστή. Η δασκάλα μου είπε στους γονείς μου ότι δεν είμαι ήσυχη και ότι κάνω πολλή φασαρία στην τάξη. Δε μου αρέσουν ούτε τα φορέματα ούτε τα παντελόνια. Αγαπώ πάρα πολύ τα ζώα!
6. Είμαι μια έφηβη δεκατριών χρόνων με μεγάλα γκρίζα μάτια και μακριά ξανθά σγουρά μαλλιά. Παίζω μπάσκετ στο σχολείο και λατρεύω τα αθλητικά μου παπούτσια. Χρειάζομαι γυαλιά αλλά δε μου αρέσουν καθόλου και δε τα φοράω συχνά.
7. Είμαι ψηλός, λεπτός με καστανά μαλλιά. Όλοι λένε ότι είμαι πολύ όμορφος κι έχουν δίκιο. Φορώ συνήθως πουλόβερ σε ανοιχτό καφέ χρώμα που ταιριάζει με τα μάτια μου.
8. Είμαι ψηλή, μελαχρινή και όμορφη. Έχω κοντά μαύρα μαλλιά και πράσινα μάτια. Μου αρέσει να φορώ μακριά φορέματα και λατρεύω τα κοσμήματα.
9. Είμαι μεσήλικας με αραιά μαλλιά. Είμαι περίπου 80 κιλά. Ντύνομαι ωραία και δε βγαίνω ποτέ χωρίς κοστούμι και γραβάτα. Μου λένε ότι είμαι πάντα πολύ κομψός και γενικά ότι είμαι χαρούμενος άνθρωπος.
10. Είμαι εξήντα τριών ετών αλλά φαίνομαι πιο μεγάλη. Φοράω γυαλιά κι έχω κόκκινα κοντά μαλλιά. Ο κόσμος λέει ότι είμαι δύσκολος άνθρωπος αλλά οι γνωστοί μου δε συμφωνούν και λένε ότι είμαι καλή και ευγενική.

Β. ΤΟ ΤΡΑΓΟΥΔΙ ΜΑΣ

3.23. Ο κυρ Αντώνης (1961) **TRACK 64**

Στίχοι & μουσική: Μάνος Χατζιδάκις, ερμηνεία: Γιώργος Νταλάρας

Ο κυρ Αντώνης πάει **καιρός** που ζούσε στην αυλή
μ' ένα **κανάτι** κι ένα **κρεβάτι** και με **κρασί** πολύ.
Είχε δυο **μάτια** γαλανά κι αχτένιστα **μαλλιά**
κι ένα **λουλούδι** πάντα φορούσε στα **ρούχα** τα παλιά.

*Αχ, κυρ Αντώνη, πώς σ' **αγαπάμε** και μαζί σου τ' άστρα μετράμε,*
*τις φωτιές για σένα **πηδάμε** ώσπου να 'ρθει βροχή.*
*Και το θυμό σου πάντα **ξεχνάμε**, σαν πουλιά μαζί **τριγυρνάμε**,*
*σαν παιδιά με σένα **γελάμε** σαν κάνεις προσευχή.*

Ο κυρ Αντώνης βιάζεται να πάει να κοιμηθεί
γιατί το **βράδυ** στα **όνειρά του** θέλει να θυμηθεί
ό,τι ποτέ δεν **έζησε** μεσ' στ' όνειρό του **ζει**,
μα η **νύχτα** φεύγει και λυπημένο τον βρίσκει η **χαραυγή**.

*Αχ, κυρ Αντώνη, πώς σ' αγαπάμε και μαζί σου τ' **άστρα** μετράμε,*
*τις **φωτιές** για σένα πηδάμε ώσπου να 'ρθει **βροχή**.*
*Και το **θυμό** σου πάντα ξεχνάμε, σαν **πουλιά** μαζί τριγυρνάμε,*
*σαν **παιδιά** με σένα γελάμε σαν κάνεις **προσευχή**.*

Μα ένα βράδυ ο κυρ Αντώνης στρώνει να κοιμηθεί
κι όταν **ξυπνάμε**, τον **καρτεράμε** στην **πόρτα** να φανεί.
Μα ο κυρ Αντώνης δε θα βγει ποτέ του στην αυλή,
αφού για πάντα μεσ' στ' όνειρό του θέλησε πια να ζει.

Α. ΜΕΤΑΓΡΑΦΗ ΚΕΙΜΕΝΩΝ ΓΙΑ ΚΑΤΑΝΟΗΣΗ ΠΡΟΦΟΡΙΚΟΥ ΛΟΓΟΥ (16 - 18)

ΚΕΙΜΕΝΟ 16 — 4.2. Το μπάνιο χρειάζεται ανακαίνιση — TRACK 69

Υ.: Καλησπέρα, κυρία μου! Πώς μπορώ να σας βοηθήσω;
Π.: Ψάχνω είδη μπάνιου. Πριν από ένα μήνα αγοράσαμε ένα διαμέρισμα σε πολύ καλή κατάσταση. **Ανακαίνιση** χρειάζεται μόνο το μικρό μπάνιο του υπνοδωματίου της κόρης μου. Φοβάμαι ότι αυτό πρέπει να το φτιάξουμε από την αρχή.
Υ.: Μάλιστα! Ποιες είναι οι διαστάσεις του;
Π.: Έχει μήκος δύο μέτρα και είκοσι εκατοστά, πλάτος περίπου δύο μέτρα και ύψος δύο και εβδομήντα. Νομίζετε ότι θα χωρέσει μια **μπανιέρα**; Τώρα έχει μόνο ένα **ντους**.
Υ.: Θα χωρέσει μια μπανιέρα αλλά όχι πολύ μεγάλη. Ελάτε, θα σας φτιάξω ένα σχέδιο. Λοιπόν η μπανιέρα θα μπει εδώ, απέναντι από την πόρτα. Πού βρίσκεται τώρα η **λεκάνη**;
Π.: Είναι στη μέση του τοίχου, αριστερά από την πόρτα. Και το **καζανάκι** είναι πάνω από τη λεκάνη πολύ ψηλά, σχεδόν στο ταβάνι. Φαίνεται χάλια.
Υ.: Κατάλαβα. Λοιπόν, η καινούργια λεκάνη θα μπει στην ίδια θέση με την παλιά. Το καζανάκι θα το βγάλετε και θα το πετάξετε. Οι λεκάνες που θα σας δείξω έχουν όλες το καζανάκι τους μαζί. Θέλετε να αλλάξετε και το **νιπτήρα**;
Π.: Όχι, δε χρειάζεται. Δε μ' αρέσει καθόλου όμως η θέση του. Είναι εδώ, πίσω από την πόρτα.
Υ.: Δίκιο έχετε, δεν είναι σωστή η θέση του. Λοιπόν, τώρα θα τον βάλουμε αριστερά από την πόρτα. Στη θέση που ήταν ο νιπτήρας πριν, μπορείτε να βάλετε το πλυντήριο ρούχων ή ένα ντουλάπι.
Π.: Ωραία! Αχ, σας ευχαριστώ πολύ! Τι άλλο; Α, ναι... Όλο το μπάνιο χρειάζεται **βάψιμο**. Το ταβάνι θα το βάψουμε λευκό αλλά τους τοίχους... Προτιμώ να βάλουμε και στους τέσσερις τοίχους πλακάκια έως το ταβάνι γιατί το δωμάτιο δεν έχει μεγάλο ύψος. Τι λέτε κι εσείς;
Υ.: Καλή ιδέα! Συμφωνώ. Θα αλλάξετε και το πάτωμα;
Π.: Όχι, το πάτωμα είναι από πολύ ωραίο ροζ **μάρμαρο**. Πρέπει μόνο να το καθαρίσουμε.
Υ.: Τέλεια! Λοιπόν, κυρία μου, ελάτε μαζί μου για να σας δείξω τα είδη υγιεινής μας και πλακάκια για τοίχους.

ΣΥΜΠΛΗΡΩΜΑΤΙΚΑ ΚΕΙΜΕΝΑ ΜΕ ΑΣΚΗΣΕΙΣ

ΚΕΙΜΕΝΟ 17 — 4.13. Το γράμμα της Ταμάρας — TRACK 78

Αγαπημένοι μου γονείς,

όλα είναι μια χαρά. Βρήκα σπίτι! Πήγα και στο πανεπιστήμιο, είδα σε ποιους χώρους θα κάνουμε μάθημα του χρόνου και συνάντησα δύο καθηγητές. Τώρα κάνω μαθήματα ελληνικών με τη Δανάη για να είμαι έτοιμη για το πανεπιστήμιο που αρχίζει το φθινόπωρο. Νομίζω ότι θα τα πάω καλά.

Σας στέλνω και φωτογραφίες από το καινούργιο μου σπίτι. Ήθελα πιο μικρό σπίτι αλλά η Δανάη μού βρήκε ένα τριάρι. Ανήκει σ' έναν ξάδελφό της, το Γιάννη, που έφυγε από την Αθήνα και μένει τώρα μακριά, στα Ζαγοροχώρια*. Ο Γιάννης δεν ήθελε να νοικιάσει το σπίτι του σε άτομα που δε γνωρίζει. Κι έτσι το νοίκιασα εγώ. Ευτυχώς το ενοίκιο είναι χαμηλό - περίπου ίδιο με το νοίκι μιας **γκαρσονιέρας** εδώ στην Αθήνα. Πώς είναι το σπίτι; Έχει ένα μικρό χολ, δύο υπνοδωμάτια, ένα μπάνιο κι ένα αρκετά μεγάλο χώρο που είναι και σαλόνι και κουζίνα. Το μπαλκόνι του υπνοδωματίου μου έχει καταπληκτική θέα στο Λυκαβηττό. Το σαλόνι δεν έχει θέα αλλά δεν πειράζει. Έβαλα ένα ζευγάρι υπέροχες μακριές κουρτίνες για να μη με βλέπουν από την απέναντι πολυκατοικία. Το διαμέρισμα ήταν ήδη επιπλωμένο κι έτσι χρειάζεται ν' αγοράσω μόνο έναν καναπέ που γίνεται κρεβάτι κι ένα **πορτατίφ** για το δεύτερο υπνοδωμάτιο. Χρειάζομαι ίσως κι ένα **φούρνο μικροκυμάτων** για την κουζίνα. Δεν ξέρω τι θα κάνω με αυτό το δεύτερο υπνοδωμάτιο. Ή θα ψάξω για συγκάτοικο ή θα το κάνω ξενώνα. Θα έρθετε στην Ελλάδα να με δείτε;

Μου αρέσει πολύ η γειτονιά, γιατί όλα είναι γύρω μου. Σούπερ μάρκετ, τράπεζα, ταχυδρομείο... σ' όλα μπορώ να πάω με τα πόδια. Κάτω από την πολυκατοικία περνούν πέντε έξι λεωφορεία και σε απόσταση δέκα λεπτών είναι ο σταθμός του μετρό *Πανεπιστημίου* και η οδός Ακαδημίας. Από εκεί ξεκινούν λεωφορεία και τρόλεϊ για όλη την Αθήνα. Πολλά μπαρ, αρκετά σινεμά και δυο τρία θέατρα είναι επίσης κοντά. Υπάρχει όμως ένα πρόβλημα: Ο δρόμος μου έχει πολλή κίνηση και θόρυβο. Αυτοκίνητα, λεωφορεία, μοτοσυκλέτες... Το σπίτι έχει βέβαια διπλά τζάμια αλλά δεν μπορώ να κάτσω στο μπαλκόνι του σαλονιού. Το υπνοδωμάτιό μου ευτυχώς είναι πιο ήσυχο.

** τα Ζαγοροχώρια: σαράντα έξι χωριά στη βορειοδυτική Ελλάδα*

ΑΞΙΟΛΟΓΗΣΗ - Κατανόηση προφορικού λόγου

ΚΕΙΜΕΝΟ 18 — 4.18. Έπιπλα και άλλα — TRACK 82

1. - Τι θα θέλατε, κυρία μου;
   - Θα ήθελα έπιπλα για τον ξενώνα του σπιτιού μου. Χρειάζομαι ένα **διπλό κρεβάτι** και δύο **κομοδίνα**.
   - Έχω να σας δείξω πολλά και ωραία σχέδια. Ξέρετε τις διαστάσεις;
   - Ναι, ένα κι εξήντα επί δύο μέτρα γιατί το δωμάτιο είναι μικρό. Θα ήθελα επίσης δύο **πορτατίφ** για τα κομοδίνα και **κουρτίνες**.
   - Για τις κουρτίνες θ' ανεβείτε στον πρώτο όροφο και για τα πορτατίφ θα κατεβείτε στο υπόγειο.
2. Θέλω να φτιάξω το μπάνιο μου. Δεν το αντέχω άλλο, είναι χάλια. Δεν έχω αρκετά χρήματα τώρα και αποφάσισα ν' αλλάξω μόνο τη **λεκάνη** και το **νιπτήρα**. Την **μπανιέρα** θα την αλλάξω αργότερα, μόλις βρω άλλη δουλειά. Τον **καθρέφτη** θα μου τον κάνουν δώρο οι γονείς μου.
3. Πήγα για τα Χριστούγεννα σ' ένα καταπληκτικό ξενοδοχείο στο Μέτσοβο, στην Ήπειρο. Η διακόσμηση ήταν πολύ ιδιαίτερη. Το δωμάτιό μας είχε κι ένα μικρό καθιστικό με **τζάκι**. Μπροστά στο τζάκι είχε ένα χαμηλό γυάλινο **τραπεζάκι** κι έναν πολύ αναπαυτικό δερμάτινο **καναπέ**. Δεξιά από το παράθυρο με την υπέροχη θέα είχε μια τεράστια ξύλινη **ντουλάπα** πολύ περίεργη.
4. Χτες όλη την ημέρα ήμουν σ' ένα κατάστημα με ηλεκτρικά είδη. Διάλεξα για το εξοχικό μου ένα **φούρνο μικροκυμάτων**, και μία **καφετιέρα**. Δυστυχώς δεν βρήκα το **πλυντήριο ρούχων** που ήθελα. Πρέπει να το παραγγείλω. Αγόρασα όμως έναν καταπληκτικό μεταλλικό **βραστήρα**. Δεν τον χρειάζομαι πολύ αλλά ταιριάζει τέλεια με τη διακόσμηση της κουζίνας μου στο νησί.
5. Τον προηγούμενο μήνα με τις πολλές βροχές η αποθήκη μας γέμισε υγρασία. Τα **ντουλάπια** της αποθήκης θέλουν βάψιμο και η **ηλεκτρική σκούπα** δε δουλεύει πια και πρέπει να την πάω σε ηλεκτρολόγο. Ευτυχώς όμως τα **πλακάκια** στο πάτωμα δεν έπαθαν τίποτα. «Δεν πειράζει, αγάπη μου, όλα θα τα φτιάξουμε» είπε η γυναίκα μου. «Δεν είδες όμως τι έπαθε το υπέροχο περσικό **χαλί** της γιαγιάς σου» της απάντησα. «Λυπάμαι αλλά πρέπει να το πετάξουμε».

B. ΤΟ ΤΡΑΓΟΥΔΙ ΜΑΣ

4.22. Καμαρούλα μια σταλιά (1969) **TRACK 84**

Μουσική & στίχοι: Μάνος Χατζιδάκις, ερμηνεία: Γιώργος Νταλάρας

Άπλωσε το μεσονύχτι το γλυκό του δίχτυ πάνω στη μικρή μας γειτονιά. Ξέχασέ τα όλα τώρα, είναι της αγάπης ώρα, βάλε το κλειδί στην κλειδωνιά.	*Καμαρούλα μια σταλιά* *δύο επί τρία,* *κόχη και λατρεία,* *τοίχος και φιλιά.* *Καμαρούλα μια σταλιά,* *τοίχος και φιλιά.*	Φύσα το κερί να σβήσει και να μας αφήσει μόνους μες τη νύχτα την καλή. Σφίξου στην καρδιά μου επάνω για να σε γλυκοζεστάνω σαν χελιδονάκι σαν πουλί. R

Βήμα 5 Ψάχνεις για σπίτι;

Α. ΜΕΤΑΓΡΑΦΗ ΚΕΙΜΕΝΩΝ ΓΙΑ ΚΑΤΑΝΟΗΣΗ ΠΡΟΦΟΡΙΚΟΥ ΛΟΓΟΥ (19 - 22)

ΚΕΙΜΕΝΟ 19 **5.2. Χρήσιμες συμβουλές για ενοικιαστές** **TRACK 87**

Αν θέλετε να νοικιάσετε σπίτι, διαβάστε με πολλή προσοχή τις συμβουλές μας, για να μην έχετε προβλήματα αργότερα.

✓ Επιλέξτε πρώτα την περιοχή που σας ενδιαφέρει. Στη συνέχεια ψάξτε στις μικρές αγγελίες των εφημερίδων και στο διαδίκτυο. Επίσης μπορείτε να ψάξετε μόνος σας στην περιοχή. Κοιτάξτε τα ενοικιαστήρια και ρωτήστε φίλους ή συγγενείς σας που κατοικούν ήδη εκεί. Μπορείτε τέλος να πάτε σ' ένα μεσιτικό γραφείο της περιοχής. Η συμβουλή μας: μην πληρώσετε το μεσίτη πριν βρείτε το σπίτι που σας ενδιαφέρει!

✓ Τι πρέπει να προσέξετε, όταν πάτε να δείτε το σπίτι:
- Είναι γενικά σε καλή κατάσταση;
- Χρειάζεται ανακαίνιση;
- Υπάρχει κάπου υγρασία; (Κοιτάξτε προσεκτικά τους τοίχους!) Τι πρέπει να φτιάξει ο ιδιοκτήτης;
- Έχει καλή μόνωση; (Αλλιώς η θέρμανση θα είναι πιο ακριβή!)
- Τι θέρμανση έχει; (Πετρέλαιο θέρμανσης ή φυσικό αέριο;)
- Έχει γκαράζ; Και πόσες θέσεις; (Αν δεν έχει, παρκάρει κανείς εύκολα ή δύσκολα στην περιοχή;)
- Έχει αποθήκη;
- Επιτρέπονται τα κατοικίδια ζώα;
- Έχει κοντά καταστήματα, σχολεία, μεταφορικά μέσα κ.λπ.; Είναι ήσυχη περιοχή; Σας αρέσει;
- Πώς είναι ο ιδιοκτήτης; Σας φαίνεται συμπαθητικός;

✓ Κάντε όλες τις απαραίτητες ερωτήσεις. Ποιο είναι το ενοίκιο; Θα έχει αύξηση τα επόμενα χρόνια; Πόσα είναι τα κοινόχρηστα; Πόσα νοίκια θα δώσετε για εγγύηση; (Συνήθως ένα ενοίκιο για παλιά κτήρια και δύο για νέα.)

✓ Δείτε και δεύτερη και τρίτη φορά το σπίτι που σας ενδιαφέρει και καλύτερα στο φως της ημέρας. Μην πάτε μόνοι σας· πάρτε μαζί σας την οικογένειά σας ή ένα φίλο σας.

✓ Πριν υπογράψετε, διαβάστε το συμφωνητικό με πολλή προσοχή! Αν δεν περιλαμβάνει όλα τα απαραίτητα στοιχεία (ενοίκιο, εγγύηση, αύξηση, τι θα φτιάξει ο ιδιοκτήτης κ.λπ.), μην το υπογράψετε!
Καλή επιτυχία!

ΑΝΑΠΤΥΞΗ

ΚΕΙΜΕΝΟ 20 **5.6. Ο Τόμας Μόρτον προτιμά την Αθήνα ή την Αίγινα;** **TRACK 91**

Δ.: Δανάη Τ.: Τόμας

Δ.: Παρακαλώ;
Τ.: Έλα, Δανάη μου. Εγώ είμαι, ο Τόμας.
Δ.: Τι κάνεις, Τόμας; Πού είσαι;
Τ.: Δεν ξέρεις τα νέα μου, ε; Είμαι σχεδόν Αθηναίος τώρα. Δεν πήγα φέτος στην Αγγλία. Ήρθα εδώ και νοίκιασα ένα διαμέρισμα στην Αθήνα, κοντά στην οδό Ακαδημίας.
Δ.: Στην Αθήνα είσαι τώρα; Και πώς το αποφάσισες;
Τ.: Ε, γνώρισα στην Αίγινα μια κυρία, συνάδελφο, τη Ράνια. Έχει ένα **αρχιτεκτονικό** γραφείο εδώ στην Αθήνα και... είπαμε να δουλέψουμε μαζί το χειμώνα.
Δ.: Τι ωραία νέα! Και σου αρέσει η ζωή στην πρωτεύουσα;
Τ.: Άλλα πράγματα μου αρέσουν κι άλλα όχι. Στο νησί έχω μεγάλο σπίτι, θέα, φύση, τον κήπο μου, τα φρέσκα λαχανικά μου, τον καθαρό αέρα μου. Ξυπνάω το πρωί, ανοίγω το παράθυρο και είμαι μέσα στην **ομορφιά**. Πάω στο φούρνο του κυρ-Αλέκου και παίρνω τη φρέσκια μου φρατζόλα, πάω στο καφενείο για καφέ και βλέπω δέκα φίλους. Έχει πολλή ζέστη; Πρώτα μπάνιο στη θάλασσα και μετά πρωινό και δουλειές. Άλλη **ποιότητα** ζωής. Στο νησί δεν κοιτάζω το ρολόι μου. Δε μ' ενδιαφέρει η ώρα. Όλα είναι κοντά μου, όλα τα προλαβαίνω. Εσείς οι Αθηναίοι συνέχεια τρέχετε, συνέχεια βιάζεστε, συνέχεια κάτι δεν προλαβαίνετε... Όλα τα κάνετε με άγχος και δεν έχετε καιρό ούτε για μια «καλημέρα». Ζωή είναι αυτή;
Δ.: Γιατί έφυγες λοιπόν από την Αίγινα; Δε φαίνεται να σου αρέσει η ζωή εδώ.
Τ.: Δε λέω ότι όλα είναι χάλια στην Αθήνα. Έχει βεβαίως **μειονεκτήματα** η ζωή εδώ αλλά έχει και πολλά **πλεονεκτήματα**. Αυτοκίνητο δε χρειάζομαι. Πάω παντού με τα πόδια ή με το μετρό. Στην Αθήνα γίνονται και πολλά πράγματα που μ' ενδιαφέρουν, όπως εκθέσεις ζωγραφικής, θεατρικές παραστάσεις, συναυλίες και άλλα. Το πιο σημαντικό βέβαια είναι η εργασία μου. Στην Αθήνα έχω περισσότερες ευκαιρίες για να βρω καινούργιες δουλειές. Είναι βέβαια και η Ράνια εδώ.
Δ.: Η συνάδελφος; Έχεις να μου πεις πολλά, Τόμας. Θέλεις να τα πούμε από κοντά;
Τ.: Μακάρι! Η Μαράλ πότε έρχεται στην Ελλάδα;
Δ.: Μεθαύριο. Τόμας, ξέρεις ότι και η Ταμάρα κι ο Νικόλα είναι εδώ; Θέλεις να βγούμε και οι πέντε το Σάββατο βράδυ; Ξέρω μια καταπληκτική ταβέρνα.

ΚΕΙΜΕΝΟ 21 **5.10.α. Πού μένουν;** **TRACK 96**

α. Μένει έξω από την Αθήνα και κάνει πάρα πολλή ώρα για να φτάσει στη δουλειά του. Δεν μπορεί να πληρώνει πάρκινγκ γιατί είναι πολύ ακριβό στο κέντρο και δε βρίσκει εύκολα θέση για να παρκάρει στο δρόμο. Σκέπτεται ν' αλλάξει σπίτι για να είναι πιο κοντά στο γραφείο του.

β. Στη γειτονιά της τελειώνει τις δουλειές της εύκολα και γρήγορα. Αν θέλει να πληρώσει ένα λογαριασμό η τράπεζα είναι δίπλα της. Χρειάζεται ένα φάρμακο; Κανένα πρόβλημα. Τέλειωσαν τα φρούτα και τα λαχανικά; Κάθε Πέμπτη με τη λαϊκή τα έχει όλα στην πόρτα της.

γ. Το σπίτι του βρίσκεται κοντά στο κέντρο της Αθήνας, είναι ψηλά και έχει ωραία θέα. Από το δρόμο του δεν περνούν αυτοκίνητα κι έτσι δεν έχει θόρυβο. Έχει μόνο λίγη φασαρία γιατί στη γειτονιά του ο κόσμος έρχεται για φαγητό, για ποτό ή για σινεμά. Λέει ότι του αρέσει πολύ η γειτονιά του και δε θα φύγει ποτέ από εκεί.

δ. Πιστεύει ότι όταν μένει κανείς σε προάστιο δεν αποφασίζει εύκολα να πάει στην πόλη για να δει μια παράσταση. Έτσι τα βράδια μένει στο σπίτι του και ή ασχολείται με το διαδίκτυο ή βλέπει ταινίες.

ε. Στο προάστιο που μένει έχει καθαρό αέρα, ησυχία και είναι πολύ κοντά τη θάλασσα για βόλτες και για μπάνιο. Κυκλοφορεί περισσότερο με το ποδήλατό του και λιγότερο με το αυτοκίνητό του. Δεν αλλάζει την περιοχή που μένει με καμιά άλλη.

ζ. Ζει στο κέντρο για να είναι κοντά στο γραφείο της αλλά έχει πολλά προβλήματα. Είναι χειμώνα καλοκαίρι με κλειστά παράθυρα γιατί δεν αντέχει το καυσαέριο και το θόρυβο από το δρόμο. Λέει ότι είναι λάθος να μετακομίσει κανείς στο κέντρο για να είναι κοντά στη δουλειά του.

ΑΞΙΟΛΟΓΗΣΗ - Κατανόηση προφορικού λόγου

ΚΕΙΜΕΝΟ 22 **5.14. Μικρές αγγελίες** **TRACK 98**

α. Ενοικιάζεται δυάρι 50 τ.μ., στον 4ο όροφο, υπνοδωμάτιο, μπάνιο, κουζίνα-καθιστικό, βεράντα, πόρτα ασφαλείας, ασανσέρ. Καινούργιο (κατασκευής 2013), φωτεινό, ήσυχο, επιπλωμένο, μοντέρνο. Λίγα κοινόχρηστα, κεντρική θέρμανση (φυσικό αέριο), κοντά στο Αριστοτέλειο Πανεπιστήμιο. Κατάλληλο και για φοιτητές.

β. Πωλείται από τον ιδιοκτήτη τριώροφο νεοκλασικό κτήριο, 300 τ.μ., σε πολύ κεντρικό σημείο (Πατήσια). Κεντρική θέρμανση, μικρός κήπος, αποθήκη, 1 θέση πάρκινγκ. Κατάλληλο και για γραφεία εταιρείας. Χρειάζεται ανακαίνιση. Τιμή ευκαιρίας.

γ. Σε σημείο με εξαιρετική θέα στην Πεντέλη, πωλείται διαμέρισμα (ρετιρέ) 200 τ.μ., 4 υπνοδωμάτια, σαλόνι, τραπεζαρία, γραφείο, μεγάλη κουζίνα, 2 λουτρά, WC ξένων, ταράτσα. Τέλεια ποιότητα κατασκευής, πρόσφατα ανακαινισμένο, αυτόνομη θέρμανση, αποθήκη, 2 θέσεις πάρκινγκ.

δ. Διατίθεται κατάστημα ισόγειο στο κέντρο της Αθήνας (περιοχή Σύνταγμα) 150 τ.μ. με υπόγειο 80 τ.μ. Καινούργιο με λίγα κοινόχρηστα. Φυσικό αέριο, κατάλληλο για εστιατόριο ή καφετέρια. Σταθμός μετρό σε απόσταση 200 μέτρων.

ε. Διατίθεται εξοχικό στο Βώλακα, 55 τετραγωνικά μέτρα, 2 υπνοδωμάτια, καθιστικό, κουζίνα, μπάνιο. Πρόσφατα ανακαινισμένο, επιπλωμένο, θέα, μικρή αυλή, τέλεια μόνωση, κλιματισμός. Ενοίκιο 1.400 ευρώ για τους καλοκαιρινούς μήνες.

Β. ΤΟ ΤΡΑΓΟΥΔΙ ΜΑΣ

5.18. Η αγάπη πού μένει; (2008) **TRACK 100**

Μουσική: Μιχάλης Χατζηγιάννης, στίχοι: Νίκος Μωραΐτης, ερμηνεία: Μιχάλης Χατζηγιάννης

Ένα σπίτι **κάτω**, ένα σπίτι **πάνω**,
ένα σπίτι **δίπλα** και στη μέση εγώ.
Όλο λέω τι κάνω, όλο λέω **«Πού** ήρθα;»,
όλο λέω **«θα φύγω»** κι όλο μένω **εδώ**.

Το (έ)χω αποφασίσει, **θα μετακομίσω**,
μα μου λέν(ε) **οι τοίχοι** «Τι θα βρεις **αλλού**;».
Η ζωή του ανθρώπου δε **γυρίζει πίσω**,
εδώ **πέρα** ζούμε ό, τι ζει **παντού**.

*Πες μου η αγάπη **πού μένει**, σε ποιον **όροφο** μένει,*
*αν τα **βράδια** κοιμάται ή αν με περιμένει.*
*Σ' ένα **παράθυρο** είδα μια σκιά αναμμένη*
*κι η καρδιά μου απ' τη σκάλα να σε βρει **ανεβαίνει**, ανεβαίνει.*

Απ' τον ένα τοίχο λένε **«Ησυχία!»**,
απ' τον άλλον τοίχο στήνουνε **καβγά**,
που ένας «θα καλέσω την **αστυνομία**»,
«έχω ιδιοκτησία» ο άλλος απαντά.

Κι απ' τον τρίτο τοίχο η διπλανή **κυρία**
έχει ανοίξει μάτι, έχει στήσει **αυτί**
κι είναι πιο δική της του άλλου η **ιστορία**,
τι έχει στο **κρεβάτι**, τι έχει στη **ζωή**.

R

ΕΝΟΤΗΤΑ 2: Προσωπική ζωή & ελεύθερος χρόνος (23 - 38)

Βήμα 6 Εγώ και οι άλλοι

Α. ΜΕΤΑΓΡΑΦΗ ΚΕΙΜΕΝΩΝ ΓΙΑ ΚΑΤΑΝΟΗΣΗ ΠΡΟΦΟΡΙΚΟΥ ΛΟΓΟΥ (23 - 26)

ΚΕΙΜΕΝΟ 23 **6.3. Συμφωνείτε ή διαφωνείτε;** **TRACK 104**

Ο Νικόλα, η Μαριλένα και οι γονείς της κάνουν μια συζήτηση για το γάμο του νέου ζευγαριού. Όλοι συμφωνούν ότι ο γάμος θα γίνει στον Άγιο Δημήτριο το Λουμπαρδιάρη, στις 28 Μαΐου, στις επτάμισι το βράδυ.

Στη συνέχεια συζητούν για τη δεξίωση αλλά διαφωνούν για το χώρο. Ο Νικόλα και η Μαριλένα προτείνουν το ξενοδοχείο Ηρώδειο που έχει θέα την Ακρόπολη και δεν είναι πολύ ακριβό. Η κυρία Χλωρού δε συμφωνεί με αυτή την ιδέα. Θέλει να κάνει τη δεξίωση στο διαμέρισμά τους που έχει καταπληκτική θέα. Θέλει να καλέσει οπωσδήποτε τους συγγενείς του Νικόλα στο σπίτι της. Ο κύριος Χλωρός έχει διαφορετική γνώμη. Λέει ότι το διαμέρισμά τους δεν είναι αρκετά μεγάλο και ότι δε θα χωρέσουν όλοι οι καλεσμένοι. Η γυναίκα του όμως διαφωνεί και λέει ότι το διαμέρισμα χωράει άνετα πέντε μεγάλα τραπέζια και ότι η θέα είναι καλύτερη από τη θέα του ξενοδοχείου. Εκτός από την Ακρόπολη, βλέπουν και το

Λυκαβηττό και τη θάλασσα. Προσθέτει επίσης ότι στους γάμους δεν έρχονται πάντα όλοι οι καλεσμένοι. Επομένως δεν υπάρχει πρόβλημα για το χώρο.

Μετά την κυρία Χλωρού λέει τη γνώμη της και η Μαριλένα. Λέει ότι υπάρχει και μια τρίτη λύση για τη δεξίωση: ο χώρος έξω από την εκκλησία, ένας χώρος ρομαντικός και αρκετά μεγάλος για όλους τους καλεσμένους. Εκεί μπορούν να προσφέρουν ένα ποτό με μεζεδάκια και να κόψουν την τούρτα.

Η κυρία Χλωρού ούτε συμφωνεί ούτε διαφωνεί. Θέλει περισσότερο χρόνο για να σκεφθεί και να αποφασίσει. Ο κύριος Χλωρός όμως συμφωνεί αμέσως με την κόρη του. Ο Νικόλας προσθέτει ότι η λύση αυτή είναι και η πιο οικονομική. Στο τέλος της συζήτησης ο κύριος Χλωρός εύχεται στο νέο ζευγάρι *Η ώρα η καλή!*

ΚΕΙΜΕΝΟ 24 **6.6. Ο Πικάσο και οι γυναίκες του** **TRACK 110**

Ο διάσημος Ισπανός ζωγράφος, Πάμπλο Πικάσο γεννήθηκε στις 25 Οκτωβρίου του 1881 στην Ισπανία και πέθανε ενενήντα ενός ετών, στις 8 Απριλίου του 1973 στη Γαλλία. Είχε πάρα πολλές σχέσεις στη ζωή του αλλά παντρεύτηκε μόνο δύο φορές.

Όταν ήταν είκοσι τριών χρονών τα έφτιαξε με τη Φερνάντε Ολιβιέ. Τα είχανε οκτώ χρόνια. Χώρισαν το 1912 και ο Πικάσο τα έφτιαξε με την Εύα Γκουέλ. Έμειναν μαζί μόνο τρία χρόνια γιατί αυτή πέθανε νέα.

Το 1917 παντρεύτηκε την Όλγα Κόκλοβα και έκαναν ένα γιο, τον Πολ. Πήραν διαζύγιο το 1927, γιατί ο Πικάσο ερωτεύτηκε τη Μαρί-Τερέζ Γουόλτερ. Η σχέση τους κράτησε εννέα χρόνια και έκαναν μία κόρη, τη Μάγια. Όταν τα χαλάσανε το 1936, ο Πικάσο τα έφτιαξε με την Ντόρα Μαρ. Έμειναν μαζί οκτώ χρόνια.

Από το 1943 ως το 1953 ο Πικάσο είχε σχέση με τη Φρανσουάζ Ζιλό. Δεν παντρεύτηκαν ποτέ αλλά έκαναν δύο παιδιά, τον Κλοντ και την Παλόμα. Χώρισαν το 1953. Τότε ο Πικάσο ήταν εβδομήντα δύο χρόνων και παντρεύτηκε τη δεύτερη σύζυγό του, τη Ζακλίν Ροκ. Ήταν πολύ ευτυχισμένοι και έμειναν μαζί είκοσι χρόνια, ως το θάνατό του, το 1973.

ΚΕΙΜΕΝΟ 25 **6.14.α. Πού θα πάμε γαμήλιο ταξίδι;** **TRACK 118**

Ν.: Νικόλα Μ.: Μαριλένα

Ν.: Μαριλένα, οι θείοι μου και οι θείες μου μας έκαναν δώρο χρήματα για το γαμήλιο **ταξίδι!**
Μ.: Σοβαρά; Θα τους τηλεφωνήσω για να τους πω ένα μεγάλο ευχαριστώ. Είναι καταπληκτικοί.
Ν.: Έχουμε δέκα μέρες. Πού θέλεις να πάμε; Στην Ελλάδα ή στο εξωτερικό;
Μ.: Δεν ξέρω... έγιναν όλα τόσο ξαφνικά. Εσύ τι λες, Νικόλα;
Ν.: Εγώ θα ήθελα να πάμε στο Παρίσι. Δεν έχω πάει ποτέ. Νομίζω ότι θα σου αρέσει. Θα πάμε στα μουσεία, στην Όπερα... θα περπατήσουμε στα γραφικά δρομάκια της παλιάς πόλης... Θα περάσουμε καταπληκτικά!
Μ.: Δεν είμαι σίγουρη! Δεν ξέρω...
Ν.: Γιατί, έχεις καμιά καλύτερη ιδέα;
Μ.: Εμένα μου αρέσουν τα ελληνικά νησιά. Καλοκαιράκι, παραλίες, θάλασσα, μπανάκια, ταβερνούλες, φρέσκο ψαράκι, κρασάκι... Αυτά θα ήθελα.
Ν.: Καλή ιδέα αλλά μου φαίνεται ότι με αυτά τα χρήματα μπορούμε να πάμε στο εξωτερικό, να γνωρίσουμε ένα καινούριο μέρος. Τα νησιά είναι δίπλα μας και μπορούμε να πάμε άλλη φορά.
Μ.: Ναι, δεν έχεις άδικο, αλλά μήπως μπορούμε να κάνουμε και τα δύο;
Ν.: Γιατί όχι; Λοιπόν, προτείνω να πάμε πέντε μέρες στο Παρίσι και πέντε μέρες στις Κυκλάδες!
Μ.: Συμφωνώ απολύτως! Λοιπόν μπες στο διαδίκτυο για τις κρατήσεις!

ΑΞΙΟΛΟΓΗΣΗ - Κατανόηση προφορικού λόγου

ΚΕΙΜΕΝΟ 26 **6.23. Πέντε ζευγάρια** **TRACK 128**

α. Ο Περικλής και η Ασπασία ήταν συμφοιτητές στο πανεπιστήμιο. Πάντα ήταν μαζί: στο μάθημα, στο διάλειμμα, στις ελεύθερες ώρες, στο φαγητό. Τελικά τα έφτιαξαν και έμειναν μαζί έως το τέλος των σπουδών τους.
β. Η Μαρίλη με τον Παναγιώτη δεν τα πάνε καθόλου καλά. Μιλάει πολύ άσχημα ο ένας στον άλλον. Άλλα θέλει ό ένας, άλλα θέλει ο άλλος. Μαλώνουν συνεχώς. Μάλλον θα τα χαλάσουν.
γ. Ο Αργύρης και η Πολυξένη μετά από μια σχέση που κράτησε πέντε χρόνια, παντρεύτηκαν με θρησκευτικό γάμο. Τους ευχόμαστε «βίο ανθόσπαρτο» και να είναι πάντα ευτυχισμένοι.
δ. Ο Δημήτρης και η Κατερίνα δυστυχώς χώρισαν. Ο Δημήτρης έφυγε από το σπίτι και η Κατερίνα έμεινε στο σπίτι με τα δύο παιδιά τους.
ε. Επιτέλους ο Μιχάλης ζήτησε σε γάμο την Αριάδνη. Αρραβωνιάστηκαν πριν λίγες μέρες και ο Μιχάλης τής χάρισε ένα υπέροχο δαχτυλίδι.
ζ. Ο Αλέξης και η Αμαλία τα έχουν εδώ κι ένα μήνα. Είναι πολύ ερωτευμένοι και το δείχνουν συνεχώς.

Β. ΤΟ ΤΡΑΓΟΥΔΙ ΜΑΣ

6.27. Σήμερα γάμος γίνεται (1982) **TRACK 130**

Στίχοι & Μουσική: Παραδοσιακό (Κυκλάδες), ερμηνεία: Γιάννης Πάριος

Σήμερα γά- , σήμερα γάμος **γίνεται** (δις)
σ' ωραίο **περιβόλι**. (δις)

Σήμερα από- , σήμερα **αποχωρίζεται** (δις)
η ***μάνα*** από την κόρη. (δις)

Γαμπρέ τη νύ- , γαμπρέ τη **νύφη** ν' αγαπάς (δις)
να μην την(ε) **μαλώνεις**. (δις)

Σαν το βασί-, σαν το **βασιλικό** στη γη (δις)
να την(ε) **καμαρώνεις**. (δις)

Σήκω περή-, σήκω **περήφανε αητέ** (δις)
κι άνοιξε τα **φτερά** σου. (δις)

Να **πεταχτεί**, η πέρδικα (δις)
που (έ)χεις στην **αγκαλιά** σου. (δις)

ΙΕΤΑΓΡΑΦΗ ΚΕΙΜΕΝΩΝ ΓΙΑ ΚΑΤΑΝΟΗΣΗ ΠΡΟΦΟΡΙΚΟΥ ΛΟΓΟΥ (27 - 29)

ΑΠΤΥΞΗ

ΜΕΝΟ 27 **7.8.β. Το αυτοκίνητο του Αγησίλαου δεν παίρνει μπρος** **TRACK 138**

ριε Μήτσο, το αυτοκίνητό μου δεν παίρνει μπρος. Μήπως **έμεινε από μπαταρία**; Κοίταξέ τη, σε παρακαλώ! Τι λες; Πρέπει να την αλλάξω;
ριε Αγησίλαε, μόνο την μπαταρία; Πρέπει ν' αλλάξετε και το **ψυγείο** σας γιατί χάνει υγρά. Τα **φρένα** σας έχουν μεγάλη **ζημιά** αλλά μπορούμε να τα φτιάξουμε. Και η μηχανή ει σοβαρή **βλάβη**. Αν τη φτιάξουμε, θα σας κοστίσει πολύ ακριβά. Τα λάστιχά σας, επίσης, είναι σε πολύ κακή κατάσταση.
πίσω αριστερό λάστιχο χάνει αέρα. Είναι χάλια. Πότε αλλάξατε τα λάστιχά σας για τελευταία φορά;
μ...! Πριν από πέντε χρόνια περίπου...
τάλαβα, κύριε Αγησίλαε! Δυστυχώς πρέπει ν' αλλάξετε και τα τέσσερα. **Είναι** πολύ **επικίνδυνο** να κυκλοφορείτε μ' αυτά τα λάστιχα. Με τη βροχή, δεν ξέρετε τι μπορεί να ει.

ΜΕΝΟ 28 **7.11.β. Μια βόλτα στην Παροικιά, στην Πάρο** **TRACK 143**

πλοίο έφτασε στην Παροικιά της Πάρου. Ο Φιλίπ και η Σεσίλ πήραν το αυτοκίνητο από τον κύριο Διαλυνά και πήγαν στο ξενοδοχείο τους στο λόφο της Αγίας Άννας με τους αδοσιακούς μύλους. **Ξεκουράστηκαν** λίγο και μετά έφυγαν για να κάνουν μια βόλτα με τα πόδια και να δουν τα αξιοθέατα της Παροικιάς.
ώτα επισκέφθηκαν την *Εκατονταπυλιανή*, μία από τις πιο παλιές εκκλησίες του Αιγαίου (4ος αιώνας μ.Χ.) με την καταπληκτική αρχιτεκτονική της, τις τοιχογραφίες και τις παλιές **ντινές** εικόνες της.
η συνέχεια προχώρησαν έως την Παλιά Αγορά για να επισκεφτούν το κάστρο με τον παραδοσιακό οικισμό γύρω του. Περπάτησαν για αρκετή ώρα στα στενά δρομάκια της παλιάς ης, με τις πλατειούλες, τα λευκά εκκλησάκια, τα μικρά μαγαζάκια και τα γραφικά ταβερνάκια.
ταν **κουράστηκαν**, σταμάτησαν σ' ένα μικρό μεζεδοπωλείο, που ήταν μέσα σ' έναν κήπο γεμάτο δέντρα, για να πιουν ένα ουζάκι και για να ξεκουραστούν.
ργότερα πήραν το δρόμο για το ξενοδοχείο τους. Ευτυχώς πρόλαβαν το **ηλιοβασίλεμα**. Είδαν τον ήλιο να **χάνεται** ανάμεσα στις *Πόρτες*, όπως λένε τους δύο βράχους που κονται στη μέση της θάλασσας απέναντι από την Παροικιά. Ήταν η πιο όμορφη ώρα της πρώτης μέρας τους στο νησί.

ΟΛΟΓΗΣΗ - Κατανόηση προφορικού λόγου

ΜΕΝΟ 29 **7.21. Σε διακοπές** **TRACK 153**

- Πήρατε το αυτοκίνητο μαζί σας στο νησί ή νοικιάσατε κανένα εκεί;
- Δεν πήραμε το αυτοκίνητό μας γιατί είμαστε πέντε και δε χωράμε άνετα. Νοικιάσαμε εκεί ένα βαν για έξι άτομα και γυρίσαμε όλο το νησί. Τελικά ήταν και η πιο οικονομική λύση.
- Γιατί αργήσατε; Τι έγινε;
- Άστα! Μείναμε από λάστιχο στη μέση του δρόμου. Ευτυχώς ήρθε η οδική βοήθεια και το άλλαξαν.
- Τελικά, τι προτιμάς; Το τροχόσπιτο ή τη σκηνή;
- Το τροχόσπιτο γιατί νομίζεις ότι πας παντού με το σπίτι σου! Έχεις το κρεβάτι σου, την κουζίνα σου, το ντους σου... Το ταξίδι με σκηνή είναι για πιο νέους!
- Πρόλαβες να δείξεις τα αξιοθέατα στο φίλο σου από την Ιταλία;
- Βεβαίως! Είχαμε μόνο τρεις μέρες αλλά επισκεφθήκαμε όλα τα μνημεία και τους πιο σημαντικούς αρχαιολογικούς χώρους. Του άρεσε πολύ το ταξίδι μας!
- Στο πλοίο, κάθισες στο σαλόνι ή στο κατάστρωμα;
- Κάθισα στο κατάστρωμα και ήταν θαύμα! Είδα όλα τα νησιά της διαδρομής.
- Και τελικά πού μείνατε; Σε ενοικιαζόμενα δωμάτια;
- Όχι, βέβαια! Ψάξαμε και βρήκαμε ένα παλιό πέτρινο σπίτι. Μόλις το είδαμε, το ερωτευτήκαμε. Το νοικιάσαμε για όλο το μήνα και περάσαμε υπέροχα.

ΤΟ ΤΡΑΓΟΥΔΙ ΜΑΣ

7.25. Κρίνα του γιαλού (2012) **TRACK 156**

σική: Ευανθία Ρεμπούτσικα, στίχοι: Μιχάλης Γκανάς, ερμηνεία: Άλκηστις Πρωτοψάλτη

Μάτια μου σε ψηλό βουνό
θ' ανέβω μήπως και τα δω,
όλα τα νησιά, το Θιάκι και την Τζια.
Μάνα μου αχ' την Αμοργό
και ως το Τζάντε το χλωρό,
βήματα θεού, σαν κρίνα του γιαλού.

Αχ, έλα στη Λευκάδα,
νύχτα με φεγγαράδα,
να πιάσεις το φεγγάρι με συρτή.
Αχ, και στη Σαντορίνη,
έλα σαν το δελφίνι,
το αίμα σου να γίνει θαλασσί.

Μάτια μου σαν μικρός θεός,
απ' το' να στ' άλλο πέλαγος,
έγια μόλα γεια, με μία δρασκελιά.
Μάνα μου αχ από τη Νιο
και μέχρι το Ιόνιο,
βήματα θεού, σαν κρίνα του γιαλού.

Αχ, έλα και στη Θάσο,
στην Κρήτη και στην Κάσο
να λιώσουμε παπούτσια στο χορό.
Αχ, και στη Μυτιλήνη,
στην Κύπρο στη Νάξο στο Μερσίνι
γαρίφαλα να στρώσω στο νερό.

Αχ, έλα στη Λευκάδα,
νύχτα με φεγγαράδα,
να πιάσεις το φεγγάρι με συρτή.
Αχ, και στη Σαντορίνη,
έλα σαν το δελφίνι,
το αίμα σου να γίνει θαλασσί.

Βήμα 8 Τι καιρό θα κάνει;

Α. ΜΕΤΑΓΡΑΦΗ ΚΕΙΜΕΝΩΝ ΓΙΑ ΚΑΤΑΝΟΗΣΗ ΠΡΟΦΟΡΙΚΟΥ ΛΟΓΟΥ (30 - 31)

ΚΕΙΜΕΝΟ 30 **8.10. Ξαφνικά πέρσι το καλοκαίρι** **TRACK 160**

Πέρσι το καλοκαίρι ο Σπήλιος κι εγώ ήμασταν στην Πάρο. Ο καιρός ήταν υπέροχος και δεν έκανε καθόλου ζέστη. Εκείνες τις μέρες στην Αθήνα είχε καύσωνα με θερμοκρασίες πάνω από 40 βαθμούς Κελσίου. Οι Κυκλάδες, **όπως είναι γνωστό**, πάντα έχουν δροσιά γιατί βρίσκονται στη μέση του Αιγαίου και φυσάει συνεχώς.

Την τελευταία ημέρα των διακοπών μας αποφασίσαμε να δούμε την ανατολή του ήλιου από την παραλία Χρυσή **Ακτή**. Για να προλάβουμε την ανατολή **έπρεπε** να φύγουμε απ' το ξενοδοχείο πριν ξημερώσει. Φύγαμε κατά τις πεντέμισι το πρωί. Η θάλασσα ήταν **λάδι*** ούτε ένα κυματάκι! Έκανε όμως πολλή ψύχρα, όπως κάνει συνήθως στα νησιά τις πρωινές ώρες.

Ήμασταν στη μέση της διαδρομής, όταν άρχισε να φυσάει δυνατά. Ο ουρανός γέμισε σύννεφα κι άρχισε να ψιχαλίζει. «Σπήλιο, μου φαίνεται ότι έρχεται καταιγίδα» είπα. Πριν τελειώσω τη φράση μου, άρχισε να αστράφτει, να βροντάει και να ρίχνει και χοντρό χαλάζι! Σταματήσαμε στην άκρη του δρόμου και ανοίξαμε το ραδιόφωνο για να ακούσουμε το δελτίο καιρού. *«Σήμερα τις πρωινές ώρες στις Κυκλάδες θα πνέουν βορειοανατολικοί άνεμοι ισχυροί από επτά έως οκτώ μποφόρ. Η θάλασσα θα έχει κύμα και η θερμοκρασία δε* ***θα ξεπεράσει*** *τους είκοσι με είκοσι δύο βαθμούς Κελσίου. Στα νησιά Πάρο, Μύκονο και Νάξο θα έχει βροχές, καταιγίδες και πυκνή ομίχλη. Τις απογευματινές ώρες ο καιρός θα αλλάξει. Η θερμοκρασία θα ανεβεί. Από αύριο, Κυριακή, ο καιρός θα είναι αίθριος σε όλη τη χώρα και η θερμοκρασία θα φτάσει τους τριάντα βαθμούς».* «Τι γίνεται, Αμάντα; Συνεχίζουμε ή γυρίζουμε πίσω;» με ρώτησε ο Σπήλιος.

ΚΕΙΜΕΝΟ 31 **8.16. Πώς είναι ο καιρός;** **TRACK 165**

0. - Τι ώρα άρχισε η καταιγίδα;
   - Μόλις βγήκαμε από το μουσείο, άρχισαν αστραπές, βροντές και πολύ δυνατή βροχή.
1. - Κάνει ζέστη σήμερα στην Αθήνα;
   - Ζέστη μόνο; Έχει ΚΑΥΣΩΝΑ!
2. - Πώς ήταν το ταξίδι;
   - Είχε πολύ κύμα και δυνατούς ανέμους τουλάχιστον οκτώ μποφόρ!
3. - Πώς θα είναι ο καιρός αύριο;
   - Ο καιρός θα είναι αίθριος με λίγη συννεφιά.
4. - Τι ώρα δύει ο ήλιος τον Ιούλιο;
   - Κατά τις εννέα παρά τέταρτο.
5. - Παιδιά, κοιτάξτε στον ουρανό. Βγήκε το ουράνιο τόξο!
   - Είναι υπέροχο! Τι ωραία χρώματα!

Β. ΤΟ ΤΡΑΓΟΥΔΙ ΜΑΣ

8.20. Έρχεται βροχή (1971) **TRACK 166**

Στίχοι, μουσική, ερμηνεία: Διονύσης Σαββόπουλος

Έρχεται **βροχή**, έρχεται μπόρα,
έρχεται μπόρα και **παγωνιά**.
Στα πόδια μας ζεστή μια **θερμοφόρα**,
κόκκινη **κουβέρτα** και παλιά **περιοδικά**.

Και στο γραμμόφωνο ο **δίσκος** που μ' αρέσει.
Όλα έχουν τελειώσει κι είν' αργά.
Στην **πολυθρόνα** και για τους δυο μας έχει θέση.
Κλείσε τις **κουρτίνες** και πάρε με αγκαλιά!

Σάμπως μέσα σε βουβή **ταινία**,
μια **πολιτεία** χοροπηδά,
δρόμοι, **ανθρωπάκια** και γραφεία,
πολυκατοικίες και **κουρσάκια** ιδιωτικά.

Πόσο πολύ έχει αλλάξει αυτή η **πόλη**!
Βάλε την **τσαγιέρα** στη **φωτιά**!
Η νύχτα έρχεται, η **μπόρα** δυναμώνει
κι όλα είναι χαμένα και προπολεμικά.

Τα παιδιά μεγάλωσαν και πάνε.
Τι **ώρα** να `ναι και ποιος χτυπά;
Στους δρόμους **στρατιώτες** τραγουδάνε.
Κλείδωσε την πόρτα και στάσου στη **σκιά**.

Στα **καταφύγια** βουβά και τρομαγμένα
κι έξω οι **σειρήνες** σαν μωρά.
Σβήσε τα **φώτα**, μην ανοίξεις σε κανένα.
Κλείσε τις κουρτίνες και πάρε με **αγκαλιά**!

Βήμα 9 Τι να κάνουμε σήμερα;

Α. ΜΕΤΑΓΡΑΦΗ ΚΕΙΜΕΝΩΝ ΓΙΑ ΚΑΤΑΝΟΗΣΗ ΠΡΟΦΟΡΙΚΟΥ ΛΟΓΟΥ (32 - 35)

ΚΕΙΜΕΝΟ 32 **9.5.α. Τι θα δούμε στον κινηματογράφο σήμερα;** **TRACK 171**

Ένα βράδυ η Σεσίλ, ο Τόμας, η Ταμάρα και ο Φιλίπ αποφάσισαν να πάνε κινηματογράφο στο Κοσμόπολις όπου παίζονται διαφορετικά έργα σε κάθε αίθουσα.

Τόμας: Τι θέλετε να δούμε σήμερα το βράδυ; Στο Κοσμόπολις παίζονται διάφορες ταινίες. Είδα στο Αθηνόραμα ότι έχει μια κωμωδία, ένα θρίλερ, ένα καταπληκτικό ντοκιμαντέρ για τον Αμαζόνιο και μια ταινία κινουμένων σχεδίων σε 3D. Ξαναπαίζει επίσης ένα φιλμ εποχής με την Έμα Τόμσον. Σας ενδιαφέρει κάτι από αυτά;

Φιλίπ: Εγώ προτείνω να πάμε να δούμε την κωμωδία. Να γελάσουμε λίγο, να δούμε κάτι ευχάριστο. Κάθε μέρα στην τηλεόραση βλέπουμε προβλήματα και μόνο προβλήματα. Ας τα ξεχάσουμε για λίγο!

Σεσίλ: Μπορούμε να ξεχάσουμε λίγο τα καθημερινά προβλήματα και με μια ταινία εποχής. Ζεις μαζί με τους πρωταγωνιστές καταστάσεις πολύ διαφορετικές από τις σημερινές και μαθαίνεις πώς ήταν η ζωή τότε. Κι αν θέλεις να μάθεις περισσότερα, ψάχνεις και βρίσκεις πληροφορίες. Πάντα κάτι μαθαίνεις. Δε χάνεις τον καιρό σου.

Ταμάρα: Φαίνεται ότι μιλάει μια καθηγήτρια! Κι εγώ λατρεύω τις ταινίες εποχής αλλά σήμερα σας προτείνω να δούμε τα κινούμενα σχέδια σε 3D. Και με τα κινούμενα μαθαίνεις πολλά πράγματα. Βλέπεις πού έφτασε η τεχνολογία και ζεις σ' ένα φανταστικό κόσμο όπου όλα μπορούν να γίνουν. Εγώ τρελαίνομαι για τις ταινίες 3D. Είναι το μέλλον.

Τόμας: Λοιπόν εγώ μπαίνω στην αίθουσα 3. Θέλω να φοβηθώ, να ιδρώσω, να ζήσω δύσκολες στιγμές, να χάσω, να κερδίσω, να γίνω καλός, να γίνω κακός και στο τέλος να νικήσω. Είμαι για το θρίλερ.

Φιλίπ: Ας δούμε λοιπόν διαφορετικές ταινίες κι ας πάμε μετά στο ταβερνάκι εδώ δίπλα να φάμε κάτι και να τα πούμε.

Σεσίλ: Βλέπω ότι για το ντοκιμαντέρ κανείς δεν ενδιαφέρεται! Λοιπόν εγώ θα ταξιδέψω στον Αμαζόνιο. Κάτι θα μάθω κι εκεί!

ΚΕΙΜΕΝΟ 33 — 9.7.δ. Ποιο βιβλίο ψάχνω; — TRACK 174

Δ.: Δήμητρα Υ.: Υπάλληλος

Δ.: Γεια σας! Παρακαλώ, μήπως μπορείτε να με βοηθήσετε;
Υ.: Ευχαρίστως. Τι θέλετε;
Δ.: Κοιτάξτε... ψάχνω για ένα μυθιστόρημα αλλά δε θυμάμαι τον τίτλο του.
Υ.: Ποιανού συγγραφέα είναι;
Δ.: Ποιανού συγγραφέα... κοιτάξτε, είναι μια αγγλίδα συγγραφέας... πολύ γνωστή. Δημοσιογράφος είναι, νομίζω. Κι έγραψε ένα ιβλίο για την Ελλάδα, για ένα ελληνικό νησί.
Υ.: Και δε θυμάστε το όνομά της... Μήπως λέγεται Βικτόρια Χίσλοπ;
Δ.: Μπα όχι! Δεν τη λένε έτσι. Α, συγγνώμη, ελληνίδα είναι όχι αγγλίδα. Και το βιβλίο έγινε ταινία. Σας βοηθάει αυτό; Την είδα το καλοκαίρι. Καταπληκτική ταινία. Έκλαψα σαν παιδί στο τέλος!
Υ.: Μάλιστα. Μήπως θυμάστε την υπόθεση;
Δ.: Βεβαίως και τη θυμάμαι! Λοιπόν είναι πολύ δραματικό έργο. Γίνεται σ' ένα νησί κάπου στην Ελλάδα και η ηρωίδα ερωτεύεται έναν καπετάνιο αλλά η μάνα της τής λέει να παντρευτεί κάποιον άλλο και ο καπετάνιος παντρεύεται την αδελφή της, αν θυμάμαι καλά. Τελικά και οι δύο αδελφές είναι ερωτευμένες με τον ίδιο άντρα και αρχίζει και ο πόλεμος στην Ευρώπη... Πολύ ωραίο έργο! Και μαθαίνει κανείς για τη ζωή των γυναικών σε αυτό τον νησί, γιατί τότε οι περισσότερες ήταν παντρεμένες με ναυτικούς και βλέπανε σπάνια τους άντρες τους... Σας λέω φοβερή ταινία! Να πάτε να την δείτε! Μην τη χάσετε!
Υ.: Κατάλαβα. Μήπως ψάχνετε τη «Μικρά Αγγλία»;
Δ.: Δεν έχει καμία σχέση με την Αγγλία. Σε ένα ελληνικό νησί γίνεται η ιστορία.
Υ.: Ναι, αυτό σας λέω. Η «Μικρά Αγγλία» της Ιωάννας Καρυστιάνη γίνεται στην Άνδρο. Το βιβλίο γύρισε ταινία ο σκηνοθέτης Παντελής Βούλγαρης, ο άντρας της Καρυστιάνη. Η ίδια έγραψε το σενάριο.
Δ.: Αχ, ναι! Αυτό! Αυτό το βιβλίο ψάχνω! Αχ, μπράβο! Σας ευχαριστώ πολύ! Το έχετε;
Υ.: Βεβαίως. Ορίστε. Θέλετε κάτι άλλο;
Δ.: Ναι, θέλω κι ένα βιβλίο για ένα φίλο που πλησιάζει η γιορτή του. Ο Αντρέας. Πολύ καλό παιδί.
Υ.: Μάλιστα! Και τι είδους βιβλία διαβάζει ο Αντρέας;
Δ.: Λοιπόν... διαβάζει πάρα πολύ. Συνέχεια μ' ένα βιβλίο στο χέρι είναι. Ακόμα και στο μετρό δεν μπαίνει χωρίς βιβλίο.
Υ.: Κατάλαβα αλλά τι είδους βιβλία προτιμάει; Του αρέσει η ιστορία, τα μυθιστορήματα, τα ποιήματα; Του αρέσουν οι ιστορίες επιστημονικής φαντασίας, οι βιογραφίες;
Δ.: Όχι, δεν του αρέσουν ούτε οι βιογραφίες ούτε οι ιστορίες επιστημονικής φαντασίας. Τώρα που το λέτε όμως, ξέρετε τι διαβάζει; Αυτά με τους ντετέκτιβ, τα αστυνομικά μυθιστορήματα. Αλλά διαβάζει και κάποια πολύ περίεργα αστυνομικά. Το καλοκαίρι μού έδειξε ένα βιβλίο με ένα κινέζο δικαστή που γυρίζει σε όλη την Κίνα αιώνες πριν και βρίσκει πάντα τους κακούς. Ωραίο ήταν. Αλλά ο Αντρέας έχει πάρα πολλά αστυνομικά μυθιστορήματα. Τι να του πάρω;
Υ.: Λοιπόν, βγήκε χτες το τελευταίο βιβλίο του Πέτρου Μάρκαρη. Αποκλείεται να το έχει ο φίλος σας. Και είναι πολύ καλός συγγραφέας.
Δ.: Και γράφει αστυνομικά μυθιστορήματα;
Υ.: Μάλιστα. Λοιπόν θα πάτε στο τμήμα της αστυνομικής λογοτεχνίας δύο διαδρόμους πιο κάτω και θα ρωτήσετε το συνάδελφο. Εντάξει;
Δ.: Εντάξει. Είσαστε καταπληκτικός! Πώς τα ξέρετε όλα αυτά; Σας ευχαριστώ πολύ.

ΚΕΙΜΕΝΟ 34 — 9.11.γ. Ποιος θα έρθει στη συγκέντρωση; — TRACK 180

Ο Άγης είναι μέλος της οργάνωσης «Για μια καλύτερη ζωή». Μιλάει στους κατοίκους της πολυκατοικίας του για να τους ενημερώσει για τη συγκέντρωση του Σαββάτου.

Άγης: Αγαπητοί γείτονες, όπως ξέρετε, έχουμε ένα πρόβλημα με το οικόπεδο στη γωνία των οδών Αριστοτέλους και Νάξου. Η τεχνική εταιρεία Αναγνωστόπουλος θέλει να χτίσει εκεί ένα μεγάλο εμπορικό κέντρο. Η οργάνωσή μας πιστεύει ότι αυτό δεν είναι σωστό. Δε χρειαζόμαστε ούτε άλλα καταστήματα ούτε περισσότερη φασαρία. Αν γίνει το εμπορικό κέντρο, θα έρχεται εδώ κόσμος από όλα τα γύρω προάστια και θα χάσουμε την ησυχία μας. Το οικόπεδο είναι τεράστιο και μπορούμε να το χρησιμοποιήσουμε πολύ καλύτερα. Προτείνουμε να γίνει εκεί ένα μεγάλο αθλητικό κέντρο με γήπεδα, με πισίνα, με γυμναστήριο και πολύ πράσινο για όλους τους κατοίκους του προαστίου μας.
Έχουμε ήδη κάποιες προτάσεις από το Ίδρυμα Κοκκινίδη. Θα συζητήσουμε λοιπόν αυτό το θέμα το Σάββατο στις έξι το απόγευμα στο δημοτικό θέατρο. Θα ήθελα να μου πείτε ποιοι από εσάς θα μπορέσουν να έρθουν στη συγκέντρωσή μας. Κυρία Παππά;
κα Παππά: Με ενδιαφέρει πολύ το θέμα αλλά δεν είμαι σίγουρη ότι θα τα καταφέρω. Το Σάββατο είναι η επέτειος του γάμου μου κι ετοιμάζω μια μικρή γιορτή. Τι να σας πω; Εξαρτάται από τις δουλειές μου. Αν μπορέσω, θα έρθω.
Άγης: Καλά. Μακάρι να τα καταφέρετε. Εσείς, κύριε Νικολάου;
κ. Νικολάου: Ασφαλώς και θα έρθω! Είναι πολύ σημαντικό θέμα για το προάστιό μας. Δεν επιτρέπεται να λείπει κανένας μας!
Άγης: Πολύ ωραία! Κυρία Μελά;
κα Μελά: Εγώ ξέρετε θα ήθελα να έρθω αλλά λυπάμαι... δε θα μπορέσω. Το Σαββατοκύριακο θα είμαι στη Θεσσαλονίκη στους γονείς μου. Θα έρθει όμως οπωσδήποτε ο άντρας μου.
Άγης: Εντάξει, κα Μελά. Καλό ταξίδι! Κύριε Καλυβά, εσείς θα έρθετε;
κ. Καλυβάς: Θα δούμε... Δεν είμαι και σίγουρος ότι έχετε δίκιο για το αθλητικό κέντρο. Ίσως το εμπορικό να είναι καλύτερη λύση. Δεν έχουμε αρκετά καταστήματα στο προάστιό μας... Τέλος πάντων θα το σκεφτώ. Πιθανόν να έρθω. Θα σας ειδοποιήσω.
Άγης: Ελπίζω να σας δούμε, κύριε Καλυβά, και να σας αλλάξουμε γνώμη. Κι εσείς, δεσποινίς Μελετίου;
δις Μελετίου: Αχ, κύριε Άγη, θέλω πολύ να έρθω! Αποκλείεται όμως να με αφήσουν οι γονείς μου. Έχω πολύ διάβασμα για τις εξετάσεις.

ΚΕΙΜΕΝΟ 35 **9.25. Εκδηλώσεις** **TRACK 190**

α. Χτες στο Ηρώδειο η διάσημη χορεύτρια Μίστι Κόπλαντ πρόσφερε στο κοινό ένα υπέροχο θέαμα. Οι θεατές την αποθέωσαν.
β. Α πα πα! Δεν έρχομαι μαζί σου. Δεν καταλαβαίνω γιατί σου αρέσουν τα θρίλερ. Και θέλεις να πάμε και στη βραδινή προβολή. Να πας μόνος σου!
γ. Σε δέκα μέρες στο Μικρό Θέατρο της Επιδαύρου θα έχουμε την ευκαιρία να τραγουδήσουμε και να θυμηθούμε παλιές επιτυχίες παρέα με τον Νίκο Πορτοκάλογλου.
δ. Ελάτε όλοι στις δέκα του μηνός! Συγκέντρωση στην πλατεία Αιγύπτου για να συζητήσουμε για το πάρκο του Δήμου μας. Όλοι μαζί μπορούμε!
ε. Το Αθηνόραμα γράφει ότι είναι εξαιρετική η εγκατάσταση της Αντωνίας Παπατζανάκη στη γκαλερί *Φως*. Σ' ενδιαφέρει να πάμε;
ζ. Ο καθηγητής Λέων Μάντικας θα δώσει μια διάλεξη με θέμα "Οικολογία και Πολιτική" στη Στέγη Γραμμάτων και Τεχνών. Είσοδος ελεύθερη.
η. Σου προτείνω να δεις τη θεατρική κωμωδία "Άντρες έτοιμοι για όλα", που παρουσιάζει τις περιπέτειες μιας παρέας αντρών, σε σκηνοθεσία Θανάση Παπαθανασίου και Μιχάλη Ρέππα.

Β. ΤΟ ΤΡΑΓΟΥΔΙ ΜΑΣ

9.29. Κόκκινα γυαλιά (1989) **TRACK 192**

Στίχοι, μουσική, ερμηνεία: Σταμάτης Κραουνάκης

Πήρα κόκκινα **γυαλιά**
κι όλα γύρω σινεμά τα βλέπω.
Κι ούτε ξέρω πώς να ζω
ούτε και **πώς** ν' αγαπώ,
τη ζωή μου **επιβλέπω**.

Πήρα κόκκινο στυλό
και τραβάω **γιαλό-γιαλό** και γράφω
τραγουδάκια της **φωτιάς**,
της φωτιάς, της **πυρκαγιάς**,
τη ζωή μου **αντιγράφω**.

Πώς μ' αρέσει αυτός **ο ήλιος** [δις]
όταν **βγαίνει** το πρωί.
Κι είναι βάσανο ο φίλος, [δις]
που **φωνάζει** εκδρομή.

Πώς μ' αρέσει το φεγγάρι [δις]
όταν βγαίνει να μας δει.
Και κρατάει το **φανάρι** [δις]
στης αγάπης την **πληγή**.

Πήρα κόκκινη **καρδιά**
και πουκάμισα φαρδιά **φοράω**.
Και ρωτάω να μου πουν,
όσοι ξέρουν ν' αγαπούν,
σε ποιον έρωτα **χρωστάω**

Πήρα κόκκινα **φτερά**
και περνάω μια χαρά, **γελάω**.
Πιάνω σώμα του **χιονιού**
και ουρά **χελιδονιού**,
στου Θεού τ' αυτί μιλάω.

Πώς μ' αρέσει αυτός ο ήλιος [δις]
όταν βγαίνει το **πρωί**.
Κι είναι **βάσανο** ο φίλος [δις]
που φωνάζει **εκδρομή**.

Πώς μ' αρέσει το **φεγγάρι** [δις]
όταν βγαίνει να μας **δει**.
Και κρατάει το φανάρι [δις]
στης αγάπης την πληγή.

Πήρα **κόκκινα** γυαλιά
κι όλα **γύρω** σινεμά τα βλέπω.
Κι ούτε ξέρω πώς να ζω
ούτε και πώς ν' αγαπώ,
τη **ζωή** μου επιβλέπω.

Βήμα 10 Άλλοτε και τώρα

Α. ΜΕΤΑΓΡΑΦΗ ΚΕΙΜΕΝΩΝ ΓΙΑ ΚΑΤΑΝΟΗΣΗ ΠΡΟΦΟΡΙΚΟΥ ΛΟΓΟΥ (36 - 38)

ΑΝΑΠΤΥΞΗ

ΚΕΙΜΕΝΟ 36 **10.4.δ. Με τι ασχολείστε στον ελεύθερο χρόνο σας;** **TRACK 201**

α. *Α:* Είμαστε μια παρέα και αποφασίσαμε να διαβάζουμε κάθε εβδομάδα ένα βιβλίο και μετά να το συζητάμε όλοι μαζί. Επίσης αρχίσαμε ρωσικά για να διαβάσουμε ρώσους συγγραφείς στη γλώσσα τους.
Β: Εγώ και οι φίλοι μου θέλουμε να μάθουμε να φτιάχνουμε μικρά γλυπτά. Σκεπτόμαστε να τα πουλήσουμε για να βοηθήσουμε μια φιλανθρωπική οργάνωση για άτομα με **ειδικές ανάγκες**.

β. *Α:* Είμαι δεκαοκτώ χρόνων και από μικρή μού άρεσε να χορεύω και να παίζω πιάνο. Τώρα που τελείωσα το σχολείο θα συνεχίσω ν' ασχολούμαι με το χορό και τη μουσική.
Β: Σπουδάζω φιλολογία αλλά από μικρός ήθελα να γίνω ηθοποιός. Φέτος όμως θα κάνω αυτό που μ' αρέσει. Το φθινόπωρο θα ανεβάσουμε μια κωμωδία με τη θεατρική ομάδα του πανεπιστημίου. Θέλω επίσης να ασχοληθώ περισσότερο με τις νέες τεχνολογίες και να δημιουργήσω μια ομάδα συζήτησης στα κοινωνικά δίκτυα για τα προβλήματα των νέων ηθοποιών. Παίρνω ήδη μαθήματα για να φτιάξω ένα μπλογκ μόνος μου.

γ. *Α:* Ήμουν οδηγός σε ταξί και φέτος πήρα σύνταξη. Τώρα δεν είμαι πια όλη τη μέρα **στο τιμόνι** κι έτσι αποφάσισα να ασχοληθώ με τα ζώα. Ανήκω σε μια ομάδα που φροντίζει τα ζώα της περιοχής μας. Κάνουμε εμβόλια, δίνουμε φάρμακα, φαγητό... Θέλω επίσης να παρακολουθήσω μαθήματα ιστορίας της τέχνης στο Ανοικτό Πανεπιστήμιο.
Β: Κι εγώ πήρα τη σύνταξή μου πριν από ένα μήνα κι άρχισα ν' ασχολούμαι με τη ζαχαροπλαστική. Έφτιαξα προχθές μία τούρτα-παγωτό, όνειρο! Άρχισα και δύο σπορ: κολύμπι στην πισίνα του δήμου μας και ποδήλατο. Κάθε Σαββατοκύριακο κάνουμε με τον άντρα μου τουλάχιστον δύο ώρες ποδήλατο και αισθανόμαστε ότι μας κάνει πολύ καλό.

δ. *Α:* Άρχισα γυμναστική και νιώθω μια χαρά! Παρακολουθώ επίσης μαθήματα χειροτεχνίας. Μαθαίνω να φτιάχνω κοσμήματα. Έφτιαξα δύο βραχιόλια και το πρώτο μου κολιέ. Είμαι πολύ χαρούμενη!
Β: Εδώ και δύο μήνες είμαι μέλος μιας οικολογικής οργάνωσης στην πόλη μου. Την περασμένη εβδομάδα φυτέψαμε τριακόσια δέντρα στο βουνό και χτες μιλήσαμε στα παιδιά του σχολείου για την ανακύκλωση. Όταν έχω χρόνο ασχολούμαι και με κατασκευές. Τώρα φτιάχνω μια ξύλινη βιβλιοθήκη για το γραφείο μου.

ε. *Α:* Αποφάσισα να γίνω φωτογράφος για γάμους και βαφτίσια γιατί η δουλειά μου δεν πάει καλά. Έτσι παρακολουθώ εδώ κι ένα μήνα μαθήματα σε μια πολύ καλή σχολή φωτογραφίας και βίντεο. Εν τω μεταξύ ασχολούμαι και με τον κινηματογράφο. Θέλω να κάνω μια ταινία μικρού μήκους.

Β: Εγώ πάλι, εκτός από τη δουλειά μου, αποφάσισα να ράβω τα ρούχα μου μόνη μου και να πλέκω τα πουλόβερ μου όπως τα θέλω εγώ, άνετα και πολύχρωμα. Επίσης άλλαξα τα φυτά που είχα στη βεράντα μου και τη γέμισα με ρίγανη, μαϊντανό, άνηθο... Ασχολούμαι πολύ με τη μαγειρική και μου αρέσει να χρησιμοποιώ τα δικά μου αρωματικά φυτά.

ΚΕΙΜΕΝΟ 37 — **10.4.η. Όλοι μαζί για την πόλη μας!** — **TRACK 202**

Πάμε στην Τρίτη Γυμνασίου και είμαστε μέλη του ECOMOBILITY, δηλαδή της «Οικολογικής Μετακίνησης». Ασχολούμαστε με τις *Πράσινες Μετακινήσεις*, όπως το περπάτημα, το ποδήλατο, τα μέσα συγκοινωνίας. Ενημερώνουμε τους κατοίκους της πόλης μας, επικοινωνούμε με άλλα σχολεία και μελετάμε τα προβλήματα της κάθε περιοχής, κάνουμε μαζί **εργασίες** και ψάχνουμε να βρούμε λύσεις στα προβλήματα της μετακίνησης μέσα στην πόλη.

Πολλοί από εμάς πήγαμε φέτος στην καλοκαιρινή κατασκήνωση εφήβων. Ακούστε τι μας λέει η Αλεξάνδρα: «Εικοσι οκτώ παιδιά απ' όλη την Ελλάδα περάσαμε μια απίθανη εβδομάδα στην κατασκήνωση. Τα πρωινά κάναμε ορειβασία, ποδήλατο και πεζοπορία. Γυρίζαμε γύρω στις 11 και αρχίζαμε δουλειά για τα προγράμματα του χειμώνα. Συζητούσαμε, προτείναμε λύσεις για τα προβλήματα μετακίνησης και ζωγραφίζαμε **αφίσες**. Τα βράδια τρώγαμε όλοι μαζί, χορεύαμε, τραγουδούσαμε και γελούσαμε συνέχεια. Ήταν υπέροχα! Μια μέρα μαγειρέψαμε μόνοι μας και ζυμώσαμε ακόμη και ψωμί.

Δυστυχώς κάποια στιγμή όλη αυτή η περιπέτεια τελείωσε. Χωρίσαμε μετά από πολλάάάάάά **κλάματα**, αλλά επικοινωνούμε συνεχώς και **κανονίσαμε** του χρόνου να πάμε πάλι όλοι μαζί στο ίδιο μέρος.»

ΑΞΙΟΛΟΓΗΣΗ - Κατανόηση προφορικού λόγου

ΚΕΙΜΕΝΟ 38 — **10.24. Οικολογική κατασκήνωση EcoCamp** — **TRACK 221**

Ανακαλύψτε τη φύση μέσα από τις δραστηριότητες της οικολογικής κατασκήνωσης ECO CAMP. Ακούστε μερικές από τις δραστηριότητές μας!

α. Μαθαίνουμε να φροντίζουμε τα κατοικίδια ζώα και τα ζώα της φάρμας.
β. Γνωρίζουμε τα βότανα και τα αρωματικά φυτά της Πελοποννήσου και μαθαίνουμε πώς να τα χρησιμοποιούμε.
γ. Κάνουμε διάφορα αθλήματα (τένις, ποδόσφαιρο, μπάσκετ, βόλεϊ) στα γήπεδα της κατασκήνωσης.
δ. Συζητάμε για οικολογικά θέματα. Μαθαίνουμε για τις παραδοσιακές καλλιέργειες.
ε. Κάνουμε μεγάλες διαδρομές με ποδήλατο. Επισκεπτόμαστε τα χωριά της γύρω περιοχής και το βουνό Ερύμανθος.
ζ. Μαθαίνουμε να ζυμώνουμε ψωμί και να το ψήνουμε σε παραδοσιακό φούρνο με ξύλα.
η. Κάνουμε μαθήματα ιππασίας.

Β. ΤΟ ΤΡΑΓΟΥΔΙ ΜΑΣ

10.28. Οδός Αριστοτέλους (1974) — **TRACK 223**

Μουσική: Γιάννης Σπανός, στίχοι: Λευτέρης Παπαδόπουλος, ερμηνεία: Χάρις Αλεξίου

Σάββατο κι **απόβραδο** και ασετιλίνη
στην Αριστοτέλους που **γερνάς**,
έβγαζα απ' τις τσέπες μου **φλούδες** μανταρίνι,
σου (έ)'**ριχνα** στα μάτια να πονάς.

Παίζαν(ε) *οι* ***μικρότεροι*** *κλέφτες κι αστυνόμους*
κι ήταν ***αρχηγός*** *η Αργυρώ.*
Και φωτιές ***ανάβανε*** *στους απάνω δρόμους,*
τ' Άι-Γιάννη θα (ή) ***'τανε, θαρρώ.***

Βγάζανε τα δίκοχα οι παλιοί **φαντάροι**,
γέμιζε η πλατεία από παιδιά
κι ήταν ένα πράσινο, πράσινο φεγγάρι
να σου **μαχαιρώνει** την καρδιά.

Σάββατο κι απόβραδο και ασετιλίνη
στην Αριστοτέλους που γερνάς,
έβγαζα απ' τις τσέπες μου φλούδες μανταρίνι, R
σού 'ριχνα στα μάτια να πονάς.

ΕΝΟΤΗΤΑ 3: Καθημερινή ζωή (39 - 53)

Βήμα 11 Τι θα αγοράσετε;

Α. ΜΕΤΑΓΡΑΦΗ ΚΕΙΜΕΝΩΝ ΓΙΑ ΚΑΤΑΝΟΗΣΗ ΠΡΟΦΟΡΙΚΟΥ ΛΟΓΟΥ (39 - 46)

ΑΝΑΠΤΥΞΗ

ΚΕΙΜΕΝΟ 39 — **11.4. Συμβουλές προς τους καταναλωτές πριν από τις εκπτώσεις** — **TRACK 236**

Συνήθως στην Ελλάδα υπάρχουν τρεις ή τέσσερις επίσημες περίοδοι εκπτώσεων. Βέβαια τα καταστήματα κάνουν και τις δικές τους εκπτώσεις όλο το χρόνο.

Οι εκπτώσεις φέτος

Οι χειμερινές εκπτώσεις θα ξεκινήσουν τη Δευτέρα 12 Ιανουαρίου και θα τελειώσουν το Σάββατο 28 Φεβρουαρίου.

Οι καλοκαιρινές εκπτώσεις θα γίνουν από την Παρασκευή 1 Μαΐου έως την Κυριακή 10 Μαΐου και από τη Δευτέρα 13 Ιουλίου έως τη Δευτέρα 31 Αυγούστου.

Τι πρέπει να προσέχετε στις εκπτώσεις;

✓ Να ετοιμάζετε πάντα μια λίστα με αυτά που χρειάζεστε. Μην αγοράζετε πράγματα που δε χρειάζεστε επειδή είναι φθηνά. Άλλο το «θέλω» κι άλλο το «χρειάζομαι»!
✓ Να συγκρίνετε πάντα την αρχική τιμή του προϊόντος με την τελική τιμή του. Καλό είναι να κάνετε μια βόλτα στα μαγαζιά πριν από τις εκπτώσεις.

Έτσι θα ξέρετε ποια είναι η πραγματική έκπτωση που σας κάνει το κατάστημα.
✓ Να συγκρίνετε την τιμή με την ποιότητα του προϊόντος. Μην αγοράσετε κάτι χαμηλής ποιότητας επειδή είναι σε προσφορά!
✓ Να ζητάτε πάντα απόδειξη. Θα σας χρειαστεί αργότερα, αν το προϊόν έχει κάποιο πρόβλημα και θέλετε να το αλλάξετε.
✓ Να προσέχετε πάντα αν το τελικό ποσό που θα πληρώσετε με δόσεις είναι πολύ πιο μεγάλο από την τιμή του προϊόντος.
✓ Να κάνετε πάντα τα παράπονά σας στον καταστηματάρχη, όταν δεν είστε ευχαριστημένοι με κάτι.

ΚΕΙΜΕΝΟ 40 **11.10.α. Πάμε για ψώνια;** **TRACK 243**

Δ: Δανάη, Μ: Μανόλης

Ο μικρός αδελφός της Δανάης, ο Μανόλης, μόλις χώρισε και έχει κάποια προβλήματα με τις δουλειές του σπιτιού.

Δ: Μανόλη, καλημέρα! Τι γίνεσαι; Σε έπαιρνα τηλέφωνο και χτες βράδυ αλλά έλειπες. Σε έπαιρναν τηλέφωνο και οι γονείς. Ούτε στο κινητό σου δεν απαντούσες. Ανησυχήσαμε.
Μ: Καλημέρα, Δανάη μου. Καλά είμαι. Να πεις και στους γονείς ότι είμαι καλά ή μάλλον άσε, θα τους πάρω εγώ. Συγγνώμη για χτες αλλά είχα προβλήματα.
Δ: Γιατί; Τι έγινε;
Μ: Έβαλα πλυντήριο να πλύνω κάτι σεντόνια και κάτι πετσέτες και όλα χάλασαν. Βγήκαν ροζ! Τα ξαναέπλυνα και δεν έγινε τίποτα. Σκούρα ροζ, σχεδόν κόκκινα!
Δ: Αχ, βρε Μάνο! Έβαλες σκούρα υφάσματα μαζί με τα ανοιχτά χρώματα. Και τι θα κάνεις τώρα;
Μ: Τι να κάνω; Πρέπει να βρω καινούργια. Θύμωσα και τα πέταξα όλα.
Δ: Άσε, θα σε βοηθήσω εγώ. Έψαχνα χτες στο ίντερνετ για ένα πάπλωμα που χρειάζομαι και είδα ότι το *Λευκό Σπίτι* έχει καταπληκτικές εκπτώσεις. Εσύ, τι πρέπει να αγοράσεις;
Μ: Χρειάζομαι τουλάχιστον δύο ζευγάρια σεντόνια με τις μαξιλαροθήκες τους, δυο τρεις πετσέτες για το μπάνιο κι ένα καινούργιο **μπουρνούζι**. Το παλιό μου έγινε κι αυτό ροζ. Α! θέλω κι ένα τραπεζομάντιλο. Όλα τα τραπεζομάντιλα τα πήρε μαζί της η Κατερίνα όταν χωρίσαμε.
Δ: Λοιπόν, θέλεις να πάμε στο *Λευκό Σπίτι* το Σάββατο το πρωί; Πρωινά μόνο Σάββατο μπορώ, τις καθημερινές σχολάω αργά.
Μ: Το Σάββατο θα έχει πολύ κόσμο, ιδιαίτερα τώρα με τις εκπτώσεις. Τι κάνεις την Τρίτη το απόγευμα; Εγώ θα είμαι ελεύθερος.
Δ: Κι εγώ μπορώ. Να δώσουμε ραντεβού κατά τις εφτά έξω από το κατάστημα;
Μ: Εντάξει. Α! Χρειάζομαι κι ένα καινούργιο χαλάκι για την είσοδο του σπιτιού. Το πήρε κι αυτό η Κατερίνα. Λες να έχει και χαλάκια το κατάστημα;
Δ: Έχει και πολλά μάλιστα. Λοιπόν, την Τρίτη στις εφτά. Μην αργήσεις! Μετά θα ήθελα να έχουμε χρόνο να πιούμε ένα καφεδάκι και να τα πούμε. Θα σου εξηγήσω και πώς βάζουμε πλυντήριο
Μ: Ωχ, βρε Δανάη...

ΣΥΜΠΛΗΡΩΜΑΤΙΚΑ ΚΕΙΜΕΝΑ ΜΕ ΑΣΚΗΣΕΙΣ

ΚΕΙΜΕΝΟ 41 **11.14.α. Αγορές στο ίντερνετ, άλλοι τις προτιμούν και άλλοι όχι** **TRACK 248**

Ελένη:
α. Ψωνίζω συχνά στο διαδίκτυο γιατί βρίσκω καλύτερες τιμές αλλά και προϊόντα που δεν υπάρχουν στα μαγαζιά. Καμμιά φορά όμως δε σου στέλνουν αυτό ακριβώς που παράγγειλες. Για παράδειγμα μια φορά μου έστειλαν λάθος μέγεθος παπούτσια. Δεν έχασα βεβαίως τα λεφτά μου, έστειλα τα παπούτσια πίσω. Πάντως δεν είναι δύσκολο να ψωνίσεις στο ίντερνετ.
Άγγελος:
β. Κάποτε ψώνιζα συχνά από το ίντερνετ αλλά όχι πια. Κάποια πράγματα που αγόρασα παλιά δεν ήταν καλής ποιότητας.
Αύρα:
γ. Ρούχα και παπούτσια δε ψωνίζω ποτέ στο ίντερνετ. Θέλω να τα δω από κοντά, να τα δοκιμάσω, να ξέρω πώς είναι. Αν τελικά αυτό που αγόρασες δε σου πάει, δε σου κάνει, δε σου αρέσει, τι θα κάνεις; Στο ίντερνετ αγοράζω μόνο αεροπορικά εισιτήρια ή κλείνω κανένα ξενοδοχείο.
Νίκος:
δ. Δεν ψωνίζω από το ίντερνετ, γιατί δεν το ξέρω καλά. Γενικά δεν ασχολούμαι πολύ με τους υπολογιστές και το διαδίκτυο. Προτιμώ να πάω στο κατάστημα της γειτονιάς μου, να μιλήσω με τον υπάλληλο, να ακούσω και τη γνώμη του και να ψωνίσω εκεί. Έτσι βοηθάω και τα καταστήματα της περιοχής μου. Αν όλοι ψωνίζουμε στο ίντερνετ, τι θα γίνουν τα καταστήματα;
Περσεφόνη:
ε. Άλλοτε δεν αγόραζα τίποτα από το ίντερνετ. Προτιμούσα τα καταστήματα. Τον περασμένο μήνα όμως πήρα για πρώτη φορά κάποια καλλυντικά από το διαδίκτυο και είμαι πολύ ευχαριστημένη. Θα το ξανακάνω σίγουρα γιατί στο ίντερνετ βρίσκεις προσφορές όλο το χρόνο ενώ τα καταστήματα κάνουν μεγάλες εκπτώσεις συνήθως μόνο δυο τρεις φορές το χρόνο.
Ηλίας:
ζ. Παλιά γύριζα σε πέντε έξι μαγαζιά για να βρω κάτι. Τώρα, με τη δουλειά μου, δεν έχω **τόσο** χρόνο. Μόνο αν είσαι άνεργος έχεις χρόνο, αλλά τότε δεν έχεις χρήματα. Ψωνίζω λοιπόν πάντα στο ίντερνετ. Δεν ξέρω αν είναι πιο οικονομικό, αλλά το κάνω για ευκολία. Βρίσκεις κάτι, το βλέπεις και το φέρνουν στο χώρο σου.
Αντώνης:
η. Και ψώνιζα και συνεχίζω να ψωνίζω στο ίντερνετ, κυρίως ηλεκτρικά ή ηλεκτρονικά είδη. Και πιο οικονομικά είναι και μπορείς να συγκρίνεις τις τιμές πολλών και διαφόρων καταστημάτων. Δεν είναι πολύ σημαντικό αυτό;
Καλλιόπη:
θ. Δεν ψωνίζω γιατί δε θέλω να χρησιμοποιώ την πιστωτική μου κάρτα στο ίντερνετ. Φοβάμαι ότι μπορεί να μπει κάποιος άλλος στο λογαριασμό μου. Ακούς **τόσα** πολλά στις ειδήσεις!

ΚΕΙΜΕΝΟ 42 — 11.15.β. Δύο τηλεφωνήματα στη σειρά — TRACK 250

Α: Αντιγόνη, Δ: Δανάη, Γ: κα Αρετή (Γιαγιά)

Α: Έλα, μαμά! Εγώ είμαι.
Δ: Αντιγόνη; Γιατί μιλάς ψιθυριστά; Τι έγινε;
Α: Σσσστ! Για να μη με ακούσει η γιαγιά. Είμαι μέσα σ' ένα δοκιμαστήριο. Μαμά, βοήθεια! Η γιαγιά τρελάθηκε! Με έφερε σ' ένα κατάστημα και θέλει να μου αγοράσει οπωσδήποτε ένα ροζ φόρεμα. Είναι χάλια! Το φόρεσα και είμαι σαν την Μπάρμπι! Μαμά, μη γελάς! Βοήθησέ με γιατί δε θέλω να μαλώσω με τη γιαγιά. Αχ! Πότε θα επιστρέψει στην Αίγινα; Δεν μπορώ άλλο!
Δ: Έλα, Αντιγόνη μου, ντροπή! Την αγαπάς τη γιαγιά σου! Άσε, θα της τηλεφωνήσω αμέσως. Μην ανησυχείς!
Α: Μην της πεις ότι σε πήρα, εντάξει; Κλείνω τώρα γιατί έρχεται.

Δ: Έλα, μαμά! Πού είσαι;
Γ: Δανάη μου, τι κάνεις; Τελείωσες ήδη τη δουλειά; Επέστρεψες κιόλας σπίτι;
Δ: Ναι και λείπεις κι εσύ και η Αντιγόνη. Τι έγινε; Μαζί είστε;
Γ: Ναι, βγήκαμε για ψώνια σα δυο καλές φιλενάδες. Τώρα είμαστε στην Ερμού, σ' ένα πολυκατάστημα.
Δ: Και; Όλα καλά;
Γ: Θαύμα! Περνάμε υπέροχα! Η Αντιγόνη δοκιμάζει ένα καταπληκτικό φόρεμα που της πάει τέλεια! Σαν κουκλίτσα είναι! Έτσι, Αντιγόνη μου; Μα πού είναι; Εδώ ήταν μόλις τώρα...
Δ: Φόρεμα; Δοκιμάζει φορέματα η Αντιγόνη; Η δική μας Αντιγόνη; Και πώς είναι αυτό το φόρεμα;
Γ: Α, έχει ένα καταπληκτικό ανοιχτό κόκκινο χρώμα και είναι κάπως κοντό, πάνω από το γόνατο. Έχει πολύ χαριτωμένα μανίκια και μια κομψή ζώνη με κεντήματα. Και άκουσε! Είδα στον επάνω όροφο κάτι φοβερές κόκκινες γόβες και θα της πάρω και μια τσαντούλα στο ίδιο χρώμα για να ταιριάζουν. Θα δεις την Αντιγόνη σου και δε θα την αναγνωρίσεις!
Δ Το πρόβλημα είναι ότι μου αρέσει η Αντιγόνη μου όπως ακριβώς είναι!
Γ: Μα, Δανάη μου, ντύνεται σαν αγόρι! Φοράει συνέχεια μαύρα παντελόνια, κάτι περίεργα μπλουζάκια και αθλητικά μποτάκια! Και πάντα με ένα σακίδιο στον ώμο σαν τους ταχυδρόμους. Είδα χτες τη Νεφέλη, την εγγονή της κυρίας Παλαιολόγου, και ήταν σα μικρή κυρία. Με το φορεματάκι της, τις γοβίτσες της, τα κοσμηματάκια της...
Δ: Ναι, αλλά η δική σου εγγονή δεν είναι η Νεφέλη. Η δική σου εγγονή λατρεύει το ποδόσφαιρο, τις σινεφίλ ταινίες και τα ιστορικά βιβλία. Η δική σου εγγονή λατρεύει τα αθλητικά μποτάκια της και σιχαίνεται τα φορέματα και τα κοσμήματα.
Γ: Μα, Δανάη μου, το ντύσιμο είναι σημαντικό! Δείχνει τον άνθρωπο! Δεν πρέπει να μάθει και η Αντιγόνη να ντύνεται σαν κοπελίτσα;
Δ: Μαμά, ξέρω ότι θέλεις το καλό της Αντιγόνης αλλά άφησέ την ήσυχη! Και μην ανησυχείς! Η Αντιγόνη δείχνει με τα ρούχα της ακριβώς αυτό που θέλει να δείξει.

ΚΕΙΜΕΝΟ 43 — 11.16.γ. Θέλω να μου αλλάξετε το σακάκι! — TRACK 252

Υ: Υπάλληλος, Τ: Τόμας, Π: Προϊστάμενος

Υ: Κατάστημα *Αλεξιάδης*, χαίρετε! Πώς μπορώ να σας εξυπηρετήσω;
Τ: Θα ήθελα να μιλήσω με το διευθυντή του καταστήματος, παρακαλώ!
Υ: Δυστυχώς, αυτή τη στιγμή λείπει. Μήπως μπορώ να σας βοηθήσω εγώ;
Τ: Αγόρασα ένα κοστούμι από το κατάστημά σας και έχει ένα **ελάττωμα**. Θα ήθελα να μου το αλλάξετε.
Π: Κατάλαβα. Ένα λεπτό, παρακαλώ. **Θα** σας **συνδέσω** αμέσως με τον **προϊστάμενο** του τμήματος ανδρικών ειδών.
[Σε λίγο]
Π: Παρακαλώ; Πώς μπορώ να σας εξυπηρετήσω;
Τ: Κοιτάξτε, αγόρασα πριν από λίγο ένα κοστούμι από το κατάστημά σας και όταν επέστρεψα σπίτι μου και πήγα να το δοκιμάσω, είδα ότι το σακάκι του έχει ένα ελάττωμα. Θα ήθελα λοιπόν να μου αλλάξετε το σακάκι.
Π: Ναι, ναι, σας θυμάμαι. Εγώ σας εξυπηρέτησα. Αγοράσατε ένα μπλε ριγέ κοστούμι. Ποιο ακριβώς είναι το πρόβλημα;
Τ: Το σακάκι έχει ένα **σχίσιμο** στη δεξιά του τσέπη.
Π: Θα πρέπει να το φέρετε στο κατάστημα για να δούμε τι μπορεί να γίνει. Πιθανόν να μπορέσουμε να το ράψουμε και να μη φαίνεται τίποτα. Βεβαίως, θα σας **επιστρέψουμε** κάποια χρήματα.
Τ: Δε νομίζω ότι μπορείτε να το φτιάξετε γιατί το σχίσιμο πάλι θα φαίνεται. Είναι σε περίεργο σημείο. Προτιμώ να μου αλλάξετε το σακάκι.
Π: Όπως νομίζετε. Φέρτε μας αύριο, παρακαλώ, το κοστούμι καθώς και την απόδειξη. Θα ζητήσετε εμένα. Λέγομαι Άρης Πρωτοψάλτης.
Τ: Μια ερώτηση, παρακαλώ. Υπάρχει άλλο ίδιο σακάκι στο νούμερό μου; Φοράω πενήντα.
Π: Ένα λεπτό να κοιτάξω. *[Σε λίγο]* Υπάρχει ένα κοστούμι ακόμα. Θα σας το κρατήσω. Και, κύριε, λυπάμαι πραγματικά. Είναι η πρώτη φορά που συμβαίνει αυτό στο κατάστημά μας. Σας ζητώ συγγνώμη για την **ταλαιπωρία**.
Τ: Τι να κάνουμε; Αυτά συμβαίνουν παντού.

ΚΕΙΜΕΝΟ 44 — 11.18.α. Τι δώρο να πάρω; — TRACK 257

Δ: Δανάη, Μ: Μανόλης

Ο Μανόλης πηγαίνει στο σπίτι της μεγάλης του αδελφής, της Δανάης, γιατί χρειάζεται πάλι τη βοήθειά της.

Δ: Λοιπόν, Μάνο, τι έγινε;
Μ: Θέλω βοήθεια, Δανάη μου. Έχω μεγάλο πρόβλημα. Μέχρι το Σάββατο πρέπει να αγοράσω δυο πολύ ωραία δώρα για το βαφτιστήρι μου, την Αμαλία, και τη μαμά της.
Δ: Αυτό είναι το πρόβλημα; Κι εγώ που νόμισα ότι κάτι συνέβη στη δουλειά σου...
Μ: Κοίταξε, μέχρι τώρα αυτά τα έκανε η Κατερίνα. Τώρα που χωρίσαμε πρέπει να τα καταφέρω μόνος μου. Κι εγώ δεν ξέρω τίποτα από αυτά. Πώς να διαλέξω δώρα για δυο γυναίκες;
Δ: Έλα, βρε Μανόλη! Δυο γυναίκες! Παιδάκι είναι η Αμαλία! Δεν ξέρεις τι θέλει; Δε σου ζήτησε κάτι;
Μ: Μού ζήτησε αλλά δεν ξέρω αν είναι κατάλληλο δώρο. Θέλει ένα κινητό και μάλιστα να είναι ροζ με άσπρα λουλουδάκια. Μου το ζωγράφισε κιόλας.
Δ: Κινητό; Πόσων χρόνων είναι;
Μ: Ξέρω εγώ; Έξι, επτά, οκτώ...;
Δ: Αχ, βρε Μάνο μου! Δε θυμάσαι την ηλικία της; Τέλος πάντων... είναι πολύ μικρή. Κάπου διάβασα ότι δεν είναι σωστό να έχουν κινητό τα παιδιά **κάτω των οκτώ ετών**. Και για πιο μεγάλα παιδιά, πάλι οι γονείς πρέπει να αποφασίζουν πότε θα πάρουν. Επομένως... μην της πάρεις κινητό! Θα θυμώσουν οι γονείς της!

Μ: Να της πάρω ένα σκυλάκι; Η μικρή θα πετάξει από τη χαρά της!
Δ: Τρελάθηκες, Μάνο; Θα της πάρεις κατοικίδιο χωρίς να ρωτήσεις τους γονείς της που θα το φροντίζουν; Δε θα σου ξαναμιλήσουν, είμαι σίγουρη. Βρες άλλο δώρο!
Μ: Μα τι άλλο; Κούκλες δε θέλει. Μου είπε να μην της ξαναπάρω γιατί «οι κούκλες είναι για τα μωρά». Τα βιβλία τής αρέσουν αλλά έχει ήδη πολλά και δεν ξέρω και ποια έχει. Και αν της πάρω ταινίες dvd ή παιχνίδια κομπιούτερ, πάλι θα θυμώσουν οι γονείς της γιατί πιστεύουν ότι ήδη περνά πολλή ώρα μπροστά σε μια οθόνη. Σου λέω έχω μεγάλο πρόβλημα!
Δ: Κανένα ρούχο; Τι λες; Μπορώ να σε βοηθήσω εγώ να διαλέξεις.
Μ: Της αρέσουν τα ρούχα αλλά προτιμάει να τα διαλέγει μόνη της.
Δ: Ε, βέβαια, μεγάλωσε πια! Λοιπόν, έχω μια φανταστική ιδέα! Να της πάρεις ένα ποδήλατο! Δε νομίζω ότι έχει.
Μ: Μπράβο, Δανάη μου! Δεν έχει και θέλει να μάθει. Έχουν ένα μεγάλο κήπο και θα κάνει εκεί ποδήλατο. Θα χαρούν και οι γονείς της που θέλουν να περνάει περισσότερη ώρα έξω από το σπίτι. Θα της βρω κι ένα ποδήλατο με ροζ χρώμα! Αχ, σ'ευχαριστώ! Να είσαι καλά! Με έσωσες!
Δ: Μάνο, αρκετά με τα «ευχαριστώ»! Δεν ήταν και τόσο δύσκολο όσο νόμιζες. Τώρα το δεύτερο δώρο... Αλήθεια, γιατί πρέπει να πάρεις δώρο και για τη μητέρα της;
Μ: Η Αμαλία γιορτάζει το Σάββατο και η μαμά της την Παρασκευή. Θα κάνουν πάρτι και για τις δυο μαζί.
Δ Α, ναι. Σωστά. Αλεξάνδρα λέγεται η κουμπάρα σου. Λοιπόν αυτό είναι πιο εύκολο. Να της πάρεις ένα άρωμα.
Μ: Άρωμα; Δεν ξέρω εγώ από αυτά!
Δ: Δεν πειράζει. Θα πας σε ένα μεγάλο κατάστημα με καλλυντικά, θα πάρεις ένα καλό ΓΥΝΑΙΚΕΙΟ άρωμα και δε θα ξεχάσεις να πάρεις και κάρτα αλλαγής. Μην ανησυχείς! Αν δεν της αρέσει, θα πάει να το αλλάξει και θα πάρει αυτό που θέλει ή καμιά κρέμα προσώπου ή κάτι άλλο. Θα είναι πολύ ευχαριστημένη με το δώρο σου, να είσαι σίγουρος!
Μ: Εντάξει, αυτό μπορώ να το κάνω. Με έσωσες, Δανάη! Σ'ευχαριστώ πολύ!
Δ: Τίποτα, Μάνο μου. Μακάρι όλα τα προβλήματα να ήταν τόσο εύκολα!

ΚΕΙΜΕΝΟ 45 **11.19.δ. Το πλυντήριο τρέχει νερά!** **TRACK 261**

Υ: Υδραυλικός, Π: κα Παπίδου

Υ: Καλησπέρα σας! Πώς μπορώ να σας βοηθήσω;
Π: Κύριε Χριστόφορε, καλησπέρα. Είμαι η Έρση Παπίδου από το ξενοδοχείο *Έρση* στο Χαλάνδρι.
Υ: Α, μάλιστα! Τι κάνετε, κυρία Παπίδου; Όλα καλά;
Π: Δυστυχώς όχι, κύριε Χριστόφορε. Έχω πρόβλημα με το καινούργιο πλυντήριο ρούχων. **Τρέχει νερά**. Όλο το υπόγειό μας γέμισε νερό! Ακόμα σφουγγαρίζουμε.
Υ: Τρέχει νερά; Από πού; Από την πόρτα ή από κάτω;
Π: Νομίζω από κάτω. Αλλά δεν είναι μόνο αυτό. Το βάλαμε να λειτουργεί το απόγευμα, έφτασε στη μέση του προγράμματος και ξαφνικά σταμάτησε. Περιμέναμε δύο ολόκληρες ώρες αλλά δεν έγινε τίποτα. Ούτε προχώρησε το πρόγραμμα ούτε έσβησε το πλυντήριο. Και μόλις το έκλεισα εγώ, άρχισε αμέσως να τρέχει νερά.
Υ: Ποιο πρόγραμμα βάλατε;
Π: Ένα από τα μεγάλα προγράμματα. Αυτό με την πρόπλυση και τους 60 βαθμούς για βαμβακερά σεντόνια, πετσέτες κ.λπ. Τι να κάνω, κύριε Χριστόφορε;
Υ: Διαβάσατε τις οδηγίες χρήσης; Δε λέει κάτι μέσα;
Π: Τις διάβασα τρεις φορές! Τις διάβασε και ο άντρας μου. Δε λένε τίποτα για αυτό το πρόβλημα.
Υ: Κάτι δεν πάει καλά με τα προγράμματα, κυρία Παπίδου. Κοιτάξτε, το πλυντήριο είναι καινούργιο και σας καλύπτει η εγγύηση. Το πιο σωστό λοιπόν είναι να πάρετε τηλέφωνο την εταιρεία που το έφτιαξε ή το κατάστημα από όπου το αγοράσατε. Σε μια άλλη πελάτισσά μου με το ίδιο πρόβλημα της άλλαξαν το πλυντήριο και της έδωσαν καινούργιο.
Π: Ναι, κύριε Χριστόφορε, αλλά είναι Σάββατο απόγευμα και όλα είναι κλειστά. Θα ανοίξουν τη Δευτέρα. Δεν μπορούμε να μείνουμε έτσι όλο το Σαββατοκύριακο! Ξενοδοχείο έχουμε. Σας παρακαλώ, ελάτε να το δείτε!
Υ: Λοιπόν, ακούστε. Τώρα είμαι σ' έναν άλλο πελάτη στο Χολαργό αλλά τελειώνω. Με περιμένει βέβαια η γυναίκα μου για να πάμε σινεμά αλλά θα της πω να πάμε στη βραδινή προβολή. Σε καμιά ωρίτσα θα είμαι σ' εσάς. Εντάξει;
Π: Σας ευχαριστώ πολύ, κύριε Χριστόφορε. Σας περιμένω.
Υ: Α, και κυρία Παπίδου! Σταματήστε τα σφουγγαρίσματα και βγάλτε τη συσκευή από την πρίζα! Μην πάθει κανείς **ηλεκτροπληξία**!

ΑΞΙΟΛΟΓΗΣΗ - Κατανόηση προφορικού λόγου

ΚΕΙΜΕΝΟ 46 **11.22. Διαφημίσεις** **TRACK 264**

α. Η ζωή περνάει... Μην περιμένετε άλλο! Μαζί μας θα κάνετε το καλύτερο ταξίδι της ζωής σας σε τιμή ευκαιρίας. Εσείς βρείτε το χρόνο και τον τόπο κι εμείς θα βρούμε τον τρόπο!

β. Όλα όσα θέλετε για τον υπολογιστή σας με ένα κλικ! Από το κατάστημά μας στην πόρτα σας! Ψωνίστε έξυπνα! Και... αφήστε τους άλλους να ψάχνουν.

γ. Τα θέλετε «**όλα δικά σας**»; Και επώνυμα και φτηνά; Ελάτε σε εμάς! Θα βρείτε τα καλύτερα ρούχα και αξεσουάρ της αγοράς στις πιο χαμηλές τιμές!

δ. - Χάλασε το κινητό μου! Και τώρα; Τι θα κάνω τώρα;
- Μη φοβάστε! Στα καταστήματα μας θα το φτιάξουμε αμέσως ή θα σας δώσουμε ένα άλλο μέχρι να επισκευάσουμε το δικό σας!

ε. Ταξίδι στις **γεύσεις** της Ανατολής με ένα τηλεφώνημα. Δοκιμάστε την κουζίνα του *Τάρας* και ξεχάστε τις πίτσες και τα σουβλάκια! Υψηλή ποιότητα από το πιο «γρήγορο φαγητό» της πόλης!

ζ. Αρχίζει το σχολείο και ακόμη δεν κάνατε τα ψώνια για το παιδί σας; Μην ανησυχείτε! Εδώ είμαστε! Στο κατάστημά μας έχουμε όλα όσα χρειάζονται οι μικροί μας ήρωες για τη νέα σχολική χρονιά!

η. Εσείς διαλέξτε εμάς κι εμείς θα φροντίσουμε να κάνετε τον καλύτερο ύπνο της ζωής σας! Στρώματα *Βελλής*. Ποιότητα στην καθημερινή ζωή.

Β. ΤΟ ΤΡΑΓΟΥΔΙ ΜΑΣ

11.26. Σ' το' πα και σ' το ξαναλέω (1973) **TRACK 266**

Μουσική, στίχοι,: Παραδοσιακό, ερμηνεία: Αρετή Κετιμέ

Σ' το 'πα και σ' το ξαναλέω
στο **γιαλό** μην κατεβείς] δις
κι ο γιαλός κάνει **φουρτούνα**
και σε πάρει και **διαβείς.**] δις

Κι αν με πάρει που με πάει
κάτω στα **βαθιά** νερά,
κάνω το **κορμί** μου βάρκα,
τα χεράκια μου **κουπιά**,
το **μαντήλι** μου πανάκι,
μπαινοβγαίνω στη **στεριά**.

Σ' το 'πα και σ' το ξαναλέω
μη μου γράφεις **γράμματα**,] δις
γιατί γράμματα δεν ξέρω
και **με πιάνουν κλάματα**.] δις

Βήμα 12 Υγεία και διατροφή

Α. ΜΕΤΑΓΡΑΦΗ ΚΕΙΜΕΝΩΝ ΓΙΑ ΚΑΤΑΝΟΗΣΗ ΠΡΟΦΟΡΙΚΟΥ ΛΟΓΟΥ (47 - 49)

ΚΕΙΜΕΝΟ 47 — 12.4. Στο φαρμακείο της γειτονιάς μου — TRACK 271

Φ: Φαρμακοποιός, Π: Πελάτισσα (Γαλλίδα)

Φ: Καλημέρα σας! Πώς μπορώ να σας βοηθήσω;
Π: Κοιτάξτε... Έχω αυτή τη συνταγή του παιδιάτρου για το γιο μου.
Φ: Ένα λεπτό... Λοιπόν, έχω το παυσίπονο και τις καραμέλες για το λαιμό. Δυστυχώς το παιδικό σιρόπι για το βήχα που γράφει ο γιατρός σας δεν το έχω. Μπορώ είτε να το παραγγείλω και να το πάρετε αύριο είτε να σας δώσω αυτό εδώ το σιρόπι από βότανα.
Π: Τι θα πει αυτό;
Φ: Είναι από φυτά και επομένως κατάλληλο για παιδιά.
Π.: Πολύ ωραία! Θέλω και μια αλοιφή για τα κουνούπια, ένα μπουκαλάκι καθαρό οινόπνευμα κι ένα πακέτο βαμβάκι. Να σας πω... τα μάτια μου είναι πολύ κόκκινα και με πονάνε. Τι μπορεί να είναι;
Φ: Είτε έχετε κάποια αλλεργία είτε σας κόλλησε γρίπη ο γιος σας. Αυτές οι σταγόνες είναι πολύ καλές. Θα βάζετε δύο σε κάθε μάτι, τρεις φορές την ημέρα. Αν όμως οι σταγόνες δε σας βοηθήσουν, να πάτε σ' έναν οφθαλμίατρο.
Π: Εντάξει! Αυτά που πήρα, πόσο κάνουν;
Φ: Σαράντα τρία ευρώ κι εξήντα λεπτά.
Π: Έχω πεντακοσάρικο.
Φ: Τι; Πεντακοσάρικο; Δεν έχω να σας το χαλάσω.
Π: Με συγχωρείτε. Πεντακοσάρικο είπα; Πενηντάρικο ήθελα να πω.

ΣΥΜΠΛΗΡΩΜΑΤΙΚΑ ΚΕΙΜΕΝΑ ΜΕ ΑΣΚΗΣΕΙΣ

ΚΕΙΜΕΝΟ 48 — 12.16. Κάνουμε ένα χαλβά; — TRACK 282

Ν: Νίκος, Κ: Κορίνα

Ν: Κορίνα, μεθαύριο είναι Καθαρά Δευτέρα και θα πάμε στο εξοχικό του αδελφού σου. Τι λες, κάνουμε ένα χαλβά και μία **σπανακόπιτα**;
Κ: Τι ώρα κλείνουν τα καταστήματα; Έχουμε ώρα;
Ν: Έχουμε περίπου μία ώρα. Το Σάββατο τα σούπερ μάρκετ κλείνουν στις οκτώ.
Κ: Εντάξει. Βάζω ένα μπουφάν, παίρνω την τσάντα μου και φεύγουμε.
Ν: **Λίστα** δε θα κάνουμε;
Κ: Θα την κάνουμε **στο δρόμο.** Παίρνω μολύβι και χαρτί.
Στο αυτοκίνητο
Κ: Αρχίζουμε από το χαλβά.
Ν: Ξέρεις τη συνταγή **απέξω**;
Κ: Ε, βέβαια! Είναι εύκολη συνταγή. Η συνταγή του 1, 2, 3, 4. Λοιπόν, θέλουμε 1 ποτήρι λάδι, 2 ποτήρια ζάχαρη, 3 ποτήρια **σιμιγδάλι** και 4 ποτήρια νερό. Θέλουμε επίσης **αμύγδαλα** και **κανέλα**.
Ν: Από υλικά χρειαζόμαστε μόνο σιμιγδάλι. Όλα τα άλλα τα έχουμε στο σπίτι.
Κ: Θέλουμε και αμύγδαλα. Δεν έχουμε. Έχουμε μόνο **αλμυρά** στο σπίτι.
Ν: Εντάξει, και αμύγδαλα. Για τη σπανακόπιτα τώρα...
Κ: Για τη σπανακόπιτα χρειαζόμαστε ένα πακέτο **φύλλο** και ενάμισι κιλό **σπανάκι** φρέσκο. Κρεμμύδια, άνηθο, **πράσα** έχουμε.
Ν: Λεφτά έχουμε;

ΑΞΙΟΛΟΓΗΣΗ - Κατανόηση προφορικού λόγου

ΚΕΙΜΕΝΟ 49 — 12.26. Μην πετάτε τις φλούδες λεμονιού — TRACK 292

Τελευταία όλοι ασχολούνται με την υγιεινή διατροφή και η μαγειρική έγινε μόδα ξανά. Εγώ θέλω να σας μιλήσω για το απλό... λεμόνι. Πρώτα θα εξηγήσω πώς να χρησιμοποιούμε ολόκληρο το λεμόνι όταν μαγειρεύουμε και μετά θα σας πω γιατί το λεμόνι είναι πολύ χρήσιμο στη διατροφή μας.

Πολλοί μάγειρες σε εστιατόρια και ξενοδοχεία χρησιμοποιούν ολόκληρο το λεμόνι χωρίς να πετούν τίποτε. Πώς μπορούμε να χρησιμοποιήσουμε ολόκληρο το λεμόνι χωρίς να πετάξουμε τίποτε; Απλώς βάλτε το λεμόνι στην **κατάψυξη**. Όταν το λεμόνι παγώσει, πάρτε τον τρίφτη σας, τρίψτε ολόκληρο το λεμόνι, με τη φλούδα του, και ρίξτε το πάνω σε όλα σας τα φαγητά, στη σαλάτα, στα γλυκά, στον καφέ, στο τσάι, στο παγωτό, στα αναψυκτικά και γενικά παντού! Το λεμόνι θα δώσει σε όλα μια καλύτερη γεύση.

Οι πιο πολλοί από εμάς νομίζουν ότι μόνο η πορτοκαλάδα έχει **βιταμίνη** C. Το ίδιο συμβαίνει και με το λεμόνι. Τώρα που μάθατε αυτό το μυστικό του λεμονιού, μπορείτε να το χρησιμοποιήσετε παντού.

Γιατί είναι σημαντικό να χρησιμοποιείτε ολόκληρο το λεμόνι; Πρώτα, για το περιβάλλον: πετάτε λιγότερα σκουπίδια. Μετά για τη γεύση: φτιάχνει τη γεύση σε όλα σας τα φαγητά. Τέλος, για την υγεία: οι φλούδες λεμονιού περιέχουν 5 έως 10 φορές περισσότερες βιταμίνες από το χυμό του λεμονιού και δυστυχώς εμείς τις φλούδες πετάμε... Οι φλούδες του λεμονιού βοηθούν το σώμα μας να διώξει τα **τοξικά** στοιχεία που μπαίνουν μέσα μας από τις τροφές και το περιβάλλον. Είναι επίσης κατά του **καρκίνου** και του άγχους!

Πέστε κι εσείς με τη σειρά σας στους φίλους σας και στους αγαπημένους σας ανθρώπους, πόσο χρήσιμη είναι η φλούδα του λεμονιού για την υγεία τους και πόσο εύκολο είναι να τη χρησιμοποιούν κάθε μέρα!

Β. ΤΟ ΤΡΑΓΟΥΔΙ ΜΑΣ

12.31. Το δίχτυ (1983) TRACK 294

Στίχοι: Νίκος Γκάτσος, μουσική: Σταύρος Ξαρχάκος, πρώτη εκτέλεση: Τάκης Μπίνης, ερμηνεία: Βίκη Μοσχολιού

Κάθε φορά που ανοίγεις δρόμο στη **ζωή**
μην περιμένεις να σε **βρει** το μεσονύχτι,
έχε τα **μάτια** σου ανοιχτά **βράδυ πρωί**
γιατί μπροστά σου πάντα απλώνεται ένα **δίχτυ**.] δις

*Αν κάποτε στα βρόχια του **πιαστείς**,*
*κανείς δεν θα **μπορέσει** να σε **βγάλει**,*
μονάχος** βρες την άκρη της **κλωστής
*κι αν είσαι **τυχερός** ξεκίνα πάλι.*] δις

Αυτό το δίχτυ έχει **ονόματα** βαριά
που είναι **γραμμένα** σ' επτασφράγιστο κιτάπι.
Άλλοι το λεν(ε) του **κάτω κόσμου** πονηριά
κι άλλοι το λεν της **πρώτης** άνοιξης **αγάπη**.] δις

R

Βήμα 13 Σπουδές & επαγγέλματα

Α. ΜΕΤΑΓΡΑΦΗ ΚΕΙΜΕΝΩΝ ΓΙΑ ΚΑΤΑΝΟΗΣΗ ΠΡΟΦΟΡΙΚΟΥ ΛΟΓΟΥ (50 - 53)

ΚΕΙΜΕΝΟ 50 — 13.4. Μια συνέντευξη για δουλειά — TRACK 299

Το e-mail
Αγαπητέ κύριε Μπαλίκιν,
Πήραμε το βιογραφικό σας για τη θέση του βιολιστή στην Ορχήστρα Σύγχρονης Μουσικής.
Η διευθύντρια της Ορχήστρας, κυρία Παπαδάτου, σας περιμένει για συνέντευξη, την Τετάρτη, 10 Οκτωβρίου στις έντεκα το πρωί, στα γραφεία μας, στη λεωφόρο Ποσειδώνος 308, στο Νέο Φάληρο.
Για κάθε πληροφορία, επικοινωνήστε μαζί μας στο τηλέφωνο: 210 9812456.

Ευχαριστούμε

Από τη γραμματεία
Χριστίνα Μακρίδη

Το τηλεφώνημα
Κυρία Μακρίδη: Ορχήστρα Σύγχρονης Μουσικής. Ορίστε, παρακαλώ!
Πάβελ: Καλημέρα σας. Λέγομαι Πάβελ Μπαλίκιν. Παίρνω τηλέφωνο για το ραντεβού μου με την κυρία Παπαδάτου. Είναι για την Τετάρτη, 10 Οκτωβρίου στις έντεκα το πρωί.
Κυρία Μακρίδη: Είναι εντάξει, κύριε Μπαλίκιν. Σας περιμένουμε. Είμαστε στον τέταρτο όροφο. Μόλις βγείτε από το ασανσέρ, η πρώτη πόρτα δεξιά είναι το γραφείο της διευθύντριας.

Η συνέντευξη

Δ: Διευθύντρια, Π: Πάβελ

Δ: Καλημέρα, κύριε Μπαλίκιν.
Π: Καλημέρα σας!
Δ: Είδα το βιογραφικό σας και διάβασα τις συστατικές επιστολές από τους προηγούμενους εργοδότες σας. Σας ακούσαμε και πιστεύουμε ότι είστε πολύ καλός βιολιστής. Νομίζω ότι μπορείτε να δουλέψετε στην ορχήστρα μας. Παίζετε και κάποιο άλλο όργανο;
Π: Ναι, έχω πτυχίο πιάνου.
Δ: Πολύ ωραία! Είδα στο βιογραφικό σας ότι παρακολουθείτε και μαθήματα μουσικής τεχνολογίας.
Π: Ναι, και θέλω να συνεχίσω αυτά τα μαθήματα. Γι' αυτό θα ήθελα να ξέρω το ωράριο εργασίας. Δε θα ήθελα να έχω πλήρες ωράριο, αν είναι δυνατόν.
Δ: Θα έχετε μειωμένο ωράριο. Από τις εννιάμισι το πρωί μέχρι τη μία το μεσημέρι. Πριν από κάθε συναυλία θα κάνετε αρκετές υπερωρίες, με αμοιβή βεβαίως.
Π: Μάλιστα, και ποια μέρα θα έχω ρεπό;
Δ: Ρεπό θα έχετε κάθε Δευτέρα. Τώρα... ο μισθός σας θα είναι ο βασικός, συν την ασφάλεια και τις υπερωρίες. Αύξηση θα πάρετε μετά από δύο χρόνια.Τι λέτε; Θα θέλατε να δουλέψετε σ' εμάς;
Π: Βεβαίως και σας ευχαριστώ πολύ. Πότε μπορώ ν' αρχίσω;
Δ: Από τον επόμενο μήνα. Ελάτε αύριο το απόγευμα να υπογράψετε τη σύμβαση. Θα ζητήσετε τον κύριο Ποταμίτη, το λογιστή μας. Θα είμαι κι εγώ εκεί. Πρέπει να έχετε μαζί σας το διαβατήριο, την άδεια εργασίας σας και μια πρόσφατη φωτογραφία.
Π: Εντάξει. Και οι πρόβες πού γίνονται;
Δ: Εδώ, σ' αυτό το κτήριο. Στο ισόγειο υπάρχει μία αίθουσα συναυλιών και στον πρώτο όροφο ένας μικρός χώρος εργασίας με υπολογιστές. Καλή σας αρχή!
Π: Σας ευχαριστώ πολύ.
Δ: **Τα λέμε** αύριο λοιπόν!

ΚΕΙΜΕΝΟ 51 — 13.16. Μαθήματα κιθάρας — TRACK 309

- Ωδείο Αθηνών, καλημέρα σας!
- Καλημέρα σας. Θα ήθελα να ζητήσω πληροφορίες για μαθήματα κιθάρας. Πότε ξεκινούν, παρακαλώ;
- Ξεκινάμε την άλλη εβδομάδα, στις 12 Οκτωβρίου.
- Έχετε μαθήματα το πρωί;
- Όχι, δυστυχώς! Μόνο το απόγευμα, Δευτέρα και Πέμπτη, έξι με δέκα.
- Διδάσκει φέτος η κυρία Δημοπούλου;

- Όχι, πήρε σύνταξη. Διδάσκει ο κύριος Γρηγορόπουλος.
- Και πόσα είναι τα δίδακτρα;
- Είναι 600 ευρώ το χρόνο και τα δίνετε σε δύο δόσεις, 300 με την εγγραφή και τα υπόλοιπα τον Ιανουάριο.
- Κάνετε κάποια έκπτωση στους φοιτητές;
- Μάλιστα, ένα 25%.
- Υπάρχουν θέσεις για αρχαρίους ή μόνο για μεσαίους και προχωρημένους;
- Ακόμα υπάρχουν και για αρχάριους.
- Σας ευχαριστώ πολύ. Θα περάσω αύριο το πρωί για την εγγραφή μου.
- Μην ξεχάσετε να φέρετε τη φοιτητική σας ταυτότητα για την έκπτωση!

ΚΕΙΜΕΝΟ 52 **13.24. ΕΛΤΑ. Ελληνικά Ταχυδρομεία** **TRACK 319**

Στα ΕΛΤΑ μπορείτε να στείλετε και να παραλάβετε την αλληλογραφία σας και τα δέματά σας
- Επιστολές (γράμματα) απλά / συστημένα / εξπρές (**κατεπείγον**)
- **Ευχετήριες κάρτες**
- Δέματα

Στα ΕΛΤΑ μπορείτε
- να στείλετε χρήματα με ταχυδρομική **επιταγή** - να πάρετε τη σύνταξή σας - να πληρώσετε τους λογαριασμούς σας
- να πληρώσετε τα **τέλη** κυκλοφορίας του αυτοκινήτου σας

Η **υπηρεσία** ΠΟΡΤΑ-ΠΟΡΤΑ Οι **ταχυμεταφορές** μας

Από την ΠΟΡΤΑ του αποστολέα στην ΠΟΡΤΑ του παραλήπτη την ίδια μέρα στην ίδια πόλη, την άλλη μέρα σε όλες τις πόλεις της Ελλάδας

Στα ΕΛΤΑ μπορείτε να αγοράσετε
- γραμματόσημα - φακέλους - **κάρτες τηλεφωνίας** - **χαρτοκιβώτια συσκευασίας** - γραμματοκιβώτιο οικιών

Δωρεάν αποστολή στο σπίτι σας

ΑΞΙΟΛΟΓΗΣΗ - Κατανόηση προφορικού λόγου

ΚΕΙΜΕΝΟ 53 **13.28. Η δημοσκόπηση** **TRACK 321**

Δ: Δημοσιογράφος Α: Κύριος Αλεξίου

*Μία ιδιωτική εταιρεία κάνει μια έρευνα για την ελληνική οικογένεια (Εργασία & ηλικία ενηλίκων - Αριθμός, ηλικία & **εκπαίδευση** παιδιών).*

Δ: Καλημέρα, κύριε Νίκο Αλεξίου, είστε έτοιμος για τη **συνέντευξη**;
Α: Βεβαίως!
Δ: Πόσων ετών είστε;
Α: Είμαι 40 ετών.
Δ: Ποιο είναι το επάγγελμά σας; Πού εργάζεστε;
Α: Είμαι πολιτικός μηχανικός και έχω μια τεχνική εταιρεία.
Δ: Και η σύζυγός σας;
Α: Η Μελίνα είναι 37 ετών. Είναι χημικός και δουλεύει σε ένα εργοστάσιο χρωμάτων.
Δ: Πόσων χρονών είναι οι γονείς σας; Εργάζονται ακόμη;
Α: Ο πατέρας μου είναι οικονομολόγος και δουλεύουμε μαζί. Είναι εξήντα οκτώ ετών. Η μητέρα μου είναι εξήντα έξι ετών και είναι συνταξιούχος. Πήρε τη σύνταξή της πέρυσι. Ήταν καθηγήτρια στο Πανεπιστήμιο Αθηνών.
Δ: Και οι γονείς της συζύγου σας, με τι ασχολούνται;
Α: Η πεθερά μου είναι δυστυχώς χήρα. Είναι 65 χρονών και ασχολείται με τα οικιακά.
Δ: Πόσα παιδιά έχετε, κύριε Αλεξίου;
Α: Έχω τρία παιδιά. Δύο γιους και μία κόρη.
Δ: Να σας ζήσουν! Πάνε σε ιδιωτικό ή σε δημόσιο σχολείο;
Α: Οι δύο γιοι μου είναι φοιτητές και η κόρη μου πάει σ' ένα δημόσιο σχολείο.
Δ: Πόσων ετών είναι τα παιδιά σας;
Α: Ο πιο μεγάλος γιος μου ο Στέλιος, είκοσι ενός ετών, είναι φοιτητής στο τρίτο έτος της ιατρικής στο Πανεπιστήμιο Αθηνών. Ο δεύτερος γιος μου, ο Άρης, δεκαοχτώ ετών, πήρε το απολυτήριό του Λυκείου με Άριστα, έδωσε εξετάσεις, μπήκε στο Πολυτεχνείο και είναι φοιτητής αρχιτεκτονικής, στο πρώτο έτος. Η κόρη μου, η Μίνα, είναι δώδεκα ετών. Τελείωσε την Έκτη Δημοτικού με *Λίαν καλώς* και θα πάει σ' ένα μουσικό γυμνάσιο.
Δ: Κύριε Αλεξίου, τελειώσαμε. Να σας ζήσουν τα παιδιά και σας ευχαριστώ πολύ για την βοήθειά σας.

Β. ΤΟ ΤΡΑΓΟΥΔΙ ΜΑΣ

13.32. Χρυσοπράσινο φύλλο (1964) **TRACK 323**

Στίχοι: Λεωνίδας Μαλένης, Μουσική: Μίκης Θεοδωράκης

Γη της λεμο**νιάς**, της ε**λιάς**,
γη της αγκα**λιάς**, της χα**ράς**,
γη του πεύ**κου**, του κυπαρι**σσιού**,
των παλικα**ριών** και της αγά**πης**.

Χρυσοπράσινο φύλλο
ριγμένο στο πέλαγο.

Γη του ξεραμέ**νου** λιβα**διού**,
γη της πικραμέ**νης** Πανα**γιάς**,
γη του λί**βα**, τ' άδι**κου** χα**μού**,
τ' ά**γριου** και**ρού**, των ηφαι**στείων**.

Χρυσοπράσινο φύλλο
ριγμένο στο πέλαγο.

Γη των κορι**τσιών** που γελούν,
γη των αγο**ριών** που μεθούν,
γη του μύ**ρου**, του χαιρετι**σμού**,
Κύπρος της αγά**πης** και του ονεί**ρου**.

Χρυσοπράσινο φύλλο
ριγμένο στο πέλαγο.

3 Περιεχόμενα πινάκων γραμματικής

ΠΙΝΑΚΕΣ ΓΡΑΜΜΑΤΙΚΗΣ

1. ΤΑ ΑΡΘΡΑ

1.1. Οριστικό άρθρο

	Ενικός A1-B1-ΓΡ.1*			Πληθυντικός A1-B11-ΓΡ.1		
Ονομαστική **A1-B1-ΓΡ.1**	ο	η	το	οι	οι	τα
Γενική **A1-B13-ΓΡ.1**	του	της	του	των	των	των
Αιτιατική **A1-B4-ΓΡ.1**	το(ν)	τη(ν)	το	τους	τις	τα

1.2. Αόριστο άρθρο

Ενικός A1-B3-ΓΡ.1 / A1-B5-ΓΡ.1		
ένας	μια/μία	ένα
ενός	μιας/μίας	ενός
ένα(ν)	μια/μία	ένα

* **A1** = ΒΙΒΛΙΟ A1 **B1** = ΒΗΜΑ 1 **ΓΡ1** = ΓΡΑΜΜΑΤΙΚΗ 1

1.3. Η πρόθεση *σε* + οριστικό άρθρο (αιτ.) A1-B5-ΓΡ.2

Ενικός αριθμός				Πληθυντικός αριθμός			
	σε + το(ν)	σε + τη(ν)	σε + το		σε + τους	σε + τις	σε + τα
Αιτιατική	**στο(ν)**	**στη(ν)**	**στο**	Αιτιατική	**στους**	**στις**	**στα**

2. ΤΑ ΟΝΟΜΑΤΑ

Οι πτώσεις

Πτώση	Ερώτηση
Ονομαστική	**ποιος;**
Γενική	**ποιανού / τίνος;**
Αιτιατική	**ποιον; τι;**

2.1. Αρσενικά ονόματα σε *-ης, -ας, -ος* A1-B3-ΓΡ.2

Ενικός									
		-ης		-ας			-ος		
Ον.	ο	μαθητ**ής**	εργάτ**ης**	πίνακ**ας**	πατέρ**ας**	άντρ**ας**	ουραν**ός**	δρόμ**ος**	**ά**νθρωπ**ος**
Γεν.	του	μαθητ**ή**	εργάτ**η**	πίνακ**α**	πατέρ**α**	άντρ**α**	ουραν**ού**	δρόμ**ου**	ανθρ**ώ**π**ου**
Αιτ.	το(ν)	μαθητ**ή**	εργάτ**η**	πίνακ**α**	πατέρ**α**	άντρ**α**	ουραν**ό**	δρόμ**ο**	άνθρωπ**ο**
Κλ.	-	μαθητ**ή**	εργάτ**η**	πίνακ**α**	πατέρ**α**	άντρ**α**	ουραν**έ**	δρόμ**ε**	άνθρωπ**ε**
Πληθυντικός									
Ον.	οι	μαθητ**ές**	εργ**ά**τ**ες**	πίνακ**ες**	πατέρ**ες**	άντρ**ες**	ουραν**οί**	δρόμ**οι**	**ά**νθρωπ**οι**
Γεν.	των	μαθητ**ών**	εργατ**ών**	πιν**ά**κ**ων**	πατέρ**ων**	άντρ**ών**	ουραν**ών**	δρόμ**ων**	ανθρ**ώ**π**ων**
Αιτ.	τους	μαθητ**ές**	εργ**ά**τ**ες**	πίνακ**ες**	πατέρ**ες**	άντρ**ες**	ουραν**ούς**	δρόμ**ους**	ανθρ**ώ**π**ους**
Κλ.	-	μαθητ**ές**	εργ**ά**τ**ες**	πίνακ**ες**	πατέρ**ες**	άντρ**ες**	ουραν**οί**	δρόμ**οι**	άνθρωπ**οι**

*Όπως ο μαθητ**ής**:*

A1* γυμναστής, διαχειριστής, διευθυντής, δικαστής, εκτυπωτής, θεατής, καθηγητής, μαθητής, μικροπωλητής, παρουσιαστής, ποιητής, πρωταγωνιστής, πωλητής, τηλεφωνητής, τραγουδιστής, υπολογιστής, φοιτητής, φορτιστής.

A2* αθλητής, ακροατής, βιολιστής, βουδιστής, βουλευτής, διαιτητής, εκφωνητής, ενοικιαστής, ευρωβουλευτής, εφοπλιστής, ινδουιστής, καταναλωτής, κομμωτής, λογιστής, παρουσιαστής, πειρατής, ποδοσφαιριστής, πρεσβευτής, προπονητής, συμφοιτητής, τηλεθεατής, τηλεπαρουσιαστής, φεμινιστής, χρηματιστής.

** Λέξεις από το Βιβλίο του μαθητή Ελληνικά για σας Α1, Λέξεις από το Βιβλίο του μαθητή Ελληνικά για σας Α2.*

*Όπως ο εργ**άτης**:*

A1 αγγειοπλάστης, αγρότης, ανθοπώλης, βιβλιοπώλης, γλύπτης, επιβάτης, επισκέπτης, ζαχαροπλάστης, ιδιοκτήτης, καθρέφτης, καταστηματάρχης, κλέφτης, κρεοπώλης, μεσίτης, οικοδεσπότης, ουρανοξύστης, παραλήπτης, πελάτης, πολίτης, προστάτης, σκηνοθέτης, συνθέτης, τρίφτης, χάρτης.

A2 ανεμοδείκτης, διακόπτης, εξώστης, εργοδότης, ηχολήπτης, ισραηλίτης, ιχθυοπώλης, καλλιτέχνης, καταψύκτης, λευκοπλάστης, ναύτης, νεροχύτης, ολυμπιονίκης, παίκτης, παλαιοπώλης, προτεστάντης, στρατιώτης, συλλέκτης, συνεργάτης, ταξιδιώτης, υπηρέτης, χαρτοπώλης.

*Όπως ο πίνακ**ας**:*

A1 αρχιτέκτονας, άρχοντας, αστυφύλακας, γείτονας, ελέφαντας, έρωτας, θερμοσίφωνας, κόκορας, μάγειρας, μεσήλικας, χάρακας.

A2 δικτάτορας, ήρωας, καύσωνας, μάρτυρας, ορίζοντας, τερματοφύλακας, φιλέλληνας.

*Όπως ο πατέρ**ας**:*

A1 αγκώνας, αγώνας, αερολιμένας, αιώνας, αναπτήρας, αρραβώνας, βραστήρας, ξενώνας, χαρακτήρας, χειμώνας.

A2 αστέρας, νιπτήρας, προφυλακτήρας, υαλοκαθαριστήρας.

*Όπως ο **άντρας**:*

A1 μήνας. Επίσης ονόματα σε ***-στας***: τουρίστας, σε ***-ιας***: ταμίας, επιχειρηματίας, ξιφίας.

A2 επαγγελματίας, τραυματίας

Όπως *ο ουρανός*:

A1 αδερφός, αλλοδαπός, ανιψιός, αριθμός, βαθμός, γιατρός, εγγονός, ηθοποιός, θεός, θησαυρός, θυρωρός, καιρός, κλιματισμός, κολιός, λαγός, λαιμός, λογαριασμός, μαθηματικός, μαϊντανός, μηχανικός, μισθός, μουσικός, ναός, ναυτικός, νεαρός, νομός, νονός, ξεναγός, οδηγός, οικισμός, οργανισμός, ορθοπαιδικός, παραγωγός, πεζός, πολιτικός, πολιτισμός, ποταμός, προαστιακός, πρωθυπουργός, πυρετός, σκοπός, σταυρός, υδραυλικός, φακός, φαρμακοποιός, χορός, χυμός.

A2 αρτοποιός, αρχηγός, βοηθός, γαμπρός, γνωστός, ιός, ισθμός, καθολικός, κακοποιός, καρπός, κορμός, κριτικός, κυνηγός, κωδικός, λαός, νεκρός, νηπιαγωγός, οπαδός, πεθερός, περαστικός, πολλαπλασιασμός, ρυθμός, σκοπός, σολομός, σταθμός, στρατηγός, συναγερμός, τελικός, τεχνικός, τροχός, υπουργός, φτωχός, φυσικός, χαρταετός, χειρουργός, χωρικός.

Όπως *ο δρόμος*

A1 Αθηναίος, βιολόγος, βράχος, γάμος, γεωπόνος, γυναικολόγος, δήμος, δημοσιογράφος, δικηγόρος, ζωγράφος, ηλεκτρολόγος, θάμνος, θείος, καπετάνιος, καρδιολόγος, κήπος, κινηματογράφος, κουμπάρος, κρόκος, λύκος, μαρκαδόρος, μικροβιολόγος, νέος, νοσοκόμος, ξενοδόχος, ξένος, οικονομολόγος, παθολόγος, παπαγάλος, πεζογράφος, πιλότος, πόνος, ρόλος, σερβιτόρος, σκούφος, σκύλος, συνταξιούχος, ταχυδρόμος, τίτλος, τοίχος, τόπος, τροχονόμος, τύπος, ύπνος, φίλος, φούρνος, φωτογράφος, χήρος, χρόνος, ώμος.

A2 αρχαιολόγος, αστρονόμος, βίος, γαύρος, γέρος, δερματολόγος, δίσκος, δυόσμος, θρήνος, καλεσμένος, καρκίνος, κούκλος, κουνιάδος, κύκλος, λόγος, λόφος, μουσουλμάνος, μπακαλιάρος, μύθος, μύλος, πάγκος, πάγος, πύργος, στίχος, τενόρος, τρόπος, φόβος, φόρος, χορτοφάγος.

Όπως *ο **άνθρωπος***

A1 άγιος, άνεργος, δάσκαλος, δήμαρχος, θάνατος, ιπποπόταμος, κατάλογος, κάτοικος, κίνδυνος, ξάδερφος, οδοντίατρος, παιδίατρος, περίπατος, πίθηκος, σύζυγος, συνάδελφος, συνήγορος, τιμοκατάλογος, υπάλληλος, φάκελος, φιλόλογος, χιονάνθρωπος.

A2 άγγελος, άγνωστος, άνεμος, απόφοιτος, βιομήχανος, διάλογος, διαμαρτυρόμενος, έλεγχος, έμπορος, Επιτάφιος, έφηβος, ζέφυρος, ημιώροφος, θάνατος, θίασος, θόρυβος, κτηνίατρος, μαραθώνιος, ναύαρχος, ορθόδοξος, πλάτανος, προϊστάμενος, πρόξενος, πύραυλος, συγκάτοικος, σύλλογος, σύντροφος, τελειόφοιτος, υδράργυρος, υπέρηχος, φίλαθλος, φιλόσοφος, ψυχίατρος,

Διατηρούν τον τόνο της ονομαστικής σ' όλες τις πτώσεις:

A1 βι**ό**τοπος (βι**ό**τοπων), λαχαν**ό**κηπος(λαχαν**ό**κηπων), μον**ό**δρομος (μον**ό**δρομων), πεζ**ό**δρομος (πεζ**ό**δρομων), πονοκ**έ**φαλος (πονοκ**έ**φαλων), ριν**ό**κερος (ριν**ό**κερων).

A2 πον**ό**δοντος (πον**ό**δοντων), πον**ό**λαιμος (πον**ό**λαιμων).

2.2. Ονόματα αρσενικά & θηλυκά σε *–έας/-είς* A2-B9-ΓΡ7

-έας/-είς				
		Ενικός		**Πληθυντικός**
Ον.	ο/η	συγγραφ**έας**	οι	συγγραφ**είς**
Γεν.	του/της	συγγραφ**έα** & συγγραφ**έως** συγγραφ**έως**	των	συγγραφ**έων**
Αιτ.	το/τη	συγγραφ**έα**	τους/τις	συγγραφ**είς**
Κλ.	-	συγγραφ**έα**	-	συγγραφ**είς**

Όπως *ο συγγραφ**έας***: **A1** αποστολέας, γονέας, γραμματέας, ιερέας

2.3. Αρσενικά ανισοσύλλαβα ονόματα σε *-άς/-άδες, -ους/-ούδες, -ες/-εδες, -ης/-ήδες*

		-άς A1-B13-ΓΡ.2	-ους A1-B13-ΓΡ.2	-ες A1-B16-ΓΡ.1	-ης A2-B9-ΓΡ.1	-ης	
Ενικός							
Ον.	ο	μπαμπ**άς**	παππ**ούς**	καφ**ές**	ταξιτζ**ής**	μανάβ**ης**	φούρναρ**ης**
Γεν.	του	μπαμπ**ά**	παππ**ού**	καφ**έ**	ταξιτζ**ή**	μανάβ**η**	φούρναρ**η**
Αιτ.	το(ν)	μπαμπ**ά**	παππ**ού**	καφ**έ**	ταξιτζ**ή**	μανάβ**η**	φούρναρ**η**
Κλ.	-	μπαμπ**ά**	παππ**ού**	καφ**έ**	ταξιτζ**ή**	μανάβ**η**	φούρναρ**η**
Πληθυντικός							
Ον.	οι	μπαμπ**άδες**	παππ**ούδες**	καφ**έδες**	ταξιτζ**ήδες**	μανάβ**ηδες**	φουρν**άρηδες**
Γεν.	των	μπαμπ**άδων**	παππ**ούδων**	καφ**έδων**	ταξιτζ**ήδων**	μανάβ**ηδων**	φουρν**άρηδων**
Αιτ.	τους	μπαμπ**άδες**	παππ**ούδες**	καφ**έδες**	ταξιτζ**ήδες**	μανάβ**ηδες**	φουρν**άρηδες**
Κλ.	-	μπαμπ**άδες**	παππ**ούδες**	καφ**έδες**	ταξιτζ**ήδες**	μανάβ**ηδες**	φουρν**άρηδες**

Όπως *ο μπαμπ**άς***:

A1 βασιλιάς, κιμάς, μουσακάς, παπάς, περιπτεράς.

A2 ανανάς, αρακάς, βοριάς, καυγάς, λαχανοντολμάς, λουκουμάς, μπακλαβάς, νοτιάς, χαλβάς.

Όπως *ο καφ**ές***:

A1 καναπές, κουραμπιές, μεζές, μπουφές.

A2 λεκές, μπουφές, πανσές.

Όπως *ο ταξιτζ**ής***:

A1 χιμπατζής.

Όπως *ο μανάβ**ης***:

A1 χασάπης.

A2 λυράρης, μπακάλης, νοικοκύρης.

2.4. Το διπλόκλιτο όνομα *ο χρόνος* A2-B1-ΓΡ.

Ενικός	Πληθυντικός	
ο χρόνος	οι χρόνοι	τα χρόνια
ο λόγος	οι λόγοι	τα λόγια
ο βράχος	οι βράχοι	τα βράχια

2.5. Θηλυκά ονόματα σε *-α, -η*.

A1-B3-ΓΡ.2 / A1-B4-ΓΡ.1 / A1-B13-ΓΡ.1 / A2 B11.ΓΡ.

Ενικός						
σε *-α*						
Ον.	η	δουλει**ά**	ελπίδ**α**	γλώσσ**α**	θάλασσ**α**	αρχαιότητ**α**
Γεν.	της	δουλει**άς**	ελπίδ**ας**	γλώσσ**ας**	θάλασσ**ας**	αρχαιότητ**ας**
Αιτ.	τη(ν)	δουλει**ά**	ελπίδ**α**	γλώσσ**α**	θάλασσ**α**	αρχαιότητ**α**
Κλ.	-	δουλει**ά**	ελπίδ**α**	γλώσσ**α**	θάλασσ**α**	αρχαιότητ**α**
Πληθυντικός						
Ον.	οι	δουλει**ές**	ελπίδ**ες**	γλώσσ**ες**	θάλασσ**ες**	αρχαιότητ**ες**
Γεν.	των	δουλει**ών**	ελπίδ**ων**	γλωσσ**ών**	θαλασσ**ών**	αρχαιοτ**ήτων**
Αιτ.	τις	δουλει**ές**	ελπίδ**ες**	γλώσσ**ες**	θάλασσ**ες**	αρχαιότητ**ες**
Κλ.	-	δουλει**ές**	ελπίδ**ες**	γλώσσ**ες**	θάλασσ**ες**	αρχαιότητ**ες**

Ενικός		
σε *-η*		
εκδρομ**ή**	τέχν**η**	ζαχάρ**η**
εκδρομ**ής**	τέχν**ης**	ζαχάρ**ης**
εκδρομ**ή**	τέχν**η**	ζαχάρ**η**
εκδρομ**ή**	τέχν**η**	ζαχάρ**η**
Πληθυντικός		
εκδρομ**ές**	τ**έ**χν**ες**	ζάχαρ**ες**
εκδρομ**ών**	τεχν**ών**	-
εκδρομ**ές**	τέχν**ες**	ζάχαρ**ες**
εκδρομ**ές**	τέχν**ες**	ζάχαρ**ες**

*Όπως η δουλε**ιά**:*

A1 αγορά, αμυγδαλιά, γειτονιά, ελιά, ζυγαριά, καρδιά, κοιλιά, κουταλιά, μηλιά, πιπεριά, πλευρά, πορτοκαλιά, πυρκαγιά, σειρά, υπεραγορά, φρυγανιά, φωτιά.

A2 αγκαλιά, ακρογιαλιά, αμμουδιά, αποκριά, γριά, γωνιά, διαφορά, ζημιά, καρυδιά, λεμονιά, μεταφορά, νοικοκυρά, περιφορά, πλαγιά, προσφορά, σκλαβιά, συκιά, ταχυμεταφορά, φωλιά.

*Όπως η ελ**πίδα**:*

A1 (όλα σε *-ίδα*: γαρίδα, εφημερίδα, ιστοσελίδα, μαρίδα, μερίδα, πινακίδα, πυξίδα, σελίδα) (όλα σε *-άδα*: αγελάδα, εβδομάδα, λιακάδα, μαρμελάδα, ομάδα, πορτοκαλάδα, φιλενάδα, χιλιάδα, εκατοντάδα), Αθηναία, εικόνα, μητέρα.

A2 (όλα σε *-ίδα*: βλεφαρίδα, Ελληνοαμερικανίδα, ιστιοσανίδα, καταιγίδα, πατρίδα, πινακίδα, ρυτίδα, σφυρίδα), (όλα σε *-άδα*: καντάδα, κοιλάδα, κουνιάδα, λαμπάδα, μαντινάδα, ομάδα, φασολάδα), (όλα σε *-ιγγα / αγγα*: σύριγγα) σειρήνα, σταγόνα.

*Όπως η γλ**ώ**σσα:*

A1 αγγελία, ακτινογραφία, αλλεργία, αλληλογραφία, αντλία, ασχολία, αφετηρία, γάτα, γραμματεία, γυναίκα, γωνία, δημοκρατία, εκκλησία, επιδημία, επικοινωνία, επιτυχία, εργασία, εταιρεία, ευθεία, ευκαιρία, ηλικία, ηλιοθεραπεία, ημέρα, ημερομηνία, θερμοκρασία, ιδέα, ιστορία, κατοικία, κηδεία, κυρία, λειτουργία, λίρα, μαργαρίτα, μονοκατοικία, μοτοσυκλέτα, νύχτα, ομελέτα, ομπρέλα, ορχήστρα, παραγγελία, παραλία, παροιμία, πεζοπορία, πελάτισσα, πλατεία, πληροφορία, πνευμονία, πολυκατοικία, πόρτα, προϋπηρεσία, σημαία, συντομογραφία, ταινία, τεχνολογία, τηλεκάρτα, τοιχογραφία, τραπεζαρία, υπερωρία, υποτροφία, υπηρεσία, φιλολογία, φωτογραφία, χώρα, ώρα.

A2 αγωνία, αναγγελία, αξία, απεργία, αποβάθρα, βελόνα, βιογραφία, γνωριμία, διδασκαλία, ελευθερία, επεξεργασία, επιτυχία, εργασία, ετοιμασία, ευκαιρία, ευκολία, θεολογία, θεραπεία, θρησκεία, ιδεολογία, ισοπαλία, κατηγορία, κεραία, κοινωνία, κωμωδία, μπαταρία, οδηγία, οικία, παρουσία, πλατεία, ποικιλία, πουκαμίσα, προετοιμασία, προθεσμία, σκηνοθεσία, συγκοινωνία, συμφωνία, συνεργασία, συσκευασία, ταλαιπωρία, τραγωδία, τρικυμία, υπηρεσία, υποτροφία, φλόγα, φυσικοθεραπεία, φωτοτυπία, χαράδρα, χειροτεχνία, χελώνα, χορογραφία, χορωδία, χρονολογία.

*Όπως η θ**ά**λασσα:*

A1 αγρότισσα, άδεια, αρχόντισσα, ασφάλεια, βασίλισσα, βοήθεια, γειτόνισσα, γυμνάστρια, διευθύντρια, εργάτρια, καθηγήτρια, μαγείρισσα, μαθήτρια, μεσίτρια, οικοδέσποινα, παρουσιάστρια, περιπέτεια, ποιήτρια, πωλήτρια, πριγκίπισσα, προσπάθεια, πρωταγωνίστρια, πρωτεύουσα, σκηνοθέτρια, συμμαθήτρια, συνθέτρια, τηλεφωνήτρια, τουρίστρια, τραγουδίστρια, τράπεζα, φοιτήτρια, χορεύτρια.

A2 αίθουσα, ακροάτρια, βουδίστρια, γέφυρα, εγκυκλοπαίδεια, εκφωνήτρια, ενέργεια, εργοδότρια, έρευνα, ηχολήπτρια, ιδιοκτήτρια, ιθαγένεια, ινδουίστρια, ισραηλίτισσα, καρδιοπάθεια, καταναλώτρια, κομμώτρια, λεπτομέρεια, λογίστρια, μέλισσα, μηλόπιτα, παίκτρια, παρουσιάστρια, ποδοσφαιρίστρια, προμήθεια, προπονήτρια, συλλέκτρια, συμφοιτήτρια, συνήθεια, τηλεπαρουσιάστρια, υπηρέτρια, φεμινίστρια.

*Όπως η αρχαι**ό**τητα:*

A1 ποσότητα, υπηκοότητα, εθνικότητα, ταυτότητα, ταχύτητα.

A2 αιωνιότητα, δραστηριότητα, δυνατότητα, ισότητα, ποιότητα.

*Όπως η εκδρο**μή**:*

A1 αδελφή, αλλαγή, αλλοδαπή, αποσκευή, αρχή, αστραπή, αυλή, βροντή, βροχή, γιορτή, γραμματική, γραμμή, διαμονή, διατροφή, εγγονή, εκπομπή, επιστροφή, επιταγή, εποχή, ευχή, καταγωγή, ζωγραφική, ζωή, ιατρική, Κυριακή, μηχανή, μουσική, παραμονή, Παρασκευή, περιγραφή, περιοχή, πηγή, προκαταβολή, σιωπή, σπουδή, στιγμή, στολή, στροφή, συνταγή, σχολή, υπογραφή, υποδοχή, φωνή.

A2 ακτή, αλοιφή, αμοιβή, αναπνοή, ανατολή, ανταλλαγή, αντοχή, αποστολή, γραμμή, γραφή, διαδρομή, δραχμή, εγγραφή, εισαγωγή, εξοχή, επιλογή, επισκευή, επιστολή, εφαρμογή, κατασκευή, κλινική, κλοπή, κλωστή, κριτική, μηχανή, παραγωγή, παραμονή, περιγραφή, προβολή, σκηνή, συλλογή, συμβουλή, συμμετοχή, συναλλαγή, συσκευή, υποδοχή.

*Όπως η τ**έ**χνη:*

A1 αποθήκη, ασπιρίνη, βιβλιοθήκη, βιταμίνη, ζώνη, πινακοθήκη.

A2 ανάγκη, ανθοδέσμη, βλάβη, γνώμη, δάφνη, επιστήμη, θήκη, λεκάνη, λέσχη, μαξιλαροθήκη, μάχη, πρωτεΐνη, πύλη, συνθήκη, ταινιοθήκη, φήμη, λίμνη.

*Όπως η ζ**ά**χαρη:*

A1 ρίγανη.

A2 κάμαρη, κάπαρη.

2.6. Θηλυκά σε-ος
A1-B5-ΓΡ.3

Ενικός				Πληθυντικός			
η	οδ**ός**	λεωφόρ**ος**	είσοδ**ος**	οι	οδ**οί**	λεωφόρ**οι**	είσοδ**οι**
της	οδ**ού**	λεωφόρ**ου**	εισόδ**ου**	των	οδ**ών**	λεωφόρ**ων**	εισ**όδων**
τη(ν)	οδ**ό**	λεωφόρ**ο**	είσοδ**ο**	τις	οδ**ούς**	λεωφόρ**ους**	εισ**όδους**
-	οδ**έ**	λεωφόρ**ε**	είσοδ**ε**	-	οδ**οί**	λεωφόρ**οι**	είσοδ**οι**

Όπως *η οδ**ός**:*

A1 αεροσυνοδός, (*επαγγέλματα & άλλα ουσιαστικά, ίδια αρσενικά & θηλυκά όπως:* ηθοποιός, ξεναγός, οδηγός, παραγωγός, πολιτικός, φαρμακοποιός κ.λ.π.).
A2 νηπιαγωγός, (*επαγγέλματα & άλλα ουσιαστικά, ίδια αρσενικά & θηλυκά όπως:* αρχηγός, βοηθός, κριτικός, οπαδός κ.λπ.)...

Όπως *η λεωφ**ό**ρος:*

A1 άμμος, (*επαγγέλματα & άλλα ουσιαστικά, ίδια αρσενικά & θηλυκά όπως:* γυναικολόγος, δικηγόρος, ζωγράφος, καρδιολόγος, μικροβιολόγος, ξενοδόχος, οικονομολόγος, παθολόγος, πιλότος, συνταξιούχος, ταχυδρόμος, τροχονόμος, φωτογράφος).
A2 νόσος, (*επαγγέλματα & άλλα ουσιαστικά, ίδια αρσενικά & θηλυκά όπως:* αρχαιολόγος κ.λπ.).

Όπως *η **εί**σοδος:*

A1 έγκυος, έξοδος, επέτειος, ήπειρος, (*επαγγέλματα & άλλα ουσιαστικά ίδια αρσενικά & θηλυκά όπως:* κάτοικος, οδοντίατρος, παιδίατρος, σύζυγος, συνάδελφος, συνήγορος, υπάλληλος, φιλόλογος).
A2 διάλεκτος, διάμετρος, πανσέληνος, περίοδος, υψίφωνος, (*επαγγέλματα & άλλα ουσιαστικά ίδια αρσενικά & θηλυκά όπως:* έμπορος, συγκάτοικος, σύντροφος, ψυχίατρος).

2.7. Θηλυκά ονόματα σε *-ση/-σεις, -ξη/-ξεις, -ψη/-ψεις*
Θηλυκά ονόματα ανισοσύλλαβα σε *-ά/-άδες & -ού/-ούδες*

-ση, -ξη, -ψη A1-B16-ΓΡ.1					
Ενικός			Πληθυντικός		
η	τάξ**η**	**έκθεση**	οι	τάξ**εις**	**εκθέσεις**
της	τάξ**ης**	έκθεσ**ης**	των	**τάξεων**	**εκθέσεων**
τη(ν)	τάξ**η**	έκθεσ**η**	τις	τάξ**εις**	**εκθέσεις**
-	τάξ**η**	έκθεσ**η**	-	τάξ**εις**	**εκθέσεις**

-ά A1-B13-ΓΡ.2	-ού A2-B11-ΓΡ.1				
Ενικός			Πληθυντικός		
η	μαμ**ά**	ταξιτζ**ού**	οι	μαμ**άδες**	ταξιτζ**ούδες**
της	μαμ**άς**	ταξιτζ**ούς**	των	μαμ**άδων**	ταξιτζ**ούδων**
τη(ν)	μαμ**ά**	ταξιτζ**ού**	τις	μαμ**άδες**	ταξιτζ**ούδες**
-	μαμ**ά**	ταξιτζ**ού**	-	μαμ**άδες**	ταξιτζ**ούδες**

Όπως *η τ**ά**ξη:*

A1 γνώση, θέση.
A2 βάση, γεύση, δράση, δύση, κλήση, όψη, σκέψη, σχέση, φράση, χρήση, κλήση, λέξη, πτήση, στάση, τάξη, τίγρη, φύση.

Όπως *η **έ**κθεση:*

A1 ακύρωση, ανακοίνωση, ανάληψη, αναχώρηση, απάντηση, απόδειξη, απόσταση, άρνηση, αύξηση, άφιξη, βάπτιση, γέννηση, δεξίωση, διάβαση, διασκέδαση, διάσταση, διεύθυνση, ειδοποίηση, εκδήλωση, έκθεση, έκπληξη, έκπτωση, εκτέλεση, εκτίμηση, ενημέρωση, ένωση, εξέταση, επιχείρηση, ερώτηση, καθυστέρηση, καμηλοπάρδαλη, κατάθεση, κατάσταση, κατεύθυνση, κίνηση, κράτηση, όρεξη, παράσταση, περίθαλψη, περίπτωση, πίεση, προέλευση, πρόποση, πρόσκληση, πώληση, συζήτηση, συνάντηση, σύνταξη, υποστήριξη.
A2 αίτηση, ανάγνωση, ανακαίνιση, αναπαράσταση, αντιβίωση, απασχόληση, αφαίρεση, βεβαίωση, δήλωση, διαίρεση, διακόσμηση, διάλεξη, διανυκτέρευση, διασταύρωση, διαφήμιση, δύναμη, εγγύηση, εγκατάσταση, έκδοση, εκτέλεση, εμφάνιση, ενοικίαση, ενόχληση, εντύπωση, εξυπηρέτηση, επανάληψη, επανάσταση, επικύρωση, ίωση, κατασκήνωση, κατάψυξη, κίνηση, κυβέρνηση, μετάφραση, μόνωση, νέφωση, ξενάγηση, οργάνωση, Πανεπιστημιούπολη, παράδοση, παρέλαση, παρουσίαση, προπόνηση, πρόσθεση, πρόταση, συγκέντρωση, σύγκρουση, σύμβαση, σύνδεση, συνέντευξη, σύνθεση, υπόθεση, υποχρέωση, χρέωση.

Όπως *η μαμ**ά**:*

A1 γιαγιά.

Όπως *η ταξιτζ**ού**:*

A1 αλεπού, περιπτερού. **A2** μαϊμού.

2.8. Ουδέτερα ονόματα σε *-ι/-ια, -ο/-α, -ος/-η* & ανισοσύλλαβα σε *-μα/-ματα*

		Ενικός A1-B3-ΓΡ.2 / A1-B4-ΓΡ.1 / A1-B13-ΓΡ.1					Ενικός A1-B12-ΓΡ.2 / A1-B15-ΓΡ.5		Ενικός A1-B14-ΓΡ.3	
		-ι		-ο			-μα/-ματα		-ος	
Ον.	το	παιδ**ί**	αγ**ό**ρι	βουν**ό**	σχολ**είο**	πρ**ό**σωπ**ο**	γρ**ά**μ**μα**	μ**ά**θη**μα**	δ**ά**σ**ος**	μ**έ**γεθ**ος**
Γεν.	του	παιδ**ιού**	αγορ**ιού**	βουν**ού**	σχολεί**ου**	προσ**ώ**π**ου**	γράμ**ματος**	μαθ**ή**μ**ατος**	δάσ**ους**	μεγ**έ**θ**ους**
Αιτ.	το	παιδ**ί**	αγόρι	βουν**ό**	σχολεί**ο**	πρόσωπ**ο**	γράμ**μα**	μάθη**μα**	δάσ**ος**	μέγεθ**ος**
Κλ.	-	παιδί	αγόρι	βουν**ό**	σχολεί**ο**	πρ**ό**σωπ**ο**	γράμ**μα**	μάθη**μα**	δάσ**ος**	μέγεθ**ος**
		Πληθυντικός A1-B10-ΓΡ.3		**Πληθυντικός A1-B10-ΓΡ.3**			**Πληθυντικός**			
Ον.	τα	παιδ**ιά**	αγ**ό**ρ**ια**	βουν**ά**	σχολεί**α**	πρ**ό**σωπ**α**	γρ**ά**μ**ματα**	μαθ**ή**μ**ατα**	δ**ά**σ**η**	μεγ**έ**θ**η**
Γεν.	των	παιδ**ιών**	αγορ**ιών**	βουν**ών**	σχολεί**ων**	προσ**ώ**π**ων**	γραμμ**άτων**	μαθημ**άτων**	δασ**ών**	μεγεθ**ών**
Αιτ.	τα	παιδ**ιά**	αγόρ**ια**	βουν**ά**	σχολεί**α**	πρ**ό**σωπ**α**	γρά**μματα**	μαθή**ματα**	δάσ**η**	μεγέθ**η**
Κλ.	-	παιδ**ιά**	αγόρ**ια**	βουν**ά**	σχολεί**α**	πρ**ό**σωπ**α**	γρά**μματα**	μαθή**ματα**	δάσ**η**	μεγέθ**η**

Όπως *το παιδί*:

A1 αρνί, βιολί, κερί, κλειδί, κρασί, μαγαζί, **μαλλιά**, νησί, πουλί, σταμνί, ταψί, τυρί, φιλί, χαλί, χαρτί, ψωμί.

A2 γυαλί, κλαδί, κουμπί, μαλλί.

Όπως *το αγόρι*:

A1 αγγούρι, αλάτι, αστέρι, αχλάδι, γαϊδούρι, γάντι, γιαούρτι, γουρούνι, δελφίνι, δόντι, εγγόνι, παιχνίδι, καΐκι, καλάθι, καλοκαίρι, κανάλι, καράβι, καρπούζι, κεράσι, κεφάλι, κομμάτι, κορίτσι, κοστούμι, κουδούνι, κουκουνάρι, κουνέλι, κουτάλι, κοχύλι, κρεβάτι, κρεμμύδι, λάδι, λεμόνι, λιμάνι, λιοντάρι, λουλούδι, λυχνάρι, μακαρόνια (μακαρόνι), μανιτάρι, μανταρίνι, μάτι, μαχαίρι, μελάνι, μεσημέρι, μολύβι, μονοπάτι, μοσχάρι, μουστάκι, μουστάκια, μπαλκόνι, μπουζούκι, μπουκάλι, νύχι, ξαδέρφι, παιχνίδι, πανηγύρι, παντελόνι, παξιμάδι, παπούτσι, πεπόνι, πιπέρι, πιρούνι, πόδι, ποντίκι, πορτοκάλι, πορτοφόλι, ποτάμι, ποτήρι, ρολόι (ρολογιού-ρολο**γ**ιών), ρούβλι, ρύζι, σακάκι, σαλάμι, σαλόνι, σαπούνι, σιρόπι, σκουπίδι, σουρωτήρι, σπίτι, σταφύλι, στομάχι, συρτάρι, τάβλι, ταξίδι, τζάκι, τιμόνι, τραγούδι, τραπέζι, τσάι (τσαγιού-τσαγιών), φανάρι, φασόλι, φίδι, φιστίκι, φλιτζάνι, φεγγάρι, φρύδι, χείλια, χέρι, χωράφι.

A2 αδέρφι, αμπέλι, βαμβάκι, βραχιόλι, γλέντι, δαχτυλίδι, ζευγάρι, λουκούμι, θυμάρι, καζάνι, κανάτι, κανταΐφι, καρύδι, κεφαλοτύρι, κουλούρι, κουνούπι, κουνουπίδι, κυδώνι, κυπαρίσσι, λυθρίνι, μαντήλι, μαξιλάρι, μοναστήρι, μπαρμπούνι, μπιφτέκι, νεράντζι, ντουλάπι, παλικάρι, παντζάρι, παραμύθι, περιβόλι, πιστόλι, ρεβίθι, ρόδι, σεντόνι, σιρόπι, σκουλαρίκι, σπαθί, στεφάνι, τακούνι, τζάμι, τηλεπαιχνίδι, φλούδι, φουντούκι, χάπι, χερούλι, ψαλίδι, ψάρι.

Αλλά: το βράδυ - τα βράδια

Όπως *το βουνό*:

A1 αβγό, αλλαντικό, αναψυκτικό, αντιβιοτικό, βιογραφικό, γλυκό, γλυπτό, γνωμικό, δημοτικό, εκατοστό, ενδεικτικό, ζυμαρικό, θαλασσινό, καθιστικό, κιλό, κινητό, κλιματιστικό, λαχανικό, λεξικό, λεπτό, λουτρό, **λουτρά** (για το κοινό), μεταπτυχιακό, **μετρητά**, μπαχαρικό, μυαλό, μυστικό, μωρό, ναυτικό, νερό, **νομικά**, νυχτικό, ορεκτικό, παγωτό, παλτό, περιοδικό, ποτό, πρωινό, στενό, χωριό, **ψιλά**.

A2 ακουστικό, ανταλλακτικό, αφεντικό, βεγγαλικό, **δημητριακά**, διδακτορικό, **δικαιολογητικά**, εκκαθαριστικό, ερπετό, καθαριστικό, καλλυντικό, καρτοκινητό, κρουστό, λαδερό, μπουμπουνητό, μυρωδικό, νυφικό, **πεθερικά**, περιστατικό, πιστοποιητικό, **σιτηρά**, **σκηνικά**, συμφωνητικό, φορτηγό, φτερό, φυτό.

Όπως *το σχολείο*:

A1 αεροπλάνο, ανθοπωλείο, άρθρο, αρτοποιείο, αρχείο, ασθενοφόρο, βάζο, βιβλίο, βιβλιοπωλείο, γέλιο, γραφείο, δείπνο, δέντρο, δημαρχείο, δώρο, έργο, ζαχαροπλαστείο, ζώο, ιατρείο, ιχθυοπωλείο, κάδρο, καπέλο, καρότο, καφενείο, κέντρο, κλαρινέτο, κομοδίνο, κοσμηματοπωλείο, κρεοπωλείο, λεωφορείο, λίτρο, μεζεδοπωλείο, μέσο, μέτρο, μήλο, μουσείο, μπισκότο, μπουκέτο, νοσοκομείο, ξενοδοχείο, ξύλο, ούζο, **ούρα**, πακέτο, παλαιοπωλείο, παντοπωλείο, πάρκο, πιάνο, πιάτο, πλοίο, πολυτεχνείο, πτυχίο, ρούχο, σκόρδο, σύκο, συνεργείο, σχολείο, ταλέντο, ταμείο, ταχυδρομείο, τσιγάρο, υπουργείο, φαρμακείο, φρούτο, φύλλο, χαρτοπωλείο, χόρτο, ψυγείο, ωδείο.

A2 βραβείο, γούστο, δελτίο, διδασκαλείο, δοχείο, θεωρείο, κάστρο, λαχείο, λιμεναρχείο, μαντολίνο, μνημείο, μοντέλο, μούτρο, μπαλλέτο, μπράτσο, νηπιαγωγείο, οδοντιατρείο, οινοποιείο, όπλο, ορφανοτροφείο, πεύκο, πλήκτρο, πρακτορείο, πράσο, προξενείο, σημείο, σπίρτο, τοπίο, τροχοφόρο, τσιμέντο, τσιρότο, φίλτρο, φρένο, φύλλο, φύλο, **ψώνια.**

Όπως *το πρόσωπο*:

A1 αεροδρόμιο, άλογο, αμύγδαλο, άτομο, αυτοκίνητο, βιβλιάριο, βότανο, βούτυρο, **γενέθλια**, γήπεδο, γόνατο, γραμμάριο, γραμματοκιβώτιο, γραμματόσημο, γυμνάσιο, γυμναστήριο, δάχτυλο, δευτερόλεπτο, διαβατήριο, δικαστήριο, **διόδια**, δοκιμαστήριο, δολάριο, δωμάτιο, έθιμο, εισιτήριο, ελικόπτερο, εμβόλιο, έπιπλο, εργαστήριο, εργοστάσιο εστιατόριο, εσώρουχο, ημιυπόγειο, θερμοκήπιο, θερμόμετρο, θυροτηλέφωνο, καθαριστήριο, καλώδιο, κείμενο, **κοινόχρηστα**, κόκκαλο, κομμωτήριο, κτήριο, κυκλάμινο, λύκειο, μάρμαρο, μέτωπο, οικόπεδο, όνειρο, όργανο, όριο, **όσπρια**, παράθυρο, περίπτερο, πληκτρολόγιο, πλυντήριο, ποδήλατο, πουκάμισο, προάστιο, πρόστιμο, ραδιόφωνο, σακίδιο, σαξόφωνο, σπήλαιο, **στέφανα** (γάμου), **συγχαρητήρια**, **συλλυπητήρια**, συνέδριο, σύνορο, σχέδιο, τετράδιο, τηλέφωνο, **τρόφιμα**, υπνοδωμάτιο, υπόγειο, φάρμακο, φθινόπωρο, χιλιόμετρο, ωράριο.

A2 αέριο, ακρωτήριο, αλουμίνιο, αντίγραφο, αντικείμενο, αξιοθέατο, απολυτήριο, διαζύγιο, **δίδακτρα**, δίκτυο, δρομολόγιο, έγγραφο, **εγκαίνια**, έλατο, έμβρυο, ένσημο, έντομο, έντυπο, εξάμηνο, έξοδο, επεισόδιο, επιδόρπιο, επίθετο, έσοδο, Ευαγγέλιο, ημερομίσθιο, καυσαέριο, καύσιμο, κηροπήγιο, κύπελλο, μυστήριο, μετάλλιο, μέταλλο, ναυάγιο, νήπιο, οκτάωρο, ονοματεπώνυμο, πανεπιστήμιο, παράβολο, παράπονο, πέταλο, πρατήριο, πρωτότυπο, σεμινάριο, σενάριο, στάδιο, συμβόλαιο, ταχύπλοο, τηλεχειριστήριο, τρίγωνο, τρίμηνο, φυλλάδιο, φωτοαντίγραφο, χαρτοκιβώτιο.

Όπως *το σίδερο*:

A1 αγριολούλουδο, απόβραδο, βενζινάδικο, βερίκοκο, γαρίφαλο, ελαιόλαδο, κάρβουνο, κάστανο, κοτόπουλο, λουκάνικο, μάγουλο, μανάβικο, **μαχαιροπίρουνα,** νούμερο, πενηντάρικο, πεντακοσάρικο, πορτόφυλλο, ρακοκάζανο, ροδάκινο, Σαββατοκύριακο, σέλινο, σύννεφο, τραπεζομάντιλο, τριαντάφυλλο, τροχόσπιτο, φασκόμηλο, χαρτομάντιλο, χασάπικο, ψαράδικο.

A2 αφρόλουτρο, βότσαλο, βύσσινο, γαλακτομπούρεκο, γαμοπίλαφο, δεντρολίβανο, λάχανο, μεροκάματο, μισάωρο, πολύσπορο.

Όπως *το γράμμα*:

A1 μείγμα, πράγμα, σήμα, στόμα, τμήμα, χρήμα, **χρήματα**, χρώμα.

A2 αίμα, άρμα, βήμα, δέρμα, δράμα, θαύμα, κλάμα, κτήμα, κύμα, μνήμα, ρεύμα, στρώμα, σχήμα, τέρμα.

Όπως *το μάθημα*:

A1 άγαλμα, ανάστημα, λίπασμα, μάθημα, μήνυμα, μηχάνημα, νόμισμα, όνομα, πάθημα, περπάτημα, πολυμηχάνημα, πρόβλημα, πρόγραμμα, στοίχημα, συγκρότημα, συνάλλαγμα, σύνταγμα, τηλεφώνημα, χαρτονόμισμα, χειροκρότημα.

A2 άθλημα, άνοιγμα, αποτέλεσμα, άρωμα, αποτύπωμα, διαγώνισμα, διάζωμα, διάστημα, διήγημα, δικαίωμα, δίπλωμα, δυστύχημα, εισόδημα, επίδομα, θέαμα, θρήσκευμα, ίδρυμα, καρδιογράφημα, κατάστρωμα, κέντημα, κρυολόγημα, μειονέκτημα, μυθιστόρημα, οινόπνευμα, ομοίωμα, όχημα, πάπλωμα, παράδειγμα, πάτωμα, πλεονέκτημα, ποίημα, πρωτάθλημα, συναίσθημα, σχεδιάγραμμα, υπερηχογράφημα, ύφασμα, φιλοδώρημα, φόρεμα.

Όπως το *τρέξιμο:*

A2 λούσιμο, ντύσιμο, πλέξιμο, πλύσιμο, ράψιμο, σπάσιμο, στείψιμο, στρώσιμο, σχίσιμο, χάσιμο, ψάξιμο, ψήσιμο.

Όπως *το δάσος:*

A1 είδος, έτος, λάθος, μέλος, σκάφος, στήθος, τέλος, ύφος (*χωρίς πληθυντικό*), ύψος.

A2 άγχος, άνθος, λάθος, κράνος, κράτος, μήκος, πάθος, πένθος πλάτος, τέλος (κυκλοφορίας)

A2 *Διαφορετική γενική πληθυντικού:* άνθος (άνθη-ανθέων).

Όπως *το μέγεθος:*

A2 πέλαγος (πελάγη - πελάγων).

2.9. Ουδέτερα ονόματα σε *-ας*

Τα ουδέτερα ονόματα *γάλα* και *φως*

	Ενικός A1-B12-ΓΡ.2			Ενικός A1-B16-ΓΡ.2	Πληθυντικός			
Ον.	το	κρ**έας**	γάλ**α**	**φως**	τα	κρ**έατα**	γάλ**ατα**	**φώτα**
Γεν.	του	κρ**έατος**	γάλ**ακτος**	**φωτός**	των	κρε**άτων**	γαλ**άτων**	**φώτων**
Αιτ.	το	κρ**έας**	γάλ**α**	**φως**	τα	κρ**έατα**	γάλ**ατα**	**φώτα**
Κλ.	-	κρ**έας**	γάλ**α**	**φως**	-	κρ**έατα**	γάλ**ατα**	**φώτα**

2.10. Ουδέτερα ξένης προέλευσης A1-B25.7

	Ενικός			Πληθυντικός		
Ον.	το	στυλ**ό**	παλτ**ό**	τα	στυλ**ό**	παλτ**ά**
Γεν.	του	στυλ**ό**	παλτ**ού**	των	στυλ**ό**	παλτ**ών**
Αιτ.	το	στυλ**ό**	παλτ**ό**	τα	στυλ**ό**	παλτ**ά**
Κλ.	-	στυλ**ό**	παλτ**ό**	-	στυλ**ό**	παλτ**ά**

2.11. Τα ουδέτερα ονόματα *το πρωί* & *το πρωινό* A2-B8-ΓΡ1.

Ενικός			Πληθυντικός	
το	πρωί	πρωινό	τα	πρωινά
του	πρωινού	πρωινού	των	πρωινών
το	πρωί	πρωινό	τα	πρωινά
-	πρωί	πρωινό	-	πρωινά

*Π.χ.: **Το** στυλ**ό** είναι κόκκιν**ο**. **Τα** στυλ**ό** είναι κόκκιν**α**. **Το παλτό** είναι κόκκιν**ο**. **Τα παλτά** είναι κόκκιν**α**.*
*Το **πρωί** ξυπνάω πολύ νωρίς. Πέρασα ένα υπέροχο **πρωινό** κοντά στη φύση.*
*Τα **πρωινά** μελετάω και τα απογεύματα βγαίνω έξω. Το καλοκαίρι τρώω το **πρωινό** μου στον κήπο.*

2.12. Τα ουδέτερα ονόματα *το βράδυ* & *το ρολόι* A2-B8-ΓΡ.1&2

	Ενικός			Πληθυντικός		
Ον.	το	βράδ**υ**	ρολό**ι**	τα	βράδ**ια**	ρολό**για**
Γεν.	του	βραδ**ιού**	ρολο**γιού**	των	βραδ**ιών**	ρολο**γιών**
Αιτ.	το	βράδ**υ**	ρολόι	τα	βράδ**ια**	ρολό**για**
Κλ.	-	βράδ**υ**	ρολόι	-	βράδ**ια**	ρολό**για**

2.13. Ουδέτερα αρχαιόκλιτα ονόματα σε *-ον/-οντα* A2-B11-ΓΡ.1

Ενικός			Πληθυντικός		
το	προϊ**όν**	**μ**έλλον	τα	προϊ**όντα**	**μέ**λλοντα
του	προϊόντος	μέλλοντος	των	προϊόντων	μελλ**ό**ντων
το	προϊόν	μέλλον	τα	προϊόντα	μέλλοντα
-	προϊόν	μέλλον	-	προϊόντα	μέλλοντα

Όπως *το* προϊ**όν**:	**A2** παρελθόν, παρόν.	
Όπως *το* μέλλ**ον**:	**A1** περιβάλλον.	**A2** ενδιαφέρον.

2.14. Τα ουδέτερα ανισοσύλλαβα ονόματα σε *-ιμο* A2.B10.ΓΡ.4

	Ενικός	Πληθυντικός
Ον.	το πλύσ**ιμο**	τα πλυσ**ίματα**
Γεν.	του πλυσ**ίματος**	των πλυσι**μάτων**
Αιτ.	το πλύσ**ιμο**	τα πλυσ**ίματα**
Κλ.	- πλύσ**ιμο**	- πλυσ**ίματα**

Ρήμα	Όνομα	Ρήμα	Όνομα	Ρήμα	Όνομα
βάφω	βάψ**ιμο**	ξύνω	ξύσ**ιμο**	στείβω	στείψ**ιμο**
γράφω	γράψ**ιμο**	παίζω	παίξ**ιμο**	σχίζω	σχίσ**ιμο**
δένω	δέσ**ιμο**	πλέκω	πλέξ**ιμο**	τρέχω	τρέξ**ιμο**
κλείνω	κλείσ**ιμο**	πλένω	πλύσ**ιμο**	φταίω	φταίξ**ιμο**
λούζω	λούσ**ιμο**	ράβω	ράψ**ιμο**	χάνω	χάσ**ιμο**
ντύνω	ντύσ**ιμο**	ρίχνω	ρίξ**ιμο**	ψήνω	ψήσ**ιμο**

2.15. Τα υποκοριστικά σε *-άκης*, *-ούλα*, *-ίτσα, -άκι* A2-B6-ΓΡ.1

ο		η		το	
-άκης		-ούλα / -ίτσα		-ακι*	
ο Κώστ**ας**	ο Κωστ**άκης**	η σημαί**α**	η σημαι**ούλα**	το μωρ**ό**	το μωρ**άκι**
ο Δημήτρ**ης**	ο Δημητρ**άκης**	η κόρ**η**	η κορ**ούλα**	το τραπέζι	το τραπεζ**άκι**
ο Γιώρ**γος**	ο Γιωργ**άκης**	η αυλ**ή**	η αυλ**ίτσα**		
		η μπίρ**α**	η μπιρ**ίτσα**		

* *Δεν έχουν γενική.*

*Όπως μωρ**άκι**:*

A1 δρομάκι, κουλουράκι, κουταλάκι, κολοκυθάκι, κομματάκι, μαριδάκι, μπλουζάκι, ντολμαδάκι, πουλάκι, φιλάκι, χωραφάκι.
A2 αεράκι, καζανάκι, καλαμαράκι, καροτσάκι, κατσικάκι, κεφτεδάκι, κριθαράκι, κυπελάκι, λαυράκι, μηχανάκι, μπαλάκι, μποτάκι, ξυλάκι, παγάκι, παϊδάκι, παπάκι, παρανυφάκι, πατατάκι, σουβλάκι, σουτζουκάκι, ταβερνάκι, τραπεζάκι, τυροπιτάκι, φασολάκι, χωνάκι (παγωτό).

2.16. Ονόματα ξένης προέλευσης, άκλιτα.

A1 ασανσέρ, βαλς, βόλεϊ, γιεν, γκαράζ, γκρι, γκρουπ, γουάν, γουέστερν, εξπρές, ζαμπόν, ίντερνετ, καγιάκ, καλτσόν, κασκόλ, κολιέ, κονιάκ, λικέρ, μαγιό, μακιγιάζ, μέιλ, μετρό, μίξερ, μοβ, μοτοκρός, μπαρ, μπάρμπεκιου, μπάσκετ, μπεζ, μπέικιν πάουντερ, μπλε, μπολ, μπορντό, μπουφάν, μπρέικ ντανς, μπριτζ, ντιζάιν, ντοκιμαντέρ, πάρκινγκ, πάρτι, πούλμαν, πουλόβερ, σούπερ μάρκετ, προφίλ, ραντεβού, ράφτινγκ, ρεπό, ρετιρέ, ριάλιτι, ροζ, σαμπουάν, σερφ, σερφινγκ, σίριαλ, σορτς, σπορ, στούντιο, στυλό, ταγιέρ, ταγκό, τανκ, ταξί, τένις, τιρκουάζ, τοστ, τραμ, τρόλεϊ, τσεκ-ιν, φαξ, φεστιβάλ, φιλμ, φλαμένγκο, φούξια, χολ, χόμπι.
A2 αλκοόλ, βαν, βίντεο, γιωταχί, γκαζόν, γκολ, θερμός, θρίλερ, κάμπινγκ, κλικ, κολάν, κόμικς, κομπιούτερ, λαμπαντόρ, λάπτοπ, ματς, μιούζικαλ, μπλογκ, μποφόρ, ντους, παζλ, παρμπρίζ, πατινάζ, πικνίκ, πορτατίφ, πορτμπαγκάζ, ρεσιτάλ, ροζέ, σετ, σκι, σκορ, σνακ, σπρέι, στιλ, στοπ, τατουάζ, τζιν, τζιπ, τζόκινγκ, τηλεκοντρόλ, φεριμπότ, φουαγιέ, χιούμορ.
Αρσενικά
A2 ρεσεψιονίστ, σινεφίλ, φραπέ, φρέντο, ντετέκτιβ.
Θηλυκά
A2 γκαλερί, ρεσεψιόν.

3. ΤΑ ΕΠΙΘΕΤΑ Α1-Β10-ΓΡ1 / Α1-Β11-ΓΡ.1 / Α1-Β13-ΓΡ.1

	Ενικός								
	3.1. Επίθετα σε *-ος-η-ο*			3.2. Επίθετα σε *-ο-α-ο*			3.3. Επίθετα σε *-ος-ια-ο* Α1-Β13-ΓΡ.1		
Ο.	ο μικρ**ός**	η μικρ**ή**	το μικρ**ό**	ο ωραί**ος**	η ωραί**α**	τα ωραί**ο**	ο κακ**ός**	η κακ**ιά**	το κακ**ό**
Γ.	του μικρ**ού**	της μικρ**ής**	του μικρ**ού**	του ωραί**ου**	της ωραί**ας**	του ωραί**ου**	του κακ**ού**	της κακ**ιάς**	του κακ**ού**
Α.	το(ν) μικρ**ό**	τη μικρ**ή**	το μικρ**ό**	τον ωραί**ο**	την ωραί**α**	το ωραί**ο**	τον κακ**ό**	τη κακ**ιά**	το κακ**ό**
Κ.	- μικρ**έ**	- μικρ**ή**	- μικρ**ό**	- ωραί**ε**	- ωραί**α**	- ωραί**ο**	- κακ**έ**	- κακ**ιά**	- κακ**ό**
	Πληθυντικός Α1- Β10-ΓΡ.4								
Ο.	οι μικρ**οί**	οι μικρ**ές**	τα μικρ**ά**	οι ωραί**οι**	οι ωραί**ες**	τα ωραί**α**	οι κακ**οί**	οι κακ**ές**	τα κακ**ά**
Γ.	των μικρ**ών**	των μικρ**ών**	των μικρ**ών**	των ωραί**ων**	των ωραί**ων**	των ωραί**ων**	των κακ**ών**	των κακ**ών**	των κακ**ών**
Α.	τους μικρ**ούς**	τις μικρ**ές**	τα μικρ**ά**	τους ωραί**ους**	τις ωραί**ες**	τα ωραί**α**	τους κακ**ούς**	τις κακ**ές**	τα κακ**ά**
Κ.	- μικρ**οί**	- μικρ**ές**	- μικρ**ά**	- ωραί**οι**	- ωραί**ες**	- ωραί**α**	- κακ**οί**	- κακ**ές**	- κακ**ά**

3.4. Επίθετα σε *-ύς -ιά -ύ* Α1-Β15-ΓΡ.7

	Ενικός			Πληθυντικός		
Ον.	ο μακρ**ύς**	η μακρ**ιά**	το μακρ**ύ**	οι μακρ**ιοί**	οι μακρ**ιές**	τα μακρ**ιά**
Γεν.	του μακρ**ιού** & του μακρ**ύ**	της μακρ**ιάς**	του μακρ**ιού** & του μακρ**ύ**	των μακρ**ιών**	των μακρ**ιών**	των μακρ**ιών**
Αιτ.	το(ν) μακρ**ύ**	τη μακρ**ιά**	το μακρ**ύ**	τους μακρ**ιούς**	τις μακρ**ιές**	τα μακρ**ιά**
Κλ.	- μακρ**ύ**	- μακρ**ιά**	- μακρ**ύ**	- μακρ**ιοί**	- μακρ**ιές**	- μακρ**ιά**

Όπως ***μακρύς****: παχύς, πλατύς, φαρδύς.*

3.5. Το επίθετο *πολύς - πολλή - πολύ* Α1-Β12-ΓΡ.3

	Ενικός			Πληθυντικός		
Ον.	ο πολ**ύς**	η πολλ**ή**	το πολ**ύ**	οι πολλ**οί**	οι πολλ**ές**	τα πολλ**ά**
Γεν.	του πολ**ύ**	της πολλ**ής**	του πολ**ύ**	των πολλ**ών**	των πολλ**ών**	των πολλ**ών**
Αιτ.	τον πολ**ύ**	την πολλ**ή**	το πολ**ύ**	τους πολλ**ούς**	τις πολλ**ές**	τα πολλ**ά**
Κλ.	- πολ**ύ**	- πολλ**ή**	- πολ**ύ**	- πολλ**οί**	- πολλ**ές**	- πολλ**ά**

3.6. Μονολεκτικά παραθετικά Α2-Β5-ΓΡ.1

Θετικός βαθμός	Συγκριτικός βαθμός		Υπερθετικός βαθμός	
καλός-ή-ό	**καλύτερος-η-ο** [πιο καλός-ή-ό]	από το(ν) / τη(ν) / το	**ο καλύτερος, η καλύτερη, το καλύτε**ρο [ο/η/το πιο καλός-ή-ό]	στο(ν)/στη(ν/στο... του/της/του... από όλους/όλες/όλα...
κακός-ή/ιά-ό	**χειρότερος-η-ο** [πιο κακός-ή/ιά-ό]		**ο χειρότερος, η χειρότερη, το χειρότερο** [ο/η/το πιο κακός-ή/ιά-ό]	
πολύς-πολλή-πολύ	**περισσότερος-η-ο** [πιο πολύς-πολλή-πολύ]		**ο περισσότερος, η περισσότερη, το περισσότερο** [ο/η/το πιο πολύς-πολλή-πολύ]	
λίγος-η-ο	**λιγότερος-η-ο** [πιο λίγος-η-ο]		**ο λιγότερος, η λιγότερη, το λιγότερο** [ο/η/το πιο λίγος-η-ο]	

Π.χ.: Η γιαγιά μου είναι ***καλή****. Η γιαγιά μου είναι* ***καλύτερη από*** *τη δική σου. Η γιαγιά μου είναι* ***η καλύτερη στον κόσμο*** */* ***του κόσμου.***

4. ΟΙ ΑΝΤΩΝΥΜΙΕΣ

4.1. Οι προσωπικές αντωνυμίες Α1-Β1-ΓΡ.3 / Α1-Β6-ΓΡ.1

	Ονομαστική **Α1-Β1-ΓΡ.3 / Α1-Β6-ΓΡ.1**	Γενική **Α1-Β16-ΓΡ.5**		Αιτιατική **Α1-Β14-ΓΡ.6**	
		Δυνατοί	**Αδύνατοι**	**Δυνατοί**	**Αδύνατοι**
ΕΝΙΚΟΣ	**εγώ**	**εμένα**	**μου**	**εμένα**	**με**
	εσύ	**εσένα**	**σου**	**εσένα**	**σε**
	αυτός	**αυτού**	**του**	**αυτόν**	**τον**
	αυτή	**αυτής**	**της**	**αυτή(ν)**	**τη(ν)**
	αυτό	**αυτού**	**του**	**αυτό**	**το**
ΠΛΗΘ.	**εμείς**	**εμάς**	**μας**	**εμάς**	**μας**
	εσείς	**εσάς**	**σας**	**εσάς**	**σας**
	αυτοί		**τους**	**αυτούς**	**τους**
	αυτές	**αυτών**	**τους**	**αυτές**	**τις/τες**
	αυτά		**τους**	**αυτά**	**τα**

Π.χ.: ***Εσένα, σε*** *γνωρίζει όλος ο κόσμος. -* ***Εσένα, σου*** *αρέσει το θέατρο;* ***Εμένα,*** *όχι.* ***Αυτόν, τον*** *γνωρίζω.* ***Αυτή****, δεν* ***τη*** *γνωρίζω καθόλου.* ***Αυτής,*** *δεν* ***της*** *πάει καθόλου αυτή η φούστα.* ***Εμένα, μου*** *αρέσει η φέτα,* ***εσένα, σου*** *αρέσει; Μιλάω* ***σ' εσένα. Εμένα, με*** *λένε Μαρία,* ***εσένα*** *πώς* ***σε*** *λένε;*

4.2. Το δεικτικό μόριο *να* + προσωπική αντωνυμία Α2-Β5-ΓΡ.1

	Ενικός			Πληθυντικός	
	Ονομαστική	Αιτιατική		Ονομαστική	Αιτιατική
Να ο Αλέξης!	**Να τος!**	**Να τον!**	**Να οι** φίλοι μου!	**Να τοι!**	**Να τους!**
Να η Ιόλη!	**Να τη!**	**Να την!**	**Να οι** αδερφές μου!	**Να τες!**	**Να τες!**
Να το παιδί σου!	**Να το!**	**Να το!**	**Να τα παιδιά σου!**	**Να τα!**	**Να τα!**

4.3. Δεικτικές αντωνυμίες

	4.3.α. αυτός-ή-ό A1-B1-ΓΡ.1		
	Ενικός		
Ον.	αυτός	αυτή	αυτό
Γεν.	αυτού	αυτής	αυτού
Αιτ.	αυτό(ν)	αυτή(ν)	αυτό
	Πληθυντικός		
Ον.	αυτοί	αυτές	αυτά
Γεν.	αυτών	αυτών	αυτών
Αιτ.	αυτούς	αυτές	αυτά

4.3.β. εκείνος-η-ο A1-B6-ΓΡ.2		
Ενικός		
εκείνος	εκείνη	εκείνο
εκείνου	εκείνης	εκείνου
εκείνο(ν)	εκείνη	εκείνο
Πληθυντικός		
εκείνοι	εκείνες	εκείνα
εκείνων	εκείνων	εκείνων
εκείνους	εκείνες	εκείνα

4.3.γ. τόσος-τόση-τόσο A2-**B12-ΓΡ.4**

	Ενικός			Πληθυντικός		
Ον.	τόσος	τόση	τόσο	τόσοι	τόσες	τόσα
Γεν.	τόσου	τόσης	τόσου	τόσων	τόσων	τόσων
Αιτ.	τόσο	τόση	τόσο	τόσους	τόσες	τόσα

Π.χ.: - *Κάνει ζέστη σήμερα! - Όχι, και **τόση**! Κάνει **τόση** ζέστη σήμερα! Σήμερα κάνει **τόση** ζέστη όση και χτες.*
*Η εταιρεία μας έκανε φέτος **τόσες** πωλήσεις όσες και πέρσι.*

4.4. Οι κτητικές αντωνυμίες

Αδύνατοι τύποι

μου, σου, του/της/του A1-B1-ΓΡ.7 / A1-B2-ΓΡ.3 / A1-B6-ΓΡ.3 / A1-B13-ΓΡ.3			
Ένα κτήμα	**Ένας κτήτορας**	**Ένα κτήμα**	**Πολλοί κτήτορες**
ο φίλος **η** φίλη **το** σπίτι	**μου** **σου** **του** **της** **του**	**ο** φίλος **η** φίλη **το** σπίτι	**μας** **σας** **τους**
Πολλά κτήματα **οι** φίλοι **οι** φίλες **τα** σπίτια		**Πολλά κτήματα** **οι** φίλοι **οι** φίλες **τα** σπίτι	

Δυνατοί τύποι

	δικός-ή/ιά-ό (μου, σου, του...) A2-B11-ΓΡ.4							
	Ένας κτήτορας				**Πολλοί κτήτορες**			
	Ένα κτήμα		**Πολλά κτήματα**		**Ένα κτήμα**		**Πολλά κτήματα**	
α β γ	δικός - δική/ιά - δικό	μου σου του/της/του	δικοί - δικές - δικά	μου σου του/της/του	δικός - δική/ιά - δικό	μας σας τους	δικοί - δικές - δικά	μας σας τους

*Π.χ.: Θέλει το **δικό** σου βιβλίο, όχι το **δικό** του. Το βιβλίο είναι **δικό μου**. (δυνατός τύπος) Οι γονείς **σου**. (αδύνατος τύπος)*
*Το **δικό τους** αυτοκίνητο. (δυνατός τύπος)*

4.5. Οι ερωτηματικές αντωνυμίες

	4.5.α. ποιος; ποια; ποιο; A1-B2-ΓΡ.2						**4.5.β. πόσος; πόση; πόσο; A1-B11-ΓΡ.4**					
	Ενικός			Πληθυντικός			Ενικός			Πληθυντικός		
Ον.	ποιος	ποια	ποιο	ποιοι	ποιες	ποια	πόσος	πόση	πόσο	πόσοι	πόσες	πόσα
Γεν	ποιου / ποια**νού***	ποιας / ποια**νής***	ποιου / ποια**νού***	ποιων / ποια**νών****	ποιων / ποια**νών**	ποιων / ποια**νών**	πόσου	πόσης	πόσου	πόσων	πόσων	πόσων
Αιτ.	ποιο(ν)	ποια	ποιο	ποιους	ποιες	ποια	πόσο(ν)	πόση (ν)	πόσο	πόσους	πόσες	πόσα

**& τίνος **& τίνων*
*Π.χ.: **Πόσος** είναι ο λογαριασμός; **Πόση** ζάχαρη βάζεις στον καφέ σου; **Ποιους** κάλεσες; Σε **ποιον** τηλεφώνησες; **Τίνος** είναι το κινητό;*

4.5.γ. Η ερωτηματική αντωνυμία *τι;*

*Π.χ.: **Τι; Τι** κάνεις; **Τι** καιρό κάνει; **Τι** ωραία που είσαι!*

4.6. Αόριστες αντωνυμίες

	4.6.α. κανένας - καμιά - κανένα A1-B9-ΓΡ.1		
Ον.	κανένας/κανείς	καμιά / καμία	κανένα
Γεν.	κανενός	καμιάς / καμίας	κανενός
Αιτ.	κανένα(ν)	καμιά / καμία	κανένα

4.6.β. Οι αόριστες άκλιτες αντωνυμίες *κάτι & τίποτε/τίποτα* A1-B11-ΓΡ.3		
- Θέλεις **κάτι**; Θέλεις **τίποτε**; - Όχι, δε θέλω **τίποτε**.	- Θέλεις **κάτι άλλο**; Θέλεις **τίποτε άλλο**; - Όχι, δε θέλω **τίποτε άλλο**.	- Τι θα κάνεις σήμερα; - **Τίποτα.**

4.6.γ. κάθε A1-B7-ΓΡ.3	
(ο) **κάθε** άντρας	(τον) **κάθε** μήνα
(η) **κάθε** γυναίκα	(την) **κάθε** μέρα
(το) **κάθε** παιδί	(το) **κάθε** πρωί

	4.6.δ. όλος-όλη-όλο A1-B14-ΓΡ.4						4.6.ε. άλλος-άλλη-άλλο					
	Ενικός			Πληθυντικός			Ενικός A1-B9-ΓΡ.1			Πληθυντικός A1-B11-ΓΡ.5		
Ον.	όλος	όλη	όλο	όλοι	όλες	όλα	άλλος	άλλη	άλλο	άλλοι	άλλες	άλλα
Γεν.	όλου	όλης	όλου	όλων	όλων	όλων	άλλου	άλλης	άλλου	άλλων	άλλων	άλλων
Αιτ.	όλο	όλη	όλο	όλους	όλες	όλα	άλλο(ν)	άλλη(ν)	άλλο	άλλους	άλλες	άλλα

*Π.χ.: **Όλος ο** κόσμος είναι εδώ σήμερα. **ΑΛΛΑ:** Είμαστε **όλοι** εδώ.*
*Πού είναι ο **άλλος φούρνος**; Τι θα κάνεις την **άλλη Κυριακή; ΑΛΛΑ: Άλλοι** τρώνε κι **άλλοι** πίνουν.*

4.6.ζ. κάποιος-α-ο / μερικοί-ές-ά A2-B6-ΓΡ.

	Ενικός			Πληθυντικός			Πληθυντικός		
Ον.	κάποιος	κάποια	κάποιο	κάποιοι	κάποιες	κάποια	μερικοί	μερικές	μερικά
Γεν.	κάποιου	κάποιας	κάποιου	κάποιων	κάποιων	κάποιων	μερικών	μερικών	μερικών
Αιτ.	κάποιον	κάποια	κάποιο	κάποιους	κάποιες	κάποια	μερικούς	μερικές	μερικά

*Π.χ. Στο Πανεπιστήμιο Αθηνών πολλοί φοιτητές έρχονται από τη Ρωσία, **αρκετοί** από τη Γερμανία, τη Γαλλία και την Ουκρανία, **μερικοί** από την Κίνα και την Τουρκία και **κάποιοι** από την Αίγυπτο και το Λίβανο.*

4.7. Οριστικές αντωνυμίες

4.7.α. *ο ίδιος - η ίδια - το ίδιο* A2-B3.ΓΡ.1

Ενικός			Πληθυντικός		
ο ίδιος του ίδιου τον ίδιο	η ίδια της ίδιας την ίδια	το ίδιο του ίδιου το ίδιο	οι ίδιοι των ίδιων τους ίδιους	οι ίδιες των ίδιων τις ίδιες	τα ίδια των ίδιων τα ίδια

4.7.β. *μόνος - μόνη – μόνο* A2-B4-ΓΡ.

Ενικός		Πληθυντικός	
μόνος-η-ο	μου σου του/της	μόνοι-ες-α	μας σας τους

*Π.χ.: Η Ιόλη και η Φοίβη έχουν **τις ίδιες** τσάντες. Εγώ **η ίδια** μαγείρεψα σήμερα! - Μπορώ να μιλήσω με την κυρία Φίλιου, παρακαλώ; **- Η ίδια**.*
*Έκανα την άσκηση **μόνος μου**. Διακόσμησε το σπίτι της **μόνη της**. Αυτές οι δύο κοπέλες ζουν **μόνες (τους)**.*

4.8. Αναφορικές αντωνυμίες

4.8.α. όσος-όση-όσο A2-B12-ΓΡ.4

	Ενικός			Πληθυντικός		
Ον.	όσος	όση	όσο	όσοι	όσες	όσα
Γεν.	όσου	όσης	όσου	όσων	όσων	όσων
Αιτ.	όσο	όση	όσο	όσους	όσες	όσα

*Π.χ. **Όσοι** πληρώνουν με κάρτα, να πάνε στο ταμείο 2! **Όσοι** πελάτες πληρώσουν με κάρτα, θα έχουν έκπτωση 10 %.*
*Σήμερα κάνει τόση ζέστη **όση** και χτες. Η εταιρεία μας έκανε φέτος τόσες πωλήσεις **όσες** και πέρσι.*

5. ΤΑ ΡΗΜΑΤΑ

5.1. Το θέμα του Ενεστώτα και το θέμα του αορίστου A1-B23.ΓΡ.

5.1.α. Το θέμα του Ενεστώτα

Θέμα ενεστώτα του *τρέχω:* **τρεχ-**

Χρόνοι και εγκλίσεις που σχηματίζονται από το θέμα ενεστώτα

Ενεστώτας	Παρατατικός	Ατελής Μέλλοντας	Ατελής Υποτακτική (Α)	Ατελής Προστακτική (Α*)
τρέ**χ**-ω	έ-τρε**χ**-α	θα τρέ**χ**-ω	να τρέ**χ**-ω	(εσύ) τρέ**χ**-ε (εσείς) τρέ**χ**-ετε

**στο επίπεδο B1*

5.1.β. Το θέμα του αορίστου

Θέμα αορίστου του *τρέχω:* **τρεξ-**

Χρόνοι και εγκλίσεις που σχηματίζονται από το θέμα αορίστου

Αόριστος	Τέλειος Μέλλοντας	Τέλεια Υποτακτική (Β)	Τέλεια Προστακτική (Β)
έ-τρε**ξ**-α	θα τρέ**ξ**-ω	να τρέ**ξ**-ω	(εσύ) τρέ**ξ**-ε (εσείς) τρέ**ξ**-τε

5.1.γ. Οι καταλήξεις

1. Οι καταλήξεις που φανερώνουν παρόν ή μέλλον	2. Οι καταλήξεις που φανερώνουν παρελθόν
-ω	**-α**
-εις	**-ες**
-ει	**-ε**
-ουμε	**-αμε**
-ετε	**-ατε**
-ουν(ε)	**-αν(ε)**

5.2. Πίνακας σχηματισμού χρόνων και εγκλίσεων ρημάτων Α΄ συζυγίας

5.2.α. Αόριστος σε *-σα* A1-B17-ΓΡ.1

	Ενεστώτας	Αόριστος	Τέλειος Μέλλοντας	Τέλεια Υποτακτική	Τέλεια Προστακτική
- ύω **- ούω**	ιδρύω ακούω	ίδρυσα άκουσα	θα ιδρύσω θα ακούσω	να ιδρύσω να ακούσω	ίδρυσε-ιδρύστε* άκουσε-ακούστε
- ώνω	απλώνω	άπλωσα	θα απλώσω	να απλώσω	άπλωσε-απλώστε
- άνω*	πιάνω	έπιασα	θα πιάσω	να πιάσω	πιάσε-πιάστε
- ήνω	αφήνω	άφησα	θα αφήσω	να αφήσω	άφησε-αφήστε
- ύνω	ντύνω	έντυσα	θα ντύσω	να ντύσω	ντύσε-ντύστε
- νω	δένω	έδεσα	θα δέσω	να δέσω	δέσε-δέστε
- αίνω	σωπαίνω	σώπασα	θα σωπάσω	να σωπάσω	σώπασε-σωπάστε
- ζω	γυρίζω	γύρισα	θα γυρίσω	να γυρίσω	γύρισε-γυρίστε
- εύω	θεραπεύω	θεράπευσα	θα θεραπεύσω	να θεραπεύσω	θεράπευσε- θεραπεύστε
- θω	νιώθω	ένιωσα	θα νιώσω	να νιώσω	νιώσε-νιώστε

** εκτός του κάνω - έκανα*

5.2.β. Αόριστος σε *-ξα* A1-B17-ΓΡ.1

	Ενεστώτας	Αόριστος	Τέλειος μέλλοντας	Τέλεια Υποτακτική	Τέλεια Προστακτική
- κω	πλέκω	έπλεξα	θα πλέξω	να πλέξω	πλέξε-πλέξτε
- γω	ανοίγω	άνοιξα	θα ανοίξω	να ανοίξω	άνοιξε-ανοίξτε
- γγ	φέγγω	έφεξα	θα φέξω	να φέξω	φέξε-φέξτε
- χω	τρέχω	έτρεξα	θα τρέξω	να τρέξω	τρέξε-τρέξτε
- χνω	ψάχνω	έψαξα	θα ψάξω	να ψάξω	ψάξε-ψάξτε
- ζω	παίζω	έπαιξα	θα παίξω	να παίξω	παίξε-παίξτε
- άζω	φωνάζω	φώναξα	θα φωνάξω	να φωνάξω	φώναξε-φωνάξτε

5.2.γ. Αόριστος σε *-ψα* Α1-Β17-ΓΡ.1

	Ενεστώτας	Αόριστος	Τέλειος μέλλοντας	Τέλεια Υποτακτική	Τέλεια Προστακτική
-πω	λείπω	έλειψα	θα λείψω	να λείψω	λείψε-λείψτε
-βω	ανάβω	άναψα	θα ανάψω	να ανάψω	άναψε-ανάψτε
-φω	γράφω	έγραψα	θα γράψω	να γράψω	γράψε-γράψτε
-φτω	αστράφτω	άστραψα	θα αστράψω	να αστράψω	άστραψε-αστράψτε
-πτω	καλύπτω	κάλυψα	θα καλύψω	να καλύψω	κάλυψε-καλύψτε
-αύω	παύω	έπαψα	θα πάψω	να πάψω	πάψε-πάψτε
-εύω	δουλεύω	δούλεψα	θα δουλέψω	να δουλέψω	δούλεψε-δουλέψτε

5.3. Πίνακας σχηματισμού χρόνων και εγκλίσεων ρημάτων Β΄ συζυγίας
Α1-Β19-ΓΡ.1 / Α1-Β20-ΓΡ.2 / Α1-Β22-ΓΡ.1 / Α1-Β23-ΓΡ.1

	Ενεστώτας		Αόριστος	Τέλειος Μέλλοντας	Τέλεια Υποτακτική	Τέλεια Προστακτική
Όλα τα ρήματα σε: α. ***-άω / -ώ*** β. ***-ώ***	αγαπάω(-ώ)	**-ησα**	αγάπησα	θα αγαπήσω	να αγαπήσω	αγάπησε-αγαπήστε
	μιλώ		μίλησα	θα μιλήσω	να μιλήσω	μίλησε-μιλήστε
	τραγουδάω(ώ)		τραγούδησα	θα τραγουδήσω	να τραγουδήσω	τραγούδησε-τραγουδήστε
	αργώ		άργησα	θα αργήσω	να αργήσω	άργησε-αργήστε
	γελάω(-ώ)	**-ασα**	γέλασα	θα γελάσω	να γελάσω	γέλασε-γελάστε
	περνώ		πέρασα	θα περάσω	να περάσω	πέρασε-περάστε
	ξεχνώ		ξέχασα	θα ξεχάσω	να ξεχάσω	ξέχασε-ξεχάστε
	πονώ	**-εσα**	πόνεσα	θα πονέσω	να πονέσω	πόνεσε-πονέστε
	φορώ		φόρεσα	θα φορέσω	να φορέσω	φόρεσε-φορέστε
	καλώ		κάλεσα	θα καλέσω	να καλέσω	κάλεσε-καλέστε
	μπορώ		μπόρεσα	θα μπορέσω	να μπορέσω	μπόρεσε-μπορέστε
	πηδώ	**-ηξα**	πήδηξα	θα πηδήξω	να πηδήξω	πήδηξε-πηδήξτε
	τραβώ		τράβηξα	θα τραβήξω	να τραβήξω	τράβηξε-τραβήξτε
	πετώ	**-αξα**	πέταξα	θα πετάξω	να πετάξω	πέταξε-πετάξτε

5.4. Ο αόριστος των ρημάτων Β΄ συζυγίας (ρήματα σε *-άω/-ώ & -ώ*)
σε -ησα, -ασα, -εσα, -ηξα, -αξα Α1-Β19-ΓΡ.1

(Α΄τάξη): αγαπάω (-ώ)	αγά**πησα**	Ομοίως: **Α1** απαντάω, βοηθάω, γλιστράω, διψάω, ζητάω, κολλάω, κολυμπάω, κρατάω, μελετάω, μιλάω, ξεκινάω, ξυπνάω, πατάω, περπατάω, πουλάω, προτιμάω, **προχωράω***, ρωτάω, σταματάω, συζητάω, συναντάω, **τηλεφωνάω***, τραγουδάω, φιλάω, χτυπάω. **Α2** ακουμπάω, **αναζητάω***, αποχαιρετάω, κεντάω, κλωσάω, νικάω, πατάω.
(Β΄ τάξη): αργώ	**άργησα**	Ομοίως: **Α1** ακολουθώ, αργώ, επικοινωνώ, ευχαριστώ, ζω, κυκλοφορώ, λειτουργώ, οδηγώ, παρακολουθώ, προσπαθώ, **προχωρώ***, συγχωρώ, συμφωνώ, τακτοποιώ, **τηλεφωνώ***, φιλοξενώ. **Α2 αναζητώ***, αναχωρώ, ανησυχώ, δημιουργώ, διακοσμώ, διαφωνώ, ειδοποιώ, ενοχλώ, εξηγώ, εξοφλώ, εξυπηρετώ, επιθυμώ, ευλογώ, θεωρώ, κατοικώ, μισώ, παρατηρώ, πραγματοποιώ, χειροκροτώ.
(Α΄τάξη): φοράω (-ώ)	**φόρεσα**	Ομοίως: **Α1** πονάω. **Α2** χωράω.
(Β΄τάξη): καλώ	**κάλεσα**	Ομοίως: **Α1** διαρκώ, μπορώ, παρακαλώ, προσκαλώ. **Α2** αφαιρώ, διαιρώ.
(Α΄τάξη): γελάω (-ώ)	**γέλασα**	Ομοίως: **Α1** κρεμάω, ξεχνάω, πεινάω, περνάω, χαλάω, χαμογελάω. **Α2** ξεπερνάω, σχολάω.
(Α΄τάξη): φυσάω (-ώ)	**φύσηξα**	Ομοίως: **Α1** βροντάω. **Α2** πηδάω, στραμπουλάω.
(Α΄τάξη): πετάω (-ώ)	**πέταξα**	Ομοίως: **Α1** φυλάω.

* *Κλίνονται στον ενεστώτα με δύο τρόπους: σύμφωνα με τις καταλήξεις της Α΄ & της Β΄ τάξης (π.χ. προχωράς & προχωρείς)*

ΚΛΙΣΗ ΡΗΜΑΤΩΝ

5.5. Α΄ ΣΥΖΥΓΙΑ : Ενεργητική φωνή

Θέμα ενεστώτα				Θέμα αορίστου			
Ενεστώτας	Παρατατικός	Ατελής Μέλλοντας	Ατελής Υποτακτική	Αόριστος	Τέλειος Μέλλοντας	Τέλεια Υποτακτική	Τέλεια Προστακτική
ντύνω ντύνεις ντύνει ντύνουμε ντύνετε ντύνουν(ε)	έντυνα έντυνες έντυνε ντύναμε ντύνατε έντυναν & ντύνανε	θα ντύνω θα ντύνεις θα ντύνει θα ντύνουμε θα ντύνετε θα ντύνουν(ε)	να ντύνω να ντύνεις να ντύνει να ντύνουμε να ντύνετε να ντύνουν(ε)	έντυσα έντυσες έντυσε ντύσαμε ντύσατε έντυσαν & ντύσανε	θα ντύσω θα ντύσεις θα ντύσει θα ντύσουμε θα ντύσετε θα ντύσουν(ε)	να ντύσω να ντύσεις να ντύσει να ντύσουμε να ντύσετε να ντύσουν(ε)	ντύσε - ντύστε

Ομοίως:

Α1 αγιάζω, αγκαλιάζω, αγοράζω, αλλάζω, ανάβω, ανακαλύπτω, ανακατεύω, ανθίζω, αντέχω, απαγορεύω, απλώνω, αποφασίζω, αρρωσταίνω, αρχίζω, αστράφτω, αφήνω, βήχω, βρέχω, γεμίζω, γιορτάζω, γνωρίζω, γράφω, γυρίζω, δείχνω, διαβάζω, διαλέγω, διασκεδάζω, διασχίζω, διαφημίζω, διδάσκω, δοκιμάζω, δουλεύω, ελπίζω, ζυγίζω, επιτρέπω, ετοιμάζω, ζυμώνω, ζωγραφίζω, θέλω, θυμίζω, θυμώνω, ιδρώνω, καθαρίζω, καπνίζω, καταθέτω, κερδίζω, κιτρινίζω, κλέβω, κοιτάζω, κοκκινίζω, κουρδίζω, κρύβω, κυματίζω, λάμπω, λατρεύω, λείπω, λούζω, μαγειρεύω, μαζεύω, μαλώνω, μεγαλώνω, μετακομίζω, μοιράζω, νιώθω, νοικιάζω, νομίζω, ντύνω, ξαπλώνω, ξεσκονίζω, οργανώνω, παγώνω, παίζω, περιγράφω, πιάνω, πιστεύω, πληρώνω, πλησιάζω, πρασινίζω, προσέχω, προσθέτω, ρίχνω, σβήνω, σιδερώνω, σκουπίζω, σπουδάζω, στολίζω, στρίβω, στρώνω, συνεχίζω, συννεφιάζω, συνορεύω, σφουγγαρίζω, σφυρίζω, ταΐζω, ταξιδεύω, τελειώνω, τρέχω, τρίβω, τσουγκρίζω, τυπώνω, φτάνω, φτιάχνω, φωνάζω, χάνω, χαρίζω, χορεύω, χτενίζω, χωρίζω, ψάχνω, ψήνω, ψωνίζω.

Α2 αδειάζω, αδυνατίζω, ακυρώνω, αλείφω, αναγνωρίζω, ανακαινίζω, ανανεώνω, ανεβάζω, ανηφορίζω.

Ανώμαλα ρήματα:

Α1 ανεβαίνω, ανήκω, απέχω, βάζω, βγαίνω, βλέπω, βρίσκω, δίνω, έχω, κάνω, καταλαβαίνω, κατεβαίνω, μαθαίνω, μένω, μπαίνω, ξανακάνω, ξέρω, παθαίνω, παίρνω, πεθαίνω, περιμένω, πίνω, προλαβαίνω, προτείνω, στέλνω, υπάρχω, φέρνω, φεύγω.

5.6. Α΄ ΣΥΖΥΓΙΑ: Μεσοπαθητική φωνή

Θέμα ενεστώτα				Θέμα αορίστου			
Ενεστώτας	**Παρατατικός**	**Ατελής Μέλλοντας**	**Ατελής Υποτακτική**	**Αόριστος**	**Τέλειος Μέλλοντας**	**Τέλεια Υποτακτική**	**Τέλεια Προστακτική**
ντύνομαι ντύνεσαι ντύνεται ντυνόμαστε ντυνόσαστε & ντύνεστε ντύνονται	-	θα ντύνομαι θα ντύνεσαι θα ντύνεται θα ντυνόμαστε θα ντυνόσαστε & θα ντύνεστε θα ντύνονται	να ντύνομαι να ντύνεσαι να ντύνεται να ντυνόμαστε να ντυνόσαστε & να ντύνεστε να ντύνονται	ντύθηκα ντύθηκες ντύθηκε ντυθήκαμε ντυθήκατε ντύθηκαν & ντυθήκανε	θα ντυθώ θα ντυθείς θα ντυθεί θα ντυθούμε θα ντυθείτε θα ντυθούν(ε)	να ντυθώ να ντυθείς να ντυθεί να ντυθούμε να ντυθείτε να ντυθούν(ε)	-

Τα υπογραμμισμένα ρήματα δεν έχουν ενεργητική φωνή

Ομοίως:

Α1 αισθάνομαι, δέχομαι, ετοιμάζομαι, εύχομαι, ζαλίζομαι, λούζομαι, ξυρίζομαι, παντρεύομαι, σηκώνομαι, σκέφτομαι, υπόσχομαι, χρειάζομαι, χτενίζομαι,

Α2 αρραβωνιάζομαι, γνωρίζομαι, εμφανίζομαι, ενδιαφέρομαι, ενθουσιάζομαι, επισκέπτομαι, εργάζομαι, ερωτεύομαι, κουράζομαι, ξεκουράζομαι, ονειρεύομαι, ονομάζομαι, παρουσιάζομαι, σκοτώνομαι, τραυματίζομαι, φτερνίζομαι, χάνομαι.

Ανώμαλα ρήματα:

βρίσκομαι-βρέθηκα, γίνομαι-έγινα, έρχομαι-ήρθα, κάθομαι-κάθισα, κόβομαι-κόπηκα, πλένομαι-πλύθηκα, χαίρομαι-χάρηκα, στέκομαι-στάθηκα, υπόσχομαι-υποσχέθηκα. Ρήματα σε *-αίνομαι*: μαραίνομαι-μαράθηκα, σιχαίνομαι-σιχάθηκα, τρελαίνομαι-τρελάθηκα, φαίνομαι-φάνηκα.

5.7. Β΄ ΣΥΖΥΓΙΑ / Τάξη Α: Ενεργητική φωνή

Θέμα ενεστώτα				Θέμα αορίστου			
Ενεστώτας	**Παρατατικός**	**Ατελής Μέλλοντας**	**Ατελής Υποτακτική**	**Αόριστος**	**Τέλειος Μέλλοντας**	**Τέλεια Υποτακτική**	**Τέλεια Προστακτική**
αγαπάω (-ώ) αγαπάς αγαπάει αγαπάμε αγαπάτε αγαπάνε & αγαπούν(ε)	αγαπούσα αγαπούσες αγαπούσε αγαπούσαμε αγαπούσατε αγαπούσαν(ε)	θα αγαπάω (-ώ) θα αγαπάς θα αγαπάει θα αγαπάμε θα αγαπάτε θα αγαπάνε & θα αγαπούν(ε)	να αγαπάω (-ώ) να αγαπάς να αγαπάει να αγαπάμε να αγαπάτε να αγαπάνε & να αγαπούν(ε)	αγάπησα αγάπησες αγάπησε αγαπήσαμε αγαπήσατε αγάπησαν & αγαπήσανε	θα αγαπήσω θα αγαπήσεις θα αγαπήσει θα αγαπήσουμε θα αγαπήσετε θα αγαπήσουν(ε)	να αγαπήσω να αγαπήσεις να αγαπήσει να αγαπήσουμε να αγαπήσετε να αγαπήσουν(ε)	αγάπησε - αγαπήστε

Ομοίως: (*Με διαφορετική κατάληξη στον αόριστο.* Βλέπε 4.4.)

Α1 απαντάω, βοηθάω, βροντάω, γελάω, γλιστράω, γυρνάω, διψάω, ζητάω, κολλάω, κολυμπάω, κρατάω, κρεμάω, μελετάω, μιλάω, ξεκινάω, ξεχνάω, ξυπνάω, πατάω, πεινάω, περνάω, περπατάω, πετάω, πονάω, πουλάω, προτιμάω, **προχωράω**, ρωτάω, σταματάω, συζητάω, συναντάω, **τηλεφωνάω**, τραγουδάω, φιλάω, φοράω, φυλάω, φυσάω, χαλάω, χαμογελάω, χτυπάω.

Α2 ακουμπάω, **αναζητάω**, αποχαιρετάω, κεντάω, κλωσάω, νικάω, ξεπερνάω, πατάω, πετάω, πηδάω, στραμπουλάω, σχολάω, χωράω.

5.8. Β΄ ΣΥΖΥΓΙΑ / Τάξη Α: Μεσοπαθητική φωνή

Θέμα ενεστώτα				Θέμα αορίστου			
Ενεστώτας	**Παρατατικός**	**Ατελής Μέλλοντας**	**Ατελής Υποτακτική**	**Αόριστος**	**Τέλειος Μέλλοντας**	**Τέλεια Υποτακτική**	**Τέλεια Προστακτική**
αγαπιέμαι αγαπιέσαι αγαπιέται αγαπιόμαστε αγαπιέστε & αγαπιόσαστε αγαπιούνται	-	θα αγαπιέμαι θα αγαπιέσαι θα αγαπιέται θα αγαπιόμαστε θα αγαπιέστε & θα αγαπιόσαστε θα αγαπιούνται	να αγαπιέμαι να αγαπιέσαι να αγαπιέται να αγαπιόμαστε να αγαπιέστε & να αγαπιόσαστε να αγαπιούνται	αγαπήθηκα αγαπήθηκες αγαπήθηκε αγαπηθήκαμε αγαπηθήκατε αγαπήθηκαν & αγαπηθήκανε	θα αγαπηθώ θα αγαπηθείς θα αγαπηθεί θα αγαπηθούμε θα αγαπηθείτε θα αγαπηθούν(ε)	να αγαπηθώ να αγαπηθείς να αγαπηθεί να αγαπηθούμε να αγαπηθείτε να αγαπηθούν(ε)	-

Ομοίως: **Α1** γεννιέμαι, **Α2** ξαναγεννιέμαι

5.9. Β΄ ΣΥΖΥΓΙΑ / Τάξη Β: Ενεργητική φωνή

Θέμα ενεστώτα				Θέμα αορίστου			
Ενεστώτας	**Παρατατικός**	**Ατελής Μέλλοντας**	**Ατελής Υποτακτική**	**Αόριστος**	**Τέλειος Μέλλοντας**	**Τέλεια Υποτακτική**	**Τέλεια Προστακτική**
απασχολώ	απασχολούσα	θα απασχολώ	να απασχολώ	απασχόλησα	θα απασχολήσω	να απασχολήσω	απασχόλησε -
απασχολείς	απασχολούσες	θα απασχολείς	να απασχολείς	απασχόλησες	θα απασχολήσεις	να απασχολήσεις	απασχολήστε
απασχολεί	απασχολούσε	θα απασχολεί	να απασχολεί	απασχόλησε	θα απασχολήσει	να απασχολήσει	
απασχολούμε	απασχολούσαμε	θα απασχολούμε	να απασχολούμε	απασχολήσαμε	θα απασχολήσουμε	να απασχολήσουμε	
απασχολείτε	απασχολούσατε	θα απασχολείτε	να απασχολείτε	απασχολήσατε	θα απασχολήσετε	να απασχολήσετε	
απασχολούν(ε)	απασχολούσαν(ε)	θα απασχολούν(ε)	να απασχολούν(ε)	απασχόλησαν & απασχολήσανε	θα απασχολήσουν(ε)	να απασχολήσουν(ε)	

Ομοίως:

Α1 ακολουθώ, αργώ, διαρκώ, επικοινωνώ, ευχαριστώ, ζω, καλώ, κυκλοφορώ, λειτουργώ, μπορώ, οδηγώ, παρακαλώ, παρακολουθώ, προσκαλώ, προσπαθώ, **προχωρώ**, συγχωρώ, συμφωνώ, τακτοποιώ, **τηλεφωνώ**, φιλοξενώ.

Α2 **αναζητώ**, αναχωρώ, ανησυχώ, αφαιρώ, δημιουργώ, διαιρώ, διακοσμώ, διαφωνώ, ειδοποιώ, ενοχλώ, εξηγώ, εξοφλώ, εξυπηρετώ, επιθυμώ, ευλογώ, θεωρώ, κατοικώ, μισώ, παρατηρώ, πραγματοποιώ, χειροκροτώ.

5.10. Β΄ ΣΥΖΥΓΙΑ / Τάξη Β: Μεσοπαθητική φωνή

Θέμα ενεστώτα				Θέμα αορίστου			
Ενεστώτας	**Παρατ.**	**Ατελής Μέλλοντας**	**Ατελής Υποτακτική**	**Αόριστος**	**Τέλειος Μέλλοντας**	**Τέλεια Υποτακτική**	**Τελ. Προστ.**
απασχολούμαι	-	θα απασχολούμαι	να απασχολούμαι	απασχολήθηκα	θα απασχοληθώ	να απασχοληθώ	-
απασχολείσαι		θα απασχολείσαι	να απασχολείσαι	απασχολήθηκες	θα απασχοληθείς	να απασχοληθείς	
απασχολείται		θα απασχολείται	να απασχολείται	απασχολήθηκε	θα απασχοληθεί	να απασχοληθεί	
απασχολούμαστε		θα απασχολούμαστε	να απασχολούμαστε	απασχοληθήκαμε	θα απασχοληθούμε	να απασχοληθούμε	
απασχολείστε απα-		θα απασχολείστε	να απασχολείστε	απασχοληθήκατε	θα απασχοληθείτε	να απασχοληθείτε	
σχολούνται		θα απασχολούνται	να απασχολούνται	απασχολήθηκαν & απασχοληθήκανε	θα απασχοληθούν (ε)	να απασχοληθούν (ε)	

Ομοίως: **Α1** πωλούμαι (πωλείται), ζητούμαι (ζητείται). **Α2** αρνούμαι, ασκούμαι, ασχολούμαι, δικαιολογούμαι.

5.11. Τα ρήματα σε *-άμαι* Α2-Β2-ΓΡ1
Α΄ ΣΥΖΥΓΙΑ
Παθητική φωνή

Ενεστώτας
κοιμ**άμαι**
κοιμ**άσαι**
κοιμ**άται**
κοιμ**όμαστε**
κοιμ**άστε** / κοιμ**όσαστε**
κοιμ**ούνται**

Όπως **Α1** κοιμάμαι: **Α2** λυπάμαι, θυμάμαι, φοβάμαι.

5.12. Πίνακας ανωμάλων ρημάτων

Α1-Β17-ΓΡ.4 / Α1-Β18-ΓΡ.1 / Α1-Β19-ΓΡ.2 / Α1-Β20-ΓΡ.3 / Α1-Β21-ΓΡ1 / Α1-Β22-ΓΡ.4 / Α1-Β23-ΓΡ.2 / Α1-Β24-ΓΡ.1
Α1-Β1-ΓΡ.3 / Α1-Β5-ΓΡ.4

Θέμα ενεστώτα			Θέμα αορίστου				
Ενεστώτας	**Παρατατικός Α2-Β10-ΓΡ1**	**Ατελ. Μέλλοντας Ατελ.Υποτακτική**	**Αόριστος**	**Τέλειος Μέλλοντας**	**Τέλεια Υποτακτική**	**Τέλεια Προστακτική**	
βάζω	έβαζα	θα/να βάζω	**έβαλα**	θα βάλω	να βάλω	βάλε	βάλτε
δίνω	έδινα	θα/να δίνω	**έδωσα**	θα δώσω	να δώσω	δώσε	δώστε
είμαι	ήμουν(α)	θα/να είμαι	ήμουν(α)	θα είμαι	να είμαι	να είσαι	να είστε
έχω	είχα	θα/να έχω	είχα	θα έχω	να έχω	έχε	έχετε
θέλω	ήθελα	θα/να θέλω	θέλησα	θα θελήσω	να θελήσω	θέλησε	θελήστε
κάνω	έκανα	θα/να κάνω	έκανα	θα κάνω	να κάνω	κάνε	κάντε
μαθαίνω	μάθαινα	θα/να μαθαίνω	**έμαθα**	θα μάθω	να μάθω	μάθε	μάθετε
μένω	έμενα	θα/να μένω	**έμεινα**	θα μείνω	να μείνω	μείνε	μείνετε
ξέρω	ήξερα	θα/να ξέρω	**ήξερα**	θα ξέρω	να ξέρω	ξέρε	ξέρετε

πάω / πηγαίνω	πήγαινα	θα/να πηγαίνω	πήγα	θα πάω	να πάω	-	-
παθαίνω	πάθαινα	θα/να παθαίνω	έπαθα	θα πάθω	να πάθω	πάθε	πάθετε
πεθαίνω	πέθαινα	θα/να πεθαίνω	πέθανα	θα πεθάνω	να πεθάνω	πέθανε	πεθάνετε
παίρνω	έπαιρνα	θα/να παίρνω	πήρα	θα πάρω	να πάρω	πάρε	πάρτε
περιμένω	περίμενα	θα/να περιμένω	περίμενα	θα περιμένω	θα περιμένω	περίμενε	περιμένετε
προλαβαίνω	προλάβαινα	θα/να προλαβαίνω	πρόλαβα	θα προλάβω	να προλάβω	πρόλαβε	προλάβετε
τρώω	έτρωγα	θα/να τρώω	έφαγα	θα φάω	να φάω	φάε	φάτε
φεύγω	έφευγα	θα/να φεύγω	έφυγα	θα φύγω	να φύγω	φύγε	φύγετε
γίνομαι	-	θα/να γίνομαι	έγινα	θα γίνω	να γίνω	γίνε	γίνετε
έρχομαι	-	θα/να έρχομαι	ήρθα	θα έρθω	να έρθω	έλα	ελάτε
κάθομαι	-	θα/να κάθομαι	κάθισα	θα καθίσω	να καθίσω	κάθισε / κάτσε	καθίστε / κάτσετε
λέω	έλεγα	να λέω	είπα	θα πω	να πω	πες	πείτε / πέστε
βλέπω	έβλεπα	να βλέπω	είδα	θα δω	να δω	δες	δείτε / δέστε
πίνω	έπινα	να πίνω	ήπια	θα πιω	να πιω	πιες	πιείτε / πιέστε
βρίσκω	έβρισκα	να βρίσκω	βρήκα	θα βρω	να βρω	βρες	βρείτε / βρέστε
μπαίνω	έμπαινα	να μπαίνω	μπήκα	θα μπω	να μπω	μπες	μπείτε /μπέστε
βγαίνω	έβγαινα	να βγαίνω	βγήκα	θα βγω	να βγω	βγες	βγείτε / βγέστε
ανεβαίνω	ανέβαινα	να ανεβαίνω	ανέβηκα	θα ανεβώ*	να ανεβώ*	ανέβα	ανεβείτε
κατεβαίνω	κατέβαινα	να κατεβαίνω	κατέβηκα	θα κατεβώ*	να κατεβώ*	κατέβα	κατεβείτε

** & θα ανέβω, θα κατέβω, να ανέβω, να κατέβω*

5.13. Τα τριτοπρόσωπα ρήματα

Ενεστώτας Α1-Β18.1.	Αόριστος	Ενεστώτας Α2-Β8.ΓΡ.3.	Αόριστος
αστράφτει	άστραψε	ψιχαλίζει	ψιχάλισε
βρέχει	έβρεξε	ξημερώνει	ξημέρωσε
βροντάει	βρόντηξ(σ)ε	βραδιάζει	βράδιασε
φυσάει	φύσηξε	νυχτώνει	νύχτωσε
χιονίζει	χιόνισε		
συννεφιάζει	συννέφιασε		

Επίσης: Α1 απαγορεύεται, διατίθεται, ενοικιάζεται, επιτρέπεται, ζητείται, πρέπει, πωλείται, χρειάζεται.

5.14. *Υπάρχει, έχει & κάνει*

υπάρχει + ονομαστική Α1-Β9-ΓΡ.3	έχει + αιτιατική Α1-Β9-ΓΡ.3	κάνει + αιτιατική Α1-Β18.1
*Πού **υπάρχει** φούρνος στη γειτονιά σας;* ***Υπάρχει κανένας** φούρνος εδώ κοντά;*	*Πού **έχει** φαρμακείο;* ***Έχει κανένα** φούρνο στη γειτονιά;*	*Τι καιρό **κάνει**;* ***Κάνει** καλό καιρό.*

5.15. Τα ρήματα *ακούω, καίω, λέω, πάω, σπάω, τρώω, φταίω*

Ενεστώτας

ακούω	καίω	κλαίω	λέω	πάω	σπάω	τρώω	φταίω
ακούς	καις	κλαις	λες	πας	σπας	τρως	φταις
ακούει	καίει	κλαίει	λέει	πάει	σπάει	τρώει	φταίει
ακούμε	καίμε	κλαίμε	λέμε	πάμε	σπάμε	τρώμε	φταίμε
ακούτε	καίτε	κλαίτε	λέτε	πάτε	σπάτε	τρώτε	φταίτε
ακούν(ε)	καίν(ε)	κλαίν(ε)	λέν(ε)	πάν(ε)	σπάν(ε)	τρών(ε)	φταίν(ε)

Θέμα ενεστώτα			Θέμα αορίστου		
Ενεστώτας	**Παρατατικός**	**Ατελ. Μέλλοντας Ατελ. Υποτακτική**	**Αόριστος**	**Τέλειος Μέλλοντας Τέλεια Υποτακτική**	**Τέλεια Προστακτική**
ακούω	άκουγα	θα/να ακούω	άκουσα	θα/να ακούσω	άκουσε - ακούστε
καίω	έκαιγα	θα/να καίω	έκαψα	θα/να κάψω	κάψε - κάψτε
κλαίω	έκλαιγα	θα/να κλαίω	έκλαψα	θα/να κλάψω	κλάψε - κλάψτε
λέω	έλεγα	θα/να λέω	είπα	θα/να πω	πες - πείτε/πέστε
πάω	πήγαινα	θα/να πάω	πήγα	θα/να πάω	-
σπάω	έσπαγα	θα/να σπάω	έσπασα	θα/να σπάσω	σπάσε - σπάστε
τρώω	έτρωγα	θα/να τρώω	έφαγα	θα/να φάω	φάε - φάτε
φταίω	έφταιγα	θα/να φταίω	έφταιξα	θα/να φταίξω	φταίξε - φταίξτε

6. ΤΑ ΕΠΙΡΡΗΜΑΤΑ

6.1. Επιρρήματα

Τοπικά A1-B9-ΓΡ.2	**A1** αριστερά, δεξιά, γύρω, μπροστά/εμπρός, πίσω, κοντά, μακριά, απέναντι, επάνω, κάτω, δίπλα, κάπου, ανάμεσα. **A2** ανατολικά, αντικρύ, άνω, βόρεια, βορειοανατολικά, βορειοδυτικά, δυτικά, εκτός, νότια, νοτιοανατολικά, νοτιοδυτικά, παρακάτω, παράλληλα, παραπάνω, πέρα, πλάι, πουθενά, σιμά, χαμηλά.	**Ερωτηματικά** πού; (από πού;)
Χρονικά A1-B17-ΓΡ.6	**A1** ακόμη, αργά, αργότερα, μετά, πάλι, τώρα, ήδη, νωρίς, πρώτα, αμέσως, συνέχεια/συνεχώς, πάντα, ποτέ, περίπου, σήμερα, αύριο, μεθαύριο, χτες, προχτές, φέτος, πέρσι. **A2** άλλοτε, έπειτα, ξανά, παλιά, πρόσφατα, τελευταία, τέλος, ύστερα.	πότε;
Τροπικά	**A1** αρκετά, καλά, πολύ καλά, τέλεια A1-B8-ΓΡ.3 ακριβώς, εντάξει, έτσι, έτσι κι έτσι, ιδιαίτερα, μαζί, μόνο, χάλια, ωραία, (στα) ελληνικά, τσάμπα, ευχαρίστως, οικογενειακώς, όπως, ίσως, επίσης, κυρίως αλήθεια, σοβαρά, συνήθως. **A2** ακριβά, άνετα, απέξω, απευθείας, απλά, απλώς, άριστα, ασφαλώς, αυστηρά, δωρεάν, εντελώς, ευχάριστα, ζωντανά, ήρεμα, καλύτερα, καλώς, κανονικά, κατά, υπέρ, λίαν καλώς, μείον, μοντέρνα, μόνιμα, οικονομικά, όμορφα, σοβαρά, σπάνια, συγκεκριμένα, σύμφωνα, σύντομα, σχετικά, τελείως, υγιεινά, υπόψη, φανταστικά, φτηνά, φυσικά, χειρότερα.	πώς;
Ποσοτικά	**A1** καθόλου, λίγο, αρκετά, πολύ, πάρα πολύ A1-B8-ΓΡ.3 ακόμα, καλά, μόνο, πιο, τουλάχιστον, λίγο, πια. **A2** πλην, συν, το πολύ, το λιγότερο, τόσο, όσο.	πόσο;
Βεβαιωτικά	**A1** ναι, μάλιστα, βεβαίως/βέβαια.	
Αρνητικά	**A1** δεν, όχι.	
Διστακτικά	**A1** αλήθεια; σοβαρά; μήπως; **A2** πιθανόν.	
Συμπερασματικά	**A1** επομένως.	

6.2. Παραγωγή επιρρημάτων σε -*α* από επίθετα
A2-B5-ΓΡ.3

Επίθετο	Επίρρημα	Επίθετο	Επίρρημα	Επίθετο	Επίρρημα	Επίθετο	Επίρρημα	Επίθετο	Επίρρημα
καλός-ή-ό	**καλά**	ωραίος-α-ο	**ωραία**	μακρύς-ιά-ύ	**μακριά**	καλύτερος-η-ο	**καλύτερα**	χειρότερος-η-ο	**χειρότερα**

Μερικά επίθετα σε -***ος*** σχηματίζουν επιρρήματα και σε -***α*** και σε -***ως*** με τη ίδια ή διαφορετική σημασία.

	Επιρρήματα σε -***α*** *(-ά) & σε -**ως** (-**ώς**)* με την ίδια σημασία	
βέβαιος-η-ο	**Βέβαια**, θα έρθω	**Βεβαίως**, θα έρθω.
καλός-ή-ό	Είμαι πολύ **καλά**.	**Καλώς** ήρθες! **Καλώς** όρισες!
	Επιρρήματα σε -**α** (-**ά**) & σε -**ως** (-**ώς**) με διαφορετική σημασία	
ευχάριστος-η-ο	Περάσαμε **ευχάριστα** [= πολύ ωραία] στην εκδρομή.	Θα έρθω **ευχαρίστως** στο πάρτι σου. [= με χαρά]
απλός-ή-ό	Θα σου το πω πολύ **απλά**. [= με απλό τρόπο]	Χρειάζεται **απλώς**[= μόνο] ένα πιστοποιητικό.
ακριβός-ή-ό	Αυτό το χρυσό ρολόι κάνει πολύ **ακριβά**. [= όχι φθηνά]	Θα είμαι εκεί στις τρεις **ακριβώς**. [= ούτε πιο νωρίς ούτε πιο αργά] Μου είπε **ακριβώς** τι έγινε. [= με όλες τις λεπτομέρειες]
τέλειος-α-ο	Είπε το μάθημα **τέλεια**. [= χωρίς λάθη] Περάσαμε **τέλεια** στο πάρτι! [= πάρα πολύ ωραία]	Είμαι **τελείως** έτοιμη για το ταξίδι. [= εντελώς]

6.3. Ο συγκριτικός βαθμός των επιρρημάτων περιφραστικά: *πιο..., πιο... από..* A1-B19-ΓΡ5

πιο μακριά πιο εύκολα πιο ωραία/πιο καλά πιο πολύ	πιο κοντά πιο μακριά πιο άσχημα πιο λίγο	Η Αίγινα είναι κοντά στον Πειραιά. Η Σαλαμίνα είναι **πιο κοντά.** Μιλάω γαλλικά αλλά **πιο καλά** μιλάω ελληνικά. Μου αρέσει **πιο πολύ** η ροκ **από** την τζαζ.

6.4. Ο συγκριτικός βαθμός των επιρρημάτων *καλά, κακά / άσχημα* μονολεκτικά A1-B19-ΓΡ5

καλά ——> **καλύτερα**   κακά / άσχημα ——> **χειρότερα**

6.5. Επιρρήματα με χρήση επιθέτου A1-B16-ΓΡ.4

ο επάνω όροφος	**η επάνω** πόρτα	**το επάνω** διαμέρισμα
ο εμπρός κήπος	**η εμπρός** είσοδος	**το εμπρός** δωμάτιο
ο κάτω όροφος	**η κάτω** πόρτα	**το κάτω** διαμέρισμα
ο πίσω κήπος	**η πίσω** βεράντα	**το πίσω** παράθυρο

6.6. Επιρρήματα + προσωπικές αντωνυμίες A2-B2-ΓΡ.2

μαζί	μου, σου του/της/του μας, σας τους	*Κάθισε **κοντά μου**! Έλα **μαζί μου**!* *Ποιος κάθεται **πλάι σου / δίπλα του/της;*** ***Απέναντί μας** υπάρχει ένα φαρμακείο.* *Ποιος μένει **από κάτω / από πάνω σας.***

7. ΟΙ ΠΡΟΘΕΣΕΙΣ
A2-B1-ΓΡ2 & στους ΠΙΝΑΚΕΣ ΝΕΩΝ ΡΗΜΑΤΩΝ σε όλα σχεδόν τα Βήματα

7.1. Οι προθέσεις ***εν, εις, εκ / εξ, συν, προς, προ, ανά, κατά, διά, μετά, παρά, αντί, αμφί, επί, περί, από, υπό, υπέρ*** σε σύνθεση με ρήματα.

Π.χ.: ***εξ****υπηρετώ*, ***συ****(ν)ζητώ*, ***συ(ν)****στήνω*, ***προσ****καλώ*, ***προ****χωρώ*, ***ανα****χωρώ*, ***ανα****ζητώ*, ***ανα****γνωρίζω*, ***κατα****θέτω*, ***δια****κόπτω*, ***δια****κοσμώ*, ***δια****σχίζω*, ***μετα****φέρω*, ***παρα****κολουθώ*, ***αμφι****βάλλω*, ***επι****λέγω*, ***επι****σκέπτομαι*, ***επ****ιστρέφω*, ***περι****γράφω*, ***απο****χαιρετάω*, ***υπο****γράφω*.

8. ΤΑ ΑΡΙΘΜΗΤΙΚΑ

8.1. Τα απόλυτα αριθμητικά: *0 - 1.000.000.000*

(0-10) Α1-Β1-ΓΡ.8 / (11-31) Α1-Β3-ΓΡ.3 / (30-100) Α1-Β5-ΓΡ.5 / (100-1999) Α1-Β10-ΓΡ.5
(1000-2.000.000) Α1-Β16-ΓΡ.5

0	μηδέν	21	είκοσι ένα	**1000**	**χίλια**
1	ένα	**30**	**τριάντα**	1001	χίλια ένα
2	δύο	31	τριάντα ένα	1101	χίλια εκατόν ένα
3	τρία	**40**	**σαράντα**	1102	χίλια εκατόν δύο...
4	τέσσερα	**50**	**πενήντα**	1999	χίλια εννιακόσια ενενήντα εννέα
5	πέντε	**60**	**εξήντα**	**2000**	**δύο χιλιάδες**
6	έξι	**70**	**εβδομήντα**	2001	δύο χιλιάδες ένα
7	επτά, εφτά	**80**	**ογδόντα**	2101	δύο χιλιάδες εκατόν ένα
8	οκτώ, οχτώ	**90**	**ενενήντα**	**10.000**	**δέκα χιλιάδες**
9	εννέα, εννιά	**100**	**εκατό**	**100.000**	**εκατό χιλιάδες**
10	**δέκα**	101	εκατόν ένα	**200.000**	**διακόσιες χιλιάδες**
11	έντεκα	102	εκατόν δύο	**300.000**	**τριακόσιες χιλιάδες**
12	δώδεκα	**200**	**διακόσια**	**400.000**	**τετρακόσιες χιλιάδες**
13	δεκατρία	201	διακόσια ένα	**500.000**	**πεντακόσιες χιλιάδες**
14	δεκατέσσερα	**300**	**τριακόσια**	**600.000**	**εξακόσιες χιλιάδες**
15	δεκαπέντε	**400**	**τετρακόσια**	**700.000**	**επτακόσιες χιλιάδες**
16	δεκαέξι	**500**	**πεντακόσια**	**800.000**	**οκτακόσιες χιλιάδες**
17	δεκαεπ(φ)τά,	**600**	**εξακόσια**	**900.000**	**εννιακόσιες χιλιάδες**
18	δεκαοκ(χ)τώ,	**700**	**επτακόσια**	**1.000.000**	**ένα εκατομμύριο**
19	δεκαεννέα, δεκαεννιά	**800**	**οκτακόσια**	**2.000.000**	**δύο εκατομμύρια**
20	**είκοσι**	**900**	**εννιακόσια**	**1.000.000.000**	**ένα δισεκατομμύριο**

8.2. Τα τρία γένη των απόλυτων αριθμητικών *1, 3, 4*
Α1-Β11-ΓΡ.5

	1			**3**			**4**		
	Αρσ.	**Θηλ.**	**Ουδ.**	**Αρσενικό**	**Θηλυκό**	**Ουδέτερο**	**Αρσενικό**	**Θηλυκό**	**Ουδέτερο**
Ον.	ένας	μία	ένα	τρεις	τρεις	τρία	τέσσερις	τέσσερις	τέσσερα
Γεν.	ενός	μίας	ενός	τριών	τριών	τριών	τεσσάρων	τεσσάρων	τεσσάρων
Αιτ.	ένα(ν)	μία	ένα	τρεις	τρεις	τρία	τέσσερις	τέσσερις	τέσσερα
Κλ.	-	-	-	τρεις	τρεις	τρία	τέσσερις	τέσσερις	τέσσερα

8.3. Τα τρία γένη των απόλυτων αριθμητικών *200 – 1000*
Α1-Β11-ΓΡ.5

Ον.	διακόσιοι	χίλιοι	διακόσιες	χίλιες	διακόσια	χίλια
Γεν.	διακοσίων	χιλίων	διακοσίων	χιλίων	διακοσίων	χιλίων
Αιτ.	διακόσιους	χίλιους	διακόσιες	χίλιες	διακόσια	χίλια
Κλ.	διακόσιοι	χίλιοι	διακόσιες	χίλιες	διακόσια	χίλια

*Π.χ.: **Δεκατρείς** άντρες, **είκοσι τρεις** γυναίκες, **τριάντα τρία** παιδιά.*
*Π.χ.: **Διακόσιοι** άντρες, **διακόσιες** γυναίκες. **Διακόσια** παιδιά. Έχω **διακόσιους** φίλους στο Facebook.*

Ον.	η χιλιάδα	οι χιλιάδες	το εκατομμύριο	τα εκατομμύρια
Γεν.	της χιλιάδας	των χιλιάδων	του εκατομμυρίου	των εκατομμυρίων
Αιτ.	τη χιλιάδα	τις χιλιάδες	το εκατομμύριο	τα εκατομμύρια
Κλητ.	- χιλιάδα	- χιλιάδες	- εκατομμύριο	- εκατομμύρια

8.4. Ποια αριθμητικά κλίνονται;
Α2-Β11-ΓΡ.5

1104 γιατροί: **χίλιοι** εκατόν **τέσσερις** γιατροί *(Κλίνονται τα: χίλιοι, τέσσερις)*	421 γυναίκες: **τετρακόσιες** είκοσι **μία** γυναίκες *(Κλίνονται τα: τετρακόσιες, μία)*	781 ευρώ: **επτακόσια** ογδόντα **ένα** δολάρια *(Κλίνονται τα: επτακόσια, ένα)*

Προσοχή!

ΝΑΙ	ΟΧΙ
Περιμένουμε **είκοσι μία χιλιάδες** (21.000) τουρίστες.	Περιμένουμε ~~**είκοσι έναν χιλιάδες**~~ τουρίστες.
Δεκατρία εκατομμύρια(13.000.000) νέες **θέσεις** εργασίας...	~~**Δεκατρείς εκατομμύρια**~~ νέες θέσεις εργασίας...
Ο μισθός του διευθυντή φτάνει **τις διακόσιες χιλιάδες** ευρώ.	Ο μισθός του διευθυντή φτάνει ~~**τα διακόσια χιλιάδες**~~ ευρώ.

8.5. Εφαρμογές των αριθμητικών

ΗΛΙΚΙΑ **Α1-Β13-ΓΡ.4**	Είναι **ενός** μηνός, **ενός** έτ**ους**, **είκοσι ενός** ετ**ών**. Είναι **τριών, δεκατριών, είκοσι τριών** χρον**ών**, **τριάντα τριών** χρόν**ων**. Είναι **τεσσάρων, δεκατεσσάρων, είκοσι τεσσάρων** χρόνων κλπ.
ΩΡΑ **Α1-Β14-14.5.**	Είναι **μια η** ώρα. **Στη μια** θα φύγω. **Στις δύο** θα έρθεις. Είναι **τρεις η ώρα**, τέσσερις η ώρα. **Στις τρεις** θα φύγω. Κατά **τη μία / τις τρεις** θα φύγω. Γύρω **στη μία / στις τρεις** θα πάω στην πόλη.
ΗΜΕΡΟΜΗΝΙΑ **Α1-Β15-15.8.**	Σήμερα είναι **πρώτη** Μαΐου. **Την πρώτη** Ιουνίου φεύγω. Σήμερα είναι **τριάντα μία** Μαΐου. **Στις είκοσι μία** Μαρτίου θα πάω στο Παρίσι. Σήμερα είναι **τρεις** Μαΐου. **Στις τρεις** Ιουνίου φεύγω.
ΧΡΟΝΟΛΟΓΙΑ **Α1-Β16-16.4.**	Γεννήθηκε **το** 1999 (**το** χίλια εννιακόσια ενενήντα εννέα). Άρχισα να δουλεύω **το** 2000 (**το** δύο χιλιάδες). Γεννήθηκα **στις** 3 Ιουνίου **του** 1987 (**του** χίλια εννιακόσια ογδόντα εφτά).

8.6. Τα τακτικά αριθμητικά: *πρώτος-η-ο έως ενενηκοστός-ή-ό* Α1-Β5-ΓΡ.6

1	πρώτος	πρώτη	πρώτο
2	δεύτερος	δεύτερη	δεύτερο
3	τρίτος	τρίτη	τρίτο
4	τέταρτος	τέταρτη	τέταρτο
5	πέμπτος	πέμπτη	πέμπτο
6	έκτος	έκτη	έκτο
7	έβδομος	έβδομη	έβδομο
8	όγδοος	όγδοη	όγδοο
9	ένατος	ένατη	ένατο
10	δέκατος	δέκατη	δέκατο
11	ενδέκατος	ενδέκατη	ενδέκατο
12	δωδέκατος	δωδέκατη	δωδέκατο
13	δέκατος τρίτος	δέκατη τρίτη	δέκατο τρίτο
14	δέκατος τέταρτος	δέκατη τέταρτη	δέκατο τέταρτο
15	δέκατος πέμπτος	δέκατη πέμπτη	δέκατο πέμπτο
16	δέκατος έκτος	δέκατη έκτη	δέκατο έκτο
17	δέκατος έβδομος	δέκατη έβδομη	δέκατο έβδομο
18	δέκατος όγδοος	δέκατη όγδοη	δέκατο όγδοο
19	δέκατος ένατος	δέκατη ένατη	δέκατο ένατο
20	εικοστός	εικοστή	εικοστό
21	**εικοστός πρώτος**	**εικοστή πρώτη**	**εικοστό πρώτο** *
30	**τριακοστός**	**τριακοστή**	**τριακοστό**
40	**τεσσαρακοστός**	**τεσσαρακοστή**	**τεσσαρακοστό**
50	**πεντηκοστός**	**πεντηκοστή**	**πεντηκοστό**
60	**εξηκοστός**	**εξηκοστή**	**εξηκοστό**
70	**εβδομηκοστός**	**εβδομηκοστή**	**εβδομηκοστό**
80	**ογδοηκοστός**	**ογδοηκοστή**	**ογδοηκοστό**
90	**ενενηκοστός**	**ενενηκοστή**	**ενενηκοστό**

**Στο Β1*

9. ΑΠΟ ΤΟΝ ΕΥΘΥ ΣΤΟΝ ΠΛΑΓΙΟ ΛΟΓΟ Α2-Β1-ΓΡ.3 / Α2-Β2-ΓΡ.3 / Α2-Β9-ΓΡ.6 / Α2-Β11-ΓΡ.6 / Α2-Β6-6.22

ΕΥΘΥΣ ΛΟΓΟΣ			ΠΛΑΓΙΟΣ ΛΟΓΟΣ	
9.1. Ευθείες ερωτήσεις (**με** ερωτηματικές αντωνυμίες & επιρρήματα)			**Πλάγιες ερωτηματικές προτάσεις** **Α2-Β1-ΓΡ.3**	
			α. Τι ρωτάει ο Κώστας το Νίκο; β. Τι απαντάει / λέει ο Νίκος στον Κώστα;	
α. *Κώστας*:	**Πού** θα πα**ς**; πα**ς**; πήγε**ς**;	Ενεστώτας Τέλειος Μέλλοντας Αόριστος	α. Ο Κώστας ρωτάει το Νίκο (τον ρωτάει) **πού**	πάε**ι**. θα πάε**ι**. πήγ**ε**
β. *Νίκος*:	Πάω περίπατο. Θα πά**ω** περίπατο. Πήγ**α** περίπατο.		β. Ο Νίκος απαντάει / λέει στον Κώστα **ότι / πως** (του απαντάει / λέει)	πάει περίπατο. θα **πάει** περίπατο. πήγ**ε** περίπατο.

Ποιος είναι; **Ποιους** θέλ**εις**; **Πόσοι** ήρθαν; **Πόσους** κάλεσε**ς**; **Γιατί** κλαι**ς**; **Πόσο** κάνει; **Πότε** θα φύγ**εις**; **Τι** κάν**εις**; **Πού** πα**ς**; **Μήπως** κρυώνε**ις**;	**Πρόθεση** + αντων. ή επίρρημα **Από ποιον** πήρε**ς** το βιβλίο; **Με ποιους** θα πα**ς** σινεμά; **Για πόσο** καιρό θα λείψε**ις**; **Από πότε** μαθαίνε**ις** ελληνικά; **Μέχρι πότε** θα μείνε**ις** εδώ;	**Με ρωτάει** **Με ρώτησε**	**ποιος** είναι. **ποιους** θέλ**ω**. **πόσοι** ήρθαν. **πόσους** κάλεσ**α**. **γιατί** κλαί**ω**. **πόσο** κάνει. **πότε**.θα φύγ**ω**. **τι** κάν**ω**. **πού** πά**ω**. **μήπως** κρυών**ω**.	**Πρόθεση** + αντων. ή επίρρημα **Α2-Β2-ΓΡ.3** **από ποιον** πήρ**α** το βιβλίο. **με ποιους** θα πά**ω** σινεμά. **για πόσο** καιρό θα λείψ**ω**. **από πότε** μαθαίν**ω** ελληνικά. **μέχρι πότε** θα μείν**ω** εδώ.

9.2. Ευθείες ερωτήσεις ολικής αγνοίας (**χωρίς** ερωτηματικές αντωνυμίες ή επιρρήματα)			Πλάγιες ερωτηματικές προτάσεις + *αν*... Α2-Β9-ΓΡ.6		
			α. Τι ρωτάει ο Κώστας το Νίκο; β. Τι απαντάει / λέει ο Νίκος στον Κώστα;		
Κώστας:	Πειν**άς**; Διψ**άς**; Θα μαγειρέψ**εις**; Έφαγ**ες**;	Ενεστώτας Τέλειος Μέλλοντας Αόριστος	α. Ο Κώστας ρωτάει το Νίκο (τον ρωτάει)	**αν**	πειν**άει**. διψ**άει**. θα μαγειρέψ**ει**. έφαγ**ε**.
Νίκος:	Όχι, δεν πειν**άω.** Ναι, διψ**άω.** Ναι, θα μαγειρέψ**ω** Όχι, δεν έφαγ**α.**		β. Ο Νίκος απαντάει / λέει στον Κώστα (του απαντάει / λέει)	**ότι / πως**	δεν πειν**άει** διψ**άει** θα μαγειρέψ**ει** δεν έφαγ**ε**

9.3. Προστακτική			Πλάγιες ερωτηματικές προτάσεις + *να* & υποτακτική Α2-Β11-ΓΡ.6		
			α. Τι λέει ο Κώστας στην Ελένη;		
Κώστας:	**Βγες** έξω! **Ανέβα** επάνω! **Μαγείρεψε** ψάρι! **Φάε** γρήγορα! **Πιες** νερό!	Τέλεια προστακτική (τέλειο ποιόν ενεργείας)	α. Ο Κώστας λέει στην Ελένη (της λέει)	**να βγει** έξω. **να ανέβει** επάνω. **να μαγειρέψει**. **να φάει** γρήγορα. **να πιει** νερό.	Τέλεια υποτακτική (τέλειο ποιόν ενεργείας)
			β. Τι λέει η δασκάλα στα παιδιά;		
Δασκάλα:	**Διαβάστε!** **Μελετήστε!** **Ανοίξτε** τα βιβλία! **Κλείστε** τα κινητά! **Πείτε** το διάλογο!		β. Η δασκάλα λέει στα παιδιά (τους λέει)	**να διαβάσουν.** **να μελετήσουν.** **να ανοίξουν** τα βιβλία. **να κλείσουν** τα κινητά. **να πουν** το διάλογο.	

10. ΠΙΝΑΚΕΣ ΓΡΑΜΜΑΤΙΚΗΣ ΓΙΑ:	*Βλέπε:*
- **Χρήση Παρατατικού**	Βήμα 10 - ΓΡ.2
- **Χρήση πτώσεων** (ονομ., γεν., αιτ., κλητ.)	Βήμα 13 - ΓΡ.2
- **Χρήση υποτακτικής**	Βήμα 13 - ΓΡ.5
- **Οι προθέσεις *με, σε, για, από* + αιτιατική** (+ ρήματα Α2 που συντάσσονται με αυτές)	Βήμα 13 - ΓΡ 3
- **Κύριες & δευτερεύουσες προτάσεις**	Βήμα 3 - ΓΡ.1
- **Παρατακτική σύνδεση κύριων προτάσεων**	Βήμα 3 - ΓΡ.2
- **Δευτερεύουσες προτάσεις**	Βήμα 13 - ΓΡ.4
- **Υποθετικός λόγος**	Βήμα 7 - ΓΡ.6
- **Ρήματα που συντάσσονται με *να* & με *ότι***	Βήμα 13 - ΓΡ.6
- **Υποκείμενο, αντικείμενο, κατηγορούμενο**	Βήμα 13 - ΓΡ.1

11. ΕΠΙΠΛΕΟΝ ΓΡΑΜΜΑΤΙΚΑ & ΣΥΝΤΑΚΤΙΚΑ ΦΑΙΝΟΜΕΝΑ ΠΟΥ ΠΕΡΙΛΑΜΒΑΝΟΥΝ ΟΙ ΠΙΝΑΚΕΣ ΓΡΑΜΜΑΤΙΚΗΣ ΤΩΝ 13 ΒΗΜΑΤΩΝ	Βλέπε:
- Οι τρεις εγκλίσεις	Βήμα 4 - ΓΡ.2
- Η σύνταξη του ***πριν*** και του ***μετά***	Βήμα 4 - ΓΡ.4
- Το ρήμα ***ενδιαφέρομαι*** και η έκφραση ***με ενδιαφέρει***	Βήμα 5 - ΓΡ.3
- Η θέση της κτητικής αντωνυμίας	Βήμα 6 - ΓΡ.4
- Η υποτακτική στη θέση της προστακτικής	Βήμα 7 - ΓΡ.1
- Η θέση της προσωπικής αντωνυμίας στην προστακτική	Βήμα 7 - ΓΡ.2
- Πάθη φωνηέντων	Βήμα 7 - ΓΡ.4
- Η αποκοπή στην προστακτική	Βήμα 7 - ΓΡ.5
- Η υποτακτική με το μόριο ***ας***	Βήμα 9 - ΓΡ.3
- Ρήματα με το πρόθημα ***ξανά-***	Βήμα 9 - ΓΡ.5
- Το γενικό & αόριστο υποκείμενο	Βήμα 10 - ΓΡ.6
- Οι απρόσωπες εκφράσεις με ***ότι***	Βήμα 12 - ΓΡ.2
- Ο διαχωριστικός σύνδεσμος ***είτε... είτε...***	Βήμα 12 - ΓΡ.3
- Προτάσεις ερωτηματικές & επιφωνηματικές που εισάγονται με ***τι***	Βήμα 12 - ΓΡ.4
- Τονισμός των μονοσύλλαβων λέξεων ***πως/πώς, που/πού*** & ***η/ή***	Βήμα 12 - ΓΡ.5
- Τονισμός ονομάτων *	Βήμα 12 - ΓΡ.6
- Ελλειπτικές προτάσεις	Βήμα 12 - ΓΡ.7

** Ιδιαίτερη έμφαση στον τονισμό των ονομάτων έχει δοθεί στο κεφάλαιο 2.* ΟΝΟΜΑΤΑ *με την κατανομή των ουσιαστικών ανάλογα με την κατάληξή τους και τη θέση του τόνου.*

Αλφαβητικό λεξιλόγιο Α2

Περιλαμβάνει 2.225 λέξεις και εκφράσεις

Α2.1.3. : **Α2** = Επίπεδο **Α2**
1. = Ενότητα **1**
3. = Βήμα **3**

Alpabeticaly listed vocabulary A2

Contains 2.225 words and expressions

A2.1.3. : **A2** = Level **A2**
1. = Unit **1**
3. = Step **3**

Α

(Άρρεν - άνδρας), Α2.1.1.	M (Male - man)
άγαμος-η-ο Α2.1.1.	single
αγαπιέμαι Α.2.Π.3.	I am loved
άγγελος, ο Α.2.Π.3.	angel
αγγελούδι, το Α2.2.10.	little angel
Άγιο Φως, το Α2.Π.2.	Holy Light
αγκαλιά, η Α2.1.4.	hug
αγκινάρα, η Α.2.3.12.	artichoke
άγνωστη, η Α2.1.3.	stranger (fem.)
άγνωστος, ο Α2.1.3.	stranger (masc.)
άγνωστος-η-ο Α2.1.3.	unknown, strange
άγχος, το Α2.1.3.	stress, anxiety
αγωνία, η Α2.2.9.	agony
άδεια, η Α2.2.6.	license, permit
άδεια γάμου, η Α2.2.6.	marriage license
άδεια διαμονής / παραμονής, η Α2.2.6.	residence permit
αδειάζω Α2.2.8.	I empty
αδυνατίζω Α.2.3.12.	I lose weight
αεράκι, το Α2.2.8.	breeze
αέριο, το Α2.1.5.	gas
φυσικό αέριο, το Α2.1.5.	natural gas
αεροπορικός-ή-ό Α2.2.7.	air (adj.)
αερόστατο, το Α2.Π.2.	hot air balloon
άθλημα, το Α2.1.1.	sport
αθλητής, ο Α2.1.1.	athlete
αθλητισμός, ο Α2.2.10.	athletics, sports
Αιγαίο, το Α2.1.1.	Aegean Sea
αίθουσα (σινεμά), η Α2.2.9.	screen
αίθριος-α-ο Α2.2.8.	clear, calm (weather)
αίμα, το Α2.1.1.	blood
ομάδα αίματος, η Α2.1.1.	blood type
αισθηματική ταινία, η Α2.2.9.	love story
αίτηση, η Α2.2.6.	application
αιωνιότητα, η Α2.1.2.	eternity
ακάλυπτος, ο Α2.1.4.	barren area, open space
ακάλυπτος-η-ο Α2.1.4.	uncovered, barren space
άκλιτος-η-ο Α.2.Π.3.	indeclinable
ακουμπάω (-ώ) Α.2.3.13.	I put
ακουστικό, το Α.2.3.12.	receiver
άκρη, η Α2.1.2.	edge
ακριβά Α2.1.5.	expensive
ακροατής, ο Α2.2.10.	listener (masc.)
ακροάτρια, η Α2.2.10.	listener (fem.)
ακρογιαλιά, η Α..2.7.	shore, seaside
Ακτή του Ελεφαντοστού, η Α2.2.9.	Ivory Coast
ακτή, η Α2.2.8.	shore
ακτινολόγος, ο/η Α.2.3.12.	radiologist
ακτοπλοϊκό-ή-ό Α2.2.7.	sea liner
ακυρώνω Α2.2.10.	cancel
αλείφω Α2.Π.2.	I smear
Αλεξάνδρεια, η Α2.1.1.	Alexandria (city in Egypt)
αλήθεια, η Α2.2.10.	truth
αλκοόλ, το Α.2.3.12.	alcohol
αλκυόνη, η (ψαροπούλι, το) Α2.2.8.	kingfisher, alcyone
αλλεργία, η Α.2.3.12.	allergy
άλλο Α2.1.5.	anymore
άλλο... κι άλλο... Α2.2.6.	it is one thing... and another...
αλλοδαπή, η Α2.2.6.	alien, foreigner (fem.)
αλλοδαπός, ο Α2.2.6.	alien, foreigner (masc.)
αλλοίμονο(ν) Α.2.Π.3.	alas
άλλοτε Α2.2.10.	then, in the past
άλλωστε Α2.2.6.	besides
αλοιφή, η Α.2.3.12.	ointment
αλουμίνιο, το Α2.1.5.	aluminum
αλφαβητικός-ή-ό Α.2.3.13.	alphabetical
αλφαβητική σειρά, η Α.2.3.13.	alphabetical order
άμμος, η Α2.2.10.	sand
αμμουδιά, η Α2.2.7.	beach
αμοιβή, η Α.2.3.13.	reimbursement
αμπέλι, το Α2.2.7.	vineyard
αμυγδαλιά, η Α2.2.7.	almond tree
αμφιβάλλω Α2.2.6.	I doubt
ανά Α2.2.10.	per
ανάβω - σβήνω (& ανοίγω-κλείνω) το φως, την τηλεόραση... Α2.2.10.	I turn on - turn off (the light, the television etc.)
αναγγελία, η Α2.2.6.	announcement
ανάγκη, η Α2.2.10.	need
έχω ανάγκη κάποιον Α2.2.10.	I need somebody
έχω ανάγκη (από) κάτι Α2.2.10.	I need something
αναγνωρίζω Α2.1.3.	I recognise
ανάγνωση, η Α2.1.1.	reading
αναδρομικός-ή-ό Α2.2.9.	retroactive
αναδρομική έκθεση, η Α2.2.9.	retroactive exposition
αναζητώ Α.2.3.11.	look for
ανακαινίζω Α2.1.4.	I renovate, redecorate
ανακαίνιση, η Α2.1.4.	renovation
ανακαινισμένος-η-ο Α2.1.5.	renovated
ανακύκλωση, η Α2.2.10.	recycling
ανανάς, ο Α.2.3.12.	pineapple
ανανεώνω Α2.2.7.	I renew
αναπαράσταση, η Α2.1.2.	reenactment
αναπνέω Α2.1.4.	I breath
αναπνοή, η Α2.1.4.	breath (n.)
Ανάσταση, η Α2.2.10.	Resurrection
ανατέλλω Α2.2.8.	rise
Ανατολή, η Α2.1.4.	the Orient
ανατολή, η Α2.2.8.	East, sunrise
ανατολικά Α2.2.8.	east (adv.)
ανατολικός-ή-ό Α2.2.8.	east, eastern (adj.)
αναχωρώ Α2.2.7.	I depart
ανδρειωμένος-η-ο Α.2.Π.3.	brave, courageous
ανδρικά είδη, τα Α.2.3.11.	men's clothes
ανεβάζω (ένα θεατρικό έργο) Α2.2.9.	I produce (a play)
ανεβάζω Α2.1.5.	I upload
ανεβάζω κάτι στο διαδίκτυο Α2.1.5.	I upload something on the internet
ανεμελιά, η Α2.2.10.	carefreeness
ανεμοδείκτης, ο Α2.2.8.	windsock
άνεμος, ο Α2.1.1.	wind
άνετα Α2.2.6.	comfortably
άνηθος, ο Α.2.3.12.	dill
ανησυχώ Α2.1.5.	I am worried
ανηφόρα, η Α2.2.10.	uphill
ανηφορίζω Α2.2.7.	go uphill
ανθοδέσμη, η Α2.2.6.	bouquet
ανθοπωλείο, το Α2.1.5.	flower shop
ανθοπώλης, ο Α2.1.5.	florist (masc.)
ανθοπώλισσα, η Α2.1.5.	florist (fem.)
άνθος, το Α2.Π.2.	flower
ανθόσπαρτος-η-ο Α2.2.6.	strewn with flowers
ανθότυρο, το Α.2.3.12.	white low fat cheese
άνοιγμα, το Α.2.3.11.	opening (n.)
ανοιξιάτικος-η-ο Α2.2.8.	spring (adj.)
ανταλλαγή, η Α.2.3.11.	exchange
ανταλλακτικό, το Α.2.3.11.	spare part
ανταλλάσσω (& ανταλλάζω) Α.2.3.11.	I exchange
αντηλιακό, το Α.2.3.11.	sun block
αντιβιοτικό, το Α.2.3.12.	antibiotic
αντιβίωση, η Α.2.3.12.	antibiotic
αντίγραφο, το Α2.2.10.	copy (n.)
αντικείμενο, το Α2.1.4.	object
αντικρύ Α.2.Π.3.	across
αντιπαθητικός-ή-ό Α2.1.3.	disagreeable, unpleasant
αντιπροσωπεία, η Α.2.3.11.	dealership
αντιπροσωπευτικός-ή-ό Α.2.Π.3.	representative
αντιπυρετικό, το Α.2.3.12.	fever reducer
αντιπυρετικός-ή-ό Α.2.3.12.	fever reducing
αντοχή, η Α2.2.6.	resilience, endurance
ανύπαντρος-η-ο Α2.1.1.	single
ανυπεράσπιστος-η-ο Α.2.Π.3.	defenseless
άνω Α2.2.9.	above
άνω των 65 ετών Α2.2.9.	above 65 years old
ανώτατος-η-ο Α.2.3.13.	higher
αξεσουάρ, το Α2.1.3.	accessory
αξία, η Α2.2.6.	worth, value
αξίζω Α.2.3.11.	I worth
(κάτι) αξίζει τα λεφτά του Α.2.3.11	worth the money
αξιοθέατο, το Α2.2.7.	landmark
αξιότιμος-η-ο Α2.1.1.	honourable
αξύριστος-η-ο Α2.1.3.	not shaved
απαίσιος-α-ο Α2.2.8.	awful
απαραίτητος-η-ο	necessary
είναι απαραίτητο Α.2.3.13.	it is necessary
απασχολημένος-η-ο Α2.3.12.	busy
απασχόληση, η Α.2.3.13.	employment
μερική απασχόληση, η Α.2.3.13.	part time employment
απέξω Α.2.3.12.	by heart
απεργία, η Α.2.3.13.	strike
κατεβαίνω σε απεργία Α.2.3.13.	go on strike
απεργώ Α.2.3.13.	I go on strike
απευθείας Α2.2.7.	directly
απευθείας πτήση, η Α2.2.7.	direct flight
απίθανος-η-ο Α2.2.6.	terrific
απίστευτο! Α2.1.4.	unbelievable, incredible
απλά Α2.1.3.	simply
άπλυτος-η-ο Α.2.3.11.	unwashed
άπλυτα, τα (ρούχα) Α.2.3.11.	dirty laundry
απλώς Α2.1.5.	only
από εδώ και πέρα Α2.2.6.	from now on
από χέρι σε χέρι Α2.2.10.	from hand to hand
αποβάθρα, η Α2.2.7.	platform
απογευματινός-ή-ό Α2.2.7.	afternoon
αποθεώνω Α2.1.1.	I glorify
αποκλείεται Α2.1.4.	there is no way
Αποκριά, η Α2.Π.2.	Carnival
αποκτώ Α2.3.11.	have, get
απολυτήριο, το Α.2.3.13.	elementary / high school diploma
απορία, η Α.2.3.12.	query
απόσταξη, η Α.2.Π.3.	distillation
αποστολή, η Α2.2.7.	sending, shipping
αποτέλεσμα, το Α2.2.10.	result
απουσιάζω Α.2.3.13.	I am absent / away
αποφεύγω Α.2.3.12.	I avoid
απόφοιτος, ο/η Α.2.3.13.	graduate
αποχαιρετάω (-ώ) Α.2.Π.3.	I say goodbye
αραιός-ή-ό Α2.1.3.	thin (hair)
αρακάς, ο Α.2.3.12.	pea
αρέσω Α2.1.1.	I am liked
αριθμημένος-η-ο Α2.2.9.	numbered
αριθμός ταυτότητας, ο Α2.1.1.	ID number
άριστα Α.2.3.13.	excellent
άρμα, το Α2.Π.2.	chariot
αρμενίζω Α2.2.10.	I float
αρνίσιος-α-ο Α.2.3.12.	lamb (adj.)
αρνούμαι Α2.2.9.	I decline, I refuse
αρραβωνιάζομαι Α2.2.6.	I get engaged
αρραβωνιαστικός, ο Α2.2.6.	fiancé (masc.)
αρραβωνιαστικιά, η Α2.2.6.	fiancé (fem.)
άρρεν (φύλο), το Α2.1.1.	male (sex)
αρτοποιός, ο Α.2.3.12.	baker
αρχαία ελληνικά, τα Α.2.3.13.	Ancient Greek
αρχαιολογικός χώρος, ο Α2.2.7.	archaeological site
αρχαιολόγος, ο/η Α2.2.8.	archaeologist
αρχαιότητα, η Α.2.3.11.	antiquity
αρχηγός, ο/η Α2.2.10.	captain
αρχιτεκτονικός-ή-ό Α2.1.5.	architectural
άρωμα, το Α2.2.7.	perfume
αρωματικός-ή-ό Α2.2.10.	aromatic
ας Α2.2.9.	let's
ασβέστιο, το Α.2.3.12.	calcium
ασημένιος-α-ο Α2.1.4.	silver
ασήμι, το Α2.1.4.	silver
ασθένεια, η Α2.3.12.	disease
ασκούμαι Α2.2.10.	I exercise
ασπρόμαυρος-η-ο Α2.2.9.	black and white
αστέρας, ο Α2.2.7.	star
ξενοδοχείο τριών αστέρων, το Α2.2.7.	three star hotel
αστρονόμος, ο/η Α2.2.8.	astronomer
αστυνομικός-ή-ό Α2.1.1.	police (adj.)
αστυνομική ταυτότητα, η Α2.1.1	identity card
αστυνομική ταινία, η Α2.2.9.	film noire
αστυνομικό τμήμα, το Α2.1.1.	police department / station
ασφαλισμένος-η-ο Α.2.3.13.	insured

ασφαλώς Α2.2.9.	certainly
ασχολούμαι Α2.1.1.	I do (profession, hobby etc.)
ατζέντα, η Α2.3.13.	agenda
άτοκος-η-ο Α.2.3.11.	interest free
αυθεντικός-ή-ό Α2.1.1.	authentic, original
αυριανός-ή-ό Α2.2.8.	tomorrow (adj.)
αυστηρά Α2.2.10.	severely
αυτοσχέδιος-α-ο Α.2.Π.3.	improvised
αφαίρεση, η Α.2.3.11.	subtraction
αφαιρώ Α.2.3.11.	I subtract
αφεντικό, το Α2.2.10.	boss
αφθονία, η Α2.2.6.	abundance
αφίσα, η Α2.2.10.	poster
αφρόλουτρο, το Α.2.3.11.	bath foam
Β	
βάζω γκολ / τέρμα Α2.2.10.	I score
βάζω κάτι στο στόμα μου Α.2.3.12.	I have a bite
βάζω τα κλάματα Α2.2.10.	I outburst in tears
βαθμός, ο Α.2.3.13.	grade
βαθμός, ο Α2.2.8.	degree
βαθμός Κελσίου, ο Α2.2.8.	Celsius
βαμβακερός-ή-ό Α.2.3.11.	cotton
βαμβάκι, το Α.2.3.11.	cotton
βαμμένος-η-ο Α2.1.3.	coloured (hair)
βαν, το Α2.2.7.	van
βανίλια, η Α.2.3.12.	vanilla
βάρος, το Α.2.3.12.	weight
παίρνω / χάνω βάρος Α.2.3.12.	put / lose weight
βάση, η Α.2.3.13.	passing grade
βάση, η Α2.Π.1.	basis
με βάση Α2.Π.1.	on the basis
βασιλικός, ο Α.2.3.12.	basil
βάφω Α2.1.3.	I colour (v.) (hair)
βάφω Α2.1.4.	I paint
βάφω έναν τοίχο	I paint / colour a wall
βάψιμο, το Α2.1.4.	painting
βγάζω φωτογραφίες Α2.2.10.	I take pictures
βγαλμένος-η-ο Α.2.Π.3.	born from
βεβαίωση, η Α.2.3.13.	certification
βεγγαλικό, το Α2.Π.2.	firework
βελόνα του ραψίματος, η Α2.2.10.	needle for sowing
βελόνα του πλεξίματος, η Α2.2.10.	needle for knitting
βέρα, η Α2.2.6.	wedding ring
βήμα, το Α2.2.7.	step
βία, η Α.2.Π.3.	violence, force
βιβλίο τσέπης, το Α2.2.9.	pocket book
βιβλιοπωλείο, το Α2.1.5.	bookstore
βιβλιοπώλης, ο Α2.1.5.	bookseller (masc.)
βιβλιοπώλισσα, η Α2.1.5.	bookseller (fem.)
βίζα, η Α2.2.7.	visa
βίντεο, το Α2.2.10.	video
βιογραφία, η Α2.2.9.	biography
βιολιστής, ο Α2.1.1.	violinist (masc.)
βιολίστρια, η Α2.1.1.	violinist (fem.)
βιομήχανος, ο Α2.1.1.	industrialist
βίος, ο Α2.2.6.	life
βιταμίνη, η Α.2.3.12.	vitamin
βλάβη, η Α2.2.7.	malfunction
βλέπει μπροστά / πίσω / στο δρόμο Α2.1.5.	has a street view / back view / street view
βλεφαρίδα, η Α2.1.3.	eyelash
βοηθητικός-ή-ό Α2.1.5.	spare
βοηθητικοί χώροι, οι Α2.1.5	spare spaces
βοηθός (του σπιτιού), ο/η Α2.2.10.	assistant (housekeeper)
βόρεια Α2.2.8.	north (adv.)
βορειοανατολικά Α2.2.8.	northeast (adv.)
βορειοανατολικός-ή-ό Α2.2.8.	northeast, northeastern (adj.)
βορειοδυτικά Α2.2.8.	northwest (adv.)
βορειοδυτικός-ή-ό Α2.2.8.	northwest, northwestern (adj.)
βόρειος-α-ο Α2.2.8.	north, northern (adj.)
βοριάς, ο Α2.2.8.	north wind
βότσαλο, το Α2.2.7.	pebble
Βούδας, ο Α2.1.1.	Buddha
βουδιστής, ο Α2.1.1.	Buddhist (masc.)
βουδίστρια, η Α2.1.1.	Buddhist (fem.)
βουλευτής, ο/η Α2.2.10.	Member of the Parliament
Βουλή η Α2.2.10.	Parliament
βουλιάζω Α2.2.8.	I sink
βουλωμένος-η-ο Α.2.3.12.	congested
βραβείο, το Α2.1.1.	award
βραβείο Νόμπελ, το Α2.2.6.	Nobel prize
βραδιάζει Α2.2.8.	evening falls
βραδινός-ή-ό Α2.2.8.	evening (adj.)
βρασμένος-η-ο Α.2.3.12.	boiled
βραχιόλι, το Α2.1.3.	bracelet
βρε Α2.1.1.	hey
βρόμη, η Α.2.3.12.	oat
βρόμικος-η-ο Α2.1.3.	dirty
βυζαντινός-ή-ό Α2.2.7.	byzantine
βύσσινο, το Α.2.3.12.	sour cherry
Γ	
γαβγίζω Α2.2.10.	I bark
γάζα, η Α.2.3.12.	gauze
γαλακτομπούρεκο, το Α.2.3.12.	baked milk desert with syrup
γαλανός-ή-ό Α2.1.3.	light blue
γαλότσα, η Α.2.3.11.	wellington, rubber boot
γαμήλιος-α-ο Α2.2.6.	wedding (adj.)
γαμήλιο ταξίδι, το Α2.2.6.	honeymoon
γαμοπίλαφο, το Α.2.Π.3.	special rice dish that for weddings
γάμος, ο Α2.2.6.	wedding
θρησκευτικός γάμος, ο Α2.2.6.	religious wedding
πολιτικός γάμος, ο Α2.2.6.	civil wedding
γαμπρός, ο Α2.2.6.	groom
νύφη, η Α2.2.6.	bride
γαμπρός (μου), ο Α2.2.6.	(my) son in law
νύφη (μου), η Α2.2.6.	(my) daughter in law
γαύρος, ο Α.2.3.12.	anchovy
γεμιστά, τα Α.2.3.12.	stuffed tomatoes
γένος, το Α2.2.6.	maiden name
γέρος, ο Α2.1.3.	old man
γριά, η Α2.1.3.	old woman
γεύση, η Α.2.3.11.	taste
γεύσεις, οι Α.2.3.11.	tastes (n. pl.)
γέφυρα, η Α2.2.7.	bridge
γεωγραφικός-ή-ό Α2.Π.1.	geographic, geographical
γεωγραφικό διαμέρισμα, το Α2.Π.1.	geographic division
γι' αυτό Α2.1.4.	for this reason
για κακό Α.2.Π.3.	bad luck
για να πούμε την αλήθεια Α2.2.10.	to tell the truth
για παράδειγμα Α2.1.3.	for example
για πού το 'βαλες; [πού πας;] Α2.2.9.	where do you think you are going?
γιγαντιαίος-α-ο Α.2.3.12.	gigantic
γίδα, η Α.2.Π.3.	goat
γίνομαι Α2.2.6.	I become
δε γίνεται Α2.2.6.	It's impossible
τι γίνεσαι; Α2.2.6	what's up?
τι έγινε; Α2.2.6.	what happened?
τι έγινες; Α2.2.6.	what happened to you?
τι θα γίνεις; Α2.2.6.	what is going to happen to you?
και τι έγινε; Α2.2.10.	so what?
γιουβέτσι, το Α.2.3.12.	casserole dish with beef and orzo
γιούλι, το Α2.Π.2.	kind of violet
γιωταχί (Ι.Χ.), το Α2.2.6.	passenger car
γκαζόν, το Α2.1.5.	lawn, grass
γκαλερί, η Α2.2.9.	gallery
γκαρσονιέρα, η Α2.1.4.	studio apartment
γκολ, το Α2.2.10.	goal
γλάστρα, η Α2.1.4.	flower pot
γλείφω	I lick
γλείφω τα δάκτυλά μου Α.2.3.12.	I lick my fingers (because something is delicious)
γλέντι, το Α2.2.6.	feast, party
γλιστράω (-ώ) Α2.2.8.	I slide
γλυκό του κουταλιού, το Α.2.3.12.	Spoon sweet
γλυκό του ταψιού Α.2.3.12.	baked desert with syrup
γλυπτική, η Α2.2.10.	sculpture
γλώσσα, η Α.2.3.12.	sole fish
γνήσιος-α-ο Α.2.3.13.	authentic
γνήσιο της υπογραφής, το Α.2.3.13.	authentication of signature
γνώμη, η Α2.2.6.	opinion
κατά τη γνώμη μου Α2.2.6	in my opinion
γνωρίζομαι Α2.2.6.	I am acquainted
γνωριμία, η Α2.2.6.	meeting
γνώριμος-η-ο Α.2.Π.3.	known
γνωστή (μου), η Α2.1.3.	acquaintance of a person (fem.)
γνωστός (μου), ο Α2.1.3.	acquaintance of a person (masc.)
γουέστερν, το Α2.2.9.	western
γούνα, η Α.2.3.11.	fur
γούστο, το Α2.1.3.	taste (n.)
γραμμή, η Α.2.3.13.	line (telephone)
γραφή, η Α2.1.1.	writing
γράψιμο, το Α2.2.10.	writing (n.)
γυαλί, το Α2.1.4.	glass
γυαλίζω Α2.Π.2.	I shine
γυάλινος-η-ο Α2.1.4.	glass (adj.)
γυμνασμένος-η-ο Α2.1.3.	fit, exercised
γυναικεία είδη, τα Α.2.3.11.	women's clothes
γυρίζω (ταινία) Α2.1.1.	I make, I shot (a film)
γυρίζω (το κεφάλι) Α2.2.10.	I turn
γύρω-γύρω Α2.1.4.	all around
γύψος, ο Α.2.3.12.	(plaster) cast
γωνιά, η Α2.1.4.	corner
Δ	
δακτυλικό αποτύπωμα, το Α2.1.1.	fingerprint
δανείζω Α2.2.10.	I lend
δάφνη, η Α.2.3.12.	bay laurel
δαχτυλίδι, το Α2.1.3.	ring
δε λέω Α2.2.10.	I can't say
δε μας τα λες καλά Α2.1.5.	you are not being honest, are you?
δε μου λες; Α2.1.3.	tell me
δεκάδα, η Α.2.3.11.	ten
δελτίο ειδήσεων, το Α2.2.10.	news report
δελτίο, το Α2.2.8.	forecast
μετεωρολογικό δελτίο, το Α2.2.8.	weather forecast
δεν είμαστε καλά! Α2.2.10.	you are not in your right mind!
δεν πάω πίσω Α2.2.9.	where do you think you are going?
δεντρολίβανο, το Α2.2.7.	rosemary
δένω Α2.2.10.	I tie
δέρμα, το Α2.1.3.	skin
δέρμα, το Α2.1.4.	leather
δερμάτινος-η-ο Α2.1.4.	leather (adj.)
δερματολόγος, ο/η Α.2.3.12.	dermatologist
δέσιμο, το Α2.2.10.	tying
δευτεροβάθμιος-α-ο Α.2.3.13.	secondary
δευτεροβάθμια εκπαίδευση, η Α.2.3.13.	secondary education
δεύτερον Α.2.3.12.	secondly
δέχομαι μια πιστωτική κάρτα Α.2.3.11.	I accept a credit card
δηλαδή; Α2.1.3.	you mean
δηλώνω Α2.2.6.	I declare
δήλωση, η Α2.2.6.	statement
υπεύθυνη δήλωση, η Α2.2.6.	affidavit of truth
δημιουργικός-ή-ό Α2.2.10.	creative
δημιουργώ Α2.2.9.	I create
δήμος, ο Α2.2.5.	municipality
δια Α.2.3.11.	divided
δια βίου μάθηση Α.2.3.13.	adult education
διαγώνισμα, το Α.2.3.13.	exam
διαδρομή, η Α2.2.7.	way, itinerary
απλή διαδρομή, η Α2.2.7.	one way trip
διαδρομή με επιστροφή, η Α2.2.7.	return trip
διαζύγιο, το Α2.2.6.	divorce
διάζωμα, το Α2.2.9.	tier
διαίρεση, η Α.2.3.11., Π.1.	division
διαιρώ Α.2.3.11.	I divide
διαιτητής, ο/η Α2.2.10.	referee
διακόπτης, ο Α.2.3.11.	switch (n.)
διακόπτω Α2.2.6.	I interrupt
διακόσμηση, η Α2.1.4.	decoration
διακοσμώ Α2.1.4.	I decorate
διάλεξη, η Α2.2.9.	lecture
διαμαρτυρόμενος, ο Α2.1.1.	Protestant (masc.)
διαμαρτυρόμενη, η Α2.1.1.	Protestant (fem.)
διαμέρισμα, το Α2.Π.1.	department
διάμετρος, η Α.2.3.12.	diameter
διαμονή, η Α2.2.6.	residence (in a country)
διανυκτέρευση, η Α2.2.7.	overnight stay
διάρκεια, η Α2.2.9.	duration
διάσημος-η-ο Α2.1.1.	famous
διασταύρωση, η Α2.1.2.	crossing
διάστημα, το Α2.2.8.	period / interval
διαστήματα ηλιοφάνειας, τα Α2.2.8.	intervals of sunshine
διαφήμιση, η Α2.2.10.	advertisement
διαφημιστικός-ή-ό Α.2.3.13.	advertising
διαφορά, η Α2.2.8.	difference
διάφοροι-ες-α Α2.2.7.	various
διαφωνώ Α2.2.6.	I disagree
διδακτορικό, το Α.2.3.13.	PhD, doctorate
δίδακτρα, τα Α.2.3.13.	tuition fees
διδασκαλείο, το Α.2.3.13.	teaching institution
διδασκαλία, η Α.2.3.13.	teaching
διήγημα, το Α2.2.9.	short story
δικαιολογητικά, τα Α2.2.6.	supporting documentation
δικαιολογούμαι Α2.2.9.	I excuse my self
δίκαιος-α-ο Α2.2.10.	fair
δικαίωμα, το Α.2.3.13.	right (n.)
δικός-ιά/ή-ό (μου/σου...) Α.2.3.11.	mine
δικοί (μου), οι Α2.Π.3.	my people / family
δικτάτορας, ο Α2.Π.2.	dictator
δίκτυο, το Α2.2.10.	network
κοινωνικό δίκτυο, το Α2.2.10.	social network
δίνω (εξετάσεις) Α.2.3.13.	I take (exams)
δίνω (μια συναυλία) Α2.2.9.	I perform (concert)

δίνω χρήματα στο χέρι (μετρητά) Α2.2.10.	I pay cash
διορθώνω Α2.2.10.	I correct
διορθώνω Α.2.3.11.	I alter
διπλανός, ο (μου) Α2.2.9.	he person sitting next to me (masc.)
διπλανή, η (μου) Α2.2.9.	the person sitting next to me (fem.)
διπλός-ή-ό Α2.1.4.	double
δίπλωμα, το Α.2.3.13.	diploma
δίπλωμα Ελληνομάθειας, το Α.2.3.13	diploma of Greek language
δισεκατομμύριο, το Α.2.3.11.	billion
δίσεκτος-η-ο Α.2.Π.3.	leap (year)
δίσκος, ο Α2.1.3.	tray
διώχνω Α2.2.6.	I send away
δοκιμάζω (ένα φαγητό) Α.2.3.12.	I taste (food)
δόξα τω θεώ Α.2.3.12.	thank God
δόση, η Α.2.3.11.	installment
δοχείο, το Α2.2.7.	container
δραματική ταινία, η Α2.2.9.	drama
δραστηριότητα, η Α2.2.10.	activity
δραχμή, η Α2.2.10.	drachma
δρομέας, ο Α2.1.4.	runner
δρομολόγιο, το Α2.2.6.	itinerary
δροσερός-ή-ό Α2.2.8.	cool
δροσιά, η Α2.2.8.	mist
δύναμη, η Α2.2.6.	power
δυναμικός-ή-ό Α2.1.3.	dynamic, vigorous
δυνατός-ή-ό Α2.1.1.	strong
δυνατότητα, η Α2.2.8.	possibility
δυόσμος, ο Α.2.3.12.	spearmint
δύση, η Α2.2.8.	West, sunset
δυστύχημα, το Α2.1.2.	accident
δυστυχισμένος-η-ο Α2.2.6.	miserable
δυτικά Α2.2.8.	west (adv.)
δυτικός-ή-ό Α2.2.8.	west, western (adj.)
δύω Α2.2.8.	I set
δωρεάν Α2.2.7.	for free

Ε

εβδομαδιαίος-α-ο Α2.2.8.	weekly
εβδομάς, η (-μάδα) Α.2.Π.3.	week
έβδομη τέχνη, η Α2.1.2.	the seventh art
έγγαμος-η-ο Α2.1.1.	married
εγγραφή, η Α.2.3.13.	registration
έγγραφο, το Α.2.3.13.	document
εγγύηση, η Α2.1.5.	warranty
εγκαίνια, τα Α2.2.9.	opening, inauguration
εγκατάσταση, η Α2.2.9.	installation
εγκυκλοπαίδεια, η Α.2.3.13.	encyclopedia
εγκυμοσύνη, η Α.2.3.12.	pregnancy
έγκυος, η	pregnant
τριών μηνών έγκυος Α.2.3.12.	three months pregnant
εγχείρηση, η Α.2.3.12.	surgery, operation
έγχρωμος-η-ο Α2.1.1.	colour (adj.)
έγχρωμη φωτογραφία, η Α2.1.1.	colour photo
εγώ ο ίδιος/η ίδια Α2.1.3.	I personally
ειδικός, ο/η Α.2.3.11.	specialist
ειδικός-ή-ό Α2.2.9.	special, specific
ειδοποιώ Α2.2.9.	I prevent
είμαι για κάτι [θέλω να κάνω κάτι] Α2.2.9.	I am in [I want to do something]
είμαι εντάξει (στα ραντεβού μου) Α2.2.9.	I am punctual
είμαι ίδιος ο.../ίδια η... Α2.1.3.	I look like..., I resemble to...
είμαι στη διάθεσή σου/σας Α2.2.7.	I am at your disposal
είναι δυνατόν Α2.2.7.	it is possible
είναι επικίνδυνο να... Α2.2.7.	it is dangerous to...
είναι λάδι (η θάλασσα) Α2.2.8.	(the sea) is still
είναι λουκούμι Α.2.3.12.	it is delicious
είναι χαρά Θεού Α.2.3.12.	joy of God, joyfulness
εισαγωγή, η Α.2.3.11.	import
προϊόν εισαγωγής, το Α.2.3.11	imported good
εισόδημα, το Α.2.3.13.	income
είτε Α.2.3.12.	either
είτε... είτε Α.2.3.12.	either... or
εκ των προτέρων (από πριν) Α.2.3.13.	beforehand
εκατομμύριο, το Α.2.3.11.	million
εκατοντάδα, η Α.2.3.11.	hundred
εκδήλωση, η Α2.2.9.	event
έκδοση, η Α2.1.1.	issuance
ημερομηνία έκδοσης, η Α2.1.1.	issuance date
έκδοση, η Α2.2.9.	edition / publication
εκκαθαριστικό, το Α.2.3.13.	tax return
εκπαίδευση, η Α.2.3.13.	education
εκπομπή, η Α2.2.10.	show
εκτέλεση, η (μουσικού έργου) Α2.Π.2.	performance (musical piece)
εκτός Α2.2.6.	apart, except
εκφράζω Α.2.3.11.	I express
εκφράζω παράπονο Α.2.3.11.	I make a complaint
εκφραστικός-ή-ό Α2.1.3.	expressive
εκφωνητής, ο Α2.2.10.	broadcaster (masc.)
εκφωνήτρια, η Α2.2.10.	broadcaster (fem.)
έλατο, το Α2.2.7.	fir
ελάττωμα, το Α.2.3.11.	flaw
έλεγχος, ο Α.2.3.13.	report card
έλεγχος, ο Α2.2.7.	checking
ελευθερία, η Α.2.Π.3.	freedom
ελεύθερος χρόνος, ο Α2.1.1.	free / leisure time
ελιά, η Α2.2.7.	olive tree
Ελληνοαμερικανίδα, η Α2.1.1.	Greek-American (fem.)
Ελληνοαμερικανός, ο Α2.1.1.	Greek-American (masc.)
ελληνομάθεια, η Α.2.3.13.	Greek language learning
έμβρυο, το Α.2.3.12.	embryo
εμπιστοσύνη, η Α2.1.3.	trust (n.)
εμπορικός-ή-ό Α.2.Π.3.	business
έμπορος, ο/η Α2.2.7.	merchant, trader
εμφανίζομαι Α2.1.3.	I appear
εμφάνιση, η Α2.1.3.	appearance
έναν κόσμο (χαρτιά) Α.2.3.13.	a pile (of papers)
έναρξη, η Α2.2.9.	start, opening
ενδεικτικό, το Α.2.3.13.	end of year report card
ενδιαφέρομαι Α2.1.5.	I am interested
ενδιαφέρω Α2.1.5.	I interest
με ενδιαφέρει Α2.1.5.	I am interested
ενέργεια, η Α2.2.10.	energy
Ενετοκρατία, η Α2.Π.2.	Venetocracy
ενημερώνω Α2.2.9.	I inform
ενημέρωση, η Α2.2.10.	update, information
ενθουσιάζομαι Α2.2.9.	I am excited
ενικός, ο Α2.1.5.	singular
μιλάω (-ώ) σε κάποιον στον ενικό Α2.1.5.	I speak to someone on first name terms
ενοικιαζόμενο δωμάτιο, το Α2.2.7.	room to let
ενοικίαση, η Α2.1.5.	renting
ενοικιαστήριο, το Α2.1.5.	rental poster
ενοικιαστής, ο Α2.1.5.	tenant (masc.)
ενοικιάστρια, η Α2.1.5.	tenant (fem.)
ενόχληση, η Α.2.3.13.	disturbance
ενοχλώ Α2.2.6.	I bother
ένσημο, το Α.2.3.13.	social security stamps
εντατικός-ή-ό Α.2.3.13.	intensive
εντατικό τμήμα, το Α.2.3.13.	intensive course
εντελώς Α2.1.5.	totally, absolutely
έντομο, το Α2.2.9.	insect
έντυπο, το Α.2.3.13.	hard copy
έντυπος-η-ο Α2.2.10.	printed
εντύπωση, η Α2.2.7.	impression
κάτι μου κάνει εντύπωση Α2.2.7.	something makes impression on me
εντυπωσιακός-ή-ό Α2.2.7.	impressive
ενώνω Α2.2.7.	connect
εξαιρετικός-ή-ό Α.2.Π.3.	excellent
εξάμηνο, το Α.2.3.13.	semester
εξαρτάται Α2.2.7.	it depends
εξέγερση, η Α2.Π.2.	revolt (n.)
εξετάζω (γιατρός) Α.2.3.12.	I examine
εξετάσεις, οι Α.2.3.13.	exams
εξεταστική, η Α.2.3.13.	examination period
εξηγώ Α2.1.1.	I explain
έξοδο, το Α2.2.7.	expense
έξοδα αποστολής, τα Α2.2.7.	postal expense
έξοδος, η Α2.2.9.	outing
εξοφλώ Α.2.3.11.	I pay off
εξοχή, η Α2.1.5.	country side
εξυπηρέτηση, η Α2.2.7.	service
εξυπηρετώ Α2.2.7.	I serve, I facilitate
έξυπνο τηλέφωνο, το Α.2.3.11.	smartphone
εξώστης, ο Α2.2.9.	balcony
εξωσχολικός-ή-ό Α2.2.10.	extra-curricular
εξωτερικά ιατρεία, τα Α2.1.2.	emergency room
εξωτερικό, το Α2.2.7.	abroad
εξωτερικός-ή-ό Α2.1.3.	external
εξωτερική εμφάνιση, η Α2.1.3.	physical (appearance)
επαγγελματίας, ο/η Α.2.3.11.	professional
επαγγελματικός-ή-ό Α2.2.7.	professional
επανάληψη, η Α2.2.9.	repetition
επανάσταση, η Α2.Π.2.	revolution
επειδή Α2.2.9.	because
επεισόδιο, το Α2.2.10.	episode
έπειτα Α2.1.2.	afterwards, then
επεξεργασία, η Α2.2.10.	processing
επί Α.2.3.11.	by (dimensions, i.e. 3x4 m.)
επί Α2.1.4.	times (multiplication)
επί παραγγελία Α.2.3.11.	custom made
επιβάτιδα (επιβάτισσα), η Α2.2.7.	passenger (fem.)
επιβεβαιώνω Α.2.3.13.	I confirm
επίδεσμος, ο Α.2.3.12.	bandage
επίδομα ανεργίας, το Α.2.3.13.	unemployment benefit
επιδόρπιο, το Α.2.3.12.	desert
επίθετο, το Α2.1.1.	last name
επιθυμία, η Α.2.3.13.	desire
επιθυμώ Α.2.3.13.	I want
επικύρωση, η Α.2.3.13.	validation
επιλέγω Α2.2.7.	I choose, I select
επιλογή, η Α2.2.7.	choice
επιπλώνω Α2.1.4.	I furnish
επισκέπτομαι Α2.2.7.	I visit
επισκευάζω Α.2.3.11.	I repair
επισκευή, η Α.2.3.11.	repair
επιστήμη, η Α2.2.9.	science
επιστολή, η Α.2.3.13.	letter
συστατική επιστολή, η Α.2.3.13	recommendation letter
επιστρέφω Α2.1.2.	I return
επιστρέφω κάτι Α.2.3.11.	I return something
επιταγή, η Α.2.3.13.	check (n.)
ταχυδρομική επιταγή, η Α.2.3.13.	postal check
Επιτάφιος, ο Α2.2.10.	Epitaph
επιτυχημένος-η-ο Α.2.3.13.	successful
επιτυχία, η Α2.2.9.	success
επομένως Α2.2.6.	therefore
εποχή, η Α2.1.1.	time, period
επώνυμος-η-ο Α.2.3.11.	labelled
εργάζομαι Α2.1.1.	I work
εργαζόμενος-η-ο Α2.Π.2.	working
εργασία, η Α2.2.10.	work
Εργατική Πρωτομαγιά, η Α2.Π.2.	Labour day, Mayday
εργατικός-ή-ό Α2.Π.2.	labour (adj.)
έργο τέχνης, το Α2.1.2.	piece of art
εργοδότης, ο Α.2.3.13.	employer (masc.)
εργοδότρια, η Α.2.3.13.	employer (fem.)
έρευνα, η Α2.1.3.	research
ερπετό, το Α2.2.9.	serpent
ερωτεύομαι Α2.2.6.	I fall in love
έσοδα, τα Α2.2.9.	revenues
εσωτερικό, το Α2.1.4.	interior
ετήσιος-α-ο Α2.2.8.	annual
ετοιμασία, η Α.2.Π.3.	preparation
έτσι Α2.1.3.	this is how
Ευαγγέλιο, το Α2.2.6.	Gospel
Ευαγγελισμός, ο Α2.Π.2.	Evangelism
ευκολία, η Α2.1.5.	facility
ευκολίες, οι Α2.1.5.	facilities
ευλογώ Α.2.Π.3.	I bless
ευρύχωρος-η-ο Α2.1.5.	spacious
ευρωβουλευτής, ο/η Α2.2.10.	Member of the European Parliament
ευχάριστα Α2.1.5.	nicely, pleasantly
ευχαριστημένος-η-ο Α2.1.5.	pleased, content
ευχάριστος-η-ο Α2.2.7.	pleasant
εφαρμογή, η Α2.2.10.	application
έφηβος, ο Α2.1.3.	adolescent (masc.)
έφηβη, η Α2.1.3.	adolescent (fem.)
εφημερεύω Α.2.3.12.	I am on call / duty
εφημερεύοντα φαρμακεία, τα Α.2.3.12	pharmacies on duty
εφοπλιστής, ο Α2.1.1.	ship-owner
εφορία, η Α2.2.6.	tax office
εχάθη (χάθηκε) Α2.Π.2. (χάνομαι)	it was lost
έχει Α2.2.8.	it has, it is, there is
έχει αέρα Α2.2.8.	it's windy
έχει καύσωνα Α2.2.8.	heatwave
έχει κύμα Α2.2.8.	wave
έχει λιακάδα Α2.2.8.	sunshine

Ζ

ζαχαροπλαστική, η Α2.2.10.	pastry making
ζεσταίνομαι Α2.2.8.	I am hot / warm
ζεστό (ρόφημα), το Α.2.3.12.	hot beverage
ζέφυρος, ο Α2.2.7.	westerly (wind)
ζημιά, η Α2.2.7.	damage
ζητάω (-ώ) κάποιον σε γάμο Α2.2.6.	I ask somebody to marry me
ζουμί, το Α2.Π.2.	juice
ζωηρός-ή-ό Α2.1.3., Α.2.3.11.	vibrant, lively
ζωηρό χρώμα Α.2.3.11.	vibrant colour
ζώνη, η Α2.2.9.	zone
ζωντανά Α2.2.10.	live (adj.)
ζωντάνια, η Α2.1.5.	liveliness
ζωντανός-ή-ό Α2.2.10.	live

Η

ήθη κι έθιμα, τα Α2.Π.2.	habits and customs
ηθοποιός, ο/η Α2.2.9.	actor / actress
ηλεκτρονικά Α2.2.6.	electronically
ηλεκτρονική διεύθυνση, η Α2.1.1.	electronic mail (e-mail)

ηλεκτροπληξία, η Α.2.3.11.	electrocution
ηλιακός-ή-ό Α2.1.5.	solar
ηλιακός θερμοσίφωνας, ο Α2.1.5.	sun clock
ηλιακό ρολόι, το Α2.2.8.	solar boiler
ηλικιωμένη, η Α2.1.2.	old person (fem.)
ηλικιωμένος, ο Α2.1.2.	old person (masc.)
ηλικιωμένος-η-ο Α2.1.2.	elderly, old
ηλιοβασίλεμα, το Α2.2.7.	sunset
ηλιοφάνεια, η Α2.2.8.	sunshine
ημερήσιος-α-ο Α2.2.8.	daily
ημερομηνία γέννησης, η Α2.1.1.	Date of birth
ημερομηνία έκδοσης, η Α2.1.1.	Issuance date
ημερομηνία λήξης, η Α2.1.1.	Expiration date
ημερομίσθιο, το Α.2.3.13.	daily wage
ημιδιατροφή, η Α2.2.7.	half board
ημίχρονο, το Α2.2.10.	half term
ημιώροφος, ο Α2.2.11.	mezzanine
ήπιος-α-ο Α.2.Π.3.	calm
ήρεμα Α2.1.5.	calmly
ήρεμος-η-ο Α2.1.3.	calm
ήρωας, ο Α2.2.9.	hero
ηρωίδα, η Α2.2.9.	heroine
Ησαΐας, ο Α2.2.6.	Isaiah
ήσυχος-η-ο Α2.1.3.	quiet
ηχολήπτης, ο Α2.2.6.	sound technician (masc.)
ηχολήπτρια, η Α2.2.6.	sound technician (fem.)

Θ

Θ (Θήλυ - γυναίκα), Α2.1.1.	F (Female - woman)
θάνατος, ο Α2.1.1.	death
θαύμα, το Α2.1.1.	miracle
παιδί-θαύμα, το Α2.1.1.	miracle-child
θαυμάζω Α2.2.7.	I admire
θαυμασμός, ο Α2.2.10.	admiration
θέαμα, το Α2.2.9.	show
θεατής, ο Α2.2.9.	spectator
θεατρικό έργο, το Α2.2.9.	theatrical play
θεολογία, η Α2.1.3.	theology
θεολόγος, ο/η Α2.1.1.	theologian (masc., fem.)
θεραπεία, η Α2.2.9.	therapy
θερινός-ή-ό Α2.2.8.	summer (adj.)
θερμόμετρο, το Α.2.3.12.	thermometer
θερμός, το Α2.2.8.	cooler
θερμός-ή-ό Α2.2.8.	hot
θέρος (καλοκαίρι), το Α2.2.8.	summer
θέση, η Α.2.3.13.	position
θεωρείο, το Α2.2.9.	box
θεωρώ Α.2.3.13.	I certify
θήκη, η Α.2.3.11.	case
θήλυ (φύλο), το Α2.1.1.	female (sex)
θίασος, ο Α2.1.2.	theatre company
θλίψη, η Α.2.Π.3.	sorrow
θόρυβος, ο Α2.1.4.	noise
θρεπτικός,-ή,-ό Α.2.3.12.	nutritional
θρήνος, ο Α2.Π.2.	mourning
θρησκεία, η Α2.1.3.	religion
θρήσκευμα, το Α2.1.1.	religion
θρησκευτικά ,τα Α.2.3.13.	religious studies
θρησκευτικός-ή-ό Α2.Π.2.	religious
θρίλερ, το Α2.2.9.	thriller
θυμάμαι Α2.1.2.	I remember
θα με θυμηθείτε Α.2.3.12.	mark my words
θυμάρι, το Α.2.3.12.	thyme
θυμάρι, το Α2.2.7.	thyme
θυμαρίσιος-α-ο Α.2.Π.3.	made of thyme
θυμωμένος-η-ο Α2.2.10.	angry

Ι

ίαση (παλιά: η ίασις), η Α2.2.9.	treatment (older version: ίασις)
ιδανικός-ή-ό Α.2.3.12.	ideal
ιδεολογία, η Α.2.3.11.	ideology
ιδιοκτήτρια, η Α2.1.4.	owner
ίδιος, ο - ίδια, η - ίδιο, το Α2.1.3.	same
ιδιωτικός-ή-ό Α.2.3.13.	private
ίδρυμα, το Α2.2.9.	foundation
ιερός-ή-ό Α.2.Π.3.	sacred
ιθαγένεια, η Α2.1.1.	nationality
ΙΚΑ (Ίδρυμα Κοινωνικών Ασφαλίσεων) Α.2.3.13.	Social Security
ινδουιστής, ο Α2.1.1.	Hindu (masc.)
ινδουίστρια, η Α2.1.1.	Hindu (fem.)
ίντσα, η Α.2.3.11.	inch
ιός, ο Α.2.3.11.	virus
Ιούδας, ο Α2.Π.2.	Juda
ιπτάμενος-η-ο Α2.1.4.	flying
ισθμός, ο Α2.2.7.	isthmus
ίσον Α.2.3.11.	equals
ισοπαλία, η Α2.2.10.	tie, draw
ισότητα, η Α2.2.6.	equality
ισραηλίτης, ο Α2.1.1.	Israelite (masc.)
ισραηλίτισσα, η Α2.1.1.	Israelite (fem.)
ιστιοσανίδα, η Α2.1.1.	windsurfing board
ισχυρός-ή-ό Α2.2.8.	strong
ιχθυοπωλείο, το (ψαράδικο, το) Α2.1.5.	fish shop
ιχθυοπώλης, ο Α2.1.5.	fishmonger (masc.)
ιχθυοπώλισσα, η Α2.1.5.	fishmonger (fem.)
ίωση, η Α.2.3.12.	viral disease

Κ

καβγάς, ο Α2.2.6.	quarrel
καζανάκι, το Α2.1.4.	toilet flush / cistern
καζάνι, το Α.2.Π.3.	marmite
καημένος-η-ο Α.2.Π.3.	poor (thing)
Καθαρά (ή Καθαρή) Δευτέρα, η Α.2.3.12.	Clean Monday
καθαρά, τα Α.2.3.13.	net (adj.)
καθάρισμα, το Α2.1.4.	cleaning
καθαριστικό, το Α.2.3.11.	cleaning material
καθαρός-ή-ό Α2.1.3.	clean
καθημερινά Α.2.3.11.	daily
καθημερινός-ή-ό Α2.2.8.	daily
καθισμένος-η-ο Α2.2.10.	seated
καθιστικός-ή-ό Α2.2.10.	sitting
καθιστός-ή-ό Α2.2.9.	seated
καθολικός, ο Α2.1.1.	Catholic (masc.)
καθολική, η Α2.1.1.	Catholic (fem.)
και πολύ μάλιστα Α2.1.3.	a let indeedd
καιρός, ο Α2.2.6.	time
από καιρό Α2.2.6.	long time ago
καίω Α2.2.7.	I consume
καίει πολλή βενζίνη Α2.2.7.	it consumes a lot of gas / petrol
καίει (ο ήλιος) Α2.2.8.	(the sun) burns
κακό, το Α.2.2.6.	bad thing
κάνω κακό (σε κάποιον) Α2.2.6.	I hurt someone
κακοποιός, ο Α2.2.10.	criminal
καλά (ρούχα), τα Α2.2.10.	my nice clothes
βάζω τα καλά μου Α2.2.10.	I put on my nice clothes
Καλά, … Α2.2.9.	You mean, …
καλαμαράκι, το Α.2.3.12.	small squid
καλεσμένη, η Α22.6.	guest (fem.)
καλεσμένος, ο Α2.2.6.	guest (masc.)
καλή αρχή! Α.2.3.13.	have a nice start!
καλ(ι)τσούνι, το Α2.Π.3.	a kind of sweet small pie
καλλιτέχνης, ο Α2.1.1.	artist (masc.)
καλλιτεχνικά, τα Α.2.3.13.	art (school subject)
καλλυντικό, το Α2.2.9.	cosmetics
καλό ξημέρωμα! Α2.2.8.	good rise!
καλοκαιρινός-ή-ό Α2.2.8.	summer (adj.)
καλύπτω Α.2.3.11.	I cover
με καλύπτει η εγγύηση Α.2.3.11.	a product is covered by warranty
καλύτερα Α2.1.5.	better
καλύτερος-η-ο Α2.1.5.	best
καλώς Α.2.3.13.	good
κάμαρη, η (α) Α.2.Π.3.	bedroom
καμπίνα, η Α2.2.7.	cabin
κάμπινγκ, το Α2.2.7.	camping
κανάλι, το Α2.2.10.	channel
καναπές-κρεβάτι, ο Α.2.3.11.	sofa-bed
κανάτα, η Α.2.3.11.	jar, jug
κανάτι, το Α2.Π.2.	jug
κανέλα, η Α.2.3.12.	cinnamon
κανονίζω Α2.2.10.	I arrange
κανονικά Α2.2.10.	normally, in the right way
κανονικός-ή-ό Α2.1.1.	normal
καντάδα, η Α2.Π.2.	serenade
κανταΐφι, το Α.2.3.12.	kadaifi desert
καντούνι, το Α2.Π.2	small alley
κάνω εισαγωγή (στο νοσοκομείο) Α.2.3.12.	I am admitted at the hospital
κάπαρη, η Α.2.3.12.	caper
καπνιστός-ή-ό Α2.2.7.	smoked
καπό, το Α2.2.7.	hood
κάπως Α2.3.11.	somehow
καρδιογράφημα, το Α.2.3.12.	electrocardiogram
καρδιοπάθεια, η Α.2.Π.3.	heart disease
καριέρα, η Α2.1.1.	career
καρκίνος, ο Α.2.3.12.	cancer
καρό Α.2.3.11.	checkered
καροτσάκι, το Α.2.3.11.	cart
καρπός, ο Α.2.3.12.	fruit, nut
ξηρός καρπός, ο Α.2.3.12.	nut
κάρτα, η Α.2.3.13.	card
ευχετήρια κάρτα, η Α.2.3.13.	greeting card
κάρτα τηλεφωνίας, η Α.2.3.13.	calling card
καρτερώ (& καρτερεύω) Α2.Π.2.	I wait
καρτοκινητό, το Α.2.3.11.	card phone, no-contract phone
καρύδι, το Α.2.3.12.	walnut
καρυδιά, η Α2.2.7.	walnut tree
καρυδόπιτα, η Α.2.3.12.	walnut pie
καρφίτσα, η Α2.1.1.	pin
δεν πέφτει καρφίτσα Α2.1.1.	you cannot drop a pin (there is no space)
κασέρι, το Α.2.3.12.	yellow cheese
κάστρο, το Α2.2.7.	castle
κατά Α2.1.5.	cons, disadvantages / against
κατά λάθος Α.2.3.11.	by accident
κατάγομαι Α2.2.7.	organisation
κατάθεση, η Α2.1.1.	deposit
δίνω κατάθεση Α2.1.1.	I give a deposition / I give testimony
καταθέτω Α2.1.1.	testimony
καταιγίδα, η Α2.2.8.	storm
κατάλληλος-η-ο Α2.1.5.	appropriate
καταναλωτής, ο Α.2.3.11.	consumer (masc.)
καταναλώτρια, η Α.2.3.11.	consumer (fem.)
κατασκευάζω Α2.2.10.	I construct
κατασκευή, η Α2.1.5.	construction
κατασκήνωση, η Α2.2.7.	camp
κατάστρωμα, το Α2.1.4.	deck
καταφέρνω Α2.2.9.	I succeed
τα καταφέρνω Α2.2.9.	I succeed in doing something
καταψύκτης, ο Α.2.3.11.	freezer
κατάψυξη, η Α.2.3.12.	freezer
κατεβάζω Α2.2.9.	I take down
κατεβάζω κάτι (από το ίντερνετ) Α2.2.9.	I download (from the internet)
κατειλημμένος-η-ο Α.2.3.13.	busy (telephone line)
κατεπείγον Α.2.3.13.	express
κατηγορία, η Α2.1.5.	category, type
κατηφορίζω Α2.2.7.	go downhill
κάτι κάνει φτερά Α2.2.10.	something is gone
κατίκι, το Α.2.3.12.	white low fat cheese
κατοικώ Α2.1.1.	I reside
κατσικάκι στη γάστρα, το Α.2.3.12.	goat meat cooked in a slow cooker
καυσαέριο, το Α2.1.5.	gas emissions
καύσιμο, το Α2.2.7.	fuel
καύσωνας, ο Α2.2.8.	heat wave
καυτός-ή-ό Α2.2.8.	hot
καφές, ο Α.2.3.12.	coffee
ελληνικός, ο Α.2.3.12.	Greek coffee
εσπρέσο, ο Α.2.3.12.	espresso coffee
καπουτσίνο, ο Α.2.3.12.	cappuccino coffee
φίλτρου, ο / γαλλικός, ο Α.2.3.12.	drip coffee / French coffee
φραπέ, ο Α.2.3.12.	frappe coffee
φρέντο, ο Α.2.3.12.	freddo coffee
κάψιμο, το Α2.Π.2.	burning
κεντάω (-ώ) Α2.2.10.	I embroider
κέντημα, το Α2.2.10.	embroidery
κεραία, η Α2.2.10.	antenna
κεραμική, η Α2.1.1.	ceramics
κεραμικός-ή-ό Α2.1.4.	ceramic
κερδίζω Α.2.3.13.	I earn
κεφαλοτύρι, το Α.2.3.12.	yellow cheese similar to parmesan cheese
κέφι, το Α2.2.6.	cheerfulness, merry mood
έχω κέφι (να κάνω κάτι) Α2.2.6.	I feel like doing something
κεφτεδάκι, το Α.2.3.12.	meatball
κηπουρική, η Α2.2.10.	gardening
κηροπήγιο, το Α2.1.4.	candlestick
κίνηση, η Α2.1.2.	motion
κινητός-ή-ό Α.2.3.11.	mobile
κινούμενα σχέδια, τα Α2.2.9.	cartoon
κλαδί, το Α2.2.9.	branch
κλάμα, το Α2.2.10.	crying
κλείνω τη γραμμή Α.2.3.13.	I hang up (phone)
κλείσιμο, το Α2.2.10.	closing, shutting down
κλεισμένος-η-ο Α2.2.10.	locked
κλήση, η Α2.1.1.	call (n.)
αναπάντητη κλήση, η Α2.1.1	missed call
κλικ, το Α.2.3.11.	click
κλινική, η Α.2.3.13.	clinic
κλοπή, η Α2.1.2.	theft
κλωσάω (-ώ) Α2.2.8.	I hatch
κλωστή, η Α2.2.10.	thread
κόβομαι Α.2.3.13.	I fail a course
κόπηκα Α.2.3.13.	I failed a course
κόβω την πείνα Α.2.3.12.	I satisfy my hunger
κοιλάδα, η Α2.2.7.	valley
κοιμάμαι Α2.1.2.	I sleep
κοινό, το Α2.2.9.	audience
κοινός-ή-ό Α2.2.10.	common
κοινωνία, η Α2.2.10.	society

κοινωνικά, τα (νέα) A2.2.6. — social column
κοινωνική / πολιτική αγωγή, η A.2.3.13. — social / political instruction
κοινωνική ταινία, η A2.2.9. — social film
κόκα-κόλα, η A2.2.9. — coca cola
κόκκαλο (κόκαλο), το A.2.3.12. — bone
κοκορέτσι, το A2.Π.2. — delicacy made from animal liver and intestines
κολάν, το A2.1.3. — leotard
κολλάω A.2.3.12. — I am infected
κολλάω μια αρρώστια A.2.3.12. — I catch a disease
κολλάει ο υπολογιστής A.2.3.11. — the computer is hung
κόλπος, ο A2.1.4. — gulf
κομεντί, η A2.2.9. — romantic comedy
κόμικς, τα (κόμιξ) A2.2.9. — comics
κόμμα, το A2.2.10. — comma
κομμωτής, ο A.2.3.13. — hairdresser (masc.)
κομμώτρια, η A.2.3.13. — hairdresser (fem.)
κομπιούτερ, το A.2.3.11. — computer
κονταρομαχία, η A2.2.6. — joust
κορδέλα, η A2.Π.2. — ribbon
κορμός, ο (δέντρου) A2.Π.2. — trunk
κοσμηματοπωλείο, το A2.1.2. — jewelry store
κοστίζω A2.2.7. — I cost
κόστος, το A.2.3.11. — cost
κουβέρτα, η A.2.3.11. — blanket
κούκλα, η A2.1.3. — beautiful woman
κούκλος, ο A2.1.3. — handsome man
κουλούρι, το A.2.3.12. — round sesame bread
κουμπάρος, ο A2.2.6. — best man
κουμπάρα, η A2.2.6. — bridesmaid
κουμπί, το A2.2.10. — button
κουμπί, το A.2.3.12. — switch
κουνιάδος, ο A2.2.6. — brother in law (sibling of spouce)
κουνιάδα, η A2.2.6. — sister in law (sibling of spouce)
κουνούπι, το A.2.3.12. — mosquito
κουνουπίδι, το A.2.Π.3. — cauliflower
κουράγιο, το A.2.3.13. — courage
κουράζομαι A2.2.7. — I get tired
κουρτίνα, η A.2.3.11. — curtain
κόψη, η A.2.Π.3. — sharp edge
κράνος, το A2.2.10. — helmet
κρατάω (-ώ) A2.2.6. — I last
κρατάει A2.2.6. — it lasts
κρατήσεις, οι A.2.3.13. — withholdings
κράτος, το A2.2.10. — state (n.)
κρέας κοκκινιστό, το A.2.3.12. — beef in tomato sauce
κρέμα, η A.2.3.11. — cream
κρεοπωλείο, το (χασάπικο, το) A2.1.5. — butcher's
κρεοπώλης, ο A2.1.5. — butcher (masc.)
κρεοπώλισσα, η A2.1.5. — butcher (fem.)
κριθαράκι, το A.2.3.12. — orzo
κριθαρένιος-α-ο A.2.3.12. — barley (adj.)
κρίμα που... A2.1.3. — it's a shame that
κριτική, η A2.2.9. — critic
κριτικός, ο/η A2.2.6. — critic (masc., fem.)
κριτικός τέχνης, ο/η A2.2.6. — art critic
κρουαζιέρα, η A2.2.7. — cruise
κρυολόγημα, το A.2.3.12. — cold (n.)
κρυφά A2.2.6. — secretly
κρυφτό, το A2.2.10. — hide and seek
κρυώνω A2.2.8. — I am cold
κρύωσα A2.3.12. — I caught a cold
θα κρυώσω A2.3.12. — I will catch a cold
κτήμα, το A2.2.7. — ranch
κτηνίατρος, ο/η A.2.3.12. — veterinarian
κτίζω (χτίζω) A2.1.4. — I build
κυβέρνηση, η A.2.3.13. — government
κυδώνι, το A.2.3.12. — quince
κυκλαδικός-ή-ό A2.2.9. — Cycladic
κύκλος, ο A2.1.3. — circle
κυκλώνω A2.2.10. — circle, surround
κυλιόμενη σκάλα, η A.2.3.11. — escalator
κύμα, το A2.2.8. — wave
έχει κύμα A2.2.8. — it's wavy
κυνηγητό, το A2.2.10. — chase
κυνήγι, το A2.2.10. — hunt (n.)
κυνηγός, ο A2.1.2. — hunter (masc.)
κυπαρίσσι, το A2.2.7. — cypress
κυπελάκι, το A.2.3.12. — ice cream cup
κύπελλο, το A2.2.10. — cup (in sports)
Κύπρος, η A.2.3.12. — Cyprus
Κυριακή του Πάσχα, η A2.2.10. — Easter Sunday
κύριος-α-ο A.2.Π.3. — proper
κύριο όνομα, το A.2.Π.3. — proper noun
κωδικός, ο A2.1.1. — code
ταχυδρομικός κωδικός, ο A2.1.1. — postal code
κωμωδία, η A2.1.3. — comedy

Λ

λαβαίνω & λαμβάνω A2.2.9. — I receive, I get
λαβράκι, το A.2.3.12. — sea bass
λαγάνα, η A.2.3.12. — lagana bread
λαδερά, τα A.2.3.12. — food cooked with oil (non-meat food)
λάδι, το A2.2.7. — oil
λαδοτύρι, το A.2.3.12. — oil based cheese
λάμπα, η A2.1.2. — light bulb
λάμπα (επιτραπέζια), η A2.1.4. — lamp
λαμπάδα, η A2.2.6. — candle, torch
λαμπραντόρ, το A2.1.2. — labrador
Λαμπρή, η (το Πάσχα) A2.Π.2. — Easter day
λαογραφία, η A2.2.8. — folklore
λαός, ο A.2.Π.3. — people
λάστιχο, το A2.2.7. — tire
λαχανοντολμάς, ο A.2.3.12. — stuffed cabbage roll
λαχείο, το A2.2.10. — lottery
λεβάντα, η A2.2.7. — lavender
λεκάνη, η A2.1.4. — toilet bowl
λεκές, ο A.2.3.11. — stain
λεμονιά, η A2.2.7. — lemon tree
λεπτομέρεια, η A2.2.6. — detail
λες να...; A2.2.8. — you think...?
λέσχη, η A2.2.10. — club
λευκά είδη, τα A.2.3.11. — linens
λεύκα, η A2.2.7. — poplar
λευκοπλάστης, ο A.2.3.12. — bandage
λήγω A.2.3.13. — expire
λήγει η προθεσμία A.2.3.13. — the deadline expires
λήγει (διαβατήριο, το) A2.2.7. — it (the passport) expires
ληξιαρχική πράξη γέννησης, η A2.2.6. — birth certificate
ληστεία, η A2.1.2. — robbery
λίαν καλώς A.2.3.13. — very good
λιγότερος-η-ο A2.1.5. — less
λιμεναρχείο, το A.2.3.13. — coast guard office
λινάρι, το A.2.3.11. — linen
λινός-ή-ό A.2.3.11. — linen
λιπαρός-ή-ό A.2.3.12. — fatty
λίστα, η A.2.3.12. — list
λιωμένος-η-ο A.2.3.12. — mashed, melted
λογιστήριο, το A2.3.12. — accounting dept.
λογιστής, ο A.2.3.13. — accountant (masc.)
λογίστρια, η A.2.3.13. — accountant (fem.)
λόγος, ο A2.2.10. — reason
λογοτεχνία, η A2.2.9. — literature
λουκουμάς, ο A.2. 2.10, 3.12. — beignet with honey
λούσιμο, το A2.2.10. — shampooring (n.)
λουτρό, το A2.1.5. — bathroom
λόφος, ο A2.2.6. — hill
λυθρίνι, το A.2.3.12. — red snapper
λύνω A.2.3.11. — I resolve
λυπάμαι A2.1.2. — I am sorry
λύπη, η A2.2.6. — misfortune, sadness
λυπημένος-η-ο A2.1.2. — sad
λύρα, η A.2.Π.3. — Cretan string musical instrument (lyra)
λυράρης, ο A.2.Π.3. — lyra player
λύση, η A2.2.6. — solution, answer

Μ

μαγειρίτσα, η A2.2.10. — special soup Greeks eat on Great Saturday night after Resurrection
μάγουλο, το A2.1.3. — cheek
Μάης, ο (το στεφάνι) A2.Π.2. — May (wreath)
μαϊμού, η A.2.3.11. — monkey
προϊόν μαϊμού, το A.2.3.11. — forfeited / fake good
μαϊντανός, ο A.2.3.12. — parsley
Μάλι, το A2.2.9. — Mali
μάλιστα A2.2.6. — indeed
μαλλί, το A.2.3.11. — wool
μάλλινος-η-ο A.2.3.11. — wool
μανίκι, το A2.3.11. — sleeve
μανούρι, το A.2.3.12. — white cheese
μαντήλι, το (μαντίλι) A.2.3.11. — scarf
μαντινάδα, η A.2.Π.3. — Cretan songs with rhymed lyrics
μαντολίνο, το A.2.Π.3. — string musical instrument
μαξιλάρι, το A.2.3.11. — pillow
μαξιλαροθήκη, η A.2.3.11. — pillow case
μαραθώνιος, ο A2.1.1. — marathon
μαραίνομαι A2.2.9. — I wither
μαρίδα, η A.2.3.12. — picarel
μάρκα, η A2.2.7. — brand, make
μαρμάρινος-η-ο A2.1.4. — marble (adj.)
μάρμαρο, το A2.1.4. — marble
μάρτυρας, ο/η A2.2.6. — witness
μάσκα, η A.2.3.11. — mask
μάσκα προσώπου, η A.2.3.11 — face mask
μάτι (κουζίνας), το A.2.3.11. — stove burner
ματς, το A2.2.10. — match, game
μάτσο, το A.2.3.12. — bunch
μάχη, η A2.2.6. — battle
με τις ώρες (περιμένω) A.2.Π.3. — (I wait) very long
με τις ώρες A2.2.10. — by the hours
με το μήνα A2.1.5. — monthly
Μεγάλη Εβδομάδα, η A2.Π.2. — Passion Week
Μεγάλη Παρασκευή, η A2.2.10. — Great Friday
Μεγάλη Πέμπτη, η A2.2.10. — Great Thursday
Μέγας Αλέξανδρος, ο A2.1.2. — Alexander the Great
μεζεδάκι, το A2.2.6. — small entrees
μεικτός-ή-ό A.2.3.13. — gross (adj.)
μεικτά, τα A.2.3.13. — gross income
μείον / πλην A.2.3.11. — minus / take out
μειονέκτημα, το A2.1.5. — disadvantage, cons
μειώνω A.2.3.12. — I reduce
μελέτη περιβάλλοντος, η A.2.3.13. — environmental studies
μέλισσα, η A.2.3.11. — bee
μέλλον, το A.2.3.11. — future
μέλος, το A2.2.10. — member
μελωδία, η A2.2.9. — melody
μένει / μένουν A.2.3.11. — still remains / remain
μένω από κάτι A2.2.7. — I run out of something
μένω από βενζίνη A2.2.7. — I run out of gas, oil
μένω από λάστιχο A2.2.7. — I have a flat tire
μένω από μπαταρία A2.2.7. — my battery died
μένω από χρήματα A2.2.8. — I run out of money / I am broke
μένω στην ίδια τάξη A.2.3.13. — repeat a grade in school
μέρα με τη μέρα A.2.3.12. — day by day
μεροκάματο, το A2.2.10. — daily pay
μέρος, το A2.2.6. — place, location
παίρνω μέρος σε κάτι A2.2.6. — I participate in something
μεσαίος-α-ο A2.3.13. — intermediate
μεσήλικη, η A2.1.3. — middle aged woman
μεσήλικος (μεσήλικας), ο A2.1.3. — middle aged man
μεσήλικος-η-ο A2.1.3. — middle aged (adj.)
μεσημεριανός-ή-ό A2.2.8. — mid-day (adj.)
μεσιτικό γραφείο, το A2.1.5. — real estate agency
μέσος-η-ο A.2.3.13. — middle
μέσω A2.2.7. — via
μετακίνηση, η A2.1.2. — movement
μεταλλικός-ή-ό A2.1.4. — metallic
μετάλλιο, το A2.1.1. — medal
μέταλλο, το A2.1.4. — metal
μεταμορφώνω A2.2.8. — I transform
μετάξι, το A.2.3.11. — silk
μεταξωτός-ή-ό A.2.3.11. — silk
μεταπτυχιακός-ή-ό A.2.3.13. — graduate
μεταφέρω A2.1.2. — I transfer
μεταφορά, η A2.2.7. — transportation
μεταφορικά (έξοδα), τα A.2.3.11. — transportation (cost)
μετάφραση, η A2.2.9. — translation
μεταχειρισμένος-η-ο A.2.3.11. — used, second hand
μετεωρολογικός-ή-ό A2.2.8. — meteorological
μετεωρολογικός σταθμός, ο A2.2.8. — weather station
μετράω (-ώ) A.2.Π.3. — I count
μέτριος-α-ο A2.2.8. — medium
μετσοβόνε, το A.2.3.12. — Mezzovone cheese
μήκος, το A2.1.4. — length
μηλιά, η A2.2.7. — apple tree
μηλόπιτα, η A.2.3.12. — apple pie
μηνιαίος-α-ο A2.2.8. — monthly
μητρική γλώσσα, η A2.1.1. — mother tongue
μηχανάκι, το A2.1.5. — motor bike
μηχανή, η A2.2.7. — engine
μικροπωλητής, ο A2.1.5. — vendor (masc.)
μικροπωλήτρια, η A2.1.5. — vendor (fem.)
μιούζικαλ, το A2.2.9. — musical
μισάωρο, το A.2.3.13. — half hour
μισοψημένος-η-ο A.2.3.12. — medium rare
μισώ A2.2.10. — I hate
μνήμα, το A2.Π.2. — grave, tomb
μνημείο, το A2.2.7. — monument
μνήμη, η A.2.Π.3. — memory
μόδα, η A.2.3.11. — fashion
της μόδας A.2.3.11 — in fashion
τελευταία λέξη της μόδας, η A.2.3.11. — latest fashion trend
μοιάζω A2.1.3. — I resemble, look alike
μολύνω A.2.3.12. — I infect
μονάδα, η A.2.3.11. — unit
μοναδικός-ή-ό A2.2.9. — unique
μοναστήρι, το A2.Π.1. — monastery
μοναστικός-ή-ό A2.Π.1. — monastic
μόνιμα A2.1.1. — permanently

μόνος-η-ο (μου/σου/του...) A2.1.4.	alone, by myself, on my own
μοντέλο, το A.2.3.11.	model
μοντέρνα A2.1.3.	in a modern way
μόνωση, η A2.1.5.	insulation
μου δώσατε λάθος αριθμό A.2.3.13.	I got the wrong number
μου περνάει μια αρρώστια A.2.3.12.	a disease is healed
μούσι, το A2.1.3.	beard
μουσική, η A2.2.9.	music
μουσουλμάνος, ο A2.1.1.	Muslim (masc.)
μουσουλμάνα, η A2.1.1.	Muslim (fem.)
μούτρα, τα A2.2.10.	face (informal)
μπαγκέτα, η A.2.3.12.	baguette loaf
μπακάλης, ο A2.2.10.	grocer (masc.)
μπακάλισσα, η A2.2.10.	grocer (fem.)
μπακαλιάρος, ο A.2.3.12.	cod
μπακλαβάς, ο A.2.3.12.	baklava desert
μπαλέτο το A2.2.9.	ballet
μπαλκονόπορτα, η A2.1.4.	balcony door
μπανιέρα, η A2.1.4.	bathtub
μπαράκι, το A2.3.13.	bar
μπαρμπούνι, το A.2.3.12.	red mullet
μπαταρία (αυτοκινήτου), η A2.2.7.	battery (of a car)
μπαταρία, η A2.2.7.	battery
μπέικιν πάουντερ, το A2.Π.2.	baking powder
μπλογκ, το A2.1.5.	blog
μπλόγκερ, ο/η A.2.3.13.	blogger
μπορεί (απρ.) A2.2.6.	it might
μποτάκι, το A.2.3.11.	ankle bootie
μπουμπουνητό, το A2.2.8.	thunder
μπουρνούζι, το A.2.3.11.	bathrobe
μπούτι, το A.2.3.12.	thigh
μπουφές, ο A2.1.4.	sideboard, server
μποφόρ, το A2.2.8.	Beaufort (scale)
μπράτσο, το A2.1.3.	upper arm
μπρόκολο, το A.2.3.12.	broccoli
μυζήθρα, η A.2.Π.3.	white cheese
μυθιστόρημα, το A2.2.9.	novel
μυθολογία, η A2.2.9.	mythology
μύθος, ο A2.1.1.	myth
μύλος, ο A2.2.7.	mill
μυρίζω A2.2.10.	I smell
μυρίζω κάτι A2.Π.2.	I smell something
μυρίζει κάτι A2.Π.2.	It smells something
μυρωδικά, τα A.2.3.12.	herbs
μυστήριο, το A2.2.6.	ceremony
μυστικός-ή-ό A2.2.9.	secret

Ν

να A2.2.6.	to
να τος/τη/το! A2.2.6.	here he/she/it is!
ναυάγιο, το A2.1.2.	shipwreck
ναύαρχος, ο A2.2.6.	admiral
ναύτης, ο A2.2.10.	sailor
ναυτία, η A2.2.8.	nausea
νεαρός, ο A2.1.3.	young man
νεαρή, η A2.1.3.	young woman
νεαρός-ή-ό A2.1.3.	young
νεκρός, ο A2.1.2.	dead, deceased (n.)
νεοελληνική γλώσσα, η A.2.3.13.	Modern Greek
νέος, ο A2.1.3.	young man
νέα, η A2.1.3.	young woman
νέος-α-ο A2.1.3.	young
νεράντζι, το A.2.3.12.	citrus
νεροχύτης, ο A2.1.5.	sink (kitchen)
νευρικός-ή-ό A2.1.3.	stressful, nervous
νέφωση, η A2.2.8.	cloudiness
νηπιαγωγείο, το A.2.3.13.	nursery school
νηπιαγωγός, ο/η A.2.3.13.	nursery teacher
νήπιο, το A2.1.3.	toddler
νηστεία, η A.2.3.12.	lent
νηστίσιμος-η-ο A.2.3.12.	lenten food
νικάω (-ώ) A2.2.6.	I win, I prevail
νιόπαντρος-η-ο A2.2.6.	newly wed
νιπτήρας, ο A2.1.4.	bathroom sink
νοιάζει / νοιάζουν A2.1.4.	I care, I mind
με νοιάζει A2.1.4.	I care, I mind
δε με νοιάζει A2.1.4.	I don't care, I don't mind
νοικοκυρά, η A2.1.1.	housewife
νοικοκύρης, ο A2.1.1.	landlord
νομικά, τα A2.1.1.	law, legal profession / knowledge
νόσος, η A2.2.9.	disease
νότα, η A2.2.9.	note
νότια A2.2.8.	south (adv.)
νοτιάς, ο A2.2.8.	south wind
νοτιοανατολικά A2.2.8.	southeast (adv.)
νοτιοανατολικός-ή-ό A2.2.8.	southeast, southeastern (adj.)
νοτιοδυτικά A2.2.8.	southwest (adv.)
νοτιοδυτικός-ή-ό A2.2.8.	southwest, southwestern (adj.)
νότιος-α-ο A2.2.8.	south, southern (adj.)
ντάκος, ο A.2.Π.3.	salad with dried bread, tomatoes and white cheese
ντετέκτιβ, ο/η A2.1.2.	detective (masc., fem.)
ντίβα, η A2.1.1.	diva
ντιζάιν, το A.2.3.11.	design
ντοκιμαντέρ, το A2.2.9.	documentary
ντολμαδάκι, το A.2.3.12.	stuffed wine leaves
ντουλάπι, το A2.1.4.	cupboard
ντους, το (ντουσιέρα, η) A2.1.4.	shower
ντυμένος-η-ο A2.2.10.	dressed
ντύσιμο, το A2.2.10.	dressing (style)
νύφη, η A2.2.6.	bride
νυφικό, το A.2.3.11.	wedding dress
νυφικός-ή-ό A.2.Π.3.	wedding (adj.)
νυχτερινός-ή-ό A2.2.8.	night (adj.)
νυχτώνει A2.2.8.	It gets dark

Ξ

ξαναβλέπω A2.2.9.	see again
ξαναγεννιέμαι A2.Π.2.	I reborn
ξαναδίνω A.2.3.13.	I re-take
ξαναλέω A2.2.9.	say again, repeat
ξαναπαίζω A2.2.9.	play again, replay
ξαναπάω A2.2.9.	go back, return
ξαναπίνω A2.2.9.	drink again / more
ξανατρώω A2.2.9.	eat again / more
ξέβγαλμα, το A.2.3.11.	rinsing (n.)
ξεκινάω (-ώ) A2.1.2.	I leave
ξεκουράζομαι A2.2.7.	I get some rest, I relax
ξεκούραση, η A.2.3.12.	rest (n.)
ξενάγηση, η A2.2.7.	tour guiding
ξεπερνάω(-ώ) A2.2.8.	I exceed
ξερός-ή-ό A2.2.10.	dry
ξέρω κι εγώ; A2.2.8.	I don't know
ξεφυλλίζω A2.2.9.	I skim, flip
ξεχωρίζω A.2.3.11.	I separate
ξεχωριστός-ή-ό A2.2.9.	distinct
ξημέρωμα, το A2.2.8.	sunrise
ξημερώνει A2.2.8.	it dawns
ξηρός-ή-ό A2.2.8.	dry
ξινομυζήθρα, η A.2.Π.3.	sour white cheese
ξιφίας, ο A.2.3.12.	swordfish
ξυλάκι (παγωτό), το A.2.3.12.	ice cream stick
ξύλινος-η-ο A2.1.4.	wooden
ξύλο, το A2.1.4.	wood
ξυπόλητος-η-ο A2.2.10.	barefoot
ξυρισμένος-η-ο A2.1.3.	shaved

Ο

οδήγηση, η A2.1.1.	driving
οδηγία, η A.2.3.11.	instruction
οδηγίες χρήσης, οι A.2.3.11	user manual
οδηγώ A2.1.4.	I drive, I lead
οδηγώ κάπου A2.1.4.	I lead somewhere
οδοντιατρείο, το A.2.3.13.	dentist's office
οικία, η A2.1.1.	house, residence
οικιακά, τα A2.1.1.	housework
οικιακός-ή-ό A.2.3.11.	household, home (adj.)
οικιακή συσκευή, η A.2.3.11.	home appliances
οικιακή οικονομία, η A.2.3.13.	household economics
οικογενειακή ταινία, η A2.2.9.	family film
οικολογικός-ή-ό A2.2.10.	ecological
οικονομία, η A2.1.1.	economy
οικονομίες, οι A2.2.10.	savings
οικονομικά A.2.3.11.	economically, inexpensively
οικονομικά, τα A2.1.1.	economics
οικονομικός-ή-ό A2.1.5.	cheap, economical
οινόπνευμα, το A.2.3.12.	alcohol
οινοποιείο, το A2.2.7.	winery
οκτάωρο, το A.2.3.13.	eight hour work day
όλο A2.1.4.	full of
ολόφρεσκος-η/ια-ο A.2.3.12.	all fresh
ολυμπιακός-ή-ό A2.1.1.	Olympic
ολυμπιονίκης, ο A2.1.1.	Olympic medal winner
ομάδα αίματος, η A2.1.1.	Blood type
ομοίωμα, το A2.Π.2.	model, manikin
όμορφα A2.1.4.	beautifully
ομορφιά, η A2.1.5.	beauty
ονειρεύομαι A2.Π.2.	I dream
ονομάζομαι A2.1.1.	my name is...
ονοματεπώνυμο, το A2.1.1.	name and surname
οπαδός, ο/η A2.2.10.	sports fan
όπερα, η A2.1.1.	opera
όπλο, το A2.Π.2.	arm, gun
παραδίδω (τα όπλα) A2.Π.2	give up (the arms)
οπτικός-ή-ό A2.2.10.	optical
οπτικά είδη, τα A2.2.10.	optical items
όπως είναι γνωστό A2.2.8.	as it is known / as you know
όραση, η A.2.3.11.	vision
οργανωμένος-η-ο A2.2.7.	organised
οργανώνω A2.2.6.	I organize
οργάνωση, η A2.2.7.	organisation
ορειβασία, η A2.2.10.	mount climbing
ορεινός-ή-ό A2.2.7.	mountainous
όρθιος-α-ο A2.2.9.	standing
ορθόδοξος, ο A2.1.1.	Orthodox (masc.)
ορθόδοξη, η A2.1.1.	Orthodox (fem.)
ορίζοντας, ο A2.2.8.	horizon
ορφανοτροφείο, το A2.2.10.	orphanage
όσο A.2.3.11.	as much, same as
ούρα, τα A.2.3.12.	urine
ουράνιο τόξο, το A2.2.8.	rainbow
όχημα, το A2.2.7.	vehicle
όψη, η A.2.Π.3.	appearance

Π

παγάκι, το A2.2.8.	ice cube
πάγκος, ο A2.1.5.	countertop
παγκόσμιος-α-ο A2.1.1.	world (adj.)
παγόβουνο, το A2.2.8.	iceberg
πάγος, ο A2.2.8.	ice
παγωμένος-η-ο A2.2.8.	cold, frozen
παγωνιά, η A2.2.8.	iciness, ice
παγώνω A2.2.8.	I freeze
παγωτίνι, το A.2.3.12.	ice cream bite
παζλ, το A.2.3.12.	puzzle
πάθος, το A2.2.6.	passion
παϊδάκι, το A.2.3.12.	rib
παιδεία, η A.2.3.13.	education
Υπουργείο Παιδείας, το A.2.3.13.	Ministry of Education
παιδική ταινία, η A2.2.9.	children's film
παιδικός σταθμός, ο A.2.3.13.	nursery
παίζει ρόλο A2.1.3.	plays a role
παίζομαι	I show
παίζεται (ταινία) A2.2.9.	it is showing (a film)
παίζω μπάλα A2.1.3.	I play ball
παίζω χαρτιά A2.1.5.	I play cards
παίκτης, ο A.2.3.13.	player (masc.)
παίκτρια, η A.2.3.13.	player (fem.)
παίξιμο, το A2.2.10.	playing, acting (n.)
παίρνει μπρος (μια μηχανή) A2.2.7.	starts (the engine)
παίρνω (υποτροφία) A.2.3.13.	I get (a scholarship)
πακέτο διακοπών, το A2.2.7.	vacation package
παλαιοπωλείο, το A2.1.5.	antique store
παλαιοπώλης, ο A2.1.5.	antique dealer (masc.)
παλαιοπώλισσα, η A2.1.5.	antique dealer (fem.)
παλιά A2.1.5.	in the past
παλικάρι (παλληκάρι), το A2.2.7.	young man
παλιός, ο A.2.3.12.	old
Παναγία, η A2.2.7.	Virgin Mary, Madonna
πανελλήνιος-α-ο A2.2.10.	Panhellenic
Πανεπιστημιούπολη, η A2.1.5.	university campus
πανσέληνος, η A2.2.9.	full moon
πανσές, ο A.2.3.11.	pansy
παντζάρι, το A.2.3.12.	beetroot
παντοτινός-ή-ό A.2.Π.3.	everlasting
παξιμάδι, το A.2.Π.3.	dry bread
παπάκι, το A2.1.1.	at (@ in an e-mail)
πάπλωμα, το A.2.3.11.	duvet
παρά A2.2.10.	only
παρά A2.Π.2.	but
παράβολο, το A2.2.6.	administrative fee
παραγωγή, η A2.2.9.	production
παραγωγός, ο/η A2.2.9.	producer
παράδειγμα, το A2.1.1.	example
παράδεισος, ο A2.Π.3.	paradise
παράδοση, η A2.2.7.	delivery
παράδοση, η A2.2.8.	tradition
παράδοση, η A.2.3.13.	lecture
παραδόσεις, οι A.2.3.13.	lectures
παρακάτω A2.1.5.	following
παρακολουθώ A2.1.2.	I follow somebody, a class, a game
παραλαβή, η A2.2.7.	receipt
παραλαμβάνω (& παραλαβαίνω) A.2.3.11.	I receive
παράλληλα A2.2.8.	parallelly
παραμένω A2.2.9.	I remain
παραμονή, η A2.2.6.	residence, stay
παραμύθι, το A2.2.6.	fairytale
παρανυφάκι, το A2.2.6.	flower girl
παραπάνω, τα A2.2.10.	the above
παράπονο, το A2.1.2.	complaint
παρατηρώ A2.2.10.	observe
παρέλαση, η A2.Π.2.	parade
παρελθόν, το A2.2.10.	past

παρμπρίζ, το Α2.2.7. — windshield
παρόν, το Α.2.3.11. — present
παρουσία, η Α2.2.9. — presence
παρουσιάζομαι Α2.2.9. — I show, I present myself
παρουσίαση, η Α2.2.9. — presentation
παρουσιαστής, ο Α2.2.10. — presenter (masc.)
παρουσιάστρια, η Α2.2.10. — presenter (fem.)
παστίτσιο, το Α.2.3.12. — baked dish with pasta, meat, and cream
πασχαλιάτικος-η-ο Α2.Π.2. — Easter (adj.)
πασχαλινός-ή-ό Α2.Π.2. — Easter (adj.)
πατατάκι, το Α.2.3.12. — potato chip
πατατοσαλάτα, η Α.2.3.12. — potato salad
πατάω (-ώ) Α2.1.2. — step on something
πατινάζ, το Α2.2.8. — ice skating
πατρίδα, η Α2.2.7. — home country
πατρικός-ή-ό Α2.1.4. — paternal
 πατρικό σπίτι, το Α2.1.4 — paternal house
πάτωμα, το Α2.1.4. — floor, story
παυσίπονο, το Α.2.3.12. — painkiller
παχύς-ιά-ύ Α2.1.3. — fat
πεζογραφία, η Α2.2.9. — prose
πεθερικά, τα Α.2.3.12. — in laws
(ο πεθερός & η πεθερά) — (father in law & mother in law)
πεθερός, ο Α2.2.6. — father in law
πεθερά, η Α2.2.6. — mother in law
πείρα, η Α2.3.11. — exprience
πειρατής, ο Α2.2.7. — pirate
πειρατίνα, η Α2.2.7. — pirate (fem.)
πέλαγος, το Α2.2.8. — (open) sea
πενηντάρικο, το Α.2.3.12. — fifty euro bill
πένθιμα Α2.Π.2. — mournful
πένθος, το Α2.Π.2. — mourning
πεντακοσάρικο, το Α.2.3.12. — five hundred euro bill
Πεντηκοστή, η Α2.Π.2. — Pentecostal
πέρα Α2.2.10. — farther
περαστική, η Α2.1.2. — passerby (fem.)
περαστικός, ο Α2.1.2. — passerby (masc.)
περιβόλι, το Α2.1.5. — vegetable garden
περιγραφή, η Α2.1.1. — description
περιγράφω Α2.1.1. — I describe
περιέχω Α.2.3.12. — I include
περικυκλώνω Α.2.3.12. — circle (v.)
περίοδος, η Α2.2.7. — (time) period
περισσότερος-η-ο Α2.1.5. — more
περιστατικό, το Α.2.3.12. — incident
περίφημος-η-ο Α2.2.7. — war (adj.)
περιφορά, η Α2.Π.2. — Epithaph procession
περνάω (την τάξη ή στην άλλη τάξη) Α.2.3.13. — I am promoted (to the next grade)
περνάω (-ώ) (τις εξετάσεις) Α.2.3.13. — I pass (exams)
περσικός-ή-ό Α2.1.4. — Persian
περσινός-ή-ό Α2.2.8. — last year (adj.)
πέταλο, το Α2.2.6. — petal
πεταλούδα, η Α.2.3.11. — butterfly
πετάω (-ώ) Α2.1.4. — I fly, I throw
 πετάω (-ώ) κάτι Α2.1.4. — I throw something
 πετάω (-ώ) από τη χαρά μου Α2.1.4. — I am overjoyed, thrilled
 πετάω (-ώ) χαρταετό Α2.1.4. — I fly a kite
πέτρα, η Α2.1.4. — stone
πέτρινος-η-ο Α2.1.4. — stone
πετσέτα θάλασσας, η Α.2.3. 11 — beach towel
πετσέτα μπάνιου, η Α.2.3.11. — bath towel
πετσέτα φαγητού, η Α.2.3.11. — napkin
πεύκο, το Α2.2.7. — pine tree
πέφτω Α2.1.2. — I fall
 πέφτω επάνω σε... Α2.1.2 — I fall onto something
 πέφτω (για ύπνο) Α2.Π.2. — I go to bed
πέψη, η Α.2.Π.3. — digestion
πηδάω (-ώ) Α2.1.2. — jump
πήλινος-η-ο Α2.1.4. — clay
πηλός, ο Α2.1.4. — clay
πήρατε λάθος αριθμό Α.2.3.13. — you dialed the wrong number
πιάνω φωτιά Α2.1.2. — a fire breaks out
πιγούνι, το Α2.1.3. — chin
πιθανόν (να...) Α2.2.9. — possible (to...)
πικνίκ, το Α.2.3.12. — picnic
πιλάφι, το Α.2.Π.3. — pilaf
πίνακας ελέγχου, ο Α.2.3.11. — control panel
πίνακας, ο Α2.2.10. — table
πινακίδα, η Α2.1.2. — license plate
πινακίδα, η Α2.2.7. — post sign
πίστα, η Α2.1.2. — ski slope
πιστόλι, το Α2.2.10. — pistol
πιστοποιητικό, το Α.2.3.13. — diploma
 πιστοποιητικό ελληνομάθειας, το Α.2.3.13. — Greek language diploma
πιστός, ο Α2.Π.2. — believer(masc.)
πίτα, η Α.2.3.12. — pie
πλαγιά, η Α2.2.7. — slope
πλάθω Α2.Π.2. — something smells
πλάι (μου/σου...) Α2.1.2. — next to (me/you...)
πλαϊνός-ή-ό Α.2.Π.3. — adjacent
πλάκα, η [το αστείο] Α2.2.9. — fun, joke
 για πλάκα Α2.2.9. — for fun
πλάκα, η Α2.2.7. — stone tile
πλακάκι, το Α2.1.4. — tile
πλαστικό, το Α2.1.4. — plastic
πλαστικός-ή-ό Α2.1.4. — plastic
πλάτανος, ο Α2.2.7. — sycamore
πλατεία, η Α2.2.9. — stalls
πλάτος, το Α2.1.4. — width
πλατύς-ιά-ύ Α2.1.4. — wide
πλέκω Α2.2.10. — I knit
πλέξιμο, το Α2.2.10. — knitting (n.)
πλεονέκτημα, το Α2.1.5. — advantage, pros
πλήκτρο, το Α.2.3.11. — key (in a keyboard)
πλήρης-ης-ες Α2.2.7. — full
 πλήρης διατροφή, η Α2.2.7. — full board
πληρώνω κάτι ακριβά Α.2.3.11. — I pay a lot for something
πλούσιος-α-ο Α2.1.1. — rich
πλύσιμο, το Α2.2.10. — washing (n.)
πνέω Α2.2.8. — blow
ποδοσφαιρικός-ή-ό Α2.2.10. — football
ποδοσφαιριστής, ο Α2.1.2. — football player (masc.)
ποδοσφαιρίστρια, η Α2.1.2. — football player (fem.)
ποίημα, το Α2.2.8. — poem
ποίηση, η Α2.2.9. — poetry
ποιητής, ο Α2.2.9. — poet (masc.)
ποιήτρια, η Α2.2.9. — poet (fem.)
ποικιλία, η Α.2.3.11. — variety
ποιότητα, η Α2.1.5. — quality
πολεμικός-ή-ό Α2.2.7. — famous
 πολεμική ταινία, η Α2.2.9. — war film
πολιτεία, η Α2.Π.1. — state
πολιτική, η Α2.2.9. — politics
πολιτικός μηχανικός, ο/η Α2.1.1. — civil engineer (masc.)
πολίτικος-η-ο Α.2.3.12. — from Constantinople
πολλαπλασιάζω Α.2.3.11. — I multiply
πολλαπλασιασμός. ο Α.2.3.11. — multiplication
πολύσπορο, το Α.2.3.12. — multigrain bread
πολύχρωμος-η-ο Α2.1.4. — colourful
πονόδοντος, ο Α.2.3.12. — toothache
πονόλαιμος, ο Α.2.3.12. — sore throat
πορσελάνη, η Α.2.3.11. — porcelain
πόρτα ασφαλείας, η Α2.1.5. — safety door
πορτατίφ, το Α2.1.4. — lamp
πορτ-μπαγκάζ, το Α2.2.7. — boot, trunk
πορτοκαλεώνας, ο Α.2.3.13. — orange grove
πορτοκάλι, το Α.2.3.12. — orange
πορτοκαλιά, η Α2.2.7. — orange tree
πορτόφυλλο, το Α2.2.8. — jalousie, veranda door
πόσα βγάζεις ...; Α.2.3.13. — how much do you make?
πόσο ήρθαν; Α2.2.10. — what was the result?
ποσό, το Α.2.3.11. — amount
πού ξέρεις; Α2.2.10. — who knows?
πουθενά Α.2.3.11. — nowhere
πουκαμίσα, η Α.2.3.11. — shirtwaist
πραγματοποιώ Α.2.3.13. — I implement, I fulfil
πρακτορείο (τουρισμού), το Α2.2.7. — travel agency
πράσινο, το Α2.2.9. — greenery
πράσο, το Α.2.3.12. — leek
πρατήριο (καυσίμων), το Α2.2.7. — gas/petrol station
πρεμιέρα, η Α2.2.9. — premiere
πρεσβευτής, ο Α.2.3.13. — ambassador
πρόβα, η Α.2.3.11. — fitting
προβάλλω Α.2.Π.3. — I come out
προβολή, η Α2.2.9. — projection
πρόγραμμα, το (πλυντηρίου) Α.2.3.11. — programme
πρόγραμμα, το Α2.2.10. — programme
προετοιμασία, η Α2.Π.2. — preparation
προθερμασμένος-η-ο Α2.Π.2. — pre-heated
προθεσμία, η Α.2.3.13. — deadline
προικιά, τα Α.2.Π.3. — dowry
προϊσταμένη, η Α.2.3.11. — supervisor (fem.)
προϊστάμενος, ο Α.2.3.11. — supervisor (masc.)
προμήθεια, η Α.2.3.13. — commission
προξενείο, το Α2.2.9. — consulate
 πρόξενος, ο/η Α2.2.9. — consular
πρόπλυση, η Α.2.3.11. — pre-wash (n.)
προπόνηση, η Α2.1.1. — training
προπονητής, ο Α2.2.10. — trainer (masc.)
προπονήτρια, η Α2.2.10. — trainer (fem.)
προσεκτικά Α2.1.5. (προσεχτικά) — in detail
πρόσθεση, η Α.2.3.11. — addition
προσθέτω Α.2.3.11. — I add
προσόν, το Α2.3.13. — qualification
πρόσφατα Α2.1.5. — recently
πρόσφατος-η-ο Α2.1.1. — recent
προσφέρω Α2.2.6. — I offer
προσφορά, η Α2.2.7. — offer
προσωπικός-ή-ό Α2.1.1. — personal
πρόταση γάμου, η Α2.2.6. — marriage proposal
πρόταση, η Α2.1.3. — sentence
προτεστάντης, ο Α2.1.1. — Protestant (masc.)
προτεστάντισσα, η Α2.1.1. — Protestant (fem.)
προφταίνω Α2.2.10. — I have time
προφυλακτήρας, ο Α2.2.7. — bumper
πρώην (ο-η-το) Α2.2.6. — ex
πρωθυπουργός, ο/η Α2.2.10. — prime minister
πρωινό, το Α2.2.8. — morning, breakfast
πρωινός-ή-ό Α2.2.7. — morning
πρωταγωνιστής, ο Α2.2.9. — leading man
πρωταγωνίστρια, η Α2.2.9. — leading lady
πρωτάθλημα, το Α2.1.1. — championship
πρωτεΐνη, η Α.2.3.12. — protein
πρώτες βοήθειες, οι Α2.1.2. — first aid
πρωτοβάθμιος-α-ο Α.2.3.13. — elementary
 πρωτοβάθμια εκπαίδευση, η Α.2.3.13. — elementary education
Πρωτομαγιά, η Α2.Π.2. — May day
πρώτον Α.2.3.12. — firstly
πρωτότυπο, το Α2.2.10. — original (n.)
πύλη, η Α2.2.7. — gate
πύργος, ο Α2.2.8. — tower
πυρετός ανεβαίνει / κατεβαίνει Α.2.3.12. — fever goes up / down
πώς πας; Α.2.3.13. — how is it going?

Ρ

ράβω Α2.2.10. — I sow
ραδιοφωνικός-ή-ό Α2.2.10. — radio (adj.)
 ραδιοφωνικός σταθμός, ο Α2.2.10. — radio station
ρακή, η Α.2.Π.3. — a kind of grapa
ρακοκάζανο, το Α.2.Π.3. — marmite where grapa is made
ράψιμο, το Α2.2.10. — sewing (n.)
ρεβίθι, το Α.2.3.12. — chick pea
ρεσιτάλ, το Α2.2.9. — recital
ρεύμα (ηλεκτρικό), το Α2.1.4. — electric current
ρίγα, η Α.2.3.11. — stripe
ρίγανη, η Α2.2.7., 3.12. — oregano
ριγέ Α.2.3.11. — striped
ρίχνω (κάποιον κάτω) Α2.1.2. — throw (somebody down)
ρόδα, η Α2.2.7. — wheel
ρόδι, το Α.2.Π.3. — pomegranate
ροδίζω Α2.Π.2. — I knead (the dough)
ροζέ, το Α.2.3.12. — rose (wine)
ρόκα, η Α.2.3.12. — arugula
ρυθμός, ο Α2.1.5. — rhythm
ρυτίδα, η Α2.1.3. — wrinkle
ρωμαϊκός-ή-ό Α2.2.8. — Roman

Σ

σαγανάκι, το (τυρί) Α.2.3.12. — fried cheese
σαν (=όπως) Α.2.Π.3. — comme
σανδάλι, το Α.2.3.11. — sandal
Σαρακοστή, η Α.2.3.12. — Great lent
σαρδέλα, η Α.2.3.12. — sardine
σβήνω Α2.1.2. — put out, extinguish
 σβήνω & κλείνω την τηλεόραση / το ραδιόφωνο Α2.2.10. — turn off the television / the radio
σειρήνα, η Α2.1.5. — siren
σέλινο, το Α.2.3.12. — celery
σεμινάριο, το Α.2.3.13. — seminar
σενάριο, το Α2.2.9. — script
σεντόνι, το Α.2.3.11. — bed sheet
σερβίρω Α.2.3.12. — I serve
σερφάρω Α2.1.1. — I surf
σετ, το Α.2.3.11. — set
σεφ, ο/η Α.2.3.12. — chef
σημαίνω Α.2.3.12. — I mean
 τι σημαίνει; Α.2.3.12. — what does it mean?
σημαντικός-ή-ό Α2.1.1. — important
σημείο (του ορίζοντα), το Α2.2.8. — point (Cartesian)
σημειώνω Α2.1.2. — I note / put down
σημερινός-ή-ό Α2.2.8. — today (adj.)
σιδερένιος-α-ο Α2.1.4. — iron
σίδερο, το Α2.1.4. — iron
σιδέρωμα, το Α.2.3.11. — ironing
σίδηρο, το Α.2.3.12. — iron
σιμά Α.2.Π.3. — close
σιμιγδάλι, το Α.2.3.12. — semolina
σίριαλ, το Α2.2.10. — serial, sitcom
σιρόπι, το Α.2.3.12. — syrup
σιτηρά, τα Α2.2.8. — wheat products
σιχαίνομαι Α2.2.10. — I detest

σιωπηλός-ή-ό A.2.3.11.	silent
σκεπάζω A.2.3.12.	I cover
σκέτος-η-ο A.2.3.12.	(coffee) without sugar
σκέψη, η A2.2.10.	thought
σκηνή, η A2.2.7.	tent
σκηνή, η A2.2.9.	stage
Λυρική Σκηνή, η A2.2.9.	lyric opera
σκηνοθεσία, η A2.2.9.	direction
σκηνοθέτης, ο A2.2.9.	director (masc.)
σκηνοθέτρια, η A2.2.9.	director (fem.)
σκι, το A2.1.2.	ski
σκλαβιά, η A2.Π.2.	slavery
σκοντάφτω A2.1.2.	I stumble
σκοπός, ο A2.2.9.	purpose
σκορ, το A.2.3.13.	score
σκορπίζω A2.2.8.	I scatter
σκοτώνομαι A2.2.8.	I get killed
σκοτώνω A2.2.6.	I kill
σκουλαρίκι, το A2.1.3.	earing
σκουπίζω A2.2.10.	sweep
σνακ, το A.2.3.12.	snack
σοβαρά A2.2.6.	seriously
σοκολάτα, η A2.1.2.	chocolate
σολομός, ο A.2.3.12.	salmon
σούβλα, η A2.Π.2.	skewer
σούπερ (βενζίνη), η A2.2.7.	premium gas, petrol
σουσάμι, το A.2.3.12.	sesame
σουτζουκάκι, το A.2.3.12.	Smyrna meatballs
σοφία, η A2.2.10.	wisdom
σπαθί, το A.2.Π.3.	sword
σπανάκι, το A.2.3.12.	spinach
σπανακόπιτα, η A.2.3.12.	spinach pie
σπάνια A2.1.4., 3.12.	rarely
σπάνιος-α-ο A2.1.5.	rare
σπάσιμο, το A2.Π.2.	breaking
σπίρτο, το A.2.3.12.	match (matches)
σπορ A2.1.3.	sport
σπουδαίος-α -ο A2.1.2.	important
σπουδές από απόσταση, οι A2.1.1.	distance learning studies
σπρέι, το A.2.3.12.	spray
στα μέτρα μου A.2.3.11.	tailored
στα εξήντα μου A2.2.10.	in my sixties
σταγόνα, η A.2.3.12.	drop (n.)
στάδιο, το A2.1.1.	stadium
σταθερός-ή-ό A.2.3.11.	wired, landline (telephone)
σταρένιος-α-ο A.2.3.12.	wheat (adj.)
σταφύλι, το A.2.3.12.	grape
στάχτη, η A2.Π.2.	ash
στέγη, η A2.2.8.	roof
στεγνός-ή-ό A.2.3.11.	dry
στεγνό καθάρισμα, το A.2.3.11.	dry cleaning
στείψιμο, το A.2.3.11.	spinning (n.)
στέκομαι A2.2.6.	I stand
στέφανα, τα A2.2.6.	wedding wreath
στεφάνι, το A2.Π.2.	wreath
στη στιγμή A.2.3.11.	at once
στη χειρότερη περίπτωση A.2.3.11.	worst case scenario
στην καλύτερη περίπτωση A.2.3.11.	at best
στιλ, το A2.1.4.	style
στίχος, ο A2.2.6.	verse
στο δρόμο A.2.3.12.	on the road
στο όνομά μου A.2.3.13.	in my name
στο χέρι (μετρητά) A.2.3.13.	cash
στοιχεία (ταυτότητας), τα A2.1.1.	personal information
στοιχίζω A.2.3.11.	I cost
στόχος, ο A.2.3.13.	goal
στραμπουλάω (-ώ) A.2.3.12.	sprain, twist
στρατηγός, ο A2.1.1.	general (n.)
στρατιώτης, ο A2.2.6.	soldier
στρογγυλός-ή-ό A2.1.3.	round (adj.)
στροφή, η (ποίημα) A.2.Π.3.	verse
στρώμα, το A.2.3.11.	mattress
στρώσιμο, το A2.2.10.	laying, setting, making (n.)
συγγραφέας, ο/η A2.2.9.	writer
συγκάτοικος, ο/η A2.1.1.	roommate (masc., fem.)
συγκεκριμένα A.2.3.11.	specifically
συγκεκριμένος-η-ο A.2.3.11.	specific
συγκέντρωση, η A2.2.9.	rally, meeting
συγκοινωνία, η A2.1.5.	public transportation
μέσα συγκοινωνίας, τα A2.1.5.	means of public transportation
συγκρίνω A.2.3.11.	I compare
σύγκρουση, η A2.1.2.	crash
σύγχρονος-η-ο A2.2.8.	contemporary
σύζυγος, ο/η A2.2.6.	husband - wife
συκιά, η A2.2.7.	fig tree
σύκο, το A.2.3.12.	fig
συλλέκτης, ο A2.2.10.	collector (masc.)
συλλέκτρια, η A2.2.10.	collector (fem.)
συλλογή, η A2.2.10.	collection
σύλλογος, ο A2.2.9.	association, club
συμβαίνει A2.2.6.	It happens
συνέβη A2.2.6.	It happened
συμβάλλω A.2.Π.3.	I contribute
σύμβαση, η A.2.3.13.	contract
συμβόλαιο, το A.2.3.11.	contract
συμβολίζω A2.2.6.	I symbolize
συμβουλή, η A2.1.5.	advice
συμμετοχή, η A2.2.7.	participation
συμπληρώνω A2.1.4.	I complete
συμφέρει A.2.3.11.	it's a better deal
με συμφέρει (κάτι) A.2.3.11	it's a better deal for me
συμφοιτητής, ο A.2.3.13.	fellow student (masc.)
συμφοιτήτρια, η A.2.3.13.	fellow student (fem.)
σύμφωνα με... A2.2.7.	according to
συμφωνητικό, το A2.1.5.	agreement
συμφωνία, η A.2.3.13.	agreement
συν / και A.2.3.11.	plus / and
συναγερμός, ο A2.1.2.	alarm
συναίσθημα, το A.2.3.11.	emotion
συναλλαγή, η A.2.3.13.	transaction
συναυλία, η A2.1.1.	concert
συνάχι, το A.2.3.12.	sinus
σύνδεση, η A2.2.10.	connection
ζωντανή σύνδεση, η A2.2.10.	live connection
συνδέω A.2.3.11.	I connect
συνδυάζω A2.1.4.	I combine
συνέντευξη, η A2.1.1.	interview
συνεργασία, η A.2.3.13.	cooperation
συνεργάτης, ο A.2.3.11.	collaborator, co-worker (masc.)
συνεργάτιδα, η (συνεργάτρια) A2.2.9.	collaborator, co-worker (fem.)
συνεχίζεται A2.2.9. [συνήθως 3ο πρόσωπο]	it is going on / continued (usually in 3rd person)
συνήθεια, η A2.2.10.	habit
συνηθισμένος-η-ο A2.2.9.	for fun
σύνθεση (μουσική), η A2.1.1.	composition (music)
συνθέτης, ο A2.2.9.	composer (masc.)
συνθέτρια, η A2.2.9.	composer (fem.)
συνθετικό, το A.2.3.11.	synthetic material
συνθετικός-ή-ό A.2.3.11.	synthetic
συνθήκη, η A.2.3.13.	condition
συνοδεία, η A.2.Π.3.	escort
συνομήλικος-η-ο A2.2.10.	peer
σύντομα A2.1.5.	soon
σύντομος-η-ο A2.1.2.	short, quick
σύντομος δρόμος, ο A2.1.2.	shortcut
σύντροφος, ο/η A2.2.6.	partner (masc. & fem.)
σύριγγα, η A.2.3.12.	syringe
συσκευασία, η A.2.3.13.	packaging
συσκευή, η A.2.3.11.	appliance
συστήνω A2.2.6.	I introduce
να σου/σας συστήσω τον/την/το... A2.2.6.	let me introduce you...
σφραγίζω A.2.3.13.	I stamp
σφυρίδα, η A.2.3.12.	grouper
σφυρίζω A2.2.9.	I whistle
σχεδιάγραμμα, το A2.1.2.	diagram
σχεδιάζω A2.2.10.	I design
σχέση, η A2.1.2.	relationship
έχω σχέση με κάποιον A2.1.2.	I am in a relationship with someone
σχετικά με A.2.3.13.	in regard to
σχήμα, το A2.1.3.	shape
σχηματίζω A.2.3.11.	form
σχηματίζω μία εντύπωση A.2.3.11.	form an opinion / get an impression
σχίσιμο, το (& σκίσιμο) A.2.3.11.	cut (n.)
σχολάω (-ώ) A2.2.9.	usual
σχολή, η A2.2.6.	(university) school, department
Σχολή Καλών Τεχνών, η A2.2.6.	School of Fine Arts
σχολικός-ή-ό A2.2.7.	school (adj.)
σώζω A2.1.2.	I save
σώζω (ένα αρχείο) A.2.3.11.	I save a document
σωστός-ή-ό A.2.3.13.	proper (adj.)
Τ	
τα έχω με κάποιον A2.2.6.	I date someone
τα θέλω όλα δικά μου A.2.3.11.	I want everything
τα πάω καλά με κάποιον A2.2.6.	I get along with someone
τα φόρτωσα στον κόκορα A.2.3.13.	I did not work at all
τα φτιάχνω με κάποιον A2.2.6.	I start a relationship with someone
τα χαλάω με κάποιον A2.2.6.	I break up with someone
ταβάνι, το A2.1.4.	ceiling
ταβερνάκι, το A2.2.6.	small tavern
ταινία (για) σινεφίλ, η A2.2.9.	film for cinephiles
ταινία δράσης, η A2.2.9.	action film
ταινία επιστημονικής φαντασίας, η A2.2.9.	science fiction film
ταινία εποχής, η A2.2.9.	period film
ταινία μεγάλου μήκους, η A2.1.2.	featured film
ταινία μικρού μήκους, η A2.1.2.	short film
ταινία περιπέτειας, η A2.2.9.	adventure
ταινία τρόμου, η A2.2.9.	horror film
ταινιοθήκη, η A2.2.9.	film archive
ταιριάζω A2.1.3.	I match, I go with
ταιριάζω (με κάποιον) A2.2.6.	I match (with someone)
τακούνι, το A.2.3.11.	heel
τακτοποίηση, η A2.2.7.	settling in
ταλαιπωρία, η A.2.3.11.	misery, discomfort, rough time
ταμπλέτα, η A2.2.9.	tablet
ταξιδιώτης, ο A2.1.4.	traveler (masc.)
ταξιδιώτισσα, η A2.1.4.	traveler (fem.)
ταξιδιωτικός-ή-ό A2.2.7.	traveling
ταραμοσαλάτα, η A.2.3.12.	taramosalata
τάρτα με φράουλες, η A.2.3.12.	strawberry tarte
τατουάζ, το A2.1.3.	tattoo
ταχυμεταφορά, η A.2.3.13.	courier
ταχύπλοο, το A2.2.7.	motorboat, speedboat
τελειόφοιτος, ο A.2.3.13.	senior student (masc.)
τελειόφοιτη, η A.2.3.13.	senior student (fem.)
τελείως A2.1.5.	totally
τελευταία A2.1.5.	lately
τελικός, ο A2.2.10.	final (game)
τελικός-ή-ό A2.2.10.	final
τέλος A2.1.4.	finally
τέλος εποχής, το A.2.3.11.	end of season
τέλος, το A.2.3.13.	tax, fee
τέλος κυκλοφορίας, το A.2.3.13.	vehicle registration fee
τέλος, το A2.1.2.	end (n.)
στο τέλος του δρόμου A2.1.2	at the end of the road
τενόρος, ο A2.1.3.	tenor
τεράστιος-α-ο A2.1.4.	huge
τέρμα, το A2.2.10.	goal
τερματοφύλακας, ο/η A2.2.10.	goalkeeper
τετράγωνο, το A2.1.3.	square (n.)
τετράγωνος-η-ο A2.1.3.	square (adj.)
τεχνικός, ο/η A.2.3.11.	technician
τζάμι, το A2.1.4.	window glass
τζιν, το A2.1.3.	jean
τζιπ, το A2.2.7.	SUV, 4x4
τζόκινγκ, το A2.1.5.	jogging
τηλεθεατής, ο A2.2.10.	television audience / viewer (masc.)
τηλεθεάτρια, η A2.2.10.	television audience / viewer (fem.)
τηλεκοντρόλ, το A2.2.10.	tele control
τηλεοπτικός-ή-ό A2.2.10.	television (adj.)
τηλεοπτικός σταθμός, ο A2.2.10.	television station
τηλεοπτική σειρά, η A2.2.10.	television series
τηλεπαιχνίδι, το A2.2.10.	quiz show
τηλεπαρουσιαστής, ο A2.2.10.	television presenter, broadcaster (masc.)
τηλεπαρουσιάστρια, η A2.2.10.	television presenter, broadcaster (masc.)
τηλεφωνία, η A.2.3.11.	telephony
τηλεχειριστήριο, το A2.2.10.	tele control
την ώρα που... A2.2.8.	while
τι είδους...; A2.2.7.	what kind...?
τι νέα; A2.2.6.	what's new?
τιμή ευκαιρίας, η A2.1.5.	bargain price
τιμή, η A2.1.1.	respect, honour
με τιμή A2.1.1	respectfully
τίμιος-α-ο A2.1.3.	honest
τιμόνι, το A2.2.7.	steering wheel
τίποτα A2.2.7.	nothing
το πολύ (το αργότερο) A.2.3.13.	at the latest
τοξικός-ή-ό A.2.3.12.	toxic
τοπίο, το A2.2.7.	landscape
τόπος κατοικίας, ο A2.1.1.	place of residence
τόσο A.2.3.11.	so, as
τόσο... όσο A.2.3.11.	as much as
τόσος-η-ο A.2.3.11.	this much, so much
τουριστικός-ή-ό A2.2.7.	tourist
τουριστικός οδηγός, ο A2.2.7.	tour guide
τουριστική αστυνομία, η A2.2.7.	tourist police
τραγωδία, η A2.2.9.	tragedy
τραπεζάκι, το A2.1.4.	small table, side table
τραπεζομάντιλο, το A.2.3.11.	tablecloth
τραυματίας, ο A2.1.2.	injured, wounded (n.)
τραυματίζομαι A2.2.6.	I get injured
τρελαίνομαι A2.1.3.	I adore
τρέξιμο, το A2.2.10.	running (n.)
τρέχω A2.1.3.	I run, I speed

τρέχει νερά Α.2.3.11.	water leak
τρίβω (στον τρίφτη) Α.2.3.12.	I grate (with the grater)
τριγωνικός-ή-ό Α2.1.3.	triangular
τρίγωνο, το Α2.1.3.	triangle
τρικυμία, η Α2.2.8.	storm
τρίμηνο, το Α.2.3.13.	trimester
τρισεκατομμύριο, το Α.2.3.11.	trillion
τρίτη ηλικία, η Α2.2.7.	old age
τριτοβάθμιος-α-ο Α.2.3.13.	tertiary
τριτοβάθμια εκπαίδευση, η Α.2.3.13.	tertiary education
τριώροφος-η-ο Α2.1.5.	three-storey
τρομάζω Α2.2.8.	I scare, startle
τρομερός-ή-ό Α2.1.1.	horrible
τρόπος, ο Α2.1.4.	way, manner
τροχός, ο Α..2.7.	wheel
τροχόσπιτο, το Α2.2.7.	trailer
τροχοφόρο (όχημα), το Α2.2.7.	automobile
τρύπα, η Α2.2.10.	hole
τσάι του βουνού, το Α2.2.7.	mountain herb
τσιγάρο, το Α.2.3.11.	cigarette
τσιγκούνης-α-ικο Α2.2.10.	stingy
τσικουδιά, η Α Α.2.Π.3.	a kind of grapa
τσιμέντο, το Α2.1.4.	cement
τσιπούρα, η Α.2.3.12.	bream
τσιρότο, το Α.2.3.12.	band aid
τυροπιτάκι, το Α.2.3.12.	small cheese pie
τύχη, η Α2.2.10.	fortune
η τύχη χαμογελάει (-ά) σε κάποιον Α2.2.10.	fortune smiles to somebody
Υ	
υαλοκαθαριστήρας, ο Α2.2.7.	windshield wiper
υγιεινά Α2.2.10.	healthy
υγρό, το Α2.2.7.	fluid
υγρά φρένων, τα Α2.2.7.	brake fluids
υγρός-ή-ό Α2.2.8.	wet
υδράργυρος, ο Α2.2.8.	mercury
ο υδράργυρος θα χτυπήσει κόκκινο Α2.2.8.	periods / intervals of sunshine
υδραυλικός-ή-ό Α2.2.8.	hydraulic
υλικό, το Α2.1.4.	material
ύμνος, ο Α.2.Π.3.	hymn
εθνικός ύμνος, ο Α.2.Π.3.	national anthem
υπαίθριος-α-ο Α2.2.7.	open air
υπέρ Α2.1.5.	pros, advantages
τα υπέρ και τα κατά Α2.1.5.	the pros and the cons
υπέρβαρος-η-ο Α2.2.10.	overweight
υπερηχογράφημα, το Α.2.3.12.	ultrasound
υπέροχα Α2.2.6.	wonderfully
υπεύθυνος-η-ο Α.2.3.13.	truthful, responsible
υπεύθυνη δήλωση, η Α.2.3.13.	affidavit of truth
υπηρεσία, η Α.2.3.13.	service
υπηρέτης, ο Α2.2.10.	servant (masc.)
υπηρέτρια, η Α2.2.10.	servant (fem.)
υπόγειος-α-ο Α2.2.9.	underground
υπόγεια διάβαση Α2.2.9	underground passage
υπογραφή, η Α2.1.1.	Signature
υπογράφω Α2.1.1.	I sign
υποδοχή (ρεσεψιόν), η Α2.2.7.	reception
υπόθεση, η Α2.2.9.	plot
υπολογίζω Α2.2.8.	I calculate
υπόλοιπος-η-ο Α2.2.10.	remaining, rest
υποτροφία, η Α.2.3.13.	scholarship
υπουργός, ο/η Α2.2.10.	minister
υποχρέωση, η Α.2.3.13.	obligation
υποχρεωτικός-ή-ό Α.2.3.13.	mandatory
υπόψη Α.2.3.13.	attention (to)
ύστερα Α2.2.10.	later
ύφασμα, το Α2.1.4.	fabric
υψηλός-ή-ό Α2.2.8.	high
υψίφωνος, η Α2.1.1.	soprano
Φ	
φάβα, η Α.2.3.12.	fava bean
φαίνομαι Α2.1.3.	I look like, I appear
φαίνεται Α2.1.3	it looks like, it seems
πώς σου φαίνεται; Α2.1.3.	do you like it?
φακή, η Α.2.3.12.	lentille
φακός επαφής, ο Α.2.3.11.	contact lens
φαλακρός-ή-ό Α2.1.3.	bald
φανάρι, το Α2.2.7.	lights
φανατικός-ή-ό Α2.2.10.	fanatic
φανερώνω Α.2.3.11.	show
φανταστικά Α2.2.6.	fantastic
φανταστικός-ή-ό Α2.2.9.	fantastic
φασκόμηλο, το Α2.2.7.	sage
φασολάδα, η Α.2.3.12.	soupe de haricots blancs
φασολάκι, τα Α.2.3.12.	green bean
φεμινιστής, ο Α2.2.6.	feminist (masc.)
φεμινίστρια, η Α2.2.6.	feminist (fem.)
φέρι-μποτ, το Α2.2.7.	ferryboat
φετινός-ή-ό Α2.2.8.	this year (adj.)
φήμη, η Α.2.Π.3.	reputation
φημισμένος-η-ο Α2.2.7.	I originate from, I come from
φθινοπωρινός-ή-ό Α2.2.8.	fall (adj.)
φίλαθλος, ο/η Α2.2.9.	sports fan
φιλανθρωπικός-ή-ό Α2.2.9.	charitable
φιλάνθρωπος-η-ο Α2.2.9.	philanthropist
φιλελεύθερος-η-ο Α2.2.9.	libertarian, liberal
φιλέλληνας, ο Α2.2.9.	philhellene
φιλία, η Α2.2.9.	friendship
φιλοδώρημα, το Α2.2.9.	tip, gratuity
φιλοζωικός-ή-ό Α2.2.10.	animal loving
φιλόζωος-η-ο Α2.2.9.	animal lover
φιλόλογος, ο/η Α2.2.9.	philologist
φιλοξενία, η Α2.2.9.	hosting
φιλόξενος-η-ο Α2.2.9.	hospitable, welcoming
φιλοπόλεμος-η-ο Α2.2.9.	bellicose, warlike
φιλοσοφία, η Α2.2.6.	philosophy
φιλόσοφος, ο/η Α2.2.6.	philosopher
φιλοχρήματος-η-ο Α2.2.9.	penurious
φλόγα, η Α2.1.1. ,1.2.	flame
στις φλόγες Α2.1.2.	in flames
φλούδι, το Α.2.3.12.	skin (fruit)
φοβάμαι Α2.1.2.	I am afraid
φόβος, ο Α2.2.9.	fear
φοιτητικός-ή-ό Α2.2.9.	student
φορητός-ή-ό Α.2.3.11.	mobile, wireless
φόρμα, η Α.2.3.12.	mold
φόρμα, η Α2.1.3.	tracksuit
φορολογικός-ή-ό Α.2.3.13.	tax (adj.)
φορολογική δήλωση, η Α.2.3.13.	tax declaration
φόρος, ο Α2.2.6.	tax
φουαγιέ, το Α2.2.9.	foyer
φουντούκι, το Α.2.3.12.	hazelnut
φουντώνω (η φωτιά) Α.2.Π.3.	flare up
φούρνος μικροκυμάτων, ο Α2.1.4.	microwave
φράση, η Α2.2.8.	phrase
φρένο, το Α2.2.7.	brake
φρόνιμος-η-ο Α2.1.4.	prudent, wise
φροντίζω Α2.2.10.	I take care
φταίω Α.2.3.11.	I am responsible, it's my fault
φτερνίζομαι Α.2.3.12.	I sneeze
φτερό, το Α2.2.6.	feather
φτηνά (φθηνά) Α2.1.5.	cheap
φτιάχνω Α2.2.6.	I make
φτιάχνει (ο καιρός) Α2.2.8.	(the weather) gets better
φτωχός, ο Α2.1.5.	poor person
φτωχός-ή/ιά-ό Α2.1.5.	poor (adj.)
φύλλο, το (πίτας) Α.2.3.12.	filo (pie dough)
φύλο, το Α2.1.1.	sex (M/F)
φυσικά Α2.2.9.	naturally
φυσική αγωγή, η Α.2.3.13.	physical education
φυσικοθεραπεία, η Α.2.3.12.	physiotherapy
φυσικός, ο/η Α2.1.5.	natural
φυσικός-ή-ό Α2.1.5.	natural
φωλιά, η Α2.2.8.	nest
φωνάζω Α2.1.1.	I call someone
με φωνάζουν Α2.1.1.	people call me
φωτεινός-ή-ό Α2.1.4.	bright
φωτιά, η Α.2.3.12.	stove
φωτίζομαι Α2.Π.2.	I enlighten
φωτίζω Α2.1.4.	I light, I illuminate
φωτοαντίγραφο, το Α.2.3.13.	photocopy
φωτογραφικός-ή-ό Α.2.3.11.	photographic
φωτογραφική μηχανή, η Α.2.3.11.	photo camera
φωτοτυπία, η Α2.1.4.	photocopy
Χ	
χαζός-ή-ό Α2.1.3.	stupid
χαϊδευτικό, το Α2.1.1.	nickname
χαίρομαι Α2.2.6.	I am happy
χάρηκα πολύ! Α2.2.6.	nice to have met you
χαίρω πολύ Α2.2.6.	nice to meet you
χαίρε! Α.2.Π.3.	hail!
χαλάει (ο καιρός) Α2.2.8.	(the weather) worsens
χαλάζι, το Α2.2.8.	hail
ρίχνει / πέφτει χαλάζι Α2.2.8.	there is a hail storm
χαλάκι του μπάνιου, το Α.2.3.11.	bath mat
χαλάω (-ώ) τον κόσμο Α2.2.10.	I make a lot of noise
χαλβάς, ο Α.2.3.12.	halvas
χαμηλά Α2.1.5.	low
χαμηλός-ή-ό Α2.1.4.	low
χαμηλά λιπαρά, τα Α.2.3.12.	low fat
χαμογελαστός-ή-ό Α2.2.10.	smiley
χαμομήλι, το Α2.2.7.	chamomile
χάνομαι Α2.2.7. (εχάθη, χάθηκε)	I get lost
χάπι, το Α2.2.8.	pill
χαράδρα, η Α2.2.7.	gorge, canyon
χαρταετός, ο Α2.1.4.	kite
χαρτί, το Α2.1.4.	paper
χαρτιά, τα Α2.1.2.	documents
χαρτιά, τα Α2.1.5.	cards
χάρτινος-η-ο Α2.1.4.	paper
χαρτοκιβώτιο, το Α.2.3.13.	card box
χαρτοκιβώτιο συσκευασίας, το Α.2.3.13.	cardboard box
χαρτοπωλείο, το Α2.1.5.	stationary store
χαρτοπώλης, ο - Α2.1.5.	stationary store owner (masc.)
χαρτοπώλισσα, η Α2.1.5.	stationary store owner (fem.)
χάσιμο, το Α2.2.10.	loss
χειμερινός-ή-ό Α2.2.8.	winter (adj.)
χειμωνιάτικος-η-ο Α2.2.8.	winter (adj.)
χειροκροτώ Α2.2.10.	I applaud
χειρότερα Α2.1.5.	worse
χειρότερος-η-ο Α2.1.5.	worse
χειροτεχνία, η Α2.2.10.	crafting
χειρουργός, ο/η Α.2.3.12.	surgeon
χερούλι, το Α.2.3.12.	handle
χερσόνησος, η Α2.Π.1.	peninsula
χίλια δυο... Α2.1.3.	a thousand, numerous
χίλια συγγνώμη! Α2.2.9. [για έμφαση όταν ζητάμε συγγνώμη]	a thousand times sorry!
χιλιάδα, η Α.2.3.11.	thousand
χιονοδρομικό κέντρο, το Α2.1.2.	ski resort
χιούμορ, το Α2.1.3.	humour
χλιαρός-ή-ό Α2.2.8.	lukewarm
χλωμός-ή-ό Α.2.3.12.	pale
χορογραφία, η Α2.2.9.	choreography
χόρτα, τα Α.2.3.12.	potherbs
χορτόπιτα, η Α.2.3.12.	potherb pie
χορτοφάγος, ο/η Α.2.3.12.	vegetarian
Χούντα, η Α2.Π.2.	Junta
χρέωση, η Α.2.3.13.	charge
χρηματιστής, ο Α2.2.10.	stockbroker (masc.)
χρηματίστρια, η Α2.2.10.	stockbroker (fem.)
χρήση, η Α.2.3.11.	usage
χρησιμοποιώ Α2.1.5.	I use
χρήσιμος-η-ο Α2.1.5.	useful
χριστιανός, ο Α2.1.1.	Christian (masc.)
χριστιανή, η Α2.1.1.	Christian (fem.)
χρονολογία, η Α2.1.1.	year (date)
χρυσός, ο Α2.1.4.	gold
χρυσός-ή-ό Α2.1.4.	golden
χτενισμένος-η-ο Α2.2.10.	combed
χτεσινός-ή-ό (χθεσινός-ή-ό) Α2.2.8.	yesterday (adj.)
χτυπημένος-η-ο Α2.1.3.	damaged
χύμα Α.2.3.12.	house (wine)
χωνάκι, το / πύραυλος, ο Α.2.3.12.	ice cream cone
χωράω (-ώ) Α2.1.4.	I fit
δε μου χωράει Α2.1.4.	something doesn't fit me
χωρίζομαι Α.2.Π.3.	I am separated
είχαμε χωρισθεί (χωρίσαμε) Α.2.Π.3.	we were separated
χωρίζω Α2.2.6.	I break up
χωρική, η Α2.2.7.	peasant (fem.)
χωρικός, ο Α2.2.7.	peasant (masc.)
χωρίς λόγο Α2.2.10.	for no reason
Ψ	
ψάθινος-η-ο Α.2.Π.3.	straw (adj.)
ψαλίδι, το Α2.2.10.	scissors
ψαλμός, ο Α2.Π.2.	psalm
ψάξιμο, το Α2.2.10.	search
ψέλνω Α2.Π.2.	I chant
ψεύτικος-η-ο Α2.2.10.	fake
ψήσιμο, το Α2.2.10.	baking, roasting
ψητό της κατσαρόλας, το Α.2.3.12.	casserole roast
ψηφιακός-ή-ό Α2.1.1.	digital
ψιχαλίζει Α2.2.8.	it drizzles
ψυγείο, το Α2.2.7.	cooler
ψυχίατρος, ο/η Α.2.3.12.	psychiatrist
ψύχρα, η Α2.2.8.	chill
ψυχρός-ή-ό Α2.2.8.	cold
Ω	
ωμός-ή-ό Α.2.3.12.	raw, uncooked
ώρα η καλή, η Α2.2.6.	"to the good hour" referring to the hour of the wedding
ωράριο (μειωμένο), το Α.2.3.13.	full time employment
ωράριο (πλήρες), το Α.2.3.13.	part time employment
ώρες γραφείου, οι Α2.1.5.	business hours
ωφέλιμος-η-ο Α.2.3.12.	useful

Περιεχόμενα - Ηχητικό υλικό A2 | Contents - Audio material A2

ΕΝΟΤΗΤΑ 1	
ΒΗΜΑ 1	
1	1.1
2	1.2.
3	1.3.
4	1.4.
5	1.5.
6	1.5.α.
7	1.6.
8	1.10.
9	1.10.α.
10	1.13.
11	1.14.
12	1.15.
13	1.16.
14	1.17.α.
15	1.17.α.
16	1.18.
17	1.22.
18	1.22.α.
ΒΗΜΑ 2	
19	2.1.
20	2.2.
21	2.3.
22	2.4.
23	2.5.
24	2.5.α.
25	2.7.
26	2.12.
27	2.12.α.
28	2.12.γ.
29	2.12.ε.
30	2.14.
31	2.15.
32	2.16.
33	2.17.
34	2.18.
35	2.20.
36	2.21.
37	2.23.α.
38	2.23.α.
39	2.25.
40	2.26.
41	2.29.
42	2.29.α.
ΒΗΜΑ 3	
43	3.1.
44	3.2.
45	3.2.α.
46	3.2.β.
47	3.2.γ.
48	3.2.δ.
49	3.2.ε.
50	3.3.
51	3.4.
52	3.5.
53	3.6.
54	3.7.
55	3.7.α.
56	3.8.
57	3.10.β.
58	3.11.
59	3.14.
60	3.15.
61	3.16.
62	3.18.α.
63	3.18.α.
64	3.19.
65	3.20.
66	3. 23.
67	3.23.α.
ΒΗΜΑ 4	
68	4.1.
69	4.2.
70	4.3.
71	4.4.α.
72	4.5.
73	4.6.
74	4.7.α.
75	4.9.
76	4.10.
77	4.11.
78	4.13.
79	4.14.
80	4.15.
81	4.17.α.
82	4.18.
83	4.19.
84	4.22.
85	4.22.α.
ΒΗΜΑ 5	
86	5.1.
87	5.2.
88	5.3.
89	5.4.
90	5.5.α.
91	5.6.
92	5.8.
93	5.8.
94	5.9.
95	5.1 0.
96	5.10.α.
97	5.13.α.
98	5.14.
99	5.15.
100	5.18.
ΠΟΛΙΤΙΣΜΟΣ 1	
101	Π1.1.
ΕΝΟΤΗΤΑ 2	
ΒΗΜΑ 6	
102	6.1.
103	6.2.
104	6.3.
105	6.4.
106	6.4.
107	6.5.α.
108	6.5.β. - γ.
109	6.5.δ. - ε.
110	6.6.
111	6.8.
112	6.9.α.
113	6.10.
114	6.11.α.
115	6.12.
116	6.13.α.
117	6.14.
118	6.14.α.
119	6.14.γ.
120	6.15.
121	6.16.
122	6.17.
123	6.18.
124	6.19.
125	6.20.
126	6.22.α.
127	6.22.α.
128	6.23.
129	6.24.
130	6.28.
ΒΗΜΑ 7	
131	7.1.
132	7.2.
133	7.3.
134	7.4.
135	7.5.
136	7.6.
137	7.7.
138	7.8.β.
139	7.9.
140	7.10.
141	7.11.
142	7.11.α.
143	7.11.β.
144	7.11.δ.
145	7.14.
146	7.15.
147	7.16.
148	7.16.β.
149	7.17.
150	7.18.
151	7.20.α.
152	7.20.γ.
153	7.21.
154	7.22.
155	7.25.
ΒΗΜΑ 8	
156	8.1.
157	8.2.
158	8.2.α.
159	8.5.
160	8.10.
161	8.11.
162	8.12.
163	8.13.
164	8.14.
165	8.16.
166	8.20.
ΒΗΜΑ 9	
167	9.1.
168	9.2.
169	9.3.
170	9.4.
171	9.5.α.
172	9.6.
173	9.7.α.
174	9.7.δ.
175	9.8.
176	9.9.
177	9.10.
178	9.11.
179	9.11.β.
180	9.11.γ.
181	9.13.
182	9.14.
183	9.17.
184	9.18.
185	9.19.
186	9.20.
187	9.21.
188	9.22.
189	9.24.
190	9.25.
191	9.26.
192	9.29.
ΒΗΜΑ 10	
193	10.1.
194	10.1.
195	10.1.
196	10.1.
197	10.2.
198	10.3.
199	10.4.
200	10.4.β.
201	10.4.δ.
202	10.4.η.
203	10.5.
204	10.6.
205	10.7.
206	10.8.β.
207	10.9.
208	10.10.
209	10.10.β.
210	10.11.
211	10.13.α.
212	10.15.
213	10.15.β.
214	10.16.
215	10.17.
216	10.18.
217	10.19.
218	10.20.
219	10.22.α.
220	10.23.α.
221	10.24.
222	10.25.
223	10.28.
224	10.28.α
Πολιτισμός 2	
225	Π2.1.
226	Π2.1.
227	Π2.2.
228	Π2.3.
229	Π2.4.
230	Π2.5.
231	Π2.5.
ΕΝΟΤΗΤΑ 3	
ΒΗΜΑ 11	
232	11.1.
233	11.2.
234	11.3.α-ζ
236	11.4.
237	11.5.
238	11.5.β.
239	11.6.
240	11.7.
241	11.8.
242	11.10.
243	11.10.α.
244	11.11.
245	11.12.α.
246	11.13.α.
247	11.14.
248	11.14.α.
249	11.15.
250	11.15.β.
251	11.16.
252	11.16.γ.
253	11.17.
254	11.18.
255	11.18.
256	11.18.
257	11.18.α.
258	11.19.
259	11.19.β.
260	11.19.γ.
261	11.19.δ.
262	11.20.
263	11.20.α.
264	11.22.
265	11.23.
266	11.26.
267	11.26.α.
ΒΗΜΑ 12	
268	12.1.
269	12.2.
270	12.3.
271	12.4.
272	12.5.
273	12.6.
274	12.7.
275	12.8.
276	12.10.
277	12.11.
278	12.12.α.
279	12.13.
280	12.14.
281	12.15.
282	12.16.
283	12.17.
284	12.18.
285	12.19.
286	12.20.
287	12.21.
288	12.22.
289	12.23.
290	12.23.α.
291	12.25.α.
292	12.26.
293	12.27.
294	12.31.
295	12.31.α.
ΒΗΜΑ 13	
296	13.1.
297	13.2.
298	13.3.
299	13.4.
300	13.5.
301	13.6.
302	13.7.
303	13.8.
304	13.9.
305	13.11.
306	13.12.
307	13.13.
308	13.14.
309	13.15.
310	13.16.
311	13.19.
312	13.20.(1-2)
313	13.20.(3)
314	13.20.(4-6)
315	13.20.(7-8)
316	13.21.
317	13.22.
318	13.23.
319	13.24.
320	13.25.α.
321	13.28.
322	13.29.
323	13.32.
324	13.32.α.
ΠΟΛΙΤΙΣΜΟΣ 3	
A	A
325	Π3.1.
326	Π3.2.
327	Π3.3.
B	B
328	Π3.1.
329	Π3.2.
330	Π3.3.